MÜNCHENER UNIVERSITÄTS-SCHRIFTEN

Katholisch-Theologische Fakultät

JOSEF HAINZ

EKKLESIA

1972

VERLAG FRIEDRICH PUSTET REGENSBURG

MÜNCHENER UNIVERSITÄTS-SCHRIFTEN

Katholisch-Theologische Fakultät

1972

VERLAG FRIEDRICH PUSTET REGENSBURG

JOSEF HAINZ

EKKLESIA

STRUKTUREN
PAULINISCHER GEMEINDE-THEOLOGIE
UND GEMEINDE-ORDNUNG

1972

VERLAG FRIEDRICH PUSTET REGENSBURG

BIBLISCHE UNTERSUCHUNGEN
HERAUSGEGEBEN VON OTTO KUSS
BAND 9

ISBN 3-7917-0343-9
Gedruckt mit Unterstützung aus den Mitteln
der Münchener Universitäts-Schriften

Copyright 1972 by Friedrich Pustet Regensburg
Gesamtherstellung: Eos Offizin St. Ottilien
Printed in Germany 1972

INHALTSVERZEICHNIS

II. Teil

Strukturen paulinischer Gemeinde-Theologie und Gemeinde-Ordnung

VORWORT

Die paulinische Ekklesiologie ist für das Selbstverständnis der Kirchen der Reformation von tragender Bedeutung geworden. Daher spielt die Verständigung über sie auch eine so wichtige Rolle im gegenwärtigen exegetischen und ökumenischen Dialog. Die vorliegende Arbeit, die 1970 von der Theologischen Fakultät der Ludwig-Maximilians-Universität in München als Dissertation angenommen wurde, will zu diesem theologischen Gespräch einen Beitrag liefern. Sie versucht keine Gesamtdarstellung der paulinischen Ekklesiologie; sie beschränkt sich darauf, ihre Ansatzpunkte und Grundstrukturen herauszuarbeiten, indem sie ganz bewußt von den konkreten Verhältnissen in den paulinischen Gemeinden ausgeht.

Die Ergebnisse werden dieses Vorgehen rechtfertigen müssen; doch da die Ekklesiologie nirgendwo bei Paulus explizit begegnet, sondern nur in einer Vielfalt von Bezügen sich äußert, aus denen sie erfragt werden muß, gibt es schwerlich einen zuverlässigeren Weg zu ihrer Entfaltung als den über die konkreten Auseinandersetzungen des Paulus mit seinen Gemeinden.

Außer Betracht bleiben dabei 2 Thess, Kol, Eph und Past. Da ihre Herkunft umstritten ist, würde ihre Einbeziehung nur unnötige Schwierigkeiten mit sich bringen. Die Ergebnisse der Arbeit werden auch dieses Vorgehen rechtfertigen; denn gerade die Ekklesiologie ist ein entscheidendes Kriterium zur zeitlichen und sachlichen Abgrenzung dieser und anderer neutestamentlicher Schriften.

Um den Umfang der Arbeit zu reduzieren, wurden die ausführlichen Erörterungen zu Gal 6, 6 und Phil 1, 1 ausgeklammert. Die Ergebnisse werden im Folgenden häufig schon einbezogen, auch wenn zunächst nur darauf verwiesen werden kann, daß sie zu einem späteren Zeitpunkt veröffentlicht werden.

Zur Zitation muß gesagt werden, daß die verwendete Literatur nur im Aufriß der Problemstellung mit vollständigen Angaben versehen ist; ansonsten werden meist Abkürzungen verwendet, welche deutlich genug sind, daß man das Fehlende im Literaturverzeichnis auffinden kann.

Es bleibt mir noch die angenehme Pflicht, herzlich Dank zu sagen: Zu allererst Herrn Professor Dr. Otto Kuss, der mich mit dieser Arbeit betraut hat und ihre Aufnahme in die von ihm herausgegebene Reihe »Biblische Untersuchungen« ermöglichte; aber auch dem Verlag F. Pustet, Regensburg, und der EOS Offizin, St. Ottilien, für die Mühen der Drucklegung; dem Erzbischöflichen Ordinariat und der Universität München für ihre wirksame Unterstützung bei der Finanzierung.

Bei den vielfältigen Korrekturarbeiten, bei der Erstellung des Druckmanuskripts und der Register waren mir Freunde aus dem Studienkolleg des Priesterseminars München behilflich, v. a. Walter Habersetzer, Bernhard Haßlberger, Wendelin Bleß und Josef Six. Die Schreibarbeiten teilten sich Frau Erni Pertold und Frau Grete Schnellrieder.

Ihnen und allen, die ich in diesen Jahren im Priesterseminar München ein Stück ihres Weges begleiten durfte und die mir zu Freunden geworden sind, widme ich dankbar dieses Buch.

München, im Juni 1972

Josef Hainz

EINLEITUNG

AUFRISS DER PROBLEMSTELLUNG

Zu den umstrittensten Problemen in der Erforschung des Neuen Testaments gehört heute noch die »Entstehung und Entwickelung der Kirchenverfassung und des Kirchenrechts«[1]. In seinem Buch gleichen Titels hat sich A. v. Harnack 1910 mit der Theorie R. Sohms über Wesen und Ursprung des Katholizismus[2] auseinandergesetzt, die er neben der katholischen als »die geschlossenste« bezeichnete, »die jemals aufgestellt worden ist«[3].

Bei aller Bewunderung für den Grundgedanken Sohms, »die älteste Christenheit kannte nur den religiösen Begriff der Kirche«[4], kommt er doch zu dem Ergebnis: »Die Theorie als exklusive ist in sich unhaltbar, und sie scheitert auch an geschichtlichen Tatsachen«[5]. »Wer unbefangen das Neue Testament liest, wird schwerlich auf den Gedanken kommen können, die Urzeit habe ›die rechtlich einheitliche Ortsgemeinde‹ nicht gekannt«[6].

Dieser Streit um die Verfassungs- und Rechtsformen der frühesten Kirche ist bis heute an kein Ende gekommen. Den Grund dürfte L. Brun zutreffend benennen: »Was aus den paulinischen Briefen und anderen Quellen geschlossen werden kann, ist sehr spärlich. Um so weiter ist der Raum für Vermutungen, um so größer die Versuchung zu Konstruktionen«[7].

Hinzu kommt, daß die Argumentationen für und wider häufig von engagierten konfessionellen Interessen bestimmt sind, die den Blick für die Realitäten des Neuen Testaments bisweilen stark zu trüben imstande sind[8]. Diese Argu-

---

[1] A. v. Harnack, Entstehung und Entwickelung der Kirchenverfassung und des Kirchenrechts in den zwei ersten Jahrhunderten nebst einer Kritik der Abhandlung R. Sohms: »Wesen und Ursprung des Katholizismus« und Untersuchungen über »Evangelium«, »Wort Gottes« und das trinitarische Bekenntnis, Leipzig 1910.

[2] R. Sohm, Wesen und Ursprung des Katholizismus (Abhandlungen der philosophisch-historischen Klasse der Königl. Sächsischen Gesellschaft der Wissenschaften, Band 27, Nr. 10), Leipzig–Berlin 1909; unveränderter reprographischer Nachdruck der 2., durch ein Vorwort vermehrten Ausgabe, Leipzig–Berlin 1912, Wissenschaftliche Buchgesellschaft Darmstadt 1967.

[3] A. a. O. 122.

[4] Sohm a. a. O., im Vorwort zur 2. Auflage 1912, IV; vgl. XXXII: »Die Kirche Christi ist *frei vom Kirchenrecht*«.

[5] A. a. O. 143.

[6] A. a. O. 168.

[7] L. Brun, Der kirchliche Einheitsgedanke im Urchristentum, in: ZSTh 14 (1937) 94.

[8] Vgl. L. Goppelt, Die apostolische und nachapostolische Zeit (Die Kirche in ihrer Geschichte, Ein Handbuch, hg. v. K. D. Schmidt und E. Wolf, Band I), Göttingen 1962, 121; er kennzeichnet a. a. O. A. 1 K. E. Kirk, The Apostolic Ministry, London 1946 (²1947), als »traditionell anglikanisch«; T. W. Manson, The Church's Ministry, London 1948 (²1956), als »kongregationalistisch«; J. K. S. Reid, The Biblical Doctrine of the Ministry (drei Vorlesungen), Edinburgh–London 1955, als »presbyterianisch«; ähnliche Qualifizierungen finden sich in seiner Literaturangabe a. a. O. 1ff A. 1–13; vgl. etwa J. Lebreton und J. Zeiller, Histoire de l'Église I, Paris 1938 (²1946), »kath. konservativ« usf. (a. a. O. 3 A. 13).

mentationen beruhen dann »mehr auf der Theologie als auf der Geschichte des Urchristentums und der eigentlichen Exegese«[1].

Es würde einen zu breiten Raum einnehmen müssen, wollte man — und sei es nur in großen Zügen — die Geschichte der Behandlung des Problems der Urkirche und der Entstehung bzw. Entfaltung ihrer Verfassungs- und Rechtsformen beschreiben[2]. Es soll deshalb im Folgenden nur der Versuch gemacht werden, an Hand neuerer Arbeiten und ihrer methodischen Ansätze den Problemhorizont deutlich zu machen. Die Auswahl beschränkt sich dabei auf Werke mit exemplarischen Standpunkten, die es ermöglichen, den eigenen Standort und den von mir gewählten methodischen Ansatz zu verdeutlichen.

Ziel der vorliegenden Arbeit ist es, die paulinische Ekklesiologie wenigstens in Umrissen zu erheben und den Beitrag des Paulus und seiner Gemeinden zur Geschichte der kirchlichen Verfassung näher zu bestimmen.

Zwar hat E. Käsemann erst kürzlich behauptet, »daß die thematische Behandlung des Kirchenbegriffs nicht paulinisch genannt werden darf«[3], doch kann das wohl nicht heißen, daß es nicht legitim wäre, nach der Ekklesiologie bei Paulus zu fragen und den Ansätzen von Recht und Ordnung in seinen Gemeinden nachzugehen. Die Schwierigkeit dabei ist allerdings von E. Käsemann scharf gesehen: »Alles Wichtige in seiner Ekklesiologie äußert sich ... in den Relationen der Christologie[4] zu Geist, Wort, Dienst, Glaube, Sakrament und den konkreten Verhältnissen in den Gemeinden«[5].

Die gestellte Aufgabe ist demnach: die paulinische Ekklesiologie aus eben diesen Relationen herauszuarbeiten, ohne sie ungerechtfertigt zu verselbständigen.

Wie schwierig es ist, dieser Aufgabe gerecht zu werden, und wie sehr schon der methodische Ansatz über die Ergebnisse entscheidet, soll nun zunächst in der angedeuteten Weise an ausgewählten Beispielen dargestellt werden. Ausgegangen wird darin in der Regel von der äußeren Verfaßtheit der Gemeinden, den Elementen paulinischer Gemeindeverfassung, bisweilen aber auch von ekklesiologischen Konzeptionen, in die sich jene Elemente einzuordnen haben.

---

[1] F. M. Braun, Neues Licht auf die Kirche, Die protestantische Kirchendogmatik in ihrer neuesten Entfaltung, Einsiedeln–Köln 1946, 165.

[2] Vgl. dazu neben den älteren Forschungsberichten (bei E. Loening, Die Gemeindeverfassung des Urchristentums, Eine kirchenrechtliche Untersuchung, Halle 1889, und St. v. Dunin–Borkowksi, Die neueren Forschungen über die Anfänge des Episkopats [Ergänzungshefte zu StML 77], Freiburg 1900) vor allem O. Linton, Das Problem der Urkirche in der neueren Forschung, Eine kritische Darstellung (UUÅ), Uppsala 1932; Braun a. a. O. und W. G. Kümmel, Das Urchristentum, in: ThR 14 (1942) 81–95. 155–173; 17 (1948/49) 3–50. 103–142; 18 (1950) 1–53; 22 (1954) 138–170. 191–211.

[3] E. Käsemann, Paulinische Perspektiven, Tübingen 1969, 209.

[4] A. a. O. 203 stellt Käsemann fest: »Man ist sich heute weithin darüber einig, daß die paulinische Ekklesiologie zutiefst Christologie ist« und zitiert dazu Wikenhauser, Die Kirche 89; Percy, Der Leib Christi 45; Best, One Body 191ff; Minear, Bilder der Gemeinde 210; vgl. a. a. O. A. 47.

[5] A. a. O. 205.

1. »Der auffallendste Zug der paulinischen Gemeindeanschauung ist« — nach H. v. Campenhausen[1] — »das völlige Fehlen einer rechtlichen Ordnung, die grundsätzliche Ausschaltung jeder formellen Autorität innerhalb der Einzelgemeinde«. »In dieser Grundsätzlichkeit liegt das Neue gegenüber dem bloßen Fehlen verfassungsmäßigen Denkens, das die Anfänge der Kirche überhaupt kennzeichnet«[2]. Als Beweis für dieses Fehlen betrachtet er die »Unmöglichkeit, die verschiedenen führenden Personen des Urchristentums neben- oder übereinander in einer bestimmten Ordnung unterzubringen, so daß eine gegenseitige Abgrenzung ihrer amtlichen Rechte und Pflichten erfolgen könnte«[3]. Paulus gehe darüber grundlegend hinaus: »Die Ablehnung von Zwang und Gewalt, die Forderung der Freiheit und Freiwilligkeit, des Zusammenstehens, die Einheit und das geistliche Wesen aller Führung findet man im Urchristentum auch sonst[4]. Paulinisch ist aber die Radikalität, mit der diese Haltung christologisch begründet . . . wird«[5]. Seine »Betonung des nicht mehr menschlichen, neuen Seins der Kirche«, die »Verwerfung der äußeren Satzungen und Gebote«, sein »Bekenntnis zur Liebe, zur Demut und Freiheit« sei daher in eins zu sehen mit seiner prinzipiellen Ablehnung »jeder formellen Autorität«[6].

H. v. Campenhausen zeichnet hier zweifellos ein gegenüber R. Sohm nur modifiziertes Bild[7] von paulinischer Gemeindeanschauung und paulinischer »Auffassung der Gemeindeordnung als freier Gemeinschaft, die sich im lebendigen Zusammenspiel der geistlichen Gaben und Dienste ohne amtliche Vollmacht und verantwortliche ›Älteste‹ entfaltet«[8]. Der Standpunkt Sohms wird noch deutlicher sichtbar, wenn H. v. Campenhausen sagt: »Die Gemeinde ist bei Paulus also nicht als eine wie immer verfaßte, gestufte und geschichtete Organisation gesehen, sondern als ein einheitlicher, lebendiger Kosmos freier geistlicher Gaben«[9].

Besondere Aufmerksamkeit verdient die Rolle des Geistes in diesem Bild paulinischer Ekklesiologie: er wird für Paulus »*zum organisierenden Prinzip der christlichen Gemeinde*. Dazu bedarf es keiner bestimmten Ordnung mit ihren Vorschriften, ihren Geboten und Verboten. Derartiges gibt es bei Paulus für die Einzelgemeinde ebensowenig wie für die Kirche im Ganzen. Sie wird nicht

---

[1] H. v. Campenhausen, Kirchliches Amt und geistliche Vollmacht in den ersten drei Jahrhunderten (BHTh 14), Tübingen [2]1963, 75 f.
[2] A. a. O. A. 1.
[3] A. a. O. 30.
[4] Darüber äußert sich H. v. Campenhausen ausführlicher in seinem Aufsatz: Recht und Gehorsam in der ältesten Kirche, in: ThBl 20 (1941) 279–295, v. a. 282 ff.
[5] v. Campenhausen, Kirchliches Amt 75.
[6] A. a. O. 76.
[7] Vgl. Goppelt, Die apostolische und nachapostolische Zeit 128: »Die Verfassung, die Paulus vertritt, war nicht, wie von R. Sohm bis H. v. Campenhausen oft behauptet wurde, rein pneumatisch-charismatisch. Sie enthielt vielmehr bereits nach dem 1. Kor ein rechtlich-institutionelles Element«. Zu v. Campenhausens Buch selbst sagt er a. a. O. A. 23: »Hier wird Paulus nahezu der pneumatische Perfektionismus unterschoben, den er im 1. Kor gerade ablehnt«.
[8] v. Campenhausen, Kirchliches Amt 76.
[9] A. a. O. 69; vgl. die Nähe v. Campenhausens zu Sohm in: K. Müller – H. v. Campenhausen, Kirchengeschichte I, Tübingen [3]1941, 93 ff.

soziologisch verstanden oder gesehen, und *der Geist, der sie regiert, betätigt sich nicht im Rahmen einer bestimmten Kirchenordnung oder -verfassung*«[1].

2. Demgegenüber vergleiche man das Bild der urkirchlichen Verhältnisse bei M. Kaiser und seine Auffassung von der »Einheit der Kirchengewalt«[2]. Er bestimmt das Wesen aller kirchlichen Gewalt als in der Vollmacht Jesu und in der Vollgewalt der Apostel gründend und versucht, diese sich entfaltende Kirchengewalt im Lichte der urkirchlichen Ordination und Verfassung nachzuzeichnen. Er kommt dabei zu folgendem Schluß[3]:

»Jesus Christus hat den Aposteln ihre Gewalt nicht um ihrer eigenen Person willen, sondern in Hinordnung auf die Kirche gegeben. Ihre Gewalt ist eine Funktion der Kirche als Volk Gottes. Als solche lebt sie auch nach dem Tod der Apostel in der Kirche fort. Ursprung, Inhalt und Ziel der kirchlichen Gewalt ist göttlich. Wie der Vater den Sohn in die Welt gesandt hat, so gab dieser seine Sendung an Menschen weiter, damit diese an seiner Statt durch Wort und Sakrament die ganze Menschheit zum Vater führen. Entsprechend der rechtlichen Struktur des Gottesvolks hat der Herr die Gewalt der Kirche *in die rechtliche Form der Stellvertretung* gekleidet. Wer als Stellvertreter gesandt ist, kann in verschiedenem Umfang mit der Vollmacht des Sendenden ausgestattet werden, ohne daß dessen Gewalt dadurch in ihrem Wesen und Charakter eine Veränderung erfährt. Während die Apostel der Gesamtkirche gegenüber in allem den Herrn repräsentieren, ist die Vollmacht der übrigen Sendungsträger örtlich und teilweise auch auf bestimmte Funktionen begrenzt. Der Bischof steht an Stelle des Herrn in seiner Ortskirche, die Presbyter vermögen nur in seinem Auftrag dessen Stelle einzunehmen. Der Bischof kann sie zu allen ihm eigenen Aufgaben heranziehen. Die Diakone verwirklichen in ihren dienenden Funktionen den Dienst Christi. *Wer in der Sendung des Herrn steht* — durch unmittelbare Bevollmächtigung oder durch Vermittlung des Gottesgeistes in der sakramentalen Handauflegung —, *hat Anteil an der einen Gewalt des Gottmenschen Jesus Christus.*« In dieses einheitliche Bild fügen sich bei M. Kaiser die paulinischen Aussagen ohne weiteres ein.

3. Diese beiden — als Beispiele herausgegriffenen — Positionen kennzeichnen hinreichend die Schwierigkeiten, die urkirchlichen Sachverhalte historisch zuverlässig nachzuzeichnen und vor allem das Verhältnis von Amt und Charisma, Geist und Recht so zu bestimmen, daß das Resultat allgemeine Anerkennung finden könnte.

Beide Arbeiten sind keineswegs dogmatische oder primär apologetische Abhandlungen, beide haben durchaus historisches und — wenn auch nicht in vergleichbarem Maß — exegetisches Interesse[4].

---

[1] A. a. O. 62 (Hervorhebungen von mir).
[2] M. Kaiser, Die Einheit der Kirchengewalt nach dem Zeugnis des Neuen Testamentes und der Apostolischen Väter (MThS, III. Kanonistische Abteilung, Band 7), München 1956.
[3] A. a. O. 202 (1. Hervorhebung von mir).
[4] Bei v. Campenhausen überwiegt das historische, bei Kaiser das rechtsgeschichtliche Interesse; exegetische Sachverhalte werden entsprechend ausgewählt, nicht selten auch diesen Interessen dienstbar gemacht.

Methodisch haftet allerdings beiden Arbeiten ein und derselbe Fehler an: beide gehen von einem vorgefaßten Entwurf aus und bedienen sich der neutestamentlichen Quellen weithin nur zu Belegzwecken[1]. So imponierend die Darstellung H. v. Campenhausens ist, so wenig läßt sich übersehen, daß er Amtsverständnis und Kirchenverfassungsfragen im Neuen Testament einseitig von den paulinischen Hauptbriefen her bestimmt sein läßt und im übrigen die Geschichte eines nicht durchgehaltenen paulinischen Verständnisses schreiben zu müssen scheint[2], wobei er nicht nur einen Teil des Neuen Testaments in diese Geschichte des Abfalls zum sogenannten »Frühkatholizismus«[3] einbeziehen muß, sondern auch bei Paulus selbst Abstriche vorzunehmen gezwungen ist, wie an Phil 1, 1 im besonderen noch zu zeigen sein wird.

Seine Arbeit ist ebenso eindeutig »protestantisch«[4], wie Kaisers Arbeit »katholisch«.

Auch dessen These von der »Einheit der Kirchengewalt« läßt sich weder historisch noch exegetisch überzeugend begründen. Sie übersieht die tatsächlich bestehende — und theologisch sicher nicht unbedeutsame — Mannigfaltigkeit der frühen Ansätze kirchlicher bzw. gemeindlicher Ordnungen und ekklesiologischer Konzeptionen im Neuen Testament[5] und postuliert eine zugrundeliegende Einheit, die frühestens im 1. Clemensbrief sich ankündigt. Clemens stützt »das Recht der Amtsträger zum erstenmal auf den Gedanken, daß dieses Amt auf die Apostel zurückginge und darum zu respektieren sei: Gott sandte Christus, Christus die Apostel, und die Apostel setzten die ersten Bischöfe und Ältesten ein«[6]. Nach Clemens besteht also in der Tat eine »Einheit der Kirchengewalt«; aber diese Auffassung ist das Ergebnis einer längeren Entwicklung.

Konfessioneller Positivismus belastet also die Auseinandersetzungen um »kirchliches Amt und — bzw. oder — geistliche Vollmacht«.

Seit der Kontroverse zwischen A. v. Harnack und R. Sohm scheint es überdies in der nahezu unübersehbaren Literatur zu diesem Thema nur noch um Modifikationen von deren kontradiktorischen Standpunkten zu gehen. Sie lassen sich nun gleichwohl nicht als »protestantisch« und »katholisch« kennzeich-

---

[1] Zu v. Campenhausens Buch vgl. die Besprechung von O. Kuss, Kirchliches Amt und freie geistliche Vollmacht, in: Auslegung und Verkündigung I, Regensburg 1963, 271–280.

[2] Vgl. Kuss a. a. O. 278f. Zur Auffassung v. Campenhausens vgl. G. Friedrich, Geist und Amt, in: WuD N. F. 3, Bethel 1952, 85; E. Schweizer, Gemeinde und Gemeindeordnung im Neuen Testament (AThANT 35), Zürich ²1962, 94. 151.

[3] Vgl. E. Käsemann, Paulus und der Frühkatholizismus, in: Exegetische Versuche und Besinnungen II, Göttingen ²1965, 239–252; zuerst veröffentlicht in: ZThK 60 (1963) 75–89; W. Marxsen, Der »Frühkatholizismus« im Neuen Testament (BSt 21), Frankfurt 1964.

[4] Vgl. Kuss a. a. O. 272. 277ff.

[5] Vgl. Schweizer a. a. O. 3: A. Die Konzeption Jesu; B. Die Konzeption der Urgemeinde; C. Die Konzeption des Paulus; D. Die Konzeption des Johannes und E. Die Konzeption in den apostolischen Vätern — und jeweils ihre verschieden ausgeprägten »Nachwirkungen«.

[6] v. Campenhausen, Kirchliches Amt 171.

nen[1]; sie sind vielmehr bestimmt von dem sachlichen Spannungsverhältnis zwischen Amt und Charisma, Geist und Recht in der Kirche[2], wobei entweder das eine oder das andere betont, meist aber das eine zum anderen in Gegensatz gebracht wird.

Katholische Ausleger neigen eher dazu, den Texten Ansätze einer später sich entwickelnden Ämterhierarchie zu entnehmen, oder auch — wie das krasse Beispiel von B. Hennen zeigt[3] — solche in die Texte einzutragen. Nicht weniger fragwürdig ist der entgegengesetzte Versuch, alle Ansätze von Amts- und Verfassungsformen aus dem Neuen Testament eliminieren zu wollen[4].

4. Nicht die Ergebnisse — sei es hierarchisch strukturiertes Amt einerseits oder »pneumatische Demokratien«[5] andererseits —, sondern die Methoden, sie zu gewinnen, scheinen zunächst einmal in Frage stehen zu müssen. Die Entscheidung für den methodischen Ansatz entscheidet weithin auch schon über die Ergebnisse.

Ein anschauliches Beispiel gibt W. Michaelis mit seiner Auffassung vom Ältestenamt im Neuen Testament[6]. Er zeichnet — ausgehend von den Ältesten der Jerusalemer Urgemeinde — ein einheitliches Bild des Ältestenamts im Neuen Testament, das zwar Differenzierungen nicht ausschließt, aber keinen grundsätzlichen Unterschied erkennen läßt zwischen den Ältesten in Jerusalem, Antiochia oder in den Gemeinden des Paulus etwa.

Auch wo er die Benennung von $\pi\varrho\varepsilon\sigma\beta\acute{\upsilon}\tau\varepsilon\varrho\sigma\iota$ vermißt, wie in 1 Kor 12, 28 ff, läßt er zwar verschiedene Erklärungen als erwägenswert gelten, doch auszuscheiden sei die Vermutung, der Aufbau der paulinischen Gemeinden sei nicht überall gleich gewesen; sicher habe es Stadien der Entwicklung gegeben; das

---

[1] Wie das Beispiel Sohm – Harnack deutlich macht.

[2] Vgl. dazu v. a. H. D. Wendland, Geist, Recht und Amt in der Urkirche, in: Archiv für evangelisches Kirchenrecht, Band 2, Heft 5, Berlin 1938, 290, der es sich zur Aufgabe machte, »den Dualismus von Geist und Amt, Charisma und Recht zu überwinden«; und Friedrich, Geist und Amt 85: »Die Spannung zwischen Geist und Amt ist schon im NT vorhanden«.

[3] B. Hennen, Ordines sacri, Ein Deutungsversuch zu 1 Kor 12, 1–31 und Röm 12, 3–8, in: ThQ 119 (1938) 427–469; dazu v. Campenhausen, Kirchliches Amt 71 A. 3; vgl. ferner v. Campenhausen a. a. O. 30 A. 4, wo dieser sich gegen die in ähnlicher Weise positivistisch vorgehende Arbeit von P. Gaechter, Jerusalem und Antiochia, Ein Beitrag zur urkirchlichen Rechtsentwicklung, in: ZKTh 70 (1948) 1–48, wendet.

[4] Goppelt, Die apostolische und nachapostolische Zeit 127 f, betont, daß man gegenüber all diesen Versuchen, die paulinischen Verfassungsformen als »rein pneumatisch-charismatisch« zu bestimmen und sie damit ihres rechtlichen Charakters gänzlich zu entkleiden, an der Grundauffassung A. v. Harnacks festhalten müsse, »daß es in der Kirche von Anfang an rechtliche Ordnungen gab und geben mußte« (a. a. O. A. 22). Goppelt dürfte auch darin Recht haben, wenn er fortfährt: »Wir müssen nicht nur wie Bultmann, Theol. § 51 sagen, daß die eschatologisch-pneumatische Offenbarung historisch notwendig geschichtliche Traditionen bildet, sondern daß sie ihrem Wesen nach als geschichtliches Zeugnis ergeht *und daß die Kirche ihrem Wesen nach nicht nur eschatologisch-pneumatisch, sondern geschichtlich-leibhaftig ist*« (Hervorhebung von mir).

[5] v. Harnack, Entstehung und Entwickelung 34 ff.

[6] W. Michaelis, Das Ältestenamt der christlichen Gemeinde im Lichte der Heiligen Schrift, Bern 1953.

uneinheitliche Bild könne aber niemals das »Ältestenamt« betroffen haben, das nach Apg 14, 23 überall als erstes notwendig gewesen sei (vgl. Tit 1, 5)[1]. Michaelis betrachtet das Neue Testament als eine Einheit, übersieht jedoch die relative Eigenständigkeit seiner Teile. Auch wenn das Fehlen der Presbyter bei Paulus[2] sich einer eindeutigen Erklärung entzieht[3], darf man ihre Existenz nicht einfach voraussetzen[4]; das hieße, das postulierte Ergebnis, damit es erhoben werden kann, in die Texte eintragen.

Den gleichen Vorbehalt wird man aber allen ähnlichen Bemühungen gegenüber anbringen dürfen, die den Versuch machen, »vom Bekannten zum Unbekannten zurück«[5] gültige Schlußfolgerungen zu ziehen. Dabei kann es keinen Unterschied machen, ob man wie H. Lietzmann behauptet, daß alle »Erörterung über die Entstehung der altchristlichen Ämter . . . von der Didache auszugehen« habe, »die allein ein vollkommen klares und unsere übrigen Quellen aufhellendes Bild« liefere[6], ober ob man vom 1. Clemensbrief aus die Schriften des Neuen Testaments in dieser Hinsicht beleuchtet findet[7].

Noch weniger verheißungsvoll erscheint der Weg, von den verschiedenen häretischen Gemeinschaften her[8], etwa aus dem Bild, das Tertullian[9] von den (möglicherweise) marcionitischen Gemeinden gibt, Rückschlüsse auf die älteste christliche Verfassungsgeschichte ziehen zu wollen[10].

Nicht, daß solche Schlüsse gänzlich unmöglich wären; man wird sich nur hüten müssen, vorschnell Beweise konstatieren zu wollen, wo es sich allenfalls um begründete Vermutungen handelt und handeln kann.

Wie die Behandlung der Frage des Ältestenamtes im Neuen Testament bei Michaelis zeigt[11], ist nicht einmal das Neue Testament als Ganzes, noch sind die Aussagen der Apostelgeschichte oder der Pastoralbriefe im besonderen geeignet,

---

[1] Vgl. Michaelis a. a. O. 54ff, v. a. 58; ähnlich B. H. Streeter, The primitive Church, London 1929, 68. 76ff.

[2] Vgl. H. Greeven, Propheten, Lehrer, Vorsteher bei Paulus, Zur Frage der »Ämter« im Urchristentum, in: ZNW 44 (1952/53) 40f; Schweizer, Gemeinde und Gemeindeordnung 90; v. Campenhausen, Kirchliches Amt 76.

[3] Greeven deutet a. a. O. 41 das Schweigen des Paulus als »eine deutliche Absage«, eine Ablehnung des Instituts der Ältesten als »der Bewahrenden, Zurückschauenden«; vgl. Schweizer a. a. O.

[4] Vgl. Michaelis a. a. O. 42f. 54ff. 64. 88; ferner Kaiser, Die Einheit der Kirchengewalt 100.

[5] Schweizer a. a. O. 11 A. 26; er bezeichnet die Berechtigung dieses methodischen Grundsatzes mit Recht als »höchst fraglich«.

[6] H. Lietzmann, Zur altchristlichen Verfassungsgeschichte, in: ZWTh 55 (1914) 97–153, hier 98.

[7] Vgl. G. Dix, The Ministry in the early Church, in: K. E. Kirk, The Apostolic Ministry, London ²1947, 183–303, v. a. 253–266. Er verfährt dabei bewußt nach dem von Schweizer a. a. O. 11 A. 26 abgelehnten Grundsatz: »to investigate the partially unknown from the known« (a. a. O. 191).

[8] Vgl. v. Harnack, Entstehung und Entwickelung 106f.

[9] Vgl. Tertullian, de praescript. haeret. 41f.

[10] So Sohm, Wesen und Ursprung des Katholizismus 64 A. 74, und schon früher in: Kirchenrecht I, Leipzig 1892, 119 A. 80; vgl. O. Scheel, Zum urchristlichen Kirchen- und Verfassungsproblem, in: ThStKr 85 (1912) 403–457, hier 444.

[11] Gleiches gilt natürlich von der durch Kaiser für das ganze Neue Testament behaupteten »Einheit der Kirchengewalt«.

das Problem der Anfänge der kirchlichen Verfassung zu klären[1]. Apg und Past
spiegeln jeweils ein gewisses Stadium der Entwicklung von Kirchenverfassun-
gen bzw. einer sich entwickelnden Kirchenverfassung. So wird z. B. in den
Past »überall ... sichtbar, daß die Gemeinde schon eine längere Entwicklung
hinter sich hat und eine ebensolche vor sich sieht, und daß sie sich dessen bewußt ist«[2]. Die Apg wiederum unternimmt ganz offensichtlich den Versuch,
die verschiedensten Elemente und Strukturen kirchlicher Gemeindeordnung zu
harmonisieren. So wird in Apg 20, 28 von den Presbytern gesagt, »daß sie der
Heilige Geist zu ›Bischöfen‹ (episkopoi = Aufseher, Hüter) bestellt habe«[3].
Dazu wird man vermutlich mit H. Conzelmann sagen dürfen: »Verfassungs-
geschichtlich spiegelt unsere Stelle die Verschmelzung des paulinischen Ge-
meindetyps (Episkopen und Diakone) mit der Ältestenverfassung«[4].

Wie immer diese wechselseitigen Bezüge neutestamentlicher Schriften im
einzelnen zu deuten sein mögen, die Unterschiede, die sich zwischen den Auffassungen von Gemeinde und Gemeindeordnung bei Paulus einerseits und jenen
in Apg bzw. Past andererseits erheben lassen, wird man heute nicht mehr verharmlosen dürfen; es ist nach ihrem jeweiligen historischen Ort und ihren
theologischen Anliegen zu fragen, auch wenn dabei die Schriften des Neuen
Testaments oft eben jenes nicht enthalten, was man ihnen »zu entnehmen

---

[1] Vgl. dazu v. a. J. Roloff, Apostolat — Verkündigung — Kirche, Ursprung,
Inhalt und Funktion des kirchlichen Apostelamtes nach Paulus, Lukas und den
Pastoralbriefen, Gütersloh 1965; zur Apg vgl. die methodischen Vorbemerkungen
a. a. O. 169–172; zu den Past die Ortsbestimmung a. a. O. 236–239.

[2] Schweizer, Gemeinde und Gemeindeordnung 68; vgl. Brox, Die Pastoral-
briefe (RNT 7, 2), Regensburg [4]1969, 42–46: »Züge eines gegenüber dem sonstigen
Bild der Paulusbriefe fortgeschrittenen Stadiums der Institutionalisierung und
Konsolidierung« (a. a. O. 42).

[3] A. Wikenhauser, Die Apostelgeschichte (RNT 5), Regensburg [4]1961, 234; vgl.
dazu v. a. H. Conzelmann, Die Apostelgeschichte (HNT 7), Tübingen 1963, 118f,
und E. Haenchen, Die Apostelgeschichte (MKK 3), Göttingen [14]1965, 128–130. 525:
»Zur Zeit des Lukas herrscht also die presbyterianische Gemeindeverfassung nach
jüdischem Muster«.
Wikenhauser verunklart jedoch den lukanischen Harmonisierungsversuch durch
den Hinweis auf 1 Kor 12, 28; Eph 4, 11 in ähnlicher Weise wie Michaelis, Das
Ältestenamt 44–65; vgl. dazu die Kritik bei Roloff a. a. O. 237 A. 5: »Das Frag-
würdige dieses Ansatzes ist, daß Michaelis die Lösung bereits präjudiziert, indem
er die Ältesten-Aussagen der Apg (14, 23; 20, 28) und der Past promiscue mit
Ämterstellen aus den ›echten‹ Paulinen interpretiert. Es überrascht darum ebensowenig, wie es überzeugt, wenn er so zu der Ansicht gelangt, in den letzteren seien
die Presbyter nur zufällig nicht erwähnt, jedoch stets, wie etwa in 1 Kor 12, 28,
vorausgesetzt«.

[4] Conzelmann a. a. O. 119, mit Hinweis auf v. Campenhausen, Kirchliches Amt
87ff.
Zum Problem der Verschmelzung ursprünglich verschiedener Organisationsfor-
men vgl. E. Hatch, Die Gesellschaftsverfassung der christlichen Kirchen im Altertum, Vom Verfasser autorisierte Übersetzung der zweiten durchgesehenen Auflage
(Oxford 1882), besorgt und mit Exkursen versehen von A. v. Harnack, Gießen 1883;
neuerdings N. Brox, Historische und theologische Probleme der Pastoralbriefe des
Neuen Testaments, Zur Dokumentation der frühchristlichen Amtsgeschichte, in:
Kairos N. F. 11 (1969) 77–94, v. a. 91.

sucht«[1], wie z. B. der Apg »Auskunft über die Verfassung der Urgemeinde«[2] bzw. überhaupt der Urkirche.

5. Man kann sich angesichts der wenigen Fakten, die zudem für verschiedenartige Deutungen offen bleiben[3], fragen, ob es jemals eine allgemein befriedigende Lösung geben wird, oder auch — wie H. Lietzmann[4] — einer Formulierung von F. Loofs zustimmen, der sagt: »Nicht nur die Pastoralbriefe, sondern auch andere Quellen zur Verfassungsgeschichte gleichen einem Kaleidoskop, das man so oder so schütteln kann«[5]. Der Blickwinkel scheint zu entscheiden.

Das anstehende Problem der kirchlichen Verfassungsgeschichte ist zwar primär ein historisches, aber zugleich eben auch ein dogmatisches; neben der Methodenfrage bezüglich des sachgerechten Vorgehens ist also immer zugleich die Frage nach dem Blickwinkel, nach den Auslegungsnormen zu stellen bzw. den Auslegungsinstanzen.

Mit W. Marxsen wird man zwei grundsätzliche Möglichkeiten zu beachten haben: »Einmal werden die Widersprüche weginterpretiert, das andere Mal von irgendwelchen Kriterien aus eliminiert«[6].

Ersteres sei der Fall, wenn z. B. ein Lehramt die Aufgabe der Auslegung übernehme. Ist nämlich die ganze Schrift inspirierte Norm, lassen sich scheinbare Widersprüche als Folge falscher Exegese erklären und weginterpretieren. »In diesem Fall ist gar nicht mehr die Schrift selbst Norm, sondern eine Instanz außerhalb der Schrift«[7]. Von der postulierten »Einheit der Kirchengewalt« her werden dann etwa die neutestamentlichen Aussagen über Gemeinde- bzw. Kirchenverfassung interpretiert und die Unterschiede harmonisiert[8].

---

[1] Haenchen, Apg 129.
[2] Haenchen a. a. O.
[3] Ein Beispiel nennt Roloff a. a. O. 171, wo er von P. Gaechter, Petrus und seine Zeit (Innsbruck–Wien–München 1958) und G. Klein, Die zwölf Apostel, Ursprung und Gehalt einer Idee (FRLANT 77, Göttingen 1961) sagt, »daß beide Autoren weitgehend in ihrer Bewertung der lukanischen Amtstheologie übereinstimmen«; dann aber fortfährt: »Was dann freilich diametral divergiert, ist die Einordnung dieses Ergebnisses: Während der Katholik Gaechter in der Darstellung des Lukas das schlechthin authentische Bild des Urchristentums sieht und sich bemüht, selbst das Corpus Paulinum nach diesem Bilde zu interpretieren, geht Klein schon im Ansatz seines Werkes von einem unüberbrückbaren Gegensatz zwischen Paulus und Lukas aus, den er an der Frage des Apostolatsverständnisses zu exemplifizieren sucht«.
[4] Lietzmann, Zur altchristlichen Verfassungsgeschichte 97.
[5] F. Loofs, Die urchristliche Gemeindeverfassung mit spezieller Beziehung auf Loening und Harnack, in: ThStKr 63 (1890) 619–658, hier 637.
[6] Marxsen, Der »Frühkatholizismus« im Neuen Testament 58ff, hier 60; Marxsen stellt zwar den institutionellen Lösungsversuchen, wie sie in den beiden großen Konfessionen zur Anwendung kommen, eine »liberale Lösung« entgegen, gibt aber selber zu, daß ihr Ansatz im Grunde nicht sehr verschieden ist von jenen.
[7] Marxsen a. a. O. 59.
[8] Wie bei Kaiser, Die Einheit der Kirchengewalt. Daß solches Weginterpretieren von Widersprüchen nicht nur im Falle eines vorgeordneten Lehramts geschehen kann, zeigt das Vorgehen von Michaelis, Das Ältestenamt.

Nicht sehr viel anders zu beurteilen ist — nach W. Marxsen — das Verfahren, auf Grund einer vorlaufenden Sachentscheidung Zentraldogmen innerhalb der Schrift festzulegen; es werden dabei bestimmte Aussagen der Schrift »anderen vorgeordnet, die dann von dorther zu interpretieren sind. Doch damit hat die Schrift bereits wieder ihren Charakter als Norm verloren«[1]. Dies gilt z. B. von der häufig als allein vorbildlich betrachteten Gemeinde-un-ordnung in Korinth, jener viel verhandelten, als »rein pneumatisch-charismatisch«[2] bestimmten Verfassung, die A. v. Harnack als »pneumatische Demokratie« bezeichnete[3]. Nach dieser »Norm«[4] werden dann alle übrigen Aussagen über Gemeindeordnung in den Paulusbriefen (und darüber hinaus auch der übrigen Schriften des Neuen Testaments) beurteilt und zum Teil auch ausgeschieden.

Ob nun die Widersprüche in den so verschiedenartigen Aussagen der Schrift über Gemeinde und Gemeindeordnung weginterpretiert oder durch Interpretation von einer festgelegten »Mitte der Schrift« her eliminiert, zumindest aber qualifiziert werden, immer liegen apologetische bzw. dogmatische Standpunkte zugrunde, die es ermöglichen, jeweils gewünschte Ergebnisse auch zu erzielen.

So können sich verschiedene konfessionelle Richtungen auf die Schrift berufen, ohne sie als Ganzes geschichtlich ernst zu nehmen. Spaltungen scheinen ebenso unvermeidlich wie die Wahl irgendeines bestimmten Standpunkts.

6. Die beiden von W. Marxsen angegebenen Möglichkeiten einer institutionellen Lösung sollen im Folgenden noch einmal an den Auffassungen H. v. Campenhausens und M. Kaisers bezüglich der ἐπίσκοποι und διάκονοι von Phil 1, 1 verdeutlicht werden. Es wird sich dabei zeigen, wie unvereinbar die Konsequenzen sind, die man aus einer nur vage zu bestimmenden Schriftaussage[5] ziehen kann, und wie nahezu aussichtslos es ist, zwischen diesen Auffassungen vermitteln zu wollen.

a) Was man Phil 1, 1 sachlich entnehmen kann, dürfte H. v. Campenhausen richtig umreißen, wenn er schreibt[6]: »So erscheinen in der Adresse des Philipperbriefes zusammen mit ›allen Heiligen‹ erstmalig auch ›Aufseher und Diener‹ der Gemeinde, ihre ›Bischöfe und Diakonen‹[7]. Man kann in dieser charakteri-

---

[1] Marxsen a. a. O. 59.
[2] Goppelt, Die apostolische und nachapostolische Zeit 128, lehnt diese einseitige Auffassung entschieden ab.
[3] v. Harnack, Entstehung und Entwickelung 37.
[4] Wobei zu fragen ist, ob die Aussagen von 1 und 2 Kor die behauptete Auffassung überhaupt rechtfertigen.
[5] Eine ausführliche Erörterung dieser Stelle beabsichtige ich zu einem späteren Zeitpunkt vorzulegen.
[6] v. Campenhausen, Kirchliches Amt 73f; vgl. dazu J. Gnilka, Exkurs 1: Die Episkopen und Diakone, in: Der Philipperbrief (Herders Theol. Kommentar zum NT X, 3), Freiburg 1968, 32–40.
[7] Diese Bezeichnungen für die ἐπίσκοποι und διάκονοι von Phil 1, 1 sollten hier besser vermieden werden; sie identifizieren jene Ämter vorschnell mit der späteren kirchlichen Einrichtung der »Bischöfe und Diakonen« und erwecken den Eindruck von Kontinuität einer Entwicklung, die sich faktisch aus den wenigen Bruchstücken, die sich im Neuen Testament finden, nicht zuverlässig rekonstruieren läßt.

stischen Zusammenstellung im Blick auf den späteren Sprachgebrauch schwerlich bloß eine unbestimmte ›Amtsbeschreibung‹ sehen[1], sondern es handelt sich um feste Amtsbezeichnungen, sozusagen um Titel, wenn auch solche von sehr allgemeiner und neutraler, gänzlich unsakraler Herkunft und Art«[2]. Da der Philipperbrief »aller Wahrscheinlichkeit nach zu den spätesten paulinischen Briefen« gehöre, folgert H. v. Campenhausen: »Spiegelt die feste Terminologie hier also nicht bloß eine lokale Besonderheit wider, so kann man vielleicht sagen, daß darin schon ein späteres Stadium der Gemeindeentwicklung zum Vorschein komme«. Paulus seinerseits trage »keine Bedenken, diese Regelung anzuerkennen« und er hebe »die so ausgezeichneten Personen, indem er sie eigens nennt, noch besonders hervor«[3].

b) Aufschlußreich ist nun aber der Kontext, in welchen H. v. Campenhausen diese Aussagen einordnet. Er schickt voraus, daß die »Frage, wie solche Vorsteher und leitende Persönlichkeiten in ihr ›Amt‹ gelangt seien, ob sie von der Gemeinde gewählt oder vom Apostel eingesetzt oder nachträglich bestätigt wurden ... völlig müßig« sei. »Derartige Regelungen und Verhältnisse ergeben sich von selbst und erlauben keine rechtliche Klärung«. »Zwischen geistlicher und praktischer Fürsorge läßt sich nach Lage der Dinge keine scharfe Grenze ziehen«[4].

Es sei allerdings nicht wahrscheinlich, daß diese Dienste ihre Träger schnell gewechselt hätten; »für gewöhnlich werden die ›begabten‹ Vertrauenspersonen ihren Dienst also für dauernd oder doch längere Zeit übernommen haben. Infolgedessen ist es durchaus möglich, daß sie nicht nur, wie es Paulus gewöhnlich tut, nach ihrer Gabe, sondern auch nach der Tätigkeit bezeichnet werden, die sie ausüben, und nach der Stellung, die ihnen in der Gemeinde dadurch zuteil wird«[5].

Und obwohl H. v. Campenhausen betont, es handle sich bei ihrer Benennung »um feste Amtsbezeichnungen, sozusagen um Titel«[6], zieht er dann doch die überraschende Folgerung: »Nur darf man es nicht so darstellen, als ob eine

---

[1] A. a. O. 74 A. 2 gegen Loofs, Die urchristliche Gemeindeverfassung 682 f.

[2] A. a. O. 74 A. 3 mit Verweis auf H. W. Beyer, ThW II 614 ff; ders. und H. Karpp, RAC II; Lfg. 11 (1952) 394 ff. Vgl. dazu Brox, Historische und theologische Probleme der Pastoralbriefe 91; er nennt die Erklärung von Beyer–Karpp, wonach man unter den beiden Titeln ein und dasselbe Amt vor sich habe, »zu harmlos und historisch nicht haltbar«. Ähnlich wendet sich J. Gnilka, Geistliches Amt und Gemeinde nach Paulus, in: Kairos N. F. 11 (1969) 94–104, gegen D. Georgi, Die Gegner des Paulus im 2. Korintherbrief, Studien zur religiösen Propaganda in der Spätantike (WMANT 11), Neukirchen 1964, 34 f, der dieselbe Erklärung geben wollte (Gnilka a. a. O. 101).

[3] Alle Zitate a. a. O. 74; vgl. zum Ganzen H. Bruders, Die Verfassung der Kirche von den ersten Jahrzehnten der apostolischen Wirksamkeit an bis zum Jahre 175 n. Chr. (FChLDG 4), Mainz 1904.

[4] Alle Zitate a. a. O. 73.

[5] A. a. O. 73; aus den ἐπισκοποῦντες, διακονοῦντες werden ἐπίσκοποι, διάκονοι; vgl. Bruders a. a. O. 351 ff. 360 ff. Daß dieser Vorgang auch rechtlich oder theologisch bedeutsam sei, wird später von v. Campenhausen entschieden verneint; vgl. dazu a. a. O. 74 ff.

[6] A. a. O. 74.

Gemeinde ohne festes ›Amt‹ im Sinne des Paulus noch unfertig und nur provisorisch geordnet sei und eine voll ausgebaute Verfassung noch zu erwarten hätte, ohne die sie ihrem Wesen nach nicht wirklich vollendet gewesen wäre. Für eine derartige Deutung fehlt jeder Anhalt und *das Umgekehrte ist richtig.* *Die Gemeinde lebt durch den Geist,* sie gliedert sich durch die mancherlei geistlichen Gaben; *sie ist, wo der Geist und die Liebe herrschen,* in Christus ›vollkommen‹ und durchaus *keiner weiteren Ordnung bedürftig.* Konkrete Regelungen und Dienste, die sich in ihrem Leben ergeben mögen, begründen als solche noch keine neue Ordnung, kein heiliges Recht, *sondern werden in die bisherige Betrachtung ohne weiteres aufgenommen:* sie gelten als Wirkungen von Gaben, die der Geist geschenkt hat, und bleiben dies auch dort, wo sie dauern und dadurch *gewissermaßen ›amtlich‹ werden. Um Ämter im eigentlichen Sinne* und vollends um sakrale Ämter im Sinne der späteren ›Hierarchie‹ *handelt es sich trotzdem nicht«*[1].

Es ist nicht zu übersehen, daß H. v. Campenhausen Phil 1, 1 von 1 Kor 12–14, d. h. von den Wirkungen des Geistes her interpretiert. Von diesem »Zentraldogma«[2] der vom πνεῦμα gestalteten Gemeindeordnung her werden alle paulinischen Aussagen zu diesem Thema beurteilt. Daß die Gemeinde von Korinth tatsächlich einen gewissen unfertigen Eindruck macht[3], daß die Gestalt der paulinischen Gemeinden in vieler Hinsicht sehr verschieden ist[4], daß im Philipperbrief nicht mehr Beschreibungen wirksamer Charismen, sondern Amtsbezeichnungen auftauchen usw., wird unberücksichtigt gelassen; derartiges wird »in die bisherige Betrachtung ohne weiteres aufgenommen«[5].

H. v. Campenhausen schematisiert Paulus (nach Art des alten Consensus von 1880[6]) vom 1. Korintherbrief und seiner pneumatisch-charismatischen Gemeindeordnung her[7].

---

[1] A. a. O. 74 (Hervorhebungen von mir). Die Zuordnung von Geist und Amt wird in diesen Formulierungen nicht deutlich. Die Unschärfen in den Aussagen vom »gewissermaßen ›amtlich‹ werden« dieser Ämter, die dennoch nicht als »Ämter im eigentlichen Sinne« bestimmt werden, sind offensichtliche Verlegenheitsbekundungen.

[2] Marxsen a. a. O. 59. Aus diesem Grunde wird in dieser Arbeit auf die Relation Geist — Gemeinde besonderes Augenmerk zu legen sein.

[3] Vgl. Braun, Neues Licht auf die Kirche 166: Korinth — »ein ausgesprochenes Provisorium«; dazu ferner Linton, Das Problem der Urkirche 198 f.

[4] Man vergleiche z. B. mit den Aussagen von 1 Kor die von 1 Thess (etwa 2, 7; 4, 2. 8; 5, 11–14; v. a. 5, 19–21: »den Geist löscht nicht aus, Reden aus Eingebung verachtet nicht; alles prüfet, das Gute behaltet«); dazu Gnilka, Geistliches Amt und Gemeinde nach Paulus 96–100.

[5] v. Campenhausen a. a. O. 74. F. C. Baur, Paulus, der Apostel Jesu Christi, Sein Leben und Wirken, seine Briefe und seine Lehre, Ein Beitrag zu einer kritischen Geschichte des Urchristentums, Stuttgart 1845, 458–475 (vgl. auch 2. Auflage, Nach dem Tode des Verfassers besorgt von E. Zeller, II. Teil, Leipzig 1867, 50–88), tat sich da entschieden schwerer; er wollte den Philipperbrief als unpaulinisch bezeichnen; es schien ihm zu vieles (u. a. Phil 1, 1; vgl. a. a. O. 475) nicht »mit der sonstigen Weise der paulinischen Briefe übereinstimmen« zu wollen.

[6] Vgl. Linton, Das Problem der Urkirche 11: »Die Korinthergemeinde war dem ›Consensus‹ die typische urchristliche Gemeinde. Dort war von keiner Organisation die Rede, Paulus redet nicht etwa Vorsteher an, sondern wendet sich an die ganze Gemeinde. Auch gibt er keine Befehle betreffs der Organisation, sondern mahnt nur zur Ordnung«.

[7] Linton a. a. O. 103 f weist auf das terminologische Problem der Rede vom »Charismatiker« und von den »Pneumatikern« nur hin, ohne es zu lösen. Er hat

c) M. Kaiser hingegen entwickelt sein Kirchenverständnis des Paulus nicht vom Geist und seinen Wirkungen her, sondern vom Bild des Leibes, in welchem die Gläubigen zu einer geordneten Einheit[1] miteinander verbunden sind: »Im *Wesen* der Gemeinde als des lebendigen Leibes des Herrn liegt auch ihre *Ordnung* schon eingeschlossen«[2]. Einheitsgrund ist Jesus Christus, der Herr der Gemeinde: »Er selber lebt in dieser Einheit fort, weil sie sein Leib ist«. Er ist auch »der Grund dieser Ordnung«[3]. Kaiser formuliert dann pauschal: »Die Ordnung, die er seiner Kirche gegeben hat, da er sie hierarchisch gliederte, bleibt daher immer in Geltung«[4].

»Die kirchlichen Sendungsträger werden mit Heiligem Geist ausgerüstet. Ihre Gewalt ist daher letztlich eine *göttliche*, nicht nur ihrem *Ursprung*, sondern auch ihrem *Wesen* nach«[5]; und dies auch bei Beauftragung durch einen Apostel.

Der Episkopos wird dann bei ihm — obwohl er im Neuen Testament nur fünfmal und in sehr verschiedenem Kontext begegnet[6] — einheitlich bestimmt als »Hoheitsträger«, dessen »beaufsichtigende und weidende Tätigkeit«[7] zur Episkopos-Amtsbezeichnung führte. »Als Hoheitsträger ist er Hirte« und vertritt »als Leiter der Gemeinde die Stelle Jesu Christi«[8].

Ähnlich werden die Diakone als den Episkopen zugeordnete »Sendungsträger« bestimmt. Auch hier bringe die Bezeichnung das Charakteristische des Amts zum Ausdruck, dessen wesentlicher Inhalt im Dienen bestand[9].

Die Einheitskonstruktion läßt sich an den Texten geschichtlich nicht verifizieren. Sie zeigt deutlich das Bestreben, dem heutigen Kirchenrechtsverständnis »biblische« Grundlagen zu liefern[10]. Die apologetische Tendenz ist aber nicht grundlegend verschieden von jener H. v. Campenhausens, nur vielleicht offenkundiger. Beide sind nicht kritisch genug gegenüber ihren eigenen Voraussetzungen. Ihre Systeme verdecken die Geschichte.

---

unstreitig Recht, wenn er sagt, beide Begriffe kommen bei Paulus wohl vor, »aber nicht in der in der modernen Auseinandersetzung üblichen Bedeutung«. Die darin gründende Begriffsunsicherheit bzw. -uneindeutigkeit wird uns im Verlauf dieser Arbeit noch zu beschäftigen haben.

[1] So Kaiser, Die Einheit der Kirchengewalt 60, nach A. Wikenhauser, Die Kirche als der mystische Leib Christi nach dem Apostel Paulus, Münster 1937, 88ff. 93 ([2]1940 unverändert).

[2] Kaiser zitiert a. a. O. E. Schweizer, Das Leben des Herrn in der Gemeinde und ihren Diensten, Eine Untersuchung der neutestamentlichen Gemeindeordnung (AThANT 8), Zürich 1946, 65.

[3] Kaiser a. a. O.

[4] A. a. O.

[5] A. a. O. 138.

[6] Phil 1, 1; Apg 20, 28; 1 Petr 5, 1. 4; 1 Tim 3, 2; Tit 1, 7.

[7] A. a. O. 135; in der Beschreibung der Tätigkeit der ἐπίσκοποι wäre ein Vergleich mit v. Campenhausen, Kirchliches Amt 74, möglich; in ihrer Bewertung als »Hoheitsträger« etc. zeigt sich jedoch die unüberbrückbare Divergenz.

[8] A. a. O. 136. »In demselben Sinn wird dieser Begriff auch in den Pastoralbriefen gebraucht, wo die Bedingungen angeführt werden, die jene zu erfüllen haben, die mit diesem Amte betraut werden sollen«.

[9] Kaiser a. a. O. 79ff.

[10] Es ist befremdlich, wenn Kaiser a. a. O. 81 das Schweigen von Phil und Past über »Art der Sendung und über die Aufgaben der Diakone« beklagt und dann fortfährt: »Aber gerade dieses Schweigen gibt uns hinreichend Auskunft über diese Fragen«.

7. Jede Generalisierung und Systematisierung, welche die mehr oder weniger isolierten Elemente kirchlicher Verfassung innerhalb des Neuen Testaments auf einen einheitlichen Nenner zu bringen sucht, dabei aber die Unterschiede verwischt, die durch die lokalen, zeitlichen und theologischen Verschiedenheiten der einzelnen Schriften des Neuen Testaments bedingt sind, wird immer nur Widerspruch herausfordern.

Das gilt sicher auch von jeder Generalisierung und Systematisierung solcher Elemente innerhalb der Paulusbriefe selbst[1].

a) Ein solcher Versuch ist etwa das aus dem Nachlaß von F. W. Maier zusammengestellte Buch »Paulus als Kirchengründer und kirchlicher Organisator«[2].

Abgesehen davon, daß sie die Pastoralbriefe einbezieht, scheint diese Zusammenstellung aller Verfassungs- und Organisationselemente bei Paulus überall die gleiche Situation und einen klaren, einheitlichen Plan zur Kirchenorganisation bei Paulus vorauszusetzen. Statt die Einzelaussagen aus dem jeweiligen Kontext zu interpretieren[3], werden sie isoliert und systematisiert. So entsteht der Eindruck eines systemvoll ausgeführten Plans der Gemeindeorganisation, während unter anderen Voraussetzungen auf Grund desselben Faktenmaterials durchaus die bloße Zufälligkeit im Auftauchen bestimmter Organisationselemente behauptet werden kann.

Am Beispiel von Phil 1, 1 läßt sich wieder am deutlichsten die Problematik solchen Vorgehens veranschaulichen.

In der Bestimmung des Aufgaben- und Pflichtenkreises der leitenden kirchlichen Persönlichkeiten heißt es: es »ergibt sich aus *den* Briefen des Apostels, daß den Aposteln (Missionaren), Propheten und Lehrern vor allem die Wortverkündigung ... oblag, während *die* ›Bischöfe‹ und ›Diakonen‹ hauptsächlich die Sorge für die Finanzgebarung der Gemeinde, das Armenwesen (Armenspeisung, Almosenverteilung), die Krankenpflege und ähnliches hatten«[4].

Propheten und Lehrer spielen im Phil überhaupt keine Rolle, und über den Aufgabenbereich von Episkopen und Diakonen verlautet gleichfalls nichts.

b) Andere, vorsichtigere Versuche zu systematisieren bauen auf der von K. Holl entwickelten Unterscheidung eines Jerusalemer und eines paulinischen Kirchenbegriffs auf[5].

---

[1] Selbst wenn man, um zusätzliche Schwierigkeiten zu vermeiden, 2 Thess, Kol, Eph und Past beiseite läßt, deren Herkunft von Paulus umstritten ist; vgl. dazu P. Feine–J. Behm–W. G. Kümmel, Einleitung in das Neue Testament, Heidelberg [16]1969.

[2] F. W. Maier, Paulus als Kirchengründer und kirchlicher Organisator, Aus dem Nachlaß herausgegeben von G. Stachel, Würzburg 1961.

[3] Wobei der einzelne Brief im allgemeinen — sofern die Teilungshypothetiker nicht ihre Einwendungen vorbringen — als der primäre Kontext zu betrachten wäre.

[4] Maier a. a. O. 86 (Hervorhebungen von mir).

[5] K. Holl, Der Kirchenbegriff des Paulus in seinem Verhältnis zu dem der Urgemeinde, in: SAB 1921, 920–947; ferner in: Gesammelte Aufsätze zur Kirchengeschichte II: Der Osten, Tübingen 1928, 44–67, und neuerdings in: Das Paulusbild in der neueren deutschen Forschung, hg. v. K. H. Rengstorf, Darmstadt 1964, 144–178.

So unternahm es etwa M. Goguel, sich bewußt freihaltend von den üblichen theoretischen Sichten und unter Einbeziehung eines treibenden dynamischen Effekts der Entwicklung, zwei Typen des Amtes herauszustellen und einander zuzuordnen[1].

a) Das charismatische Amt der paulinischen Gemeinden als ein Instrument des Geistes, der sie hervorruft, und

β) das organisierte und weniger unter spontanem Einfluß des Geistes stehende Amt, das durch Handauflegung übertragen wird[2].

Die Bildung einer einheitlichen Organisation entspreche innerer Notwendigkeit, daher gebe es trotz Unterschieden von Anfang an eine gewisse Übereinstimmung: das Fundament jeder Autorität sei Christus; er handle in den Aposteln, den Charismatikern, wie in der Versammlung der Gläubigen. Die älteste Kirche sei nämlich weder autokratisch noch aristokratisch noch demokratisch verfaßt gewesen, sondern christokratisch[3]. Das Amt ist bipolar wie die Kirche selbst; göttlich in ihrem Ursprung und menschlich in ihren Formen[4]. Die zwei Grundtypen von Ämtern haben sich nach M. Goguel spontan und fortschreitend gegenseitig angenähert[5]. Schon in den Past sei die Einigung vollzogen: dort ist das Amt ein Charisma, aber eines, das die Kirche kontrolliert und überträgt durch Handauflegung[6].

Die in den Past implizierte Theorie — hervorgebracht durch die vorausgehende unreflektierte Ausübung der vitalen Funktionen der Kirche — werde im 1 Clem explizit; nämlich der göttliche Ursprung der wesentlichen Ämter der Bischöfe und Diakone[7].

---

[1] M. Goguel, Jésus et les origines du Christianisme, L'Église primitive (Bibliothèque Historique), Paris 1947, 110ff: »I. Les deux types du ministère«. Goguel meint a. a. O. 110, es sei nicht verwunderlich, daß viele Theorien zur Organisation der Kirche »aient été plus ou moins influencées par des vues théoriques«.
[2] Vgl. Goguel a. a. O. 111: »L'Église a. u. Ier siècle a connu deux types et deux conceptions du ministère. Il y a eu, d'un côté, le ministère charismatique des Églises pauliniennes«. ... »Dans cette conception, il n'y avait pas de ministères stables mais seulement des ministres, instruments de l'Esprit«. »Dans l'autre conception, l'Esprit joue aussi un rôle, mais la spontanéité de son action n'est plus entière, elle est organisée et liée à un rite, l'imposition des mains«.
[3] Vgl. a. a. O. 112: »En fait, la plus ancienne Église n'a été ni autocratique, ni aristocratique, ni démocratique mais christocratique, le fondement de l'autorité étant le Christ qui agit aussi bien dans les apôtres et dans les inspirés que dans l'assemblée des fidèles«.
[4] Vgl. a. a. O. 114: »Le ministère chrétien a toujours été bipolaire«; dazu a. a. O. 157f: »... comme l'idée même de l'Église, divine par ses origines et ses fins mais humaine par la forme sous laquelle elle se manifeste«.
[5] Vgl. a. a. O. 158: »Les deux conceptions se sont spontanément et progressivement rapprochées l'une de l'autre«.
[6] Vgl. a. a. O. 158: »Ainsi s'est faite cette unification des deux types que l'on constate déjà dans les Pastorales, où le ministère est un charisme, mais un charisme que l'Église contrôle et confère par l'imposition des mains«.
[7] Vgl. a. a. O. 158: »De là la théorie implicite dans les Pastorales, explicite chez Clément Romain, de l'origine apostolique, c'est-à-dire transcendante et divine des ministères essentiels des épiscopes et des diacres«.

Die von Goguel angenommenen Ämter-typen und der behauptete Prozeß der Fusion und Kombination scheinen zu global gezeichnet[1]. An der Beschreibung des paulinischen Amtstyps läßt sich der Mangel an Differenzierung unschwer verdeutlichen. Zwar betont Goguel, daß die paulinischen Gemeinden von rudimentärer Struktur waren und daß wir über diese unzureichend orientiert seien[2], aber einige Fakten würden sich doch abzeichnen[3]. Und so entwirft er ein Bild der »Organisation des communautés pauliniennes«[4], das schematisch bleibt und nicht zu erkennen gibt, welche theologischen Prinzipien diese bei Paulus feststellbaren Ordnungs- und Verfassungselemente prägen. Die Tendenz, die beiden behaupteten Amtstypen einander anzunähern, um ihre Vereinigung in den Past und in 1 Clem zu erklären, ist zwar nicht aufdringlich, aber auch nicht zu übersehen[5]. Die Brücke stellt gewissermaßen Phil 1, 1 dar, wo Goguel die Existenz eines schon zur Zeit des Paulus fest umrissenen Amts gegeben sieht[6]. Ähnlich will ihm scheinen, daß die Funktionen der Diakone sehr früh, ja als erste, klar definiert worden sind und zwar als Hilfsamt, während die allgemeine Leitung des Lebens der Kirche, die Unterweisung und speziell der Kampf gegen die Häresien etc. den Episkopen zukam[7].

Es dürfte deutlich geworden sein, wie sehr den Ausführungen Goguels neben einer mangelnden Differenzierung der paulinischen Gemeindeordnungsphänomene und dem Fehlen einer sie begründenden paulinischen Ekklesiologie eine Neigung zu Konstruktionen anhaftet, die sich von paulinischen Texten her nicht hinreichend begründen lassen.

c) Einen Systematisierungsversuch, der am entschiedensten von der Vielgestaltigkeit neutestamentlicher Ekklesiologien ausgeht und die konkrete Gestaltung der Gemeinde als Ausdruck ihres Selbstverständnisses zu begreifen sucht, unternahm E. Schweizer[8].

Was vom Ansatz her aussichtsreich scheinen möchte, erweist sich in der Durchführung allerdings als nachteilig. Schweizer entwickelt eine ganze Reihe

---

[1] Vgl. a. a. O. 157: »L'évolution de l'organisation ecclésiastique présente un mouvement d'unification, réalisé, d'une part, par un processus de fusion et de combinaison et, de l'autre, par des phénomènes de sélection naturelle«.

[2] Vgl. a. a. O. 160: »Sur la structure intérieure des communautés pauliniennes, nous ne sommes qu'imparfaitement et incomplètement renseignés«.

[3] Vgl. a. a. O.: »Quelques faits cependant apparaissent«.

[4] A a. O. 123–126.

[5] Vgl. a. a. O. 111ff. 157ff. »Si différents qu'ils aient été l'un de l'autre, les deux ministères ne constituent pas deux catégories nettement tranchées et encore moins opposées l'une à l'autre. Chez Paul apparaît déjà une tendance à la stabilisation . . . « (a. a. O. 111).

[6] Vgl. a. a. O. 125: »Ce texte, qu'il n'y a aucune raison valable de suspecter, établit l'existence d'un ministère déjà stabilisé au temps de Paul«.

[7] Vgl. a. a. O. 161: »Il semble cependant que les fonctions des diacres se soient, les premières, définies comme celles d'un ministère auxiliaire ayant spécialement dans ses attributions ce qui se rapportait à l'assistance, tandis que la direction générale de la vie de l'Église, l'enseignement et spécialement la lutte contre les hérésies appartenait aux épiscopes . . . «.

[8] E. Schweizer, Gemeinde und Gemeindeordnung im Neuen Testament (AThANT 35), Zürich 1959, ²1962.

ekklesiologischer Konzeptionen und ihre Nachwirkungen[1], doch bleiben sie alle pauschal und damit unzureichend.

Dies verdeutlicht ein Blick auf seine — paulinischer Ekklesiologie korrespondierende — Gemeindeordnungskonzeption bei Paulus. Schweizer betont: »Daß die Gemeinde nicht ohne Apostel wird und seiner Autorität unterstellt bleibt, unterstreicht, daß sie nicht geschichtslos lebt, sondern aus der Verkündigung, die ihr von außen zukommt und ihren Anfang in einem einmaligen Ereignis genommen hat«. »Zugleich aber ist die Gemeinde neue, durch Gottes Tat allein begründete, nicht aus geschichtlicher Entwicklung zu begreifende Größe«. Nun sagt Schweizer zwar: »Diese Dialektik bestimmt die ganze Gemeindeordnung des Paulus«, aber faktisch gibt er die geschichtliche Komponente, die mit dem Apostolat zusammenhängt, preis und behauptet: »Das Wunder dieser Neuheit ist dadurch bezeugt, daß es keine grundsätzliche Unter- oder Überordnung mehr gibt, weil jedem Gemeindeglied die Gabe des Geistes eignet«[2]. So gebe es zwar in der Gemeinde Ordnung, aber »da der Gehorsam der sich ereignenden Vollmacht des Geistes geleistet wird, ist es auch eine Ordnung, die sich dem Geschehen des Geistes hinterher anpaßt«[3]. Auch nach Schweizer ist die Gemeindeordnung bei Paulus (nach dem Modell des alten Consensus[4]) eine pneumatische, vom Geist gewirkte, d. h. er sieht sie ganz von 1 Kor 12–14 her bestimmt[5].

Schweizers Problemstellung ist unbeeinflußt von der Frage nach der historischen Gestalt der verschiedenen Gemeinden in den verschiedenen Stadien ihrer Entwicklung; er sieht vor allem auf die theologische Verwandtschaft neutestamentlicher Schriften in ihren ekklesiologischen Aussagen. Chronologische und geographische Gesichtspunkte spielen bei ihm fast keine Rolle. Das dürfte der schwerwiegendste Mangel dieses Buches sein.

Wenn vermutet werden darf, daß die Gemeindeordnungen kaum je und irgendwo nach einem festen theologischen Plan aufgebaut wurden (und dies nicht nur bei Paulus), sondern sich erst im Laufe der Zeit theologisch stabilisierten, nachdem zunächst nur die sich aufdrängenden sozialen und organisatorischen Funktionen innerhalb der jeweiligen Ortsgemeinden von geeig-

---

[1] Die der Urgemeinde und ihre Nachwirkungen bei Mt, Lk, Past; die des Paulus und ihre Nachwirkungen in Kol, Eph, 1 Petr, Hebr; die des Johannes und ihre Nachwirkungen in den Johannesbriefen und in der Apc; die Konzeption der apostolischen Väter und die allen zugrundeliegende Konzeption Jesu (a. a. O. 14–147).

[2] Alle Zitate a. a. O. 89.

[3] A. a. O. 92f. Die Gemeinde ist darum nur »aufgerufen, diejenigen, denen Gott besondere Gaben geschenkt hat, die sie schon lange ausüben, anzuerkennen, damit sie ihren Dienst möglichst umfassend tun können . . .«. Auch wo solcher Dienst erleichtert wird, dadurch »daß die Gemeinde einigen ihrer Glieder die Sorge um den Lebensunterhalt ganz oder teilweise abnimmt«, verwandle solche Anerkennung den Dienst »nicht in etwas Neues« (alle Zitate a. a. O. 93). Nur in diesem Zusammenhang kommt Schweizer in einer Anmerkung auf Phil 1, 1 zu sprechen und bemerkt, es sei »durchaus möglich, daß solche Dienste später auch geordnet wurden« (a. a. O. 94 A. 395).

[4] Vgl. Linton, Das Problem der Urkirche 11, zum Consensus von 1880.

[5] Wobei zu fragen sein wird, ob diese Texte nicht auch einseitig interpretiert werden.

neten Leuten wahrgenommen wurden[1], dann kommt gerade den chronologischen und geographischen Gesichtspunkten größere Bedeutung zu, ohne daß geleugnet werden dürfte, daß zwischen den *sich entfaltenden Gemeindeordnungen* und den *sich entwickelnden Gemeindetheologien* eine innere Korrespondenz besteht. Aber erst diese historische Betrachtung läßt Raum für die Differenziertheit der tatsächlichen Entwicklung.

E. Schweizer dürfte im Recht sein, wenn er von einem »doppelten Wesen« der Gemeinde spricht: »als soziologische Größe, die in der Geschichte drinstehend durch Zeit und Raum bestimmt ist, und als ›eschatologische‹ Größe, die in ihrer Verbundenheit mit dem Erhöhten aus Zeit und Raum entnommen in der ›Präsenz‹ der Heilsereignisse lebt«[2]. Aber es ist höchst zweifelhaft, ob er die Gemeinde in ihrer Geschichtlichkeit und ihren konkreten Ordnungen richtig deutet, wenn er sie einseitig als vom Geist geleitet bestimmt und die Rolle des Apostolats nahezu ganz vernachlässigt[3].

Mit diesem Überblick über Problemstellung und Lösungsversuche dürfte die Notwendigkeit hinreichend begründet sein, die Frage nach der paulinischen Ekklesiologie neu anzugehen. Ansatzpunkte sind die paulinischen Gemeinden in ihrer jeweiligen Verfaßtheit.

---

[1] Vgl. Goguel, L'Église primitive 110ff: »Les faits ont souvent précédé les idées. *La formation de l'organisation de l'Église n'a été ni l'exécution d'un plan systématique, ni un effet du hasard; elle a répondu à une nécessité interne.* C'est pourquoi, malgré la diversité des formes primitives, il y a une certaine convergence dans le mouvement« (a. a. O. 111; Hervorhebung von mir).

[2] Schweizer a. a. O. 94. Weil Schweizer im Grunde nur diese eschatologische Komponente betont, kann er fragen, »ob die Lockerheit dieser Ordnung, die dem Wirken des Geistes Gottes so viel zutraut, durchzuhalten ist in einer Zeit, in der der persönliche Einfluß des Paulus wegfällt« (a. a. O.). Es ist bezeichnend, daß er nur von einem persönlichen Einfluß des Paulus spricht, nicht aber von seiner Rolle und Bedeutsamkeit als Apostel der Gemeinde, die doch »sein Werk im Herrn« ist (vgl. 1 Kor 9, 1f).

[3] Diesen Ansatz entfaltet Roloff, Apostolat — Verkündigung —Kirche 38–137; er faßt seine Ergebnisse a. a. O. 136 u. a. in den Satz zusammen, »daß der Apostolat damit als innerhalb einer Bewegung stehend charakterisiert ist: der Bewegung des Evangeliums vom geschichtlichen Ereignis der Auferstehung her auf die Kirche hin«.

I. TEIL

ANSÄTZE
PAULINISCHER GEMEINDE-THEOLOGIE
UND GEMEINDE-ORDNUNG

1. Kapitel

ELEMENTE DES GEMEINDELEBENS NACH DEM 1. BRIEF
AN DIE THESSALONICHER

1. Der Apostel und die Gemeinde

1 Thess 1, 1; 2, 4ff

In diesem vermutlich frühesten aller Paulusbriefe[1] stellt sich der Apostel —
ohne zu differenzieren[2] — neben seine Mitarbeiter und faßt sich mit ihnen als
Briefabsender zusammen, ohne seine eigene Autorität als Apostel zu erwähnen[3].
Die Gemeinde weiß um seine Bedeutung für ihren Glauben, weiß, daß er wie
eine Mutter sich um sie sorgte (vgl. 2, 7 b), weiß auch, wie aufeinander bezogen
Gemeinde und Apostel für immer bleiben (vgl. 2, 19; 3, 6 b; 3, 12f)[4].

Dennoch scheint der Apostel nicht ganz verschont geblieben zu sein von
übelmeinender Nachrede, so daß er in Kapitel 2 zu einer eindrucksvollen Apologie ansetzt. Möglicherweise gab es in Thessalonich Leute, die dem Apostel
Irrtümer vorwarfen (vgl. 2, 3), vielleicht auch Berechnung und ungerechte
Bereicherung (vgl. 2, 5), Bevorzugung einiger und Zurücksetzung anderer (vgl.
2, 10ff).

Es ist nun nicht unbedeutsam, daß Paulus seine Verteidigung mit einem
Hinweis auf seine Leiden in Philippi eröffnet, die er erdulden mußte, bevor er

---

[1] Vgl. dazu v. a. W. G. Kümmel, Das literarische und geschichtliche Problem
des ersten Thessalonicherbriefes, in: Neotestamentica et Patristica, Supplements
to Novum Testamentum, Vol. VI (1962) 213–227, besonders 213 A. 1 und 226f:
»wohl in Korinth etwa im Jahre 51 geschrieben«.

[2] Daß der Plural von 2, 7 anzeige, »daß Paulus hier auch seinen Mitarbeitern
Silvanus und Timotheus den Titel ›Apostel‹ zuerkennt« (Staab, 1 Thess 18; vgl.
Rigaux, 1 Thess 418), erscheint mir nicht zutreffend. Der Plural ist allein vom
Briefstil bedingt, nachdem sich Paulus 1, 1 mit den beiden solidarisch zusammengestellt hatte. In Wahrheit spricht Paulus nur von sich und der Gemeinde; vgl.
2, 18. Dazu v. Dobschütz, 1 Thess 92: »Preßt man den Plural, so sind hier auch
Silvanus und Timotheus als Apostel bezeichnet, was an sich durchaus möglich ist
(. . .). Aber P. denkt bei dem Plural doch nur an sich selbst«. Anders R. Schnackenburg, Apostel vor und neben Paulus, in: Schriften zum Neuen Testament, München 1971, 338–358, v. a. 347f; doch ist seine Auslegung von seiner Hypothese
bestimmt.

[3] Den Grund kann man nur vermuten; vgl. Oepke, 1 Thess 160: »keine Ursache«.
Daß Paulus seinen Rang als Apostel erst nach 1 Thess in der Auseinandersetzung
mit seinen Bestreitern betont habe, ist nach 2, 7 unwahrscheinlich; möglich ist
allerdings, daß der Titel ἀπόστολος Χριστοῦ ᾿Ιησοῦ (1 Kor 1, 1; vgl. Gal 1,1) zur Zeit
des 1 Thess noch nicht so fest geprägt war und ὡς Χριστοῦ ἀπόστολοι (2, 7) eine
Funktionsbeschreibung darstellte. Zum Problem des Apostelbegriffs vgl. E. M. Kredel,
Der Apostelbegriff in der neueren Exegese, Historisch-kritische Darstellung, in:
ZKTh 78 (1956) 169–193 und 257–305; ferner Rigaux a. a. O. 154–170; Schnackenburg a. a. O.

[4] Seine Autorität ist unbestritten in der Gemeinde; vgl. Masson, 1 Thess 17.
Die Mitarbeiter erscheinen nicht nur ganz nebenbei, etwa als »Schreiber« oder
»Grüßende«, sondern »Paulus stellt seine Schreiben mit unter die Autorität dieser
seiner Mitarbeiter« (v. Dobschütz, 1 Thess 57).

nach Thessalonich kam (vgl. 2, 2). Das Leiden für Christus ist ihm von Anfang
an der Grund seiner Freiheit, für Christus zu reden und zu handeln, die Quelle
seines Freimuts, das Evangelium ohne falsche Rücksichten zu verkünden und
darin als ein Apostel, d. h. als Gesandter Christi aufzutreten, als einer, der
von Gott erprobt und mit dem Evangelium betraut ist (vgl. 2, 4ff). Ob in
dem anklingenden Vorwurf, Paulus habe sich nicht gerecht gegen alle Gläubigen gestellt (vgl. 2, 10), die späteren Ausführungen über die freiwillige Unterordnung unter jene, die »in der Gemeinde arbeiten, im Herrn Fürsorge tragen
und zurechtweisen« (vgl. 5, 12) und über die gegenseitige Ermahnung (vgl. 5,
11. 14f) begründet sind, läßt sich nur vermuten. Paulus verteidigt jedenfalls
zunächst sein eigenes Verhalten (vgl. 2, 9ff). Er habe bei seinem ersten Wirken
in Thessalonich alle gleich behandelt, einen jeden ermahnt, ermuntert und be-
schworen.

Aber durch sein aufs Ganze gesehen »liebreiches«[1] Auftreten (vgl. 2, 7b) hat
sich Paulus offenbar zahlreichen Mißverständnissen ausgesetzt. Darum betont
er jetzt (vgl. V 7a), daß er als Apostel Christi durchaus das Recht gehabt hätte,
gewichtig aufzutreten, d. h. »ihnen eine Last zu sein«[2]. Man wird dabei F. S. Gutjahr zustimmen dürfen, wenn er dieses »zur Last fallen« in einem doppelten
Sinn verstanden wissen will, aus dem Anspruch auf Ehre und Gehorsam (vgl.
V 6) und aus dem Anspruch auf Lebensunterhalt (vgl. V 9). Jedenfalls stellt
Paulus fest, daß er auf seine Apostelrechte[3] durchaus nicht verzichte[4], auch
wenn er und seine Mitarbeiter lieber zureden und bitten, mahnen und ermuntern, statt zu befehlen und Gebote zu erlassen, was ihnen aber gleichwohl zu-
stehe (vgl. 4, 2. 8). Paulus wird in der Betonung seiner Autorität immer wieder
ein Opfer seiner eigenen Dialektik[5], seiner seelsorglichen Haltung[6].

---

[1] Die Lesart *νήπιοι* statt *ἤπιοι* dürfte trotz guter Bezeugung ein Abschreibfehler
sein, entstanden durch Verdoppelung des *ν*; vgl. dazu v. Dobschütz, 1 Thess 93 A. 5;
Dibelius, 1 Thess 9; Oepke, 1 Thess 164.
[2] *ἐν βάρει εἶναι* (hapax leg. bei Paulus) hat viele Erklärungen gefunden. Meist
wird es mit Vulg. zu V 6 gezogen und auf den Anspruch auf Ehre gedeutet, der
Paulus als Christi Apostel zukommt, oder im Blick auf V 9 auf den Lebensunterhalt,
den sich Paulus selbst verdiente, um gerade nicht »zur Last, beschwerlich fallen«
zu müssen; vgl. Gutjahr, 1 Thess 28; Rigaux, 1 Thess 417f.
v. Dobschütz, 1 Thess 92f, gibt auf Grund des Zusammenhangs und des sonstigen Sprachgebrauchs der Bedeutung »in Ansehen sein« den Vorzug (trotz *ἐπι-
βαρῆσαι* in V 9), betont aber andererseits, daß gerade in der »Doppelbedeutung«
von *ἐν βάρει εἶναι* die Erklärung des Gedankengangs liege; Paulus stelle sein Verhalten »in Gegensatz zu herrischem Gebahren« (vgl. V 7f), »dann als Verzicht auf
drückende Forderungen dar« (vgl. V 9). Diese auf einem Begriff aufgebaute Ge-
dankenverkettung sei gut paulinisch, werde aber meist übersehen (a. a. O. 93).
[3] Vgl. *δυνάμενοι*: obschon wir das Recht hätten, *ὡς* = als Apostel; »quoique nous
ayons le pouvoir« (Rigaux, 1 Thess 416).
[4] Paulus »hält auf prinzipielle Anerkennung der Apostelansprüche, auch wo er
sich selbst deren begibt« (v. Dobschütz, 1 Thess 92); sie geltend zu machen, ist es,
worauf Paulus verzichtet, »nicht auf die Autorität an sich« (a. a. O.).
[5] Vgl. 2 Kor 10–13 (dazu Käsemann, Legitimität; Bultmann, Exegetische Probleme) und den Brief an Phlm.
[6] Vgl. v. Dobschütz a. a. O. 92: »Nicht für seine Person, aber für sein Amt (. . .),
für den, dessen Beauftragter er ist, kann P. Autorität in Anspruch nehmen«.

Eher nimmt er Mißverständnisse auf sich, als daß er durch Betonung seiner
Macht und Würde als Apostel Christi sich selbst mehr als notwendig in den
Vordergrund schiebt.
Dennoch ist es für die Beurteilung seines Apostelamts von Bedeutung festzustellen, daß ihm an sich alle Ehren eines Bevollmächtigten Christi zustehen,
daß er gebieten könnte, wo er sich mit werbender Bitte begnügt, daß er das
Recht hätte, zu fordern und nicht nur zu ermuntern, zu strafen und nicht nur
zu warnen. Wenn er darauf nicht insistiert, darf man deswegen nicht einen
völligen Verzicht auf apostolische Machtausübung erschließen.

1 Thess 4, 2. 8

4, 2 bezeugt, daß Paulus in der Tat Befehle gab und Gebote aufstellte.
Aber sein Gebieten geschieht »durch den Herrn Jesus«[1], d. h. es ist der
Wille des Herrn, worin seine Gebote gründen[2], die er bei den Thessalonichern
als schon bekannt voraussetzen darf, so daß er sie nur ἐν κυρίῳ[3] daran zu
erinnern für nötig hält (vgl. 4, 1). Gemeint sind nicht Weisungen des historischen Jesus selbst, sondern Weisungen unter Berufung auf ihn (vgl. Röm
15, 30), wenngleich nicht zu verkennen ist, daß Paulus in 4, 1–8 altes Tradi-
tionsgut verarbeitet. An einen schon fixierten Proselytenkatechismus ist dabei
wohl kaum zu denken[4], eher an »die elementarsten sittlichen Vorschriften«[5].
Weil aber diese apostolischen Forderungen den Willen des Herrn ausdrücken,
eignet ihnen ein besonderer Grad von Verpflichtung. Wer sie[6] mißachtet, verachtet Gott (vgl. 4, 8). Es geht also nicht um die »Christenaufgabe«, d. h. um
das sittliche Bemühen, das einer verachtet[7], sondern um den Glaubensgehorsam, den er verweigert[8]. Der Apostel gibt demnach Gebote (παραγγελίας), die

---

[1] »διὰ τοῦ κυρίου Ἰησοῦ ist hier sachlich gleichbedeutend mit ἐν κυρίῳ« (Dibelius,
1 Thess 20); vgl. v. Dobschütz, 1 Thess 158f und A. 5; Gutjahr, 1 Thess 57f.
[2] Vgl. Staab, 1 Thess 29; dagegen ist es kaum richtig, mit Steinmann, 1 Thess 42,
zu sagen: »Er beruft sich dabei auf mündliche Anweisungen, die auf Jesus selbst
zurückgehen«; vgl. die Ablehnung auch bei v. Dobschütz, 1 Thess 158f; er meint:
»Auch hier zieht P. sich auf die Autorität Christi zurück«; ähnlich Neugebauer,
In Christus 139: »Paulus möchte sich darauf berufen, daß er zusammen mit der
Gemeinde unter dem κύριος Ἰησοῦς steht«. Richtiger dürfte sein, wenn er a. a. O.
mit Hinweis auf Phlm 8 sagt: »›In Christo‹ hat der Apostel die Autorität zu befehlen«; sie ist in seiner Bestimmtheit von Christus grundgelegt.
[3] Nach Neugebauer, In Christus 139, der den Unterschied der Formeln ἐν Χριστῷ
und ἐν κυρίῳ zu erarbeiten suchte, könnte das Befehlen nie mit der ἐν Χριστῷ-
Formel determiniert werden. Der Imperativ des Befehlens (ἐν κυρίῳ, dem fordernden
Herrn) könne erst— und immer nur — aus dem Indikativ der apostolischen Berufung (ἐν Χριστῷ, dem auferstandenen und erhöhten Herrn) aufsteigen.
[4] Vgl. dazu v. a. Dibelius, 1 Thess 19f: »Beweisbar scheint mir nur, daß es sich um
einen zu einem gewissen Grad fixierten Traditionsstoff handelt«, ob ein Proselytenkatechismus zugrunde liege, »wird sich generell nicht entscheiden lassen« (a. a. O. 20).
[5] v. Dobschütz, 1 Thess 158.
[6] Objekt zu ἀθετῶν sind »die apostolischen Forderungen«; so Gutjahr, 1 Thess
62; es bringt ein »tätliches Außerachtsetzen, Mißachten im Leben durch Übertretung des Gebots zum Ausdruck« (v. Dobschütz, 1 Thess 172).
[7] So Steinmann, 1 Thess 43.
[8] »Gottes-, nicht bloß Menschenverachtung wäre die Hintansetzung dieser Forderungen« (v. Dobschütz, 1 Thess 171); ähnlich Rigaux, 1 Thess 514; Masson,
1 Thess 50.

in Wahrheit διὰ τοῦ κυρίου 'Ιησοῦ ergehen. Vom Apostel empfängt man Weisungen (vgl. τὸ πῶς 4, 1) für den Lebenswandel, denen man Gehorsam schuldet (vgl. δεῖ 4, 1), weil sie »im Herrn« gegeben sind[1]. Solcher Art — meint das betont gesetzte τίνας — sind also die Einzelgebote, die der Apostel verkündet.

1 Thess 2, 13f
wird dieser Zusammenhang schon in aller Deutlichkeit ausgesprochen: die Thessalonicher haben das Wort der Verkündigung[2] des Apostels und seiner Mitarbeiter nicht als Wort von Menschen aufgenommen[3], sondern als das, was es in Wahrheit ist, als wirkmächtiges Wort Gottes selbst. Dieses Ineinander von Gottes Wort in Menschenwort drückt Paulus in einer bewußt konstruierten Formulierung aus, wenn er vom λόγος ἀκοῆς παρ' ἡμῶν τοῦ θεοῦ spricht, womit er offensichtlich λόγος τοῦ θεοῦ und λόγος ἀκοῆς παρ' ἡμῶν ineinander verschränkt[4]. Sein (und seiner Mitarbeiter) Wort ist Gottes eigene Heilsbotschaft, welche durch sie vermittelt Glauben, Vertrauen und Gehorsam fordert. Dieses Wort Gottes wird geradezu als Macht vorgestellt, die in denen am Wirken bleibt, die es annahmen[5]; näherhin besteht diese Wirkung im Nachahmen des Beispiels der Gemeinden Gottes, die in Judaia[6] in Christus Jesus sind. Diese hatten von den Juden viel Feindseligkeit, ja Verfolgung erleiden müssen und doch standhaft ausgehalten. Ähnliches haben aber offenbar auch die Thessalonicher von ihren eigenen Landsleuten erfahren, und Paulus rühmt an ihnen gleiche Ausdauer: das Wort, das sie in sich aufnahmen, hat dieses Nachahmen bewirkt.

2. Der Mitarbeiter des Apostels und die Gemeinde

1 Thess 3, 2
Des Apostels Mitarbeiter sind zugleich »Gottes Mitarbeiter am Evangelium Christi«. Hierin nur einen ehrenvollen Titel »aus persönlicher Wertschätzung« für seinen Bruder Timotheus sehen zu wollen[7], hieße den Text unterfordern

---

[1] Vgl. dazu Neugebauer, In Christus 139.

[2] ἀκοή ist term. techn. für die Predigt (Röm 10, 16f; vgl. auch Gal 3, 2. 5; Hebr 4, 2); λόγος ἀκοῆς ist also Heilsverkündigung. Παρ' ἡμῶν und τοῦ θεοῦ sind zwei aneinandergereihte gen. auct., so daß zwei Urheber des λόγος angegeben werden, womit die Möglichkeit geschaffen ist, ihn als λόγος τοῦ θεοῦ und λόγος ἀνθρώπων gleichzeitig zu verstehen; vgl. dazu v. Dobschütz, 1 Thess 104; Dibelius, 1 Thess 11.

[3] παραλαβόντες akzentuiert dabei stärker den äußerlichen Vorgang (vgl. 1 Thess 4, 1; 1 Kor 11, 23; 15, 2; Gal 1, 9. 12), ἐδέξασθε den der innerlichen Aufnahme (vgl. 1 Thess 1, 6; 1 Kor 2, 14; 2 Kor 8, 17); doch sind die Übergänge fließend (vgl. 1 Kor 15, 1; 2 Kor 6, 1 ; Phil 4, 9); vgl. dazu v. Dobschütz, 1 Thess 104; Rigaux, 1 Thess 438f.

[4] Sie stehen nicht »eindrucksvoll nebeneinander« (Dibelius, a. a. O.); was Paulus ausdrücken will, ist gerade »das Ineinander des Göttlichen und des Menschlichen« (v. Dobschütz a. a. O.).

[5] Anders versteht es v. Dobschütz a. a. O. 105, der das ὅς καί in Relation zu θεοῦ sieht: » *Gottes*wort, darum auch wirkungskräftig«.

[6] Auf die hier angedeutete Vorbild-Funktion der Gemeinden der Judaia wird zu achten sein, wenn das paulinische Verhältnis zu Jerusalem erörtert wird.

[7] Staab, 1 Thess 23.

und den Sinn der Sendung des Timotheus verkennen. A. Oepke[1] betont wohl
mit Recht, daß Paulus nicht ohne Absicht die Bedeutung seines jugendlichen
Sendboten so nachdrücklich unterstreicht. Es sind keineswegs nur Wohlwollen
und Hochschätzung für seinen Bruder und Mitarbeiter, die ihn solcher Bezeichnung würdig machen; auch scheint es mir nicht hinreichend, den Zweck
der Empfehlung vor der Gemeinde als Grund für eine so auszeichnende Benennung anzugeben[2]. Denn trotz der Verschiedenheiten in der Textüberlieferung[3] ist kaum daran zu zweifeln, daß Paulus den Timotheus in der Tat einen
συνεργὸς τοῦ θεοῦ[4] und nicht nur einen διάκονος τοῦ θεοῦ nennt[5]. Daß diese
Bezeichnung als zu vermessen erschien und Anstoß erregte, beweisen die Textvarianten selbst, die zum Teil harmonisieren, zum Teil durch Entfernung des
τοῦ θεοῦ bzw. Ersatz des συνεργός durch διάκονος den eigentlichen Anstoß zu
beseitigen versuchen. Συνεργός verdient aber nicht nur als lect. difficilior den
Vorzug. Der ganze Ausdruck, der nur an dieser Stelle in dieser Form begegnet,
scheint eine verkürzte Fassung dessen zu sein, was in 2 Kor 5,18 – 6,4 theologisch entfaltet wird[6]. Darauf kann hier zunächst nur verwiesen werden.

Jedenfalls betrachtet Paulus sich samt seinen Mitarbeitern, ob sie nun selbst
Apostel genannt werden können oder nicht[7], als Mitarbeiter Gottes, insofern
sie das Evangelium Christi vermitteln, das Gott ihnen als λόγος τῆς καταλλαγῆς

---

[1] Vgl. Oepke, 1 Thess 168; dazu Dibelius, 1 Thess 16; v. Dobschütz, 1 Thess 131:
»Die dem Timotheus gegebenen Ehrenprädikate sind nicht nur unwillkürliches Lob
des treuen Gefährten . . . ; sie sollen aber auch nicht die Größe des Opfers anzeigen,
das P. durch die Entsendung dieses Mannes gebracht hat . . . : *vielmehr wollen sie
ihn als vollwertigen Ersatz für P. darstellen*« (Hervorhebung von mir).
[2] So Dibelius, 1 Thess 16.
[3] Dibelius weist a. a. O. fünf verschiedene Textbezeugungen auf:
»1) καὶ διάκονον τοῦ θεοῦ bei Ägyptern (SA bo, aber mit P und ohne B!) und Vulg,
2) καὶ συνεργὸν τοῦ θεοῦ bei Abendländern (D d e Ambst), aber auch 33,
3) καὶ συνεργόν ohne τ. θ. B,
4) καὶ διάκονον καὶ συνεργὸν τοῦ θεοῦ G,
5) καὶ διάκονον τοῦ θεοῦ καὶ συνεργὸν ἡμῶν KL pesch min Chrys. Thdt.
Von diesen Lesarten sind 4 und 5 Harmonisierungsversuche, ernsthaft konkurrieren 1 und 2. Von 1 aus erklärt sich aber das Eindringen von συνεργός schlecht;
dagegen sind, wenn 2 als Urtext angenommmen wird, alle Lesarten verständlich:
denn 3 beweist, daß man an dem hochgegriffenen Ausdruck ›Mitarbeiter Gottes‹
Anstoß nahm, und 1 erscheint dann zwanglos als eine Art der Korrektur von 2«.
Vgl. auch v. Dobschütz, 1 Thess 131 A. 2.
[4] Vgl. v. Dobschütz, 1 Thess 131: an dieser Wendung »hat man seit Alters
Anstoß genommen« . . . ; »aber sie entspricht durchaus der Anschauung des Apostels,
vgl. 1 Kor 3, 9; 2 Kor 6, 1, auch 1 Kor 15, 58, dem Hochgefühl der ersten christlichen Missionare überhaupt«. Ähnlich Rigaux, 1 Thess 468: »La collaboration
avec Dieu est une idée bien paulinienne, . . ., et répond à une conception chrétienne
primitive . . .«.
[5] »Gottes Helfer« (Oepke, 1 Thess 168) ist eine unglückliche Vermischung von
συνεργός und διάκονος.
[6] Vgl. συνεργοῦντες (2 Kor 6, 1); θεοῦ διάκονοι (6, 4); letzteres könnte zu den Textvarianten von 1 Thess 3, 2 beigetragen haben; vgl. v. Dobschütz a. a. O.
[7] Vgl. 1 Kor 3, 9; in der dortigen Auseinandersetzung (vgl. 3, 4 ff) wird nicht
klar, ob Apollos unter die »Apostel« im weiteren Sinn (= Missionare) zu zählen
ist oder nicht; aber zweifellos ist er nach 3, 9 als θεοῦ συνεργός anzusehen.

(2 Kor 5, 19) auferlegt hat[1]. Daß Paulus dabei keinerlei Unterschied macht zwischen sich und seinen Mitarbeitern, ist das eigentlich Bedeutsame an dieser Bezeichnung; denn sie begründet so den gleichen Autoritätsanspruch für Timotheus, den der Apostel für sich geltend machen kann[2]. Diese Autorität erscheint nicht als vermittelt durch den Apostel oder abgeleitet von ihm; sie ist eine Autorität sui generis, die ihren Ursprung in Gott selbst hat, der zu solcher Mitarbeit beruft. Von dem gleichen Timotheus sagt Paulus allerdings Phil 2, 22, daß er ihm in der Verkündigung des Evangeliums wie ein Kind dem Vater gedient habe. Wenn also auch ein natürliches Verhältnis von Über- und Unterordnung besteht zwischen dem Apostel und seinem Mitarbeiter, so doch nicht unbedingt ein Abhängigkeitsverhältnis. Paulus kann daher diese Beziehung nur als Vater-Kind-Verhältnis beschreiben, als ein liebendes Zueinander, das Alter, Stellung, Leistung und Bedeutung des Älteren nicht außer acht läßt, nicht aber als ein Rechtsverhältnis.

In der Aussage: ϑεοῦ γάρ ἐσμεν συνεργοί (1 Kor 3, 9)[3] schließt sich Paulus mit allen zusammen, die gleich ihm ihren Dienst am Evangelium verrichten. Auch sie sind von Gott selbst mit diesem Dienst betraut, auch ihre Verkündigung des Evangeliums hat Anspruch auf Glaubensgehorsam[4]. Die Bezeichnung des Timotheus als »Gottes Mitarbeiter am Evangelium Christi« entspricht also durchaus paulinischem Sprachgebrauch und paulinisch-theologischem Denken. Timotheus ist ein vollwertiger Ersatz des Apostels[5].

Der Sinn der Sendung des Timotheus liegt dann nicht nur in der Stellvertretung des Apostels, so als käme er nur als sein Bote und persönlicher Helfer, um nachzusehen, sondern in der Stärkung des Glaubens der Thessalonicher (στηρίξαι ὑμᾶς καὶ παρακαλέσαι 3, 2 b), eine Aufgabe, zu der er als »Mitarbeiter Gottes« kraft eigener Autorität befähigt ist. Dennoch ist Timotheus »gesandt«[6] vom Apostel und handelt nicht eigenmächtig; auch ist sein Auftrag begrenzt; er sollte nur den Glauben der Gemeinde festigen und sie trösten, damit sie sich in ihren Trübsalen nicht betören ließe (vgl. 3, 3), und sollte so das Band der Liebe innerhalb der Gemeinde, aber auch zum Apostel hin festigen (vgl. 3, 6 b f) und dann zu diesem zurückkehren (vgl. 3, 6 a). Diese Einschränkungen

---

[1] Konstitutiv ist für einen συνεργός τοῦ ϑεοῦ demnach der Dienst am Evangelium Christi. Dieser »Bereich der Mitarbeit«, »das Werk woran er mitarbeitet« (v. Dobschütz a. a. O.) wird in 1 Thess 3, 2 ausdrücklich genannt: ἐν τῷ εὐαγγελίῳ τοῦ Χριστοῦ.

[2] Vgl. Saß, Zur Bedeutung von δοῦλος bei Paulus 30; er betont, »daß auch Timotheus die Vollmacht hat, als Diener Gottes die Gemeinden zu ermahnen und zu stärken, im Grunde also das gleiche Werk zu treiben wie der Apostel«.

[3] Bauer, WB 1560, meint zwar, daß 1 Kor 3, 9 nicht die Gemeinschaft mit Gott, sondern die Gemeinschaft der Lehrer in Korinth in diesem συνεργοί ihren Audruck findet, etwa in dem Sinn: »Wir sind Arbeitsgenossen im Dienste Gottes«; doch damit wird der Sinn der Stelle zu Unrecht verändert und ihre Bedeutung abgeschwächt.

[4] Vgl. 1 Thess 3, 2 b.

[5] Dazu v. Dobschütz, 1 Thess 131; Masson, 1 Thess 39 f: »un authentique représentant de l'apôtre«; im Blick auf 2 Kor 5, 20 könnte man sagen: das ὑπὲρ Χριστοῦ οὖν πρεσβεύομεν gilt von jedem, der für Christus Botschafterdienste tut.

[6] Nach v. Dobschütz, 1 Thess 131, muß das ἐπέμψαμεν nicht »direkte Abordnung eines bei dem Apostel befindlichen legatus a latere bezeichnen«; aber sicher Abordnung und »Auftrag« (a. a. O.).

nehmen nichts zurück von dem, was Paulus grundsätzlich über die Autorität seiner Mitarbeiter sagt, bezeugen aber andererseits, daß es im Bereich der paulinischen Mission durchaus Über- und Unterordnung, Vollmacht und Sendung gibt[1], wenngleich diese Ordnung sich immer nur in Freiheit und Liebe verwirklichen kann.

Davon gibt der Thessalonicherbrief auch noch in anderer Hinsicht Zeugnis, nämlich im 3. Teil der Paränese (4, 1–12; 4,13–5,10; 5, 11–24).

3. Strukturierung der Gemeinde

1 Thess 5, 12–14

Die Gemeinde und jene, die »in ihr arbeiten und in ihr im Herrn Fürsorge tragen und sie zurechtweisen« (vgl. 5, 12), unterscheiden sich nicht hinsichtlich ihrer christlichen Berufung, wohl aber hinsichtlich ihrer Funktion innerhalb des Gemeindeorganismus. Diese Zuordnung hat sich allem Anschein nach noch nicht eingespielt. Daher muß Paulus mahnen, »haltet Frieden untereinander«[2] (vgl. V 13). Der Sinn dieser Aussage ist in jedem Fall auf das Miteinander innerhalb der Gesamtgemeinde zu beziehen und nicht als eine isolierte Mahnung an Streitsüchtige innerhalb der Gemeinde zu verstehen. Deshalb ist es gleichgültig, welcher Überlieferung man den Vorzug gibt: ob ἐν αὐτοῖς = haltet Frieden gegenüber den »Fürsorgenden« oder ἐν ἑαυτοῖς = haltet Frieden untereinander; auch diese Formulierung würde die »Fürsorgenden« implizieren. In jedem Fall steht die Stellung dieser »Fürsorgenden« in der Gemeinde in Frage. Sie erscheint als noch recht ungesichert und soll durch die Mahnung des Apostels befestigt werden.

Wer aber ist unter den οἱ κοπιῶντες ἐν ὑμῖν καὶ προϊστάμενοι ὑμῶν ἐν κυρίῳ καὶ νουθετοῦντες ὑμᾶς zu verstehen? Die Aneinanderreihung dreier Partizipien hinter einem gemeinsamen Artikel verbietet es, die Genannten als nach Funktionen geschiedene Gruppen zu betrachten[3]. Alle drei Partizipien wollen die Aufgabe einer — zunächst nicht einmal notwendig als geschlossen zu denkenden — Gruppe umreißen. Von Ämtern kann man noch so wenig sprechen wie von Amtsträgern[4]. Κοπιᾶν und νουθετεῖν beschreiben lediglich die Tätigkeit

---

[1] Vgl. Saß, Zur Bedeutung von δοῦλος bei Paulus 30: »Da Paulus aber in Timotheus und Epaphras zugleich seine Gehilfen sieht, die er mit Aufträgen an Gemeinden senden kann (1 Thess 3, 2. 6; Phil 2, 19), weiß er sich offenbar doch über diesen δοῦλοι stehen. Ein Apostel muß also über den δοῦλος hinaus besondere Eigenschaften und Vollmachten haben«.

[2] Die zwei verschiedenen Überlieferungen des Textes sind fast gleich gut bezeugt; vgl. v. Dobschütz, 1 Thess 219 A. 3; Dibelius, 1 Thess 31: »Überliefert ist 1. ἐν ἑαυτοῖς 2. ἐν αὐτοῖς. Die drei großen Zeugengruppen sind geteilt«. »Sachlich«, meint Dibelius a. a. O., »würde man nach der Forderung von 13a nicht gerade eine Mahnung zum Frieden mit jenen Leuten … erwarten; aber vielleicht enthält 13a die ideale, 13b die notwendigste praktische Forderung«.

[3] v. Dobschütz, 1 Thess 215: »Die durch einen Art. verbundenen Part. können nicht drei Kategorien von Personen, sondern nur die gleichen Personen nach drei Seiten ihrer Tätigkeit schildern«.

[4] Es geht zu weit, wenn Lueken, Phil 385, zu Phil 1, 1 feststellt: »Das Vorhandensein solcher Ämter darf uns nicht überraschen. Es ist uns gerade aus Mazedonien schon früher bezeugt (1 Thess 5, 12f)«.

dieser Gruppe von Leuten; darum geht es nicht an, allein hinter προιστάμενοι einen Amtstitel zu vermuten[1]. Der Zusatz ἐν κυρίῳ wird zwar gerade diese Aufgabe inhaltlich gegenüber den beiden anderen in besonderer Weise qualifizieren, aber mehr läßt sich darüber vorerst nicht aussagen[2]. Προιστάμενοι mit »Vorsteher« zu übersetzen, ist also nicht unbedenklich[3]. Ein Vergleich mit Röm 12, 8, wo der προιστάμενος zwischen dem μεταδιδούς (= Almosengeber) und dem ἐλεῶν (= dem, der Barmherzigkeit übt) steht, läßt eher daran denken, seine Aufgabe als ein »Fürsorge tragen« zu umschreiben, ohne sie damit auf den caritativen Sektor einengen zu wollen[4]. Es hieße demnach dem Text zu viel zu entnehmen, wollte man die »örtlichen Vorsteher«[5] in Thessalonich bezeichnet finden oder gar davon sprechen, daß Paulus ähnlich wie er in Südgalatien Presbyter (vgl. Apg 14, 23)[6], so in Thessalonich »Vorsteher«[7] bestellt habe. Es hieße aber andererseits »den Text ungebührlich abschwächen, wollte man verkennen, daß die hier so nachdrücklich in den Vordergrund gerückten Persönlichkeiten tatsächlich die Leiter und Führer, die Lehrer und Seelsorger der Gemeinde gewesen sind«[8]. Nur ist keine Rede von »Anerkennung der bestehenden Autorität«, in dem Sinne, daß diesen Autoritäten eine »Stellung an der Spitze der Gemeinde«[9] zugekommen wäre.

---

[1] Vgl. v. Dobschütz a. a. O. 215; Dibelius a. a. O. 30.

[2] Daß die προεστῶτες von 1 Tim 5, 17 als Amtsträger zu verstehen sind, erlaubt »unsere Stelle nicht ohne weiteres danach zu beurteilen; es handelt sich hier vielmehr um Tätigkeiten, die noch keinen amtlichen Charakter erhalten haben« (Dibelius a. a. O.).

[3] Neugebauer, In Christus 139f, gibt »vorstehen«, »leiten« und »verwalten« den Vorzug gegenüber »sich um etwas kümmern«, »für etwas sorgen«, mit der Begründung: »weil das Kümmern und Sich-sorgen schon im κοπιᾶν enthalten ist und bei dem Partizip προιστάμενος ein nicht zu übersehendes ὑμῶν steht«. Vor allen Dingen aber ist unter den drei Partizipien nur das προιστάμενος durch ἐν κυρίῳ genauer determiniert«: »gerade die leitende Tätigkeit in der Gemeinde darf nie die Bestimmung ›im Herrn‹ vergessen, darf nie außer acht lassen, daß nur einer Herr ist, Jesus Christus«. Vgl. Masson, 1 Thess 72: »être à la tête de, diriger«.

[4] Vgl. v. Dobschütz, 1 Thess 216.

[5] Staab, 1 Thess 42.

[6] Die Angaben der Apg können zur Deutung von Sachverhalten in den paulinischen Gemeinden nur mit großer Vorsicht herangezogen werden; denn in ihr »sprechen wohl spätere Ideale mit« (Oepke, 1 Thess 177).

[7] Steinmann, 1 Thess 51.

[8] Maier, Paulus als Kirchengründer und kirchlicher Organisator 81. Die Häufung der — teils durch späteres Amtsverständnis belasteten — Begriffe in Maiers Formulierung erweckt allerdings einen falschen Eindruck. Man muß sich eher die in 1 Thess 5, 12 begegnenden »Ansätze zur Verfassung« ... »so lose und elastisch wie nur irgend möglich denken« (Oepke, 1 Thess 177). Vor allem darum v. Dobschütz, 1 Thess 216, bei der Aufzählung dessen, worin diese Fürsorger sich betätigt haben mögen (Hergeben des Lokals, Herstellung der nötigen Ordnung dabei, Vorbeten, Vorlesen, Gewährung von Unterkunft und Unterhalt für Reisende, Unterstützung für Arme, Stellung von Kaution, Vertretung vor Gericht, Reisen für die Gemeinde etc.) zu dem Fazit kommt: sie erfüllten »alle Pflichten, die später dem Vorsteher, dem Bischof zufielen«, dürfte er den Stand der Entwicklung zum Zeitpunkt des 1 Thess richtig charakterisieren.

[9] Staab a. a. O.; vgl. Gutjahr, 1 Thess 86f; Steinmann, 1 Thess 51; Amiot, 1 Thess 345: »Paul dotait rapidement d'une organisation hiérarchique les églises qu'il fondait«.

Die genannten Tätigkeiten haben durchwegs dienenden Charakter und dieser Dienst vollzieht sich *ἐν ὑμῖν*, d. h. innerhalb der Gemeinde; nicht so, als hätte sich schon ein eigener Stand an der Spitze der Gemeinde gebildet, für den die Gemeinde selbst ein Gegenüber darstellen würde, das Objekt der Seelsorge. Diese Dienste sind noch ohne amtlichen Charakter. Der Kreis derer, die sie übernehmen, ist noch gänzlich offen für jeden, der sich eignet[1]. Man wird daher in 1 Thess 5, 12–14 nicht gerade die »Grundzüge der paulinischen *Gemeindeverfassung*« erblicken dürfen[2], allenfalls Grundlagen und Verfassungselemente. Die ganze Mahnung gibt zu erkennen, »daß wir von Ämtern mit maßgebender Autorität und gesicherten, aus dieser Amtsautorität fließenden Rechten noch weit entfernt sind«, wie F. W. Maier[3] zu Recht betont. Die Mahnung ist eingebettet in eine Anrede an die ganze Gemeinde. Alle zusammen sollen Sorge tragen für den Aufbau der Gemeinde, indem einer den anderen ermahnt und auferbaut (vgl. 5, 11). Nach dem Einschub von V 12 und V 13 folgt dann in den VV 14–22 die Fortsetzung dieser Mahnung an die Gemeinde mit knappen grundsätzlichen Hinweisen für das Zusammenleben der Christen. Die Gemeinde als ganze steht für Paulus im Blickpunkt; die besonderen Dienste, die in ihr geleistet werden, haben ihr gegenüber funktionale Bedeutung. Dennoch kann man ihren Charakter nicht so herabmindern, daß man sie lediglich als »freiwillige Sonderleistungen« bezeichnet[4]; denn zum einen ist deutlich, daß Paulus bemüht ist, die Stellung dieser Leute in der Gemeinde zu stützen. Er spricht ausdrücklich von *εἰδέναι*[5] *τοὺς κοπιῶντας* ..., d. h. die Gemeinde schuldet ihnen Anerkennung; sie soll sich darum der Bedeutung dieser Leute »bewußt sein« und sie *ἡγεῖσθαι ὑπερεκπερισσῶς ἐν ἀγάπῃ*, d. h. in ganz besonderem Maß lieb und wert halten[6]. Zum anderen darf man nicht außer acht lassen, daß der Dienst des *προϊστάμενος* Röm 12, 8 als *χάρισμα κατὰ τὴν χάριν τὴν δοθεῖσαν ἡμῖν* erscheint. Ähnliches will 1 Thess 5, 12 aussagen mit *ἐν κυρίῳ*. Vom Herrn sind sie zu ihrem Dienst berufen und »im Herrn« üben sie ihren Dienst aus. Ihre Tätigkeit ist ganz an den Herrn gebunden, der dazu ermächtigt[7]. In dieser

---

[1] Vgl. Maier a. a. O. 80f.
[2] Steinmann a. a. O. 51 (Hervorhebung von mir).
[3] Maier a. a. O. 80.
[4] Dibelius, 1 Thess 30, im Anschluß an v. Dobschütz, 1 Thess 215f.
[5] Gutjahr, 1 Thess 87 A. 6: »In dieser Bedeutung hapax leg. vgl. 1 Kor 16, 18 (*ἐπιγινώσκετε*) «; vgl. Rigaux, 1 Thess 576.
[6] Vgl. dazu v. Dobschütz, 1 Thess 217f; er analysiert dieser Hinzufügung und ihrer doppelten Deutungsmöglichkeit nach und folgert: »So liegt der Ton auf *ὑπερεκπερισσῶς*: P. will sich steigern; *ἐν ἀγάπῃ* aber bringt nur einen an sich in *ἡγεῖσθαι* liegenden Gedanken: es handelt sich nicht um ein Hochhalten in Furcht, in widerwilliger Beugung vor der Macht, der Amtsgewalt, sondern in Liebe d. h. in freudiger Dankbarkeit für freiwillige Leistung, zum Ausdruck« (a. a. O. 218).
[7] »Weil es der Kyrios ist, der anordnend selbst Ordnung setzt, darum kann Paulus 1 Thess 5, 12 von *προϊστάμενοι ἐν κυρίῳ* sprechen« (Neugebauer, In Christus 139); solche *προϊστάμενοι* dürfen darum auch nie vergessen, »daß nur einer Herr ist, Jesus Christus« (a. a. O. 140). Daß *ἐν κυρίῳ* nur den »ganz freien Charakter des Handelns« der *προϊστάμενοι* charakterisiere, wie v. Dobschütz, 1 Thess 217, meint, dürfte nicht richtig sein. Er verflüchtigt die Bestimmung durch *ἐν κυρίῳ* als eine »in der Lebensgemeinschaft mit dem verklärten Herrn wurzelnde«; umgekehrt geht B. Weiß, Das neue Testament II 291, zu weit, wenn er diese Bestimmung mit »im

Christusbezogenheit gründet letztlich die Würde und Autorität dieser Dienste[1]. Es genügt darum nicht zu sagen, die von Paulus geforderte »Anerkennung« und »Hochschätzung« gründe auf »Leistungen und Verdienste«[2]; denn die Begründung der Hochschätzung διὰ τὸ ἔργον αὐτῶν meint nicht nur ihre Arbeitsleistung[3], sondern das besondere Werk, das sie tun[4]. Dieses absolut gebrauchte τὸ ἔργον wird bei Paulus bisweilen als τὸ ἔργον τοῦ Χριστοῦ verstanden[5]. Der Dienst derer, die sich in der Gemeinde von Thessalonich um »das Werk Christi« sorgen, indem sie sich um das Leben der Gemeinde kümmern, steht im Zwielicht der gleichen Dialektik, die wir bei Paulus in seinem eigenen Apostolatsverständnis vorfinden. Er ist so sehr von Fürsorge und Hingabe bestimmt, daß die Autorität wie aufgehoben erscheint. Darum kann Paulus nur an den von der Gemeinde in Freiheit und Liebe zu leistenden Gehorsam aus Wertschätzung gegenüber den »Fürsorgenden« appellieren, ohne die Autorität dieser Dienste mehr als andeutend herausstellen zu dürfen als ἔργον τοῦ Χριστοῦ bzw. ἐν κυρίῳ.

Es bestimmt die Eigenart des paulinischen Amtsverständnisses, daß sich »Vorstehen« als ein »Fürsorgen«[6], nicht aber als ein Befehlen aus »Amtsvollmacht« darstellen und verstehen muß, wie andererseits der geforderte Glaubensgehorsam nicht in Unterwerfung und Unterordnung, sondern nur in Anerkennung und liebender Hochachtung bestehen kann[7]. Diese aber kann man nicht erzwingen. Das so verstandene Amt verlangt den Eifer des Fürsorgens (vgl. Röm 12, 8), der den in solchem Dienst liegenden Anspruch ausweist und rechtfertigt.

Der Thessalonicherbrief als frühester aller Paulusbriefe beweist, daß die Verhältnisse in der Gemeinde von Korinth nicht zu sehr typisiert werden dür-

---

Auftrag des Herrn« wiedergibt; doch kommt das der Sache »näher« (so Neugebauer a. a. O. 140 A. 26; er zitiert die Ausgabe von 1902, 504).

[1] Diese Christusbezogenheit ist nicht ohne weiteres so zu verstehen, daß sie »in Stellvertretung und Autorität des Herrn als Vorsteher an der Spitze der Gemeinde stehen« (Gutjahr, 1 Thess 86). Falsch ist es auch, die Autorität solcher Leute in der Einsetzung durch den Apostel oder einen seiner Mitarbeiter begründet zu sehen; denn für eine solche findet sich kein Hinweis (gegen Staab, 1 Thess 42; Steinmann, 1 Thess 51).

[2] Maier, Paulus als Kirchengründer und kirchlicher Organisator 81.

[3] Bauer, WB 610; auch v. Dobschütz nimmt dieser Motivierung ihr Gewicht, wenn er, 1 Thess 218, sagt: »neu ist scheinbar die Motivierung διὰ τὸ ἔργον αὐτῶν, aber diese resümiert ja nur die 3 Partizipien inhaltlich«; ähnlich Masson, 1 Thess 72: »Cette œuvre est celle qui a été décrite au V. 12«.

[4] Vgl. 1 Thess 1, 3, wo Paulus lobend spricht von τοῦ ἔργου τῆς πίστεως καὶ τοῦ κόπου τῆς ἀγάπης der ganzen Gemeinde. Solches ἔργον geschieht immer aus Glauben und Liebe; in 5, 12 steht darüber hinaus das ἔργον der Erwähnten unter der »imperativischen« (Neugebauer, In Christus 140) Bestimmung ἐν κυρίῳ.

[5] Vgl. 1 Kor 16, 10, wo es von Timotheus, Phil 2, 30, wo es von Epaphroditos gesagt wird; dazu Greeven, Propheten, Lehrer, Vorsteher bei Paulus 33.

[6] Vgl. dazu v. Dobschütz, 1 Thess 216 ff, v. a. 218 f den Exkurs: Die Organisation der Gemeinde.

[7] Vgl. Sohm, Kirchenrecht I 27: »Das Charisma fordert Anerkennung und, soweit es zu leitender, führender, verwaltender Tätigkeit beruft, *Gehorsam* seitens der übrigen«. »Aber: der Gehorsam, welchen das Charisma fordert, vermag kein Gehorsam kraft formalen Rechtsgesetzes, sondern nur *freier* Gehorsam zu sein«. Es handelt sich um »Anerkennung«, die nur aus Liebe geboren werden kann«.

fen, so als seien nur sie kennzeichnend für das paulinische Verständnis des Amtes in der Gemeinde. Sind es auch nur »Ansätze zur Verfassung«[1], die wir in Thessalonich feststellen können, so zeigen sie doch, daß von Anfang an »keine Christengemeinde« je »ganz ohne Leitung« gewesen ist[2], auch wenn diese zumeist noch hinter der Autorität des Apostels selbst zu verschwinden scheint. Darin darf man sicher A. Oepke beipflichten, der sagt, daß man sich für den Anfang diese Verfassungselemente nicht »lose und elastisch« genug vorstellen kann[3].

Nirgends bei Paulus finden wir eine feste Ordnung dieser Dienste. Sie sind offenbar auch nach Gemeinden recht verschieden[4] und den jeweiligen Bedürfnissen entsprechend. Doch zeichnet sich schon in den Listen von Charismen 1 Kor 12, 28ff und Röm 12, 6ff eine gewisse Ordnung nach Bedeutsamkeit für die Gemeinde ab. In 1 Thess 5, 12 ist davon freilich wenig zu spüren; eine Differenzierung von höheren und niederen Ämtern, von Vorstehern und Helfern etwa, ist nicht zu erkennen[5].

Von hauptamtlichen, besoldeten Priestern, Predigern oder Gemeindeleitern ist nicht die Rede[6]; aber die Umschreibung der Tätigkeit jener Männer (und Frauen?) als »Fürsorgende im Herrn« läßt uns doch, wie F. W. Maier es formuliert, »etwas entstehen sehen, was mit dem späteren geistlichen Amt große Ähnlichkeit hat«[7].

Ein bedeutsamer Unterschied zur Gemeinde von Korinth, der schon von vielen bemerkt wurde, liegt in der geringen Bedeutung der »Charismatiker«[8] für das Gemeindeleben in Thessalonich. Paulus muß die Thessalonicher geradezu mahnen, den Geist nicht auszulöschen (vgl. 5, 19), die Prophetie nicht zu verachten (vgl. V 20) und die Gabe der Unterscheidung[9] eifrig zu nützen (vgl. V 21). Offensichtlich gaben die Thessalonicher der geordneten »Fürsorge« den Vorzug gegenüber den schwer zu ordnenden pneumatischen Phänomenen, etwa der προφητεία (vgl. V 20).

Für Paulus jedoch ist die Prophetie das wichtigste aller Charismen. Sie ist ihm geradezu das Charisma der Ordnung, welches befähigt, das Gute

[1] Oepke, 1 Thess 177.
[2] Steinmann, 1 Thess 51; ferner v. Dobschütz, 1 Thess 219: »keine Gemeindebildung ohne eine gewisse Organisation denkbar«.
[3] Oepke a. a. O.
[4] v. Dobschütz a. a. O.: in Philippi »sehr früh« ... »Ansätze zu einer Amtsbildung«.
[5] Die Männer (und Frauen?) von 1 Thess 5, 12 in der »Gliederung der kirchlichen Ämter« ... »zu den höheren« zu zählen, wie Maier, Paulus als Kirchengründer und kirchlicher Organisator 83, es tut, dürfte daher ganz verfehlt sein. Widersprechen muß man auch Rigaux, 1 Thess 576, wenn er meint: »Qu'il y ait eu deux classes différentes de chrétiens dans la communauté de Thessalonique, personne ne peut le nier«.
[6] Vgl. Oepke, 1 Thess 177.
[7] A. a. O. 81; insofern hat auch Rigaux, 1 Thess 576, recht, wenn er das sich Ankündigende als »la séparation entre les fidèles et ceux qui exercent ces activités« bezeichnet.
[8] Dieser Begriff des »Charismatischen« im Sinne des Außergewöhnlichen, des Pneumatischen, ist, wie noch zu zeigen sein wird, nicht paulinisch.
[9] Vgl. 1 Kor 12, 10.

(τὸ καλόν V 21 b) zu erkennen, das zur Erbauung der Gemeinde Notwendige
(vgl. V 11)[1].
Aber Paulus tadelt die Thessalonicher nicht, er ermahnt sie nur, diese Geist-
gaben nicht zu unterdrücken. Denn solches gegenseitige Auferbauen ist Aufgabe
jedes einzelnen und der ganzen Gemeinde; Seelsorge ist zu dieser Zeit also noch
nicht Vorrecht eines Amtes oder gar eines Standes, sondern allgemeine Pflicht
jedes einzelnen Christen am andern.

4. Die gegenseitige οἰκοδομή

1 Thess 5, 11 ff
5, 11 erweist sich als ein Schlüsselsatz der Deutung; er schließt nämlich nicht
nur den eschatologischen Teil der Paränese (4,13–5,10) mit διό vorläufig ab,
sondern gibt mit οἰκοδομεῖν auch das Stichwort für den abschließenden Teil
(5, 12–22), der sich mit dem inneren und äußeren Aufbau der Gemeinde beschäftigt. Ziel aller Bemühungen der einzelnen Christen wie besonderer Dienste
in der Gemeinde ist diese οἰκοδομή[2]. Die gegenseitige Verantwortung der Christen untereinander und die Fürsorge bestimmter Leute für die Gemeinde haben ihren gemeinsamen Grund in der bei Paulus radikal christologisch, und als
solchen eschatologisch gefaßten Existenz der Gemeinde. Sie ist der endzeitliche
Bau (vgl. 1 Kor 3, 9), den der Apostel grundgelegt hat (vgl. 1 Kor 3, 10), und
der Grund, der in ihr gelegt ist, ist Christus (vgl. 1 Kor 3, 11). Am Tage Christi
wird sich offenbaren, welchen Wert das ἔργον jedes einzelnen besitzt, der zur
οἰκοδομή der Gemeinde beiträgt (vgl. 1 Kor 3, 13).
In der gegenwärtigen eschatologischen Situation aber geht es für die Gemeinde darum, an diesem Bau weiter zu arbeiten[3]. Und dies geschieht durch
gegenseitiges παρακαλεῖν[4]. Die Gleichsetzung ergibt sich zwingend aus dem
synonymen Gebrauch in 5, 11, zudem aber auch aus 5, 14 ff, wo das οἰκοδομεῖν
seitens der Gemeindeglieder durch gegenseitiges νουθετεῖν, παραμυθεῖσθαι, μα-
κροθυμεῖν usw. expliziert wird. Daß ihre Aufgabe darin von jener der besonderen Funktionsträger nicht wesentlich verschieden ist, zeigt der Gebrauch von
νουθετεῖν. Damit wird nichts von der geforderten Anerkennung für jene zurück-
genommen, denen dies »im Herrn« zur Aufgabe geworden ist, aber es wird so
der Gemeinde verwehrt, ureigenste Aufgaben jedes einzelnen gleichsam einem
Berufsstand zu delegieren. Die Möglichkeit der Unterscheidung Kleriker —
Laien ist nicht nur dem Text fremd, sondern soll sogar verhindert werden durch
die Betonung der funktionalen Struktur der Gemeindedienste.

---

[1] Vgl. 1 Kor 12, 14; v. a. 12, 28 ff; 14, 1. 12; dazu Dibelius, 1 Thess 31. v. Dobschütz, 1 Thess 224, betont die für Paulus »charakteristische Scheu vor Einseitig-
keit« (a. a. O. A. 7): »hat er zunächst den freiwilligen Dienstleistungen für die
Gemeinde Anerkennung verschafft 5, 12 ff, so tut er nun gleiches auch für die
außerordentlichen Erscheinungen auf geistlichem Gebiet«.
[2] Vgl. Vielhauer, Oikodome 101 f: »Aufbau der Gemeinde«.
[3] Vgl. ἐποικοδομεῖν 1 Kor 3, 10 ff.
[4] Zur annähernden Gleichheit der Bedeutung vgl. Vielhauer a. a. O. 101: in
1 Kor 14, 3 ist »παράκλησις und παραμυθία der οἰκοδομή als dem Oberbegriff untergeordnet«; in 1 Thess 5, 11: »ist παρακαλεῖν und οἰκοδομεῖν parallel«.

Es wäre aber eine Verkennung der Textaussage, wollte man sich durch die Forderung nach gegenseitiger Zurechtweisung, Tröstung usw. dazu verleiten lassen, hier nur die οἰκοδομή des einzelnen[1] und nicht auch die der Gemeinde ausgesagt zu finden[2]. Dem Ziel dieser οἰκοδομή haben alle Charismen zu dienen. Das ist der Grund, weshalb Paulus mahnend an sie erinnert und vor ihrer Vernachlässigung warnt. Noch mehr aber warnt er vor jeder Art des Bösen (vgl. V 22), etwa Böses mit Bösem zu vergelten (vgl. V 15), denn das wäre »Destruktion der Gemeinde«[3], das Gegenteil von οἰκοδομή. Daß Paulus 5, 11 zum Abschluß seiner Paränese auf diese οἰκοδομή der Gemeinde zu sprechen kommt, hat also darin seinen Grund, daß in ihr das Ziel der eschatologisch bestimmten Gegenwart angezeigt ist. Sie ist Aufgabe der ganzen Gemeinde und nur im besonderen Funktion jener, die in ihr bestimmte Dienste ausüben. Der Sinn der gegenseitigen Ermahnung und Tröstung (des οἰκοδομεῖν) und des Dienstes der »Fürsorgenden« (deren ἐποικοδομεῖν nach 1 Kor 3, 10 ff in besonderer Weise auf die οἰκοδομή gerichtet ist) ist also die innere und äußere Festigung der Gemeinde und das Bewahrtbleiben ihres Lebens mit Christus im Jetzt der Gegenwart für den Tag der Wiederkunft Christi (vgl. 1 Thess 5, 9 f. 23).

Über den *Aufgabenbereich* derer, die den Aufbau der Gemeinde im besonderen zu besorgen und zu fördern hatten, geben nur die Begriffe des κοπιᾶν, des προίστασθαι (ἐν κυρίῳ) und des νουθετεῖν einigen Aufschluß. Feststehen dürfte, daß damit keine Titel genannt werden und daß es sich nur um eine einzige, erkennbare Gruppe von Leuten handelt, die in dreifacher Hinsicht gekennzeichnet wird:

a) durch κοπιᾶν

Nach A. v. Harnack[4] gebraucht Paulus das Wort mit Vorliebe im Sinn »christlichen Wirkens«[5] (vgl. Röm 16, 6. 12; 1 Kor 3, 8; 15, 58; 16, 16 u. ö.). Etwas von der schweren Erdarbeit, an die der Grieche bei diesem Wort denkt, schwinge auch für Paulus mit, nicht nur im Blick auf die schwere Handarbeit, die er neben seinem Missionswerk leisten mußte, sondern als Charakterisierung der Missionsarbeit selbst im Sinne von Schwerarbeit. Von Paulus sei der Begriff nur bei Lk, Past und Joh übernommen; dann verschwinde er, weil das

---

[1] So Lueken, 1 Thess 19, wenn er vom »Aufbau der ganzen christlichen Persönlichkeit« spricht; oder Staab, der das Leben des Christen mit einem Bau verglichen sieht. Dieser »Lebensbau« sei »im Werden« und »jede gute Tat und jedes gute Wort« füge »einen neuen Stein ein«. Dabei entspreche es »dem Charakter der heiligen Gemeinschaft«, »daß jeder Gläubige nicht nur sein eigenes Haus erbaut, sondern auch dem Bruder bauen hilft« (Staab, 1 Thess 41 f). Auch v. Dobschütz, 1 Thess 214, meint, dieses οἰκοδομεῖν erinnere daran, »daß es einen dauerhaften Ausbau sittlichen Verhaltens« gibt (vgl. 1 Kor 3, 10 ff; 14, 4) und »daß der Christ ein würdiger Tempel des Gottesgeistes sein soll« (vgl. 1 Kor 3, 16; 6, 19).
[2] Vgl. Vielhauer, Oikodome 101: »Es handelt sich nach dem ganzen Zusammenhang bei οἰκοδομεῖν . . . um den Aufbau der Gemeinde«. Daß mit οἰκοδομεῖν nicht nur »religiöse Förderung« gemeint sei, betont auch Pfammatter, Die Kirche als Bau 5f.
[3] Vielhauer a. a. O.
[4] A. v. Harnack, κόπος (κοπιᾶν; οἱ κοπιῶντες) im frühchristlichen Sprachgebrauch, in: ZNW 27 (1928) 1–10.
[5] A. a. O. 4.

geistliche Wirken von dem Zeitpunkt an nicht mehr als »*Sklavenarbeit*« empfunden worden sei, als die »Geistlichkeit zu einem übergeordneten Stande wurde« und doppelter Ehre — und entsprechender Versorgung — wert war[1]. Von da an seien sie κοπιῶντες ἐν λόγῳ καὶ διδασκαλίᾳ (1 Tim 5, 17). Ob mit κοπιᾶν allerdings in der Frühzeit ein »amtsmäßiges Wirken« gemeint ist, sei umstritten[2].

Κοπιᾶν kennzeichnet also die Arbeit dieser Gruppe als einen »aufopfernden, werktätigen Dienst an der Gemeinde«[3], und zwar als ein Werk des Glaubens und der Liebe (vgl. 1 Thess 1, 3). Diese Liebe ist — so A. v. Harnack im Anschluß an 1 Thess 1, 3 — die »urheberische Kraft des κόπος«, nicht der in Aussicht stehende Lohn[4].

b) durch προίστασθαι

A. v. Harnack entnimmt der Bezeichnung προιστάμενοι ἐν κυρίῳ, daß es sich um Amtsträger handle, und setzt sich für diese Auffassung mit den Argumenten derer auseinander, die, wie E. v. Dobschütz, betont abschwächend von freiwilligem Dienst in der Gemeinde sprechen[5]. Einmütigkeit herrscht allein darüber, daß προίστασθαι nicht immer »vorstehen« bedeuten müsse, sondern »Fürsorge tragen« in verschiedener Bedeutung bezeichnen könne[6], und daß es 1 Thess 5, 12 in diesem Sinn als eine »koordinierte Funktion« zu κοπιᾶν erscheine[7].

Doch weit gehen die Standpunkte auseinander in der Frage des Amtscharakters der προιστάμενοι.

E. v. Dobschütz behauptet, daß es zur Zeit dieses Briefes, kurz nach der Gemeindegründung, unmöglich ein »Gemeindeamt« gegeben haben könne und daß seine Existenz ein Widerspruch gegen das Prinzip der »Gleichheit aller Gemeindeglieder« wäre[8].

Gegen dieses voreingenommene Axiom macht A. v. Harnack mit Recht geltend, daß 1 Kor 16, 16 (also gerade 1 Kor) sehr wohl eine freiwillige Über- und Unterordnung kenne[9]: »Ich ermahne euch ..., daß auch ihr diesen untertan sein sollt und jedem, der mitarbeitet und sich müht«. Nur wird man ein-

---

[1] A. a. O. 6f. Auch habe die paulinische »Auffassung der geistlichen Arbeit«, wie sie sich in der Bezeichnung συνεργὸς τοῦ θεοῦ (1 Thess 3, 2) ausdrücke, »bald Widerspruch erfahren«: sie erschien »zu hoch gegriffen und mußte dem διάκονος τοῦ θεοῦ Platz machen« (a. a. O. 7).

[2] v. Harnack selbst hält es a. a. O. 8f, im Gegensatz zu v. Dobschütz, 1 Thess 215f; Dibelius, 1 Thess 30f, für wahrscheinlich.

[3] A. a. O. 10.

[4] A. a. O. 6.

[5] A. a. O. 9f gegen v. Dobschütz, 1 Thess 215ff.

[6] Vgl. Röm 12, 8; 16, 2; »man muß es neben und nach κοπιᾶν lateinisch mit ›procurare‹ übersetzen, das unter Umständen freilich auch bei Paulus ein ›dirigere‹ sein kann« (v. Harnack a. a. O. 9); vgl. v. Dobschütz a. a. O. 216.

[7] v. Dobschütz a. a. O. 216; vgl. v. Harnack a. a. O. 9.

[8] A. a. O. 219. Von diesen Argumenten wird man kaum zu überzeugen sein, am wenigsten von den behaupteten »am 1 Kor *deutlich zu erkennenden Grundsätzen* der paulinischen Gemeindeorganisation« (Hervorhebung von mir).

[9] A. a. O. 9: »Die Gemeindedemokratie schließt Über- und Unterordnung auf Grund der Charismen nicht aus«. Mit »Gemeindedemokratie« liefert allerdings auch v. Harnack eine bestreitbare Interpretation.

schränkend hinzufügen müssen, daß diese »Über- und Unterordnung« bei Paulus nicht einseitig als Handeln aus amtlicher Vollmacht seitens einzelner Amtsträger und Gehorsam seitens der Gemeinde verstanden werden darf.

v. Harnack ist daher insoweit zuzustimmen, daß es sich bei den προϊστάμενοι (1 Thess 5, 12) um Männer handelt, die durch ihr fürsorgliches Walten Anspruch auf Hochschätzung hatten, aber von »Amtspersonen« wird man an dieser Stelle noch nicht sprechen dürfen. Wie die Bezeichnung ihres Tuns mit κοπιᾶν und νουθετεῖν dient auch die Rede vom προΐστασθαι nur der Charakterisierung ihrer Tätigkeit und das ἐν κυρίῳ zur Begründung ihrer Legitimation und der in ihrem Dienst gründenden Autorität.

Eine Gliederung der Gemeinde zeichnet sich ab[1]; doch ist durch nichts angedeutet, daß es sich bei den beschriebenen Funktionen um das Amt der Ältesten handeln sollte[2]. W. Michaelis, der dies behauptet, fragt zwar: »Wer anders . . . ?«[3], aber seine Argumente sind wenig überzeugend.

Die Gliederung ist noch offen und ohne scharfe Konturen. Weder eine Trennung von freiwilligen Helfern und amtlich bestellten Ältesten noch von höheren und niederen Diensten noch eine Terminisierung der Aufgaben sind zu erkennen. Daß »Fürsorgen« ein »Leiten und Vorstehen« impliziert, bezeugt 1 Tim 5, 17; aber daß dieses »Leiten und Vorstehen« nur im »Fürsorgen« bestehen kann, ist genuin paulinisches Amtsverständnis. Das so verstandene Amt hat Anspruch auf Gehorsam und Wertschätzung, aber nur sofern die Gebundenheit an Christus im κοπιᾶν und προΐστασθαι ἐν κυρίῳ sich ausweist.

Daß Paulus diese Mitarbeiter mit der Fortsetzung und Förderung seines Werkes betraut weiß, darf man dem Hinweis entnehmen, daß sie um ihres »Werkes« willen wert zu halten sind, womit wohl auch sein »Werk« als das ἔργον ἐν κυρίῳ (vgl. 1 Kor 9, 1) gemeint ist. Von »Fortsetzung« zu sprechen, scheint umso mehr gerechtfertigt, als ihre Aufgabe als οἰκοδομεῖν verstanden sein will, genauer als eine Funktion innerhalb der οἰκοδομή der Gemeinde. Von Einsetzung[4] der Mitarbeiter zu reden, hat im Text keine Stütze. Vermutlich handelt es sich um Männer (und Frauen?), die dem Apostel bei seinem ersten

---

[1] Nach v. Dobschütz, 1 Thess 215, sind sie »herausgehoben«; von »Klerus« oder auch nur »Gemeindeamt« könne aber nicht gesprochen werden; vgl. dagegen Rigaux, 1 Thess 576f.

[2] Gegen Michaelis, Das Ältestenamt 100ff. Daß in 1 Tim 5, 17 nicht »fürsorgen«, sondern »vorstehen« gemeint ist, dürfte sicher sein; aber das beweist für Paulus nichts. Auch ein Blick auf Apg 17, 1ff macht es nicht wahrscheinlich, daß Paulus in Thessalonich »Älteste« eingesetzt habe (gegen Michaelis a. a. O. 102). Michaelis will nicht wahrhaben, »daß Paulus von ›Ältesten‹ nicht redet und sie in seinen Gemeinden nicht voraussetzt« (Greeven, Propheten, Lehrer, Vorsteher bei Paulus 41).

[3] A. a. O. 102; ähnlich v. Harnack a. a. O. 10, der vermutet, es habe neben freiwilligen Helfern auch eine »bestellte Gruppe« gegeben, »die sich als Fürsorger und Ermahner aus der ganzen Gemeinde hervorhoben«. »Die Meisten derselben werden ›Presbyter‹ gewesen sein« und aus dieser Kombination hätten sich schnell die Episkopen und Diakone (vgl. Phil 1, 1) entwickelt. Vgl. ferner Amiot, 1 Thess 345: »Les fidèles sont invités à témoigner égard et respect aux chefs de leur église, *sans doute* des presbytres régulièrement établis« (Hervorhebung von mir). Vorsichtiger Rigaux, 1 Thess 577: »nous y voyons des presbytres«.

[4] Vgl. Michaelis, Das Ältestenamt 102: »die Paulus . . . persönlich in ihr Amt eingesetzt haben wird«.

Aufenthalt in Thessalonich zur Hand gegangen sind und sich im Dienst am Evangelium (vgl. 1 Thess 3, 2) schon bewähren konnten. Solchen bewährten Mitarbeitern wird Paulus möglicherweise die Sorge um die Gemeinde aufgetragen haben.

Sie handeln also vermutlich doch — wie die Aufforderung zur Anerkennung 5, 12 f nahelegt — in seinem Auftrag, nach seiner Weisung, und »ihnen die schuldige Anerkennung etwa verweigern zu wollen, das müsse darum heißen, ihm selber, Paulus, den Gehorsam aufzukündigen«[1]. Zu sagen, daß Paulus nur in Erscheinung getretene Charismen anerkannt habe, ist im Blick auf 1 Kor 12, 28 ff gerechtfertigt, wenn man auch die einfachen Gemeindedienste als Charismen versteht und nicht mehr als Bewährung, Treue und Eifer für sie voraussetzt. Welcher Art solche Beauftragung gewesen sein mag, läßt sich allenfalls vermuten.

Man könnte sich die Beauftragung mit Gemeindediensten z. B. im Zusammenhang mit Gemeindeversammlungen (vgl. 5, 27) vorstellen; denn offizieller Art muß sie gewesen sein, ob man sie sich nun als Handauflegung[2] oder als einfache Bekanntmachung vorstellen will. 1 Thess 5, 12–14 setzt jedenfalls eine bestimmte und in der Gemeinde bekannte Gruppe (vgl. τούς V 12) von Funktionsträgern[3] voraus. Damit wird aber erst die ganze Bedeutung ihres προΐστασθαι ἐν κυρίῳ offenkundig. Sie sind nicht nur Beauftragte des Apostels, sie tun ihre Arbeit nicht nur an seiner Stelle und in seinem Namen, sondern »im Herrn«. Soviel wird durch diese Formel deutlich: ihre »Vollmacht« ist nicht abgeleitet vom Apostel, sie stammt vom Herrn. »In ihm«, d. h. in seiner Autorität, in seinem Namen, verrichten sie ihren Dienst. Sind sie auch keine »Amtspersonen« im späteren Sinn, eignet ihnen doch »im Herrn« Vollmacht.

c) durch νουθετεῖν

Solches »zurechtweisen« (= »den Kopf zurechtrücken«[4]) meint kaum mehr als »ermahnen«[5], wie ein Vergleich mit 5, 11 und 5, 14 beweist. Was 5, 11 mit παρακαλεῖτε ἀλλήλους ausgedrückt ist, ist nur prinzipieller; νουθετεῖτε τοὺς ἀτάκτους setzt einen stärker konkreten Akzent.

Die Zuordnung zu οἰκοδομεῖν in V 11 und die Erläuterung dieses οἰκοδομεῖν in V 14 ff lassen es nicht als gerechtfertigt erscheinen, hier mehr als die Anfänge späterer Kirchenzucht erblicken zu wollen[6]. Die Gemeinde ist als ein geordnetes

---

[1] Michaelis a. a. O. 103.

[2] v. Harnack a. a. O. 10: »es ist mir sehr wahrscheinlich, daß anerkanntes Charisma und Handauflegung von Anfang an verbunden gewesen sind«.

[3] Weshalb Neugebauer, In Christus 139 f, der sich für »vorstehen«, »leiten« und »verwalten« entscheidet, betont: »Selbstverständlich ist mit προιστάμενος nicht ein Amt, *auch nicht einmal eine Funktion*, sondern nur eine Tätigkeit gemeint, die bestimmten Leuten, vielleicht den zuerst Christ Gewordenen, zufiel« (a. a. O. 140; Hervorhebung von mir), ist mir umso unverständlicher, als er wenig vorher sagt: »Die neue Ordnung unter dem Kyrios tritt auch in den Ämtern der Gemeinde zutage« (a. a. O. 139).

[4] v. Dobschütz, 1 Thess 217.

[5] Gegen Michaelis a. a. O. 104.

[6] Vgl. v. Dobschütz, 1 Thess 217: »Es ist weder christliche Belehrung überhaupt, noch Handhabung christlicher Zucht, sondern der brüderlich seelsorgerliche Zuspruch dem Irrenden gegenüber«.

Ganzes gesehen. Daher kommt allen gemeinsam die Aufgabe zu, einander, vor allem aber die »Unordentlichen zurechtzuweisen«[1], d. h. jene, die aus der Reihe geraten sind, die ihren Platz innerhalb der Gemeinde nicht mehr in der rechten Weise ausfüllen. Mit der Möglichkeit strafenden Zurechtweisens wird offenbar noch nicht gerechnet.

Es läßt sich nicht entscheiden, ob solches mahnendes Zurechtweisen im Blick auf den Lebenswandel einiger Thessalonicher aufgetragen wird (vgl. etwa 4, 10f) oder im Blick auf Uneinigkeiten in verschiedenartigen Auffassungen (vgl. 4, 13–5, 10) oder allgemeiner zu verstehen ist (vgl. etwa 5, 14b. c). Jedenfalls erscheint es hinsichtlich der οἰκοδομή der Gemeinde von besonderer Bedeutung, daß dieses Zurechtweisen nicht nur Aufgabe der Funktionsträger der Gemeinde ist (vgl. V 12), sondern zugleich der ganzen Gemeinschaft. Während es bei der Aufzählung der Aufgaben jener Funktionsträger als letztes Glied erscheint, eröffnet es in V 14 die Mahnung an alle.

Es gibt in der paulinischen Gemeindeordnung keine privilegierte Machtstellung von Amtsträgern. Ihre Aufgabe ist grundsätzlich keine andere als die der Gemeinde, nämlich Dienst an ihrer οἰκοδομή; allerdings ist ihr Dienst ein besonders qualifizierter; nicht umsonst steht die Mahnung an die Gemeinde voran, sie um ihres »Werkes« willen hochzuschätzen und anzuerkennen[2]. Ohne daß also die Gemeindeglieder in ihrer eigenen Bedeutung geschmälert oder gar zu bloßen Objekten der Seelsorge herabgewürdigt würden, hebt sich eine gliedernde Struktur ab.

Von Funktionsträgern innerhalb der Gemeinde zu sprechen, legt sich dabei umso mehr nahe, als einmal von hierarchischer Stufung sich keine Andeutung findet, und zum andern von ihnen nur Funktionen wahrgenommen werden, die an sich auch der Gemeinde als Ganzes zukommen.

»Ob es sich nun in 5, 12 um ein mehr vorbeugendes Eingreifen handelt oder um eigentliche Zurechtweisung, so handelt es sich doch immer um eine seelsorgerliche Bemühung, die dem Andern helfen will«; keiner sitzt über dem Andern zu Gericht, auch die Funktionsträger wollen nur als »Brüder dem Bruder helfen«[3].

---

[1] Gutjahr, 1 Thess 88.

[2] Masson, 1 Thess 72, gibt diese Tendenz richtig wieder, wenn er einerseits sagt: »il ne s'agit pas encore d'une fonction précise, mais d'une activité librement assumée par quelques-uns dans le Seigneur«; dann aber fortfährt: »L'apôtre est conscient de la nécessité et de valeur de l'activité des dirigeants de la communauté, et il voudrait que les Thessaloniciens en soient convaincus eux aussi«. Von Funktion spricht auch Rigaux, 1 Thess 578.

[3] Michaelis, Das Ältestenamt 105 (er spricht allerdings immer von den »Ältesten«). Ähnlich formuliert Neugebauer, In Christus 140: »der sich so betätigt, soll nie vergessen, daß in der Gemeinde alle Brüder sind und sein dürfen, die Brüder aber sollen den leitenden Bruder im Herrn anerkennen«.

2. Kapitel

DIE EINFLUSSNAHME DES APOSTELS AUF DAS LEBEN SEINER GEMEINDEN NACH DEM 1. BRIEF AN DIE KORINTHER

1. Das Verhältnis des Apostels zur Gemeinde

a) Grundsätzliches zum Verhältnis des Apostels zur Gemeinde und zu seiner Mitarbeitern

1 Kor 3, 4–15

Über Sosthenes und sein Verhältnis zu Paulus einerseits, zur Gemeinde vor Korinth andererseits, lassen sich in 1 Kor 1, 1 nur Möglichkeiten aufzählen Eine umso aufschlußreichere Bestimmung der Beziehung zwischen Apostel und Mitarbeitern gibt dagegen der Abschnitt 3, 4–15 am Beispiel des Verhältnisse von Apollos zu Paulus.

Die Gemeinde von Korinth war durch Parteiungen in der Gefahr eine Spaltung. 1, 12 nennt neben den Anhängern des Paulus solche des Apollos des Kephas und des Christus, wobei wir über letztere nichts Bestimmtes aus sagen können, da sie nur an dieser Stelle Erwähnung finden, ohne auch nur andeutungsweise charakterisiert zu werden[1]. Nur die ersten beiden Gruppen greift Paulus auf, wohl deswegen, weil die hervorragende Stellung des Apollos in Korinth dies besonders nahelegte, während hingegen Kephas in Korinth zwar Anhänger besaß, die sich auf ihn beriefen, persönlich aber dort unbekannt und daher kein unmittelbarer Konkurrent für Paulus gewesen sein wird[2].

In der Erörterung seiner Beziehung zu Apollos entzieht Paulus im Folgenden jeder Parteienbildung den Boden; denn was sind Apollos, Paulus[3], fragt er

---

[1] Dieses ἐγὼ δὲ Χριστοῦ fand deshalb bei den Auslegern auch die verschieden artigsten Erklärungen; manche denken an pneumatische Charismatiker, die sich auf Christus selbst berufen, daher jede Belehrung durch sarkische Missionare und ihre Autorität ablehnen; andere sprechen von Judaisten, Gnostikern oder Liberti nisten, wieder andere scheiden diesen Zusatz als Glosse aus oder finden ihn »unte rhetorischem Zwange als viertes Glied zugefügt« (Reitzenstein, Hellenistische My sterienreligionen 334). Unbeweisbar sind diese Deutungen allesamt. Vgl. dazu Lietz mann, 1 Kor 6f; ferner Kümmel, im Anhang zu Lietzmann, 1 Kor 167; Conzel mann, 1 Kor 47 ff.

[2] Aus der Existenz einer Anhängergruppe des Kephas wird man nicht schon au einen Aufenthalt des Kephas in Korinth schließen dürfen oder gar auf eine gegen Paulus gerichtete Tätigkeit. M. Goguel, L'apôtre Pierre a-t-il joué un rôle personne dans les crises de Grèce et de Galatie?, in: RHPhR 14 (1934) 461–500, schließt nach Kümmel, im Anhang zu Lietzmann, 1 Kor 167, sogar »zwingend« — aus Kephas habe mit der Kephasgruppe in Korinth persönlich etwas zu tun gehabt.

[3] Vgl. Conzelmann, 1 Kor 48. Die Erklärung von J. Weiß, 1 Kor 75: »Apollo steht voran, weil P. annimmt, daß die Überschätzung der Lehrer bei den Apollos Anhängern stärker akzentuiert wird als bei seinen Getreuen«, übersieht, daß in V Paulus zuerst genannt wird, so daß in V 5 wohl nur aus Gründen der Gleichstellung umgestellt wird. 1, 13 beweist, daß Paulus auch hier ohne weiteres sich selbst hätt voranstellen können.

Diener sind sie, durch die die Korinther zum Glauben kamen (vgl. V 5). In dieser gemeinsamen Bestimmung als »Diener«[1] werden alle Unterschiede zunächst einmal aufgehoben, wird jedes Konkurrieren ausgeschlossen.

Die Hinzufügung καὶ ἑκάστῳ ὡς ὁ κύριος ἔδωκεν deutet freilich einschränkend auf eine unterschiedliche Art des Wirkens und auf eine Verschiedenartigkeit der Begabung hin, auf welche Paulus in den VV 10–15 näherhin zu sprechen kommt, welche aber die grundlegende Gleichheit ihres gemeinsamen Dienstes nicht aufheben. Sie sind beide Mitarbeiter an einem einzigen Werk, dessen Gelingen letztlich nicht von ihnen, sondern von Gott abhängt, der das Wachstum gibt (vgl. V 6). Insofern ist weder Paulus etwas als der, welcher pflanzte, noch Apollos als der, welcher die Saat begoß (vgl. V 7). Das Bild vom Pflanzen und Begießen des ϑεοῦ γεώργιον (V 9) enthält aber eine bedeutsame zeitliche Differenz[2], die es rechtfertigt, Apollos als einen Nachfolger des Paulus zu bezeichnen. Dabei ist jedoch nur an ein zeitliches Nacheinander, nicht an ein rechtliches Zueinander gedacht; gerade das sachliche Miteinander wird ja in V 8a noch einmal ausdrücklich hervorgehoben: ὁ φυτεύων δὲ καὶ ὁ ποτίζων ἕν εἰσιν. An dieser ihrer Einmütigkeit und an der Gleichheit ihres Dienstes müssen alle Parteiungsversuche scheitern. Diese Unterschiedslosigkeit bezieht sich — eine Einschränkung, wie sie ähnlich schon in V 5 begegnet ist — allein auf das Werk, dem Paulus wie Apollos dienen, sie läßt die persönlichen Unterschiede bestehen; deshalb wird jeder nach dem Wert seiner Arbeit auch einen je eigenen Lohn erhalten (vgl. V 8b). Das Werk aber, das sie gemeinsam betreiben, ist das Werk Gottes. Θεοῦ γάρ ἐσμεν συνεργοί wird daher wohl heißen, »denn Gottes Mitarbeiter sind wir«[3]. Diese Aussage steht in einem unverkennbaren Spannungsverhältnis zu den VV 6. 7; sie zeugt von einem Selbstbewußtsein des Paulus (und seiner Mitarbeiter), das ihn (und jene) deutlich absetzt von der Gemeinde als dem Ackerfeld Gottes und Bau Gottes (vgl. V 9b). Die das Werk Gottes ausführen, stehen offensichtlich auf Seiten Gottes und jenen gegenüber, denen dieses Werk zugute kommt.

Hatte das Bild vom Acker, der bepflanzt und begossen wird, die Gleichwertigkeit der Dienste des Apostels und seines Nachfolgers im zeitlichen Nacheinander hervorgehoben, so dient das in V 9b neueingeführte Bild vom Bau[4] in den folgenden VV 10–15 zu einer sehr viel schrofferen Differenzierung der

---

[1] Ob Diener Gottes, wofür ϑεός in den VV 6. 7 ein Hinweis sein, oder Diener des Herrn, was der Nachsatz καὶ ἑκάστῳ ὡς ὁ κύριος nahelegen könnte, oder Diener der Gemeinde, die durch ihren Dienst gläubig wurde, steht dahin. Keiner dieser Bezüge ist zwingend oder auch nur notwendig; vgl. J. Weiß, 1 Kor 76.

[2] Kaum jedoch eine sachliche; vgl. J. Weiß, 1 Kor 76. Diese ergibt sich aber aus der zeitlichen, was Paulus in V 10ff herausstellt.

[3] Die Möglichkeit, συνεργοί absoluter zu fassen und mit dem Genitiv ϑεοῦ locker zu verbinden, so daß der Satz besagen würde: »wir sind Mitarbeiter im Dienste Gottes«, ist zwar in Erwägung zu ziehen, zumal sie dem Vorausgehenden besser entspricht, wo der Pflanzende und Begießende gemeinsam zurücktreten hinter der Bedeutung dessen, der das Wachstum gibt (vgl. V 6), doch naheliegender ist die Kontrastierung zu V 9b; vgl. J. Weiß, 1 Kor 78: »Ausdruck weniger der Demut als eines hohen apostolischen Selbstbewußtseins«.

[4] Vgl. dazu Vielhauer, Oikodome 79ff; Pfammatter, Die Kirche als Bau 19–35. 71f.

Bedeutsamkeit des Dienstes eines Apostels und des Dienstes seiner Nachfolger[1]. Als Apostel hat Paulus — entsprechend der ihm verliehenen Gnade — ein Fundament gelegt, auf dem jeder andere nur weiterbauen kann. Seine Arbeit, der gegenüber die Bemerkung ὡς σοφὸς ἀρχιτέκτων nicht den geringsten Zweifel erlaubt, ist also nicht nur zeitlich früher, sondern auch sachlich fundamental. Damit sind in V 10 die Aussagen der VV 4–9 in dreifacher Hinsicht präzisiert:

a) Jeder hat seine Gnade, »wie sie der Herr einem jeden gab« (vgl. 5b); die Gnade des Paulus aber ist seine Berufung zum Apostel (vgl. 1, 1), sein Auftrag, »Grund« zu legen.

b) Dieses Grundlegen ist die Voraussetzung für alles Weiterbauen; die Bilder vom Bau und von der Bearbeitung des Ackers entsprechen sich also nicht einfach[2], denn das — hinsichtlich der Abhängigkeit vom Wachstum gewährenden Gott mit dem Begießen gleichgeordnete — Pflanzen wird in V 10 als das Primäre und Entscheidende herausgestellt.

c) In diesem Fundamentlegen erweist sich die Autorität des Apostels gegenüber Gemeinde und Mitarbeitern begründet. Sie hebt die Gemeinsamkeit der θεοῦ συνεργοί nicht auf, stellt nur die Bedeutung des Apostels für die οἰκοδομή der ἐκκλησία ins rechte Licht.

Die Verschärfung des Tons dieser Präzisierung der VV 5–9 in VV 10–15 schließt die Möglichkeit aus, unter dem ἄλλος etwa nur Apollos verstehen zu wollen[3]. Jeder Lehrer, der nach Paulus in der Gemeinde auftreten und den Bau der Gemeinde weiterbauen wird, wird an dieses von ihm gelegte Fundament gebunden sein (vgl. V 11). Daß einer ein anderes zu legen beabsichtigen könnte, wird im Folgenden nicht in Erwägung gezogen. Paulus geht es nur um den Wert und Unwert der Arbeit jener, die auf seinem Fundament weiterbauen werden[4]. Das Werk des Einzelnen wird im Feuer geprüft werden[5].

Ein Zweifaches ist damit erreicht:

1. Paulus hat sein Verhältnis zu seinen Mitarbeitern bzw. Nachfolgern geklärt, um die Parteiungen in Korinth zu beheben.

2. Er hat der Gemeinde die Bedeutung der Dienste, die durch den Apostel und seine Mitarbeiter an ihr geschehen, erläutert.

---

[1] Diese Nachfolge ist rein zeitlich, nicht rechtlich im Sinne der Sukzession zu verstehen.

[2] Gegen Lietzmann, 1 Kor 16: »parallel, nur in etwas erweitert«.

[3] J. Weiß, 1 Kor 78, dürfte hier nicht im Recht sein, wenn er bemerkt: »statt des einfach ausgesprochenen Namens Apollos ein Verschweigen des Namens«, und wenn er die Deutung auf »jedweden späteren Lehrer« kategorisch ablehnt. Vgl. dagegen auch Lietzmann, 1 Kor 16.

[4] Das Bild vom Bau bleibt zwar erhalten, doch verschieben sich die Betrachtungsweisen. Der Gedanke an den verschiedenen Wert der Bauarbeiten seiner Nachfolger läßt Paulus mit verschieden kostbaren Baumaterialien beginnen; die Fortführung steht aber schon unter dem Ausblick auf das Feuer des Endgerichts, in welchem der Unwert so mancher Arbeit sich erweisen wird. Die Verschiebung der Gesichtspunkte führt zu Unklarheiten über die innere Ordnung der Bildaussagen. J. Weiß, 1 Kor 79: »Paulus denkt nicht mehr im Bilde, sondern an die Sache«.

[5] Der Tag, der es erweisen wird, der im Feuer den Wert oder Unwert jeder Gemeindearbeit offenbaren wird, ist natürlich der Tag der Parusie.

Ausgehend von den konkreten Differenzen mit den Anhängern des Apollos stellte Paulus klar:

a) alle »Diener« des Evangeliums verrichten ein und dasselbe Werk;
b) ihr Werk hängt ganz und gar ab vom Segen Gottes;
c) trotz Einmütigkeit und Gleichheit im Dienst gibt es Unterschiede der Gaben und ein zeitliches früher und später des Wirkens;
d) dieser zeitliche Unterschied bedeutet zwischen Apostel und Nachfolgern auch einen sachlichen, sofern der Apostel einen besonderen Auftrag hat, den Grund zu legen, auf dem seine Mitarbeiter und Nachfolger aufbauen;
e) alle, die dem Werk der Glaubensverkündigung dienen, sind ϑεοῦ συνεργοί; sie wirken sein Werk; unter ihnen gibt es keine Wertverschiedenheit und darf es keine falsche Konkurrenz geben;
f) jeder, der Bauarbeit leistet als Lehrer der Gemeinde, hat diese Arbeit selbst zu verantworten. Nicht alles ist gleich wertvoll und beständig, was zum Aufbau der Gemeinde geschieht.

Die Gemeinde, die 1. Gottes Ackerboden ist, wird von den Mitarbeitern Gottes gepflanzt und begossen. Der sie Pflanzende und Begießende sind einerlei; Gott wirkt alles. Jede Bevorzugung oder Parteiung ist daher sinnlos. Die Gemeinde ist aber 2. auch Gottes Bau. Insofern kommt dem Apostel vor seinen Mitarbeitern fundamentale Bedeutung zu, da er den Grund legte, auf dem jene aufbauen.

b) Charakterisierungen des apostolischen Dienstes

1 Kor 4, 1ff
In 3, 5 hatte Paulus sich und Apollos als διάκονοι bezeichnet, von denen jeder seinen Dienst leistet, »wie der κύριος einem jeden gab«. Sodann hatte er die Würde der διάκονοι als ϑεοῦ συνεργοί (3, 9), seine eigene überragende Stellung als des Fundament legenden Apostels (vgl. 3, 10) und die Verantwortung seiner augenblicklichen wie künftigen Mitarbeiter (vgl. VV 12–15) herausgestellt. Auf diesen Ausgangspunkt lenkt er nun zurück; doch ist jetzt die Entwicklung seiner Gedanken gegenläufig gegenüber 3, 4–15. Nicht Auftrag, Würde und Verantwortung der ϑεοῦ συνεργοί sollen weiterverfolgt werden, sondern am Beispiel der Apostel, die Gott als die Letzten hingestellt hat (vgl. 4, 9), soll der Gemeinde von Korinth und ihrer Überheblichkeit des Urteilens eine Lehre erteilt werden. Es war ja nur zu Streitigkeiten gekommen, weil die Korinther sich auf einzelne Lehrer berufen hatten und dabei vermutlich der größeren »Weisheit« des Apollos und der höheren Geltung des Kephas den Vorzug gaben, während sie Paulus kritisierten[1].

---

[1] Daß man ihn »auf einer Art Gerichtstag (V 3) zur Verantwortung ziehen wollte« (J. Weiß, 1 Kor 92), dürfte dem Text zuviel entnehmen und die Verba λογίζεσθαι, ἀνακρίνειν, κρίνειν überinterpretieren. Hinter den Parteiungen steht eine falsche Art zu urteilen und zu beurteilen, gegen welche Paulus im Folgenden ankämpft; gegen J. Weiß auch Lietzmann, 1 Kor 18.

Gegen diese Überbewertung richtet sich die betont abwertende Tendenz der Aussagen von 4, 1 ff. So verstehen sich die Ausdrücke ὡς ὑπηρέτας[1] und οἰκονόμους[2].

Paulus greift gegenüber διάκονοι zu noch demütigeren Selbstbezeichnungen der θεοῦ συνεργοί: er stellt sie »als untergeordnete Diener im Dienste eines Höheren hin, die für sich nichts bedeuten, bei denen es nur darauf ankommt, ob sie die ihnen gestellte Aufgabe treulich erfüllen«[3]. So sollen sie ihn, aber auch alle andern einschätzen[4]. Ob diese bewußte Selbstverdemütigung auch in οἰκονόμους μυστηρίων θεοῦ noch vorherrschend ist[5] — entsprechend der Tendenz des Abschnitts —, so daß es auch dabei in erster Linie auf die bloße Verwaltung der Geheimnisse Gottes[6] ankommt, oder ob Paulus im zweiten Glied das erste richtigstellend ergänzt durch den Hinweis auf die Geheimnisse Gottes, welche diesen Dienern Christi als Verwaltern anvertraut sind[7], wird man nicht mit Sicherheit entscheiden können, auch wenn ersteres naheliegender erscheint.

Jedenfalls hält sich die Tendenz durch; vom Diener Christi ist als Verwalter eine Treue gefordert, die nur der Herr selbst (vgl. V 4) zu beurteilen vermag, die sich aber der Beurteilung durch einen menschlichen Gerichtstag entzieht (vgl. V 3). Ausgeschlossen ist jedes Urteilen, jedes sich Rühmen über Vorzüge (vgl. V 7), jedes sich Aufblähen gegen einen andern (vgl. V 6); denn alles ist »empfangen« (vgl. V 7).

Im Folgenden vereinigt Paulus »beißende Ironie und stolzen Unwillen in grandioser Weise«[8]. Er stellt dem zu hoch gegriffenen Selbstbewußtsein der Korinther seine eigene Erfahrung als Apostel entgegen, der, statt eine ihm zukommende Ehrenstellung einzunehmen, sich als Letzter erfährt, als Schauspiel für die Welt, töricht und schwach (vgl. VV 9. 10); er zählt seine Entbehrungen auf (vgl. VV 11–13), die er in seinem Dienst auf sich nimmt, um

---

[1] ὑπηρέτης ist hapax leg. bei Paulus und bezeichnet ein niedriges Dienstverhältnis; vgl. J. Weiß, 1 Kor 93.

[2] Wie ὑπηρέτης begegnet auch οἰκονόμος in der kynischen Philosophie zur Charakterisierung der Aufgabe des Wanderpredigers (vgl. J. Weiß, 1 Kor 93 A. 1), aber auch im Zusammenhang mit Kultgenossenschaften (vgl. Conzelmann, 1 Kor 102 A. 10).

[3] J. Weiß, 1 Kor 93.

[4] Οὕτως ἡμᾶς wird sich auf die zurückliegenden Ausführungen über die Zwistigkeiten in Korinth beziehen, so daß in ἡμᾶς alle Mitarbeiter des Apostels einzubeziehen sind, auch wenn Paulus im Folgenden (vgl. V 3) nur noch von sich spricht; vgl. dagegen J. Weiß a. a. O.
Conzelmann, 1 Kor 101 f, stellt in unserem Sinn fest: »οὕτως ... geht von der angesprochenen Gemeinde (ὑμεῖς) zu den paradigmatischen Amtsinhabern (ἡμεῖς) über, Paulus lenkt also zur Thematik von 3, 5 ff zurück«.

[5] Vgl. J. Weiß a. a. O.

[6] Die μυστήρια θεοῦ sind hier nicht Geheimnisse im engeren Sinn, wie sie den Propheten enthüllt werden, nicht die eschatologischen Pläne Gottes (vgl. 2, 7), auch nicht etwa die »Sakramente«, sondern umfassen inhaltlich die gesamte, dem Diener Christi aufgetragene Heilsbotschaft; vgl. Conzelmann, 1 Kor 102 A. 11: »die Offenbarung«.

[7] Daß dem οἰκονόμος diese Güter anvertraut sind, sie zu verteilen und verantwortlich zu verwalten, ist eine positive Bestimmung, die sich der negativen Tendenz des Satzes nicht ohne Schwierigkeiten einfügt.

[8] Lietzmann, 1 Kor 19.

das falsche sich Rühmen der Korinther zu beschämen. Wie um seine Ironie zu entschärfen, wechselt Paulus in V 14f den Ton zu gewinnendster Herzlichkeit. Das Bild vom Fundament des Baus, das er gelegt hat (vgl. 3, 10), ins Personale wendend, bezeichnet er sich als Vater, der die Korinther durch das Evangelium gezeugt hat[1]. Sie sollen erfahren, was sie ihm verdanken, und sollen durch den Hinweis auf seine Treue im Dienst davon abgebracht werden, ungünstig über ihn zu urteilen, vielmehr ermuntert werden, seinem Beispiel zu folgen[2]. Paulus wirbt um die Gemeinde.

Der ganze Abschnitt 4, 1–16 ist also als Kontrast zu der in der Parteienbildung in Korinth wirksamen Überheblichkeit einerseits und zu der mit dem Personenkult verbundenen Überschätzung der einzelnen Lehrer andererseits zu verstehen. Paulus zählt den Korinthern seine Mühen und Entsagungen auf, die seine Treue im Dienst ausweisen, und fordert sie auf zur Nachfolge auf diesem Weg. Diese Werbung um die frühere Gefolgschaft war — auch in 1, 12–3, 23 — die durchgängige Absicht seiner Erörterungen. V 17 verdeutlicht: »Eben[3] aus diesem Grunde« — die Gemeinde zurückzugewinnen und in seiner Nachahmung zu festigen — geschah die Sendung des Timotheus[4]. Sie an des Apostels »Wege« zu erinnern, war seine Aufgabe. Gemeint sind damit wohl seine Grundsätze, Lehren und Weisungen[5], wie er sie ἐν Χριστῷ Ἰησοῦ gab, d. h. aus seiner Bestimmtheit von Christus Jesus heraus. Doch ist auch nicht auszuschließen, daß Paulus — worauf das μου deuten könnte — weniger an bestimmte Lehren als an seine Weise der Lebensführung erinnern will[6]. Die Wege, die der Apostel lehrt[7], sind überall, in jeder einzelnen Gemeinde diesel-

---

[1] Die Geringschätzigkeit, die in παιδαγωγούς liegt, worunter strenge Zuchtmeister — in den meisten Fällen Sklaven — zu verstehen sind (vgl. Lietzmann, 1 Kor 21), darf man nicht als gegen Mitarbeiter in Korinth gerichtet betrachten; dies erweitert schon die Beifügung μυρίους.

[2] Μιμηταί μου γίνεσθε kann verschieden bezogen (z. B. auf V 6, auf V 11 ff) und interpretiert werden. Nachdem Paulus in V 15 sich aber auf seine geistige Vaterschaft gegenüber den Korinthern berufen hat, wird man — entsprechend dem παρακαλῶ οὖν — die Mahnung möglichst umfassend verstehen müssen, d. h. sie sollen Leben und Lehre des Apostels nachahmen. Vgl. J. Weiß, 1 Kor 117f. Gegen Michaelis, ThW IV 661ff, v. a. 670, der »zu Unrecht das Vorbild des Paulus eliminiert zugunsten des Gehorsams seinen Geboten gegenüber«, verwahrt sich Kümmel, im Anhang zu Lietzmann, 1 Kor 173.

[3] αὐτό fehlt zwar in p46 BC KDG pm; H; doch ist es in jedem Fall sinngemäß.

[4] Timotheus ist nicht der Überbringer des Briefs (vgl. 16, 10); er ist abgereist, aber Paulus vermutet ihn noch nicht in Korinth. Timotheus ist nach 2 Kor 1, 19 Mitbegründer der Gemeinde; daher — und wegen seiner Vorzüge, die Paulus erwähnt — besonders geeignet, den schwierigen Auftrag in Korinth auszuführen.

[5] Vgl. J. Weiß, 1 Kor 120; Lietzmann, 1 Kor 22; Conzelmann, 1 Kor 112.

[6] J. Weiß a. a. O. 120 glaubt wegen des katholisierenden, dem Sprachgebrauch des Paulus fremden καθώς ... διδάσκω einen späteren Zusatz annehmen zu müssen und möchte diese Deutung bevorzugen; nimmt man den Zusatz als echt an, ist die Bedeutung ›Lehren, Weisungen, Grundsätze‹ vor allem durch das διδάσκω nahegelegt. J. Weiß weist a. a. O. selbst hin auf den »Schlußsatz, der uns zwingt, wohl oder übel die ὁδοί des Paulus als seine Lehren zu fassen«.

[7] διδάσκειν, das Paulus nur noch 7, 17 für seine Tätigkeit verwende, häufiger aber in den Pastoralbriefen begegne, den hier singulären Gebrauch von πανταχοῦ und den Ausdruck πανταχοῦ ἐν πάσῃ ἐκκλησίᾳ zählt J. Weiß a. a. O. als Hinweise auf, die seine Streichung stützen.

ben — ein Hinweis auf die Einheit der Gläubigen, der mit dazu beitragen kann, die Parteiungen in Korinth überwinden zu helfen. Bedeutsam an Kapitel 4 ist für unseren Zusammenhang, wie Paulus es ablehnt, Gehorsam zu erzwingen, etwa durch Betonung seiner apostolischen Autorität, sondern wie er — ständig wechselnd im Tonfall und mit einer Fülle von Hinweisen — bittend und mahnend, ironisch und liebevoll, zurechtweisend und erinnernd um das alte Vertrauen neu wirbt. Daß er auch anders handeln könnte, zeigt seine scharfe Zurechtweisung der πεφυσιωμένοι in der Gemeinde von Korinth (vgl. V 20), die er herausfordernd frägt, ob er mit dem Stock[1] oder in Liebe und im Geist der Milde kommen solle.

c) Das Zusammenwirken des Apostels und der Gemeinde in der Behandlung des Falles eines Unzüchtigen

1 Kor 5, 3–5. 13
Der Fall des Unzüchtigen, den Kapitel 5 behandelt, bietet für unser Verständnis eine Fülle von Schwierigkeiten, die hier nur insoweit zur Sprache kommen müssen, als sie das Verhältnis von Apostel und Gemeinde hinsichtlich ihrer Disziplinargewalt berühren.

Paulus hat bereits — zwar abwesend dem Leibe nach, anwesend seinem in ihm wie in der Gemeinde wirksamen göttlichen Geist nach[2] — ein Urteil gefällt (vgl. V 3). Das Urteil (in V 5) lautet: ihn, der so gehandelt hat[3], »zu übergeben dem Satanas zum Verderben des Fleisches, damit der Geist gerettet werde am Tage des Herrn«[4]. Aus den VV 7 und 13 geht hervor, daß damit zunächst — wenn nicht ein formeller Ausschluß, so doch — ein Entfernen jenes Mannes aus der Gemeinde verlangt ist.

Paulus will nun aber dieses Urteil nicht allein fällen, zumal es wirkungslos bliebe, solange die Gemeinde den Ausschluß nicht vollzieht. Deshalb bezieht er in V 4 — mit einer bei ihm seltenen Genitivus-absolutus-Konstruktion — auf eine sehr merkwürdige Weise die ganze Gemeinde mit ein in seinen persönlichen Beschluß. Die Konstruktion läßt an sich offen, an eine zurückliegende oder künftige Gemeindeversammlung zu denken; doch am wahrscheinlichsten scheint es mir zu sein, das Zusammenwirken mit der Gemeinde rein fiktiv zu verstehen, also gleichzeitig mit dem Urteil des Apostels[5]. Die meisten Exe-

---

[1] Welche Maßnahmen Paulus hier ins Auge faßt, ist völlig ungewiß.
[2] Vgl. Kümmel, im Anhang zu Lietzmann, 1 Kor 173. J. Weiß, 1 Kor 126, dagegen sieht »einfach das körperliche und das Innenleben des Menschen« bezeichnet, »ohne daß irgendwie an den Geist Gottes gedacht wäre«.
[3] Die Konstruktion ist nicht ganz eindeutig, da V 4 den Zusammenhang zerreißt, so daß τὸν οὕτως τοῦτο κατεργασάμενον in V 5 mit τὸν τοιοῦτον noch einmal aufgegriffen werden muß. Κέκρικα wird man daher wohl objektlos fassen müssen: »ich habe den Beschluß gefaßt, das Urteil gefällt«, auch wenn der folgende AcI dadurch zerstört erscheint; vgl. J. Weiß, 1 Kor 127.
[4] Wie Paulus diese Wirkung sich denkt, braucht hier nicht erörtert zu werden; vgl. dazu Deissmann, Licht v. Osten 257; J. Weiß, 1 Kor 129–133; Conzelmann, 1 Kor 118.
[5] Wenn hier συνάγεσθαι — als hapax leg. bei Paulus — für das Zusammengeführt-werden der Gemeinde gebraucht wird und nicht das gebräuchlichere συνέρχεσθαι

geten nehmen zwar an, daß die angedeutete Zusammenführung ihres und seines Geistes auf eine noch ausstehende Versammlung der Gemeinde sich beziehe[1], Paulus also den Beschluß vorwegnehme und die Gemeinde gleichsam zur Ratifizierung auffordere; aber der Text bietet für diese Auffassung nicht genügend sichere Hinweise. Daß die tatsächliche oder gedachte Zusammenführung unter Anrufung des Namens des Herrn Jesus herbeigeführt wurde oder wird[2], kann sich ebenso auf den Beschluß des Apostels rückbeziehen, wie auf einen erst zu fassenden Gemeindebeschluß und sein Zustandekommen vorausweisen; entweder sollen also die Gemeindeglieder, wenn sie zusammenkommen werden, in irgendeiner Form den Namen des Herrn Jesus anrufen[3], damit auf diese Weise in der Kraft und Autorität des Herrn sich eine beschlußfähige Versammlung bilde, oder aber Paulus hat, als er den Beschluß faßte, diese Zusammenführung durch eine entsprechende Anrufung des Namens Jesu herbeigeführt. So konnte er das Urteil überhaupt erst ὡς παρών (V 3) fällen[4].

Wie diese Zusammenführung ihres und seines Geistes zu denken ist, läßt sich nicht mit Sicherheit bestimmen[5]; an ihrer Realität für Paulus kann kein Zweifel bestehen. Zweifelhaft dagegen ist die Beziehung und Bestimmung von σύν τῇ δυνάμει τοῦ κυρίου ἡμῶν Ἰησοῦ. Einen Überblick über die textkritischen Fragen gibt J. Weiß[6]. Nach seiner Auffassung ist σὺν τῇ δυνάμει ... auf συναχθέντων zu beziehen und als Schlußglied der Parenthese zu verstehen, also nicht mit παραδοῦναι zu verbinden[7]. Dann würde man mit der gegenwärtigen δύναμις τοῦ κυρίου eine dritte mit dem Geist der Gemeinde und des Apostels zusammenwirkende Kraft anzunehmen haben. Dieser allgemeinen Auffassung wird kaum widersprochen; dennoch besteht ähnlich wie bei παρών in V 3 eine nicht zu verkennende Dublette zwischen ἐν τῷ ὀνόματι τοῦ κυρίου und σὺν τῇ δυνάμει τοῦ κυρίου. Wäre nicht die Wortstellung in der Tat ein gewichtiger

---

(vgl. 11, 17. 18. 20. 33. 34; 14, 23. 26), könnte das den fiktiven Vorgang ausdrükken, der kein wirkliches Zusammenkommen der Gemeinde verlangt. Vgl. J. Weiß, 1 Kor 127, der auch darauf hinweist, daß συναγωγή bei Paulus nie für »Gemeindeversammlung« gebraucht wird.

[1] Vgl. J. Weiß, 1 Kor 127f; Lietzmann, 1 Kor 23.
[2] Heitmüller, Im Namen Jesu 73f, hat ἐν τῷ ὀνόματι in diesem Sinn wahrscheinlich gemacht; vgl. J. Weiß, 1 Kor 128. Zu den Möglichkeiten der Konstruktion und der Beziehungen vgl. Conzelmann, 1 Kor 117.
[3] Die Möglichkeit, ἐν τῷ ὀνόματι τοῦ κυρίου Ἰησοῦ auf παραδοῦναι zu beziehen, wird häufig erwogen (vgl. Heitmüller a. a. O.), von J. Weiß, 1 Kor 127, und Lietzmann, 1 Kor 23, wegen der Wortstellung jedoch verworfen; vgl. aber Bl.–Debr. § 465, 1, wonach das NT härtere Parenthesen enthält, als sie ein sorgfältiger Stilist zulassen würde.
[4] Dieses ὡς παρών wäre sonst eine überflüssige Wiederholung von παρὼν δὲ τῷ πνεύματι. J. Weiß, 1 Kor 127, ist geneigt, dieses erste παρὼν δὲ τῷ πνεύματι zu streichen als eine die »kräftige Pointe vorwegnehmende Dublette«. An dem zweiten ist in jedem Fall festzuhalten; es erklärt die gedachte Anwesenheit des Apostels in der Gemeinde zu dem Zeitpunkt, als er den Urteilsbeschluß faßte.
[5] W. Bousset, Der erste Brief an die Korinther, in: Die Schriften des Neuen Testaments, hg. v. J. Weiß, Göttingen ²1908, 90, denkt »wirklich an eine geistige Fernwirkung«; vgl. Lietzmann, 1 Kor 23. J. Weiß, 1 Kor 128: »Vielleicht denkt P., daß sein Geist ... realiter zu ihnen hinüberwirken könne«.
[6] J. Weiß a. a. O.
[7] Vgl. Heinrici, 1 Kor 161ff; Conzelmann, 1 Kor 117.

Einwand, möchte man geneigt sein, das eine[1] oder das andere mit παραδοῦναι zu verbinden. Andernfalls geschieht also die Zusammenführung selbst unter Anrufung des Namens des Herrn Jesus, und diese wiederum bewirkt die Gegenwärtigkeit der Kraft des[2] Herrn Jesus, so daß das ergehende Urteil in der Vollmacht des anwesend gedachten Herrn ergehen würde.

Damit sind die Fragen noch immer nicht beantwortet, wie die Beschlußfassung gedacht ist, durch wen oder auf welche Weise das Urteil gefällt wird, welche Rolle dabei die Gemeinde spielt und wem so die Disziplinargewalt innerhalb der Gemeinde zukommt. Unter der Voraussetzung, συναχθέντων ziele auf eine künftige, beschlußfassende und das Urteil des Apostels bestätigende Gemeindeversammlung, wäre — neben dem Apostel — die Gemeinde als ganze Trägerin der Disziplinargewalt[3], und nicht einmal der Apostel selbst könnte ein Urteil fällen ohne Zustimmung der Gemeinde. Dieser Gedanke steht an sich nicht in Gegensatz zu der Rolle, welche der Gemeinde als ganzer bei Paulus zukommt, aber hinsichtlich der Disziplinargewalt wäre er doch singulär.

An bestimmte Personen oder Gruppen innerhalb der Gemeinde zu denken, denen — ohne daß dies erwähnt wäre — auf Grund ihrer Stellung in der Gemeinde die Aufgabe zufiel, die Disziplinargewalt wahrzunehmen, ist durch nichts gerechtfertigt[4]. Die vorgetragene Auffassung einer fiktiven Zusammenführung würde dem Apostel das alleinige Handeln in dieser Disziplinarentscheidung zubilligen; doch bedarf dabei die Erwähnung der Gemeinde einer Begründung. Sie scheint zumindest auch in der gespannten Situation zwischen Paulus und der Gemeinde von Korinth gegeben zu sein, von der die Kapitel 1–4 einen Eindruck vermitteln. Die Autorität des Apostels ist nicht so unbestritten, daß er einfachhin befehlen könnte, selbst wenn er wollte. Nach seiner Werbung um die alte Gefolgschaft setzt er zwar an, seinen Urteilsspruch bekanntzugeben, doch kann er sein κέκρικα nicht ohne die werbende und die Ausführung durch die Gemeinde anstrebende Parenthese vorbringen. Dies betrifft gewiß nur die Absicht des Einschubs, erklärt ihn aber nicht sachlich. In συναχθέντων ὑμῶν καὶ τοῦ ἐμοῦ πνεύματος ist ein Zusammenwirken mit der Gemeinde vorausgesetzt, ohne welches die Disziplinarentscheidung des Apostels zum Scheitern gebracht würde; dieses Zusammenwirken umfaßt Zustimmung zu seinem Beschluß und Ausführung desselben, sieht aber darin auch eine Beteiligung

---

[1] Heitmüllers Vorschlag (Im Namen Jesu 74), die Übergabe selbst im Namen, d. h. unter Anrufung des Namens des Herrn Jesus sich vorzustellen, wäre der Verbindung von παραδοῦναι mit σὺν τῇ δυνάμει vorzuziehen, auch wenn ἐν τῷ ὀνόματι sehr viel weiter von παραδοῦναι entfernt steht; gegen letztere Beziehung wendet J. Weiß, 1 Kor 128, ein, dieser Gebrauch von σύν begegne nie bei Paulus und markiere schwerlich die Wiederaufnahme des Satzes nach der Parenthese; auch liege es nahe, σὺν τῇ δυνάμει mit συναχθέντων zusammenzuziehen.

[2] Das ἡμῶν ist hinter dem zweimaligen κυρίου sehr schwankend bezeugt, so daß es nicht möglich ist, von der Gewichtigkeit der Formelglieder her die Parenthese aufzulösen.

[3] Vgl. Lietzmann, 1 Kor 23.

[4] Kümmel nennt (im Anhang zu Lietzmann, 1 Kor 174) Allo's Beschränkung auf die προιστάμενοι zu Recht willkürlich. Allo, 1 Kor 122, meint, »que tout s'accomplit seulement devant les chefs, les προιστάμενοι«. Derartige Überlegungen haben für 1 Kor auszuscheiden, weil sie nur den Charakter unbegründbarer Vermutungen besitzen.

am Urteil selbst. Daß die Gemeinde von sich aus schon früher hätte besorgt
sein müssen, den aus ihrer Mitte zu entfernen, der diese Tat getan hat, ist so
in V 2 nicht vorausgesetzt[1]; V 2 spricht ihr also auch nicht ohne weiteres die
Gewalt zu, diesen Ausschluß ohne den Apostel selbst herbeizuführen; er besagt
nur, daß die Gemeinde statt ihrer unschönen Aufgeblasenheit (vgl. V 6) lieber
von niedergeschlagener Sorge hätte erfüllt sein müssen, daß[2] dieser aus ihrer
Mitte entfernt werde. Die Gemeinde ist für die Ausführung zuständig, die ihr
Paulus in V 7 zunächst in allegorischer Form nahelegt und in V 13 mit Worten
des Deuteronomiums aufträgt[3]; ob auch als Gesamtgemeinde für das Urteil
des Ausschlusses selbst, ist nicht sicher[4]. In 1 Kor 5, 1–13 ist die Rolle des
Apostels nicht zu übersehen. Auch wenn letztlich die nähere Bestimmung *σὺν*
τῇ δυνάμει τοῦ κυρίου Ἰησοῦ, die Vollmacht, in der das Urteil gefällt wird, entscheidend ist, die Verfahrensfragen sind überbestimmt durch das paulinische
ἤδη κέκρικα.

Es bleibt aber *ἐν τῷ ὀνόματι τοῦ κυρίου Ἰησοῦ* zusammen mit *συναχθέντων* an
ἤδη κέκρικα ὡς παρών (vgl. V 3) orientiert. Daß das Urteil »wie wenn er
anwesend wäre« ergehen konnte, hat das Zusammengeführtwerden der *πνεύ-*
ματα bewirkt. An dieser Einbeziehung der Gemeinde ist dem Apostel gelegen,
zumal er sich in ihrer Feststellung wiederholt. Dies könnte ein Hinweis darauf
sein, daß derart gravierende Fälle, wie der des Unzüchtigen, nach der Vorstellung des Paulus nur in einer ordentlich zusammentretenden, den Herrn
anrufenden und so seiner mitwirkenden Kraft gewissen Gemeindeversammlung
entschieden werden sollen. Zwingend ist das nicht zu erweisen. Weitere Einzelheiten eines solchen Beschlußverfahrens werden so wenig erwähnt wie einzelne
Verantwortliche; mit der Feststellung des *κέκρικα* hat Paulus den vorliegenden
Fall schon entschieden; die Vollstreckung des Urteils ist in V 13 der die Ausführungen abschließende Auftrag.

Die Rolle der Gemeinde ist demnach nicht restlos befriedigend zu klären; ihr
als Gesamtheit die Disziplinargewalt zuzuschreiben[5], dürfte aber keinesfalls
angehen; diese Auffassung scheitert am Übergewicht des *ἤδη κέκρικα* und läßt
sich aus V 12 b nicht behaupten, in welchem zwar prinzipiell die *ὑμεῖς* an ihre
Verantwortung des *κρίνειν τοὺς ἔσω*, d. h. das Richten der Gemeindeglieder,
erinnert werden, ohne daß über 5, 1–7 hinaus Aussagen gemacht würden.

---

[1] Gegen J. Weiß, 1 Kor 126. Die Konjektion *ἐπενοήσατε*: »ihr seid darauf bedacht
gewesen«, glättet zwar die Fortsetzung mit *ἵνα ἀρθῇ*, ist aber nicht erzwungen; sie
würde erst der Gemeinde eine disziplinäre Entscheidungsvollmacht zusprechen, die
in *ἐπενθήσατε* ausgeschlossen erscheint; vgl. J. Weiß a. a. O.
[2] *ἵνα* leitet hier keinen Finalsatz ein, sondern einen qualitativ-konsekutiven
Relativsatz (vgl. Bl.– Debr. § 379) mit dem Sinn: »daraufhin, daß«.
[3] Vgl. Dtn 17, 7; 19, 9; 22, 21. 24; 24, 7. Mit J. Weiß, 1 Kor 144f, sieht Conzelmann, 1 Kor 124, in diesem Auftrag eine Betonung von »Recht und Pflicht der
Gemeinde« (a. a. O. A. 83), »über Gemeindeglieder zu richten« (J. Weiß a. a. O. 145).
Die damit behauptete Autonomie der Gemeinde in Disziplinarfragen ist so sicher
wohl nicht zu behaupten.
[4] Von einer beschließenden Gemeindeversammlung verlautet so wenig wie von
eventueller Kompetenzverteilung bezüglich der Disziplinargewalt. Paulus wendet
sich wohl an die Gesamtgemeinde und spricht prinzipiell von Recht und Verpflichtung der Gemeinde, doch läßt er alle Verfahrensfragen offen.
[5] Vgl. Lietzmann, 1 Kor 23.

Auch die private Gerichtsbarkeit der Gemeinde (vgl. 6, 1 ff) — zu der die Bemerkung in V 12b überleiten könnte — wird man nicht zur Stützung dieser Auffassung heranziehen können; sie hat sich mit der Schlichtung von Streitsachen zu befassen, nicht aber mit Bann- und Fluchurteilen wie im Fall des Unzüchtigen.

d) Aufforderung an die Gemeinde: Streitsachen zu schlichten

1 Kor 6, 5b. 6

Wie wenig das οὐχὶ τοὺς ἔσω ὑμεῖς κρίνετε von 5, 12b auf die allgemeine Disziplinargewalt der ganzen Gemeinde gedeutet werden darf, zeigt die Erörterung in 6, 1–11 über das Schlichten (vgl. διακρῖναι V 5b) von Streitsachen[1]. Paulus nennt das Prozeßführen christlicher Brüder vor den Heiden, die sie zu Richtern setzen (vgl. VV 1. 4. 6), eine Schamlosigkeit[2]. Er kann der Gemeinde diese Beschämung nicht ersparen (vgl. V 5a); denn allein die Tatsache, daß Brüder gegeneinander Prozesse haben, ist ungehörig; lieber sollten sie Unrecht ertragen (vgl. V 7f). In diesem Zusammenhang erinnert Paulus an das Gericht der Heiligen über die Welt (vgl. V 2) und über die Engel (vgl. V 3), um darzutun, wie lächerlich es ist, wenn sie geringfügige Rechtsfälle (vgl. V 2) und Angelegenheiten des Lebensunterhalts (vgl. V 3) nicht zu entscheiden vermögen.

Daher seine Forderung, Streitsachen zwischen Brüdern in der Gemeinde selbst zu schlichten (vgl. VV 5b. 6). Die Formulierung ist herausfordernd ironisch[3] und bescheinigt der Gemeinde Unfähigkeit im Kleinen, wo Großes gefordert wäre; denn Streitsachen zu bereinigen, bedürfte es weit geringerer σοφία, als zu begreifen, daß es besser wäre, sich Unrecht antun zu lassen und beraubt zu werden, statt Unrecht zu tun und zu berauben (vgl. V 7). Daß bei σοφός analog den חכמים an die γραμματεῖς zu denken ist[4], ist Vermutung; grundsätzlich scheint jeder Geeignete in Frage zu kommen.

Nicht wird der ganzen Gemeinde — das ist festzuhalten — die Disziplinargewalt zugesprochen, wohl aber die Verpflichtung, Streitsachen durch eigene Regelungen zu bereinigen.

e) Weisungen des Herrn und seines Apostels

1 Kor 7, 10f. 12. 25. 40

Die Gemeinde von Korinth hat Paulus offenbar eine Reihe von Fragen vorgelegt, die dieser im Folgenden — häufig mit περὶ δέ eingeleitet (vgl. 7, 1) —

---

[1] Das κρίνειν τοὺς ἔσω von 5, 12 b ist ein bei Paulus in dieser Art beliebter proleptischer Hinweis auf 6, 1–11; die Zusammengehörigkeit ergibt sich aus der Stellung des Abschnitts 5, 12–6, 11 im Zusammenhang. 6, 12–20 greift zurück auf 5, 1–11; das Urteil über den konkreten Fall des Unzüchtigen weitet sich zum generellen über die πορνεία; dazwischen schieben sich in 5, 12–6, 11 die Erwägungen über das »Urteilen« in der Gemeinde.

[2] In diesem Sinn ist τολμᾷ τις hier zu verstehen; vgl. J. Weiß, 1 Kor 146.

[3] Denn σοφός ist eine unverkennbare Anspielung auf die Erörterungen über die σοφία in den Kapiteln 1 und 2, deren sich die Korinther so sehr rühmten.

[4] So vermutet J. Weiß, 1 Kor 150; doch der Bezug auf die Kapitel 1 und 2 ist viel naheliegender; vgl. Lietzmann, 1 Kor 26.

weniger von ihrer grundsätzlichen als vielmehr von ihrer praktischen Seite her
aufgreift, um der Gemeinde konkrete Lösungen vorzuschlagen. In Kapitel 7
sind es Fragen um Ehe und Ehelosigkeit. Allein daß diese Fragen an ihn gerichtet werden, ist ein Hinweis auf die rechtliche Stellung des Apostels zur
Gemeinde; es wird ja von ihm erwartet, daß er Entscheidungen trifft, Anordnungen erteilt und eine allgemein verbindliche Ordnung aufstellt. Die Art
und Weise, in der Paulus sich dieser Aufgabe entledigt, läßt sich aus der Abstufung des Verpflichtungscharakters der einzelnen Weisungen in den VV 10f.
12. 25. 40 verdeutlichen.

7, 10f: Paulus hat in den vorausgehenden VV 8. 9 den Vorzug der Ehelosigkeit betont — eine Tendenz, die das ganze Kapitel bestimmt —, gleichzeitig aber die Ehe als notwendige Konzession an die Unenthaltsamen gelten
lassen. Schon diese grundsätzliche Wertung erhebt Anspruch auf allgemeine
Gültigkeit; denn in dem betont in V 8 vorangestellten λέγω δέ »hören wir den
seiner Autorität sich bewußten Apostel, der Lehraussprüche tut, denen er
bindende Kraft beimißt«[1]. In V 10 kommt er nun auf die Probleme der Verheirateten zu sprechen. Ihnen gegenüber braucht er sich nicht darauf zu beschränken, einen Rat zu erteilen; denn sie stehen unter einem Gebot des
Herrn. Dieses besagt, daß eine Frau sich nicht vom Manne scheiden lasse und
ein Mann seine Frau nicht entlassen solle[2]. An der Unbedingtheit dieses Gebots
ist nicht zu rütteln; dahinter steht die Gehorsam fordernde Autorität des
Herrn selbst.

Dennoch wird man nicht sagen können, Paulus — der gelegentlich selber
solche kategorischen Forderungen stellt[3] — schalte hier seine Person aus[4].
Die Parenthese in V 11a bringt — sofern sie ursprünglich ist[5] — einen bedeutsamen Zusatz zu der apodiktischen Herrenforderung, die sie unterbricht[6].
Sie konzediert der Frau im Falle der tatsächlich vollzogenen[7] Scheidung eine

---

[1] J. Weiß, 1 Kor 176.
[2] χωρισθῆναι und ἀφιέναι werden sich entsprechen; die Parallelität der Aussagen
zwingt zu einem aktiven Verständnis von χωρισθῆναι; vgl. Lietzmann, 1 Kor 31;
J. Weiß, 1 Kor 178.
[3] Vgl. 1 Thess 4, 11 (2 Thess 3, 4. 6. 12).
[4] Vgl. J. Weiß, 1 Kor 177.
[5] J. Weiß, 1 Kor 178f, zweifelt daran wegen des andersgerichteten Interesses
des Interpolators, der entgegen der Absicht des Paulus »die Frage der Ehescheidung
vollständig und kasuistisch behandeln« wollte; dagegen Lietzmann, 1 Kor 31.
[6] Daß Paulus entgegen der Überlieferung der Evangelien (außer Mk 10, 12) auch
von der Möglichkeit spricht, die Frau könne sich vom Mann scheiden lassen, entspricht sowohl dem Recht der Mischna wie römischer und griechischer Rechtsauf-
fassung (vgl. Lietzmann, 1 Kor 31), kann aber gleichwohl eine Umformung des
Jesuslogions auf die Verhältnisse seiner Gemeinden durch Paulus selbst sein (vgl.
J. Weiß, 1 Kor 178). Warum aber erwähnt er zuerst die Frau und erlaubt ihr (im
Fall der vollzogenen Scheidung) die Trennung oder auch Wiederversöhnung? Möglicherweise ist dies durch ein Dominieren des weiblichen Elements in der korinthischen Gemeinde bedingt, worüber wir zu wenig wissen, wie es sind vornehmlich
Frauen, die mit ihren Fragen zu Paulus schickten. Conzelmann, 1 Kor 145, hält den
Wechsel in der Voranstellung von Mann oder Frau für »beliebig«.
[7] An dem καί der Parenthese entscheidet sich, ob Paulus generell das Herrengebot im Sinne dieser Ausnahmeregelung interpretiert oder nur einen zurückliegenden Einzelfall regelt. Im ersteren Fall wäre καί (mit Lietzmann, 1 Kor 31)

Trennung vom Mann und eine Wiederversöhnung mit ihm, schließt also nur die Wiederverheiratung als gegen das Herrengebot gerichtet aus. Dieser Zusatz ist vermutlich doch das Werk des Paulus selbst, seine »autoritäre« Interpretation, und es scheint — vor allem, weil sie die klare Anordnung des Herrn so ungeschickt unterbricht —, als ob es ihm auf diese Interpretation des Gebots in nicht geringem Maß ankäme. Das Gebot selbst ist klar und eindeutig. Auf die Uneingeschränktheit seiner Geltung beruft sich Paulus, um seiner Einschränkung höchstes Gewicht zu verleihen. Der Satzanfang mit τοῖς δὲ γεγαμη-κόσιν παραγγέλλω läßt die tatsächliche Fortsetzung nicht vermuten; ebenso erweckt das korrigierend nachgetragene, die 1. Person des παραγγέλλω bestehen lassende οὐκ ἐγὼ ἀλλὰ ὁ κύριος den Eindruck, als ob der ursprüngliche Gedanke während des Schreibens erst seine Umprägung erfahren hätte, mit welcher Paulus seiner eigenen Weisung die Autorität des Herrn adaptierte; neu scheint ja für die Gemeinde nur der paulinische Zusatz, nicht aber das Herrengebot selbst gewesen zu sein[1]. Für Paulus ist dieser Zusatz aber offenbar nichts eigentlich Neues; er scheint ihm zum Herrengebot selbst zu gehören und hat — obschon es seine eigene Deutung und Anwendung auf einen konkreten Fall ist — gleichen Anspruch auf Gültigkeit und Anerkennung. Herrengebote behalten also ihren Charakter einer unbedingten Forderung auch dann, wenn sie vom Apostel auf eine bestimmte geschichtliche Situation (vgl. die Hinzufügung der Frau) oder einen konkreten Fall Anwendung finden[2], der eine dem Sinn des Gebots entsprechende Interpretation erfordert.

7, 12: Das Scheidungsverbot des Herrn (vgl. 7, 10) scheint von Paulus nur für bestehende christliche Ehen als verbindlich gedacht zu sein; denn er selber bestimmt nun, welcher Grad an Verpflichtung diesem Wort für τοῖς δὲ λοιποῖς zukommt. Wie der Zusammenhang ergibt, sind darunter Mischehen zu verstehen[3]. Gegen diese ist das Scheidungsverbot nicht unmittelbar gerichtet. Paulus aber faßt es prinzipiell und formuliert nun seinerseits aus dem Geist dieses Prinzips — aber nicht mehr als Interpretation dessen, was das Herrenlogion selbst inhaltlich umfaßt — eine Anwendung, die noch von der Autorität des Herrenworts gestützt wird, also nicht bloße Meinung des Apostels ist. Seine Forderung an Christen, die in Mischehe mit einem Ungläubigen leben, ist dem Scheidungsverbot analog; sie sollen die Scheidung nicht erstreben oder verlangen[4]. Die Hervorhebung λέγω ἐγώ, οὐχ ὁ κύριος macht den Unterschied zum

---

als »doch« (vgl. 4, 7) zu verstehen und auf eine faktische Übertretung des Herrengebots zu deuten, im letzteren als »wirklich« oder »schon«, so daß der Vorgang als in der Vergangenheit liegend zu betrachten wäre (so J. Weiß a. a. O.).

[1] Vgl. J. Weiß a. a. O. 178: »sehr gut möglich ist, daß P. hier erneut daran *erinnert*«.

[2] παραγγέλλειν kann im Bedeutungsumfang schwanken von befehlen, anordnen bis zu anweisen, ordnen; vgl. auch 11, 17; dazu Bauer, WB 1216.

[3] Das logisch Ungenaue dieser Verknüpfung mit V 10 (vgl. Lietzmann, 1 Kor 31) erklärt J. Weiß, 1 Kor 179, aus einer grundsätzlichen Frage im Brief der Korinther über die Verheirateten, die sich 1. auf christliche Ehepaare 2. auf gemischte Ehen bezogen habe.

[4] Die Anfrage wird sich darauf gerichtet haben, ob eine solche — früher geschlossene — Ehe für einen Christen noch aufrechterhaltbar oder unwürdig sei; etwas anders Conzelmann, 1 Kor 145f, der als zweite Frage einbeziehen will: »welche Regel gilt ... für den christlichen Partner, wenn sich der heidnische scheiden läßt?« Vgl. dagegen J. Weiß, 1 Kor 180.

Scheidungsverbot und seiner Auslegung (vgl. V 11 a) deutlich und kennzeichnet die aus dem Verbot erschlossene Anwendung durch den Apostel. Das Recht, die Scheidung zu verlangen, wird nur dem ungläubigen Partner zugesprochen (vgl. V 15); für den Gläubigen gilt μὴ ἀφιέτω, sofern der Partner die Fortsetzung der Ehe wünscht[1].

Die Berufung auf das noch nachwirkende Scheidungsverbot des Herrn gibt dem Apostel und seiner Anwendung des Verbots auf Mischehen einen Grad von Verpflichtung, der dem Verbot selbst nur wenig nachsteht; das »muß« freilich, worauf die Herrenworte zielen, ist bei ihm zum »soll« geworden, und Ausnahmen scheinen eher möglich. Von dem durch Jesus aufgestellten Prinzip ist eine apostolische Norm abgeleitet, deren Befolgung für die Gemeinde nicht nur καλόν und τὸ κρεῖσσον[2], sondern verpflichtend ist, auch wenn sie nicht vom κύριος selbst geboten wurde.

7, 25: Konnte Paulus in den Fragen der Ehe sich auf ein eindeutiges Wort Jesu berufen, es deuten und anwenden (vgl. VV 10f. 12), so muß er nun zur besonderen Anfrage der Korinther wegen der Jungfräulichkeit eine eigene »Meinung abgeben«[3], ohne auf einen »Befehl des Herrn«[4] verweisen zu können. Das bedeutet zweifellos, daß diese γνώμη nicht mit dem gleichen Anspruch vorgetragen werden kann wie eine ἐπιταγὴ κυρίου. Die »Befehle des Herrn« reichten aber offenbar nicht aus, neu auftauchende Probleme — wie jenes der Jungfräulichkeit etwa — mit ihrer Hilfe zu lösen. Der Apostel weiß sich daher als ein ἠλεημένος ὑπὸ κυρίου πιστὸς εἶναι[5] berechtigt, seine »Stimme abzugeben«[6]. Damit wird das Mißverständnis abgewehrt, als könne man seine γνώμη (oder συγγνώμη; vgl. V 6) als unverbindliche persönliche Meinung abtun; als »einer, dem vom Herrn die Gnade erwiesen wurde, ein Beauftragter zu sein«, verdient seine Stimme Gehör. In diesem Bewußtsein, bevollmächtigter Apostel des Herrn zu sein, gibt er deshalb in V 26 ff seine Meinung kund[7]. Die vom Apostel

---

[1] Auf Seiten des christlichen Partners ist diese Fortsetzung nicht von seiner eigenen εὐδοκία abhängig; er steht unter der Forderung des μὴ ἀφιέτω; vgl. J. Weiß, 1 Kor 179f.

[2] Vgl. J. Weiß, 1 Kor 179.

[3] γνώμην δίδωμι mit »ich stelle einen Antrag« wiederzugeben, dürfte nicht gerechtfertigt sein; denn es fehlt bei Paulus jede Andeutung, daß die Gemeinde etwa über einen solchen Antrag abzustimmen hätte; vgl. J. Weiß, 1 Kor 192. Der Gegensatz zu γνώμη ist die ἐπιταγὴ κυρίου; γνώμη bringt also zunächst nur einen geringeren Grad von Verbindlichkeit und Verpflichtung zum Ausdruck.

[4] Die Herrenworte gelten Paulus — und wohl ganz allgemein in der frühen Kirche — als »Gesetze«, als Befehle, die keinen Widerspruch leiden. »Man sieht aber auch, daß die relativ geringe Anzahl der erhaltenen Logia nicht ausreichte, um auf alle Fragen des Lebens zu antworten, so daß ›der Geist‹ des Apostels bzw. das sittliche Urteil der Gemeinde und des Einzelnen ergänzend und die Ethik weiterbildend eintreten mußte« (J. Weiß a. a. O.).

[5] πιστός wird von Lietzmann, 1 Kor 33, wie von J. Weiß, 1 Kor 193 A. 1, als »Beauftragter des Herrn«, »Vertrauensmann« verstanden. Beide bringen das πιστὸς εἶναι in Verbindung mit 1 Thess 2, 4: καθὼς δεδοκιμάσμεθα ὑπὸ τοῦ θεοῦ πιστευθῆναι τὸ εὐαγγέλιον und verweisen auf syrische Inschriften, auf denen πιστός geradezu als Titel geläufig sei.

[6] J. Weiß a. a. O. 193: γνώμην δίδωμι »hat immer etwas von feierlicher Stimmabgabe«.

[7] J. Weiß a. a. O. 193: Paulus fühlt die innere Berechtigung, »als Vertreter des Herrn die fehlende ἐπιταγή durch seine γνώμη zu ersetzen«.

aufgestellten Normen und Weisungen wollen und können also nicht die Herrenworte ersetzen, aber sie beanspruchen Vertrauen und Anerkennung. Hinter ihnen steht die Autorität des Herrn, dessen πιστός er ist.

7, 40: Wesentlich abgeschwächter bringt er in V 40 seine γνώμη zum Ausdruck, daß Witwen glücklicher zu preisen seien, wenn sie nicht wieder heiraten. Entsprechend abgeschwächt erscheint auch die innere Begründung dieser »Meinung«: er sei sich bewußt, auch selbst den Geist Gottes zu haben.

Was er den Witwen sagen will, ist weit davon entfernt, sich als Gesetz zu verstehen oder auch nur als normative Anordnung; es ist der Rat eines Mannes, der Vertrauen verdient.

f) Apostolische παράδοσις

1 Kor 11, 2. 16. 23. 34

Ganz so befremdlich wie J. Weiß[1] wird man das Lob in 11, 2 nicht finden müssen. Gehen auch die Antworten des Briefs grundsätzlich an die ganze Gemeinde, in welcher genug Tadelnswertes ans Licht gehoben und geordnet wird, so stammen doch die an Paulus gerichteten Fragen von Leuten, die ihn als ihre Autorität anerkennen, so daß man annehmen kann, daß sie ihn ihres Gedenkens und ihres Gehorsams möglicherweise mit Worten versichert haben, auf die Paulus in V 2 anspielt[2]. Kernstück ihres Treueerweises scheint dann die Versicherung gewesen zu sein, daß sie die Überlieferungen halten, genau so, wie Paulus sie ihnen übergab. Was hier unter παράδοσις zu verstehen ist, wird nicht ersichtlich, weil es absolut gebraucht und aus dem Zusammenhang nicht erklärt wird. Einen unmittelbaren Bezug auf Lehrunterweisungen hat der Begriff παράδοσις jedoch in V 23 (und 15, 3).

Vorausgegangen war — nach dem Lob über das Halten der von Paulus empfangenen Überlieferung in V 2 — eine Belehrung über die Verschleierung der Frau beim Gottesdienst (vgl. VV 3–15). In den VV 17–22 dagegen mußte Paulus das Lob von V 2 einschränken wegen der mißlichen Vorkommnisse beim κυριακὸν δεῖπνον, von denen noch ausführlicher zu sprechen sein wird. Der Tadel des Apostels richtet sich vor allem darauf, daß sie zwar der παράδοσις gemäß zusammenkommen, aber durch ihr Verhalten den Sinn dieser παράδοσις verkennen, ja durch ihr Tun die Gemeinde Gottes verachten (vgl. V 22).

Das Folgende ist ein anschauliches Beispiel paulinischer Paränese, die aus dem Sein das Sollen, aus dem Indikativ den Imperativ ableitet. Er korrigiert nicht einfach Verhaltensweisen, sondern sucht die Gemeinde zunächst über den Inhalt und den Sinn dessen, was sie vollziehen, zu belehren (vgl. VV 23–25), um dann über die angemessene Weise des Vollzugs zu sprechen (vgl. VV 26–33). Ob diese Erläuterungen noch Bestandteil der παράδοσις sind, ist zweifelhaft.

---

[1] 1 Kor 268, der das ganze Stück 11, 2–16 einem ersten — vor 1 Kor liegenden Brief zuteilt.
[2] Vgl. Lietzmann, 1 Kor 53; nur ist keineswegs gesagt, daß diese Versicherung unmittelbar im Zusammenhang stand mit der Anfrage über die in den VV 3–16 verhandelte Verschleierung der Frau beim Gottesdienst. Paulus verbindet beide so wenig wie es auch im Brief der Korinther gewesen sein mag.

Die neuerliche Belehrung über den Inhalt der παράδοσις (vgl. VV 23–25) hat etwas unverkennbar Feierliches an sich. Vorbereitet durch die rhetorischen Fragen —»was soll ich euch sagen? Werde ich euch loben? In diesem (Punkt) lobe ich euch nicht« (vgl. V 22) — kontrastiert er die ungebührlichen Vorgänge bei den korinthischen Herrenmählern mit seinem eigenen Verständnis dieser Überlieferung. Daher das scharf herausgestellte ἐγὼ γάρ; denn er selbst hat vom Herrn[1] empfangen, was in jener Nacht, in welcher der Herr übergeben wurde, geschah, und er hat es den Korinthern auch[2] getreu weitergegeben. Darin liegt ein nicht zu überhörender Vorwurf: die Korinther haben es ganz so von ihm erhalten, wie er es selbst empfangen hatte[3]. Das Unverständnis der Korinther und die daraus erklärlichen Unsitten beim Herrenmahl sind also nicht seine Schuld.

Παραλαμβάνειν und παραδιδόναι sind in diesem Zusammenhang termini technici, die auf rabbinischen Sprachgebrauch zurückgehen[4]. Παρά kennzeichnet die Vermittlung über vorausgehende, die Zuverlässigkeit der Überlieferung gewährleistende Autoritäten. Die formgeschichtliche Erforschung der synoptischen Evangelien hat gezeigt, daß die Überlieferung der Worte und Taten Jesu weithin mit rabbinischen Gewohnheiten übereinstimmt; sie ist gestaltet nach den Gesetzen von Haggada und Halacha. Es kann daher nicht verwundern, daß Paulus diesen Vorgang des Tradierens mit rabbinischen Fachausdrücken beschreibt. Παράδοσις im engeren Sinn ist alles, was Paulus nicht aus Offenbarung, sondern aus der Überlieferung der Urgemeinde übernimmt und weitergibt. Davon zu unterscheiden ist, was er »sein Evangelium« nennt (vgl. Gal 1, 11. 12), das dadurch gekennzeichnet ist, daß er es »nicht von einem Menschen empfangen noch gelernt hat«. Die παραδόσεις fügen — nach Gal 1, 11 ff — seinem Evangelium nichts hinzu; dieses ist in sich vollständig und keiner Ergänzung oder Erweiterung bedürftig. Dennoch befleißigt sich Paulus größter Gewissenhaftigkeit in der Vermittlung dessen, was er als παράδοσις

---

[1] ἀπὸ τοῦ κυρίου mit Lietzmann, 1 Kor 57, auf die Offenbarung von Damaskus als dem einheitlichen Quellort des gesamten Wissens des Paulus über Jesus zu beziehen und demgemäß nach Gal 1, 11f zu verstehen als unmittelbar »vom Herrn her« empfangen, wird heute durchweg abgelehnt. Vgl. dazu Kümmel, im Anhang zu Lietzmann, 1 Kor 185; Kümmel verweist v. a. auf Allo, 1 Kor 277–279, der den Nachweis erbracht habe, »daß ἀπό in keiner Weise den direkten Vorgänger in der Traditionskette müsse«. ᾽Από ist dann so zu verstehen, daß der κύριος als Urheber oder »Anfangspunkt« (J. Weiß, 1 Kor 283) dieser Tradition zu betrachten ist; etwas anders Conzelmann, 1 Kor 230f.
[2] ὃ καὶ παρέδωκα weist auf die Identität des Empfangenen mit dem Überlieferten; vgl. J. Weiß, 1 Kor 284. Daß die paulinische Darstellung der Überlieferung jedoch von der synoptischen nicht unerheblich abweicht, ist kein Widerspruch zu dieser subjektiven Überzeugung des Paulus. Einmal besteht ja auch bei den Synoptikern eine gewisse persönliche Freiheit der Wiedergabe, und zum andern bezieht sich Paulus hier auf die Übereinstimmung des ihm Überkommenen mit dem von ihm Tradierten.
[3] Was Paulus in VV 23 b–25 übernimmt, ist sicher »vorpaulinisches, geprägtes Überlieferungsgut« (Conzelmann, 1 Kor 231). »Dabei ist mit der Möglichkeit zu rechnen, daß der Wortlaut von Paulus verändert wurde« (a.a.O.). Nicht so sicher ist jedenfalls, daß Paulus einen Text zitiert, der so beim Herrenmahl Verwendung fand; vgl. J. Weiß, 1 Kor 284.
[4] Vgl. J. Weiß, 1 Kor 283, und Conzelmann, 1 Kor 230; dazu Str.–Bill. III 444.

von der Urgemeinde übernimmt. Darin spiegelt sich — wie in Gal 1,1–2,14 — seine Anerkennung der Urgemeinde wie ihrer παράδοσις, die er auch für sich und seine Gemeinden als verpflichtend betrachtet; denn es ist Überlieferung ἀπὸ τοῦ κυρίου. Paulus spricht verkürzend nur vom κύριος als Grund und Ursprung seiner παράδοσις, doch ist die Bedeutung der Urgemeinde als Vermittlerin, durch die sie ihm zukam, zu erschließen.

Der Inhalt der παράδοσις im engeren Sinn sind geschichtliche Fakten aus dem Leben Jesu (vgl. 11, 23–25; 15, 3–5), soweit sie für Glauben und Lehre grundlegend sind.

11, 23 gibt einen Eindruck von solcher παράδοσις; denn man darf annehmen, daß Paulus ein Kernstück aus ihr wiedergibt und zwar in der Weise, wie es wohl allgemein mit den Überlieferungssätzen zu geschehen pflegte, in schon fester, für die jeweiligen Bedürfnisse der Tradition geprägter Form, d. h. in der durch ὃ καὶ παρέδωκα ausgedrückten Übereinstimmung mit der Vorlage. Das schließt nicht aus, daß »eine gewisse Freiheit der Wiedergabe«[1] bestehen blieb und daß die Identität von παραλαμβάνειν und παραδιδόναι weniger in Wortgenauigkeit als in der Sache bestehen mußte. Die Form der Wiedergabe der Überlieferung in 11, 23–25 läßt eine solche strenge Bindung an eine Vorlage erkennen, doch nicht ihre Art. Ob dieser Text schon in einer Beziehung zum Ablauf des Herrenmahles stand, etwa im Vollzug desselben zum Vortrag kam, ist nicht angedeutet.

In einem weiteren Sinn verwendet Paulus die Begriffe παραλαμβάνειν und παραδιδόναι — dann aber nie in der 1 Kor 11, 23 und 15, 3 begegnenden Zusammenstellung — für jede Art lehrhafter oder sittlicher Unterweisung[2]. Παραδόσεις sind dann nicht nur auf Glauben und Lehre beschränkt, sondern können das ganze — aus Glauben und Lehre gestaltete — Leben betreffen, sofern die Überlieferung dafür Normen und Weisungen gab. So ist dann auch Paulus selbst nicht nur Glied in der Kette der Vermittlung von παράδοσις, sondern auch seinerseits Quelle und Begründer neuer παράδοσις, die nicht mehr unmittelbar ἀπὸ τοῦ κυρίου sich herleitet, wohl aber sich auf den κύριος und den durch ihn geschenkten Geist sich beruft (vgl. 1 Kor 7, 10. 12. 25. 40). In diesem Sinn ist παράδοσις dann gleichbedeutend etwa mit den ὁδοί, welche Paulus πανταχοῦ ἐν πάσῃ ἐκκλησίᾳ lehrt (vgl. 1 Kor 4, 17).

Des engen Zusammenhangs und der bezeichnenden Unterschiede willen sei hier die ganz ähnlich gebaute Formulierung von 1 Kor 15, 3 angeschlossen. Um die Verschiedenheit deutlich zu machen, stellen wir beide Sätze nebeneinander:

11, 23: Ἐγὼ γὰρ παρέλαβον ἀπὸ τοῦ κυρίου, ὃ καὶ παρέδωκα ὑμῖν.

15, 3: παρέδωκα γὰρ ὑμῖν ἐν πρώτοις, ὃ καὶ παρέλαβον[3].

In 11, 23 beruft sich Paulus auf eine Überlieferung ἀπὸ τοῦ κυρίου, d. h. die vom Herrn selbst begründet wurde. Dieser Zusatz ist in 15, 3 unmöglich; denn

---

[1] J. Weiß, 1 Kor 284.

[2] Vgl. 1 Thess 2, 13; 4, 1; Gal 1, 9. 12; Röm 6, 17; Phil 4, 9.

[3] Das Fehlen von ὃ καὶ παρέλαβον bei Marcion und einigen Lateinern (vgl. J. Weiß, 1 Kor 347 A. 1) wird gemeinhin als »Tendenzkorrektur« (Lietzmann, 1 Kor 77) verstanden, mit der — vielleicht zuerst von Marcion — versucht worden ist, den Paulus von den Überlieferungen der Urgemeinde unabhängiger zu machen.

die folgende παράδοσις in den VV 3–5a stammt aus der Urgemeinde[1] und ist eine παράδοσις über Christus[2]. Man muß also auch hinsichtlich der Inhalte der Lehrüberlieferungen unterscheiden, ob sie vom Herrn, von der Urgemeinde oder vom Apostel stammen. Letzterer bleibt hier außer Betracht, weil 11, 23 und 15, 3 nur von den Erstgenannten handeln. Beide werden durch παραλαμβάνειν — παραδιδόναι vermittelt und haben als normative παράδοσις zu gelten. Dies betont Paulus in 11, 23 durch ἀπὸ τοῦ κυρίου, in 15, 3 durch ἐν πρώτοις[3]; er hat den Korinthern diese Überlieferung »unter den ersten«, d. h. wichtigsten Grundlagen der Glaubensunterweisung übergeben. In beiden Fällen ist die παράδοσις auf verschiedene Weise fest geprägt: in 11, 23 ff für die Zwecke der liturgisch-katechetischen Unterweisung[4], in 15, 3 ff als Formel nach Art eines Symbolums, d. h. eines Glaubensbekenntnisses[5].

Die Umstellung der Glieder παρέδωκα — παρέλαβον in 15, 3 gegenüber 11, 23 scheint durch den anderen Zusammenhang bedingt zu sein; für die παράδοσις ἀπὸ τοῦ κυρίου ist das παραλαμβάνειν grundlegend und deutet auf die geschichtliche Kontinuität des vom Herrn her Empfangenen, dessen Identität mit dem von Urgemeinde und Apostel Übergebenen durch ὃ καί noch unterstrichen wird. Bei der Weitergabe der urgemeindlichen παράδοσις wäre die in παραδιδόναι ausgedrückte Kontinuität hinreichend gekennzeichnet; die Hinzufügung ὃ καὶ παρέλαβον — möglicherweise aus Gründen der Parallelität, daher entbehrlich — will aber auch hier der vollen Übereinstimmung mit der diese παράδοσις begründenden Urgemeinde Ausdruck geben. Die Bedeutsamkeit dieser urgemeindlichen Überlieferung wird damit sowohl für die Gemeinde wie für den Apostel selbst herausgehoben.

Es gibt demnach eine Gemeindeüberlieferung, die auch für Paulus selbst normativen Charakter besitzt und in ihrer Geltung an die παράδοσις ἀπὸ τοῦ κυρίου heranreicht. Im übrigen stuft sich die Verbindlichkeit von παραδόσεις seitens der Urgemeinde und des Apostels bis hin zur bloßen Empfehlung der Nachahmung (vgl. συνήθεια 11, 16).

Es kann nicht genug betont werden, daß diese Kenntnis geschichtlicher Überlieferung, die Paulus von der Urgemeinde empfing, keinerlei Widerspruch zu den Behauptungen von Gal 1, 11. 12 bedeutet, wonach er »sein Evangelium« gerade nicht von Menschen empfangen hat, weder durch Predigt noch durch

---

[1] W. Heitmüller, Zum Problem Paulus und Jesus, in: ZNW 13 (1912) 331 ff, hatte eine hellenistische Tradition annehmen wollen (vgl. Lietzmann, 1 Kor 77); doch die Überzeugung, daß die VV 3–5a ältestes Jerusalemer Überlieferungsgut — vermutlich in formelhafter Gestalt — enthalten, hat sich immer mehr durchgesetzt; vgl. Holl, Der Kirchenbegriff des Paulus 46 ff; Kümmel, im Anhang zu Lietzmann, 1 Kor 191, mit Berufung auf J. Jeremias, Die Abendmahlsworte Jesu, Göttingen 1935, 72 f; vgl. jetzt auch ³1960, 95–97.

[2] Χριστός ist hier schon als Eigenname gebraucht; vgl. J. Weiß, 1 Kor 347.

[3] Vgl. Lietzmann, 1 Kor 76 f: ἐν πρώτοις = in primis, »hauptsächlich«. Es von der Zeit (vgl. Chrys. ἐξ ἀρχῆς) zu verstehen (»am Anfang«), wäre wohl möglich, zumal das zeitlich Erste eben auch das prinzipiell Wichtigste beinhalten wird. Korrekter müßte es dann aber heißen ἐν τοῖς πρώτοις, so daß nur gemeint sein kann »an erster Stelle«, als Wichtigstes.

[4] Ob für den liturgischen Gebrauch, ist unbestimmt.

[5] Vgl. Seeberg, Der Katechismus der Urchristenheit v. a. 188 ff. 265.

Unterricht. Die *παράδοσις* der Urgemeinde von und über Jesus hat nicht seinen Glauben an ihn begründet, ihn nicht zum Verkünder des Evangeliums gemacht; dies geschah durch *ἀποκάλυψις*.

Aber sein Evangelium ist kein neues, kein anderes, kein ungeschichtliches Evangelium, sondern identisch mit jenem, das die Zeugen des Lebens Jesu schon vor ihm von Jerusalem aus verkündet haben und das er in Form der *παραδόσεις* übernimmt[1].

11, 16: Die Stelle beweist, wie nahe *παράδοσις* und *συνήθεια*, Überlieferung und Gewohnheit aneinanderrücken können: Paulus rechnet mit der Möglichkeit, daß seine Anweisungen über das Beten der Frauen unter Verschleierung des Kopfes nicht allgemein hingenommen werden, sondern daß einer glaubt, streitsüchtig sein zu sollen. Für diesen Fall sagt er unmißverständlich: *ἡμεῖς*[2] *τοιαύτην συνήθειαν*[3] *οὐκ ἔχομεν, οὐδὲ αἱ ἐκκλησίαι*[4] *τοῦ θεοῦ*.

Weder er — Paulus — noch auch die Gemeinden Gottes kennen eine derartige Sitte, nämlich eine Frau unverschleiert beten zu lassen. Er hat es nicht urgiert, die Gemeinden haben dergleichen nicht erstrebt; es gab darüber keine Diskussion bisher. Positiv wird also eine »Gemeindesitte«[5] des Schleiertragens beim Beten behauptet, an der festzuhalten ist. J. Weiß nennt das den »Anfang

---

[1] Die Zuordnung von *εὐαγγέλιον* (V 1), *λόγος* (V 2) und *παράδοσις* (V 3) wird bei J. Weiß, 1 Kor 347, folgendermaßen bestimmt: »Dies Evangelium, das dem P. durch Offenbarung mitgeteilt worden ist (Gal 1, 12), ließ sich gar nicht mitteilen ohne ein gewisses Maß von geschichtlichen Tatsachen und Gedankenzusammenhängen, ohne eine Art Begründung und Beweisführung aus Geschichte und Schrift. All dies, was über den großen Grundgedanken des Ev., der dem P. bei Damaskus klar geworden, hinausgeht, das ist der *λόγος, ἐν ᾧ τὸ εὐαγγέλιον εὐηγγελίσατο*, und auf den kommt es ihm hier an, ihn entfaltet er in V 3 ff. Darum braucht er hier V 3 auch nicht den eigentlichen Ausdruck *εὐηγγελισάμην*, der mit *ἀποκάλυψις* korrelat ist (Gal 1, 12), sondern den rein menschlichen *παρέδωκα – παρέλαβον*, denn dies historische Detail hat er nicht ›offenbart‹ sondern ›erzählt‹ bekommen, und erzählt es weiter, und zwar hat er es damals ›unter den ersten Stücken‹, ›an erster Stelle‹ ihnen mitgeteilt — neben andern minder wichtigen Tatsachen«.

Τίνι λόγῳ wird von J. Weiß a. a. O. 346 näherhin bestimmt als: »in welcher Form«, mit welcher Begründung und speziellen Ausdrucksweise.

[2] *ἡμεῖς* geht zunächst auf Paulus, läßt es aber offen, an seine Mitarbeiter oder auch an die paulustreuen Anhänger in Korinth zu denken. Vgl. dazu J. Weiß, 1 Kor 277, der *οὐδὲ αἱ ἐκκλησίαι τοῦ θεοῦ* gern als katholisierende Glosse wie 1, 2 ausscheiden würde, wegen der Schwierigkeiten, die es zusammen mit *ἡμεῖς* bereitet.

[3] *συνήθεια* kann sich schwerlich anders als auf die »Gewohnheit« oder »Gepflogenheit«, ohne Schleier zu beten, beziehen, gegen die Paulus in den VV 3–15 Stellung nimmt. Daß Paulus damit nur den Widerspruch eines Streitsüchtigen abwehren wollte, wäre in 1 Kor allzu unwahrscheinlich, wenn man bedenkt, daß seine Autorität ja keineswegs so uneingeschränkt anerkannt ist, daß er auf solche Weise Gegner mundtot machen könnte. Der Hinweis auf die Gemeinden Gottes, die solche Streitsucht auch nicht kennten, wäre vollends unangebracht, weil dafür *συνήθεια* keine passende Bezeichnung wäre (vgl. J. Weiß, 1 Kor 277).

[4] Denkt man zu *ἡμεῖς* irgendeine Gemeinde miteinschlossen, vermißt man ein *ἄλλαι* allzu sehr. *'Εκκλησίαι* ist hier term. techn. für »Gemeinden«. Die Frage ist nur, von welchen Paulus spricht; vgl. dazu J. Weiß a. a. O.

[5] Lietzmann, 1 Kor 55.

eines allgemeinen Kirchenrechtes «[1]; vielleicht sollte man aber zutreffender von einem Gewohnheitsrecht in den Gemeinden Gottes sprechen[2].

Diese Regelung der Schleierfrage ist nicht zu vergleichen mit den Ordnung begründenden ἐπιταγαί oder παραγγελίαι τοῦ κυρίου (vgl. 7, 25; 7, 10); sie schafft nicht Recht, sondern begründet und rechtfertigt eine Gewohnheit.

11, 34 fügt unseren Überlegungen eine Nuance hinzu, die nicht unterschlagen werden soll: τὰ δὲ λοιπὰ ὡς ἂν ἔλθω διατάξομαι. Die übrigen Fragen und Probleme — im Zusammenhang mit der Feier des κυριακὸν δεῖπνον — wird Paulus (mündlich) regeln, sobald er kommt. Schriftlich hielt er es also nur für erforderlich, die wichtigen und prinzipiellen Anliegen herauszustellen, zu klären und zu ordnen, was im Verständnis wie im Vollzug der Feier unzuträglich war. Er weiß es aber als seine Aufgabe, später auch weniger wichtige Einzelprobleme zu ordnen[3]. (Die Gemeinde von Korinth, in welcher keine eigentlich Verantwortlichen genannt werden, scheint stärker vom Apostel selbst abhängig als andere paulinische Gemeinden.)

1 Kor 15, 1–3. 8–11
Ähnlich wie Paulus in den VV 1–3 die Übereinstimmung seines Evangeliums, in der Weise, wie er es predigte (τίνι λόγῳ), mit dem, was er aus der Überlieferung — der Urgemeinde — übernommen und als solche weitergegeben hatte, behauptete, so betont er in den VV 8–11 die Gleichwertigkeit seines Apostolats mit dem der Jerusalemer Urapostel; wie diesen ist auch ihm Christus erschienen[4]. Ist er also auch der ἐλάχιστος[5], der »letzte« oder »geringste« unter den Aposteln, darf doch an der Gleichartigkeit seiner Berufung kein Zweifel bestehen. Er ist sich bewußt, τὴν ἐκκλησίαν τοῦ θεοῦ[6] verfolgt zu haben und deshalb

---

[1] A. a. O. 277.

[2] Die Argumentation in den VV 3–15 erweckt durchaus den Eindruck, als müsse Paulus mit allerlei kunstvollen Überlegungen eine natürliche Gepflogenheit begründen, die als gute Gewohnheit zu loben und zu fördern ist, aber keine kirchliche Rechtsfrage darstellen. Verbreitung und Herkunft dieser Sitte des Schleiertragens der Frau lassen sowohl an den hellenistischen Bereich wie auch ans Judentum denken (vgl. Str.–Bill. III 427), doch muß das nicht besagen, daß Paulus sich auf eine völlig einheitliche Gewohnheit »in der ganzen Kirche« beruft.

[3] διατάσσειν (vgl. auch 7, 17; 9, 14; 16, 1) schwankt in seinem Bedeutungsumfang wie παραγγέλλειν (vgl. dazu 7, 10) zwischen anordnen, befehlen bis ordnen, regeln; vgl. Bauer, WB 376.

[4] Vgl. Lietzmann, 1 Kor 78: »Grundlegend ist für Paulus die Gleichartigkeit der ihm zuteil gewordenen Erscheinung des Auferstandenen mit den früheren«. Vgl. K. Kertelge, Das Apostelamt des Paulus, sein Ursprung und seine Bedeutung, in: BZ 14 (1970) 161–181, besonders 164–169.

[5] »Seine eigene Vision ist offenbar als der endgültige Abschluß der Erscheinungen des Auferstandenen gemeint«, konstatiert Conzelmann, 1 Kor 305; vgl. a. a. O. A. 94; ferner Schnackenburg, Apostel vor und neben Paulus 344; ἐλάχιστος muß aber nicht heißen: der »zuletzt« oder »geringste« Berufene, es kann auch hinweisen auf den »geringsten« unter den Aposteln, so daß man aus 15, 9 nicht ohne weiteres den Abschluß der Erscheinungen behaupten kann; vgl. J. Weiß, 1 Kor 352; Kertelge a. a. O. 166 A. 19.

[6] Wenn J. Weiß, 1 Kor 352 A. 2, erklärt: »Die ἐκκλησία τοῦ θεοῦ ist hier wie Gal 1, 13 die Gesamtgemeinde«, widerspricht er seiner eigenen Erklärung zu 1 Kor 10, 32: »Es ist bemerkenswert, daß P. für die Gesamtheit der Christen noch keinen

nicht ἱκανός[1] καλεῖσϑαι ἀπόστολος zu sein, »unfähig, Apostel genannt zu werden«. Was ihn aber fähig gemacht hat, ist die Gnade Gottes (vgl. V 10). »Sie ist sein Rechtstitel, sein Schutz gegen die Bestreiter seines Apostolats; wenn seine Sünde groß war, so ist die Gnade, die ihn zum Apostel berufen hat (Röm 1, 5; 12, 6; 15, 15), umso bedeutsamer«[2]. Die Gnade Gottes, die sich »auf ihn« gerichtet hatte und die »mit ihm« war[3], hat ihn auch »übermäßiger als alle« arbeiten und sich mühen lassen. Daß diese Gnade οὐ κενὴ ἐγενήϑη, »nicht leer geworden« sei, weist über das mehr an Arbeit hinaus auf den mit seiner Mühe verbundenen Erfolg. Diesen schreibt er ganz der Gnade Gottes zu, wiewohl er um den eigenen Anteil weiß, der seinem κόπος zu verdanken ist. In περισσότερον αὐτῶν πάντων liegt aber eine gefährliche Überpointierung, die der Hinweis auf die mit ihm wirkende Gnade nicht ganz beseitigt. Mag sie teils in der Untertreibung von V 8 wurzeln, so wird man darin andererseits auch ein Argument der Apologie seines Apostolats sehen müssen, das — wenn auch nicht gegen korinthische Gegner gerichtet — seinen Widersachern aus seinem κόπος, seinem ἔργον (vgl. 9, 2), seinem Erfolg, jenen Beweis liefert, den der Hinweis auf sein ὤφϑη (15, 8) nicht zu leisten vermag. In 15, 1–11 ist dieses Argument fast ein Fremdkörper[4]. Paulus scheint sich auch dessen bewußt gewesen zu sein; denn er bricht abrupt ab, um zu versichern, »sei's nun ich oder jene — die in den VV 5–7 Genannten —, so[5] verkünden wir und so habt ihr geglaubt«. Er stellt damit völlige Übereinstimmung zwischen sich und den übrigen, denen Christus erschienen war, fest. Es gibt keinen Unterschied zwischen seinem Evangelium und der παϱάδοσις der Urgemeinde; es ist die ihnen allen gemeinsame Botschaft, auf Grund deren die Korinther zum Glauben kamen[6]. Von dieser gemeinsamen Basis aus beginnt er im Folgenden seine Ausführungen zum Auferstehungsglauben[7].

Namen hat, der sie sozusagen ›objektiv‹ bezeichnete« (a. a. O. 267 A. 1). Auch wenn in 10, 32 nämlich die Forderung des Paulus ... »allgemeiner formuliert« ist, »mit ἐκκλησία τοῦ ϑεοῦ ist natürlich zunächst die Gem. zu Kor. gemeint« (a. a. O. 266). So bleibt auch in 15, 9 zu fragen, ob nicht konkret die ἐκκλησία τοῦ ϑεοῦ in Jerusalem gemeint ist.

[1] In ἱκανός ein Stichwort der Gegner zu vermuten, ist möglich, aber nicht zwingend; vgl. Conzelmann, 1 Kor 307, gegenüber J. Weiß, 1 Kor 352; dazu jetzt Kertelge a. a. O. 172 A. 38.

[2] J. Weiß a. a. O.

[3] ἡ σὺν ἐμοί, wie es A bo sa KLP pe Chr und p 46 bieten, wird allgemein vorgezogen; vgl. J. Weiß, 1 Kor 353; Lietzmann, 1 Kor 78; Conzelmann, 1 Kor 308 A. 107.

[4] J. Weiß, 1 Kor 353, spricht von einer »Digression«, die zeige, »wie gespannt das Verhältnis des P. zu seinen Gegnern schon damals war«.

[5] Conzelmann, 1 Kor 308: »οὕτως weist ebenso auf das zitierte Credo wie auf dessen Ergänzung durch Paulus zurück«.

[6] Lietzmann, 1 Kor 78f: »In diesem Punkte könnt ihr euch nicht auf eine abweichende Tradition der Urapostel (ἐκεῖνοι) berufen: wir lehren einstimmig dasselbe, und ihr seid auf diese Lehre hin seinerzeit Christen geworden«. Gegen diese bestimmte Deutung von ἐκεῖνοι wendet sich Conzelmann, 1 Kor 308 A. 111; aber im übrigen kann man Lietzmann nicht widersprechen.

[7] Vgl. dazu Kertelge a. a. O. 167–169; jetzt auch B. Spörlein, Die Leugnung der Auferstehung (BU 7), Regensburg 1971.

Zusammenfassung:
1. In 1 Kor 15, 1–3. 11 wird eine völlige Übereinstimmung zwischen paulinischem Evangelium und Jerusalemer παράδοσις behauptet.
2. An seiner Verkündigung (vgl. τίνι λόγῳ) ist festzuhalten (vgl. κατέχειν); sie enthält sein Evangelium und die παράδοσις der Urgemeinde.
3. Gleichheit besteht auch in der Berufung zum Apostel; Paulus hat wie die übrigen in den VV 5–7 Erwähnten den auferstandenen Christus gesehen.
4. Ein äußerer Beweis seiner Berufung zum Apostel sind die Erweise der in ihm und mit ihm wirksamen Gnade, seine Mühe und seine Erfolge.
5. Die Gnade ist die Legitimation für ihn, der die Gemeinde Gottes verfolgt hatte.
6. Paulus, die Korinther wie die Urgemeinde stehen mit ihrem Glauben auf ein und derselben Botschaft (vgl. V 1: ἐν ᾧ καὶ ἑστήκατε).

g) Der paulinische Verzicht auf die ἐξουσίαι eines Apostels

1 Kor 9, 1–2. 4–6. 11–15

Der Einschub 9, 1–18 scheint in einer etwas lockeren Verbindung zu Kapitel 8 und 9,19–10,33 zu stehen[1]; doch nachdem Paulus in 8, 7 ff vom Essen des Götzenopferfleisches zu handeln begonnen und in 8, 9 zu bedenken gegeben hatte, die Starken[2] sollten zusehen, daß ihre der »Erkenntnis« entspringende ἐξουσία nicht den Schwachen zum Anstoß werde, wird man es nicht für undenkbar halten können, dieser Gedanke an die ἐξουσία der Starken habe Paulus auf seine eigenen ἐξουσίαι als Apostel gebracht. Hatte er schon in 8, 13 seiner Bereitschaft zum Verzicht auf solche ἐξουσία — um der schwachen Brüder willen — Ausdruck gegeben, so will er das im Folgenden an seinem tatsächlichen Verzicht auf seine apostolischen ἐξουσίαι — um des Evangeliums willen — demonstrieren[3]. Die den Gedankengang bisweilen sehr störenden Ideenassoziationen[4] haben ihr eigenes Gesicht, sollen aber weitgehend hier außer Betracht bleiben.

Paulus geht von der für ihn wie für die Korinther unbestreitbaren Tatsache aus, daß er ἀπόστολος ist[5] und als solcher ἐλεύθερος, unabhängig auch von denen, die ihn kritisieren. Das ist die erste Assoziation, die der Begriff ἀπόστολος bei

---

[1] Aus diesem Grund hat man diese Verse immer wieder auszuscheiden versucht; vgl. dazu J. Weiß, 1 Kor 231 f, der wegen des unklaren Übergangs οὐκ εἰμὶ ἐλεύθερος selbst zu derartigen Überlegungen neigt.
[2] D. h. jene, die auf Grund ihrer γνῶσις sich kein Gewissen daraus machten, solches Fleisch zu essen und selbst im Götzenhaus zu Tisch saßen.
[3] Einen ähnlichen Zusammenhang konstatiert Lietzmann, 1 Kor 39; doch behauptet er, Paulus widme sich in 9, 3–18 mit seiner Apologie wider die Bestreitung seiner Apostelwürde einem »vom Hauptthema . . . ganz abbiegenden Gegenstand«. Damit verkennt er die Tendenz dieses Zwischenstücks, das trotz apologetischer Züge einzig der Darlegung seines Verzichts auf die ἐξουσίαι als Apostel dient.
[4] Vgl. Lietzmann a. a. O.
[5] J. Weiß, 1 Kor 232, sagt zu Recht: »Der Apostolat selber kann also nicht Gegenstand der ἀπολογία sein«, und V 2 nennt er einen »Seitenblick auf die tatsächlich vorhandene (εἰ c. ind.) Bestreitung seines Apostolats« (a. a. O. 233).

ihm weckt und der er bis V 3 Raum gibt[1]: er weiß seinen Apostolat bestritten[2]. J. Weiß sagt zu Recht, daß Paulus in seinen kurzen und präzisen apologetischen Fragesätzen ›den Herrn gesehen zu haben‹ als »formales Kennzeichen des Apostolats« herausstelle[3]. Für Paulus liegt darin (vgl. Gal 1, 15f) zweifellos seine Sendung als Apostel begründet, auch wenn dieses Gesehenhaben durch keinerlei äußere Beweise zu erhärten ist, es sei denn durch die Gemeinde selbst, die »sein Werk im Herrn« ist; sie verdankt alles dem Apostel, wie dieser alles dem Kyrios Jesus, den er gesehen hat. Darauf kommt es Paulus aber hier nicht weiter an; er hat diese Kernstücke einer Apologie seines Apostolats nur gestreift, um die Kritiker abzuweisen. Erst in V 4ff setzt er seinen in V 1 beabsichtigten Gedankengang fort. Denn: In den VV 4–6 kommen nun jene ἐξουσίαι eines Apostels zur Sprache, welche den inneren Zusammenhang mit 8, 7–13 herstellen, insofern im Verzicht auf sie (um des Evangeliums willen) der den Korinthern nahegelegte Verzicht auf den Genuß von Götzenopferfleisch (um der schwachen Brüder willen) motiviert werden soll[4]. Genannt werden:

1. die ἐξουσία, zu essen und zu trinken,
2. die ἐξουσία, eine Schwester als Frau mitzuführen und
3. die ἐξουσία, nicht zu arbeiten.

Sachlich handelt es sich um eine einzige ἐξουσία; nämlich »auf Kosten der Gemeinde«[5] zu leben[6]. 1. und 2. erklären sich aus 3.[7]. Dieses Recht eines Apostels wird dem Paulus nicht ernstlich bestritten worden sein, so daß man be-

---

[1] αὕτη am Schluß von V 3 könnte gewiß feierlicher Auftakt einer Apologie sein (vgl. Lietzmann, 1 Kor 40, und den Druck bei Nestle), doch da das Folgende in Wirklichkeit keine Apologie seines Apostolats darstellt, sondern nur einen Aufweis und eine Rechtfertigung seiner ἐξουσίαι als Apostel, wird man es nur rückbeziehen können auf die VV 1 c–2, was sprachlich ebenso möglich ist. Jesus, den Herrn, gesehen zu haben, und die Gemeinde als sein Werk im Herrn, als Siegel, d. h. »Echtheitszeichen« (Lietzmann a. a. O. 39) seines Apostolats, sind also die Argumente seiner Apologie.

[2] In Korinth wird man solche Gegner nicht ohne weiteres vermuten dürfen; denn gegenüber den ἄλλοι erweist die dreimalige Betonung von ὑμεῖς die ganze Gemeinde als angesprochen.

[3] J. Weiß, 1 Kor 232.

[4] Die Feststellung von J. Weiß, 1 Kor 234: »ein Zusammenhang mit Kap. 8 scheint nicht vorhanden zu sein«, weil von γνῶσις und ἀγάπη nicht die Rede sei, ist nur von seiner Absicht her verständlich, 9, 1–18 ganz auszuscheiden.

[5] So J. Weiß, 1 Kor 234; auch Lietzmann, 1 Kor 40; anders Conzelmann, 1 Kor 180f, v. a. A. 15.

[6] Die Gemeinde müßte es dem Apostel demnach ersparen, sich seinen Lebensunterhalt verdienen zu müssen durch Arbeit; sie hätte nicht nur für ihn, sondern —bei einem verheirateten Apostel — auch für seine Frau aufzukommen.

[7] An Götzenopferfleisch zu denken, verbietet das φαγεῖν καὶ πεῖν; und die Ehe als eine besondere apostolische ἐξουσία zu bezeichnen, ist sinnlos. Lietzmann, 1 Kor 40, der Ähnliches früher in Erwägung gezogen hatte, sieht nun (vgl. 4. Auflage hg. v. Kümmel) eindeutig das Subjekt von V 6 μόνος ἐγὼ καὶ Βαρναβᾶς betont, so daß das Prädikat inhaltlich nur eine andere Formulierung der in VV 4. 5 vorliegenden Aussagen enthält, also auch zu ihrer Interpretation herangezogen werden darf. Barnabas als Apostel zu bezeichnen, ist dabei so wenig zwingend, wie die Brüder des Herrn unter sie zu rechnen. Vgl. auch Kümmel, im Anhang zu Lietzmann, 1 Kor 180.

rechtigt wäre, in den VV 4–18 eine Apologie zu erblicken[1]; vielmehr begründet er dieses Recht in V 7 als etwas unmittelbar Einleuchtendes, führt in den VV 8–10 einen — in V 10 durch Bilder erweiterten — allegorischen Schriftbeweis und beruft sich in V 14 — nach einem zweiten Schriftbeweis in V 13 — auf eine unmittelbare Anweisung des Herrn, wonach diejenigen, die das Evangelium verkünden, vom Evangelium leben sollen. Dieser Begründung seines Anspruchs, wie sie Paulus in den VV 11–15 gibt, werden wir im Folgenden nachgehen, weil sie in den Paulusbriefen öfters wiederkehrt[2]. Es bleibt zunächst festzuhalten: Der Anspruch der Verkündiger des Evangeliums — wie v. a. der Apostel — auf Lebensunterhalt seitens der Gemeinden ist unbestreitbar und wohl auch unbestritten; das gilt gegenüber den übrigen Aposteln — außer Paulus —, von den Brüdern des Herrn und — möglicherweise das bekannteste und für die Korinther einleuchtendste Beispiel — Kephas, die wohl alle von dieser ἐξουσία Gebrauch machten; es wäre daher merkwürdig, meint Paulus, wenn diese ἐξουσία nur für ihn und Barnabas nicht gegeben wäre. J. Weiß[3] ist zuzustimmen, wenn er sagt: Es kann die »ausführliche Begründung seines Rechts nur eine Form sein; er will zeigen, wie klar er sich über sein Recht ist, wie fest es begründet ist, wie groß daher sein Verzicht«.

9, 11. 12. 14. 15a: Zwischen Apostel[4] und Gemeinde besteht ein wechselseitiger Austausch von Gaben; der Apostel säte das Geistige; es ist also nichts Großes, wenn er von der Gemeinde das Irdische ernten will, d. h. wenn er für seine Verkündigung den Lebensunterhalt beansprucht[5]. Dieser Grundsatz ist klar, und Paulus scheint dagegen auch keinen Widerspruch zu erwarten. »Andere«[6] haben auf dieser ἐξουσία der Gemeinde gegenüber bestanden, Paulus —

---

[1] Der Hinweis auf »die übrigen Apostel und die Brüder des Herrn und Kephas« in V 5 besagt zunächst nur, daß diese von ihrem Recht Gebrauch zu machen pflegten; daß man in Korinth zur Zeit von 1 Kor dem Paulus seinen Verzicht verdacht hat (J. Weiß a. a. O.) und Kephas ihm als Gegenbeispiel (Lietzmann a. a. O.) vorhielt, kann man nur vermuten, wenn man die VV 4–18 für eine Apologie hält, was nicht zutrifft. Ob alle Genannten als Reisende vorgestellt sind (J. Weiß a. a. O.) und wieviele von ihnen etwa verheiratet waren, ist dem Text nicht zu entnehmen; der Zusatz ὡς καί ... wird sich ja kaum auf περιάγειν, sondern auf die beiden genannten ἐξουσίαι beziehen, die sachlich identisch sind mit der ἐξουσία μὴ ἐργάζεσθαι (V 6). Darum ist es naheliegender anzunehmen, Paulus verdeutliche in den VV 4–18 die Absicht seines Verzichtes, die man in Korinth falsch bewertete, ohne sie ihm deswegen schon zum Vorwurf zu machen.
[2] Vgl. Röm 15, 27; Gal 6, 6; Phil 4, 17.
[3] A. a. O. 233.
[4] Der Plural ἡμεῖς faßt den Gedanken eher prinzipiell. Ist in den VV 11. 12 neben dem Apostel selbst an Barnabas, seinen momentanen Begleiter, oder Silvanus und Timotheus, die Mitbegründer der Gemeinde, zu denken (vgl. J. Weiß, 1 Kor 238), so weitet sich in den VV 13. 14 der Gesichtskreis, und der Plural umfaßt alle, die das Evangelium verkünden; doch ist nicht sicher, ob auch die ἡμεῖς in V 11 schon so verstanden werden dürfen.
[5] J. Weiß, 1 Kor 237 A. 4, registriert den Konjunktiv θερίσωμεν in C DG LP Euthal cod, der sachgemäß wäre, weil Paulus in der Tat nicht die Absicht hat zu ernten (vgl. VV 15–18).
[6] Wer diese ἄλλοι sind, ist nicht zu ermitteln; möglicherweise denkt Paulus an Apollos; an Verkündiger des Evangeliums muß wohl gedacht sein, denn ihr Anspruch wird nicht als unbillig hingestellt.

und wohl auch seine Mitarbeiter — haben darauf verzichtet, obschon sie ihnen weit mehr zugestanden hätte — als Gründern der Gemeinde. Der Apostel leugnet nicht, daß auch die ἄλλοι »teilhaben« an dieser ἐξουσία; es sind also keine Gegner, denen er dieses Recht absprechen müßte; er glaubt aber, größeres Recht zu besitzen. Dieses größere Recht könnte sich nur aus seiner Apostelwürde oder aus der Priorität seiner Arbeit in der Gemeinde herleiten; letzteres scheint näherliegend, da er sich in ἡμεῖς mit andern zusammenfaßt, die nicht notwendigerweise auch Apostel sein müssen.

Der Grund für den Verzicht auf diese ἐξουσία wird hier schon angedeutet: um dem Evangelium des Christus kein Hindernis[1] zu bereiten. Ehe Paulus in den VV 15 b–18 des weiteren diesem Zusammenhang von Verzicht und Verkündigung des Evangeliums nachgeht, stellt er in V 14 fest, daß »auch der Herr denen, die das Evangelium verkünden, geboten[2] hat, vom Evangelium zu leben «. Das Recht auf Lebensunterhalt ist also ein Recht am Evangelium, das der Herr selbst verbürgt (wie es ja auch allgemein im Alten Testament und selbst bei den Heiden so zu sein pflegt, daß der Tempel seine Diener ernährt — vgl. V 13). Um Mißverständnissen zu begegnen, fügt Paulus in V 15 hinzu, er habe das alles nicht geschrieben, damit es — jetzt — so an ihm geschehe: »ich aber habe nichts von diesen[3] ausgenützt« (vgl. V 15a). Sein Verzicht — um des Evangeliums willen — ist ja gerade sein Stolz (V 15 ff).

Zusammenfassend läßt sich herausstellen:

1. Die Gemeinde ist des Apostels »Werk im Herrn« (vgl. V 1).

2. Der Apostel hat ein Recht darauf, zu Lasten der Gemeinde seinen — und wenn nötig seiner Frau — Lebensunterhalt zu bekommen (vgl. VV 4–6).

3. Dieses Recht ist ein Recht am Evangelium, d. h. es gilt für alle, die das Evangelium verkünden (vgl. V 14).

4. Paulus und seine Mitarbeiter haben als Gründer der Gemeinde ein größeres Recht (vgl. V 12).

5. Sein Verzicht auf diese ἐξουσία wird in 9, 1–18 so ausführlich dargestellt, weil die Korinther ihn nicht genügend oder nicht richtig würdigten.

6. Er ist ein Verzicht um des Evangeliums willen und darin ein Beispiel für die Starken in Korinth (vgl. 8, 7–13), wie man um eines höheren Gutes willen auf ἐξουσίαι verzichten kann und soll.

---

[1] ἐγκοπή bedeutet Einschnitt, Einhieb, Hemmung, Unterbrechung, Störung, Hindernis (vgl. Röm 15, 12; 1 Thess 2, 18), und dürfte im Zusammenhang mit dem Verzicht auf die ἐξουσία am Evangelium auf die Gefahr ihres Mißbrauchs anspielen; vgl. neben J. Weiß, 1 Kor 238, Bauer, WB 428.

[2] Auf das Herrenwort Lk 10, 7 wird nur wie auf Bekanntes verwiesen; doch ist daran »bemerkenswert, daß die Herrenworte gerade zur Begründung von Rechtsordnungen dienen müssen (7, 10)« (J. Weiß, 1 Kor 239). διατάσσειν (vgl. auch ἐπιταγή in 7, 25) gebraucht Paulus auch von seinen eigenen Anordnungen (vgl. 7, 17; 11, 34; 16, 1).

[3] τούτων könnte sich auf die ἐξουσίαι von VV 4–6 rückbeziehen, oder aber — was wahrscheinlicher ist — alle genannten Argumente zusammenfassen, die den Anspruch auf Lebensunterhalt als Entgelt für die Verkündigung des Evangeliums stützen.

7. Der paulinische Verzicht hebt das prinzipielle Recht nicht auf; es ist vom Herrn selbst gebotene Ordnung (vgl. V 14).

8. Für die Anordnung des Herrn gebraucht Paulus in V 14 denselben Ausdruck wie für seine eigenen Anweisungen: διατάσσειν (vgl. auch ἐπιταγή 7, 25).

2. Die Ordnung der Gemeinde

a) Die Einheit der Vielen im σῶμα der Gemeinde

1 Kor 10, 17

Das in V 16 erkennbare Eucharistieverständnis, an welches Paulus in Fragen erinnert, sieht im Brot, das gebrochen wird, eine Teilhabe am Leib des Christus. Auf welche Weise diese Teilhabe vermittelt wird und wie sie zu verstehen ist, braucht uns in unserem Zusammenhang so wenig zu beschäftigen wie die Vielzahl der Probleme, die V 17 sprachlich und sachlich aufgibt, da es uns — in Verbindung mit 1 Kor 12, 12 b. 27 — nur auf die in der Teilhabe am Leib des Christus begründete Einheit der Vielen ankommt. Hierin knüpft V 17 an die Aussage von V 16 an, verändert aber das Leibverständnis. Nach V 16 ist das gebrochene Brot das Gemeinschaft Stiftende; die Gemeinschaft aber ist die am Leib des Christus. Darum[1] sind die Vielen, d. h. alle, die an dem einen Brot teilhaben[2], Teilhaber am Leib des Christus und werden so miteinander und mit Christus eine Einheit, ein Leib.

Dieses ekklesiologisch zu nennende Leibverständnis ist im eucharistischen von V 16 grundgelegt[3]. Ein Brot und ein Leib sind so streng aufeinander bezogen, daß man annehmen muß, es wurde in der Tat nur ein Brot verwendet[4]. Diese »besondere Idee des Paulus, daß die Christen Glieder untereinander und mit Christus einen Leib bilden«[5], der durch das Essen[6] des Brotes entweder als

---

[1] Das paulinische Sakramentsverständnis bleibt hier außer Betracht, daher auch die Frage, auf welche Weise das Brot die Gemeinschaft mit dem Leib des Christus bewirkt; vgl. zu dieser Auseinandersetzung v. a. Kümmel, im Anhang zu Lietzmann, 1 Kor 181 f, und die dortigen Literaturangaben; ferner P. Neuenzeit, Das Herrenmahl (Studien zum Alten und Neuen Testament, Band I), München 1960, 60–62. 201–206.
[2] Im Griechischen besteht zwischen κοινωνεῖν und μετέχειν, wenn sie in solcher Zusammenstellung begegnen, ein Unterschied wie etwa zwischen »Gemeinschaft haben« und »Anteil haben« im Deutschen: bei κοινωνεῖν steht das personale, bei μετέχειν das sachliche Moment im Vordergrund.
[3] Vgl. dazu Neuenzeit a. a. O. 211. 218; auch J. Weiß, 1 Kor 259, läßt diese Möglichkeit offen: »wie ... (1 Kor 12, 13) ... das ἐν σῶμα durch die Taufe entsteht, so könnte man sich den Gedanken hier so verstehen, daß das σῶμα eine *Wirkung* des μετέχειν ἐκ τοῦ ἑνὸς ἄρτου wäre«.
[4] Vgl. Did 9, 4, worauf Lietzmann, 1 Kor 48, und J. Weiß, 1 Kor 259 A. 3, hinweisen.
[5] J. Weiß a. a. O. 259.
[6] Der Einspruch Kümmels a. a. O. 181 f gegen Lietzmann kann sich m. E. lediglich gegen die von Lietzmann behauptete Identität von Brot und Leib des Christus richten, nicht aber gegen die Tatsache, daß das Essen des Brots die Teilhabe am Leib des Christus und darin die Einheit des Leibes Christi, der Gemeinde, bewirkt. Es ist daher irreführend, wenn er sagt, »die Teilnahme am Herrenmahl, nicht aber der Genuß der Elemente, macht den Christen zum realen Teilhaber am Leib Christi«.

Wirkung des μετέχειν entsteht oder aber darin als der eine in dem einen Brot sich darstellt, ist eine der Grundlagen des paulinischen Gemeindeverständnisses. Die Rede vom Leib und den Gliedern (vgl. Kap. 12) ist nach 10, 16 f nicht nur bildhaft zu verstehen. Die Glieder der Gemeinde existieren in der Einheit eines Leibes; der Leib aber ist Christus. Er ist es, der die Vielen eint, die von dem einen Brot essen. Die Gemeinde als Leib Christi[1] bildet mit dem Christus nicht eine mystische Einheit, sondern eine reale[2].

b) Die Versammlungen ἐν ἐκκλησίᾳ

1 Kor 11, 17. 18. 22

11, 17 bietet eine Reihe von textkritischen und sachlichen Problemen[3], die von den Teilungshypothetikern häufig als Argument gegen seine Ursprünglichkeit verwendet und auch für die Zerteilung des 1 Kor verwertet wird[4]. Für unseren Zusammenhang sind diese Fragen ohne Belang; es sei also dahingestellt, ob die Verbindung der Schleierfrage mit den weiteren Problemen der Gottesdienstfeier von Paulus selbst oder einem späteren Redaktor geschaffen wurde, ob der gegensätzliche Bezug zu V 2 ursprünglich oder »künstlich« ist[5] und ob sich die Lesart παραγγέλλω οὐκ ἐπαινῶν tatsächlich wahrscheinlich machen läßt[6]. Παραγγέλλειν kann in 11, 17 — worauf es uns hier ankommt — keinesfalls als ein »Gebieten«, »Anordnen« verstanden werden; denn in der in den VV 3–16 verhandelten Schleierfrage hat der Apostel ausdrücklich von einer συνήθεια gesprochen, einer »Gemeindesitte«, ohne im strengen Sinn eine Anordnung zu treffen oder gar zu gebieten. Weist aber τοῦτο — was ohnehin näher läge — auf die VV 17–34, wird man ebenso vergeblich ein wirkliches Gebot, eine Ordnungsmaßnahme suchen; denn die VV 26–34 sind Paränese und nicht παράγγελμα; ihre Wirkung zielt zwar auf die Ordnung des κυριακὸν δεῖπνον, aber als Frucht der Belehrung (vgl. VV 23–25) und der Auslegung (VV 26–34). Wie immer man also das παραγγέλλειν von 11, 17 bezieht und versteht, es meint in der Sache kaum mehr als ein »Ermahnen«. Ähnlich διατάσσειν V 34 kann also auch παραγγέλλειν eine Anordnung oder auch nur eine auf Ordnung zielende Maßnahme oder Belehrung ausdrücken. Welches Gewicht und welche Verbindlichkeit ihnen jeweils zukommt, ist nur aus dem Zusammenhang festzustellen; denn beide Begriffe können auch für unbedingte, uneingeschränkte Forderungen des Herrn verwendet werden (vgl. 7, 10).

---

[1] »Auch gebraucht Paulus σῶμα τοῦ Χριστοῦ ausnahmslos vom ›mystischen‹ Leib Christi, der Gemeinde«, ist eine Behauptung Kümmels a. a. O. 182; vgl. dagegen Röm 7, 4; dazu Kuss, Röm 436 f.

[2] Vgl. Conzelmann, 1 Kor 203: »Der sakramentale Anteil am Leib Christi macht uns zum Christus-Leib: Der Ton liegt auf der Einheit«.

[3] Die Überlieferung des Textes ist völlig uneinheitlich; vgl. J. Weiß, 1 Kor 278 und A. 2.

[4] Auch J. Weiß weist 1 Kor 11, 18–34 einem früheren Brief zu und vermutet V 17 als später hinzugekommene Verbindung mit 11, 1–16 (a. a. O. 278). Vgl. dazu Schmithals, Die Gnosis in Korinth ²1965, 84 A. 1.

[5] J. Weiß a. a. O. gegen Lietzmann, 1 Kor 55.

[6] Siehe Kümmel, im Anhang zu Lietzmann, 1 Kor 185; τοῦτο beziehe sich auf das Folgende und οὐκ ἐπαινῶ sei als »tadeln« gebräuchlich.

11, 18 nennt nun erst den beabsichtigten Gegenstand der Erörterung[1]: *συν-ερχομένων ὑμῶν ἐν ἐκκλησίᾳ*. Der Zweck dieser Zusammenkunft wird in V 33 mit *εἰς τὸ φαγεῖν* angegeben und in V 20[2] als *κυριακὸν δεῖπνον φαγεῖν* näher bestimmt. Ob es gerechtfertigt ist, neben dieser Mahlversammlung eine eigene Wortversammlung anzunehmen[3], muß dahingestellt bleiben. In den VV 18–34 ist nur von Unzuträglichkeiten beim Mahl selbst die Rede, so daß die genannten Zweckbestimmungen für das Zustandekommen pars-pro-toto-Bezeichnungen sein könnten, welche die Wortversammlung als Teil des Ganzen einschließen würden, jedenfalls sie nicht ausschließen.

Bezeichnend an der genannten »Generalüberschrift «[4] sind beide Glieder *συν-έρχεσθαι* und *ἐν ἐκκλησίᾳ*. »In Gemeinde « ist dabei in jedem Fall zunächst örtlich zu verstehen, sofern mit *συνέρχεσθαι* an irgendeinen Ort oder Raum gedacht ist, in welchem die Zusammenkunft stattfindet[5]; doch das örtliche Verständnis ist überbestimmt durch die Zustandsaussage »als Gemeinde «. Die örtliche Grundbestimmung könnte aber ein Hinweis sein für das Verständnis des fehlenden Artikels. Ist demnach bei *ἐν τῇ ἐκκλησίᾳ* an die konkrete Versammlung einer Gemeinde zu denken, so deutet *ἐν ἐκκλησίᾳ* allgemein auf das Zusammenkommen »als Gemeinde «, bzw. »um Gemeinde zu sein «[6]. Daß *ἐν ἐκκλησίᾳ* nicht nur örtlich zu denken ist, beweist in V 20 die Parallelität von *ἐπὶ τὸ αὐτό* zu V 18 *ἐν ἐκκλησίᾳ*. *Ἐπί* und *ἐν* sind demnach geradezu austauschbar; doch liegt in *ἐπὶ τὸ αὐτό* eine Verdeutlichung, welche die Zusammenkunft »in Gemeinde « »als Gemeinde « bestimmt[7].

Wir haben demnach eine dreifache Verwendungsmöglichkeit von *ἐκκλησία* zu unterscheiden:

1. *ἐν ἐκκλησίᾳ*   weist auf das *συνέρχεσθαι* einer örtlich zu verstehenden Gemeindeversammlung, das Zusammenkommen oder Zusammensein »in Gemeinde «;

---

[1] Wobei das *πρῶτον μέν* ohne eigentliche Fortsetzung bleibt. Man vermutet sie entweder in den VV 20–34 (vgl. Lietzmann, 1 Kor 55f) und akzentuiert *τὰ λοιπά* (V 34) neben *οὖν* (V 20) als Glieder der Fortsetzung oder sucht sie in den Kapiteln 12–14 (J. Weiß, 1 Kor 279), wenn man nicht auf alle Vermutungen verzichten will.

[2] V 20 greift mit *οὖν* den durch V 19 unterbrochenen Gedanken auf; *ἐπὶ τὸ αὐτό* ist dann — entsprechend der Parallelität der Glieder — zum Verständnis von *ἐν ἐκκλησίᾳ* heranziehbar. J. Weiß, 1 Kor 279: »Dem *ἐν ἐκκλησίᾳ* entspricht sachlich *ἐπὶ τὸ αὐτό* V 20 «.

[3] J. Weiß, 1 Kor 279, spricht zwar von zwei »Arten der Versammlung «, sieht sie aber hier »noch nicht unterschieden «. Die Unterscheidung werde außer V 33 *εἰς τὸ φαγεῖν* v. a. aus Plinius ep. ad Traj. 96 (97), 7 entnommen (a. a. O. A. 2).

[4] J. Weiß a. a. O.

[5] Gegen J. Weiß a. a. O.; Weiß hat mit seiner Ablehnung des örtlichen Verständnisses nur in soweit Recht, als natürlich nicht an ein — etwa mit *ἐκκλησία* (»Kirche «) bezeichnetes — bestimmtes Haus gedacht ist.

[6] Lietzmann, 1 Kor 56, identifiziert beide ohne ersichtlichen Grund; vgl. dagegen J.Weiß, 1 Kor 279, zu Did 4, 14: *ἐν τῇ ἐκκλησίᾳ*, »d. h. in der bereits versammelten Gemeinde «.

[7] J. Weiß dürfte a. a. O. 279 im Recht sein, wenn er meint: »P. hätte auch sagen können *ἐπὶ* oder *εἰς ἐκκλησίαν* . . ., wie er *εἰς τὸ φαγεῖν* sagt, aber durch *ἐν* wird sehr lebendig ausgedrückt, wie eben durch das *συνέρχεσθαι* die *ἐκκλησία* entsteht: in der Form der Gemeindeversammlung, ›als Gemeinde‹ «.

2. ἐπὶ (εἰς) ἐκκλησίαν (bzw. ἐπὶ τὸ αὐτό) deutet den Zweck dieses συνέρχεσθαι einer Gemeindeversammlung: sie kommt zusammen »als Gemeinde«; sie wird »zur Gemeinde«;

3. ἐκκλησία bleibt diese Versammlung aber auch unabhängig von den Zusammenkünften (wenn auch wohl nicht ohne sie); denn auch nach der Aufhebung der räumlichen Versammlung bleibt die Gemeinde ἐκκλησία τοῦ θεοῦ (vgl. V 22) — als »Gemeinde Gottes« am Ort, die nicht notwendig als eine gedacht werden muß; auch Hausgemeinden sind in diesem Sinn ἐκκλησίαι (τοῦ θεοῦ)[1].

Grundlegend für die ἐκκλησία ist das συνέρχεσθαι ἐν ἐκκλησίᾳ, worin sie sich »als ἐκκλησία« erfährt und wodurch sie sich dann auch außerhalb der Versammlung als »Gemeinde Gottes«, als ἐκκλησία τοῦ θεοῦ weiß. Die Gemeinde lebt aus dem Zusammenkommen.

Wenn es nun richtig ist, das συνερχομένων ὑμῶν ἐν ἐκκλησίᾳ prinzipiell von allen Zusammenkünften der Gemeinde oder Teilen derselben zu verstehen, ist es nicht mehr möglich, mit H. Lietzmann[2] die σχίσματα von V 18 nach Kapitel 1–4 auszulegen. Es dürfte ohnehin gebotener sein, an die ungeordneten Zustände bei diesen Mählern zu denken, welche die Gefahr der Spaltung heraufbeschwören mochten, wohl auch schon zu Absonderungen geführt hatten, und V 20 ff als Begründung für V 18f zu nehmen, da ein Bezug auf die Parteiungen in der korinthischen Gemeinde nirgends hergestellt wird. Diese Auffassung findet in V 34 ihre Bestätigung: Paulus wird das übrige bei seinem Kommen ordnen; διατάξομαι zielt auf die τάξις, die er dann auch in weniger wichtigen Punkten zur Gänze (vgl. δια-) wieder herstellen wird. Auch die Beifügung von V 18, daß er nur einen Teil der Gerüchte glaubt, weist auf eine von Kapitel 1–4 verschiedene Art von σχίσματα.

11, 22: ἢ τῆς ἐκκλησίας τοῦ θεοῦ καταφρονεῖτε; Die Gefahr der Spaltung (vgl. V 18f) ist wie die Verachtung der Gemeinde Gottes darin begründet, daß jeder beim Essen seine eigene Mahlzeit vorwegnimmt (vgl. V 21). Angeprangert wird aber nicht allgemein mangelnder Gemeinschaftssinn (ἕκαστος ist unpräzis), sondern die Rücksichtslosigkeit derer, die ihre Mahlzeit vorwegnehmen (vgl. προλαμβάνειν), so daß es Brüder gibt, die hungern und beschämt werden, weil sie arm sind (vgl. V 22), während die andern schon übersatt sind, ehe diese überhaupt kommen (vgl. V 33). Wie immer man sich diese Absonderungen vorstellen will[3], sie sind und gelten dem Paulus als σχίσματα und als καταφρονεῖν τῆς ἐκκλησίας τοῦ θεοῦ[4].

---

[1] Vgl. J. Weiß, 1 Kor 279: Die ἐκκλησία »entsteht erst durch das συνέρχεσθαι«. »Da nun aber das Subjekt dieses Zusammenkommens auch schon ἐκκλησία heißt, so kann man sich hier die beiden Seiten des Begriffs klarmachen: Streng genommen ist ἐκκλησία nur da, wo eine Anzahl Menschen örtlich vereinigt sind; aber sie bleiben auch nach dem Auseinandergehen ἐκκλησία, weil sie noch immer vor dem Angesicht Gottes vereinigt gedacht werden«.

[2] 1 Kor 56.

[3] J. Weiß, 1 Kor 281, denkt sie sich in Gruppen oder Cliquen (vgl. V 18) sitzend und mit »Verwandten oder Freunden oder Parteigenossen« speisend.

[4] J. Weiß, 1 Kor 282: »Eine ›Verachtung der Gemeinde‹ liegt darin insofern, als

Die festgestellte mehrfache Bedeutungsmöglichkeit von ἐκκλησία wird hier besonders deutlich sichtbar: 1. ist das Verhalten der Getadelten eine Verachtung der konkreten Versammlung, weil es Spaltung erzeugt und die Armen beschämt; 2. ist es eine Verachtung dieser Versammlung als Gemeinde, also eine Verkennung des Sinns ihrer Zusammenkunft, was aus der ungebührlichen Rolle hervorgeht, die man bei der Zusammenkunft dem Essen und Trinken beimißt. Das führt zum dritten Vorwurf: ihr Verhalten ist 3. eine Verachtung der Gemeinde als einer Gemeinde Gottes. Zum Essen und Trinken müßte man nicht zusammenkommen, dafür gäbe es ja Häuser (vgl. V 22a). So sehr es Paulus auch um das δεῖπνον geht — und er faßt in V 33 seine Mahnungen dahin zusammen, daß er das aufeinander Warten einschärft —, so ist dieses δεῖπνον doch immer ein κυριακὸν δεῖπνον und die zu seiner Feier versammelte Gemeinde eine ἐκκλησία τοῦ θεοῦ. Daß die Korinther — oder doch viele unter ihnen, vor allem die Vermögenderen, deren Aufgabe die Sorge für die Ärmeren gewesen wäre — diesen Sinn ihrer Zusammenkünfte verfehlen, nimmt Paulus zum Anlaß, sie darüber neuerlich zu belehren (vgl. VV 23–33).

Zusammenfassung:

1. παραγγέλλειν (V 17) kann sowohl unbedingte Forderungen, auf Ordnung zielende Maßnahmen oder Belehrungen, aber auch nur Anweisungen nach Art von Ermahnung oder Tadel bezeichnen; in V 17 ist es in diesem letztgenannten Sinn zu verstehen.

2. Der Tadel richtet sich auf Unzuträglichkeiten bei den Mahlzusammenkünften der Gemeinde oder Teilen derselben: die gestörte Ordnung bedeutet Gefahr von Spaltung.

3. Das Zusammenkommen ist für die ἐκκλησία konstitutiv.

4. Ἐκκλησία wird dabei in einem mehrfachen Sinn gebraucht:
   a) für die örtlich zu verstehende »Versammlung«;
   b) diese Versammlung erfährt sich als Gemeinde
   c) und weiß sich als solche dann auch unabhängig von der Versammlung als »Gemeinde Gottes« am jeweiligen Ort.

5. Die Mahlversammlung dient nicht nur dem gemeinsamen Essen und Trinken, sondern ist Feier des κυριακὸν δεῖπνον.

6. Die Analogien jüdischer Sakral-Mahlzeiten und der griechischen Kultmähler haben allenfalls Einfluß genommen auf die äußere Gestaltung des Herrenmahls, können es aber nicht in seinem Sinn und Wesen erklären. Diese sind begründet in der Stiftung des Herrn.

7. Das Unverständnis der Korinther gegenüber dem Sinn dieser Stiftung und die Unordnung im Ablauf der Mahlversammlungen lassen möglicherweise fehlende Leitung solcher Zusammenkünfte erkennen.

---

bei diesem Verfahren der Nachdruck auf dem eigenen Essen und Trinken liegt ...
statt beim Zusammensein ἐν ἐκκλησίᾳ oder als ἐκκλησία τοῦ θεοῦ«.

c) Begründung der Ordnung in der Gemeinde, dem σῶμα Χριστοῦ, durch πνεῦμα und χάρισμα

1 Kor 12, 1–30

Ausgangspunkt der Erörterung ist der Streit innerhalb der korinthischen Gemeinde über die Beurteilung der Charismen[1]. Ohne dieser Frage hier näher nachzugehen, kann man sagen: Die Überheblichkeit korinthischer Pneumatiker lag in ihrer Überbewertung ekstatischer Phänomene, in welchen sie den Erweis ihrer vom Geist erfüllten eschatologischen Existenz erblickten. Weniger pneumatisch begabte Gemeindemitglieder mußten sich zurückgesetzt oder ob ihres Mangels an pneumatischer Begabung gar als nicht zum »Leib Christi« gehörig fühlen (vgl. V 15f). Dazu nimmt Paulus Stellung.

Mit A. Wikenhauser wird man seine Antwort in zwei Gedankenkreise gliedern dürfen, »von denen der erste betont, daß die verschiedenen Charismen alle ein und demselben göttlichen Prinzip entstammen, und der zweite fordert, daß sie alle in den Dienst der Gesamtheit gestellt werden«[2]. Eine Erläuterung finden diese διαιρέσεις χαρισμάτων (vgl. V 4) und die in ihnen sich ausdrückende φανέρωσις τοῦ πνεύματος (V 7) am Beispiel des Leibes, welcher trotz der Vielfalt an Gliedern eine Einheit darstellt (vgl. VV 12. 14–26). Die Gemeinde erscheint bei diesem Vergleich als ein dem menschlichen Leib analog strukturierter Organismus, in welchem alle Glieder aufeinander verwiesen und einander zugeordnet sind. Mit Hilfe dieses Vergleichs führt Paulus den Nachweis, daß die verschiedenartigen Zuteilungen des einen Gottesgeistes πρὸς τὸ συμφέρον, d. h. zum Nutzen des Gemeindeganzen gegeben werden, daß ihre Verschiedenheit also »zum Wesen der christlichen Gemeinschaft«[3] gehört und daß alle Charismata zusammen πρὸς τὴν οἰκοδομὴν τῆς ἐκκλησίας[4], zur Auferbauung der Gemeinde dienen müssen. Wie aber der Leib nicht als Summierung der Glieder zu verstehen ist, sondern als Einheit in Vielheit existiert, so auch die Gemeinde.

---

[1] Über die gegensätzlichen Auffassungen zu dieser Charismenfrage vgl. Dahl, Volk Gottes 258: »Auch für Paulus sind die übernatürlichen Geistesgaben von großer Bedeutung, denn sie beweisen, daß die Kirche jetzt in der eschatologischen Zeit, der Zeit der Erfüllung lebt«. Aber die Kirche wird »nicht wesentlich durch die Charismen konstituiert«.

Dagegen Käsemann, Leib und Leib Christi 170: Paulus verhindert »die Nutzanwendung der korinthischen Charismatiker (nämlich: ›daß die Kirche sich aus Charismen erbaue‹), indem er Charismen und Pneumatiker zusammenbringt«: »alle Getauften sind als Pneumatiker auch Charismatiker«. Vgl. dazu auch Bornkamm, Die Erbauung der Gemeinde als Leib Christi 114.

[2] Wikenhauser, Die Kirche 90.

[3] Lietzmann, 1 Kor 61.

[4] Dieses »Kriterium der ›Erbauung‹ der Gemeinde« (Bornkamm a. a. O. 114f) für »das rechte Verständnis der Gemeinde als einer eschatologischen Größe« (a. a. O. 114) wird zwar erst in 1 Kor 14 voll entfaltet, ist aber sachlich gemeint mit der Wendung πρὸς τὸ συμφέρον. Vgl. Käsemann a. a. O. 179; Vielhauer, Oikodome 90ff; Wikenhauser a. a. O. 91: »zum Nutzen (nämlich der ganzen Gemeinde!)«; Schweizer, Gemeinde und Gemeindeordnung 91: Maßstab, »ob darin Gemeinde gebaut wird oder nicht«.

Dieser Schluß wird von Paulus jedoch in einer überraschenden Form gezogen. Statt »so auch die Gemeinde« sagt er in V 12b οὕτως καὶ ὁ Χριστός[1]. Was er damit meint, wird in V 27 resümierend verdeutlicht: »Ihr aber seid Leib Christi und einzeln Glieder«. Die Absicht, welche Paulus mit seiner überraschenden Wendung von V 12b verbindet, ist demnach die Rückführung des auf die Gemeinde angewandten Leibgleichnisses auf dessen sachlichen Grund im σῶμα-Χριστοῦ-Sein der Gemeinde[2], worin das μέλη-Sein der Einzelnen und ihre besondere Stellung zueinander und zum »Leib Christi« gründet (vgl. V 27). Sie können mit dem Leib umso eher verglichen werden, weil sie »Leib Christi« sind[3].

Hierin unterscheiden sich die Aussagen in 1 Kor 12 von jenen in Röm 12. In Röm 12, 5 heißt es: οὕτως οἱ πολλοὶ ἓν σῶμά ἐσμεν ἐν Χριστῷ, d. h. die Gemeinde ist auch danach ein Leib — durch die Bestimmtheit aller von dem einen Christus; in 1 Kor 12 ist die Gemeinde aber »Leib des Christus« (vgl. V 27) bzw. ὁ Χριστός selbst (V 12b). Kann man in Röm 12, 5 in der Rede vom Leib-Sein der Gemeinde eine Anwendung ihres grundlegenden ἐν Χριστῷ-Seins sehen[4], so drückt das »Leib-Christi«-Sein 1 Kor 12, 12b. 13. 27 eine »seinshaft-reale Verbindung mit dem erhöhten Christus«[5] aus. Sie wird nach V 13 gestiftet bei der Taufe, und zwar durch das πνεῦμα, durch welches die Vielen zu einem einzigen Leib werden. Die Taufe gliedert den Getauften in diesen Leib ein, der als vorgegeben zu betrachten ist; denn der als ὁ Χριστός bezeichnete Leib entsteht nicht erst durch die Summierung der Glieder. Was ihn konstituiert, ist vielmehr das πνεῦμα, an dem der Einzelne in der Taufe Anteil empfängt.

Die Herkunft dieses paulinischen Leib-Christi-Verständnisses ist bis heute umstritten. Man hat vermutet, daß der stoische Organismusgedanke die Grundlage darstelle[6] und sich mit den paulinischen Aussagen über das ἐν Χριστῷ

---

[1] Vgl. Soiron, Die Kirche als der Leib Christi 70: »Mit ὁ Χριστός meint er ganz unzweideutig die Gemeinde«; ähnlich R. Schnackenburg, Das Heilsgeschehen bei der Taufe nach dem Apostel Paulus (MThS I 1), München 1950, 16 A. 55: »formelhaft« für »Gesamtheit der Gläubigen«; Reuss, Die Kirche als »Leib Christi« 109; Percy, Der Leib Christi 5: »Hier wird … die Gemeinde als Leib Chr. geradezu mit Christus selbst identifiziert«; Cerfaux, La Théologie de l'Église 206: »… le Christ, … joue le rôle d'unificateur, qu'il est donc comme le corps vis-à-vis de tous les chrétiens, ceux-ci étant ses membres«.

[2] Vgl. Käsemann, Leib und Leib Christi 162 (gegen H. Schlier, Zum Begriff der Kirche im Epheserbrief, in: ThBl 6 [1927] 12–17, hier 15; ders., Christus und die Kirche im Epheserbrief 40f): »Der Christusleib ist nicht ein dem Christus ›zugehöriger‹ Leib«; Soiron a. a. O. 70: »… sie (die Gläubigen) sind ὁ Χριστός in der Einheit mit ihm«.

[3] Die VV 12. 13 als Beleuchtung der in den VV 4–11 entfalteten These »durch einen Vergleich« zu bezeichnen (Wikenhauser a. a. O. 90f), ist unsachgemäß, denn es trifft nur für die VV 12a. 14–26 zu.

[4] Vgl. Neugebauer, In Christus 104; ähnlich Käsemann a. a. O. 168 (zu 1 Kor 12, 13): »Im Christus ist man zugleich Leib Christi«; Wikenhauser a. a. O. 151: »In der gemeinsamen Zugehörigkeit vieler zu Christus … gründet der Leibcharakter der christlichen Gemeinde«; Percy, Der Leib Christi 18–43.

[5] Reuss a. a. O. 116; vgl. Percy a. a. O. 15f.

[6] Vgl. Tr. Schmidt, Der Leib Christi 132ff; Cerfaux, La Théologie de l'Église 186f; Dupont, Gnosis 427ff.

εἶναι zur Leib-Christi-Vorstellung verbunden habe[1]; andere suchten den Ursprung dieser Idee in gnostisch-mythischen Vorlagen[2] nachzuweisen. Der Hinweis von J. Reuss auf die paulinische Christologie, wonach Paulus »sich also offenbar Christus hier als eine auf alle Christen übergreifende und sie zu einer Gesamtheit zusammenschließende Persönlichkeit«[3] vorstelle, eine »corporate« oder »inclusive personality«[4], dürfte nicht ausreichen, die Eigenart der paulinischen Leib-Christi-Aussagen zu erklären. Dagegen ist die Verbindungslinie, die N. A. Dahl vom Alten Testament und vom Spätjudentum her gegeben sieht[5], bedeutsamer. Denn, daß das Volk Israel als »Gesamtpersönlichkeit«, »deren Glied der Einzelne war«, mit dem Leib verglichen wurde[6], ist eine ebenso beachtenswerte Sachparallele wie die im Judentum verwurzelte Vorstellung von der »Einheit zwischen Messias und messianischem Volke, zwischen dem Menschensohn und den Auserwählten«[7].

Wie immer jedoch die Abhängigkeit der paulinischen Leib-Christi-Vorstellung zu beurteilen ist[8], für unseren Zusammenhang wichtig sind die folgenden Feststellungen:

1. »daß Paulus in 1 Kor und Röm nie die Kirche, sondern immer nur die *Gläubigen* als Leib Christi bezeichnet«[9];

2. daß der Leib als *Organismus* in 1 Kor 12 wie in Röm 12 der für Paulus maßgebliche Vergleichspunkt ist[10].

---

[1] So v. a. Percy a. a. O. 18 ff.

[2] Vgl. R. Reitzenstein – H. H. Schaeder, Studien zum antiken Synkretismus aus Iran und Griechenland (Studien der Bibliothek Warburg VII), Leipzig–Berlin 1926, 81 ff. 97. 251 ff; ferner Schweitzer, Die Mystik des Apostels Paulus 117 ff, der vom »In-Erscheinung-Treten der präexistenten Kirche« spricht; Käsemann a. a. O. 168 ff; Bultmann, Theologie des Neuen Testaments 178 f. Für den σῶμα-Begriff des Epheserbriefs erwägt dies auch Schlier, Christus und die Kirche im Epheserbrief 42 ff.

[3] Reuss a. a. O. 117, mit Verweis auf Wikenhauser, Christusmystik 76; V. Warnach, Die Kirche im Epheserbrief (Beiträge zur Kontroverstheologie 1), Münster 1949, 11 f. 37; Percy a. a. O. 43–46.

[4] Best, One Body 184 ff. 189; vgl. Hanson, Unity 77: »Collective personality«.

[5] Dahl, Volk Gottes 224; vgl. Wikenhauser, Die Kirche 133; Str.–Bill. III 446–449.

[6] Dahl a. a. O. 3 ff. 74 f. 226 f. Vgl. dazu W. L. Knox, Parallels to the N. T. Use of σῶμα, in: JThS 39 (1938) 243–246.

[7] Dahl a. a. O. 227 (A. 75 zitiert er dazu Tr. Schmidt, Der Leib Christi 217–223; A. E. J. Rawlinson, Corpus Christi, in: Mysterium Christi, hg. v. Bell und Deissmann, Berlin 1931, 275 ff); vgl. auch Thornton, The Body of Christ 69: »The new organism has two aspects; it is the Messiah and the Ecclesia«. Im Ganzen macht freilich Dahls Beweisführung einen zwingenderen Eindruck als das angegebene Material rechtfertigt. Er zieht deshalb auch nur den vorsichtigen Schluß (a. a. O. 227), daß Paulus »die Anknüpfung an die stoische . . . Terminologie dadurch erleichtert worden ist, daß ihm der Vergleich zwischen dem Volk Israel und dem Leibe bekannt war«.

[8] Siehe dazu jetzt E. Käsemann, Das theologische Problem des Motivs vom Leibe Christi, in: Paulinische Perspektiven, Tübingen 1969, 178–210, hier 179–183.

[9] Wikenhauser, Die Kirche 88 (Hervorhebung von mir); vgl. Percy, Der Leib Christi 50. 52 f; Reuss, Die Kirche als »Leib Christi« 113. Darin liegt auch der wesentliche Unterschied der paulinischen Auffassung vom Leib Christi und jener in den Deuteropaulinen. Weshalb Käsemann a. a. O. 168 in Röm 12, 4 f; 1 Kor 12, 27 »die Gleichung σῶμα = Kirche nicht direkt, wohl aber indirekt ausgesprochen« findet, ist später zu erörtern.

[10] Der Nachweis wird im Folgenden erbracht.

Mit V 13 sollte zunächst nur der »Nachweis« geliefert werden, »daß die Gemeindeglieder zusammen wirklich einen Leib, ein leibartiges Gebilde darstellen«[1]; der Vergleich mit dem Leib erfährt darin seine eigentliche Berechtigung.

So kann Paulus in den VV 14–26 fortfahren, mit Hilfe des Leibgleichnisses den Leib Christi als einen Organismus zu verdeutlichen, als »die zu einer inneren Einheit zusammengefaßte Vielheit verschiedenartiger Teile, worin jeder Teil seine besondere Aufgabe besitzt und dadurch dem Wohle des Ganzen dient«[2].

Wurden in den VV 4–10 die verschiedenen Zuteilungen von Charismen zurückgeführt auf »ein und denselben Geist, der sie alle bewirkt und der eigens einem jeden zuteilt, wie er es will« (vgl. V 11), die wahrnehmbare Vielheit von Charismen also abgeleitet von einem einheitlichen, in ihnen wirksamen Prinzip, so erfolgt jetzt umgekehrt die Entfaltung des Gedankens, daß der eine Leib immer schon in der Vielheit seiner Glieder existiert, wobei die Parabel[3] vom Leib in den VV 14–26 transparent bleibt sowohl auf den in V 12b als »Χριστός« explizierten und nach V 13 vom πνεῦμα durchherrschten »Leib« hin als auch auf die Verschiedenheit der in den Charismen der Glieder sich manifestierenden φανέρωσις τοῦ πνεύματος (vgl. V 7)[4]. So muß am Ende nicht noch einmal betont werden, daß diese verschiedenen Charismen πρὸς τὸ συμφέρον einem jeden gegeben wurden — und jeder Geistträger soll hier zweifellos auch als Charismenträger verstanden werden[5] —, daß also jeder mit seiner Gabe zum Wohl und Nutzen des ganzen Leibes beizutragen habe. Diese Aufforderung wird hinreichend deutlich aus dem Aufweis, daß der Leib als Leib nicht ein Glied darstellt, sondern eine Vielheit von Gliedern (vgl. VV 14. 20), wobei keines minderwertig (vgl. V 15f) und keines für sich allein für den Leib als ganzes repräsentativ ist (vgl. V 17). Vielmehr hat Gott einem jeden Glied einen jeweils bestimmten Ort innerhalb des Leibes zugeteilt — καθὼς ἠθέλησεν, d. h. nach freiem Gutdünken (vgl. V 19). Keiner verdankt sich seinen Ort innerhalb des Leibes selbst, so daß für eine gegenseitige Mißachtung kein Anlaß besteht (vgl. V 21). Vielmehr sind die Glieder ganz aufeinander angewiesen, und die schwächer scheinenden sind von unaufgebbarer Notwendigkeit (vgl. V 22); die für weniger ehrbar gehaltenen müssen mit umso größerer Ehre umgeben, die unanständigen mit umso größerer Wohlanständigkeit behandelt werden (vgl. V 23f).

So hat Gott den Leib zur Einheit gefügt und die Glieder einander zugeordnet, daß sie auf ihr Miteinander und Füreinander verwiesen bleiben (vgl. V 24ff).

---

[1] Wikenhauser a. a. O. 92; Rawlinson a. a. O. 282: »eine ›leibhafte‹ Einheit«.
[2] Wikenhauser a. a. O. 143; vgl. auch Käsemann a. a. O. 160.
[3] Wikenhauser a. a. O. 145 erläutert diese literarische Form, »die in der Fabel hre eigentliche Heimat hat«, an einer Reihe zeitgenössischer Parallelen (a. a. O. 146f).
[4] Reuss, Die Kirche als »Leib Christi« 111: »Bewirkt wird diese Einheit der Christen unter sich durch das eine Pneuma, das sie in der Taufe empfangen haben. Dieses gleiche Pneuma bewirkt aber auch die Verschiedenheit der Christen als Glieder am Leibe Christi, da es eine Differenzierung durch die verschiedenen Gnadengaben herbeiführt«. Vgl. Wikenhauser a. a. O. 92ff; Percy, Der Leib Christi 16f.
[5] Vgl. Käsemann, Leib und Leib Christi 170; Wikenhauser a. a. O. 93; Dahl, Volk Gottes 228f; Schweizer, Gemeinde und Gemeindeordnung 90. 170.

Der abschließende Hinweis in V 27, der wie V 13 den realen Leibcharakter der Gemeinde als »Leib Christi« und das Gliedsein der Einzelnen an diesem Leib unterstreicht, tut der in 1 Kor 12 verwendeten Leibparabel keinen Abbruch; auch er betont den Organismusgedanken[1]. Der Einwand E. Käsemanns, der »Tenor des Kapitels« liege »auf dem οὕτως ὁ Χριστός V 12 und der sakramentalen Ausführung V 13a«[2] ist deshalb nicht zutreffend. Es geht in 1 Kor 12 (und Röm 12) primär um die διαιρέσεις χαρισμάτων. Ihre verschiedenartige Zuteilung und deren Notwendigkeit zu erweisen, bedient sich Paulus des Leibgleichnisses. Der eine Leib, der viele Glieder hat und bei aller Vielheit von Gliedern doch ein Leib ist (vgl. V 12), veranschaulicht Sinn und Nutzen jener verschiedenen Zuteilungen von χαρίσματα, die doch nicht aufhören, Wirkungen ein und desselben Geistes zu sein (vgl. V 11). Der Gedanke an das ἓν σῶμα assoziiert bei Paulus jenen anderen an das ἓν σῶμα, »zu dem wir alle in dem einen Geist getauft wurden« (vgl. V 13a). Auch dieses σῶμα des Χριστός (vgl. VV 12b. 27) ist ein Leib mit vielen Gliedern (vgl. V 27b). Eine Gedankenverschiebung hat hier allerdings stattgefunden; die VV 12b (οὕτως . . .) und 13 sind keine nur parenthetische Erwähnung des Leib-Christi-Seins der Gemeinde; denn die Gedankenverschiebung wird im Folgenden beibehalten[3]. Darauf wird im allgemeinen kaum geachtet. Die Leibparabel der VV 14–26 erhält ihren Sinn ja erst auf der Folie des tatsächlichen Leib-Seins der Gemeinde und ihrer Glieder mit ihren verschieden bewerteten charismatischen Begabungen[4]. Was sich also durchhält, ist in 1 Kor 12 (wie in Röm 12) der Organismusgedanke. V 27 bestätigt: die Einzelnen sind Glieder am »Leib Christi«.

Es ist also — zumindest für die Auslegung von 1 Kor 12; Röm 12 — irreführend, den Organismusgedanken lediglich als eine »Hilfslinie« der paulinischen Vorstellung vom Christusleib »als eines Äons«[5] zu bezeichnen. Es trifft

---

[1] In der Gemeinde besitzt der Christus eine »neue Leibhaftigkeit« (Soiron, Die Kirche als der Leib Christi 76), »und in diesem seinem Leibe herrscht das Gesetz der Vielgliedrigkeit, wie es auch im menschlichen Körper herrscht« (a. a. O. 77). Vgl. Reuss, Die Kirche als »Leib Christi« 109, zu den VV 12b. 13. 27: »So (ist) auch der Christus nur einer und hat viele Glieder, alle Glieder aber bilden trotz ihrer Vielheit den einen Christus«.

[2] Käsemann, Leib und Leib Christi 171; er leugnet den Organismusgedanken in 1 Kor 12; Röm 12 nicht, muß ihn aber erst »sinnvoll einordnen«. Daß man ihn in beiden Texten gar nicht leugnen kann, betonen Wikenhauser, Die Kirche 85; Dahl, Volk Gottes 224.

[3] Vgl. Wikenhauser a. a. O. 91f. Lietzmann, 1 Kor 63, spricht weniger glücklich von einem »Gedankensprung«; er verkennt damit die paulinische Gedankenbewegung und sieht in den VV 12b. 13 eine »unabhängige mystische Gedankenreihe«. Vgl. dagegen Kümmel, im Anhang zu Lietzmann, 1 Kor 187.

[4] »Die vom Zusammenhang nicht geforderte zweimalige Betonung des ἓν πνεῦμα« (Lietzmann a. a. O.) verbindet die Gedankenreihe, die sich mit den verschiedenartigen Funktionen der Glieder des einen Leibes (vgl. VV 14–26), und jene, welche sich mit den verschiedenartigen Zuteilungen von Charismen beschäftigt (vgl. VV 4–10); es ist ein und derselbe Geist, der zu Gliedern des Leibes Christi macht und der diese Glieder mit χαρίσματα ausstattet. Vgl. Reuss, Die Kirche als »Leib Christi« 111; dagegen Wikenhauser a. a. O. 92.

[5] Käsemann a. a. O. 162. 170; vgl. auch 183ff. So schon vor ihm Bultmann, Kirche und Lehre 22. Diese Feststellung mag für das Ganze der paulinischen »Leib-Christi«-Vorstellungen gelten; für 1 Kor 12; Röm 12 verzerrt sie die Aussageabsichten des Paulus. So auch Percy, Der Leib Christi 43–46, v. a. 45 A. 87.

auch nicht zu, daß »die bildliche Aussage, der Organismusgedanke, der realen Aussage von der Einheit in Christus untergeordnet« sei[1]. Darin ist der Kritik W. G. Kümmels Recht zu geben[2], der seinerseits dieses Verhältnis »Bild« und »reale Aussage«[3] richtig bestimmt: »Weil diese eschatologische Wirklichkeit des Leibes Christi aus vielen Einzelnen besteht, *entspricht* sie *zugleich* einem Organismus«[4].

Der Ausgangspunkt der διαιρέσεις χαρισμάτων ist trotz der erläuterten Gedankenverschiebung nicht preisgegeben. Auch in den VV 28–30 geht es um verschiedenartige χαρίσματα, die ein und derselbe Geist gibt, wie er will (vgl. V 11); doch hat sich der Blickwinkel, unter dem sie betrachtet werden, durch die Einführung der Leibparabel und der Aussagen vom Leib-Christi-Sein der Gemeinde verändert. Es erscheinen deshalb im Folgenden nicht einfach die in VV 8–10 erwähnten χαρίσματα, sondern zuerst einmal solche, die bestimmten Gliedern des Leibes eine besondere Funktion zuschreiben; erst dann kehrt Paulus zu dem allgemeineren Gedanken an die Charismata zurück, doch bleibt auch dabei der veränderte Blickwinkel auf die mit verschiedenartigen Charismen begabten Glieder des σῶμα Χριστοῦ (V 27) zu beachten.

Zwar ist nun in V 28 nur noch von ihrer Setzung durch Gott die Rede, aber auch ohne daß es ausdrücklich erwähnt wird, ist aus dem Vorhergehenden deutlich, daß mit οὓς μὲν ἔθετο ὁ θεός nicht nur auf das Vorhandensein solcher Charismen abgehoben ist, sondern daß ihr Wirksamwerden im Dienst an der Gemeinde vorausgesetzt ist[5]. Es ist kaum zu bestreiten, daß diese Setzung nach V 28 ff eine gewisse Rangfolge impliziert[6]; man mag jedoch streiten, ob es gerechtfertigt ist, von einer hierarchischen Gliederung zu sprechen[7].

In den abschließenden Fragesätzen wiederholt Paulus, daß jeder seiner eigenen Funktion als Glied des Leibes gerecht zu werden habe; denn es haben

---

[1] Dahl, Volk Gottes 224 f; ferner Käsemann, Leib und Leib Christi 160 ff; Wikenhauser a. a. O. 129.
[2] Kümmel a. a. O. 187; vgl. auch Hanson, Unity 75 ff.
[3] Dahl a. a. O. 224.
[4] Kümmel a. a. O. 188 (2. Hervorhebung von mir); vgl. auch Percy a. a. O. 45 f.
Dennoch dürfte Wikenhauser, Die Kirche 99, richtig sehen, daß die paulinische Idee von der ἐκκλησία als dem mystischen Leib Christi nicht aus diesem Vergleich entwickelt ist; vgl. auch Hanson a. a. O. 76 f. Die Leib-Christi-Aussagen (vgl. 1 Kor 6, 12–20; 10, 14–22) werden in 1 Kor 12 vielmehr in den zunächst beabsichtigten Vergleich von VV 12 a. 14–26 eingebaut, der den Leib als Organismus in Betracht zieht. Wikenhauser formuliert es a. a. O. 143 fälschlich umgekehrt. Sie können eingebaut werden, weil auch der Leib Christi einem Organismus entspricht (vgl. V 27). Eine gewisse Inkonzinnität zum Leibgleichnis besteht, sofern die Leib-Christi-Aussagen ein die Einzelgemeinde transzendierendes Moment enthalten, aber für eine solche gelten sollen. Dennoch ist es nicht richtig, mit Käsemann (vgl. S. 80 A. 9) von einer indirekten Gleichung σῶμα = Kirche zu sprechen; denn Paulus spricht nur von den Gläubigen.
[5] Vgl. Käsemann a. a. O. 170.
[6] Schweizers Auffassung (Gemeinde und Gemeindeordnung 90): »Als Dienste, die der Geist schenkt, sind sie … grundsätzlich gleich«, kann sich keinesfalls auf 1 Kor 12, 28 ff stützen.
[7] Vgl. Soiron, Die Kirche als der Leib Christi 77 ff. Käsemann spricht a. a. O. bezüglich 1 Kor 12, 28 ff von einer »Abstufung der Charismen und ihrer Bedeutung «.

nicht alle die gleiche Funktion; die Aufzählung einzelner solcher Funktionen ist paradigmatisch. Sie leugnet nicht, daß einem jeden Glied am Leib Christi die φανέρωσις τοῦ πνεύματος gegeben wird (vgl. V 7), weist aber noch einmal nachdrücklich auf das πρὸς τὸ συμφέρον (vgl. zu V 7 auch die VV 14–26): In dem Charakter der Gemeinde »als eines Organismus ist es begründet, daß es in ihr verschiedene Gnadengaben gibt und geben muß. Darum darf der Einzelne nicht nach solchen streben, die ihm nun einmal von Gott versagt sind, sondern muß mit den ihm geschenkten dem Wohl der Gesamtheit dienen«[1].

Mit καὶ οὓς μὲν ἔθετο ὁ θεὸς ἐν τῇ ἐκκλησίᾳ greift Paulus in V 28 zurück auf V 18: νῦν δὲ ὁ θεὸς ἔθετο τὰ μέλη, ἓν ἕκαστον αὐτῶν ἐν τῷ σώματι καθὼς ἠθέλησεν. Es kann eigentlich nicht zweifelhaft sein — und doch liegt darin der folgenschwerste Irrtum A. v. Harnacks[2] —, daß Paulus auch in V 28 von der Gemeinde spricht und nicht von der Kirche. Das ἡμεῖς πάντες εἰς ἓν σῶμα ἐβαπτίσθημεν (V 13) und ὑμεῖς δέ ἐστε σῶμα Χριστοῦ (V 27) mag zwar der Sache nach auch für die Gesamtkirche gelten[3], aber in seiner Argumentation hat Paulus einzig die Gemeinde von Korinth vor Augen[4]. Es ist ohnehin fraglich, ob Paulus von der Gesamtkirche ausdrücklich spricht; denn (ἡ) ἐκκλησία ist bei ihm in der Regel — wenn nicht ausnahmslos[5] — auf eine Einzelgemeinde bezogen. Für 1 Kor 12, 28 sollte der Kontext diesen Bezug erwiesen haben; denn die Gemeinde (und zwar konkret die korinthische Gemeinde; vgl. ὑμεῖς V 27) ist als Leib (näherhin als σῶμα Χριστοῦ) ein Organismus, in welchem Gott selbst jedem einzelnen Glied seinen je eigenen Ort zugewiesen hat (vgl. die VV 18. 27); die einen setzte er in diesem Leib der Gemeinde 1. als Apostel, 2. als Propheten, 3. als Lehrer usw. (vgl. V 28). Jedenfalls ist es ungerechtfertigt, aus dem — analog zu ἐν τῷ σώματι (V 18) — lediglich erklärend und ohne besonderen Akzent nachgestellten ἐν τῇ ἐκκλησίᾳ zu folgern: es »erweitert seine bisherigen Ausführungen auf die ganze Kirche und damit auch den Begriff des ἓν σῶμα«[6].

---

[1] Wikenhauser a. a. O. 149; vgl. auch 95; er spricht allerdings von der »Kirche« als einem Organismus.
  Daß es grundsätzlich verwehrt sei, nach »größeren Charismen« zu streben, kann damit keineswegs gemeint sein. Doch diese in V 31 angedeutete Möglichkeit sprengt die Logik des Gleichnisses vom Leib und seinen funktional festgelegten Gliedern.
[2] Vgl. A. v. Harnack, Die Lehre der zwölf Apostel (TU II), Leipzig 1886, 145–149; ders., Entstehung und Entwickelung der Kirchenverfassung und des Kirchenrechts in den zwei ersten Jahrhunderten, Leipzig 1910, 18f. 38–40; ders., Die Mission und Ausbreitung des Christentums in den ersten drei Jahrhunderten I und II, Leipzig ⁴1924, hier ⁴I 332 ff; dazu v. a. Linton, Das Problem der Urkirche 36 ff; E. Foerster, Rudolf Sohms Kritik des Kirchenrechtes, Haarlem 1942, 50–52.
[3] Daß man das »wir« bzw. »ihr« »sinnvoll nur auf die Kirche beziehen« könne (Käsemann, Leib und Leib Christi 168), ist eine ungerechtfertigte Behauptung. Vgl. dagegen Wikenhauser, Die Kirche 88 (auch 95); es werden »immer nur die Gläubigen als Leib Christi bezeichnet« — nie die Kirche.
[4] Vgl. Thornton, The Body of Christ 70: »The local Church of Corinth is Christ's Body«; Reuss, Die Kirche als »Leib Christi« 113: »daß die Gesamtkirche der ›Leib Christi‹ ist, wird niemals ausgesagt«; ferner Percy, Der Leib Christi 50.
[5] Vgl. Blank, Paulus und Jesus 240 ff, v. a. 242; auch nach Reuss a. a. O. spricht Paulus »niemals von der Kirche schlechthin«. Vgl. ferner Cerfaux, La Théologie de l'Église 78 ff; K. L. Schmidt, ThW III 507–512.
[6] Soiron a. a. O. 77. Dagegen Wikenhauser a. a. O. 89: »nur beiläufig einige Andeutungen über die Idee der Kirche als des Leibes Christi«; es ist nur »das Ver-

Ist nun aber in Wahrheit nur von der Gemeinde die Rede, so sind die seit A. v. Harnack immer wieder geäußerten Vermutungen über gesamtkirchliche und gemeindliche Ämter bei Paulus, wofür 1 Kor 12, 28 die Grundlage lieferte, grundlos geworden; Paulus kennt keine gesamtkirchlichen Ämter. Nicht einmal seinen eigenen Apostolat versteht Paulus im strengen Sinn als gesamtkirchlich[1]; denn auch dieser ist bestimmt und begrenzt als *ἀποστολὴ εἰς τὰ ἔθνη* und als Apostolat für die speziell von ihm gegründeten Gemeinden (vgl. v. a. 1 Kor 9, 2; 2 Kor 3, 2f; 10–13; Röm 15, 20)[2]. Darin dürfte auch der Grund zu sehen sein, weshalb Paulus im Paralleltext Röm 12 in der Aufzählung der Charismen den Apostolat nicht erwähnt. Rom scheint keine von einem Apostel gegründete Gemeinde zu sein[3], so daß den Römern die paulinische Auffassung von der grundlegenden Funktion des Apostels für seine Gemeinden nichts besagt hätte. Den Korinthern hingegen hat er schon in 3, 10ff; 9, 2; 11, 2 von dieser seiner Auffassung gesprochen, die er in 2 Kor so leidenschaftlich zu verteidigen genötigt ist gegen die eingedrungenen *ψευδαπόστολοι*[4].

A. v. Harnack bezeichnete die in 1 Kor 12, 28 zuerst genannte Dreier-Gruppe als eine Trias übergemeindlicher charismatischer Ämter und stellte sie den lokalen Ordnungsfunktionen entgegen. Er irrte nicht nur in dieser Entgegensetzung; auch die von ihm behauptete Trias läßt sich »nicht als eine von andern abgehobene, erst recht nicht als eine im Dienste der Gesamtkirche wandernde Gruppe nachweisen«[5].

Paulus argumentiert in 1 Kor 12 auf der Gemeindeebene; dies aber unter der Rücksicht des *σῶμα-Χριστοῦ*-Seins der Gemeinde und daher prinzipiell[6]. Deshalb kann in der Aufzählung von 1 Kor 12, 28 auch der Apostel erscheinen, den Paulus sonst wegen seiner gemeindebegründenden Funktion der Gemeinde

---

hältnis der Glieder der Kirche zueinander und zum Ganzen, und nur dieses, nicht aber das zu Christus der Gegenstand der Erörterungen« (a. a. O. 151).

[1] Blank, Paulus und Jesus 203: »Paulus versteht . . . seinen Apostolat nicht ohne weiteres als einen ›gesamtkirchlichen‹, sondern als konkreten, bestimmten und insofern auch ›begrenzten Apostolat für . . .‹, näherhin . . . ›für‹ seine Missionsgemeinden« (vgl. auch a. a. O. A. 31).

[2] Dieser Aspekt des paulinischen Apostolatsverständnisses, der in Teil II dieser Arbeit entfaltet werden soll, wird meist übersehen; vgl. Schnackenburg, Apostel vor und neben Paulus 338–358, besonders 353–358.

[3] Neben der prinzipiellen *ἀποστολὴ εἰς τὰ ἔθνη* ein Grund mehr, weshalb Paulus dieser Gemeinde, die nicht seiner Missionstätigkeit sich verdankt, schreiben kann, ohne seinen eigenen Grundsatz zu verletzen, nicht in fremdes Arbeitsgebiet einzudringen (vgl. Röm 15, 20).

[4] 2 Kor 11, 13; vgl. die Auslegung von 2 Kor 10–13.

[5] Schweizer, Gemeinde und Gemeindeordnung 166; bei einem Vergleich läßt sich in den Parallelstellen 1 Thess 5, 12; Röm 12, 6–8; 1 Kor 12, 8ff »Harnacks Trias nicht wiederfinden« (Schweizer a. a. O.).

[6] Aus dem Fehlen des Apostolats in Röm 12, 6–8 schließt Roloff, Apostolat — Verkündigung — Kirche 127: Paulus argumentiere hier »von ›unten‹ her, d. h. auf der Ebene der Gemeinde und der ihr zuteil gewordenen Möglichkeiten«; vgl. Michel, Röm 266. Darin ist aber die Situation von 1 Kor 12 durchaus nicht verschieden von jener in Röm 12; in beiden Fällen bewegt sich die Argumentation auf Gemeindeebene und ist — wenn auch aus verschiedenen Gründen — prinzipiell; sonst könnte z. B. in 1 Kor 12, 28 nicht von den *ἀπόστολοι* im Plural gesprochen werden.

immer gegenüberstellt[1]. Im Hinblick auf das ἓν σῶμα ist auch der die Gemeinde gründende Apostel nichts anderes als Teil und Glied dieser Gemeinde[2]; seine grundlegende Bedeutung für die Gemeinde dürfte in πρῶτον im Sinne zeitlicher und sachlicher Priorität[3] angedeutet sein.

Diese Qualifizierung wird auch für die nachfolgend genannten προφῆται und διδάσκαλοι gelten; denn es scheint kein Zufall zu sein, daß Paulus weder das betonte οὓς μέν durch ein οὓς δέ ablöst noch in der Aufzählung mit »erstens, zweitens, drittens« fortfährt. Es liegt ihm aber nicht daran, nur eine gegliederte Ordnung aufzustellen, nachdem er zuvor in den VV 21–26 im Blick auf die bevorzugten Glieder des Leibes herausgestellt hat, wie wenig auf irgendein Glied verzichtet werden könne.

In der Fortsetzung versucht Paulus deshalb auch die Aufzählung auf breitere Basis zu stellen, um das Ziel der gesamten Argumentation nicht zu verfehlen: Daß jeder einzelne mit seinem ihm eigenen Charisma einen unverzichtbaren Beitrag zur Auferbauung der Gemeinde zu leisten, jedes Glied seine spezifische Funktion innerhalb des Leibes der Gemeinde wahrzunehmen habe. Er läßt deshalb eine Reihe von Abstrakta folgen, die *jeweils ein ganzes Feld möglicher charismatischer Betätigung andeuten.* Ihre gedrängte Aufreihung mit ἔπειτα ... ἔπειτα geschieht in zwangloser, unsystematischer Form und will den Eindruck einer Vielfalt von Möglichkeiten verstärken. Was wir im einzelnen unter den δυνάμεις, den χαρίσματα ἰαμάτων, ἀντιλήμψεις, κυβερνήσεις und γένη γλωσσῶν zu verstehen haben, ist kaum mit Sicherheit auszumachen und braucht hier nicht näher verfolgt zu werden. Auffallend ist, daß die in Korinth so hochgeschätzten γένη γλωσσῶν erst an letzter Stelle genannt werden. E. Schweizer dürfte dafür den richtigen Grund sehen: »Paulus legt das Gewicht sogar auf die nichtenthusiastischen Gaben, weil sie den Bau der Gemeinde eher fördern«[4].

Diesem Zweck dienend sind auch die Charismen der »Hilfeleistungen« und »Leitungen« zu denken. Zu ihrer näheren Bestimmung ist man gänzlich auf Vermutungen angewiesen; am naheliegendsten ist dabei die Annahme, ἀντιλήμψεις umschreibe den Bereich von (caritativer?) Fürsorge (vgl. Röm 12, 8), κυβερνήσεις jenen der Organisation und Verwaltung, vielleicht auch der »Seelsorge« (vgl. 1 Thess 5, 12). Sie deshalb mit διάκονοι und ἐπίσκοποι in Verbindung zu bringen, hat nur geringe Berechtigung[5]. Im Unterschied zu diesen fehlt bei ἀντιλήμψεις und κυβερνήσεις jede Tendenz zu amtlicher Betätigung in der Gemeinde; vielmehr handelt es sich um Beschreibungen von Tätigkeitsgebieten, die für alle möglichen Gemeindeglieder offenstehen. Diese Feststellung wird erhärtet durch das kaum anders zu begründende Fehlen von ἀντιλήμψεις und κυβερνήσεις in V 29f: während nicht alle in der Gemeinde Apostel, Propheten, Lehrer sein oder spezielle charismatische Begabungen haben können, ist es auf

---

[1] Vgl. Schweizer a. a. O. 90.
[2] Bei den ἀπόστολοι an die »Zwölf« zu denken, die Christus selbst einsetzte — weshalb in V 28 auch von ἐκκλησία die Rede sei (vgl. Soiron, Die Kirche als der Leib Christi 77), ist durch nichts nahegelegt.
[3] Vgl. Roloff a. a. O. 126.
[4] Schweizer a. a. O. 169.
[5] So z. B. Soiron a. a. O. 78: »vielleicht Bischöfe, Priester oder Verwaltungsbeamte in der Kirche«.

diesen Gebieten jedermann möglich, tätig zu werden. Die in V 31 angefügte Aufforderung, nach den größeren Charismen zu streben, dürfte sich auf V 30 rückbeziehen. Sie steht zwar dann in offensichtlicher Spannung zu den VV 7. 11. 18, wonach Gott bzw. der Geist jedem seinen Ort und seine Funktion innerhalb des Leibes der Gemeinde zuweist, die er auszufüllen hat; aber ganz widerspruchsfrei denkt Paulus ohnehin nicht. Läßt die Aufforderung in V 31 ein solches Streben zu[1], dann ist ein Verständnis der VV 29. 30 unmöglich, welches darin eine Mahnung sieht, nicht nach anderen Charismen zu verlangen, als man besitzt; diese Verse sind dann lediglich eine Feststellung der Unterschiedenheit und Mannigfaltigkeit der Charismen. V 31 erlaubt, wenn diese Voraussetzungen richtig sind, den Schluß, daß ἀντιλήμψεις und κυβερνήσεις Bereiche einfacherer charismatischer Betätigung darstellen.

Was sich mithin feststellen läßt, ist »eine Abstufung der Charismen und ihrer Bedeutung«[2], nicht aber eine »Unterscheidung von ›natürlichen‹ und ›übernatürlichen‹ Diensten«[3], von transitorischen und hierarchischen Charismen[4], von Charismen und Ämtern[5].

Denn auch für die προφῆται und διδάσκαλοι ist der Nachweis, daß es sich bei ihnen um Amtsträger in paulinischen Gemeinden handelt, nicht zu erbringen. Προφήτης zu sein, ist nach 1 Kor 14, 5. 31 keineswegs einem bestimmten Personenkreis vorbehalten; grundsätzlich ist das προφητεύειν jedem Gemeindeglied möglich; es wird auch jeder aufgefordert, es zu erstreben[6]. Ebensowenig läßt sich für den διδάσκαλος mehr als eine Tendenz auf das Amt hin feststellen. Nach 1 Kor 14, 26 bringt jeder etwas zur gottesdienstlichen Versammlung mit, z. B. eine διδαχή. Die allgemeine, keineswegs auf bestimmte Personen begrenzte Aufgabe innergemeindlicher Belehrung kann von jedem wahrgenommen werden, der dazu in der Lage ist[7]. Daß diese Funktionen von προφῆται und διδάσκαλοι »an bestimmte Personen gebunden« zu denken seien, »während die übrigen ... Dienste im Bewußtsein der Gemeinde weit weniger durch ihre Personenbezogenheit qualifiziert gewesen zu sein scheinen«[8], wird durch die Wahl

---

[1] Der Vergleich mit 14, 1. 39 sollte jeden Zweifel beheben. Vgl. Lietzmann, 1 Kor 64; Schweizer, Gemeinde und Gemeindeordnung 91: »Prophetie als die eigentliche, von allen zu erstrebende Gabe«.

[2] Käsemann, Leib und Leib Christi 170. Sie eine »hierarchische Ordnung« (Soiron a. a. O. 77) zu nennen, ist eine unpaulinische Verfremdung.

[3] Das betont zu Recht Schweizer a. a. O. 165.

[4] Vgl. Schweizer a. a. O. 170 A. 698 gegen Brosch, Charismen und Ämter 42 ff. 94 ff, und Kaiser, Die Einheit der Kirchengewalt 154 f; vgl. ferner Friedrich, Geist und Amt 83 f.

[5] Wikenhauser, Die Kirche 77, hält für Apostel, Propheten, Lehrer fest: »Es sind also Ämter, allerdings charismatische, von Gott oder Christus direkt verliehene Ämter«. Die Textinterpretation stützt diesen Amtsbegriff nicht.

[6] Vgl. 1 Kor 14, 1. 39. Mehr als das »Bild eines Übergangsstadiums« zu einem »fest abgegrenzten Prophetenstand« (Greeven, Propheten, Lehrer, Vorsteher bei Paulus 8), d. h. zu einem den Charismenbegriff ergänzenden Amtsverständnis, wird man deshalb in 1 Kor 12, 28 kaum finden können.

[7] Vgl. Röm 12, 7; Gal 6, 6. Der Vorgang der Belehrung steht bei Paulus immer im Vordergrund (vgl. Rengstorf, ThW II 149, 11 ff. 166 f), ähnlich wie bei διάκονος die Ausübung der διακονία (vgl. Röm 16, 1 f).

[8] Roloff, Apostolat — Verkündigung — Kirche 126 f; vgl. Greeven, Propheten, Lehrer, Vorsteher bei Paulus 4 f.

der Verbalsubstantiva keineswegs erwiesen. Diese Unterscheidung verkennt den Übergang innerhalb der Aufzählung und damit den Duktus der paulinischen Gedankenführung, welche auf die Bedeutsamkeit der an diese Personen gebundenen Charismen für die οἰκοδομή der Gemeinde abhebt, nicht auf die Personen selbst[1]; daß jedes Gemeindeglied sein persönliches und darum persongebundenes Charisma besitzt, kann nach allem Vorausgehenden ja nicht zweifelhaft sein. Wegen der größeren Bedeutung bestimmter Charismen wird sich allerdings dann auch die Qualifizierung der betreffenden Personen im Gemeindebewußtsein verändert haben.

Gewichtiger ist die Feststellung, daß sich aus 1 Kor 12, 28 außer dem Apostolat kein fest umrissenes Amt erheben läßt. Der Vergleich mit 1 Kor 14 läßt weder für προφῆται noch für διδάσκαλοι einen bestimmten Personenkreis vermuten, dem ein entsprechendes Amt in der Gemeinde übertragen worden wäre. Für eine Amtsübertragung findet sich ohnehin kein Hinweis[2]. Die genannten Charismen, bzw. Bereiche charismatischer Betätigung, erscheinen vielmehr als Setzungen Gottes und Wirkungen des πνεῦμα. Ihre Verschiedenheit und Mannigfaltigkeit beruhen auf freier Zuteilung; vgl. V 4: διαιρέσεις δὲ χαρισμάτων εἰσίν. Man wird die Parallelsätze von V 5 und V 6 nicht überinterpretieren, wenn man hinzufügt, daß die vom Geist geschenkten Charismen, zurückgeführt auf den alles bewirkenden Gott als Urheber (vgl. V 6), zugleich als Dienste verstanden sein wollen im Blick auf den κύριος (vgl. V 5); ἵνα . . . τὸ αὐτὸ ὑπὲρ ἀλλήλων μεριμνῶσιν τὰ μέλη, damit die Glieder des Leibes der Gemeinde in gegenseitiger Sorge füreinander und im Dienst aneinander ihr Charisma zur Wirkung bringen[3] (vgl. V 25).

d) Ordnungsprinzipien für die pneumatischen Erscheinungen unter dem Kriterium οἰκοδομή

1 Kor 14, 1–40

Unter den Gnadengaben, die Paulus zu erstreben auffordert (vgl. V 1), kommt es ihm vor allem (μᾶλλον δέ — V 1) auf das προφητεύειν an. Während

---

[1] Unzutreffend ist die Aussage: »Diese drei Funktionsträger bilden in der Kirche eine besondere Rangordnung« (Soiron, Die Kirche als der Leib Christi 77) nicht nur deshalb, weil zu Unrecht von Kirche gesprochen wird, sondern auch, weil diesen charismatischen Tätigkeiten wohl ein besonderer Rang zukam und sich durch sie eine bestimmte Ordnung in der Gemeinde herausbildete, nicht aber eine »Rangordnung«. Vgl. Schweizer, Gemeinde und Gemeindeordnung 92: »Nur ein Schwärmer kann also übersehen, daß es in der Gemeinde auch eine Ordnung gibt. Die große Frage ist nur, welcher Art dieser Gehorsam und diese Ordnung ist«. Seine Auffassung einer »Ordnung, die sich dem Geschehen des Geistes hinterher anpaßt« (a. a. O. 92f), wird nicht erst durch V 31 als falsch erwiesen. Mit Paulus müßte man sagen: welche Ordnung in einer Gemeinde sich auch herausbildet, sie ist vom Geist gewirkt.

[2] Vgl. Schweizer a. a. O. 170 A. 698 gegen N. Adler, Taufe und Handauflegung (NTA XIX, Heft 3), Münster 1951, 89, der »die an Handauflegung gebundene, mit einem Amt verknüpfte Begabung von der eigentlich charismatischen« scheide. Für 1 Kor 12–14 betont aber auch Adler, daß »nie von einer Handauflegung in Verbindung mit diesen Charismen« die Rede sei (a. a. O. 87).

[3] Vgl. Dahl, Volk Gottes 249: »als durch Christus bestimmter Einzelner lebt er für die Gemeinde«.

nämlich auf den Zungenredner niemand hört, weil er Geheimnisvolles (μυστήρια), Unverständliches redet, bringt der prophetisch Redende¹ für Menschen
Erbauung, Ermahnung und Ermunterung (vgl. V 3); οἰκοδομή², παράκλησις,
παραμυθία sind nur in Nuancen unterschieden. Die Fortsetzung in V 4f greift
jedoch nur das οἰκοδομεῖν auf, um daran die Verschiedenheit der Wirkungen
des Zungenredens und des prophetischen Redens aufzuzeigen, so daß es scheinen will, als ob παράκλησις — »die auf theologische Belehrung gegründete Ermahnung«³ — und παραμυθία — der brüderliche Zuspruch⁴ — zusammengefaßt wären in οἰκοδομή.

Wie sehr dieser Begriff schillert — von der abgeblaßten Bedeutung »Erbauung« bis zur konkreten Vorstellung des »Auferbauens« —, macht die verschiedene Verwendung in 1 Kor 14 deutlich. In V 3 ist οἰκοδομή als Wirkung
des προφητεύειν⁵ verstanden, als »Erbauung« Einzelner. Der Zungenredner
frustriert darin; er »erbaut« nur sich selbst (vgl. V 4a), der prophetisch Redende hingegen »erbaut — obendrein — Gemeinde« (vgl. V 4b)⁶. Ἐκκλησία
ohne Artikel abstrahiert von der konkreten Gemeinde-Versammlung, generali-
siert, betrachtet also die Gemeinde wie 3, 9 als (θεοῦ) οἰκοδομή, als (Gottes) Bau.
Als solcher wird sie »auferbaut« durch den προφητεύων, indem durch ihn ἡ ἐκκλησία, d. h. die versammelte Gemeinde »Erbauung empfängt« (vgl. V 5b).
Darum ist das προφητεύειν dem Zungenreden vorzuziehen, »größer« (μείζων) im
Wert für die Gemeinde. Daß es Paulus nicht nur auf Erbaulichkeit ankommt,
zeigt in V 6 τί ὠφελήσω — der Gedanke an den Nutzen, den Zweck, die Wirkung. Dem entspricht das Lob der Korinther als ζηλωταὶ πνευμάτων⁷ in V 12:
Paulus möchte, daß sie »überfließen« — aber: πρὸς τὴν οἰκοδομὴν τῆς ἐκκλησίας,
zur »Erbauung« und »Auferbauung« der Gemeinde⁸.

14, 19: Weit davon entfernt, das Zungenreden abzuwerten, dankt Paulus
in V 18 Gott, daß er mehr als sie alle in Sprachen redet. Dennoch bleibt
es für den Gottesdienst, zur οἰκοδομή der Gemeinde ungeeignet. Deshalb will

---

¹ ὁ δὲ προφητεύων für προφήτης, weil es nicht um das »Amt« des Propheten geht
(vgl. 12, 28), sondern um die Gabe des prophetisch Redens, wie sie grundsätzlich
jeder haben kann. Anders J. Weiß, 1 Kor 322: »weil ja der Mann in seiner Tätigkeit
vorgeführt wird«.
² οἰκοδομή ist nach J. Weiß, 1 Kor 215, »schon ganz abgeschliffener Terminus
der religiösen Sprache geworden«; das Bild des Hauses werde nie mehr ganz ausgeführt, und als Objekt der Erbauung seien die Einzelnen gedacht und nicht die
Gemeinde; ähnlich Conzelmann, 1 Kor 276f; vgl. aber 1 Kor 3, 9f.
³ J. Weiß, 1 Kor 322.
⁴ Zu vergleichen παραμυθεῖσθαι 1 Thess 5, 14, wo es in ähnlichem Zusammenhang (vgl. οἰκοδομεῖν in V 11) zur Aufforderung an die Brüder verwendet ist, die
den Kleinmütigen aufmunternd zusprechen sollen.
⁵ προφητεύειν ist demnach nicht nur ein Weissagen oder Offenbaren von Verbor-
genem ; nach V 6 umfaßt es *neben* ἀποκάλυψις und der προφητεία im engeren Sinne
auch γνῶσις und διδαχή.
⁶ J. Weiß, 1 Kor 322, und Lietzmann, 1 Kor 70, sprechen von »der« Gemeinde,
wobei Weiß a. a. O. A. 3 glaubt, auf die Artikellosigkeit kein Gewicht legen zu
müssen.
⁷ Zu der zugrundeliegenden Vorstellung vgl. J. Weiß, 1 Kor 326; M. Dibelius,
Die Geisterwelt im Glauben des Paulus, Göttingen 1909, 76.
⁸ Welche Vorstellung hier den Vorzug verdient, ist in dieser summarischen Aussage nicht zu entscheiden.

er (lieber) in der Gemeindeversammlung[1] fünf[2] Worte mit seinem Verstand reden, damit er auch andere unterweise, als tausend Worte in Zunge (vgl. V 19). *Κατηχεῖν* ist ein seltenes Wort bei Paulus[3], begegnet aber in Gal 6, 6 in einem für uns überaus bedeutsamen Zusammenhang, zu dessen Verständnis der Gebrauch an dieser Stelle beitragen kann. Die Belehrung, Unterweisung, welche Paulus sich von seinen fünf Worten *τῷ νοΐ* verspricht, wird nicht näher bestimmt. Wie das *λαλεῖν τῷ νοΐ* im Gegensatz zum *λαλεῖν ἐν γλώσσῃ* alle Arten des *προφητεύειν* umfaßt — also *ἐν ἀποκαλύψει, ἐν γνώσει, ἐν προφητείᾳ, (ἐν) διδαχῇ* (vgl. V 6)[4] —, so ist auch die Belehrung eine je verschiedene. *Κατηχεῖν* wird also im weitesten Sinn alle Formen von Unterweisung umspannen, sei es die des Apostels oder Propheten oder Lehrers (vgl. 12, 28)[5]. Der Ort des *κατηχεῖν* ist in 14, 19 *ἐν ἐκκλησίᾳ*, d. h. in der sich versammelnden Gemeinde (vgl. 11, 18). Es ist deshalb abwegig, dem *κατηχεῖν* einen besonderen »Missionszweck«[6] unterlegen zu wollen. V 24 rechnet zwar mit der Möglichkeit, daß ein Ungläubiger in die Gemeindeversammlung kommt, aber die Unterwiesenen in V 19 sind ausschließlich die Gläubigen (vgl. V 22), die Glieder der Gemeindeversammlung[7], also auch nicht Taufbewerber, sofern es diese schon gegeben haben sollte. Wenn aber das *προφητεύειν* von jedem erstrebt (vgl. V 12) und ausgeübt (vgl. V 24) werden kann, ist auch das *κατηχεῖν* ein brüderlicher Dienst, den an sich jeder in seinem *προφητεύειν ἐν ἐκκλησίᾳ* zu leisten vermag.

14, 23: Die Wirkungen des Zungenredens und des prophetisch Redens werden nun an einem fiktiven Beispiel (*ἐὰν οὖν*) erläutert, aus welchem hervorgeht, daß das Zungenreden — im Gegensatz zum *προφητεύειν* — mißdeutbar und mißverständlich ist und daß ihm in seinem demonstrativen Charakter als *σημεῖον τοῖς ἀπίστοις* (V 22) keine erbauende Kraft innewohnt. Für den Fall nämlich, daß *ἰδιῶται ἢ ἄπιστοι*[8] in die Gemeindeversammlung kämen und dort alle in Zungen redeten, würden sie wohl annehmen, die Versammelten seien verrückt.

---

[1] *ἐν ἐκκλησίᾳ* meint wie 11, 18 das Zusammenkommen in oder als Gemeinde; vgl. J. Weiß, 1 Kor 331; Conzelmann, 1 Kor 283.
[2] Zu 5 als runde Zahl vgl. Str.–Bill. III 461; Conzelmann, 1 Kor 283 A. 74.
[3] Nur noch Gal 6, 6; Röm 2, 18.
[4] Aus dem Bestreben der Textüberlieferung, zwischen *ἀποκάλυψις* und *γνῶσις* einerseits und *προφητεία* und *διδαχή* andererseits jeweils zwei Paare zu bilden, folgert J. Weiß, 1 Kor 323, v. a. A. 4, daß das zweite Paar möglicherweise ein Zusatz oder eine Alternativ-Lesart sein könnte, zumal *προφητεία* und *διδαχή* in V 26 neben *ἀποκάλυψις* und *γνῶσις* fehlen.
[5] Es ist eine unbewiesene Behauptung, wenn Conzelmann, 1 Kor 283, zu *κατηχεῖν* feststellt: »Paulus gebraucht es nur vom ›dogmatischen‹ Unterricht«.
[6] J. Weiß a. a. O. 331.
[7] So auch Conzelmann a. a. O.
[8] Während Lietzmann, 1 Kor 73, annimmt, *ἰδιώτης* sei hier (im Gegensatz zu V 16) »jemand, der das Zungenreden noch nicht kennt« — also kein korinthisches Gemeindemitglied und wegen der VV 21. 22 auch kein auswärtiger Christ —, und den Zusammenhang nur verständlich findet bei Gleichsetzung von *ἰδιώτης* und *ἄπιστος* — als subjektive und objektive Bezeichnung der Nichtchristen —, hält J. Weiß, 1 Kor 333, fest an »zwei Klassen, wie das *ἤ* hier und V 24 ganz zwingend ausdrückt«; vgl. dagegen auch Conzelmann, 1 Kor 286 A. 28: »Weder *ἤ* noch V 24 beweisen eine Unterscheidung«.

Auffallend ist hier die Betonung von $\dot{\eta}$ ἐκκλησία ὅλη. Während die Übertreibung καὶ πάντες λαλῶσιν γλώσσαις auf den fiktiven Charakter des angenommenen Falles zurückzuführen ist und durch sie »die höchste Steigerung der Wundergabe vergegenwärtigt werden «[1] soll, ist diese Annahme von J. Weiß[2] für ὅλη nicht zwingend; denn gerade für den Fall, daß die angenommene Versammlung der ganzen Gemeinde eine Steigerung darstellen solle, wäre dem ὅλη umso mehr zu entnehmen, daß dies nicht die Regel darstellte. Wir müssen annehmen, daß für gewöhnlich nur Teile der Gemeinde ἐν ἐκκλησίᾳ, d. h. zu Gemeinde zusammenzukommen pflegten. Es bestätigt sich das aus 11, 18. 20 gewonnene Ergebnis: ἐν ἐκκλησίᾳ (V 18) und ἐπὶ τὸ αὐτό (V 20) erwiesen sich durch die Parallelität der Aussagen als sachlich identisch; wenn also in 14, 23 zu ἡ ἐκκλησία ὅλη hinzugefügt wird ἐπὶ τὸ αὐτό, kann das nur bedeuten, daß die Gesamtgemeinde sich »als« oder »zu« Gemeinde versammelt, was durch ὅλη als ein ungewöhnlicher Fall konstatiert wird. Συνερχομένων ὑμῶν ἐν ἐκκλησίᾳ ist demnach in 11, 18 generell zu verstehen: wo und wann immer Gläubige in Korinth zusammenkommen zu ἐκκλησία, dort ist ἐκκλησία (τοῦ θεοῦ), und dort kann das κυριακὸν δεῖπνον gefeiert werden; dessen Charakter wird bestimmt durch den Willen der Zusammenkommenden, ἐν ἐκκλησίᾳ zu sein und »zu eben diesem« Zweck (ἐπὶ τὸ αὐτό) sich zu versammeln.

Man kam vermutlich in kleinen Kreisen zusammen (ob es dafür schon bestimmte Zeiten oder Orte gab, ist so wenig zu beantworten wie die Frage nach der Leitung oder einem möglichen Ritual), um miteinander Mahl zu halten. Zum κυριακὸν δεῖπνον wurde es durch das Wissen um den Charakter der Stiftung durch den κύριος ʼΙησοῦς (vgl. 11, 23–25) und durch den Vollzug ἐν ἐκκλησίᾳ — in Gemeinde. Mit dem Schwinden oder bei Nichtvorhandensein des Bewußtseins von der Besonderheit dieser Mahlzusammenkünfte verloren diese ihren Sinn und ihre Bestimmung, so daß Paulus sagen kann: οὐκ ἔστιν κυριακὸν δεῖπνον φαγεῖν (11, 20). Daß die Versammlungen der Gesamtgemeinde einen anderen Sinn hatten — etwa gegenüber den »Mahl«-zusammenkünften als »Wort«-zusammenkünfte zu bezeichnen sind —, wird man aus 14, 23 allein nicht behaupten dürfen; denn daß an dieser Stelle nur von dem λαλεῖν γλώσσαις bzw. προφητεύειν (vgl. V 24f) gesprochen wird, ist von deren Gegenüberstellung bedingt, nicht von der ἐκκλησία ὅλη, die zunächst nur den gedachten Rahmen bestimmt. Doch ist der Rahmen vermutlich vom tatsächlichen Bild dieser Zusammenkünfte der Gesamtgemeinde wesentlich beeinflußt. Auffallend ist ferner die Annahme, es würden in diese Versammlung der Gesamtgemeinde ἰδιῶται ἢ ἄπιστοι kommen. Auch das könnte — zumal eine echte Möglichkeit angesprochen scheint — für eine Verschiedenheit dieser »Wort«-zusammenkünfte der ganzen Gemeinde von den »Mahl«-zusammenkünften der kleineren Gemeindekreise sprechen, bei deren Eigenart als κυριακὸν δεῖπνον es wenig wahrscheinlich ist, daß man Fremde zugelassen hätte. Um Fremde muß es sich aber handeln,

---

[1] J. Weiß a. a. O. 333.
[2] A. a. O.; er akzentuiert »die *ganze* Gemeinde« und »*alle*« in ihr in Zungen redend; es muß aber offen bleiben, daß ἡ ἐκκλησία ὅλη »die Gemeinde als ganze« bezeichnet, im Unterschied zu Versammlungen von Teilen derselben, etwa den κατʼ οἶκον ἐκκλησίαι (vgl. Phlm 2).

sowohl bei den ἄπιστοι — für welche dies unbestritten ist — als auch für die ἰδιῶται; denn wenn man auch annehmen darf, daß πάντες (λαλῶσιν γλώσσαις) unpräzis ist und etwa ausdrücken will, daß »alle möglichen« Leute gleichzeitig in Zungen reden, so können doch die ἰδιῶται nicht Gemeindeglieder sein, welchen diese Erscheinung des Zungenredens unbekannt wäre. Da auch von ihnen angenommen wird, daß sie sagen würden, die Gemeindeversammlung sei rasend, können sie also nicht gläubige »Laien«[1] oder »Katechumenen«[2] sein, die nicht oder noch nicht über die Fähigkeit des Zungenredens verfügen; denn sie müßten zumindest über diese Erscheinung des wirkenden Geistes belehrt sein. Ferner stehen auch die ἰδιῶται unter dem gemeinsamen Prädikat εἰσέλθωσιν, worunter ein Hinein- oder Hinzukommen von Leuten ausgedrückt erscheint, die nicht zur ἐκκλησία gehören. Die natürlichste Erklärung der ἰδιῶται von 14, 16. 23 wird deshalb sein, sie als des Zungenredens Unkundige und Außenstehende zu betrachten, die von den »Glaubenslosen« dadurch unterschieden wären, daß sie aus einem ehrlichen Interesse in die Gemeindeversammlung kämen[3]. In diesem Sinn läßt sich auch 14, 16 verstehen[4]; dort ist ἰδιώτης allerdings dann für einen Gläubigen gebraucht, doch nicht als Bezeichnung seines Standes, sondern seines Zustandes als einer, der nicht mit γλῶσσαι begabt ist.

14, 26–33: Für das συνέρχεσθαι — zu ergänzen vermutlich ἐν ἐκκλησίᾳ (vgl. 11, 18. 20) — folgert[5] Paulus aus dem bisher in Kapitel 14 Erörterten einige Grundsätze für die Gestaltung und den Ablauf von Versammlungen[6]. Er beschränkt sich dabei auf Ordnungsprinzipien für die mit Zungenreden und prophetischem Reden zusammenhängenden Phänomene[7] der Zusammenkünfte, so daß wir über den tatsächlichen Ablauf und die Gestaltung im Unklaren

---

[1] Der gewöhnliche Gebrauch von ἰδιώτης »bestimmt sich je nach dem Zusammenhang dahin, daß der Betreffende die τέχνη oder den Stand oder die Auszeichnung nicht besitzt, von der gerade die Rede ist« (J. Weiß, 1 Kor 330). Es ist also in unserem Sinn der Laie, der mit einer Sache nicht Vertraute.

[2] Im religiösen Gebrauch findet J. Weiß a. a. O. A. 2 einige Analogien aus dem Bereich des Kults, die ihn in seiner Auffassung bestärken, daß der ἰδιώτης von 1 Kor 14, 16. 23. 24 sei »der noch nicht getaufte Proselyt oder Katechumene« (a. a. O. 331).

[3] Lietzmann, 1 Kor 73, identifiziert beide und hält ἰδιώτης für die subjektive, ἄπιστος für die objektive Bezeichnung des Nichtchristen. Vgl. auch Conzelmann, 1 Kor 286: »kein Bedeutungsunterschied«.

[4] J. Weiß a. a. O. 329 entnimmt dem Artikel τὸν τόπον τοῦ ἰδιώτου in V 16: »daß in der Gemeindeversammlung ein Platz bestimmt war für die ἰδιῶται«. Das Unterscheidungsmerkmal von den anderen Christen könne nur sein, daß er noch nicht im Besitz des Geistes ist; aber er sei kein Heide. Dieses konkrete Verständnis von τόπος bei J. Weiß dürfte aber den Text überfordern. Vgl. die bei Lietzmann a. a. O. beigebrachte Analogie aus Epiktet II 4, 5 für τόπος = die Rolle.

[5] Τί οὖν ἐστιν, ἀδελφοί; stellt die Frage nach der praktischen Bedeutung des Dargelegten.

[6] Das zusatzlose ὅταν συνέρχησθε läßt offen, ob im Folgenden an besondere »Wort«-versammlungen gedacht ist oder ob Paulus generell von den Versammlungen spricht.

[7] Für ψαλμοί gibt Weizsäcker, Das apostolische Zeitalter 557–559, als Beispiele an: Apc 4, 11; 5, 9. 10. 12. 13; 11, 17f; 15, 3. 4; Lk 1. 2; doch vermitteln sie nur »eine allzu geringe Vorstellung« (J. Weiß, 1 Kor 334) von der frühchristlichen Psalmendichtung.

Διδαχή und ἀποκάλυψις zielen auf einzelne Lehren und Offenbarungen, wie γλῶσσα auf Einzeläußerungen eines Zungenredners und ἑρμηνεία auf deren Auslegung; vgl. dazu J. Weiß a. a. O. 334f.

gelassen sind. Weder wird ein Zusammenhang mit einem Mahl angedeutet, noch werden konkrete Ordnungsfragen berührt. Das bedeutet, daß Aussagen darüber nur den Wert von Vermutungen besitzen; es läßt sich ein Zusammenhang mit dem *κυριακὸν δεῖπνον* nicht behaupten und nicht leugnen; auch Ordnungsträger — etwa *προιστάμενοι* oder dgl. — bleiben außer Betracht; ihre Existenz läßt sich annehmen oder verwerfen.

Paulus gibt ausschließlich prinzipielle Weisungen. Er setzt voraus, daß jeder[1] auf seine Weise einen Beitrag zu leisten vermag[2] zur Versammlung der Gemeinde (vgl. V 26). Oberster Grundsatz für die Zuordnung dieser verschiedenen Beiträge ist — gemäß dem in den VV 3–5. 12. 23–25 an den Wirkungen des Zungenredens und des prophetisch Redens Veranschaulichten — die *οἰκοδομή*[3] der Gemeinde. Da es um Ordnung in der Versammlung geht, liegt der Gedanke an »Erbauung« ferner als das Bild der Gemeinde als *θεοῦ οἰκοδομή* (vgl. 3, 9 f; 14, 4). Dieser geforderten *οἰκοδομή* der Gemeinde wäre jede *ἀκαταστασία* (vgl. V 33) abträglich. Daher stellt Paulus nun in den VV 27. 28 für das Zungenreden, in den VV 29–31 für das prophetische Reden eine Ordnung auf, die der *εἰρήνη* in der Gemeindeversammlung (vgl. V 33) dienen soll. Zu beachten ist die Allgemeinheit seiner Anordnungen, selbst in den konkreten Details.

Für das Zungenreden ist der *διερμηνευτής* Voraussetzung; denn ohne »Ausleger« ist das Zungenreden wertlos für die *οἰκοδομή* (vgl. die VV 4. 5). Auch wenn diese Voraussetzung erfüllt ist, sollen aber nur zwei, höchstens drei in Zungen reden und zwar »der Reihe nach«[4]. Dürfte man übersetzen »gemäß Zuteilung«, wäre die Frage nach dem Zuteilenden zu stellen; doch ist das hier nicht das Anliegen des Paulus. »Einer«[5] soll auslegen, läßt unbestimmt, ob darunter einer der zwei oder drei Zungenredner gemeint ist oder ein eigener *διερμηνευτής*. Sprachlich wird v. a. durch *σιγάτω* (V 28) nahegelegt, den *εἴτε τις* von V 27 und das Subjekt an *ᾖ* (V 28) als identisch zu betrachten: wenn einer in Zunge redet — aber selbst kein Ausleger ist, soll er schweigen in der Gemeinde. Das ist mit J. Weiß[6] umso eher anzunehmen, als der Zungenredner ja nicht weiß, »ob ein Hermeneut da sein wird; wohl aber kann er sich selber kennen«. Zwingend ist diese Argumentation keineswegs; denn nach V 26 (vgl. auch Kapitel 12) darf man annehmen, daß einer die Gabe der *ἑρμηνεία* »hat«,

---

[1] *ἕκαστος* ist so unpräzis wie *πάντες* in V 23 ff; denn es ist nicht anzunehmen, daß »jeder« einen Psalm, eine Lehre usw. mitbringt, geschweige denn, daß dies von allen in gleicher Weise erwartet würde; vgl. Conzelmann, 1 Kor 287.

[2] *ἔχει* ist nach Lietzmann, 1 Kor 73, »indirekt Ausdruck des Wunsches«; doch ist es eher das etwas beschönigend gezeichnete Bild der üblichen Gewohnheiten.

[3] Wie bei *συνέρχησθε* zu ergänzen ist *ἐν ἐκκλησίᾳ*, so bei *οἰκοδομήν* — entsprechend V 4 — *ἐκκλησίας*, und zwar entweder im Sinne des Aufbaus von Gemeinde oder von Erbauung der Gemeinde.

[4] *ἀνὰ μέρος* heißt sonst gewöhnlich »abwechselnd« (Lietzmann, 1 Kor 74; Conzelmann, 1 Kor 288); hier bedeutet es aber wohl »nicht durcheinander«, sondern »hintereinander«, »gemäß Zuteilung«; vgl. Bauer, WB 99: »der Reihe nach«.

[5] *εἷς* kann einen einzigen Ausleger verlangen (und dann möglicherweise »Nachahmung einer jüd. Gottesdienstregel« sein — so J. Weiß, 1 Kor 340, wonach die Rabbinen lehren, aus dem Gesetz soll einer vorlesen und einer auslegen, aus den Propheten einer lesen und zwei auslegen [a. a. O. A. 1]) oder im Sinne von *τις* lediglich die Anwesenheit wenigstens eines Auslegers zur Bedingung machen.

[6] J. Weiß, 1 Kor 340.

d. h. daß der Ausleger der Gemeinde so bekannt ist wie der Zungenredner selbst; »wenn aber kein Ausleger da ist« (vgl. V 28), dann sollte der Zungenredner schweigen. Damit wäre dem Reden in Zungen ein kritisches Moment gegenübergestellt. Die Analogie des Verfahrens, welches Paulus für die prophetisch Redenden anordnet (vgl. VV 29. 30), ist aber möglicherweise ein starker Hinweis gegen eine solche Trennung von γλῶσσα und zugehöriger ἑρμηνεία. Die erste Auffassung ist also doch wohl vorzuziehen, zumal die VV 27. 28 nicht streng logisch ausgeführt sind[1] und V 27 nach λαλεῖ im Stil einer Parenthese eher den Zusammenhang um der Präzisierung des Ordnungsverfahrens willen durchbricht. Der Gedanke wäre dann wohl: ἕκαστος . . . γλῶσσαν ἔχει, d. h. in die Gemeinde kommen auch einige Zungenredner; wenn nun einer in Zunge reden will — es sollen aber nur zwei, höchstens drei dies tun —, muß er auch Ausleger sein, sonst soll er schweigen.

Trotz des Vorzugs der »Prophetie« (vgl. VV 3–5. 12. 23–25) wird auch den prophetisch Redenden in der Versammlung eine Beschränkung auferlegt; denn auch von ihnen sollen nur zwei oder drei sprechen[2], die »übrigen« Propheten[3] sollen »prüfen«. Wie die ἑρμηνεία der γλῶσσα ist also die διάκρισις πνευμάτων den Propheten zugeordnet; sie sollen prüfen, wes Geistes eine Rede ist. Die Ordnung des ἀνὰ μέρος gilt aber auch für sie; denn wenn einem der sitzenden Propheten[4] eine Offenbarung zuteil wird, soll der erste, noch Redende, schweigen. Die Einschränkung, daß insgesamt nur zwei oder drei während einer Versammlung prophetisch reden dürfen, steht gegen die Aufforderung von V 1: ζηλοῦτε δὲ τὰ πνευματικά, μᾶλλον δὲ ἵνα προφητεύητε und den Wunsch von V 5: θέλω δὲ πάντας ὑμᾶς λαλεῖν γλώσσαις, μᾶλλον δὲ ἵνα προφητεύητε. Diesen scheinbaren Widerspruch beseitigt Paulus in den VV 31. 32: ihr könnt nacheinander alle prophetisch reden — damit alle daraus Belehrung und Ermahnung gewinnen —, aber eben nicht alle gleichzeitig, nicht alle bei einer Zusammenkunft. Darin unterscheidet sich das prophetisch Reden von der Ekstase, daß »die Geister der Propheten den Propheten unterworfen sind«, d. h. sie lassen sich einer Ordnung einfügen und drängen nicht zu unkontrollierter Kundgabe. Damit hat Paulus grundsätzlich eine Regelung getroffen, welche zum Frieden in der Gemeinde (vgl. V 33) beizutragen geeignet ist. Denn dort scheint es kunter-

---

[1] Vgl. z. B. das εἴτε τις, das keine Fortsetzung findet; das bloße Antippen des εἴτε γλώσσῃ τις λαλεῖ, hinter das man gern einen Doppelpunkt setzen würde oder einen Gedankenstrich; denn es folgt statt einer Ausführung des Gedankens eine distinkte Anweisung, und erst σιγάτω greift ideell τις als Subjekt wieder auf; vgl. J. Weiß a. a. O.

[2] »Zwei oder drei« ist so zwanglos, daß man nicht in Versuchung gerät, eine spezifiziertere Ordnung der Gemeindezusammenkünfte zu erfragen. Eine gewisse Spontaneität und Unabgeschlossenheit ist diesen paulinischen Anordnungen eigentümlich; vgl. auch 11, 18 ff.

[3] προφῆται zu ergänzen, ist schon wegen der Einschränkung δύο ἢ τρεῖς geboten. An »andere«, Nichtpropheten, wäre nur zu denken, wenn die Auslassung des Artikels in DG L (vgl. J. Weiß, 1 Kor 340) ursprünglich wäre. οἱ ἄλλοι als die »übrige Gemeinde« zu verstehen (vgl. Lietzmann, 1 Kor 74), ist kaum gerechtfertigt, auch nicht durch einen Hinweis auf Did 11, 7–12. Vgl. dazu Conzelmann, 1 Kor 289 A. 46.

[4] Daß der Redende steht, wird man daraus schließen dürfen; vgl. Lietzmann a. a. O.

bunt durcheinandergegangen zu sein; *ἀκαταστασία*[1] ist dafür ein beredtes Zeugnis. Paulus vertraut zwar darauf, daß sich durch seine Vermittlung die rechte Zuordnung von Zungenreden und prophetischem Reden ergeben wird, weil Gott, der die *πνεύματα* gibt, selbst kein Gott der Unordnung ist; aber er hielt es doch für unerläßlich, prinzipiell für Ordnung zu sorgen. Daß diese Ordnung sich durchsetzen werde, daran scheint er nicht gezweifelt zu haben. Es wäre deshalb müßig, die Frage zu untersuchen, wer nach Auffassung des Paulus diese Ordnung gewährleisten würde, wer um sie besorgt sein solle. Der sie gewährleistet und durchsetzt, ist Gott selbst als Gott der Ordnung und des Friedens. *Εἰρήνη* »ist eine feine Ausbiegung, in der auf die Motive der *ἀκαταστασία* hingedeutet wird: *ζῆλος*, *ἔριδες* usw. «[2]. Es geht für Paulus nicht um Ordnung an sich, weshalb auch die Frage nach den Garanten dieser Ordnung nicht näher verfolgt wird, sondern um die Einheit der Gemeinde in Frieden und um den sinngemäßen Vollzug ihrer Zusammenkünfte — sei es zum *κυριακὸν δεῖπνον* oder allgemein *ἐν ἐκκλησίᾳ*. Er gibt Weisungen, nicht so sehr Vorschriften.

14, 37: Der Zweifel scheint sich aber nun doch bei Paulus bemerkbar zu machen, ob dieser Friede in der Gemeinde wohl auch erreicht werden wird, und zugleich wird dieser Zweifel gewaltsam unterdrückt: »wenn einer glaubt, ein Prophet zu sein oder ein Geisterfüllter, anerkenne er, was ich euch schreibe, daß es des Herrn Gebot[3] ist«. Die schwierige Lage der Textüberlieferung macht eine Entscheidung fast unmöglich, ob das Geschriebene — eine Zusammenfassung des ganzen Kapitels 14 — »vom Herrn kommt« oder »von Gott kommt«[4], ob es als Gebot[5] zu verstehen ist oder ob nur die Herkunft betont wird, die den Anordnungen des Paulus Gewicht verleiht und jeden Widerspruch niederhalten soll. Sachlich ist die Bedeutung von V 37 aber wohl klar: Gott selbst gebietet diese Ordnung; er steht hinter den Anordnungen des Apostels als der Gott von Ordnung und Frieden.

14, 40 bringt eine abschließende Mahnung, die nicht mehr ganz den Schwung des Vorausgehenden hat: Anstand und Ordnung sind allem Streben nach *προφητεύειν* und *λαλεῖν γλώσσαις* gegenüber vorrangig.

---

[1] *ἀκαταστασία* (V 33): »der Zustand, in dem alles drunter und drüber geht« (J. Weiß, 1 Kor 341).

[2] J. Weiß a. a. O.

[3] Die Textüberlieferung ist hier sehr verworren: *ὅτι κυρίου ἐστὶν ἐντολή* lesen B ℵ A p46; ohne *ἐντολή* DG Latt; Origenes Catene p. 277, 32; 280, 32 hat *ὅτι θεοῦ ἐστιν*, A bo fügen hinzu *ὅτι θεοῦ ἐστιν ἐντολή*; Kl pe sa vg Chr bieten schließlich *ὅτι κυρίου εἰσὶν ἐντολαί*. Lietzmann, 1 Kor 75, und J. Weiß, 1 Kor 343, entscheiden sich für die Lesart DG Latt *ὅτι κυρίου ἐστίν*.

[4] *κύριος* scheint jedenfalls bei den Textvarianten als Bezeichnung Gottes (nach der LXX) verstanden worden zu sein. Nach V 33 ist dieses Verständnis auch geboten, zumal die eingeschobenen VV 33 b–36 vielfach als nachträglicher Eintrag betrachtet werden (vgl. Conzelmann, 1 Kor 289 f), so daß V 37 möglicherweise ursprünglich an V 33 a sich anschloß.

[5] *ἐντολή* macht den Eindruck einer nachträglichen Ergänzung (vgl. Lietzmann a. a. O.); J. Weiß a. a. O. nennt sie »pedantisch«. In keinem Fall will Paulus mehr aussagen als 7, 25. 40; vgl. Conzelmann, 1 Kor 290.

e) Empfehlung für Timotheus und Apollos

1 Kor 16, 10 f. 12

Τιμ. . . . τὸ γὰρ ἔργον κυρίου ἐργάζεται ὡς κἀγώ·¹ μή τις οὖν αὐτὸν ἐξουθενήσῃ.
Die Notwendigkeit der Aufforderung, Timotheus bei seinem Kommen so zu
empfangen, daß der Besuch furchtlos geschehen könne, zeigt das Ausmaß der
Befürchtungen des Apostels. Die Parteiungen in Korinth lassen ihn besorgt
sein, daß Timotheus seinen Auftrag (vgl. 4, 17: sie an des Apostels »Wege« zu
erinnern, die er überall, in jeder Gemeinde lehrt) nicht werde erfüllen können.
   Um seine Autorität zu stützen, weist Paulus die Korinther darauf hin, daß
Timotheus gleich ihm das *ἔργον κυρίου* wirke. Daß es das Werk des Herrn sei,
trägt auf Grund der Satzstellung einen ebenso starken Akzent wie das erklärend
beigefügte *ὡς κἀγώ*. Paulus und Timotheus, den man als seinen Gesandten
bezeichnen darf, wirken ein und dasselbe *ἔργον*. Die Unterschiede ihrer Stellung
zur Gemeinde — in 4, 17 durch *ἐστίν μου τέκνον ἀγαπητόν* angedeutet und als
Verhältnis natürlicher Über- und Unterordnung analog dem Vater-Sohn-Verhältnis bestimmt — erscheinen aufgehoben, sobald es um die Stellung zum
Herrn geht (vgl. 3, 5. 7); denn es ist des Herrn Werk, das ihnen allen gemeinsam
aufgetragen ist. Der Herr steht nicht nur hinter ihrem Tun, sondern auch hinter
ihrer Autorität. Daher solle sich keiner erdreisten, den Timotheus nichtig zu
behandeln, zu verachten[2]. *Ὡς κἀγώ* — noch verstärkt, sobald man mit den
erwähnten Textzeugen das *καί* wegläßt — ist eine sehr selbstbewußte Hinzufügung des Paulus, der seine Autorität als Apostel — wenigstens bei den
Korinthern (vgl. 9, 2) — nicht erschüttert weiß[3]. Im Gegenteil erwartet er von
dieser Fürsprache für Timotheus durch den Hinweis auf dessen Bestimmtheit
vom Herrn, in der er sich nicht vom Apostel unterscheidet, erhöhte Wirkung.
Die im Blick auf das *ἔργον κυρίου* aufgehobenen Unterschiede werden durch die
Sendung des Timotheus durch Paulus, den begrenzten Auftrag[4], den er auszuführen hat, und durch die Notwendigkeit der Fürsprache des Apostels für
seinen Gesandten nicht völlig unterdrückt.
   16, 12: Nach seinen eigenen Reiseplänen (vgl. VV 5–9) und der fürsorgenden
Empfehlung für Timotheus (vgl. V 10f), der in seinem Auftrag und in einer mit
seiner eigenen vergleichbaren Autorität nach Korinth kommen wird, erwähnt
Paulus nun auch den Apollos[5]. Er nennt ihn *ἀδελφός* und behauptet, ihn viel-

---

   ¹ *Καί* fehlt nur in wenigen Handschriften wie z. B. p46 B 1739.
   ² *ἐξουθενεῖν* im Neuen Testament fast durchwegs für *ἐξουδενεῖν* (vgl. Bl.–Debr.
§ 33) ist bei Paulus häufig gebraucht für geringschätzen, verachten (vgl. 1 Thess
5, 20; 1 Kor 6, 4; 2 Kor 10, 10; Röm 14, 3. 10).
   ³ J. Weiß, 1 Kor 384, der das Gegenteil vermutet, überbetont durchwegs die
apologetische Tendenz des ersten Korintherbriefs. Lietzmann, 1 Kor 89, hält nur
»die Autorität der jugendlichen Gehilfen« für »schwach«, während Conzelmann,
1 Kor 356, richtig betont, daß wir nicht wissen, »was hinter der nachdrücklichen
Empfehlung steckt«.
   ⁴ Vgl. V 11 b. c; *μετὰ τῶν ἀδελφῶν* ist nicht mit Sicherheit auf den wartenden
Paulus zu beziehen, könnte auch auf die Timotheus begleitenden Brüder hinweisen.
Die Auslassung von *μετὰ τῶν ἀδελφῶν* in B ist zu schwach bezeugt, als daß man ein
Eindringen aus V 12 annehmen dürfte; vgl. Lietzmann, 1 Kor 89.
   ⁵ Möglicherweise greift er auch darin einen Punkt des Gemeindebriefs auf (vgl.
das in 1 Kor häufig begegnende *περὶ δέ* z. B. 7, 1; 8, 1; 12, 1).

fach ermuntert zu haben, mit den Brüdern[1] nach Korinth zu reisen. Die Tatsache, daß Paulus hier nichts von Rivalität andeutet, wie man sie aus den Kapiteln 1–4 annehmen möchte, wird von den Teilungshypothetikern gern zu ihren Gunsten ausgebeutet[2]. In den Kapiteln 1–4 werden jedoch nur die Parteiungen verurteilt; jene sowohl, die sich auf Apollos, wie jene, die sich auf Paulus oder Kephas als ihr Haupt berufen. Von persönlicher Rivalität der Genannten ist nicht die Rede. Sollte aus dem περὶ δέ auf eine Anfrage der Korinther geschlossen werden dürfen, kann sie wohl nur als eine Bitte um das Kommen des Apollos verstanden werden und zwar als eine Bitte der dem Paulus nahestehenden Überbringer des Briefs. Paulus hat ihm nicht umsonst zugeredet: πολλὰ παρεκάλεσα αὐτόν . . . καὶ . . . ἐλεύσεται . . . [3] ὅταν εὐκαιρήσῃ. Sein Kommen ist nur eine Frage der günstigen Gelegenheit; daß er jetzt komme, war nicht Wille (Gottes)[4]. Die Hintergründe, denen unser Interesse gelten würde, bleiben völlig unerkennbar. Wir wissen nicht, wie Paulus und Apollos zueinander standen; daß er sich bei Paulus aufhält, muß nicht viel besagen; auch die zurückhaltende Auskunft des Paulus läßt sich in ihrer Unbestimmtheit nicht auswerten. Möglicherweise sind aber die Tatsache der Anwesenheit des Apollos bei Paulus, dessen Aufforderung an Apollos, nach Korinth zu reisen, die Bezeichnung des Apollos als »Bruder« zusammengenommen doch ein starker Hinweis auf vertrauensvolle Zusammenarbeit beider. Die verhüllende Ausdrucksweise οὐκ ἦν θέλημα schließt nicht aus, daß Apollos selbst es nicht für opportun hielt, »jetzt« zu kommen, wobei Paulus diese momentane Verhinderung aus Unzweckmäßigkeit im Willen Gottes begründet sähe[5].

f) Anerkennung freiwilliger Dienste in der Gemeinde

1 Kor 16, 15–18

Die Erwähnung von Einzelpersönlichkeiten in der Gemeinde von Korinth hat man immer schon als spärlich empfunden und ihr Fehlen gerade dort umso mehr vermißt, wo Paulus bei Fragen der gemeindlichen Ordnung, etwa des

---

[1] Wie in V 11 ist nicht eindeutig, ob Paulus »mitsamt den Brüdern« ihm zugeredet oder ob Paulus ihn aufgefordert hat, »mit den Brüdern« nach Korinth zu reisen. Diese naheliegendere Annahme würde ihrerseits ungeklärt lassen, ob Apollos mit Timotheus und den Brüdern oder mit den bei Paulus auf Timotheus wartenden Brüdern reisen sollte; vgl. J. Weiß, 1 Kor 384f.

[2] Vgl. schon J. Weiß a. a. O. 385.

[3] J. Weiß a. a. O. zieht καί in dieser Weise zu ἐλεύσεται und faßt πάντως οὐκ ἦν θέλημα ἵνα νῦν ἔλθῃ als Einschub.

[4] Lietzmann, 1 Kor 89, bezieht das οὐκ ἦν θέλημα auf eine Weigerung des Apollos, ohne einen Grund für sie nennen zu können. Gegen ihn Kümmel, im Anhang zu Lietzmann, 1 Kor 196, und J. Weiß a. a. O.: »sprachlich ist das objektivunpersönliche οὐκ ἦν θέλημα dagegen; dies kann nur auf den Willen Gottes gehen«.

[5] Es ist wenig sinnvoll, einen bestimmten Zusammenhang zu behaupten, wo beliebig viele möglich sind. So wäre ein innerer Zusammenhang seines Abwartens mit der Reise des Timotheus und seiner Aufgabe wohl denkbar, doch da er nicht angedeutet ist, wird man ihn aus der Abfolge der VV 5–12 nicht zwingend erweisen können. Lietzmann, 1 Kor 89, nimmt an, Paulus hätte ihn gerade wegen der Schwierigkeiten gerne in Korinth gesehen. Der Sendung des Timotheus hat Paulus aber offensichtlich mehr Bedeutung beigemessen.

συνέρχεσθαι ἐν ἐκκλησίᾳ (Kapitel 11–14), auf korinthische »Autoritäten« fast notwendig hätte zu sprechen kommen müssen. Die Erklärung mag darin liegen, daß der Apostel auf die Probleme der Korinther, wie sie ihm teils durch die Leute der Chloe (vgl. 1, 11), teils durch die brieflichen oder mündlichen Anfragen, auf die er antwortet, bekannt geworden sind, in einer sehr prinzipiellen Form eingeht und als »ihr Apostel« (vgl. 9, 2) Weisungen und Anordnungen erteilt, und daß er andererseits nicht auf örtliche Autoritäten verweisen konnte, weil die »Parteien« sich auf solche möglicherweise nicht einigen wollten. Um den Streit um Personen nicht unnötig zu schüren, mag Paulus sich auf die sachlichen Darlegungen seiner grundsätzlichen Entscheidungen beschränkt haben.

Diese Absicht dürfte auch den VV 13. 14 und ihrer Fortsetzung zugrunde liegen. Diese Verse als vorweggenommene Schlußmahnung zu bezeichnen[1], ist nämlich eine reichlich willkürliche Zerteilung des Briefs; ihr funktionaler Charakter besteht vielmehr in der Überleitung zu den bis dahin ausgesparten Fragen der innergemeindlichen Ordnung[2], die nicht isoliert, sondern nur aus dem Ganzen des Gemeindelebens heraus behandelt werden sollen. Daher die auf die Kapitel 8 und 13 zurückgreifende Mahnung: πάντα ὑμῶν ἐν ἀγάπῃ γινέσθω (V 14).

Dieser oberste Grundsatz jeglicher Gemeindeordnung ist in Korinth auf vielfältige Weise vernachlässigt worden; deshalb hat Paulus ihn an entscheidenden Stellen zur Geltung gebracht und erinnert daran, ehe er — mit δέ verbunden — die Notwendigkeit der Unterordnung unter »Gemeindeautoritäten« um der Liebe und der Ordnung willen herausstellt[3]. Dies aber ist der unbestreitbare Inhalt seiner παράκλησις: ἵνα καὶ ὑμεῖς ὑποτάσσησθε τοῖς τοιούτοις καὶ παντὶ τῷ συνεργοῦντι καὶ κοπιῶντι. Was Paulus fordert, ist Unterordnung.

Schwierigkeiten bietet der Zwischensatz; denn παρακαλῶ δὲ ὑμᾶς, ἀδελφοί findet seine Fortsetzung erst im erwähnten ἵνα-Satz[4]. Nach Art einer Parenthese[5] schiebt Paulus zunächst den Gedanken an das Haus des Stephanas ein: »ihr wißt um das Haus des Stephanas, daß es[6] ist Erstbekehrte der Achaia und sie sich einordneten in den Dienst für die Heiligen«. Die Beiläufigkeit, mit welcher Paulus in 1, 16 erwähnte, daß er »auch das Haus des Stephanas

---

[1] Vgl. Lietzmann, 1 Kor 89: »als hätte Pls hier den Schluß beginnen wollen«; das Folgende nennt er »Nachträge«; ähnlich J. Weiß, 1 Kor 385, zu V 15: »Neuer Ansatz zu einer speziellen Ermahnung«.

[2] Paulus, Apollos und Kephas, sowie Timotheus und die »Brüder« stehen als Missionare außerhalb der Gemeinde.

[3] Sie sind nach J. Weiß, 1 Kor 386, »zu Autoritäten geworden«. J. Weiß erklärt diesen natürlichen »Lauf der Dinge« so: »wer etwas für die Gemeinschaft tut, bekommt Ansehen und schließlich Amt und Rang«.
Auch an diesem Punkt wird deutlich, wie sehr man solche Phänomene positiv oder negativ werten kann; man vgl. Conzelmann, 1 Kor 357: »Man muß aber betonen, daß es für Paulus eben noch keine ›Ämter‹ gibt (wie noch keine *wirkliche* Organisation), sondern Funktionen, Dienstleistungen, vgl. V 16, Mitarbeit, Mühe« (Hervorhebung von mir). Wann ist eine Organisation eine »wirkliche«, möchte man fragen.

[4] Vgl. J. Weiß, 1 Kor 386.

[5] Anders J. Weiß a. a. O.

[6] ὅτι ἐστὶν ἀπαρχή ist sowohl auf Stephanas wie auf seine οἰκία beziehbar; der folgende Plural ἔταξαν ἑαυτούς macht den Bezug auf die οἰκία wahrscheinlich.

getauft« habe, ist an jener Stelle durch den Zusammenhang bedingt, läßt aber für 16, 15 nicht vermuten, daß seine Stellung in der Gemeinde nur in der ἀπαρχή begründet sei[1]. Der bedeutsamere Grund für diese Stellung ist, daß sein Haus sich einordnete in den Dienst für die Heiligen. Διακονία ohne Artikel ist hier noch nicht in dem späteren technischen Sinn zu verstehen. In dem sich Einordnen in den Dienst liegt vielmehr ein Moment freiwilliger Unterordnung; daran erinnert die Fortsetzung ἵνα καὶ ὑμεῖς ὑποτάσσησθε; »sie haben das Ihre getan, nun tut ›auch ihr‹ das Eure«[2]. Anerkennendes sich Unterordnen ist die angemessene Antwort auf diesen Dienst. V 15 würde demnach besagen: sie haben sich in die Ordnung des Dienstes eingefügt — nun tut es auch ihr ihnen gegenüber (vgl. V 16).

Stephanas und sein Haus sind aber nicht die einzigen örtlichen »Autoritäten«; sie dienten als Beispiel[3], vielleicht weil alle sie kennen und weil ihre Stellung in der Gemeinde anscheinend unbestritten ist. Stephanas ist ja nach V 17 einer der Abgesandten der Gemeinde, deren vermittelnder Auftrag unsere Aussage stützt.

Für Paulus geht es also nicht darum, die Position des Stephanas und seines Hauses zu festigen; dessen hätte es wohl nicht bedurft. Stephanas und die Seinen[4] scheinen zu den wenigen allgemein anerkannten Persönlichkeiten[5] der korinthischen Gemeinde gehört zu haben; deshalb verweist Paulus ja wohl auf sie, um seine Forderung zu veranschaulichen, daß die Korinther sich τοῖς τοιούτοις, »solchen« Männern (und Frauen?) unterordnen sollten. Wer aber sind die τοιοῦτοι?

Naheliegend ist es, an Leute zu denken, die in vergleichbarer Weise wie Stephanas und die Seinen durch ihren Dienst in der Gemeinde sich eine gewichtige Stellung erwarben. Nun wird aber τοιούτοις durch den Zusatz καὶ παντὶ τῷ συνεργοῦντι καὶ κοπιῶντι entweder »expliziert«[6] oder ergänzt. Daraus ergeben sich eine Reihe von Möglichkeiten. Unklar bleibt in beiden Fällen, wer unter συνεργοῦντι καὶ κοπιῶντι zu verstehen ist; denn es setzt einen anderen oder andere voraus, mit denen einer »mitarbeitet«. Will Paulus unterscheiden zwischen Leuten wie Stephanas (= τοιοῦτοι) und ihren Mitarbeitern (= οἰκία) oder spricht er neben diesen generell von jedem, der in der Gemeinde »mitarbeitet und sich müht«? Nennt er sie im Blick auf sich selbst συνεργοῦντες, so daß das gemeinsame ἔργον betont und durch den κόπος, das sich Abmühen,

---

[1] »Solche Erstbekehrte scheinen eine Art Vorzugstellung angenommen zu haben, aber sie sind auch in sie hinein gewachsen, indem sie sich in den Dienst der Heiligen gestellt haben« (J. Weiß, 1 Kor 386).

[2] J. Weiß, 1 Kor 386; vgl. dagegen Conzelmann, 1 Kor 358 A. 7, der das καί damit »zu schwer befrachtet« findet und mit Lietzmann, 1 Kor 88, übersetzen will: »ordnet euch solchen Leuten auch unter«.

[3] Vgl. τοῖς τοιούτοις, d. h. Unterordnung schuldet man generell »solchen Leuten«.

[4] Die οἰκία des Stephanas läßt sich nicht näher bestimmen. Einige Textzeugen haben diesem Mangel abzuhelfen versucht, indem sie gemäß V 17 entweder καὶ Φορτουνάτου oder καὶ Φορτουνάτου καὶ Ἀχαϊκοῦ einfügten; vgl. Lietzmann, 1 Kor 90.

[5] In dem οἴδατε (V 15) liegt neben der bloßen Kenntnis sicher auch das Moment der Anerkennung des Hauses des Stephanas; vgl. εἰδέναι in 1 Thess 5, 12.

[6] J. Weiß, 1 Kor 386.

erläutert wird?[1] Daß zwischen συνεργοῦντι und κοπιῶντι eine Abstufung liegt, so daß wir neben Stephanas, dem Hausherrn, und jedem seinesgleichen engere Mitarbeiter anzunehmen hätten und daneben wiederum Leute, die durch verschiedenerlei Arbeiten ihren besonderen Dienst an den Heiligen verrichten, ist weniger wahrscheinlich. Eher ist doch anzunehmen, daß in κοπιῶντι eine Näherbestimmung von συνεργοῦντι zu erblicken ist, die solches Mitwirken als Mitarbeit expliziert[2].

Durch diese doppelte Ergänzung zu τοιοῦτοι ist wegen der Parallelität der Sätze in jedem Fall ausgeschlossen, die Stellung des Stephanas in Korinth primär auf seine ἀπαρχή zurückzuführen[3] statt auf seine διακονία. Einzig der Dienst, den er und sein Haus leisten, verlangt nach Anerkennung und Unterordnung. Person und Dienst sind jedoch nicht zu trennen. Es ist deshalb auch nicht zufällig, daß Paulus hier einen Namen einsetzt, um zu verdeutlichen, was den τοιούτοις gebührt, auch wenn die Unterordnung nur auf Grund ihres Dienstes gefordert ist.

Es ist kaum zu leugnen, daß hier »die Wurzeln des Amtes der διάκονοι«[4] liegen, ohne daß dieses Amt aufhörte, Dienst zu sein[5]. Wüßten wir, welche Rolle οἶκος und ἡ κατ' οἶκον ἐκκλησία in den paulinischen Gemeinden gespielt haben, ließe sich auch die διακονία der οἰκία näher bestimmen. Doch die wenigen Andeutungen in den paulinischen Briefen erlauben nicht, das Dunkel aufzuhellen. Röm 16, 1 wird Phoebe als διάκονος der Gemeinde in Kenchreä bezeichnet. Das läßt — gegenüber εἰς διακονίαν ... ἔταξαν ἑαυτούς in 1 Kor 16, 15 — an eine Verfestigung des Begriffs διάκονος als term. techn. denken, die in Phil 1, 1 möglicherweise schon einen gewissen Abschluß erfahren hat. Inwieweit man dann in Phil 1, 1 die Struktur der οἰκία nachwirkend finden kann, bleibt zu erörtern.

Will man sich in diesem Nachzeichnen der Entwicklung nicht auf mehr oder weniger haltlose Spekulationen einlassen, kann man in 1 Kor 16, 15; Röm 16, 1; Phil 1, 1 nur Phasen einer Entwicklung sehen, deren Kontinuität wir nicht kennen. 1 Kor 16, 15 gestattet nur einen Blick in die Anfänge, die offensichtlich durch die soziologische Struktur der Gemeinde bestimmt sind. Dienst und Amt erscheinen von Anfang an nicht getrennt; Dienst ist — auch wo er amtlich

---

[1] θεοῦ συνεργοί nannte Paulus 1 Kor 3, 9 alle, die als διάκονοι ihren Dienst an der Gemeinde und ihrem Glauben verrichten; als διακονία wird auch das συνεργεῖν des Stephanas, seiner οἰκία und jedes ähnlichen Mitarbeiters bezeichnet, so daß ihr Dienst durchaus mit dem des Apostels und seiner συνεργοί zu vergleichen ist: was sie verbindet, ist das gemeinsame ἔργον.

[2] Vgl. 1 Thess 5, 12. Die διακονία der θεοῦ συνεργοί ist nach 1 Kor 3, 8 von einem verschiedenen κόπος bestimmt. Κόπος, κοπιᾶν ist also ein wesentliches Moment der διακονία und Ausweis der wahren συνεργοί θεοῦ.

[3] Gegen J. Weiß, 1 Kor 386. Natürlich ist es eine naheliegende Annahme, daß gerade die Erstbekehrten auch in eine führende Stellung hineingewachsen sind; doch ein Vergleich mit Röm 16, 5 macht diesen Zusammenhang nicht zwingend. Ἀπαρχή ist zunächst nur ein rühmendes Cognomen.

[4] Lietzmann, 1 Kor 89; vgl. J. Weiß, 1 Kor 386.

[5] Welcher Art dieser Dienst war, läßt sich nur vermuten. Ihn auf »Armen- und Krankenpflege« (J. Weiß a. a. O.) zu beschränken, ist Willkür. Doch darin ist J. Weiß unbestreitbar im Recht, »ein festes Amt haben sie bisher nicht «; vgl. dazu auch Conzelmann, 1 Kor 357f.

wird — freiwillige Einordnung und fordert freiwillige Unterordnung der Gemeinde.

Das Ansehen, das Stephanas, Fortunatus und Achaicus in Korinth besaßen, entnimmt man im allgemeinen[1] dem V 18: »denn sie haben meinen Geist und den euren beruhigt«. Es war — so wird man diese Aussage verstehen müssen — auch für die Gemeinde eine Beruhigung, in diesen Männern eine Gesandtschaft zu haben, die geeignet schien, zu einer Beilegung der Parteiungen und zu einer Klärung der offenen Fragen beizutragen. Sie besaßen das Vertrauen der Gemeinde. Paulus sieht sie deshalb auch als einen Ersatz für die ganze Gemeinde selbst an, weil sie ihren Mangel auffüllten (vgl. V 17), d. h. ihr Fehlen ersetzten[2], ein Ausdruck für die besondere Bezogenheit der Gemeinde auf den Apostel, wie er bei Paulus öfters begegnet[3]. Stephanas und seine Begleiter stehen für die Gemeinde, die sie vertreten.

Die neuerliche Einschärfung der Notwendigkeit ihrer Anerkennung: ἐπιγινώσκετε[4] οὖν τοὺς τοιούτους blickt auf das ἀναπαύειν des πνεῦμα der Gemeinde durch die zurückkehrende Gesandtschaft und ist gleichbedeutend mit der Aufforderung zu Unterordnung (vgl. V 16) und Gehorsam, damit die Beruhigung auch wirklich erfolge. Analog zu V 16 wird aber mit τοὺς τοιούτους die aktuell geforderte Anerkennung ausgeweitet auf alle, die in ähnlicher Weise für die Gemeinde ihren Dienst leisten. Wo immer ein Dienst geschieht, geschieht er für die Gemeinde und ersetzt ihr Fehlen; Stephanas und seine Begleiter haben diese Stelle der Gemeinde bei Paulus eingenommen, werden also ihren Auftrag auch gegenüber der ganzen Gemeinde auszuführen haben, einen Auftrag, der Dienst ist und zugleich Anerkennung verdient und Unterordnung verlangt.

3. Übergemeindliche Anliegen

a) Die Kollekte für Jerusalem

1 Kor 16, 1f

Beim sog. »Apostelkonzil« (vgl. Gal 2, 1–10) wurde eine Sammlung beschlossen, auf welche Paulus in fast allen seinen Briefen zu sprechen kommt[5]. Auf die Unterschiede der jeweiligen Aussagen soll andernorts eingegangen werden. Hier in 16, 1 nennt er sie ἡ λογεία ἡ εἰς τοὺς ἁγίους und setzt sie bei den Korinthern als bekannt voraus[6].

---

[1] Vgl. J. Weiß, 1 Kor 386; Lietzmann, 1 Kor 90.

[2] J. Weiß a. a. O.: »das kann, ob man ὑμῶν אA KL oder ὑμέτερον BC DG MP liest, nur objektiv gemeint sein «: »das, was mir von euch fehlt, daß ich euch entbehren muß«; dagegen, kaum zu Recht, Lietzmann a. a. O.: »woran ihr es fehlen ließet«; ähnlich Conzelmann, 1 Kor 358.

[3] Vgl. 2 Kor 8, 14; 9, 12; 11, 9; Phil 2, 30.

[4] Eine andere Bedeutung von ἐπιγινώσκειν kann hier kaum in Frage kommen; es greift sachlich das ὑποτάσσησθε (τοῖς τοιούτοις) von V 16 auf.

[5] Vgl. Gal 2, 10; 1 Kor 16, 1f; Röm 15, 26f; 2 Kor 8 und 9.

[6] περὶ δὲ τῆς λογείας weist durch seinen bestimmten Artikel wie durch die verkürzte Kennzeichnung τῆς εἰς τοὺς ἁγίους (vgl. dagegen Röm 15, 26) in diese Richtung und macht eine Anfrage der Korinther wahrscheinlich; vgl. J. Weiß, 1 Kor 381; doch ist dies nach Conzelmann, 1 Kor 353, »nicht sicher zu schließen«.

Λογεία ist v. a. durch A. Deissmann[1] als ein — auch in profanem Gebrauch üblicher — Ausdruck für »Sammlung« nachgewiesen worden. Trotz des Eifers, mit welchem Paulus sie betreibt[2], ist diese »Sammlung« als eine völlig freiwillige zu bezeichnen. Paulus hatte sie mit den Jerusalemer Aposteln vereinbart (vgl. Gal 2, 10), um die Verbundenheit seiner Gemeinden mit der Muttergemeinde zu bekunden. Zwar betrachtet Paulus sie als moralisch geschuldet (vgl. Röm 15, 26f), aber nicht als Steuer oder pflichtmäßige Abgabe, und man wird den Beweis dafür nicht erbringen können, daß nur er sie so gesehen hätte, um einen Rechtsanspruch der Urgemeinde in einen nur moralischen umzubiegen[3]. Läßt sich demnach aus 16, 1f auch kein unmittelbar rechtliches Moment einer »Gesamtkirchenordnung« gewinnen, so ist doch bedeutsam, wie selbstverständlich Paulus die Stellung der Urgemeinde von Jerusalem anerkennt und mit welcher Unermüdlichkeit er durch Jahre hindurch die Kollekte organisiert und zwar in allen seinen Gemeinden[4].

Paulus nennt die Sammlung eine für »die Heiligen«. Das mag eine verkürzte Redeweise sein, da die Sammlung an sich nur für die *πτωχοὶ τῶν ἁγίων* (vgl. Gal 2, 10; Röm 15, 26) bestimmt ist, muß aber wegen seiner Formelhaftigkeit eine hinreichende und eindeutige Bezeichnung der Jerusalemer Gemeinde darstellen. K. Holl[5] hält sie deshalb für einen feststehenden, geläufigen Namen; die Jerusalemer verstanden sich als *οἱ ἅγιοι* und *οἱ πτωχοί*[6].

Zur Durchführung der Kollekte hat Paulus den galatischen Gemeinden Anweisungen gegeben, die er in V 2 wohl für die Korinther wiederholt. *Διατάσσειν* zielt wie in 11, 34 auf reine Ordnungsmaßnahmen, Verfahrensfragen, die keine rechtliche Qualität besitzen: Jeder »soll« bei sich selbst hinterlegen, was er pro Woche übrig hat. Das schließt Sonntagskollekten beim Gottesdienst nicht grundsätzlich aus[7], wohl aber für diesen Zweck, für den Paulus ein längeres Ansammeln für nötig hält. Der Hinweis auf die wohl gleichlautenden Anordnungen für die galatischen Gemeinden ist bezeichnend für die von Paulus erstrebte Angleichung der Gemeinden und die allmähliche Entwicklung einer sie verbindenden kirchlichen Ordnung[8].

---

[1] Vgl. Deissmann, Bibelstudien 139 ff; ders., Neue Bibelstudien 46 ff; ders., Licht vom Osten 84; Kittel, ThW IV 285 f; ferner Lietzmann, 1 Kor 89; Conzelmann, 1 Kor 353.

[2] Vgl. v. a. Gal 2, 10; 2 Kor 8 und 9.

[3] Vgl. dazu Kümmel, Kirchenbegriff und Geschichtsbewußtsein 53 f A. 85, gegen Holl, Der Kirchenbegriff des Paulus 58 ff.

[4] Vgl. dazu D. Georgi, Die Geschichte der Kollekte des Paulus für Jerusalem, Hamburg-Bergstedt 1965.

[5] Darin stimmen Holl a. a. O. und Kümmel a. a. O. 16 f überein; vgl. auch J. Weiß, 1 Kor 381.

[6] Bezüglich *οἱ πτωχοί* widerspricht neben Kümmel a. a. O. 16 auch Conzelmann, 1 Kor 353 A. 14.

[7] Lietzmann, 1 Kor 89, entnimmt dem *παρ᾽ ἑαυτῷ*, daß die Sonntagskollekte im Gottesdienst noch nicht üblich war; vgl. dazu auch Conzelmann, 1 Kor 354; doch könnte man ebensowohl darin die Sonderregelung begründet finden; vgl. J. Weiß, 1 Kor 381: »P. will vermeiden, daß erst während der relativ kurzen Zeit seiner Anwesenheit die Sammlungen stattfinden«.

[8] Wie gegensätzlich man solche Elemente urkirchlicher Entwicklung betrachten kann, zeigen in diesem Zusammenhang die Feststellungen von J. Weiß, 1 Kor 381:

b) Festigung der Verbundenheit zwischen den Gemeinden

1 Kor 16, 19

Die Grüße, die Paulus im Namen der ἐκκλησίαι τῆς ᾿Ασίας anfügt, setzen eine wirkliche Verbundenheit der Gemeinden der »Asia proconsularis«[1] zur Gemeinde von Korinth voraus. J. Weiß[2] hält es für denkbar, daß »Vertreter der Gemeinden bei ihm in Ephesus« waren. Dieser Gedanke wird einleuchtender, wenn man bedenkt, daß Paulus diesen Anspruch auf die Präsenz seiner Gemeinden durch Vertreter, die ihm zu Diensten sein sollten, öfters erhebt. Man vergleiche z. B. den Aufenthalt des Epaphroditos bei Paulus (Phil 2, 25–30), der das Fehlen des Dienstes der Gemeinde für den Apostel auszufüllen bemüht war, oder Phlm 13, wo von Onesimos gesagt ist, daß er »anstelle« des Philemon dem Apostel gedient habe. Man wird darin auch ein Mittel sehen dürfen, mit dessen Hilfe Paulus seinen Kontakt zu den Gemeinden aufrechterhalten und den Zusammenhalt seiner Gemeinden fördern wollte. Dem nämlichen Zweck dienen die Grüße in seinen Briefen, wie manche der Briefe selbst, vgl. den Brief an »die Gemeinden Galatiens«[3].

Grüße bestellt er aber auch von Einzelnen — wie Aquila und Prisca — und Hausgemeinden. Die bloße Erwähnung der Hausgemeinden von Aquila und Prisca in V 19 erlaubt keine näheren Bestimmungen ihrer Funktion im Aufbau und Leben der Gemeinde und der Struktur ihrer Ordnung. Es läßt sich nicht einmal entscheiden, ob diese Hausgemeinde identisch ist mit der familia von Aquila und Prisca, die dann selbst als ἐκκλησία bezeichnet wäre, oder ob an einen Gemeindeteil gedacht ist, der im Hause von Aquila und Prisca sich zur ἐκκλησία zu versammeln pflegte[4]. Die Aufgabe und Stellung von Aquila und Prisca innerhalb ihrer Hausgemeinde ist gleichfalls unbestimmbar. Sie werden Besitzer des Hauses gewesen sein; aber ob sie es der Gemeinde für Versammlungen zur Verfügung stellten oder ob sie selbst der ἐκκλησία ihres Hauses vorstanden usw., ist gänzlich ungewiß.

»wichtig ist, wie P. die Gemeinden ... zu einer Einheit, gewissermaßen sprengelhaft zusammenfaßt«, bzw. Conzelmann, 1 Kor 354: »Die Anordnung des Paulus ist aufschlußreich für den damaligen Zustand der Organisation bzw. Nicht-Organisation seiner Gemeinden«.
[1] Lietzmann, 1 Kor 90.
[2] 1 Kor 386.
[3] Vgl. den Zusatz 1 Kor 1, 2b, an dessen Ursprünglichkeit freilich Zweifel bestehen; dazu Conzelmann, 1 Kor 36.
[4] Vgl. J. Weiß, 1 Kor 387.

3. Kapitel

DER KAMPF DES PAULUS UM DIE UNABHÄNGIGKEIT SEINES EVANGELIUMS, SEINES APOSTOLATS UND SEINER MISSION NACH DEM BRIEF AN DIE GALATER

1. Verteidigung der Unabhängigkeit des paulinischen Apostolats

Gal 1, 1f

Unvermittelt beginnt Paulus seinen Brief an die von ihm gegründeten Gemeinden Galatiens[1] mit der Apologie seines Apostolats. Es fehlt diesem Brief von Anfang an die Herzlichkeit sonstiger paulinischer Briefpräskripte; mit unverkennbarer Schärfe weist der Apostel sofort die Angriffe seiner — aus der Argumentation nicht mit Sicherheit zu bestimmenden — Gegner[2] zurück, die offenbar Unruhe und Verwirrung in die Gemeinden Galatiens trugen, indem sie die Person des Apostels und die Rechtmäßigkeit seines Apostolats in Frage stellten. Die Gefahr, sich einem anderen Evangelium zuzuwenden, in welcher die Gemeinden stehen[3], begründet die Kürze und die »Zuspitzung der Grußüberschrift auf Anlaß und Zweck des Briefes«[4]. Dabei wird die Auseinandersetzung mit den Gegnern, welche den Brief veranlaßte, durchgehend dem Zweck des Schreibens untergeordnet, nämlich die Gemeinden zurückzugewinnen und zu festigen durch die Darlegung und Rechtfertigung seines Evangeliums.

Mit dieser Beobachtung mag es zusammenhängen, daß die Gegner nicht durchgehend dieselben zu sein scheinen, sondern daß je nach Zusammenhang

---

[1] Vgl. Schlier, Gal 30: gegründet auf der 2. Missionsreise (vgl. Apg 16, 6); zur Frage der näheren Bestimmung »Galatiens« vgl. auch Althaus, Gal 1.

[2] ἀπ᾽ ἀνθρώπων würde bedeuten, daß Paulus nicht wirklicher Apostel Jesu Christi ist, sondern — etwa wie die ἀπόστολοι ἐκκλησιῶν (2 Kor 8, 23; vgl. Phil 2, 25) — von Menschen beauftragt wurde. δι᾽ ἀνθρώπου würde die Subordination des Apostels einem einzelnen gegenüber anzeigen, durch dessen Vermittlung er seinen Auftrag empfing. Welche konkreten Vorwürfe hinter diesen schroffen Negationen von V 1 stehen, bleibt undeutlich; man kann gewiß an den Vorwurf einer Vermittlung durch Äneas in Damaskus, die Gemeinde von Antiochia, Barnabas oder die Urapostel denken, doch keine dieser Beziehungsmöglichkeiten läßt sich auch nur zur Wahrscheinlichkeit erheben. Paulus scheidet ganz prinzipiell jede Art menschlicher Ursächlichkeit für seinen Apostolat aus, um dann umso bestimmter seine Beauftragung διὰ ᾽Ιησοῦ Χριστοῦ herauszustellen. Der Wechsel vom Plural ἀνθρώπων zum Singular ἀνθρώπου wie die Abwechslung in den Präpositionen von ἀπό zu διά ermöglicht diese Abweisung einer jeglichen Vermittlung; es dürfte daher nicht der — ganz im allgemeinen verbleibenden — Absicht des Textes entsprechen, aus den genannten Abweichungen jeweils verschiedene Frontstellungen und Anspielungen herauszulesen; gegen de Wette, Gal 6. Vgl. Zahn, Gal 34; Lietzmann, Gal 3; Oepke, Gal 18; Schlier, Gal 28.

[3] Vgl. 1, 6–10 u. ö. Dazu jetzt J. Eckert, Die urchristliche Verkündigung im Streit zwischen Paulus und seinen Gegnern nach dem Galaterbrief (BU 6), Regensburg 1971.

[4] Zahn, Gal 40.

verschiedene tatsächliche oder mögliche, galatische oder sonstige Gegner angesprochen werden. Paulus kämpft nicht primär *gegen* jemand, sondern *für*
sein Evangelium, und vor allem kämpft er *um* seine Gemeinden[1]. Ihnen will er
die durch das Kreuz Christi erwirkte Freiheit vom Gesetz als »sein« — und
einzig wahres Evangelium verdeutlichen, dessen Apostel er geworden ist durch —
und allein durch — Jesus Christus, den vom Vater aus Toten Erweckten.

Es scheint mir deshalb zweifelhaft, ob man den Galaterbrief als »Streitschrift«[2] bezeichnen darf; eher wird man ihn einen »Kampfbrief« nennen dürfen, in welchem Paulus weit mehr um seine Gemeinden kämpft, als daß er mit
Gegnern streitet. Dieser positiven Ausrichtung seiner Argumentation entspricht in V 1 — nach der Ausgrenzung jeder menschlichen Vermittlung — die
Herausstellung seiner Berufung durch[3] Jesus Christus und Gott Vater. Er ist
»Apostel des Auferstandenen«[4], neben welchem Gott Vater als Miturheber
seiner Berufung zum Apostel genannt wird[5]. Paulus läßt also von Anfang an
keinen Zweifel an seiner Legitimation und an seiner Autorität als berufener
Apostel Jesu Christi[6], als Gesandter Christi und des Vaters. Diese seine Stellung wird auch von »allen Brüdern« anerkannt; sie stehen hinter ihm — wenn
auch nicht als Mitabsender des Briefes, so doch als in ihrer Gesamtheit solidarisch mit dem Apostel[7]. Diesen Sinn wird man dem οἱ σὺν ἐμοί umso eher
entnehmen dürfen, als einerseits die bloßen Umstandsbestimmungen fraglich
bleiben, andererseits im Zuge der Verteidigung des Apostolats auf die Zurückweisung möglicher oder tatsächlicher Angriffe von seiten der Gegner die Anerkennung seiner Berufung durch die Brüder, die geschlossen mit ihm überein-

---

[1] Das spricht gegen die bisher vorgetragenen Theorien über die paulinischen
Gegner in Galatien, sowohl Lütgerts »Zweifrontentheorie« wie Schmithals' »Einheitsfront judenchristlicher Gnostiker«; beide haben aber gezeigt, daß auch die
einheitliche Bestimmung der Gegner als »Judaisten« nicht aufrechtzuerhalten ist.
Vgl. dazu W. Schmithals, Die Häretiker in Galatien, in: ZNW 47 (1956) 25–67.
[2] Gegen Zahn, Gal 35; vgl. Feine–Behm–Kümmel, Einleitung 189–198.
[3] Dieses διά — bezogen auf Jesus und den Vater — beweist, daß auch im Vorhergehenden der Unterschied zu ἀπό gering ist; es geht beide Male um Urheberschaft und Vermittlung zugleich, weshalb Lietzmann, Gal 3, der das ἀπό durch den
im ἀπόστολος liegenden Verbalbegriff (ἀπεσταλμένος ἀπό) verursacht sieht, meint,
beides bringe »in zweifacher Form dieselbe Sache«; vgl. Schlier, Gal 27 f.
[4] Dieser Unterschied seines Apostolats zu dem der Altapostel in Jerusalem wird
von Paulus nicht übergangen; er sieht aber in der Berufung durch den Auferstandenen die eigentliche Legitimation der »Apostel Jesu Christi«; vgl. 1 Kor 9, 1.
[5] Der Vater ist nicht die Alleinursache (ἀπό) und Christus nicht der Vermittler
(διά); sie sind »einheitlich wirkende Ursache« (Zahn, Gal 35).
[6] In die Auseinandersetzung um das Entstehen des Apostolats kann und soll hier
nicht eingegriffen werden. Es geht in unserem Zusammenhang nur um die besondere Stellung der Apostel innerhalb der Gemeinden und ihre Stellung in der »Gesamtkirche«, soweit diese aus dem Galaterbrief deutlich werden.
[7] οἱ σύν ἐμοί πάντες ἀδελφοί wird sehr verschieden verstanden: einige denken an
die den Apostel unmittelbar begleitenden Brüder (de Wette, Gal 7; Sieffert, Gal
36 f); andere an die Christen am Aufenthaltsort des Paulus (Zahn, Gal 36; Bousset,
Gal 31; Lietzmann, Gal 3); an Missionsgehilfen (Lightfoot, Gal 72 f; Oepke, Gal 18)
oder auch an die Reisegefährten, die mit Paulus zusammen unterwegs sind nach
Jerusalem (W. Foerster, Abfassungszeit und Ziel des Galaterbriefes, in: Apophoreta, Festschrift für E. Haenchen, Berlin 1964, 135–141, hier 135–137).

stimmen, einen eindrucksvollen Kontrast bildet, der seine Wirkung auch bei den Gemeinden Galatiens nicht verfehlen sollte[1]. »Gemeinden«[2] nennt er sie — denn noch sind sie den Einflüsterungen der neuen Lehrer nicht erlegen; noch kann Paulus hoffen, sie zurückzugewinnen. Er versucht es, indem er in kühler Schroffheit sein Autorität forderndes Amt als Apostel Jesu Christi hervorkehrt, das bei den Brüdern sonst volle Anerkennung findet.

Gal 1, 13 f

Daß sich schon die ersten Christengemeinden, angefangen von der Jerusalemer Urgemeinde, als ἐκκλησία τοῦ θεοῦ[3] verstanden, dafür ist Paulus der älteste Zeuge. Er bekennt, die ἐκκλησία τοῦ θεοῦ als Eiferer für die väterlichen Überlieferungen verfolgt zu haben. Ob dabei an die ἐκκλησία im Sinne von »Kirche« zu denken oder konkret die Urgemeinde von Jerusalem als ἡ ἐκκλησία τοῦ θεοῦ bezeichnet ist, läßt sich auf Grund dieses einen Textes nicht entscheiden. Auffällig ist, daß Paulus wie in 1, 2 von den ἐκκλησίαι τῆς Γαλατίας in 1, 22 von den ἐκκλησίαι τῆς Ἰουδαίας spricht und von ihnen V 23 erwähnt, sie hätten gehört: ὅτι ὁ διώκων ἡμᾶς ποτε νῦν εὐαγγελίζεται τὴν πίστιν. Die Beziehung zwischen den verfolgten Gemeinden der Judaia und der verfolgten ἡ ἐκκλησία τοῦ θεοῦ können nur im Zusammenhang aller Stellen, die absolut von ἡ ἐκκλησία (τοῦ θεοῦ) reden[4], erörtert werden. Paulus kommt es in V 13 auf etwas anderes an: Im Rahmen des Nachweises der Gottesunmittelbarkeit seines Evangeliums und seiner Beauftragung mit ihm argumentiert er zugleich historisch und psychologisch: sein früherer Haß gegen die ἐκκλησία τοῦ θεοῦ ist bekannt[5]; d. h. aber, daß jede positive Beeinflussung durch das Evangelium des Christus vor der Zeit seiner Bekehrung als psychologisch undenkbar auszuscheiden hat. Dem positiven Zweck dieses Nachweises dienen dann auch in den VV 13–19 die negativen Ausgrenzungen verschiedener — möglicher oder tatsächlicher — Einwände[6].

---

[1] Vgl. Schlier, Gal 29: »Der Apostel steht hier mit allen zusammen. Das mag dem, der betroffen ist, besonders zu bedenken geben«.

[2] Jeder Zusatz fehlt; denn ob sie »Gemeinden Gottes, Heilige, in Christus Jesus Geliebte« sind, »das steht eben jetzt zur Entscheidung« (Oepke, Gal 18). »Die gewollte Distanz des Apostels ist deutlich« (Schlier, Gal 30).

[3] Die neutestamentliche ἐκκλησία τοῦ θεοῦ ist der alttestamentlichen ἐκκλησία τοῦ κυρίου zweifellos nachgebildet und nicht primär an der politischen Gemeindeversammlung der Hellenisten orientiert, welche auch mit ἐκκλησία bezeichnet wurde; vgl. K. L. Schmidt, ThW III 502–539; Oepke, Gal 30 f; Schlier, Gal 49 f. Strittig ist jedoch, wann und wo diese Selbstbezeichnung zum ersten Mal für eine Gemeindeversammlung von Christen auftauchte. Blank, Paulus und Jesus 242, weist — im Anschluß an Cerfaux, La Théologie de l'Église 91 ff — auf die Jerusalemer Urgemeinde.

[4] Vgl. 1 Kor 15, 9; 10, 32; 12, 28; Phil 3, 6.

[5] ἠκούσατε (V 13) muß nicht wie 1, 23 auf Gerüchte anspielen, sondern kann durchaus auch an entsprechende Unterrichtung durch Paulus selbst erinnern.

[6] Schlier, Gal 49 A. 1, scheint im Recht zu sein, wenn er gegen Ph. Häuser, Anlaß und Zweck des Galaterbriefes, Seine logische Gedankenentwicklung (NTA XI, Heft 3), Münster 1925, 13 f. 16 ff, eine zu starke Betonung von V 10 ablehnt, so daß in der Folge Paulus in 1, 13–3, 1 gegen Verdächtigungen argumentiere, er selbst stehe nicht konsequent zu seinem gesetzesfreien Evangelium.

Gal 1, 16–19

In Fortführung seines schon in 1, 13 begonnenen Beweises für die menschliche Unabhängigkeit seines Apostolats und seines ihm von Gott durch Christus (vgl. VV 12. 16) geoffenbarten Evangeliums spricht Paulus nun von der Zeit unmittelbar nach seiner Bekehrung. Ohne sich mit irgendeinem Menschen[1] zu beraten[2] und ohne — wie es naheliegend erscheinen mochte — nach Jerusalem hinaufzuziehen zu denen, welche vor ihm Apostel waren[3], ging er sogleich[4] weg nach Arabien. In diesem Verhalten spiegelt sich kein Affront gegen Jerusalem oder die Apostel vor ihm, sondern die Überwältigung des Paulus durch die »an« ihm (vgl. V 16) geschehene Offenbarung, von deren Göttlichkeit und Vollständigkeit er von Anfang an überzeugt war. Er empfand daher keinerlei Notwendigkeit, sich mit irgend jemand zu beraten, auch nicht mit den Aposteln vor ihm; sein Evangelium bedurfte keiner Anerkennung und er selbst keiner weiteren Beauftragung oder Legitimation[5]. Daß er nach drei Jahren hinaufzog nach Jerusalem, um Kephas »kennenzulernen« und vierzehn Tage bei ihm zu bleiben, muß nicht bedeuten, daß er »erst« nach drei Jahren und »nur« um ihn »kennenzulernen« diese Reise unternahm und daß diese Zeit zu kurz gewesen sei für die von Gegnern behauptete Abhängigkeit von den älteren Aposteln und von Kephas[6]. Paulus hätte diese Reise — für die er keinen anderen Zweck angibt, als Kephas zu besuchen und vierzehn Tage bei ihm zu bleiben — wohl kaum unternommen, wenn er sie nicht als echte und wichtige Kontaktnahme gerade mit Kephas verstanden hätte[7]. Man wird deshalb in V 18 die apologetische Tendenz nicht überzeichnen dürfen; zweifellos soll — entsprechend dem Zusammenhang von V 13 ff — die Unabhängigkeit seines Evangeliums und seiner Beauftragung als Apostel auch in den VV 18. 19 ge-

---

Wie in V 1 und V 11 f lassen sich auch aus V 13 ff die Gegner und ihre Vorwürfe nicht profilieren und präzisieren; alle Argumente gehen gegen ein κατὰ ἄνθρωπον (V 11).

[1] σάρξ καὶ αἷμα = Mensch (Lietzmann, Gal 8) von Fleisch und Blut (Zahn, Gal 65); dagegen — kaum zu Recht — J. Kreyenbühl, Der Apostel Paulus und die Urgemeinde, in: ZNW 8 (1907) 95: nicht Mensch(en), sondern »alle aus jüdischem Fleisch und Blut stammenden ... Vorstellungen, Wünsche, Bestrebungen«.

[2] προσανατίθεσθαί τινι ist nach Oepke, Gal 33, »in schwieriger Lage jemand zu Rate ziehen«; gemeint ist also nicht schon, das Evangelium jemandem »zur Begutachtung« vorlegen (Zahn, Gal 65).

[3] Schon hier wird den Jerusalemer ἀπόστολοι indirekt ihre Autorität bestätigt. Gegen Schweizer, Gemeinde und Gemeindeordnung 41, ist darauf hinzuweisen, daß Paulus hier die Führer der Urgemeinde in Jerusalem ἀπόστολοι nennt; allerdings wird keine Identität mit den »Zwölf« behauptet.

[4] εὐθέως ist sinngemäß mit ἀπῆλθον zu verbinden; vgl. Lietzmann, Gal 8.

[5] Vgl. Zahn, Gal 66 f; Oepke, Gal 33 f: »Er begehrte keinen Rat, keine Approbation oder apostolische Sukzession«.

[6] O. Bauernfeind, Die Begegnung zwischen Paulus und Kephas Gal 1, 18–20, in: ZNW 47 (1956) 268–276; und ders., in: ThLZ 81 (1956) 343 f, wendet sich gegen die negativen Einschübe im Sinne eines Alibibeweises für V 11 f, überbetont aber den Bezug auf V 10. Neben der Abwehr des Vorwurfs menschlicher Vermittlung weisen die VV 18. 19 auf gutes Einvernehmen zu Kephas.

[7] Dazu Oepke, Gal 34: »Sein Wunsch, mit dem Führer der Urgemeinde in Verbindung zu treten, war also dringend. Er entsprang aber keinem fundamentalen religiösen Interesse oder Bedürfnis der Anlehnung«.

wahrt werden; aber das mindert nicht die positive Zielsetzung dieser ersten Jerusalemreise[1]. In erster Linie kam es Paulus dabei auf die Begegnung mit Kephas an; Jakobus — von dem nicht mit Sicherheit gesagt werden kann, ob Paulus ihn in V 19 unter die »Apostel« gerechnet wissen will[2] — hat er nur »gesehen«; ihn hat er »vermutlich erheblich weniger gründlich als Kephas kennengelernt«[3]; den übrigen Aposteln und den Gemeinden der Judaia ist er damals überhaupt von Angesicht unbekannt geblieben (vgl. VV 19. 22). Über die nachträgliche Erwähnung des Jakobus kann man nur Vermutungen anstellen; daß er — ob er nun Apostel war oder nicht — hohes Ansehen genoß in der Urgemeinde, als deren Leiter er bald ebenbürtig neben Kephas stehen sollte (vgl. 2, 1–14), steht außer Zweifel. Die fast beiläufige Erwähnung, ihn »gesehen« zu haben, könnte aber von seiten des Paulus zumindest größere Distanz verraten, wenn sie nicht um eines zu vermeidenden Vorwurfs der Unvollständigkeit seines historischen Rückblicks willen angefügt wurde.

Die Einzelaussagen der Apologie von 1, 13–20 sind umstritten; der übergeordnete Gesichtspunkt ist aber wohl in V 12 die Unabhängigkeit des dem Paulus offenbarten Evangeliums und seiner Sendung. Sie blieb auch in Jerusalem unangetastet sowohl von Kephas — den kennenzulernen der Grund für die Reise war — als auch von Jakobus, der offensichtlich in der Aufzählung zwar nicht übergangen werden durfte, aber deutlich hinter Kephas zurückstand. Der vierzehntägige Besuch bei Kephas scheint den gewünschten Erfolg für Paulus gebracht zu haben, nämlich — wenigstens stillschweigende — Anerkennung seines Evangeliums und seines Apostolats. Anderen Autoritäten ist er nicht begegnet[4], den Gemeinden blieb er unbekannt[5]; d. h. so abwegig es ist, Paulus vorzuwerfen, er habe das Evangelium des Christus schon vor seiner Bekehrung von Menschen kennengelernt (vgl. VV 11f. 13f), so unhaltbar sind ähnliche Behauptungen für die Zeit nachher (vgl. VV 15–20). Sein Evangelium ist nicht von Menschen übernommen; das unterstreicht abschließend der Schwur von V 20.

---

[1] Vgl. Bisping, Gal 182: »Daß Paulus, obgleich er wußte, daß er zu seinem Apostolate einer Sendung oder eines Unterrichtes durch Petrus nicht bedurfte, es dennoch für nötig hielt, diesen aufzusuchen und einige Tage mit ihm zu verkehren, spricht deutlich für den Vorrang Petri unter den Aposteln«; vgl. auch Althaus, Gal 13.

[2] Zahn, Gal 72f: keiner von den zwölf Aposteln und nicht des Alphäus, sondern Josephs Sohn, ein echter Bruder des Herrn; Oepke, Gal 35: wirklicher Herrenbruder — wahrscheinlich zu den Aposteln gerechnet; Bisping, Gal 183: unter die eigentlichen Apostel gerechnet — »Sohn des Alphäus«; Sieffert, Gal 118, zu 2, 9: »Gerade wenn Jak. einer der Zwölf gewesen wäre, würde ihn P. (...) nicht dem Petr. vorangestellt haben; denn unter jenen war Petr. auch für Jerus. und das ganze Judenchristenth. (2, 7) der Erste«.

[3] Oepke, Gal 35.

[4] Über den Grund dafür wurden zahlreiche Vermutungen geäußert. Die einen wähnen die Apostel auf Reisen, andere glauben, Paulus habe sich vor den Juden versteckt halten müssen usw.; vgl. Lietzmann, Gal 9; Oepke, Gal 35.

[5] Ob man an ein Mißtrauen der Christengemeinden in der Judaia denken muß (Oepke a. a. O.), welches eine Begegnung nicht ratsam erscheinen ließ, ist doch recht zweifelhaft.

Zusammenfassung von 1, 1–20

Nicht eigentlich der Apostolat ist es, dessen Rechtmäßigkeit Paulus in Gal 1 verteidigt, sondern »das Evangelium des Christus«, das die Gegner zu »verdrehen«[1] suchen. Der Kampf gegen dieses von Paulus verkündete Evangelium wird allerdings so geführt, daß zuerst die Person des Verkündigers angegriffen wird, damit auf diese Weise auch seine Botschaft zu Fall gebracht werde[2]. Demgegenüber stellt Paulus fest: es gibt nur das eine Evangelium, welches er verkündet, und kein anderes (vgl. V 6f); wer dennoch ein anderes verkündet, verfällt dem Fluch des Apostels (vgl. V 8f); denn ihm hat Gott durch die Offenbarung Jesu Christi dieses Evangelium anvertraut und ihn haben Gott Vater und Jesus Christus zum Apostel dieses Evangeliums gemacht (vgl. VV 1. 11f); es gegen alle Verdrehung zu schützen, ist seine Aufgabe als Χριστοῦ δοῦλος (vgl. V 10). Weil ihm dieses Evangelium unmittelbar von Christus offenbart wurde, duldet es einerseits keine Menschengefälligkeit, keine falsche Duldsamkeit, wie es andererseits auch jeder richtenden Instanz, selbst der Autorität der Jerusalemer Apostel, entzogen ist.

Aus der Argumentation des Paulus ist in diesem Zusammenhang jedoch mittelbar zu erschließen, daß das neue Gottesvolk in Jerusalem einen Mittelpunkt besaß und daß den Uraposteln in Jerusalem besondere Autorität zukam. Paulus nennt ausschließlich den Besuch bei Kephas als Zweck seiner ersten Jerusalemreise. Kephas — den Paulus auffälligerweise in 2, 7. 8 Πέτρος nennt — scheint damit als die entscheidende Jerusalemer Autorität herausgestellt zu sein, weshalb er vielfach als »Haupt der Apostel« bezeichnet wird[3]; gegenüber Jakobus steht er hier jedenfalls deutlich im Vordergrund[4]. Aber auch ihn will Paulus nicht aufsuchen, um sich gleichsam amtlich bestätigen zu lassen oder sich über das Evangelium des Christus besser zu unterrichten, sondern einzig, ihn »kennenzulernen«. Nur aus dem Fehlen jeder Andeutung eines ungünstigen oder auch nur unbefriedigenden Verlaufs dieser Begegnung läßt sich vermuten, daß es Paulus gelungen ist, die Selbständigkeit seines Evangeliums und die Legitimität seines Apostolats unter Beweis zu stellen. Nur so läßt sich der Zusammenhang von 1, 11–20 ungezwungen verstehen, auch wenn in Einzelheiten Unklarheiten bestehen bleiben.

2. Behauptung des dem Paulus offenbarten Evangeliums gegenüber seinen Verfälschern und Gegnern

Gal 1, 1f. 8f

Mit dem amtlichen Charakter des in V 1 verteidigten Apostolats ist offenbar auch die Fähigkeit mitgegeben, Fluch[5] auszusprechen gegen jeden, der ein

---

[1] Vgl. 1, 7.
[2] Der Angriff kann nicht unmittelbar auf Abhängigkeit von den Jerusalemer Aposteln zielen, eher auf Verdrehung und persönliche Mißdeutung des aus der Tradition überkommenen Evangeliums.
[3] Vgl. Zahn, Gal 71; Lietzmann, Gal 9; Schlier, Gal 60.
[4] Vgl. dagegen Gal 2, 9.
[5] »Er soll ein Anathema sein« meint hier natürlich nicht — wie 2 Makk 2, 13; Jos. ant. XVII, 156 (nach Schlier, Gal 40) — Weihegabe für Gott, sondern — wie

»anderes Evangelium« (vgl. V 6) lehrt, als es der Apostel selbst — und seine
Mitarbeiter[1] — verkündeten (vgl. V 8). Demnach gibt es eine »Norm der
Verkündigung« »und damit auch grundsätzlich die Möglichkeit, zwischen wahrer
und falscher Verkündigung zu unterscheiden«[2]; diese Norm ist »das Evangelium des Christus«, wie es Paulus versteht. Die Formulierung verweist auf
einen sehr bestimmten Inhalt; sonst könnte man dieses »Evangelium des
Christus« schwerlich als eine Norm verstehen. Es kann also nicht nur allgemein
die »gute Botschaft« sein, die Jesus gebracht hat oder die diesen Jesus zum
Gegenstand hat, sondern muß wenigstens in Grundzügen umrissen gedacht
werden. Ob man dieses Evangelium als »relativ schon fixierte Lehre«[3] oder
als Sammlung nach Art eines späteren »Evangeliums« oder als »den in der
Glaubensformel (1 Kor 15, 3–5) zusammengefaßten Aussagekomplex«[4] verstehen soll, steht ebenso dahin wie die Annahme H. Schliers[5], gemeint sei
»das Evangelium, in dem Christus sich selbst verkündet«, so daß, wer es
angreife, Christus selbst angreife, der darin sich offenbare.

Aus unserer Stelle geht nur so viel mit Deutlichkeit hervor: ein »anderes« —
als das paulinische — Evangelium zu verkünden, bedeutet, dem Fluch des
Apostels zu verfallen; denn es gibt kein anderes[6]. An ein Gegenevangelium
läßt παρ᾽ ὅ (V 8) nicht unbedingt denken, vielmehr an ein vom paulinischen
abweichendes, das entweder darüber hinausgeht und Zusätze bringt oder
Wesentliches verschweigt und es damit verfälscht[7]. Dieses Evangelium — als
die unabänderliche Norm aller Verkündigung — steht dem Verkündiger gegenüber, dem es zum Fluch wird, sobald er es verändert. Nicht einmal ein Engel
des Himmels[8], auch nicht Paulus selbst würde in diesem Fall dem Fluch

---

[1] Kor 16, 22 — »Überantwortung an den Zorn und das Gericht Gottes« (Zahn,
Gal 51). Ἀνάθεμα — eine Nebenform zu ἀνάθημα (vgl. Bl.–Debr. § 109, 3) — ist
nicht nur in der LXX Übersetzung von חרם, »das für Gott Ausgesonderte und der
Vernichtung Verfallene« (Schlier, Gal 40, mit Verweis auf Lev 27, 28; Num 21, 3;
Dtn 7, 26; 13, 18; Jos 6, 17; 7, 1. 11 u. ö.; Ri 1, 17b u. a.), sondern ist auch im
heidnischen Sprachgebrauch für »Fluch« bekannt; vgl. dazu A. Deissmann, Anathema, in: ZNW 2 (1901) 342, der auf eine Devotion aus Megara (1. oder 2. Jhdt. n.Chr.)
bei R. Wünsch, Corpus Inscriptionum Atticarum Appendix, Berlin 1897, XIIIf,
aufmerksam machte, wo am Schluß der ganzen Verfluchung in besonderer Zeile
und mit größeren Buchstaben steht ΑΝΕΘΕΜΑ (»Fluch!« als Schlußformel) und
wo im Text mehrmals ἀναθεματίζομεν begegnet. Zum Ganzen siehe Zahn, Gal 50f;
Althaus, Gal 8.
[1] ἡμεῖς und εὐηγγελισάμεθα sind zwar zunächst schriftstellerischer Plural, doch
ist eine Einbeziehung der Mitarbeiter wohl möglich; vgl. Oepke, Gal 24. Nach
Schlier, Gal 39, meint Paulus nur sich selbst.
[2] Schlier, Gal 41.
[3] Schlier, Gal 275f A. 5.
[4] Seeberg, Der Katechismus der Urchristenheit 198 ff.
[5] Gal 39.
[6] Vgl. Schlier, Gal 38 A. 1: ἕτερος und ἄλλος »sind hier nicht unterschieden«.
[7] Vgl. Lietzmann, Gal 5; Schlier, Gal 40 A. 3: »unter Umgehung von«, »an
Stelle von«, »über das hinaus«, »nicht ausgesprochen ›entgegen‹«.
[8] ἢ ἄγγελος ἐξ οὐρανοῦ dürfte — wie Lietzmann, Gal 5, vermutet — nur zur rhetorischen Steigerung dienen, ohne über die Möglichkeit einer solchen antichristlichen
Engelspredigt zu reflektieren.

entgehen (vgl. V 8). Diesen früher prinzipiell immer schon vorausgesagten[1] Fluch verhängt Paulus in V 9 gegen die Verfälscher des Evangeliums in den galatischen Gemeinden. Er handelt — daran lassen die VV 1–9 so wenig Zweifel wie das ἀνάθεμα ἔστω selbst — in apostolischer Autorität. Als »Apostel« Jesu Christi (vgl. V 1), dem »das Evangelium des Christus« anvertraut wurde, sieht er sich gezwungen, das Gericht Gottes nicht nur anzudrohen, sondern die Verfluchung auszusprechen und unerbittlich zu sein, wo es die Sache des Evangeliums erfordert. Er spricht ein »Verdammungsurteil über die unter den Gal. aufgetretenen Lehrer«[2]. Dieses Urteil aus der Vollmacht eines Apostels Jesu Christi ist zweifellos ein »Akt der Kirchenzucht«[3], auch wenn das rechtliche Moment fehlt oder doch überbestimmt ist vom religiösen und in keiner Weise an ein kirchliches Rechtsverfahren mit anschließend erfolgender Exkommunikation gedacht ist, sondern an ein Ausliefern an den Zorn Gottes. Die spätere Entwicklung der kirchlichen Exkommunikation mag sich aus dieser paulinischen Form der Überantwortung an Gottes Gericht herleiten; ein genuiner Zusammenhang läßt sich nicht erweisen. Für Paulus ist diese Verurteilung kein primär rechtlicher, sondern ein geistlicher Akt der Kirchenzucht.

Die Wurzeln dieses paulinischen Fluchurteils werden vielfach in der synagogalen Ausschlußpraxis gesucht[4]; doch ist der Zusammenhang zweifelhaft[5].

Paulus unterscheidet sich gerade darin, daß er den rechtlichen Ausschluß aus der Gemeinde völlig unerwähnt läßt; eine solche Absicht wird durch nichts angedeutet, jedenfalls nicht an dieser Stelle; aber sie fehlt auch sonst bei Paulus in Zusammenhängen mit ἀνάθεμα — ἀναθεματίζειν (vgl. 1 Kor 16, 22; Röm 9, 3).

---

[1] προειρήκαμεν kann durchaus auf die Übereinstimmung in der Verkündigung dieser Fluchandrohung mit den Mitarbeitern des Apostels abzielen — wie in V 8 ἡμεῖς und εὐηγγελισάμεθα —, auch wenn Paulus die Konkretion (vgl. V 9) dieser allgemeinen Drohung (vgl. V 8) mit λέγω persönlich und allein vornimmt; vgl. Zahn, Gal 51f; Lagrange, Gal 7; Steinmann, Gal 93f; Oepke, Gal 25; gegen Schlier, Gal 40 A. 6. Man könnte προειρήκαμεν allerdings auch auf V 8 rückbeziehen; dann spräche der Apostel immer nur von sich.

[2] Zahn, Gal 51.

[3] Oepke, Gal 25, und Behm, ThW I 356f, verwahren sich dagegen, weil sie immer schon an die spätere Kirchenpraxis des »anathema sit« der Exkommunikation denken, was sich schon wegen der Engel verbiete, die man so wenig exkommunizieren könne wie sich selbst (vgl. Röm 9, 3) oder Jesus (vgl. 1 Kor 12, 3) — Hinweise, die auch Zahn, Gal 51, gibt. Ähnlich argumentiert S. Schulz, Katholisierende Tendenzen in Schliers Galater-Kommentar, in: KuD 5 (1959) 40, gegen Schliers Behauptung (Gal 41), die Stelle erweise »auch die apostolische Wurzel des späteren »anathema sit« der Kirche«.

Schlier dürfte aber mit apostolischer Wurzel nicht mehr behaupten wollen als etwa Zahn, Gal 51, nach dessen Auffassung die spätere kirchliche Formel »zweifellos« auf dem Gebrauch dieses Ausdrucks an unserer Stelle beruhe. »Zweifellos« wird man freilich besser durch ein »vermutlich« ersetzen. Vgl. dazu auch E. Dinkler, Der Brief an die Galater, Zum Kommentar von H. Schlier, in: VF, Theologischer Jahresbericht 1953/55, München 1956, 175–183.

[4] Vgl. Schlier, Gal 40.

[5] Siehe zu ἀνάθεμα Behm, ThW I 356f, und zu ἀποσυνάγωγος Schrage, ThW VII 845–850 und die dort angegebene Literatur; ferner Zahn, Gal 50f und a. a. O. A. 50.

Gal 1, 10 f

Durch die Verurteilung der Gegner in Galatien, welche das Evangelium des Christus verkehren wollen (vgl. V 7), hat Paulus bewiesen und beweisen wollen, daß er nicht nach Menschengunst strebe (vgl. V 10) und daß sein Evangelium, für das er kämpft, nicht »dem Menschen gemäß« (vgl. V 11) sei. Gerade in seiner Unnachgiebigkeit[1] um des wahren Evangeliums willen hat er sich als ein Χριστοῦ δοῦλος erwiesen[2], der »das Recht und die Pflicht« hat, »ohne alle Rücksicht auf Gunst und Beifall der Menschen ... jedes angebliche Ev ... samt dessen Verkündigern zu verurteilen«[3]. Damit wird das Χριστοῦ-δοῦλος-Sein in einen unmittelbaren Zusammenhang gebracht mit dem Evangelium, das ihm als Apostel durch eine Offenbarung Jesu Christi[4] übergeben ist und das er weder aus der Predigt übernommen noch durch Unterricht gelernt hat (vgl. V 12), für dessen Unversehrtheit er hingegen mit seiner ganzen Autorität eintritt und dabei vor der Verdammung seiner Verfälscher nicht zurückschreckt. Im Hinblick auf die Wahrheit des Evangeliums gibt es keine Kompromisse, keine Duldung von Irrtümern. Die nicht menschliche Herkunft dieses Evangeliums ist der Grund für seine Unbedingtheit und Unveränderlichkeit. Sie zu wahren und ohne falsche Rücksichten zu verteidigen, ist Aufgabe des Χριστοῦ δοῦλος.

Man wird beachten müssen, daß Paulus nur in V 10 gegnerische Vorwürfe entkräftet, im Folgenden aber — eine den ganzen Brief durchziehende Beobachtung, auf die schon in V 1 hingewiesen wurde — in geradezu feierlicher Weise — γνωρίζω γὰρ ὑμῖν — diese Unbedingtheit und Unabänderlichkeit des Evangeliums positiv begründet.

Es ist keine menschliche Lehre, nicht »Menschen gemäß«, d. h. »nach Art der Menschen« oder »nach dem Geschmack der Menschen«, nicht eine Botschaft, mit der man Menschen zu gefallen suchen könnte. Dieses Evangelium

---

[1] Welcher Art diese Vorwürfe waren, denen Paulus Gal 1, 10 ff begegnet, wird man schwerlich im einzelnen bestimmen können; vgl. Oepke, Gal 41 f Exk. 2.

Lietzmann, Gal 6, denkt an den Vorwurf, Paulus überrede — unter Preisgabe des Evangeliums —, indem er den Leuten nach dem Mund rede (ζητεῖ ἀνθρώποις ἀρέσκειν); denn das gesetzesfreie Evangelium gefalle besser als die judaistische Sittenstrenge. Aber weder Judaisten noch Gnostiker (vgl. Schmithals, Häretiker 59 f) lassen sich schlüssig und durchgängig als Gegner aufweisen, so daß alle Vermutungen müßig sind.

[2] Saß, Zur Bedeutung von δοῦλος bei Paulus 24–32, will im δοῦλος Χριστοῦ ('Ιησοῦ) von Röm 1, 1; Phil 1, 1 und Gal 1, 10 einen Ehrentitel erkennen, der dem alttestamentlichen Ebed Jahwe entspreche und zur Amtsbezeichnung tendiere.

[3] Zahn, Gal 55, sieht den δοῦλος Χριστοῦ offensichtlich — ähnlich wie Saß — vom Dienst am Evangelium her bestimmt, nicht als eine Bezeichnung, die »letztlich alle Glieder der Kirche« auf sich anwenden können, so daß sie auch für Paulus von den Gegnern seines Apostolats nicht bestritten werden könne, wie Schlier, Gal 42, meint. In Wahrheit erweist ihn gerade das in V 9 ausgesprochene Fluchurteil als einen δοῦλος Χριστοῦ, da er ohne Rücksicht auf menschliche Zustimmung das Evangelium des Christus verteidigt.

[4] Das schließt nicht aus, daß Paulus später auch dazugelernt und aus der Überlieferung übernommen hat (vgl. 1 Kor 11, 23 ff und 15, 3 ff), sondern deutet auf die grundsätzliche Vollständigkeit und Unabänderlichkeit des von ihm durch Christus selbst empfangenen Evangeliums.

hat Paulus durch Offenbarung empfangen und gelernt[1]. Darin erweist sich die Autorität seiner Sendung begründet, die ihm nicht nur erlaubt, vielmehr ihn verpflichtet, gegen jede Verdrehung dieses einzigen Evangeliums den Fluch auszusprechen. Die Argumentation des Paulus ist von 1, 1–12 ganz auf diese positive Darlegung der Ursprünge seines Apostolats und seines Evangeliums abgestellt; dabei werden in V 1 wie in V 11f mögliche Mißdeutungen ausgegrenzt, ohne daß man aus dieser Abwehr falscher Auffassungen Rückschlüsse auf konkrete Gegner und Vorwürfe zu ziehen berechtigt wäre. Die Gegner werden vielmehr auch in V 7 nur in ganz allgemeiner Weise als τίνες — οἱ ταράσσοντες ὑμᾶς eingeführt, und der Gegenstand der Auseinandersetzung wird mit ἕτερον εὐαγγέλιον, ὃ οὐκ ἔστιν ἄλλο angegeben. Mit dem Fluchurteil von V 9 hat Paulus diese Auseinandersetzung in aller Schärfe begonnen, doch begnügt er sich nicht mit Apologetik, noch mit bloßer Polemik, sondern er beweist im Folgenden mit dem göttlichen Ursprung, der Vermittlung durch Jesus Christus, die Autorität seines Evangeliums und seines apostolischen Amts[2], ihre Unabhängigkeit wie ihre Anerkennung durch die Apostel in Jerusalem und speziell durch Kephas. Die Stellung des Paulus ist demnach eine einzigartige, allein durch Christus vermittelte, als dessen δοῦλος[3] er das einzig wahre Evangelium verkündet — und dies in Vollmacht eines Apostels.

3. Bestätigung der Unabhängigkeit der paulinischen Mission und Missionsgemeinden durch »die Geltenden« in Jerusalem

Gal 2, 1–10

Immer noch im Blick auf die Selbständigkeit des ihm durch Offenbarung zuteil gewordenen Evangeliums (vgl. 1, 11f) verweist Paulus in 2, 1–10 auf jenes — allgemein unter dem Namen »Apostelkonzil«[4] bekannte — Ereignis, bei welchem es für ihn darum ging, nach der in 1, 13–24 dargelegten Unab-

---

[1] Damit wird nicht geleugnet, daß Paulus — von dem ja nicht mit Sicherheit auszuschließen ist, daß er auch den Χριστὸς κατὰ σάρκα (vgl. 2 Kor 5, 16) gekannt hat, wenngleich es wenig wahrscheinlich sein dürfte — sich später genauere und vollständigere Kenntnisse über Jesus verschafft hat. Das hat aber keinen Einfluß auf seine Überzeugung von der Vollständigkeit seines Evangeliums und keine Bedeutung für die uranfängliche Gewißheit, mit der er es verkündete. Beide hängen an dem nicht-menschlichen Ereignischarakter der ἀποκάλυψις Ἰησοῦ Χριστοῦ; vgl. Zahn, Gal 56f; Oepke, Gal 29. 41f.

[2] Vgl. Schlier, Gal 44 A. 2.

[3] Man wird nicht bestreiten können, daß der Χριστοῦ δοῦλος im Zusammenhang von Gal 1, 1–12 mehr ist als ein »Sklave Christi«. Die Hinordnung auf die Verteidigung des Evangeliums des Christus verweist unmittelbar auf die Gebundenheit des Apostels an Christus, der ihn mit diesem Evangelium betraut hat; vgl. v. Campenhausen, Kirchliches Amt 38 A. 2; δοῦλος ist aber nicht einfach synonym für ἀπόστολος; es kann daher zur Bezeichnung aller jener verwendet werden, die dem Evangelium dienen (vgl. Phil 1, 1; Röm 1, 1).

[4] Eine Auseinandersetzung mit den Parallelberichten der Apg, vor allem mit Apg 15, wird hier nicht erstrebt; es geht in unserem Zusammenhang nicht um die Erforschung des historischen Sachverhalts selbst, sondern um dessen subjektive Beurteilung durch Paulus, wie sie aus dem Galaterbrief zu erheben ist.

hängigkeit, nun auch die Richtigkeit dieses seines Evangeliums zu behaupten. Ohne auf alle Einzelfragen des vielfach dunklen, durch eine Reihe schwieriger Parenthesen gestörten Zusammenhangs und die zahllosen zur Lösung dieser Probleme vorgeschlagenen Theorien einzugehen[1], sollen hier nur jene Aspekte des Textes zur Sprache kommen, die mit dem Problem der kirchlichen Ordnung und Verfassung unmittelbar zu tun haben. Es ist nur grundsätzlich auch für das Folgende darauf hinzuweisen, daß die apologetische Tendenz nicht gegen Jerusalem und »die Apostel vor ihm« (vgl. 1, 17) gerichtet zu denken ist, sondern nach wie vor gegen die augenblicklichen galatischen Gegner[2], die ihrerseits nicht identisch sind mit den in 2, 4 erwähnten παρείσακτοι ψευδάδελφοι, οἵτινες παρεισῆλθον κατασκοπῆσαι; denn diese waren entweder in Antiochia oder in Jerusalem selbst wirksam[3]. Gegen sie mußte Paulus damals die ἐλευθερία verteidigen, ἣν ἔχομεν ἐν Χριστῷ Ἰησοῦ (2, 4). Die damalige Zurückweisung ihrer Forderung nach Beschneidung des Heidenchristen Titus (vgl. 2, 3) seitens der Jerusalemer Apostel ist jetzt in der Auseinandersetzung mit den Gegnern in den galatischen Gemeinden Beweis der Übereinstimmung zwischen Paulus und den Jerusalemer Autoritäten.

a) Situation und Anlaß

1. In Begleitung von Barnabas und Titus ist Paulus nach Ablauf[4] von vierzehn Jahren[5] ein weiteres Mal nach Jerusalem gekommen, um sein Evangelium vorzulegen[6], das er während dieser Zeit den Heiden verkündet hat und noch immer verkündet[7]. Gesondert von der Gemeindeversammlung[8] legte er es denen vor, die »in Geltung standen«, worunter in erster Linie an die στῦλοι von V 9[9] zu

---

[1] Vgl. dazu G. Klein, Galater 2, 6–9 und die Geschichte der Jerusalemer Urgemeinde, in: ZThK 57 (1960) 275–295.

[2] Sieffert, Gal 75 ff: nicht »Behauptung des gesetzesfreien Heiden.-Ev. auch gegen Urgemeinde und Urapp.«, sondern »Nachweis der in Jerusalem *vor* der Urgemeinde und den Säulen der Kirche *wider die Judaisten* siegreich behaupteten Wahrheit« ist die Absicht; vgl. Zahn, Gal 82.

[3] Holsten, Das Evangelium des Paulus 74, vermutet sie in den paulinischen Gemeinden; Bisping, Gal 193, in Antiochia; Zahn, Gal 86, sieht eine Abordnung in Jerusalem anwesend.

[4] Oepke, Gal 43, und Schlier, Gal 64f, zählen vom letzten Aufenthalt des Paulus in Jerusalem, Steinmann, Gal 99, und Amiot, Gal 129f, von seiner Bekehrung ab. Kuss, Gal 258, entscheidet sich nicht zwischen beiden Möglichkeiten.

[5] Steinmann a. a. O. 99 und Schlier a. a. O. 64 rechnen volle 14 Jahre; Kuss a. a. O. 258 und Oepke a. a. O. 43 (»nach antiker Zählweise«) etwas weniger.

[6] Vgl. Bisping, Gal 188f: Vorlage »in der bestimmten Absicht, um an deren — d. i. der Geltenden — Zustimmung die Echtheit (des Ev.) zu prüfen und zu bewähren«; Bousset, Gal 39, einschränkend: sofern »gesetzesfreies« Evangelium.

[7] Vgl. Sieffert, Gal 86: κηρύσσω (Präs.) bezeugt die Identität des damals vorgelegten und noch verkündeten Evangeliums; ebenso Schlier a. a. O. 66.

[8] αὐτοῖς = Gemeinde; so de Wette, Gal 17; Bisping, Gal 185; Schlier, Gal 66; κατ' ἰδίαν = gesondert, insgeheim; de Wette, Gal 17; Bisping, Gal 185; Sieffert, Gal 86f.

[9] οἱ δοκοῦντες εἶναί τι = die Geltenden (ohne ironische Nebenbedeutung); de Wette, Gal 17: »die drei Vorsteher der Gemeinde« (= Säulen V 9); Bisping, Gal 185: »denen das entscheidende Urteil darüber zukam« (= Säulen V 9); Schlier, Gal 67: die δοκοῦντες στῦλοι εἶναι bilden dann »einen engeren Kreis« der Geltenden.

denken sein wird. »Falschbrüder«[1], die sich — sei es in Antiochia, sei es in Jerusalem — eingeschlichen hatten[2], scheinen die Beschneidung des Titus verlangt zu haben; doch Paulus blieb fest und unnachgiebig[3], damit nicht die »Freiheit in Christus« wieder geknechtet und damit nicht das Evangelium um seine Wahrheit gebracht werde[4]. Er fand darin die Unterstützung der »Geltenden«; Titus wurde nicht zur Beschneidung gezwungen.

Damit hatte Paulus den entscheidenden Sieg errungen. Worüber sonst noch verhandelt wurde, ist nur aus Andeutungen zu erschließen. Demnach haben die »Geltenden« dem Paulus und Barnabas nichts weiter auferlegt (vgl. V 6)[5]; im Gegenteil, da sie sich überzeugten[6], daß Paulus wie Petrus mit dem Evangelium betraut war (vgl. V 7) — dieser für die Beschnittenen, jener für die Unbeschnittenen —, daß dieselbe Gnade ihm gegeben war (vgl. V 9), näherhin die Gnade des Apostelamts, gaben sie einander die Hand der Gemeinschaft[7], ordneten die Missionsbereiche (vgl. V 9) und vereinbarten eine Sammlung für die Armen (vgl. V 10)[8].

2. Über den Anlaß zu dieser zweiten Reise nach Jerusalem erfahren wir nichts Sicheres. Es wäre möglich, daß Paulus aus eigenem Antrieb oder als Abgesandter der antiochenischen Gemeinde aufgebrochen ist[9]; ebenso wird man es aber auch für möglich halten müssen, daß er von Gemeindepropheten geschickt oder von den »Geltenden« in irgendeiner Form zum Kommen aufgefordert worden ist[10]; auch an die Gegner bleibt zu denken, die Paulus und

---

[1] Sieffert, Gal 101: »Christen, aber dies nicht nach dem wahren Wesen des Christentums«; Zahn, Gal 84: »In die christliche Gemeinde sind sie eingeschmuggelt worden«; also Nichtchristen, unter der Maske von Brüdern; Bousset, Gal 39f, denkt an Spione der Gemeinde von Jerusalem; Schlier, Gal 71: »Glieder der Gemeinde, die freilich nur fälschlicherweise die Stelle des Bruders einnehmen«.

[2] Vgl. Schlier, Gal 71.

[3] τῇ ὑποταγῇ ist wie οἷς eine Verdeutlichung des διὰ δὲ τοὺς παρεισάκτους ψευδαδέλφους ... οὐδὲ πρὸς ὥραν εἴξαμεν und bezieht sich weder auf die Apostel, so daß die Reise selbst als kurzzeitige Unterwerfung ihnen gegenüber verstanden wäre, noch auf Jerusalem oder die Urgemeinde, noch auf die Forderung der Beschneidung, sondern kennzeichnet den Widerstand, den Paulus in Antiochia diesen Falschbrüdern immerfort entgegensetzte; vgl. Sieffert, Gal 104f.
Zahn, Gal 91ff, bezieht die Unterordnung fälschlich auf die Oberhäupter der Muttergemeinde. Die Vorlage des Evangeliums zur Begutachtung »war in der Tat eine vorübergehende Unterordnung unter die Auktorität der δοκοῦντες« (a. a. O. 93).

[4] Vgl. Schlier, Gal 73.

[5] S. S. 114 A. 2.

[6] Vgl. ἰδόντες — γνόντες.

[7] Ob dieser Handschlag vor der Gemeinde oder den Geltenden gegeben wurde, bleibt dunkel; Paulus kommt es nur auf die Bestätigung durch die Säulen an.

[8] Gemeint sind natürlich die Armen von Jerusalem.

[9] Bisping, Gal 188: Auftrag zur Reise (objektiv, vgl. Apg) durch die antiochenische Gemeinde und (subjektiv) durch Offenbarung; Bousset, Gal 39, denkt an einen Gemeindebeschluß.

[10] E. Klostermann, Zur Apologie des Paulus 764, glaubt als Situation voraussetzen zu können: die Gegner in Galatien werden »behauptet haben: die ›Geltenden‹ (...) in Jerusalem hätten auf einen Bericht inspizierender Besucher über die antiochenische Gemeinde (Apg 15, 1f) die dortigen Führer zur Verantwortung nach Jerusalem zitiert, und sogar der auf seine Selbständigkeit so stolze Paulus habe es nicht gewagt, sich einem derartigen Akt der Unterordnung (τῇ ὑποταγῇ) zu widersetzen«.

die »Geltenden« möglicherweise gegeneinander ausgespielt haben, so daß es Paulus geraten erscheinen mochte, sich der Übereinstimmung mit Jerusalem zu vergewissern[1]. Paulus entzieht allen diesen Vermutungen den Boden, indem er selbst erklärt, »gemäß[2] Offenbarung[3]« hinaufgezogen zu sein. Die Überlegungen über Anlaß und Hintergründe dieser Reise behalten zwar so ihr Recht[4], haben sich aber der paulinischen Darstellung unterzuordnen; denn das Hinaufziehen »gemäß Offenbarung« bedeutet zu allererst eine Zurückweisung jeglicher Abhängigkeit seines Evangeliums von irgendwelchen menschlichen Instanzen. Paulus zieht nicht nach Jerusalem, um sich zu rechtfertigen; er zieht aus innerer Notwendigkeit[5]: μή πως εἰς κενὸν τρέχω ἢ ἔδραμον. Die Einheit der Kirche hängt an dem einen Evangelium und an der Einigkeit der Apostel. Davon dürften die gegnerischen Angriffe Paulus überzeugt haben. Er geht also nicht nach Jerusalem, weil er seines Evangeliums nicht gewiß gewesen wäre, auch nicht, um es vor den »Geltenden« zu verteidigen, sondern um es ihnen vorzulegen[6] und sich durch seine Darlegung von der sachlichen Übereinstimmung zwischen ihm und den »Geltenden« zu überzeugen.

---

[1] Wenn E. Klostermann a. a. O. — wie vor ihm schon A. Klostermann, Probleme im Aposteltexte, Gotha 1883, 36–91 (zitiert bei E. Klostermann a. a. O.); Zahn, Gal 91 ff und Exkurs I, 289–298 — den äußeren Anlaß der Reise aus V 5 durch eine Bevorzugung des Textes von D (πρὸς ὥραν εἴξαμεν τῇ ὑποταγῇ — ohne οἷς οὐδέ) als »momentane Nachgiebigkeit« gegenüber den Jerusalemer Autoritäten bestimmt, entspricht das zwar der Gesamttendenz der Apologie 2, 1–10 (nur darf man das Nachgeben nicht auf eine Beschneidung des Titus beziehen, wie es J. Weiß, Das Urchristentum, Göttingen 1917, 203; R. Knopf, Einführung in das Neue Testament, Gießen ³1930, 60 — zitiert bei E. Klostermann a. a. O. — irreführender Weise tun) und beseitigt das Anakoluth im Text, aber es entwertet das ἀνέβην δὲ κατὰ ἀποκάλυψιν. Gegen den Text von D spricht auch das δέ in V 4, das mit dem δέ von V 6 korrespondiert und das hier die Unnachgiebigkeit des Paulus wie dort den Einvernehmen mit den Geltenden gegenüberstellt. Streichen könnte man nach D (vgl. Bl.–Debr. § 467) das verdeutlichende οἷς, wodurch das Anakoluth, nicht aber das οὐδέ wegfällt; denn statt darin einen schon früh vorgenommenen »Einschub« zu vermuten (E. Klostermann a. a. O.), wird man eher das Fehlen in D als eine Korrektur verstehen dürfen, welche die ὑποταγή des Paulus gegenüber Jerusalem herausstellen soll (vgl. Oepke, Gal 46; Schlier, Gal 72 A. 3).

[2] Schlier, Gal 65 f, nennt das Schwanken der Bedeutung von κατά zwischen »in Übereinstimmung mit« (Röm 16, 26; 2 Thess 3, 6) und »auf Grund von«, »kraft« (Röm 16, 25; Eph 3, 3) mit Recht sachlich bedeutungslos, da immer »eine unabweisbare Forderung« vorausgesetzt bleibt.

[3] Wie diese »Offenbarung« zu denken ist — sei es als Traum, sei es als Geistwirkung o. ä. —, ist hier nicht zu erörtern.

[4] »Offenbarung« schließt »äußere bestimmende Gründe« nicht aus (Bousset, Gal 39).

[5] Daß Paulus einer Jerusalemer Aufforderung gefolgt sei, ist der am wenigsten wahrscheinliche Anlaß seiner Reise; einmal fehlt dafür jede Andeutung (sofern man sie nicht in der Begründung »gemäß Offenbarung« sehen will — womit aber eher Mißdeutungen seiner Reise abgewehrt werden sollen), zum anderen deutet das μή πως ... sehr viel stärker auf die Sorge des Paulus selbst, sein Wirken könne vergeblich gewesen sein; vgl. Holsten, Das Evangelium des Paulus 71. Positiv: »er mußte sich vergewissern, ob die Ur-apostel und die Gemeinde von Jerusalem ihn und seine Arbeit anerkannten« (Althaus, Gal 15).

[6] In der Vorlage selbst liegt allerdings eine nicht zu verkennende Anerkennung der Gemeinde von Jerusalem und ihrer Führer »als eine höhere Instanz in der

Bedeutsam ist in jedem Fall, daß Paulus — wohl aus eigenem Antrieb — nach Jerusalem kommt, dessen führende Männer auch er als die »Geltenden«[1] anerkennt. Sie waren »vor ihm« Apostel (zu 1, 17 vgl. 1 Kor 15, 3–8), vom Herrn selbst berufen und durch den Auferstandenen gesandt, das Evangelium zu predigen. Aus diesem »prior« ihrer Berufung und ihrer Verkündigung des Evangeliums des Christus ergibt sich aber keine Priorität ihres Autoritätsanspruchs gegenüber Paulus und »seinem« Evangelium.

Er kommt ja gerade deshalb nach Jerusalem, um sich von den Jerusalemer Autoritäten die Gleichheit und Übereinstimmung seines Evangeliums und seines Apostolats mit dem ihrigen bestätigen zu lassen. Er sucht diese Demonstration der Einheit, aber er macht die »Geltenden« zu Jerusalem nicht zu Richtern über sein Evangelium und sein Apostelamt.

Was auf dem Spiele steht, ist gewiß die Einheit, doch dies, sofern sie in der Einheit des Evangeliums gründet. Nicht erst das Ergebnis der Jerusalemer Verhandlungen, sondern schon die Absicht, mit der Paulus ankommt, zeigt, daß für ihn keine Abhängigkeit gegenüber den »Geltenden« besteht, auch wenn er den Anschluß an sie — als den Garanten der Tradition[2] — sucht und ihre Autorität ebenso unterstreicht[3] wie das »Vorort«-sein[4] Jerusalems als der Muttergemeinde aller Christen. Paulus kann schließlich abreisen mit der Sicherheit, nicht umsonst gelaufen zu sein, und mit der vollen Anerkennung seiner Selbständigkeit als Apostel der Heiden, mit der Bestätigung der Legitimität seiner Mission und der Richtigkeit seines Evangeliums als des einen und einzigen in der Kirche.

b) Verlauf und Ergebnis

1. Der tatsächliche Verlauf der Unterredungen in Jerusalem läßt sich aus Gal 2, 1–10 nicht erheben. Paulus kam jedenfalls mit der Absicht, sein Evangelium der ganzen Gemeinde[5] und — getrennt davon — den »Geltenden«

Entscheidung der Streitsachen« (Bousset, Gal 39). Trotz der Überzeugung des Apostels vom »inneren Recht seiner Sache« (Bousset a. a. O.) lassen sich weder seine Befürchtungen (μή πως) noch seine damalige Unterordnung gegenüber Jerusalem wegdiskutieren.

[1] Vielfach ist behauptet worden, Paulus spreche in »ironischer« Weise von den »Geltenden«. Daß dem nicht so ist, betont Zahn, Gal 82: das »würde sich nicht mit dem Ton gegenseitiger Anerkennung zwischen Pl und der jüdischen Christenheit samt ihren Oberhäuptern vertragen« (1, 17–24; 2, 7–10; vgl. 1 Kor 9, 1–6); vgl. Bisping, Gal 190: für »*ironisch*« liegt kein Grund vor, noch weniger für »die sich für etwas halten«; Sieffert, Gal 87f: Ironie wäre zweckwidrig; allenfalls — was oft betont wird (vgl. Bousset, Gal 42) — könnte sich die Ironie gegen die Judaisten richten, die mit dem Ansehen der Geltenden Mißbrauch trieben.

R. Annand, Note on the three »Pillars« (Galatians II, 9), in: ET 67 (1955/56) 178, behauptet ein scherzhaftes Wortspiel zwischen ἀπόστολοι — στῦλοι — στῆλαι = turning-posts (Wendemarken in der Arena).

[2] Vgl. Annand a. a. O.; ferner Kümmel, Kirchenbegriff und Geschichtsbewußtsein 7ff.

[3] Vgl. E. Klostermann, Zur Apologie des Paulus 764f; v. Campenhausen, Kirchliches Amt 35f.

[4] Vgl. Holl, Der Kirchenbegriff des Paulus 61.

[5] »αὐτοῖς wird nach einem bekannten Gebrauch des Pronomens von den Einwohnern einer vorher genannten Stadt gesagt« (Schlier, Gal 66).

eigens vorzulegen (vgl. V 2). Die Rolle, welche hierbei der Gesamtgemeinde zukommen sollte, bleibt gänzlich unbestimmt[1]. Der Text läßt nicht erkennen, ob Paulus sie nur aus Höflichkeit nennt oder ob er damit rechnet, die Zustimmung der Gemeinde werde für den Beschluß der »Geltenden« konstitutive Bedeutung haben, oder ob er durch ihre Zustimmung nur jenem Beschluß größere Bedeutsamkeit verschaffen will. Der Eindeutigkeit entbehrt auch die in V 4f erwähnte Unnachgiebigkeit gegen die Falschbrüder, die sich eingeschlichen haben; denn so sehr die Wahrscheinlichkeit dafür sprechen mag, daß ihr Eindringen in Jerusalem — dann möglicherweise in der Gemeindeversammlung selbst — geschehen ist, besteht doch mit gleichem Recht die Vermutung, Paulus rede von den Gegnern in Antiochia, um derentwillen er nicht nachgab, als man in Jerusalem — in diesem Fall wäre möglicherweise an die »Geltenden« zu denken — die Beschneidung des Titus erzwingen wollte[2]. Schließlich ist es eine unbeantwortbare Frage, wer näherhin unter den δοκοῦντες (εἶναί τι)[3] zu verstehen sein wird. An die Apostel zu denken, liegt nahe; doch läßt sich weder behaupten, daß damit der Kreis der in den VV 2. 6 Gemeinten abgeschlossen, noch daß er etwa durch die Ältesten zu ergänzen[4] oder auf die στῦλοι[5] zu begrenzen sei.

Gerade diese Begrenzung auf die στῦλοι wird man am wenigsten gerechtfertigt finden dürfen, nachdem die δοκοῦντες (εἶναί τι) deutlich unterschieden sind[6] von den δοκοῦντες στῦλοι εἶναι, die namentlich aufgezählt werden[7]: Jakobus, Kephas und Johannes.

2. Die Entscheidung über das paulinische Evangelium und seinen Apostolat für die Unbeschnittenen lag eindeutig und ausschließlich bei der gesonderten Versammlung der »Geltenden«, nicht bei der Gemeinde. Nur von ihnen sagt das Ergebnis von V 6 ff: sie haben Paulus »nichts hinzu auferlegt«[8], anerkann-

---

[1] κατ' ἰδίαν macht eine öffentliche Versammlung der Gemeinde wahrscheinlich; daß diese zuerst genannt wird, muß nicht bedeuten, daß sie auch wirklich vorangegangen ist; denn da alles von der Entscheidung der Geltenden abhing, könnte die Gemeindeversammlung auch auf die gesonderte Besprechung mit jenen — gleichsam bestätigend — gefolgt sein, während sie Paulus um seines Zusammenhangs willen vorgezogen hätte; vgl. Sieffert, Gal 88 ff. Daß die Gemeinde die Forderung nach Beschneidung des Titus zurückgewiesen hätte, wie Holsten, Das Evangelium des Paulus 72, behauptet, ist im Text nicht angedeutet.

[2] Die Fortführung mit ἀπὸ δὲ τῶν δοκούντων (V 6) spricht gegen diese Auffassung. An die Falschbrüder denkt auch Zahn, Gal 86; er entnimmt aber (Gal 91 ff) dem V 5, daß Paulus den Titus habe beschneiden lassen und den Angesehenen äußerlich nachgab. Vgl. dagegen Althaus, Gal 16.

[3] Die Auffüllung der spärlichen Angaben in Gal 2 durch Apg 15, wie sie u. a. auch Kaiser, Die Einheit der Kirchengewalt 96f, vornimmt, ist methodisch nicht unbedenklich, wenn man die Differenzen zwischen Gal 2 und Apg 15 in Rechnung stellt.

[4] Vgl. Lietzmann, Gal 9f; auch Sieffert, Gal 87.

[5] Vgl. Klein, Galater 2, 6–9 und die Geschichte der Jerusalemer Urgemeinde 286–295.

[6] Vgl. Oepke, Gal 50f; Schlier, Gal 67. Daß δοκοῦντες εἶναί τι bedeute, im Auftrag der Autoritäten aber »etwas (...) zu sein« (so Sieffert, Gal 110), weist Lietzmann, Gal 12, entschieden zurück; für solches εἶναί τι ἀπό τινος gebe es keinen Beleg.

[7] Daß sie einen engeren Kreis der δοκοῦντες hervorheben, wird man mit Schlier a. a. O., Batiffol, Urkirche 49 A. 1, annehmen dürfen.

[8] So Bisping, Gal 194f; Sieffert, Gal 113; Schlier, Gal 74; gegen Lightfoot, Gal 107: »these highly esteemed leaders taught me nothing new «; dazu Klein a. a. O. 275 A. 3.

ten sein Evangelium der Unbeschnittenheit[1] und reichten ihm und Barnabas die Hand zur Gemeinschaft. Die Art der Aufteilung der »Missionsbereiche«[2] und der Charakter der Sammlung für die Armen[3] (von Jerusalem) sind zwar umstritten, doch eine rechtliche Abhängigkeit des Apostels und seiner Mission von Jerusalem oder den »Geltenden« ist mit beiden Bestimmungen nicht intendiert. Erstere ist Ausdruck der völligen Eigenständigkeit des Apostels Paulus, seines Evangeliums, seiner Mission und seiner Gemeinden, und letztere ist Zeugnis der unerzwingbaren Dankbarkeit und Verbundenheit des Paulus und seiner Missionsgemeinden zur Muttergemeinde.

Die Einheit, die mit dem Austausch des besiegelnden Händedrucks erreicht war, war eine durch das eine Evangelium gestiftete — nicht eine organisatorisch-institutionelle, wohl aber eine »gesamtkirchliche«.

4. Der Kampf des Paulus für die Unabhängigkeit seines Evangeliums, seiner eigenen apostolischen Autorität und seiner Mission in direkter Auseinandersetzung mit Kephas

Gal 2, 11–14
Die Verteidigung der Unabhängigkeit des Evangeliums, der Selbständigkeit des Apostolats des Paulus und der Legitimität seiner Heidenmission erreicht

---

E. Klostermann, Zur Apologie des Paulus 765 f, verteidigt die schon von A. Klostermann, Probleme im Aposteltexte 101, vertretene Auffassung, εἶναί τι besage: »Daß übrigens *etwas* von den Autoritäten *herrühre*, macht für mich gar keinen Unterschied« (Hervorhebung von mir). Diese völlig ungesicherte — und durch die unmittelbare Zusammengehörigkeit von δοκοῦντες und εἶναί τι, analog dem στῦλοι εἶναι in V 9, nicht eben naheliegende — Anspielung auf das Apostel-»dekret«, das auf Betreiben des Jakobus angefügt wurde (vgl. Apg 15, 20. 29), hat schon immer Vermutungen hervorgerufen, deren Berechtigung mehr als fraglich ist; vgl. Hirsch, Petrus und Paulus 65 f; Brun, Apostelkoncil und Aposteldekret 45–48; beide behaupten, Paulus habe erst später von diesen — nach der Vereinbarung von VV 7–9 noch getroffenen — Entscheidungen erfahren (s. E. Klostermann a. a. O.).
[1] Das fehlende ἀποστολή vor εἰς τὰ ἔθνη ist nach Bisping, Gal 196, Breviloquenz. Möglicherweise wurde über den Apostolat des Paulus in Jerusalem nicht expresse gehandelt — wie Hirsch, Petrus und Paulus 66 A. 1, behauptet —, so daß Paulus in Gal 1, 1 deswegen so nachdrücklich sein Apostelsein herausstellen muß; aber dieses ist mit seinem Evangelium gegeben und anerkannt.
[2] An eine lokale Trennung der Bereiche kann nicht gedacht sein; sonst dürfte nicht Kephas 2, 11–14 in Antiochia im Missionsbereich des Paulus auftauchen; es ist demnach wohl eine prinzipielle Zuständigkeit ausgedrückt.
[3] Holl, Der Kirchenbegriff des Paulus 61, sieht das προσανέθεντο (V 6) nachwirken und versteht die Sammlung als »richtige *Auflage*«. Die Urgemeinde, die sich in Fortführung der spätjüdischen Anschauung von den ebjōnīm als οἱ ἅγιοι bzw. οἱ πτωχοί, die dem erschienenen Messias besonders nahestehende Gemeinde der ἐκλεκτοί τοῦ θεοῦ (Röm 8, 33) fühlte, habe aus ihrer »Heiligkeit« auch gewisse Rechtsforderungen abgeleitet (a. a. O. 60; vgl. auch Bisping, Gal 198). Das mag für Jerusalem stimmen, Paulus dagegen hat den Charakter dieser Auflage gänzlich anders gedeutet, indem er die Schuld der Gemeinden gegen Jerusalem zwar betont, aber als Dankesschuld und die Spende durch κοινωνία und διακονία (vgl. Röm 15, 25 f. 31) χάρις (vgl. 2 Kor 8, 4. 6. 7. 19) und εὐλογία (vgl. 2 Kor 9, 5) interpretiert. Vgl. dazu Althaus, Gal 17.

ihren Höhepunkt in diesem Bericht über den Zwischenfall von Antiochia, der zu der scharfen Kontroverse mit Kephas führte[1]. Diese Begebenheit scheint durch den Anschluß mit ὅτε δὲ ἦλθεν Κηφᾶς als hinreichend bekannt vorausgesetzt zu werden[2]. Paulus kann daher unmittelbar — ohne Mißdeutungen fürchten zu müssen — von seinem eigenen heftigen Auftreten berichten, mit dem er Kephas »ins Angesicht widerstand«, »weil er ein Verurteilter war«[3] — und dies ἔμπροσθεν πάντων, d. h. wohl in der Gemeindeversammlung[4].

Die Situation ist einigermaßen deutlich: in Antiochia, einer möglicherweise ursprünglich judenchristlichen[5], zur Zeit des Vorfalls von Gal 2, 11–14 aber heidenchristlich bestimmten Gemeinde[6], pflegte die Minorität der Judenchristen gleich Kephas selbst mit den Heidenchristen zusammen zu speisen[7]. Diese Praxis gaben sie auf, als Leute von Seiten des Jakobus[8] kamen. Paulus nennt

---

[1] Auf die Ausflüchte, es handelte sich um ein bloßes Scheingefecht (Orig.) oder gar um einen anderen Petrus (Clem. Alex.), muß man heute wohl nicht mehr eingehen, auch wenn diese Ansichten früher oft wiederholt wurden; vgl. dazu die bei Schlier, Gal 82 A. 1, angegebene Literatur.

[2] Vgl. Zahn, Gal 113f.

[3] In den Augen des Paulus hatte sich Kephas schuldig gemacht; er hatte sich selbst »verurteilt« durch den Rückzug aus der Mahlgemeinschaft mit den Heidenchristen in Antiochia (vgl. V 12); dazu Schlier, Gal 83, v. a. A. 1: καταγινώσκειν = (persönlich oder gerichtlich) »eine Verurteilung aussprechen«.

[4] Jedenfalls geschah dies »öffentlich« und es liegt nahe, wegen des πάντων an die Versammlung der Gemeinde zu denken; die Gemeinde spielte dabei aber eine stumme Rolle; ihre Beteiligung am Streit und seinem Ausgang wird nicht angedeutet.

[5] Oepke, Gal 55ff; vgl. W. Michaelis, Judaistische Heidenchristen, in: ZNW 30 (1931) 87: »Die Gemeinde von Antiochien sah, als Paulus in ihre Arbeit eintrat, der Urgemeinde sehr viel ähnlicher als den späteren paulinischen Missionsgemeinden«.

[6] Daß Paulus ihr »Leiter« war, wird man nicht so sicher behaupten dürfen, wie es Lietzmann, Gal 13, tut.

[7] Zu denken ist wohl an das mit dem »Herrenmahl« noch verbundene »Gemeindemahl«; das Anstößige für die Judenchristen war an diesen gemeinsamen Mahlzeiten die Übertretung der jüdischen Speisegebote; denn über das jüdische Verbot, zusammen mit Heiden Mahl zu halten, hatte man sich wohl schon in Jerusalem hinweggesetzt, als man Titus unbeschnitten ließ. In Jerusalem kamen aber im Gegensatz zu Antiochia keine verbotenen Speisen auf den Tisch; vgl. dazu G. Kittel, Die Stellung des Jakobus zu Judentum und Heidenchristentum, in: ZNW 30 (1931) 149. Zum Ganzen Bousset–Greßmann, Die Religion des Judentums 93; Str.–Bill. IV 374ff; Lietzmann, Gal 13f; Oepke, Gal 55ff; Schlier, Gal 83 A. 2.

[8] τίνες ἀπὸ Ἰακώβου kann sowohl auf »Leute aus der Umgebung des Jakobus« weisen wie auch auf »Abgesandte des Jakobus«; ἐλθεῖν läßt es offen, an ein eher zufälliges oder an ein beabsichtigtes, zweckbestimmtes Kommen zu denken; doch selbst wenn diese Leute von Jakobus geschickt wurden, bleibt fraglich, ob man ihr Erscheinen als »Visitation« verstehen darf. Sie treten so wenig in den Vordergrund, daß allein der Anstoß, den sie bei ihrem Kommen am Verhalten des Kephas nahmen oder nehmen konnten, diesen mehr aus Ängstlichkeit bewog, sich zurückzuziehen; denn daß φοβούμενος begründete »Furcht« ausdrücke, »daß sie ihn überall als Gesetzesverächter verschreien und seinen Einfluß auf die Stammesgenossen untergraben würden« (A. Steinmann, Jerusalem und Antiochien, in: BZ 6 [1908] 43), ist denkbar, aber doch wohl zu weitgehend. Es ist ja sogar ungewiß, ob man diese Leute als strenge »Judaisten« bezeichnen darf. Lightfoot, Gal 112: »nothing more can safely be inferred than that they belonged to the Church of Jerusalem«.

diese Furcht vor »denen aus der Beschneidung«[1] »Heuchelei«[2], weil sie ein
unaufrichtiges Sich-Stellen-als-ob bedeutet, dessen Folgen in doppelter Weise
angezeigt werden: erstens bedeutet das Beispiel des Kephas einen Zwang[3] zur
Judaisierung (vgl. 2, 14), der nicht der Wahrheit des Evangeliums entspricht;
und zweitens wäre der Zerfall der gemeindlichen Einheit unvermeidlich, wie
das Verhalten des Barnabas zur Genüge deutlich macht. Daß Paulus diesen
Vorfall in Antiochia als Abschluß seiner Apologie bringt, muß nicht bedeuten,
daß die berichtete Auseinandersetzung mit Kephas auch chronologisch auf das
sog. »Apostelkonzil« von Gal 2, 1–10 gefolgt ist; die Tatsache, daß Paulus von
1, 13 – 2, 14 sich an den geschichtlichen Ablauf der Dinge zu halten scheint, ist
kein zwingender Beweis für die Zuverlässigkeit der berichteten Abfolge. Ein
Vorfall wie der in Antiochia mußte ihm der willkommenste Abschluß seiner
Rechtfertigung vor den galatischen Gegnern[4] sein, der auf das nachdrücklichste
seinen endgültigen Sieg unter Beweis zu stellen vermochte zugunsten der
Wahrheit des Evangeliums (vgl. 2, 14). Eine unhistorische Komposition wäre
also gut denkbar. Die Gründe freilich, welche Th. Zahn[5] für seinen Ansatz der
Episode von Antiochia für die Zeit vor dem Apostelkonzil angibt, sind nicht
sehr überzeugend, so daß man wohl doch nicht mehr als die Möglichkeit in

---

[1] B. Reicke, Der geschichtliche Hintergrund des Apostelkonzils und der Antiochia-
Episode, Gal 2, 1–14, in: Studia Paulina, Haarlem 1953, 172–187, v. a. 177, deutet
die οἱ ἐκ περιτομῆς auf zelotische »Juden« (— und nicht Judenchristen —, die einen
massiven Druck auf die palästinensischen Christen ausübten und so zu einem
Stimmungsumschwung der Jerusalemer Kirchenleitung führten. Reicke muß zu-
geben, daß im Zusammenhang die Bezeichnung »Juden« den Juden*christen* vorbehalten ist; das gilt auch bezüglich ἡ περιτομή (vgl. VV 7. 9).
[2] de Wette, Gal 26: »aber es war doch nur unbewußte Heuchelei, Mangel an
Festigkeit, Klarheit und Lauterkeit der Überzeugung«.
[3] de Wette sieht a. a. O. das Zwingende, das zur Inkonsequenz des Kephas
erschwerend hinzukommt, darin, daß die Sendlinge des Jakobus die Beobachtung
des Gesetzes als zum Heil notwendig predigten; vgl. auch Schlier, Gal 83f. Doch ist
das nicht ohne weiteres zu behaupten; das Zwingende lag zunächst in der moralischen Autorität des Kephas, dessen Beispiel auch die Judenchristen in Antiochia
folgten.
[4] Auch an dieser Stelle gewinnen die Gegner nicht mehr an Profil als bisher. Man
kann nur vermuten, daß sie dem Apostel Anmaßung vorwarfen gegenüber den
Uraposteln (vgl. Zahn, Gal 114), Eigenmächtigkeit gegenüber dem Evangelium,
das ihm früher die Jerusalemer Autoritäten zwar bestätigt hatten, welches Paulus
aber inzwischen verfälscht habe.
[5] Zahn, Gal 112f: »Es fehlt jede bestimmte oder unbestimmte chronologische
Angabe«; Kephas hätte nicht so schnell die »Vereinbarung über die gegenseitige
Unabhängigkeit der beiden Kirchengebiete« übertreten, außerdem sei »das Verhalten des Pt begreiflicher und die Haltung des Pl größer«, wenn man das Ereignis
von Antiochia vorverlege.
Eine chronologische Einordnung ergibt sich aber immerhin aus dem Zusammenhang 1, 13 – 2, 14; die Unabhängigkeit der Missionsbereiche wird auf eine prinzipielle,
nicht aber geographische Trennung abgezielt haben; und daß das Verhalten des
Kephas begreiflicher sei, wenn der Streit vor dem Apostelkonzil stattfand, wird
man nicht finden können; denn es hat ja wohl erst die Möglichkeit solchen Verhaltens für Kephas geschaffen.
de Wette, Gal 28, bezeichnet im Gegensatz zu Zahn die geschichtliche Situation
gegenüber Apg 15 als »vorgerückt«. Jerusalem habe die Zugeständnisse an die
Heidenchristen bereut.

Erwägung ziehen muß, Paulus könne Gal 2, 11–14 entgegen dem tatsächlichen Geschichtsablauf um der pointierteren Darstellung willen an den Schluß gesetzt haben; Sicherheit ist darüber nicht zu gewinnen. Die größere psychologische und historische Wahrscheinlichkeit spricht zweifelsohne für die Beibehaltung der zeitlichen Ordnung, wie sie der Galaterbrief bietet[1].

In der Jerusalemer Vereinbarung (vgl. 2, 1–10) waren offenbar nicht alle Probleme des Zusammenlebens von Juden- und Heidenchristen zur Sprache gekommen[2]. Die grundsätzliche Trennung der Missionsbereiche (vgl. 2, 9) des Kephas — für die Beschneidung — und des Paulus — für die Heiden — sowie die Anerkennung des paulinischen, gesetzesfreien Evangeliums hatten nicht verhindern können, daß es in den einzelnen Gemeinden — wie in Antiochia — zu Konflikten kam. Das Nebeneinander beschnittener und dem Gesetze verpflichteter Judenchristen und der unbeschnittenen Heiden, für welche die Bindung an das Gesetz aufgehoben war durch die Freiheit, die Christus erwirkt hatte, war zwar geklärt, nicht aber das Miteinander. Wer sollte in einer gemischten Gemeinde den Vorrang haben und das Zusammenleben ordnen? Wie sollte bei dem verbleibenden Trennenden das gemeinsame Einende zur Geltung kommen?

Der Einfluß des Jakobus in Jerusalem scheint sich gegenüber der Zeit von 1, 18. 19 erheblich verstärkt zu haben[3]. Darauf deutete schon die Voranstellung seines Namens in 2, 9 hin[4]. Es dürfte allerdings zu weit gehen, in Jakobus einen extremen Vertreter der »judaistischen Richtung«[5] zu vermuten; dagegen

---

[1] Gegen Zahn — aber auch F. Spitta, Die Apostelgeschichte, Ihre Quellen und deren geschichtlicher Wert, Halle 1891, 190–213; C. Weizsäcker, Das apostolische Zeitalter der christlichen Kirche, Tübingen und Leipzig ³1902, 179–182; E. Hirsch, Petrus und Paulus 63–76 — weist Kittel, Die Stellung des Jakobus 149, darauf hin, daß auch das »Aposteldekret« nicht Folge des antiochenischen Streits sein könne, weil sonst das Verbot von Schweinefleisch schwerlich fehlen würde. Diese Lücke der Jerusalemer Vereinbarungen habe aber gerade den Streit von Gal 2, 11–14 verursacht.

[2] Die Frage der Heilsnotwendigkeit des Gesetzes war von den στῦλοι (vgl. 2, 9) verneint worden. Die Heidenchristen mußten also nicht erst Proselyten werden. In dieser Frage standen sowohl Kephas wie Jakobus zu Paulus und gegen die ψευδάδελφοι, die gegen ihn Vorwürfe erhoben hatten. Aber unterschiedlich war die Haltung der beiden hinsichtlich der praktischen Konsequenzen ihrer Übereinkunft; vgl. dazu Kittel, Die Stellung des Jakobus 147.

[3] Vgl. G. Schulze–Kadelbach, Die Stellung des Petrus in der Urchristenheit, in: ThLZ 81 (1956) 1–13, v. a. 7: zunächst war Kephas in der Gemeinde von Jerusalem »der führende und ausschlaggebende Mann«. Dafür sei Paulus in Gal 1, 18 der beste Zeuge; er erkannte »Simon als kepha« an.

[4] Vgl. Schulze–Kadelbach a. a. O. 9f: spätestens 44 tritt Jakobus in Jerusalem an die Stelle des Kephas. Paulus habe dieses Ansehen schon Gal 1, 19 »sich bilden« gesehen. Beim Apostelkonvent war Kephas nicht mehr der erste Mann, sondern einer unter den »Säulen«. Der Wechsel an der Spitze der Jerusalemer Gemeinde war ein Faktum.

[5] Kittel, Die Stellung des Jakobus 145f, wehrt sich gegen die allgemeine Meinung, Jakobus sei Repräsentant der radikalsten, in besonderem Sinn ritualistisch-gesetzlichen Gruppe des Judenchristentums gewesen; so z. B. M. Dibelius, Der Brief des Jakobus, Göttingen 1921, 15 (vgl. ¹¹1964, 39); A. Meyer, Das Rätsel des Jacobusbriefes, BZNW 10 (1930) 110 (zitiert bei Kittel a. a. O.); dazu vgl. man das überzeichnete Bild des Jakobus bei. E. Stauffer, Petrus und Jakobus in

spricht vor allem in 2, 1–10 seine Zustimmung zu den Jerusalemer Abmachungen, welche auch er mit Handschlag bekräftigt haben dürfte (vgl. 2, 9). Seine Rolle wird man zutreffender als die eines Bewahrers und Verteidigers des jüdischen Erbes bezeichnen dürfen[1], das preiszugeben ihm so wenig gerechtfertigt scheinen mochte, als andererseits es unbeschnittenen Heiden aufzuerlegen als etwas Fremdes, für sie nicht Verpflichtendes. Ob die Leute aus seiner Umgebung ebenso oder weniger tolerant dachten, läßt der Text nicht erkennen. In welcher Weise seit jener ersten Begegnung zwischen Paulus und Kephas, von der 1, 18. 19 berichten und bei der Jakobus nur eine Nebenrolle spielte, sich die Verhältnisse in Jerusalem gewandelt haben, erlauben die Andeutungen des Galaterbriefes nicht zu klären. Kephas hat allem Anschein nach zumindest in Jerusalem den Führungsanspruch an Jakobus abgegeben und ist auf Missionsreisen gegangen[2]. Das muß nicht bedeuten, daß er seine gesamtkirchliche Vorrangstellung, derentwillen Paulus das erste Mal nach Jerusalem gekommen war (vgl. 1, 18), inzwischen eingebüßt hatte[3]; im Gegenteil: seine Heuchelei[4] — von Paulus als ein Rückzug aus Furcht charakterisiert — mag begründet gewesen sein in seinem Versuch, Streitigkeiten zu vermeiden, um die Einheit der Kirche nicht in Gefahr zu bringen[5]. Daß Paulus so hervorheben kann, gerade Kephas ins Angesicht widerstanden zu haben, läßt doch die Bedeutung des Kephas für die »Gesamtkirche« und für die »Wahrheit des Evangeliums« ins rechte Licht treten[6]. Nicht gegen Jakobus richtet Paulus seine Angriffe —

Jerusalem, in: Begegnung der Christen (O. Karrer-Festschrift, hg. v. M. Roesle u. O. Cullmann), Stuttgart–Frankfurt 1959, 361–372, v. a. 367 ff.

[1] Vgl. Kittel a. a. O. 153 f. Seiner Meinung nach ist Jakobus ein frommer Judenchrist, nichts sonst; jedenfalls nicht Vertreter einer extremen ritualistischen Schule. Seine Besorgnis über die zwiespältige Haltung des Kephas in Antiochia — sofern seine »Boten« Ausdruck dafür sind und diese Leute nicht von sich aus agierten — bedeute keinen Angriff gegen die Heidenchristen oder Bruch des Apostelkonzils, sondern sei bestimmt von der Frage: was wird aus der jüdischen Diaspora? Bleiben die Judenchristen Juden? Vgl. dazu auch Gaechter, Petrus und seine Zeit 290–292; Althaus, Gal 19.

[2] 1 Kor 9, 5 f weist ihn als wandernden Missionar aus.

[3] Wenn Schulze–Kadelbach a. a. O. 9 f aus Gal 2, 12 das »Schlüsselamt mit Lehr- und Disziplinargewalt« dem Jakobus zuschreibt, ist das ohne Anhalt im Text. Dagegen sagt Kittel, Die Stellung des Jakobus 146 f, von diesem wohl zu Recht, er sei »eine der führenden Persönlichkeiten, zuletzt der einzige noch in Jerusalem anwesende Führer der Urgemeinde«.

[4] Für H. Grosch, Der im Galaterbrief Kap. 2, 11–14 berichtete Vorgang in Antiochia, Leipzig 1916, ist solche Heuchelei und Menschenfurcht unvereinbar mit dem Bild von Petrus, wie es Apg und Petrusbriefe entwerfen. Er gibt deshalb in der genannten Schrift eine »Rechtfertigung des Verhaltens des Apostels Petrus« (so der Untertitel) und bezichtigt Paulus des Irrtums in der Beurteilung des Verhaltens des Petrus.

[5] Vgl. Steinmann, Gal 112 ff; dagegen Schlier, Gal 84 A. 4, der sich dafür ausspricht, mit Augustinus des Paulus' Freimut und des Petrus' Demut zu loben, der für sein Verhalten keine Entschuldigung sucht, die ihm Paulus andererseits auch nicht zubilligt.

[6] Schulze–Kadelbach a. a. O. 11: »So erweist sich gerade der *Missionar* Petrus ... als Fundament der Gemeinde des Auferstandenen; der Missionar für das *alte* Gottesvolk ist der Begründer des *neuen*«. Er sieht darin die »Kontinuität der Heilsgeschichte« gewahrt.

wozu er doch wesentlich mehr Veranlassung gehabt hätte; aber mit ihm ist Paulus prinzipiell darin einig, daß Heidenchristen und Judenchristen ein Recht darauf haben, auf ihre je verschiedene Weise zu leben[1]. Dagegen lehnt er das *ἰουδαΐζειν* ab, zu welchem das Verhalten des Kephas die Heidenchristen nötigte, wie umgekehrt die Leute von seiten des Jakobus das *ἐθνικῶς ὑπάρχειν* des Kephas kritisieren mochten, weil es ihnen als Preisgabe des Judentums erschien.

Den Wandel der Verhältnisse in der Urkirche exakt rekonstruieren zu wollen, ist ein vergebliches Verlangen; die wenigen Hinweise auf diese Vorgänge entbehren der Eindeutigkeit und sind nicht selten gegensätzlich interpretierbar[2]. Aus Gal 1,10 – 2,14 wird man deshalb immer entnehmen können, Kephas sei aus einer führenden Rolle (vgl. 1, 18. 19) mehr und mehr zurückgefallen in die mit Jakobus und Johannes geteilte Aufgabe der *στῦλοι* (2, 9), bis schließlich Jakobus ihn völlig verdrängt und sogar Kontrolle über seine Tätigkeit ausgeübt habe (vgl. 2, 12 ff)[3]. Mit gleichem Recht wird man aber auch die durchgängige Führungsrolle des Kephas behaupten dürfen[4]. Zu ihm kam der so sehr auf die Eigenständigkeit und Unabhängigkeit seines Apostolats bedachte Paulus, um ihn kennenzulernen und vermutlich eine Verständigung anzustreben. Er ist — gleichgültig, ob in Kapitel 2 die VV 7. 8 Auszug oder wenigstens Anspielungen eines offiziellen Dekrets aus den Jerusalemer Besprechungen

---

[1] Vgl. Zahn, Gal 118: »Pl hat nie die Gesetzesbeobachtung der jüdischen Christenheit Palästinas als unchristlich beurteilt «. Kreyenbühl, Der Apostel Paulus und die Urgemeinde 81–109. 163–189, v. a. 90 ff, hält irrtümlich Paulus und Jakobus für die gegnerischen Spitzen und identifiziert zu Unrecht die »Falschbrüder « (vgl. 2,4) mit den »Anhängern und Sendlingen des Jakobus « (vgl. 2, 12).

[2] Die vielen Hypothesen zu diesem Thema geben davon hinreichend Zeugnis. Vgl. die reichen Literaturangaben bei E. Dinkler, Die Petrus-Rom-Frage, Ein Forschungsbericht, in: ThR N. F. 25 (1959) 189–230. 289–334 und 27 (1961) 33–64.

[3] Vgl. W. Grundmann, Die Apostel zwischen Jerusalem und Antiochia, in: ZNW 39 (1940) 110–137. Kephas, dessen ursprünglich führende Stellung er anerkennt (vgl. a. a. O. 119–121), »verschwindet im Dunkel « (a. a. O. 121). Unter der Leitung des Jakobus, der den Judaisten nahestand, sei eine Verengung der judenchristlichen Gemeinde von Jerusalem eingetreten bis zum Sektendasein, während das hellenistische Christentum immer selbständiger geworden sei, eine Entwicklung, die mit der Abtrennung der Jerusalemer Hellenisten unter Führung der Sieben begonnen habe (vgl. a. a. O. 121 ff, v. a. 130). Nach Schweizer, Gemeinde und Gemeindeordnung 41 f A. 155, war nach dem Ausscheiden des Kephas (im Jahre 44?) »niemand mehr für die Leitung der Urgemeinde da «, und diese ging an Jakobus und die Ältesten über.

Zu dieser »Autoritätsverschiebung von Petrus zu Jakobus « vgl. ferner Gaechter, Petrus und seine Zeit 258–310; Klein, Galater 2, 6–9 und die Geschichte der Jerusalemer Urgemeinde 288–295. Klein kommt zu der »These, daß erst nach dem Konzil von Jerusalem ältere Machtkonstellationen in der dortigen Urgemeinde jüngeren Gruppierungen endgültig weichen mußten « (a. a. O. 293), und schließt aus der Analyse von Gal 2, 6–9: »Zwischen Gal 2, 7 f und 9 liegt der Übergang des Petrus aus der Stellung des maßgebenden Jerusalemer Apostels in die eines der *στῦλοι* « (a. a. O. 295).

[4] Vgl. dazu H. Fürst, Paulus und die »Säulen « der Jerusalemer Urgemeinde, in: Analecta Biblica 17/18 II (1963) 3–10, im Anschluß an J. Schmid, Petrus »der Fels « und die Petrusgestalt der Urgemeinde, in: Begegnung der Christen (O. Karrer-Festschrift, hg. v. M. Roesle und O. Cullmann), Stuttgart–Frankfurt 1959, 347–359.

sind oder nicht[1] — der maßgebliche Führer der Judenmission gewesen. Und er blieb in seiner führenden Stellung, auch nachdem in Jerusalem Jakobus eine ähnlich starke Position im Judenchristentum erreicht hatte wie Paulus in den Missionsgebieten. Beide — Paulus wie Jakobus bzw. seine Leute — greifen Kephas nur wegen seiner Inkonsequenz an; daß sie ihn angreifen, ist gerade ein Beweis für seine nach wie vor bestehende Geltung in der »Gesamtkirche«. (Von einer Kontrolle, die Jakobus durch seine »Sendboten« über Kephas ausgeübt habe, kann schwerlich die Rede sein[2].)

Das Ergebnis der Auseinandersetzung von Antiochia wird zwar weder mitgeteilt noch angedeutet, aber der Beweisgang von Gal 1,10 – 2,14, dessen abschließendes Glied diese Episode darstellt[3], ist nur dann verständlich, wenn Kephas einsah, daß er mit seinem Verhalten die Wahrheit des Evangeliums gefährdet hatte, indem er nicht »gerade (auf die Wahrheit des Evangeliums zu) gegangen «[4] war. An der Durchsetzung seines ihm offenbarten Evangeliums und an der Behauptung seiner eigenen unabhängigen Autorität als Apostel Jesu Christi läßt Paulus also keinen Zweifel. Sie sind von Kephas bestätigt, ja sogar in Auseinandersetzung mit ihm erwiesen.

Daß Kephas nur grollend nachgegeben habe, daß seit Antiochia ein ständiger Kampf zwischen ihm und Paulus entbrannt sei[5], daß Kephas in Korinth eine gegnerische Partei begründet[6] und Paulus seinen Römerbrief geschrieben habe, um dort die Autorität des Kephas zu untergraben[7], daß die ganze Geschichte

---

[1] Vgl. O. Cullmann, Petrus, Jünger — Apostel — Märtyrer, Zürich 1952, 12 (²1960, 19), und in: ThW VI 100 A. 6; Dinkler a. a. O. 198 und Klein a. a. O. 283. 287.

[2] Daß ἀπὸ ᾽Ιακώβου ausdrückliche oder gar amtliche Sendung meint, behaupten zwar u. a. Weizsäcker, Das apostolische Zeitalter 164f; Holl, Der Kirchenbegriff des Paulus 57; dagegen bestreitet es Lightfoot, Gal 112. Kittel, Die Stellung des Jakobus 151, läßt es offen, spricht seinerseits aber von den τινες als Repräsentanten der Meinung des Jakobus.

[3] In V 15 geht die Beweisführung für das eine wahre Evangelium fast unbemerkt in die Darlegung der wichtigsten Inhalte dieses Evangeliums über; das Folgende ist also nur noch formal an Kephas gerichtet, die Angesprochenen sind in Wirklichkeit die galatischen Gemeinden; vgl. dazu Lietzmann, Gal 14f.

[4] Vgl. C. H. Roberts, A Note on Galatians II 14, in: JThS 40 (Oxford 1939; Neudruck London 1965) 55–56; J. G. Winter, Another Instance of ὀρθοποδεῖν, in: HThR 34 (1941) 161f; G. D. Kilpatrik, Gal 2, 14 ὀρθοποδοῦσιν, in: Neutestamentliche Studien für R. Bultmann (BZNW 21), Berlin 1954, 269–274: to be »on the right road« (a. a. O. 274).

[5] Vgl. H. Lietzmann, Zwei Notizen zu Paulus, in: SAB (1930) 151–156, v. a. 154; dazu Hirsch, Petrus und Paulus 63–76; er formt die Thesen Lietzmanns um, entwirft aber ein allzu spekulatives Bild der Vorgänge. Vgl. auch Kreyenbühl, Der Apostel Paulus und die Urgemeinde 163 ff: Antwort der Urgemeinde auf Gal 2, 11–14 = »Gegenmission«.

[6] Lietzmann a. a. O. 154f; Hirsch widerspricht ihm a. a. O. 70 ff: Petrus sei kein Judaist gewesen und auch in Korinth nicht als solcher aufgetreten. Allerdings habe er die Person des Paulus abgelehnt, ebenso seinen Apostolat. Davon zeuge auch Gal 2, 7–9, wo »gewiß nicht grundlos« die Termini Apostel und Apostolat vermieden seien (a. a. O. 66 A. 1).

[7] Es ist mehr als fraglich, ob Kephas zum Zeitpunkt des Römerbriefs in Rom war, wie Lietzmann a. a. O. 155f und Hirsch a. a. O. vermuten, wobei Lietzmann sogar meint, er habe bewußt die Hauptgemeinden des Paulus (Korinth und Rom) bereist, um dort das Christentum in die von ihm gewünschte Gestalt zu überführen.

der Urchristenheit von der Auseinandersetzung zwischen »Petrinern« und
»Paulinern« geprägt sei[1] und dgl., sind Aussagen, deren historisches Fundament
höchst fragwürdig erscheint.
Der Tenor der Aussagen im Galaterbrief läßt einen solchen Zwiespalt nicht
vermuten[2]. Paulus hat vielmehr nach Gal 1,10 – 2,14 von Anfang an die Stellung des Kephas unter »den Geltenden« — nicht nur in Jerusalem, sondern für
die Christenheit überhaupt anerkannt. Sein Bemühen, die eigene Autorität als
nicht von Menschen (also auch nicht von Kephas) stammende und darum auch
von jeder menschlichen Autorität (also auch der στῦλοι von Jerusalem) unabhängige, einzig in der Betrauung mit dem Evangelium des Christus gründende
zu erweisen, hatte nicht die Absicht, die Geltung des Kephas herabzumindern.
Ziel der Apologie war es, aus den Begegnungen mit den geltenden Autoritäten
in Jerusalem den historischen Nachweis für die Echtheit und Wahrheit seines
Evangeliums zu erbringen, dessen Herkunft aus »Offenbarung« keinen anderen
Beweis erlaubte, ferner die Legitimität seiner Mission und die Unabhängigkeit
seiner Missionsgemeinden zu behaupten. Das alles erhielt Paulus nach Gal 2,
1–5. 7–9. 11–14 von den Jerusalemer Autoritäten bestätigt: die Richtigkeit
seines Evangeliums, die Eigenständigkeit seiner Mission εἰς τὰ ἔθνη und die
Unabhängigkeit seines Apostolats.

Daß Paulus also »dringenden Anlaß« (Hirsch a. a. O.) gehabt hat, sein Evangelium darzulegen, ist keine zwingende oder auch nur wahrscheinliche Annahme.
[1] Vgl. zur künstlichen Scheidung der Tübinger in »Petriner« und »Pauliner«,
die in dieser Form als überwunden betrachtet werden darf, Kredel, Der Apostelbegriff in der neueren Exegese 174f.
[2] Kittel, Die Stellung des Jakobus 151 A. 1, nennt die Szene von Antiochia
(gegen Lietzmann a. a. O. 154ff; Hirsch a. a. O. 76) »typisch für die beginnende
Annäherung des Petrus an Paulus« und lehnt es entschieden ab, daß sie zum »Ausgang einer bleibenden Gegensätzlichkeit« gemacht wird.

4. Kapitel

DER APOSTOLAT IN DER AUSEINANDERSETZUNG
MIT DER GEMEINDE
NACH DEM 2. BRIEF AN DIE KORINTHER

1. Die Behauptung der apostolischen Autorität gegenüber der Gemeinde

a) Absender und Adressat

2 Kor 1, 1

Auch wenn hier der Rolle des Timotheus nicht näher nachgegangen werden soll[1], ist doch die Differenz seiner Bezeichnung als »der Bruder« zur paulinischen Selbstbezeichnung als »Apostel Christi Jesu durch Willen Gottes« bedeutsam. Während dem Timotheus sonst — vgl. 1 Thess 3, 2; 1 Kor 4, 17; 16, 10; Röm 16, 21 — ein hervorragender Platz innerhalb des paulinischen Missionswerks zugewiesen wird und Paulus sich in Phil 1, 1 unter Verzicht auf den Aposteltitel mit ihm unter der gemeinsamen Bezeichnung δοῦλοι Χριστοῦ Ἰησοῦ zusammenschließt, erscheint er hier in merklichem Abstand zu Paulus selbst miterwähnt[2]. Dies wird z. T. verständlich, wenn man bedenkt, daß der 2 Kor vorwiegend eine Apologie des Apostelamts darstellt — und zwar nicht nur in den Kapiteln 10–13, wofür dies unbestritten sein dürfte[3]. Es wird also in dem knappen[4] Aufweis seiner Apostelwürde gleichsam schon ein Hauptthema des Briefes angeschlagen. Wir werden diesem nicht in wünschenswertem Maße nachgehen können[5], denn es kommt in unserem Zusammenhang nur auf

---

[1] Vgl. dazu v. a. Bachmann, 2 Kor 21 ff; Windisch, 2 Kor 32 ff. Daß Timotheus als Mitabsender genannt werde, heben u. a. Lietzmann, 2 Kor 99; Wendland, 2 Kor 167, hervor; doch hat er als solcher »keine große Bedeutung« (Windisch, 2 Kor 34). Zum Problem des schriftstellerischen Plurals bei Paulus vgl. Bl.–Debr. § 280.

[2] Windisch, 2 Kor 33 A. 1, nennt es »nicht ausgeschlossen«, daß Paulus Brüder als Mitverfasser anführe, »um den vom Gesetz (Dtn 19, 15; vgl. 2 Kor 13, 1) geforderten zweiten oder dritten Zeugen zu gewinnen (Cyrill)«.

[3] Zu den Teilungshypothesen vgl. v. a. W. Schmithals, Die Gnosis in Korinth, Eine Untersuchung zu den Korintherbriefen (FRLANT 66), Göttingen 1956, 18–22 (²1965, 90–94); dazu W. Michaelis, Teilungshypothesen bei Paulusbriefen, in: ThZ 14 (1958) 321–326; ferner: G. Bornkamm, Die Vorgeschichte des sogenannten Zweiten Korintherbriefes (SAH 1961, 2), Heidelberg 1961.

[4] Vgl. dagegen Gal 1, 1; Röm 1, 1; auch 1 Kor 1, 1.

[5] Die neuere Literatur zu diesem Problem ist zu umfangreich. Einen »Längsschnitt, der die ganze Entwicklung aufzeigt«, gibt Kredel, Der Apostelbegriff in der neueren Exegese 169–193. 257–305.
Die »Hauptlinien der Diskussion um den Apostolat« umreißt J. Roloff in seiner Dissertationsschrift Apostolat — Verkündigung — Kirche, Ursprung, Inhalt und Funktion des kirchlichen Apostelamtes nach Paulus, Lukas und den Pastoralbriefen, Gütersloh 1965, 9–37. Er charakterisiert die Positionen der neueren Forschung folgendermaßen:

den Bezug des Apostolats zur Gemeinde und auf die Funktion des Apostels innerhalb der Gemeinde-Ordnung an. Dafür aber gilt die Feststellung von J. Roloff, daß das Wort ἀπόστολος auf Grund der betonten Stellung in den meisten Briefeingängen (vgl. Gal 1, 1f; Röm 1, 1–5; 1 Kor 1, 1; 2 Kor 1, 1) »unschwer als Schlüsselwort für den Auftrag kenntlich wird, aus dem heraus Paulus zu den Gemeinden sprechen will«[1].

a) der Apostel als Bote des Auferstandenen: die šaliaḥ-Hypothese
Vertreter: K. H. Rengstorf, ἀπόστολος, in: ThW I 406–448; ders., Apostolat und Predigtamt, [2]1954;
M. Barth, Der Augenzeuge, 1946;
b) der Apostel als Missionar: die kritisch-entwicklungsgeschichtliche Hypothese
Vertreter: H. v. Campenhausen, Der urchristliche Apostelbegriff, in: StTh Vol. I, Fasc. I–II (Lund 1948) 96–130; ders., Kirchliches Amt und geistliche Vollmacht in den ersten drei Jahrhunderten, BHTh 14, [2]1963;
H. Mosbech, Apostolos in the New Testament, in: StTh Vol. II, Fasc. II (Lund 1950) 166–200;
G. Klein, Die zwölf Apostel, Ursprung und Gehalt einer Idee, FRLANT 77 (1961);
W. Schmithals, Das kirchliche Apostelamt, FRLANT 79 (1961);
c) im Banne des doppelten Kirchenbegriffes: die paulinisch-eschatologische Apostolatshypothese
Vertreter: O. Cullmann, Le caractère eschatologique du devoir missionaire et de la conscience apostolique de S. Paul, in: RHPhR 16 (1936) 210–245;
J. Munck, Paul, the Apostles, and the Twelve, in: StTh Vol. III, Fasc. I (Lund 1950) 96–110;
E. Lohse, Ursprung und Prägung des christlichen Apostolats, in: ThZ 9 (1953) 259–275;
A. Fridrichsen, The Apostle and his Message, UUÅ 1947;
C. K. Barrett, The Apostles in and after the New Testament, in: SEÅ 21 (1957) 30–49;
d) die Apostel als Grundsteine der Kirche: die ekklesiologische Hypothese
Vertreter: Ph. H. Menoud, L'Église et les ministères selon le Nouveau Testament, Cahiers théologique de l'actualité protestante 22 (1949);
A. M. Farrer, The Ministry in the New Testament, in: The Apostolic Ministry, hg. v. K. E. Kirk, [2]1947, 113–182;
P. Gaechter, Petrus und seine Zeit, 1958;
e) die Apostel als Christusrepräsentanten: die christologische Hypothese
Vertreter: O. Linton, Kirche und Amt im Neuen Testament, in: Ein Buch von der Kirche, hg. v. G. Aulén (1950) 110–144;
St. Hanson, The Unity of the Church in the New Testament, ASNU 14, 1946;
H. Riesenfeld, Ämbetet i Nya testamentet, in: En Bok om Kyrkans Ämbete, hg. v. H. Lindroth (1951) 17–69;
H. Lindroth, Kyrkans ämbete i principiell belysning, in: En Bok om Kyrkans Ämbete, hg. v. H. Lindroth (1951) 240–309;
B. Gerhardsson, Die Boten Gottes und die Apostel Christi, in: SEÅ 27 (1962) 89–131.
Vgl. zum Ganzen ferner Klein, Die zwölf Apostel 22–65; L. Cerfaux, Pour l'histoire du titre Apostolos dans le Nouveau Testament, in: RechScRel 48 (1960) 76–92; Schnackenburg, Apostel vor und neben Paulus 338–358.

[1] Roloff a. a. O. 40; ob dies von Anfang so war oder — worauf das Fehlen in den Thessalonicherbriefen hinweisen könnte — ob ihm der Apostelbegriff »erst im Laufe seiner Auseinandersetzungen mit verschiedenen Gegnern zugespielt« worden ist (Roloff a. a. O. gegen Munck, Lohse und Fridrichsen), wird man nicht so sicher wie Roloff mit seinem Hinweis auf 1 Thess 2, 1–12 zugunsten der ersten Annahme entscheiden dürfen.

Diese Schlüsselstellung des Apostels präzisiert H. Windisch[1], wenn er schreibt, Paulus scheue sich nicht, »seinen höheren Rang in der christlichen Missionsarbeit und der christlichen Gemeinschaft überhaupt hervorzuheben: als ein durch Gottes Willen eingesetzter Apostel Christi Jesu steht er neben dem einfachen Bruder Timotheus«[2].

Die Überlegungen über Herkunft und inhaltliche Bestimmung des paulinischen Apostelbegriffs müssen hier ausgeklammert werden; denn an unserer Stelle wird der Titel ἀπόστολος zweifellos als bekannt vorausgesetzt, und ohne daß von der Berufung erst gesprochen werden müßte[3], wird der in der Apostelwürde enthaltene Anspruch gegenüber der Gemeinde auf Christus Jesus, d. h. auf die an Paulus geschehene Offenbarung des Jesus als des Christus (vgl. Gal 1, 11 ff) und auf den hinter dieser Berufungsoffenbarung stehenden Willen Gottes zurückgeführt. Man wird jedoch vermuten dürfen, daß alle von J. Roloff skizzierten Lösungsversuche der neueren Zeit[4] jeweils nur Teilaspekte herausstellen; denn daß der Apostel als ein ἀπόστολος Χριστοῦ Ἰησοῦ ein Bote des Auferstandenen ist, kann so wenig einem Zweifel unterliegen wie seine Berufung durch Gott, seine Sendung als Heidenmissionar, seine »eschatologische« Bedeutsamkeit als Heilsausrufer der letzten Stunde (vgl. 2 Kor 5,18 – 6,2), als einer, der ὑπὲρ Χριστοῦ (vgl. 2 Kor 5, 20) seinen Dienst ausübt. Zu zeigen, inwiefern alle diese Bezüge den paulinischen Apostolatsbegriff prägen, ist im Rahmen dieser Arbeit nur zum Teil beabsichtigt.

Das theologische, christologische und ekklesiologische Moment des paulinischen Apostolatsverständnisses wird in 2 Kor 1, 1 jedenfalls schon angedeutet.

Letzteres durch die Adresse: τῇ ἐκκλησίᾳ τοῦ θεοῦ τῇ οὔσῃ ἐν Κορίνθῳ σὺν τοῖς ἁγίοις πᾶσιν τοῖς οὖσιν ἐν ὅλῃ τῇ Ἀχαΐᾳ[5]. Der Apostel steht der Gemeinde bzw. den

---

[1] Windisch, 2 Kor 32; vgl. auch Bachmann, 2 Kor 21, der von einem »Dienst- und Auftragsverhältnis« spricht, »in welchem ... Christus Jesus auch immer hinter ihm steht«; und a. a. O. 23: »der offizielle Mandatar Jesu Christi ergreift das Wort«.

[2] Wenn Windisch a. a. O. fortfährt, daß Timotheus »seine besondere Dienststellung δι' ἀνθρώπου und Παύλου erhalten hat und seinen Dienst ›das Werk des Herrn‹ nach den besonderen Anweisungen des Paulus verrichtet«, wird er zwar im Recht sein, doch geht das über den Text hinaus.

[3] κλητός (vgl. 1 Kor 1, 1; Röm 1, 1) fehlt; es wird von J. Weiß, 1 Kor 1 A. 4, allerdings auch in 1 Kor 1, 1 als »Konformation nach Röm 1, 1« gestrichen; vgl. Windisch, 2 Kor 31.

[4] Vgl. S. 127f A. 5.

[5] Vgl. zu »Achaia« v. a. Bachmann, 2 Kor 23f; Windisch, 2 Kor 34ff; Lietzmann, 2 Kor 99.
Über die Gründe der Einbeziehung korinthischer Vororte wie etwa Kenchreä (vgl. Röm 16, 1) oder verstreut lebender Christen, »die in Kor. ihren Versammlungsort hatten« (Windisch a. a. O. 34), läßt sich nichts ausmachen. Gegen Korinth als »Versammlungsort« und die Vermutung von J. Weiß (bei Hauck, RE VII 160f, angeführt bei Windisch a. a. O. 34), die Formulierung »und allen Heiligen ... « lasse nicht auf organisierte Gemeinden außerhalb Korinths schließen, ist einzuwenden, daß für beide Behauptungen keine Beweise zu erbringen sind. 1 Kor 11, 18 ff und 14 lassen eher vermuten, daß überall, wo Gläubige ἐν ἐκκλησίᾳ zusammenkamen, von ἐκκλησίαι gesprochen werden konnte, so daß man sich den 2 Kor nach Art des Gal als »ein Rundschreiben für alle bestehenden Christen-Gemeinden und Christengruppen einer Provinz« (Windisch a. a. O. 35) wird vorstellen dürfen.

Heiligen in der ganzen Achaia gegenüber, die er als ἀπόστολος Χριστοῦ Ἰησοῦ διὰ θελήματος θεοῦ anredet. Die Ausweitung der Adresse auf die »ganze Achaia« macht den 2 Kor zu einem Rundbrief[1], auch wenn wir nicht zu sagen vermögen, auf welche Weise der Brief an die — uns unbekannten — Mitangesprochenen weitergegeben werden sollte. Das Problem der Vermittlung läßt sich aber keinesfalls dadurch lösen, daß man sich »die Heiligen in der ganzen Achaia« in Korinth zusammenkommend vorstellt; denn sie werden deutlich von der in Korinth bestehenden ἐκκλησία abgesetzt.

H. Lietzmann sieht in dieser Einbeziehung der Provinz Achaia die »Wurzeln der späteren Metropolitanverfassung« gegeben[2]. Mag das auch sachlich zutreffen, trägt es doch an die paulinischen Briefe eine kirchenpolitische und kirchenrechtliche Kategorie heran, die ihnen völlig fern liegt. Auch das Apostelamt, das in 2 Kor nach vielen Seiten hin entfaltet und in seiner Bedeutsamkeit für die Gemeinden dargestellt wird, ist für Paulus keine rechtliche Institution, die Verfassungen schafft, sondern ein ganz und gar Christus-bezogener und Gemeinde-begründender vollmächtiger Auftrag. Die Struktur der Provinzen ist sehr verschieden; die in ihnen sich entwickelnde kirchliche Ordnung entstammt weit mehr soziologischen Gegebenheiten als theologischen Reflexionen.

Ein System liegt dieser Entwicklung nicht zugrunde, das berechtigen würde, von den »Wurzeln der späteren Metropolitanverfassung« zu sprechen. Korinth ist als Provinzhauptstadt der natürliche Mittelpunkt für das Gebiet der Achaia, in welchem Paulus wohl mehr als anderswo wirken konnte (vgl. auch 2 Kor 11,10).

b) Die Verläßlichkeit der Verkündiger

2 Kor 1, 18f

Für eine paulinische Theologie des Apostolats ließen sich in 2 Kor viele weitere Aussagen auswerten, die wir hier ausklammern, weil es uns vorwiegend auf die Elemente paulinischer Gemeindeordnung ankommt. So werfen in Kapitel 1 etwa die VV 3–7 Licht auf die wechselseitige Bezogenheit von Apostel und Gemeinde in der Gemeinschaft des Tröstens und Getröstetwerdens, wobei die Funktion des Apostels als des Vermittlers des Trostes von Gott her zu betonen wäre; denn Paulus kämpft auch in diesen Versen »für sein Apostolat, dem in Korinth die bleibende Bedeutung für die Kirche abgesprochen worden ist«[3]. In V 14 betont er deshalb auch die eschatologische Bedeutsamkeit seines Apostolats für die Gemeinde, wie umgekehrt, daß die Gemeinde sein Ruhm sein werde am Tag Jesu[4]. In V 18ff sieht sich nun Paulus gezwungen, die Vorhaltungen, welche ihm die Korinther wegen seines früheren (vgl. 1 Kor

---

[1] Daß diesem Rundschreiben in Kapitel 9 ein möglicherweise ursprünglich direkt an eine oder mehrere andere achaische Gemeinden gerichtetes »Provinzialschreiben« (Windisch, 2 Kor 35) zur Kollekte für Jerusalem eingefügt ist, wird von den Teilungshypothetikern zwar behauptet, aber nicht wahrscheinlich gemacht.

[2] Lietzmann, 2 Kor 99.

[3] Schlatter, Paulus der Bote Jesu 463; vgl. a. a. O. 465: »Weil die Bedrängnis und die Tröstung vom Christus kommen, reicht der Zweck beider über Paulus hinaus und dient dem Aufbau der Gemeinde«.

[4] Vgl. dazu Kuss, 2 Kor 201f.

16, 5), nicht zur Durchführung gekommenen Reiseplans gemacht haben, indem sie ihm ein gleichzeitiges »Ja und Nein« vorwerfen, zurückzuweisen. Er tut es mit einem den konkreten Einzelfall transzendierenden theologischen Hinweis, der die Redlichkeit und Widerspruchslosigkeit seiner — und seiner Mitarbeiter — Rede herausstellen soll.

Ihr[1] λόγος, d. h. ihre Missionspredigt[2] ist zuverlässig, weil »begründet in Gottes eindeutiger Rede in Jesus Christus«[3]. Nicht nur der Apostel und seine Christusverkündigung verdienen also Vertrauen, sondern der ganze Paulus. Mit ihm aber auch seine Mitarbeiter, Silvanus und Timotheus; denn der von ihnen verkündete λόγος ist Gottes Sohn Christus Jesus[4]; deshalb sind jene so untrüglich wie dieser. *Κηρυχθείς* erweist Paulus, Silvanus und Timotheus als amtliche *κήρυκες*[5]. Der verkündigte Christus ist ihre Legitimation.

Über den Grund der Hinzufügung von Silvanus und Timotheus gibt es die verschiedensten Ansichten. Ph. Bachmann findet in der Zergliederung des *δι' ἡμῶν* angedeutet: »wie bei aller Mehrfachheit der ihn verkündigenden Menschen Christus doch seine innere Einheitlichkeit und das in ihm vorhandene Ja behauptete, ja wie dieses sein einheitliches Wesen sich auch in einer Mehrzahl auswirkt und die äußere Mannigfaltigkeit und Verschiedenheit der Personen nebeneinander zu innerer Gleichheit und Einheit erhebt«[6]. H. Windisch hebt eine doppelte Absicht hervor: »einmal ruft er (Paulus) Zeugen an ... die mit ihm die Zuverlässigkeit seines ›Wortes‹ in vollem Umfang verbürgen« — »sodann will er wohl abermals die Gemeinde an die Zeit des ersten Glaubenseifers erinnern«[7].

Diesen Gedanken verabsolutiert H. Lietzmann[8], weshalb W. G. Kümmel ihn korrigiert: Paulus betone die Tatsache, »daß die Christusbotschaft auch von den Mitarbeitern in gleich eindeutiger Weise verkündet worden ist«[9]. Dem ist zuzustimmen. Denn alle übrigen Aussagen überfordern den Text, der in der Aufschlüsselung des *δι' ἡμῶν* nur eine historische Explikation beabsichtigt[10]; doch ist diese keineswegs weniger bedeutsam, weil damit auch dem Silvanus und Timotheus bescheinigt wird, daß sie *κήρυκες* sind gleich Paulus, deren Predigt gleiche Verbindlichkeit und Zuverlässigkeit besitzt wie die des Apostels. Dem λόγος gegenüber, den sie verkündigen, sind sie alle gleichgeordnet[11].

---

[1] Vgl. Windisch, 2 Kor 66: »ἡμῶν hat hier deutlich pluralistische Bedeutung«.

[2] Kümmel, im Anhang zu Lietzmann, 2 Kor 197f, weist mit Recht darauf hin, daß »ὁ λόγος hier nicht in erster Linie die den Korinthern gegenüber geäußerten Reisepläne« bezeichnet; denn »ὁ λόγος ἡμῶν ... οὐκ ἔστιν ναὶ καὶ οὔ wird erst begründet mit der Feststellung, daß der von Paulus verkündete Christus nur Ja war«.

[3] Kümmel a. a. O. 198.

[4] Vgl. Windisch, 2 Kor 67.

[5] Windisch a. a. O. 67: »auch κηρυχθείς ist Amtsstil: es kennzeichnet die drei folgenden Männer als κήρυκες, als ausgesandte und beglaubigte Herolde eines hohen Herrn«.

[6] Bachmann, 2 Kor 72.

[7] Windisch, 2 Kor 67.

[8] Lietzmann, 2 Kor 103.

[9] Kümmel, im Anhang zu Lietzmann, 2 Kor 198.

[10] Vgl. Kuss, 2 Kor 202.

[11] Daß Timotheus »hier, wie schon 1, 1, wie ein gleichgeordneter Diener des Wortes« erscheint (Windisch a. a. O. 67), trifft nur zu im Hinblick auf den λόγος, nicht auf den Apostel.

Dies festzuhalten ist von besonderer Wichtigkeit für die christologische Begründung und das Wesen des Verkündigungsdienstes in der Kirche, die eine Überordnung des Apostels durchaus nicht ausschließen.

c) Die Verkündiger als συνεργοί τῆς χαρᾶς

2 Kor 1, 23f
Typisch für die paränetische Durchsetzung seiner apostolischen Vollmachten sind die Aussagen des Paulus in V 23f. Sein Nicht-mehr-Kommen[1], das man ihm in Korinth zum Vorwurf machte, war einzig in der Absicht begründet[2], die Gemeinde zu »schonen«. Was darunter zu verstehen ist, ist aus V 24 andeutungsweise zu erschließen. Offenbar schien dem Paulus selbst die Formulierung φειδόμενος bedenklich scharf, zumindest mißdeutbar, weshalb er erklärend hinzufügt, er wolle sich mit dieser Aussage keineswegs zum Herren ihres Glaubens machen[3], sondern verstehe sich als Mitarbeiter ihrer Freude; ja sie bedürften keiner Herren im Glauben, weil sie im Glauben feststehen[4]. Es dürfte wohl zu weit gehen, wenn O. Kuss sagt, Paulus »wollte ihnen das Peinliche und Bedrückende einer persönlichen Strafaktion in apostolischer Vollmacht ersparen«[5]. Die Schonung muß aber mehr ins Auge fassen als nur eine »heftige Szene«[6]; denn sein Verhalten hätte man ihm als das einer »Glaubenstyrannie«[7] auslegen können. Darum wird man — ohne die angedeutete Art des Auftretens präzisieren zu können — mit H. Windisch festhalten dürfen, daß die erwiesene Schonung »in der Tat einen gnädigen Verzicht auf ein ihm zukommendes Recht«[8] bedeutet. Der Vorbehalt, von dem H. Windisch allerdings spricht, »das Recht der Herrschergewalt doch noch ausüben zu wollen, wenn die Geschonten sich nicht freiwillig unterwerfen«, wird in keiner Weise angedeutet, vielmehr ersetzt durch eine Erklärung darüber, was ihm den Verzicht leicht gemacht habe. Deutlich wird aus V 24a auch, daß nicht er es gewesen wäre, der sich zum Richter aufgespielt hätte, zum »Herrn, der über den Glauben der Korinther Macht hat«[9] — er ist immer nur συνεργός τῆς χαρᾶς —, wohl aber hätte er als Apostel Christi scharf durchgreifen müssen (vgl. 1 Kor 4, 21).

---

[1] Vgl. Lietzmanns Übersetzung, 2 Kor 104; dazu Bachmann, 2 Kor 83f; Windisch, 2 Kor 75 A. 2.

[2] Daß dies schon damals die tatsächlich ihn bewegende Absicht war, bezeugt der Eid, mit welchem der Satz beginnt.

[3] κυριεύειν = »als Herr gebieten«, »sich zum κύριος aufwerfen«; vgl. Bachmann, 2 Kor 85; Windisch, 2 Kor 75.

[4] Nicht der Apostel, sondern allein Gott ist Herr des Glaubens; daß die Korinther »im Glauben stehen«, macht Erzieher, Mahner, Tadler« (Windisch, 2 Kor 77) keineswegs überflüssig. Windisch schränkt a. a. O. 77 selbst mit Recht ein: »Nur soweit die Gemeinde ein gefestigtes Glaubensleben zeigt, kann der Apostel auf den Gebrauch seiner apostolischen Herrenvollmacht (10, 6. 8; 13, 10) verzichten«.

[5] Kuss, 2 Kor 202; ähnlich Wendland, 2 Kor 173.

[6] Lietzmann, 2 Kor 104.

[7] Windisch, 2 Kor 76; »daß ihm Beschwerden derart zu Ohren gekommen sind« (a. a. O.), ist freilich nicht als Voraussetzung für V 24 erforderlich.

[8] Windisch a. a. O.

[9] Schlatter, Paulus der Bote Jesu 484.

Da συνεργός an dieser Stelle nur durch τῆς χαρᾶς näher bestimmt wird, besteht unter den Auslegern Meinungsverschiedenheit über den Bedeutungsumfang dieser Aussage. A. Schlatter nennt das Wegbleiben von Paulus und Timotheus ein Bleiben »bei ihrem Amt, συνεργοί zu sein, nämlich Gottes«. Die »Formel« sei »dieselbe wie 1 Kor 3, 9. Gottes Wirken schafft durch den Dienst des Paulus in ihnen die Freude«[1]. Von einer Formel wird man aber an unserer Stelle nicht sprechen können, der Bezug auf 1 Kor 3, 9 ist nicht zwingend. H. Lietzmann konstatiert aus diesem Grund einen bloßen Gegensatz zu κύριος[2]. Ähnlich äußerte sich schon Ph. Bachmann, der wegen des jeweiligen Bezugs von κυριεύομεν und συνεργοί auf die Gemeinde die Möglichkeit ausgeschlossen sah, auf συνεργοὶ θεοῦ zu deuten[3].

Dennoch ist die Wahl des Wortes συνεργοί auffällig; ein echter Gegensatz zu κύριος (bzw. κυριεύειν) wäre allenfalls διάκονος oder δοῦλος. Deshalb geht H. Windisch auch der Frage nach, auf wen das συν in συνεργοί ziele, und stellt fest, es »wird sich kaum auf die anderen Genossen des Paulus (so 8, 23 und überall sonst bei Paulus) oder die anderen lokalen Autoritäten der Korinther beziehen, sondern auf die Korinther selbst, die Paulus gern in dem Streben nach Freude unterstützt«[4].

Ganz befriedigt diese Auskunft nicht; denn daß die Korinther selbst an ihrer Freude arbeiten — Paulus also darin ihr Mitarbeiter wäre —, ist wohl möglich; »paulinischer« wäre jedoch der Gedanke an die — in V 19 im Plural ἡμῶν eingeschlossen erwähnten — Mitarbeiter Silvanus und Timotheus, so daß συνεργοί = »gemeinsam (an der Freude der Korinther) Arbeitende« bedeuten würde. Denkbar wäre von hier aus demnach eine Formulierung wie »συνεργοὶ (θεοῦ) ἐσμεν τῆς χαρᾶς ὑμῶν« in abbreviierter Form als gedanklicher Hintergrund, gerade wegen des schärferen Gegensatzes zu οὐχ ὅτι κυριεύομεν ὑμῶν τῆς πίστεως, durchaus[5]. Text und Textüberlieferung geben dafür jedoch keinen Hinweis, so daß sich diese Möglichkeit nicht verifizieren läßt.

---

[1] Schlatter a. a. O. 485.

[2] Vgl. Lietzmann, 2 Kor 104.

[3] Vgl. Bachmann, 2 Kor 86; in gleichem Sinn Windisch, 2 Kor 76; Kuss, 2 Kor 203.

[4] Windisch a. a. O. 76.

[5] Damit würde zweifellos die Stellung des Paulus gegenüber Gott und Gemeinde präziser gefaßt; er erweist sich als der, der nicht der Gemeinde gegenüber sich zum Herrn aufspielt hinsichtlich ihres Glaubens; denn darin stehen die Korinther fest; sondern der berufen ist, Gottes Mitarbeiter an ihrer dem Glauben entstammenden Freude zu sein.

Auch wenn man diesen Gedankengang von 1 Kor 3, 9 nicht in 2 Kor 1, 24 eintragen darf, so bedeutet das συνεργοὶ τῆς χαρᾶς keineswegs einen Ersatz des »Prinzips der Überordnung« durch »das der Gleichordnung« (Windisch a. a. O. 76). Die aus paränetischen Absichten ausgedrückte Einordnung des Apostels in die Gemeinde (συνεργοί ἐσμεν) hebt seine in der »Schonung« (φειδόμενος) ausgedrückte Überordnung nicht auf.

d) Die Bewährung der Gemeinde in ihrem Gehorsam gegen den Apostel

2 Kor 2, 5–10
Welcher konkrete Vorfall diesen Versen zugrunde liegt, bleibt völlig im Dunkel[1]. Wir kennen weder den, der die Betrübnis verursacht hat, noch wissen wir, wodurch dies geschah[2] und inwiefern Paulus davon betroffen war[3]. Paulus greift diesen Fall hier nur auf, weil er im Zuge seiner Darlegungen zum Apostelamt an diesem Beispiel verdeutlichen kann, wie dieses wechselseitige Verhältnis von Apostel und Gemeinde beschaffen ist und wie leicht diese aufeinander bezogene Gemeinschaft zu gefährden ist[4]. Man wird diesen inneren Gedankengang, diese leitende Absicht der Kapitel 1–7 nicht unberücksichtigt lassen dürfen, will man unseren Text richtig deuten. Nicht nur um den schwebenden Fall ist es Paulus zu tun[5], weshalb dieser auch ganz verhalten und verschwommen ins Spiel gebracht wird, sondern um die Festigung seiner Stellung als Apostel zur Gemeinde und um den Erweis der Notwendigkeit der λύπη zur Erprobung ihrer Beziehung. Diese hatte in der Zeit zwischen 1 und 2 Kor stark gelitten, und es war — wohl nicht zuletzt wegen des erwähnten »Falles«[6] — zu erheblichen Spannungen zwischen Paulus und den Korinthern gekommen[7].

A. Schlatter hat diesen Zusammenhang von VV 5–10 zu VV 1–4 wohl am besten bestimmt, wenn er schreibt: »nicht dazu schüttete er seinen Kummer in seinem Brief vor ihnen aus, damit sie bekümmert werden« ... »sein Ziel war nicht ihre Betrübnis, sondern er machte seinen Brief deshalb zum Zeugen seines Kummers, damit sie seine Liebe zu ihnen erkennen«[8]. Paulus mußte sie

---

[1] Es ist Lietzmann, 2 Kor 106, zuzustimmen, wenn er sagt: es »kann, wer Lust hat, zu raten versuchen — er braucht schwerlich zu fürchten, daß wir noch einmal die richtige Auflösung erfahren«.

[2] Vgl. Windisch, 2 Kor 84, der mit Recht auf die bloßen »Andeutungen«, den »Stil«, der »merkwürdig schwebend« und die Ausdrucksweisen, die »auffallend ungenau« sind, hinweist.

[3] Mit Kuss, 2 Kor 203, kann man sagen, daß Paulus durch ein »Gemeindemitglied — zum mindesten mittelbar, etwa durch den Schaden, den die Gemeinde litt — schwer ›betrübt‹ worden« sein muß.

[4] Insofern ist es völlig irreführend, mit Windisch, 2 Kor 83, den Abschnitt zu überschreiben »Bescheid über den schwebenden Fall« und von einem »schlechten Übergang« und »mangelhaften Zusammenhang« zu reden. Es geht nicht um den »Fall« als solchen — weshalb Windisch von dem »Eindruck einer Abschweifung oder Parenthese« sprechen kann —, sondern um die Funktion der mit jenem Vorgang verbundenen λύπη, welche schon die Gedankenbewegung von 2, 1–4 bestimmt und welche nun am Beispiel jenes Falles eine Verdeutlichung erfährt.

[5] Vgl. Bachmann, 2 Kor 111: »nicht weil die Sache mit dem *Briefe* zusammenhängt, sondern weil sie etwas mit λύπη zu tun hat, kommt Pl in 2, 5–11 auf seinen Gegenstand zu reden«.

[6] Eine Identität mit dem in 1 Kor 5, 1 ff geschilderten Fall des Blutschänders ist nicht anzunehmen; dagegen wird 2 Kor 7, 12 auf 2 Kor 2, 5–10 Bezug nehmen. So die meisten Ausleger; vgl. Bachmann, 2 Kor 113f.

[7] Die vielen Hypothesen zu »Zwischenreise« und »Zwischenbrief« können hier unerörtert bleiben; vgl. dazu Bachmann, 2 Kor 95–109: Exkurs über Zwischenreise und Zwischenbrief; Windisch, 2 Kor 9ff. 60f. 75. 78. 82. 92f. 242. 306. 404f. 409. 416f. 431f.

[8] Schlatter, Paulus der Bote Jesu 487.

betrüben, weil er um sie kämpfte; in diesem Kampf aber ging es um die Bewährung der Gemeinde. Der Schlüsselsatz zum Verständnis der VV 1–10 ist also V 9: εἰς τοῦτο γὰρ καὶ ἔγραψα, ἵνα γνῶ τὴν δοκιμὴν ὑμῶν, εἰ εἰς πάντα ὑπήκοοί ἐστε. In Zusammenhang mit V 4, auf den V 9 sich rückbezieht, wird so die wechselseitige Bedeutsamkeit der erfahrenen λύπη deutlich: Paulus hatte den »Tränenbrief« geschrieben, um sein Übermaß der Liebe auszudrücken; dies erkennend sollten die Korinther ihren Gehorsam bewähren, damit die Einheit und Gemeinschaft zwischen ihnen wieder hergestellt werde.

Der die λύπη auslösende Fall war so gravierend, daß Paulus »den Fortbestand der Gemeinde gefährdet«[1] sah. Auf dieses Ereignis mit all seinen Folgen sieht er jetzt zurück als auf »ein vergangenes, aber auch als vergangenes nicht wegzuschaffendes, sondern für die Gegenwart und für immer feststehendes« ... »allerdings vom Standpunkt der nunmehrigen Gegenwart aus«[2]. Wie sehr er bemüht ist, nicht nur einen Schlußstrich unter all dies Vergangene zu setzen, sondern die durchlittene λύπη fruchtbar zu machen für Gegenwart und Zukunft, davon zeugen die VV 1. 3. 4. 6. 7 und 10.

Diese Skizze des Kontextes unserer Verse war notwendig, um jenen Fragen der Gemeindeordnung, die uns vorwiegend interessieren, den rechten Ort zuzuweisen. Übersieht man nämlich — wie das meist geschieht[3] —, daß diese Verse vom Verhältnis Apostel — Gemeinde und nicht von einem »schwebenden Fall«[4] handeln, wird man den Verfahrensfragen immer mehr Gewicht beimessen, als ihnen zukommt. Die Überbewertung der Gemeindejurisdiktion dürfte darin begründet sein.

In Wirklichkeit ist eine Rekonstruktion der Vorgänge nach jenem betrüblichen Vorfall so unmöglich wie diejenige des Vorfalls selbst[5]. Hierin erweist

---

[1] Schlatter a. a. O. 489. Man muß in der Tat annehmen, daß es zwischen Paulus und der Gemeinde zu einem Bruch gekommen wäre, hätte sich die Gemeinde länger verweigert.

[2] Bachmann, 2 Kor 111. Bousset, 2 Kor 178, spricht übertreibend von einem Brief, »in dem Paulus die Versöhnung mit seiner Gemeinde feiert«.

[3] Nur so kann Windisch, 2 Kor 89, zu V 9 sagen, er sei »parenthetisch«, gebe der Erörterung »vorübergehend« ... »ein anderes Aussehen«, mache »die Affäre wieder vorwiegend zu einem Moment und Mittel, in der zwischen P. und der Gemeinde vor sich gehenden Auseinandersetzung«, und in ihm bringe P. »das Autoritäts- und Gehorsamsprinzip« zur Geltung, »das er bisher geflissentlich zurückgestellt hat«.

[4] Windisch a. a. O. 83.

[5] Wie hypothetisch alle Versuche bleiben müssen, die Hintergründe von 2, 5–7 aufzuhellen, beweist ein Blick auf die Ausführungen bei Windisch, 2 Kor 86f. Er geht der Frage nach, »wie sich sein (des Paulus) erster Bescheid (im Tränenbrief) zu dem Vorschlag, der in der Gemeinde zur Abstimmung gelangt war, verhält« und meint: »Wäre ein von P. schriftlich gegebener Vorschlag von der Mehrheit ohne wesentliche Änderungen akzeptiert worden, so hätte P. das wohl anders ausgedrückt. Der von ihm gewählte Ausdruck macht es wahrscheinlicher, daß die Formulierung des Beschlusses ein Werk der Mehrheit oder ihres Sprechers war«. Unter den zwei Möglichkeiten: a) einer nur geringfügigen Änderung des paulinischen Vorschlags — der die Feststellung ihres bewährten Gehorsams in V 9 berechtigen würde — b) einer paulinischen Rüge, die nur ihre bisherige Nachlässigkeit betroffen, aber die zu verhängende Strafe der Gemeinde überlassen hätte, könne man wählen, je nach dem, welches Gewicht man dem αὕτη bei ἐπιτιμία gebe. Die Maßnahme der Gemeinde ihrerseits sei dreifach bestimmbar: a) identisch mit dem Vorschlag des

sich gerade das rein Paradigmatische seiner Erwähnung. Auszugehen ist also von den VV 8 und 9, die H. Lietzmann so umschreibt: »Laßt jetzt Liebe walten; das steht mit meiner (im Zwischenbrief ausgesprochenen) Forderung strenger Bestrafung nicht im Widerspruch, *denn damals wie jetzt wollte ich nur eure Gesinnung erproben*, nicht an dem Beleidiger Rache nehmen«[1]. Er übersieht dabei nur den Nachsatz: εἰ εἰς πάντα ὑπήκοοί ἐστε. In Frage steht also gerade nicht »lediglich die seelsorgerliche Beurteilung des Vergehens«[2], d. h. die Erprobung der Gesinnung der Gemeinde; sondern wie H. Windisch herausstellt, geht es um »eine Stellung für oder wider Paulus«[3], d. h. um den Gehorsam der Gemeinde gegenüber dem Apostel.

Mit V 9 wird angezeigt, daß der Kampf des Apostels um die Gemeinde grundsätzlich ausgestanden ist; die Gemeinde ist in ihrem Gehorsam bewährt, damit ist das Ziel der zwischenzeitlichen Auseinandersetzung und Betrübnis erreicht (vgl. damit V 4).

Deshalb konnte er in V 1 schon schreiben, er habe sich vorgenommen[4], nicht wieder unter Betrübnis zu kommen, um nicht selber bei seinem Kommen Betrübnis zu erfahren von denen, von welchen er Freude haben sollte (vgl. V 3).

Schließt man von V 9 (und V 4) aus auf den Zwischenbrief, so dürfte H. Windisch das Richtige treffen[5], wenn er feststellt: »Der Zwbrf. war also ein gut ap. Schreiben, in dem P. durchaus in Kraft der ihm verliehenen ap. Vollmacht der Gemeinde gegenüber auftrat, und wenn auch mildere und freundlichere Töne nicht ganz gefehlt haben können (V 4), so muß doch die ap. Autorität sich einen nicht mißzuverstehenden Ausdruck verschafft haben«. Dennoch stand gerade sie auf dem Spiel. Die auf jenen Vorfall selbst gefolgten Betrübnisse waren eine Folge des verweigerten Gehorsams der Gemeinde. Inzwischen hat aber die Gemeinde ihre δοκιμή[6] und ihr ὑπήκοος[7] εἶναι bewiesen. Δοκιμή ist dabei die aus der bestandenen Erprobung (durch die λύπη) sich ergebende Bewäh-

---

Paulus, b) milder, c) schärfer. »Die Minorität kann in abstracto jedesmal nach einer von zwei Richtungen dissentiert haben«. Ihre Meinung ist so unbekannt wie ihre Stellung zu Paulus; ob sie Paulusanhänger waren oder Paulus-Opposition, wird nicht ersichtlich.

[1] Lietzmann, 2 Kor 107 (Hervorhebung von mir).

[2] Windisch, 2 Kor 87.

[3] Windisch a. a. O.

[4] Vgl. Bachmann, 2 Kor 87: »κρίνειν hier = auf Grund prüfender Abwägung beschließen«. Ἐμαυτῷ »verstärkt . . . die in dem Verbum enthaltene Versicherung eines wohlüberlegten Verfahrens«.

[5] Umso merkwürdiger erscheinen die Aussagen Windischs a. a. O. 89 zu V 9 (vgl. S. 135 A. 3). Er verkennt in seinem Hinweis auf 1, 24 den paränetischen Charakter jener Einschränkung der erwiesenen »Schonung«, und auch in 2, 4 ist nicht das »Autoritäts- und Gehorsamsprinzip« »geflissentlich zurückgestellt«, son-dern paränetisch aufgehoben, weil nicht mit »Gewalt« durchsetzbar. Ohne Liebe ist es überhaupt nicht einsetzbar, ebenso ist es auch nur in Liebe annehmbar.

[6] Vgl. Grundmann, ThW II 258–264. Das Wort ist selten und vor Paulus nicht nachgewiesen (dazu Lohmeyer, Phil 117 A. 4); es bedeutet die »Erprobung« oder »Bewährung«.

[7] Dazu Windisch, 2 Kor 90: im ethischen Sinn in LXX nur Spr 4, 3; 13, 1; 21, 28; bei Paulus nur noch Phil 2, 8 (von Christus) und sonst nur noch Apg 7, 39 gebraucht.

rung; diese besteht sachlich näherhin im Gehorsam gegen den Apostel[1]. Daß in dieser der *δοκιμή*[2] folgenden Erläuterung die wahre Sachlage besser gezeichnet wird, betont auch H. Windisch, ohne aus der Bedeutsamkeit dieser Beobachtung Schlüsse zu ziehen; und dies, obwohl er mit Nachdruck sagt[3]: ein »*εἰς πάντα ὑπήκοοι* setzt voraus, daß solcher Gehorsam nicht in jeder Hinsicht vorhanden war, und bezieht sich tatsächlich auf Anweisungen, die durch Versäumnisse und Verfehlungen der Gemeinde nötig geworden waren«. Davon ist aber nun auch auszugehen, wenn man den Versuch unternimmt, die VV 5–10 auf den Hintergrund der Gemeindeordnung hin zu interpretieren.

Die entscheidende Initiative ging vom Apostel aus; er war — das wird man im Blick auf die VV 1. 4. 10 sagen dürfen, ohne sich auf die textkritischen Fragen von V 5[4] einzulassen — schon durch den Vorfall selbst betrübt, aber mehr noch über die Weigerung der Gemeinde, seine Weisungen anzunehmen. Von dieser Klage muß noch der sog. »Tränenbrief« erfüllt gewesen sein (vgl. V 4). Denn offenbar war es bis dahin Paulus nicht gelungen, der Gemeinde klar zu machen, daß durch jene Angelegenheit nicht (nur) er betrübt worden ist, sondern sie alle (vgl. V 5). Das Ergebnis war jedenfalls, daß der Vorfall selbst oder doch die folgenden Auseinandersetzungen »in unheilvoller Weise die Gemeinschaft zwischen Paulus und der Gemeinde gestört und belastet haben«[5]. In der Folgezeit — also zwischen »Tränenbrief« und 2 Kor — hat sich dies entscheidend geändert durch *ἡ ἐπιτιμία αὕτη ἡ ὑπὸ τῶν πλειόνων*.

Αὕτη ist wie *τίς* (V 5) und *ὁ τοιοῦτος* eine Anspielung, deren konkreter Inhalt den Korinthern offenkundig sein mußte, uns aber völlig dunkel bleibt; er ist auch aus V 7 nicht zu erschließen[6]. Auch *ἱκανόν* oder *ἐπιτιμία* vermögen kein

---

[1] Vgl. Grundmann a. a. O. 262, 32f; was Paulus gelang, ist nach Bousset, 2 Kor 201, die »Wahrung seiner nun wiederhergestellten apostolischen Würde«.

[2] Windisch, 2 Kor 90, nennt den Ausdruck »klug und taktvoll gewählt«; denn nach 7, 8 ff handle es sich »nicht um Bewährung, sondern um Bekehrung einer in wichtiger Angelegenheit nicht bewährt erfundenen Gemeinde«.

[3] Windisch a. a. O. 90; *εἰς πάντα* bestimmt er dabei als »in jeder Beziehung in dieser verwickelten Angelegenheit«; vgl. dazu Bachmann, 2 Kor 120: »in alle Richtungen und Grade von Gehorsam hinein«.

[4] Die ursprünglich beabsichtigte Gegenüberstellung *οὐκ ἐμέ — ἀλλὰ πάντας ὑμᾶς* wird durch *ἀπὸ μέρους* und *ἵνα μὴ ἐπιβαρῶ* verunklart. 'Απὸ μέρους wird man — weil es schwerlich eine Einschränkung von *πάντας* sein wird — mit Bachmann, 2 Kor 116f, v. a. 116 A. 1, für eine Begrenzung des Grades der *λύπη* im Sinne von »bis zu einem gewissen Grade« halten dürfen; so auch Windisch, 2 Kor 85; Schlatter, Paulus der Bote Jesu 488, und Kümmel, im Anhang zu Lietzmann, 2 Kor 198 — gegen Lietzmann, 2 Kor 106, der den Einschub im Hinblick auf die Minorität erklären will. "*Ἵνα μὴ ἐπιβαρῶ* wird allgemein von den Auslegern als weiterer Einschub betrachtet etwa in dem Sinne von »damit ich nicht zuviel Last hineinlege«; vgl. dazu v. a. Bachmann a. a. O. und Windisch a. a. O.

[5] Wendland, 2 Kor 174, mit Hinweis auf Kümmel; doch bezieht Wendland dies nur auf die Unrechttat selbst.

[6] Daß es auf die von Paulus vorgeschlagene Strafe zielt, ist reine Vermutung, und die von Windisch, 2 Kor 86, herangezogenen Analogien tragen nichts aus. 1 Kor 5, 11 ist keine Parallele, weil dort die Strafe des Ausschlusses aus der Gemeinde und des Verbots jeden Umgangs mit dem Blutschänder — als der Schwere des Vergehens angemessen — ausdrücklich gefordert wird; und auf 2 Thess 3, 14 muß man ebenso verzichten wie auf 1 Tim 5, 20; 2 Tim 4, 2, weil die paulinische Herkunft dieser Briefe nicht mit Sicherheit feststeht bzw. wohl ganz auszuschlies-

Licht in diese dunkle, nur eben angedeutete Aussage zu bringen. »Genug«[1] ließe allenfalls darauf schließen, daß Art und Weise oder auch Dauer der Bestrafung hinreichend waren und ihr Ziel erreichten; aber es muß völlig offen bleiben, ob die »Bestrafung«[2] in einem Akt des zeitweiligen Gemeindeausschlusses oder etwa nur in einer innergemeindlichen »Zurechtweisung« bestand; eine nur einmalige »Rüge« kann schwerlich gemeint sein, da die Bestrafung zum Zeitpunkt von 2 Kor noch anzudauern scheint (vgl. VV 7. 8), so daß Paulus zu Vergebung und Ermunterung rät. Es muß sich also wenigstens um eine Bußauflage gehandelt haben.

Die Rolle der πλείονες wäre nun zweifellos leichter bestimmbar, wüßte man, um welche Art von »Bestrafung« es sich handelte. Nachdem aber ἐπιτιμία sowohl »Rüge«[3] wie »Verweis vor der Gemeinde« wie »Bußauflage« oder »Strafe«[4] sein kann, ist schwer zu sagen, um welche Art von Zustimmung seitens der πλείονες es sich handelte. Es hat nur den Wert einer Vermutung, wenn H. Windisch behauptet: »οἱ πλείονες muß hier technischer Ausdruck für die bei einer Abstimmung herauskommende Majorität sein. Also war in einer Versammlung über den Sünder beraten und auf Grund eines Vorschlags abgestimmt worden; nur eine Minorität lehnte den Vorschlag ab, mußte sich nun aber dem griechischen Vereinsrecht entsprechend dem Beschluß der Majorität fügen«[5]. Für diese Behauptungen dürfte im einzelnen der Beweis schwer zu erbringen sein. Mit Sicherheit läßt sich nur soviel sagen: ohne die Zustimmung der Gemeinde, oder wenigstens einer Mehrzahl von Gemeindegliedern, wären die Direktiven des Apostels nicht durchführbar gewesen; aber welcher Art die Willensentscheidung der πλείονες war, läßt sich so wenig dem Text entnehmen wie etwa der Grund und die Weise der Äußerung jener Weigerung seitens der

---

sen ist. Für die Möglichkeit einer scharfen Rüge spricht jedoch ganz unabhängig davon das mit ἐπιτιμία Gemeinte.
Windisch selbst möchte a. a. O. 86 Sohm, Kirchenrecht I 33 f, beipflichten, es sei »eine ›Strafe‹ mit sichtbarer Nachwirkung gemeint, die durch einen besonderen Akt wieder aufgehoben werden konnte«.
[1] Vgl. dazu Bl.–Debr. § 131 und die Überlegungen bei Bachmann, 2 Kor 117 f.
[2] Nach Stauffer, ThW II 623, 15 ff, ist ἐπιτιμία im klassischen Griechisch und in der LXX die »Strafe«, im Neuen Testament, wo es nur 2 Kor 2, 6 begegnet, ist es »term. techn. der Gemeindezucht, der Verweis vor der Gemeinde«. Er untersucht v. a. das häufigere Verbum ἐπιτιμάω, das bald »Ehre«, bald »Buße oder Strafe zuerkennen«, dann auch »schelten, anfahren« bedeute. Das Urchristentum kenne »nur *eine* Situation, in der ein förmliches ἐπιτιμᾶν dem Menschen zusteht: die brüderliche Zurechtweisung eines gefallenen Gemeindegliedes« (a. a. O. 621, 41 ff).
Präziser sind die Angaben bei Bachmann, 2 Kor 117 f A. 3; danach hat die LXX das Wort *nur* in Weish 3, 10; auch ist es in den Papyri bis jetzt nicht nachweisbar. Er verwahrt sich gegen eine Interpretation durch ähnliche Bildungen wie ἐπιτίμιον (»Strafe«) bzw. pl. ἐπιτίμια oder ἐπίτιμον (»Geldstrafe«), weil ἐπιτιμία »eben kein juridischer Terminus technicus ist«. Auch Windisch, 2 Kor 86, stellt das fest, macht aber dennoch auf die Häufung von Termini aus dem Strafrecht aufmerksam: »neben ἐπιτιμία noch ἱκανόν, κυροῦν«.
[3] So v. a. L. J. Rückert, Der zweite Brief Pauli an die Korinther, Leipzig 1837, 150 f; Bachmann a. a. O. 117 f A. 3.
[4] Windisch, 2 Kor 86.
[5] Windisch a. a. O.

Minderheit. Einen förmlichen Beschluß aus einer Abstimmung im Verlauf einer Gemeindeversammlung anzunehmen, liegt nicht näher als etwa die Vermutung eines feststellbaren Gesinnungswandels der πλείονες, der es führenden Männern innerhalb der Gemeinde ermöglichte, die Weisungen des Apostels in irgendeiner Form durchzuführen[1]. Für beide Annahmen bieten die Korintherbriefe keine Stütze. Das von H. Windisch erwähnte griechische Vereinsrecht mag in der Gemeinde von Korinth eine Rolle gespielt haben; der Nachweis ist nicht erbracht[2].

Die Rolle der Gemeinde wird man dennoch nicht gering veranschlagen dürfen; sie war die zunächst Betrübte, hätte sich jedenfalls als solche wissen und für eine Zurechtweisung bzw. für Bestrafung besorgt sein müssen. Durch das Ausbleiben einer innergemeindlichen Ordnung der Angelegenheit hatte sich Paulus offenbar stärker eingeschaltet, als er eigentlich mitbetroffen war (vgl. VV 5. 10); aber durch die Weigerung der Korinther war es zu einer Krise im Verhältnis Gemeinde — Apostel gekommen, zu den Spannungen, für die der verlorene »Tränenbrief« Zeuge wäre, dessen Tenor man aber aus 2 Kor noch nachempfinden kann.

Die Einsicht der Mehrzahl, die zur Bestrafung des Betreffenden führte, versteht Paulus als Bewährung in der Erprobung ihres Gehorsams; deshalb nennt er jetzt das Vorgehen der Gemeinde bzw. die auferlegte »Strafe« ἱκανόν, um mit ὥστε nahezu einen Imperativ[3] zur Vergebung (χαρίσασθαι) und zur Ermunterung (παρακαλέσαι) des Bestraften hinzuzufügen. Beide Ausdrücke stehen unter dem τοὐναντίον, d. h. aber, daß an einen förmlichen Ausschluß kaum zu denken sein wird; man wird die »Strafe« demnach am ehesten etwa als »Buße« verstehen können. Auf »einen besonderen Akt«[4] zur Wiederherstellung der vollen Gemeinschaft, für den wiederum in einer unbestimmt bleibenden Form die Gemeinde[5] zuständig ist, weist nun in V 8 die ermunternde Aufforderung des Apostels, die Gemeinde (vgl. ὑμᾶς) möge Liebe »beschließen«[6].

---

[1] Schlatter, Paulus der Bote Jesu 490, gibt z. B. zu bedenken, die Gemeinde habe es nach dem Brief des Paulus wohl »nicht mehr gewagt, die Sache endgültig durch ihren eigenen Beschluß zu ordnen, sondern hat die Rückkehr des Titus zu Paulus benützt, um ihm ihr Urteil vorzulegen mit der Frage, ob er die Strafe für genügend halte«; ἱκανόν wäre dann gleichsam die Ratifizierung durch Paulus.
[2] Vgl. Linton, Das Problem der Urkirche 187–195; B. Reicke, Die Verfassung der Urgemeinde im Lichte jüdischer Dokumente, in: ThZ 10 (1954) 95–112.
Gegen Windischs Vermutung spricht vor allem 1 Kor 5, 1–5 mit seiner für uns kaum nachvollziehbaren theologischen Vorstellung vom Zusammenwirken des abwesenden Paulus mit der Gemeinde. Gerade diese — unserer »Andeutung« eines Falls gegenüber — sehr viel deutlichere Stelle verrät nichts von Vereinsrecht und liefert keinerlei Beweis für Gemeindeabstimmungen.
[3] Vgl. Bachmann, 2 Kor 118 A. 1.
[4] Windisch, 2 Kor 86, im Anschluß an Sohm, Kirchenrecht I 33f.
[5] Die Unbestimmtheit der Form veranlaßte offenbar Kuss, 2 Kor 203, zu der unklaren Formulierung »gewissermaßen in einem ausdrücklichen Gemeindebeschluß« (Hervorhebung von mir).
[6] Behm, ThW III 1098f, gibt folgende drei Hauptbedeutungen für κυροῦν an:
a) bekräftigen, bestätigen, rechtsgültig machen von Rechtshandlungen der verschiedensten Art,
b) festsetzen, beschließen,
c) (med) zur Geltung bringen, seine Bestimmung erreichen.

Trotzdem dieser Begriff (*κυροῦν*) der Rechtssphäre angehört, ist aus der Zusammenstellung *κυρῶσαι εἰς αὐτὸν ἀγάπην* nicht einfachhin darauf zu schließen, daß »die Gemeinde noch einmal Beschluß zu fassen«[1] hat, dessen Inhalt mit »Liebe« bezeichnet wäre. *Κυροῦν* als »Terminus des werdenden Kirchenrechts« zu bezeichnen und aus V 8 zu folgern: »Recht soll durch Recht aufgehoben werden, indem verzeihende Liebe den letzten Rechtsentscheid diktiert und krönt«[2], mutet *κυροῦν* eine Beweislast zu, die weder der in den VV 5–10 angesprochene Sachverhalt noch der durchaus weitere Bedeutungsumfang des Begriffs selbst zu stützen vermag. Es ist wohl am naheliegendsten und sachgemäßesten, mit H. Lietzmann die Aufforderung zu verstehen als: »Laßt jetzt Liebe walten«[3].

Zusammenfassung:

War der erwähnte Fall anfangs vielleicht eine Sache der innergemeindlichen Ordnung, führte er infolge der Zuspitzung durch den Ungehorsam der Korinther gegen Paulus zu einer Krise der Beziehung von Gemeinde und Apostel. Erst das Einschwenken der Mehrzahl der Gemeindeglieder ließ die von Paulus provozierte *λύπη* ans Ziel kommen: die Gemeinde steht wieder bewährt im Gehorsam zum Apostel.

Auf welche Weise es zum Stimmungswechsel in der Gemeinde kam, aufgrund dessen die *πλείονες* sich positiv zu Paulus und seinen vermutlich vorgeschlagenen Maßnahmen stellte, wird nicht ersichtlich. Die Unmöglichkeit, *ἐπιτιμία* in V 6 inhaltlich zu bestimmen und aus *αὕτη* konkrete Schlüsse zu ziehen, erlaubt auch keine präzise Aussage über *ἡ ὑπὸ τῶν πλειόνων*; d. h. es bleiben alle Möglichkeiten offen. Von »Gemeindebeschluß« zu sprechen, ist so wenig zwingend wie es alle andern Vermutungen sind. Deshalb wird es angemessen sein, von einem »Einschwenken der Mehrheit« zu sprechen und die Formfragen ungelöst zu belassen; jedenfalls stehen nun die *πλείονες* hinter der vollzogenen *ἐπιτιμία* und damit auch wieder zu Paulus: die Gemeinde hat sich bewährt im Gehorsam. Deshalb gibt ihr der Apostel nun den Rat, »Liebe zu beschließen«. Der Nachweis, es handle sich hier um einen förmlichen »Beschluß« der Gemeinde — möglicherweise also den zweiten, der in den VV 5–10 enthalten wäre —, ist nicht zu erbringen. Weder die Wortbedeutung von *κυροῦν* selbst noch die Zusammenstellung mit *ἀγάπη* (die als zu beschließenden Rechtsakt sich vorzustellen, schwer fällt) noch der Gesamtzusammenhang der VV 5–10

Der Bedeutungsumfang ist also durchaus größer, als Lietzmann, 2 Kor 107, glauben machen will, wenn er es für einen »technischen Ausdruck« für »beschließen« erklärt. Die Zugehörigkeit des Begriffs in die Rechtssphäre ist nicht zu bestreiten; auch Paulus gebraucht ihn so in Gal 3, 15.

Auf eine Formulierung, die dem *κυρῶσαι ἀγάπην* nahe käme, verweist Behm a. a. O. 1098 A. 1: »*Σ* Ez 13, 6: *κυρῶσαι λόγον (τοῦ κυρίου)*, wo Mas קום pi, LXX *ἀναστῆσαι, Θ στῆσαι* haben (G. Bertram)«.

[1] Behm a. a. O. 1099.

[2] Behm a. a. O.; vgl. ferner J. Behm, Religion und Recht im Neuen Testament (Rektoratsrede), Göttingen 1931, 6 ff. 12 f.

[3] Lietzmann, 2 Kor 107. Wegen *ἀγάπη* an »Wiederaufnahme zum Liebesmahl« zu denken, ist mit Windisch, 2 Kor 89, als »nicht angängig« abzulehnen. Diese Vermutung mag sachlich stimmen, der Text stützt sie jedoch nicht.

können dieser Behauptung Gewißheit geben. Paulus gibt vielmehr in V 10 einen Hinweis darauf, wie allgemein (vgl. τί) er seinen Rat, Liebe zu beschließen, angewendet wissen will: wem die Gemeinde vergibt, vergibt auch er; für den konkreten Fall fügt er hinzu, er habe — was er zu vergeben hatte — im Angesicht, d. h. vor Christus vergeben und zwar wohl nicht nur dem Übeltäter, sondern vor allem der Gemeinde (δι᾽ ὑμᾶς).

e) Die heilsbedeutsame Umkehr der Gemeinde

2 Kor 7, 5–16

Daß und wie sehr in der Auseinandersetzung um den ἀδικήσας (V 12) in Wahrheit die Gemeinde-Apostel-Beziehung der Kern des Problems war[1], bzw. geworden war, erweist die Neuaufnahme von 2, 5–10 in 7, 5–16. In diesen Versen erfahren die Darstellung des veränderten Verhältnisses von Paulus und Gemeinde und der Versuch, die neugewonnene Vertrauens- bzw. Gehorsamsbeziehung zu festigen, wie er in den Kapiteln 1–7 sich vollzieht, einen vorläufigen Abschluß: χαίρω ὅτι ἐν παντὶ θαρρῶ ἐν ὑμῖν (V 16).

Die Richtigkeit unserer Interpretation des Gesamtproblems erweist vor allem V 12: »wenn ich also euch auch geschrieben habe, nicht dessentwillen, der Unrecht tat, noch dessentwillen, der Unrecht erfuhr, sondern um des Offenbarwerdens eures Eifers willen, des für uns bei euch vor Gott«. Es gab also in Korinth neben dem, der das Unrecht begangen[2] hatte, auch einen Bestimmten, der es erlitt[3] — aber beide bleiben ungenannt im Hintergrund. Ihr »Fall« war erst bedeutsam geworden durch die Gemeinde, die dem Apostel den Gehorsam verweigerte[4], so daß Paulus zu einem harten Durchgreifen mittels des

---

[1] Vgl. Bachmann, 2 Kor 309 zu 7, 16.

[2] Kümmel, im Anhang zu Lietzmann, 2 Kor 198, korrigiert die Übersetzung und Auslegung Lietzmanns »Beleidiger« und »Beleidigter« unter Hinweis auf Schrenk, ThW I 160 A. 9, wonach ἀδικέω »Unrecht tun« heißt; so auch schon Windisch, 2 Kor 237 ff.

[3] Dieser war wohl kaum Paulus selbst. Darüber gehen freilich die Meinungen auseinander. Vgl. Kümmel a. a. O. 206 gegen Bachmann, 2 Kor 307; Lietzmann, 2 Kor 133; Wendland, 2 Kor 216. Das οὐκ ἐμέ ... ἀλλὰ πάντας ὑμᾶς (2, 5) impliziert kein Unrecht gegenüber Paulus, das er als Betrübnis der ganzen Gemeinde hinstellen möchte; denn das Faktum des Unrechts wird in 2, 5 zunächst nur als solches konstatiert (εἰ δέ τις λελύπηκεν), und zwar sofern es »Betrübnis« hervorrief. Nicht vom Unrecht (gegen Schmithals, Die Gnosis in Korinth ²1965, 99–102) ist gesagt, daß es Paulus betraf, sondern von der Betrübnis; und von ihr meint er, sie hätte die ganze Gemeinde berühren müssen, nicht (nur) ihn. 2, 10 bestätigt: nicht er selbst muß vergeben; aber er vergibt mit und wegen der Gemeinde. Das ist nun der für uns wichtigste Gesichtspunkt; vgl. dazu die ausführliche Begründung bei Windisch, 2 Kor 238f.

Daß der ἀδικήσας nicht mit dem Blutschänder von 1 Kor 5, 1–5 identisch ist, wird heute (gegenüber früheren Auslegern) vgl. Heinrici, 2 Kor 260) fast allgemein angenommen; denn die Behandlungsweise des Vorfalls, der 2 Kor zugrundeliegt, ist mit jener von 1 Kor 5, 1–5 unvereinbar; vgl. Lietzmann, 2 Kor 104f, Exkurs: Der Zwischenbrief; Bachmann, 2 Kor 307; Windisch, 2 Kor 237.

[4] Mit Bezug auf Windisch (2 Kor 238) hatte dies Wendland in der 10. Auflage, 2 Kor 192, ebenso deutlich betont wie die Tatsache, daß nicht Paulus der vom Unrecht unmittelbar Betroffene war; vgl. dagegen jetzt 12. Auflage 216.

»Tränenbriefes« gezwungen wurde[1]. Dessen einzige Absicht war — und darin wird erneut deutlich, daß es in 2 Kor nicht um die Klärung des noch »schwebenden Falles« zu tun ist (vgl. zu 2, 5–10): φανερωϑῆναι τὴν σπουδήν, d. h. in einer gegenüber 2, 9 im Ton milderen Sprechweise, den Gehorsam der Gemeinde einer Bewährungsprobe zu unterziehen. Der immer freundlicher werdende paränetisch-werbende Stil in 7, 2–16 ist Ausdruck der Versöhnungsbereitschaft des Apostels, seiner Freude über den guten Ausgang der Streitsache. Die Wendung brachte in der ganzen Angelegenheit die Rückkehr des Titus aus Korinth (vgl. V 6).

Davon muß kurz gesprochen werden, um den Kontext zu erhellen. Die VV 5–16 schließen sachlich[2] unmittelbar an 2, 13 an. Paulus war nach Mazedonien gekommen und wartete dort voller Unruhe (vgl. 7, 5) auf Titus, den er nach Korinth geschickt hatte; dessen Rückkehr brachte ihm den erhofften Trost: denn dieser konnte berichten von »dem Trost, den er getröstet worden war« in Korinth. H. Lietzmann wird dies richtig interpretieren, wenn er sagt: »er hatte dort den Umschwung der Stimmung mit eigenen Augen gesehen, welcher durch den ›Zwischenbrief‹ . . . herbeigeführt worden war«[3]. Ist der Schluß auf den Zwischenbrief selbst auch zu weitgehend, Titus war in jedem Fall Zeuge für den Wandel, der in der Gemeinde erfolgt war — möglicherweise gerade durch seinen persönlichen Vermittlungsauftrag. Sein Bericht hatte Paulus die frühere παρρησία (V 4) zurückgegeben, sein freimütiges »Reden auf Grund des Vertrauens, daß die Worte richtig aufgenommen werden«[4]. In dieser Zuversicht verdeutlicht dieser noch einmal — teils »sehr vorsichtig und umständlich«, »um nicht die Korinther von neuem zu verletzen«[5] — die leidvolle Notwendigkeit seines scharfen Vorgehens im »Tränenbrief« und betont seine Freude darüber, daß die ganze Betrübnis nicht umsonst war: sie hat ihr Ziel erreicht, denn sie führte zur μετάνοια[6]; näherhin präzisiert V 11, was Paulus

---

[1] Mit »dem Briefe« (vgl. V 8) kann nur der »Tränenbrief« gemeint sein. Vgl. Lietzmann a. a. O. 105. 131; Wendland, 2 Kor 215.
Gegen Bultmann, Exegetische Probleme 14 A. 16, macht Kümmel a. a. O. 206 geltend, man könne 2,14 – 7,4 nicht mit den Kapiteln 10–13 zusammen zum »Zwischenbrief« rechnen, weil »gerade das in diesen Kapiteln fehlt, was im Zwischenbrief gestanden haben muß, die scharfe Auseinandersetzung über den Fall des ἀδικήσας«. Lietzmann macht zudem (a. a. O. 131) auf formale Bezüge von V 4 und V 5 aufmerksam.
[2] Daß das Zwischenstück 2,14 – 7,4 nicht den Zusammenhang sprengt, auch wenn es wie »ein großer Exkurs erscheint«, wird man gegenüber den Teilungshypothesen mit Lietzmann, 2 Kor 131, festhalten dürfen; Text-Umstellungen empfiehlt dagegen Windisch, 2 Kor 224f.
[3] Lietzmann, 2 Kor 131. Ob dieser Umschwung schon durch den Brief, den wir nicht kennen, oder erst von Titus selbst herbeigeführt worden war, sollte man jedoch zumindest offen lassen. Es scheint mir vieles dafür zu sprechen, daß gerade ihm die Zustimmung der πλείονες (vgl. 2, 6) zu danken ist. Dies liegt umso näher, je weniger sich förmliche Abstimmungen der Gemeindeversammlung (aus 2, 5–10 z. B.) wahrscheinlich machen lassen.
[4] Lietzmann a. a. O. 131.
[5] Wendland, 2 Kor 215 (nach Windisch, 2 Kor 230).
[6] Windisch, 2 Kor 90, konnte deshalb zu Recht feststellen, δοκιμή (in 2, 9) sei taktvoll gewählt, handle es sich doch »nicht um Bewährung, sondern um Bekehrung«. Vgl. zu dem bei Paulus seltenen μετάνοια und seiner Bedeutung hier als »Rückwendung zu dem schon betretenen Heilsweg« Kümmel, im Anhang zu Lietz-

unter diesem Begriff des »Umdenkens« anspricht: die volle Wiederherstellung der Gemeinschaft der Gemeinde mit ihm als Apostel durch den Vollzug der Bestrafung des ἀδικήσας. Dabei wird zugleich der Weg aufgezeigt, der zu dieser heilsbedeutsamen Rückwendung der Gemeinde führte: der Brief des Paulus bewirkte ein eifriges Bemühen, so daß die Gemeinde sich entschuldigte, ihrem Unwillen Ausdruck gab über jenen Vorfall, ihrerseits den Unwillen des Paulus zu fürchten begann, Sehnsucht empfand nach der Wiederversöhnung mit ihm und ihren Eifer darein setzte, sie zu erreichen durch die Bestrafung des ἀδικήσας. Die μετάνοια ist also auf den Apostel gerichtet und wirkt Wiederversöhnung und Gemeinschaft mit ihm; deshalb kann in 2, 9 vom gleichen Sachverhalt als von Bewährung des Gehorsams gesprochen werden. An beiden Stellen geht es nicht um einen durchsetzbaren Rechtsanspruch des Apostels gegenüber der Gemeinde, aber auch nicht nur um eine moralische Verpflichtung seitens der Gemeinde[1], *sondern um die kritische Funktion des Apostolats gegenüber der Gemeinde:* In der Stellung zum Apostel stehen Heil und Unheil in Frage. Das hat den Fall des ἀδικήσας ja so bedeutsam gemacht, daß dieser »durch seine Handlungsweise die Beziehung zwischen Paulus und der Gemeinde fast ganz unmöglich gemacht« hatte[2]. Besser müßte man wohl sagen: Jener Vorfall hatte zu einer Krise des Verhältnisses Apostel — Gemeinde geführt, von deren Ausgang nicht weniger abhing als das Heil der Gemeinde.

Kann man demnach auch μετάνοια nicht in eine bloße »Reue« auflösen, weil sie auf ein konkretes Tun zielt, kann man ferner diesem Tun keinen rechtlichen Charakter beilegen, so sind doch beide Gesichtspunkte in der heilsbezogenen Betrachtungsweise des Paulus aufgehoben bzw. eingeschlossen[3]. Die eschato-

---

mann, 2 Kor 206; Behm, ThW IV 1000; so dann auch Wendland, 2 Kor 215, der die »Umkehr« der Korinther deshalb als »Rückkehr« bezeichnet (a. a. O. 216).

[1] Wendland, 2 Kor 216, welcher dies richtig betont, ist jedoch darin zu widersprechen, daß Paulus den Zwist mit den Korinthern »*von Gott her* sieht«. Nur die Betrübnis sieht er als eine κατὰ θεόν, d. h. wie sie Gottes Willen entspricht oder »in Auswirkung göttlicher Kraft« (Bachmann, 2 Kor 301; vgl. Windisch, 2 Kor 231; Lietzmann, 2 Kor 131f).

Dagegen wäre der Ansatz verfehlt für das richtige Verständnis der μετάνοια (V 11), würde man sie primär als auf Gott gerichtet beziehen. Nur insofern sie Rückwendung zum Apostel ist, wirkt sie Heil (von Gott her). Deshalb wird in V 11 gezeigt, daß die μετάνοια zur Bestrafung führte und die Gemeinde durch dieses *Tun* sich als rein erwies. Damit dieses ernste Bemühen *vor* Gott offenbar werde (vgl. V 12), hatte Paulus seinen Zwischenbrief geschrieben. Zu τῷ πράγματι (Dativ der Beziehung) vgl. Bl.-Debr. § 197; er vermutet wegen der Härte dieser Stelle eine Verderbnis des εἶναι aus ἐν (εἶναι ἐν D^b E KLP).

[2] Kümmel, im Anhang zu Lietzmann, 2 Kor 198. Das ist nur bedingt richtig, weil das Handeln des ἀδικήσας nur mittelbar die Krise zwischen Paulus und den Korinthern auslöste, als diese es unterließen, strafend einzugreifen.

[3] Der übergeordnete Begriff ist jedoch die μετάνοια εἰς σωτηρίαν. Die μετάνοια ist die Frucht der λύπη. Durch den λύπη stiftenden Apostel hindurch handelt aber Gott; daher ist des Apostels Tun κατὰ θεόν. Die λύπη ihrerseits zielt auf die Bewährung des Gehorsams; μετάνοια εἰς σωτηρίαν ist demnach wie die ὑπακοή auf den Apostel gerichtet und drückt sich auch in ὑπακοή aus. Dann ist aber auch das von Gott gewirkte Heil, das der μετάνοια innewohnt, an die Gemeinschaft mit dem Apostel gebunden; vgl. dazu E. Käsemann, Sätze heiligen Rechtes im Neuen Testament, in: Exegetische Versuche und Besinnungen II, Göttingen ²1965, 69–82, v. a. 74–77.

logische Bezogenheit von Apostel und Gemeinde, die in 2 Kor 1–7 in immer neuen Ansätzen — prinzipiell und am konkreten Beispiel des korinthischen Falls — Ausdruck findet, hat sich den Korinthern zur großen Freude des Apostels (vgl. V 7) endlich doch erschlossen[1], so daß Paulus abschließend sagen kann: διὰ τοῦτο παρακεκλήμεθα: deshalb[2] sind wir getröstet[3].

Die folgenden VV 13–16 erlauben einige zusätzliche Klärungen des Verhältnisses Apostel — Gemeinde, die vor allem deshalb von Bedeutung sind, weil sie den Apostelschüler Titus miteinbeziehen. Ähnlich wie in 2, 9 (εἰ εἰς πάντα ὑπήκοοί ἐστε) ist in V 15 von der ὑπακοή der Gemeinde die Rede[4]. Der Sendbote des Apostels tritt offenbar mit dem gleichen Autoritätsanspruch auf wie dieser selbst; auch bei ihm ist diese Autorität aber verständlicherweise nicht ohne Werbung, ohne Paränese durchsetzbar, weshalb Paulus auch in Sorge war, ob er nicht dem Titus zuviel Gutes von den Korinthern erzählt habe[5]. Sachlich erinnert dieser Gehorsamsanspruch des Apostels bzw. des Apostelschülers an das jüdische šalîaḥ-Institut[6], zumindest an die ihm zugrunde liegende Vorstellung, daß der Gesandte wie der ihn Sendende gelte[7] und zu behandeln sei, ja daß im Gesandten der Sendende repräsentiert werde[8].

Noch stärker könnte die Aussage befremden, daß die Korinther den Titus mit »Furcht und Zittern«[9] aufgenommen hätten; diese paulinische Redeweise

---

[1] Kuss, 2 Kor 224f, gibt den Inhalt des Titusberichts von V 7 wohl zutreffend wieder, wenn er spricht »von der Sehnsucht der Korinther, ihn (Pls) bald wiederzusehen und das Unrecht wiedergutzumachen, von ihrer reuevollen Klage über den bedauernswerten Zwischenfall und von ihrem Willen, jetzt in allem Gehorsam den Apostel zufriedenzustellen«.

[2] Lietzmann, 2 Kor 133, διὰ τοῦτο: διότι ἐφανερώθη ἡ σπουδὴ ὑμῶν.

[3] Das Perfekt bezeichnet hier den »Zustand als Resultat einer vergangenen Handlung« (Bl.–Debr. § 318, 4).

[4] Die Angabe πάντων ὑμῶν steht in offensichtlichem Widerspruch zu der in 2, 6 erwähnten ἐπιτιμία ἡ ὑπὸ τῶν πλειόνων. Die Glättung in 7, 15 könnte viele Gründe haben: sei es etwa, daß der Apostel sich in eine gewisse Euphorie hineingeschrieben hat, sei es, daß er zum Schluß dieses ersten großen Briefthemas auf die widerstrebende — oder auch nur unzufriedene — Minderheit nicht mehr eigens zu sprechen kommen will, oder sei es, daß er damit die Absicht verfolgt, diese Minderheit noch für sich zu gewinnen, indem er sie — verzeihend oder werbend — schon miteinbezieht. Den Vermutungen ist keine Grenze gesetzt; doch wird die Angabe der πλείονες in 2, 6 den wirklichen Tatsachen wohl besser entsprechen.

[5] Wo und warum Paulus die Gemeinde rühmte, kann hier unerörtert bleiben; es geschah vermutlich, um Titus Mut zu machen für seinen Auftrag.

[6] Vgl. dazu neuerdings Roloff, Apostolat — Verkündigung — Kirche 10–15. 18 ff. 31. 33. 39. 78. 166. 208 f. 272 f, der sich mit der šalîaḥ-Hypothese und dem šalîaḥ-Institut selbst auseinandersetzt; ferner Rengstorf, ThW I 406–448; Str.–Bill. III 2–4; T. W. Manson, The Church's Ministry, London ²1956, 31–52; Kredel, Der Apostelbegriff in der neueren Exegese 284–289; Gerhardsson, Die Boten Gottes und die Apostel Christi v. a. 105–116.

[7] Mischna Berakhoth 5, 5; vgl. Rengstorf a. a. O. 415. Daß der ἀπόστολος im Neuen Testament »immer und ausschließlich zur Bezeichnung eines bevollmächtigten Gesandten gebraucht wird und daß die dem šalîaḥ-Institut zugrundeliegenden *Rechtsprinzipien* von ihm als selbstverständlich vorausgesetzt sind«, betont auch Roloff a. a. O. 13 A. 28 (Hervorhebung von mir).

[8] Vgl. Roloff a. a. O. 10.

[9] Nach Lietzmann, 1 Kor 11 (zu 1 Kor 2, 3), bezeichnet dieser Ausdruck »eine auf Demut gerichtete Unsicherheit«; nach Wendland, 2 Kor 217, »ein Verhalten des

will aber kaum mehr besagen als ὑπακοή und zielt auf jene demütige Bereitschaft, in Gehorsam sich der Heilsbotschaft auszusetzen (vgl. Phil 2, 12), auf eine Haltung also, die auch der Apostel in seinem Dienst an der Heilsbotschaft an den Tag legt (vgl. 1 Kor 2, 3). Von daher fällt auch Licht auf die Art der geforderten ὑπακοή, die durch den folgenden ὡς-Satz erläutert wird: sie ist ein Gehorsam, der sich auf den Verkündiger insofern richtet, als dieser der Verkündigung der Heilsbotschaft dient. Widerstand gegen diesen wäre letztlich ein sich Verweigern jener. Bote und Botschaft erweisen sich als voneinander unablösbar.

Unsere ganze hier vorgelegte Deutung wäre in Frage gestellt, wenn H. Windisch im Recht wäre mit seiner Behauptung[1]: die »Annahme direkter Gehorsamsverweigerung seitens der Gemeinde ist unhaltbar«. Nun macht er selber aufmerksam, daß mit εἴ τι in V 14 angedeutet sei, »daß das Lob, . . ., ein bescheidenes und bedingtes war« und daß der Optimismus dieser καύχησις sich mit der Unruhe und den Ängsten des P. (nach 2, 12f; 7, 5) nicht zu vertragen scheine; ferner daß οὐ κατῃσχύνθην zur Voraussetzung habe, Paulus sei »seiner Sache nicht ganz sicher« gewesen. Nimmt man hinzu, wie gewaltsam H. Windisch die Hauptaussage von 2, 5–10 in V 9 interpretiert, wird man diese Bestreitung der Gehorsamsverweigerung als unverständlich bezeichnen müssen. Aus dieser ungerechtfertigten Bestreitung erklären sich aber auch eine Reihe von Ungereimtheiten bei H. Windisch, wie sie oben z. T. angedeutet sind; sie gründen alle in seinem verfehlten Ansatz: Der unklare Fall verkompliziere sich dadurch, »daß *auch* die *Gemeinde* beteiligt erscheint, nur daß ihr zwei recht *verschiedene Rollen* zugewiesen sind: nach K. 2 war die Gemeinde beleidigt und ist die Richterin, die straft und verzeiht; die Schuld ist lediglich einer Einzelperson aufgelegt; nach K. 7 hat die Gemeinde selbst gegen Gott und den Ap. sich vergangen«[2]. Demgegenüber behauptet Paulus in 2, 6, die Ge-

---

Menschen zu Gott«. Bei Paulus aber hat die Wendung an allen Stellen (1 Kor 2, 3; 2 Kor 7, 15; Phil 2, 12) nichts mit Unsicherheit und nichts mit Gott, sondern einzig mit der gehorsamen Demut in Verkündigung und Annahme der Heilsbotschaft zu tun.

[1] Windisch, 2 Kor 240. Durch »den Optimismus, den P. hiernach« (nämlich nach V 14) »dem T. suggeriert hat«, werde ausgeschlossen, daß die Gemeinde »in offener Auflehnung« gegen P. stand.

[2] Windisch a. a. O. 84 (vgl. 224f). Zu welchen Ungereimtheiten dieser Ansatz führt, zeigt unmittelbar die Fortsetzung: »Nur fallen die beiden Darstellungen nicht ganz auseinander, sofern das *Leitmotiv* von 7 schon 2, 9 anklingt, wie umgekehrt das sündige Individuum auch in 7 gestreift wird« (Hervorhebung von mir). Aus der Feststellung des *Leitmotivs* werden nicht nur keine Schlüsse gezogen, es wird vielmehr gerade in der Auslegung von 2, 9 weginterpretiert als »parenthetisch«. Wie sich Windischs Leugnung der Gehorsamsverweigerung mit seiner eigenen Kompositionsübersicht a. a. O. 224 verträgt, bleibt dahingestellt: » 5) daß das tadelnswerte Verhalten der Gemeinde mit dem besonderen Fall des τοιοῦτος zusammenhing . . . « und »6) daß in der Strafangelegenheit ein ἀδικήσας und ein ἰδικηθείς vorhanden war, daß aber für P. die Hauptsache die Regelung seines Verhältnisses zur Gemeinde war«.

Auf die ausführlichen Überlegungen Windischs zur Literarkritik der Kapitel 1–7, die von den Teilungshypothetikern immer wieder aufgegriffen und variiert werden, brauchen wir uns hier nicht einzulassen, zumal er selbst daran festhält, daß 2,1–13 und 7, 5–16 in einem Brief zusammengehören.

meinde hätte sich beleidigt fühlen und für Ordnung sorgen *sollen*. Daß sie es anfangs nicht tat, führte erst zum brieflichen Einschreiten des Apostels, womit er die Krisensituation heraufbeschwor, welche der Sendung des Titus und 2 Kor vorausliegt. Es geht also sowohl in 2, 5–10 wie in 7, 5–16 *nicht um* den ἀδικήσας, auch nicht um den ἀδικηθείς (vgl. 7, 12), sondern in diesem »Vorfall« bzw. seinen Folgen *immer um die Gemeinde selbst*. Auch wenn man Ph. Bachmanns Identifizierung des ἀδικηθείς mit Pls nicht teilen wird, ist ihm zuzustimmen, daß die beiden Kapitel in 2 Kor »einen ernsten Angriff auf die Stellung des Paulus gegenüber Korinth«[1] beinhalten.

Wenn hier im Zusammenhang mit der Sendung des Titus 7, 13b–16 auf das jüdische šalîaḥ-Institut hingewiesen wurde, soll damit keineswegs ein Zusammenhang behauptet, sondern nur eine Strukturähnlichkeit festgestellt werden

Es ist an dieser Stelle nicht nötig, in die Diskussion um die Herkunft des Apostolats und seine möglichen Beziehungen zu diesem Institut einzutreten[2] denn die entscheidende Frage, ob über eine gewisse Ähnlichkeit hinaus ein Begründungszusammenhang besteht, ist bis heute völlig ungelöst[3]. Mit J. Roloff und E. Güttgemanns wird man als einen der wichtigsten Gesichtspunkte für die weitere Diskussion festhalten müssen, daß šalîaḥ ein »Relationsbegriff«[4] ist, der »rein juristisch-formal einen bevollmächtigten Stellvertreter meint, über dessen spezifischen Auftrag der Begriff als solcher noch gar nichts enthält«[5]. Wenn also šalîaḥ keine Berufsbezeichnung ist und wenn jüdische Missionare niemals šeluḥim genannt werden[6], ist es kaum wahrscheinlich zu machen, daß zwischen jüdischem šalîaḥ-Institut und christlichem ἀπόστολος mehr als ein allgemeiner religionsgeschichtlicher Zusammenhang besteht. Die Wurzeln beider liegen im Dunkeln. J. Roloff vermutet als solche das altsemitische Botenrecht und verweist auf 1 Sam 25, 40; 2 Sam 10, 1 ff wo auch bereits »der Bote in der Wahrnehmung seines Auftrags den, der ihn sendet«, repräsentiere, und 2 Chr 17, 7–9, wo schon »die prägnante Bedeutung für šalaḥ = schicken »im Sinne einer autoritativen Bevollmächtigung« vor liege[7]. Insgesamt sind die Belege aber zu spärlich und die Parallelen des jü

---

[1] Bachmann, 2 Kor 308 A. 1.

[2] Vgl. dazu S. 144 A. 6 und E. Güttgemanns, Literatur zur Neutestamentlichen Theologie, in: VF, Beihefte zu EvTh, Heft 2, München 1967, 61–79, v. a. 70f.

[3] Die Herleitung des Apostolats aus einer historischen Beauftragung der Zwölf durch Jesus selbst ist zweifelhaft geworden; die Apostel verstehen sich von Anfang an als Repräsentanten des nachösterlichen Jesus und haben »einen besonderen Auftrag beim Bau der Kirche« (O. Michel, Rezension zu K. H. Rengstorf, Apostolat und Predigtamt, in: ThLZ 60 [1935] 255f, zitiert bei Roloff a. a. O. 14 A. 32).

[4] Roloff a. a. O. 12. 15. Über Wesen und Status des Gesandten entscheidet nicht der Begriff, sondern erst seine jeweilige Füllung.

[5] Güttgemanns a. a. O. 71. Daß selbst bei der Annahme eines Zusammenhang erst zu klären wäre, wie es zu der im Neuen Testament, speziell bei Paulus zu beobachtenden »Begriffswandlung« gekommen ist, ist ein bislang vernachlässigte Tatbestand, auf den Güttgemanns aufmerksam macht. In den Paulusbriefen be gegnen nicht nur ἀπόστολοι ἐκκλησιῶν (2 Kor 8, 23; vgl. Phil 2, 25), die ihrer Funktion nach am meisten Ähnlichkeit mit dem šalîaḥ-Institut hätten; es finden sich mehr fach Boten des Apostels, die wie Titus in 2 Kor 7, 13b–16 eine dem šalîaḥ seh verwandte Aufgabe erfüllen, ohne Apostel zu heißen.

[6] Vgl. Roloff a.a.O. 12; ferner Klein, Die zwölf Apostel 27; Rengstorf, ThW I 418

[7] Roloff a. a. O. 10f.

dischen šalîaḥ-Instituts nicht beweiskräftig genug, zumal dieses erst für die
Zeit nach 70 bedeutsamer wurde, als daß die Frage des Zusammenhangs einer
Lösung näher gekommen wäre.

2. Empfehlung der Kollektengesandtschaft

2 Kor 8, 16–24

In der Empfehlung der Kollekten-Gesandtschaft von seiten des Apostels
tritt — gegenüber der Empfehlung der Kollekte selbst (vgl. 2 Kor 8, 1–8) —
die paränetisch-werbende Absicht zurück, der Stil wird präziser und die zu
erhebenden Sachverhalte klarer.

Dabei fällt auf, daß hier — wie 1 Kor 7, 6. 10. 25. (35). 40 bei der Ordnung
der Ehefragen — eine feine Abstufung in der Charakterisierung der Bedeutsamkeit der Kollekte[1] sich erheben läßt. Wo nicht der Herr »gebietet« (vgl.
1 Kor 7, 10), da spricht der Apostel nicht κατ' ἐπιταγήν (2 Kor 8, 8), wohl aber
gibt er eine zu beherzigende γνώμη (8, 10). Auch seine παράκλησις (vgl. VV 6. 17)
ist weit davon entfernt, Befehl zu sein, doch ist sie fast immer apostolische
Mahnung, welche Beachtung fordert[2].

Von Paulus kann man schwerlich sagen, daß er in seinen Gemeinden Recht
setzen wollte, aber er weiß sich berechtigt, für Anordnungen zu sorgen, damit
in jeder Hinsicht Ordnung gewahrt sei (vgl. 1 Kor 7, 8. 11. 14 z. B.). So wird
auch die in der παράκλησις von VV 6. 17 liegende »Aufforderung« an Titus,
nach Korinth zu gehen, um dort die χάρις des Sammlungswerkes zu vollenden
(vgl. V 6), nicht dadurch aufgehoben, daß Paulus an τὴν μὲν παράκλησιν ἐδέξατο
ein σπουδαιότερος δὲ ... αὐθαίρετος ἐξῆλθεν anfügt. Die behauptete Aufhebung
der Beauftragung hat nur insoweit ihr Recht, als es ihrer nicht bedurfte hätte,
weil Titus in seinem Eifer auch freiwillig gegangen wäre. Αὐθαίρετος ist die
notwendige Bedingung für jeden Dienst und jeden Auftrag in der Kirche. Daß
Paulus der Sendende ist, geht auch aus V 18: συνεπέμψαμεν δὲ μετ' αὐτοῦ und
ähnlich aus V 22 hervor. Die da nach Korinth gehen, sind zunächst eine Gesandtschaft des Apostels; doch wird schon aus der Eigenart der Einführung
des in V 18f erwähnten σύνέκδημος[3] — und nicht erst durch die Bezeichnung
ἀπόστολοι ἐκκλησιῶν (V 23) — deutlich, daß der Apostel in der Kollekte nicht
allein am Werk ist.

---

[1] Schlatter, Paulus der Bote Jesu 598, verkennt diese wohl, wenn er sie »Aus-
schreibung der Steuer« nennt. Selbst wenn die Kollekte von Jerusalem als Steuer
o. ä. betrachtet wurde, für Paulus war sie es sicher nicht.
[2] Vgl. Windisch, 2 Kor 89 (zu 2, 8).
[3] Die Spekulationen über die Person der beiden nicht namentlich genannten
Abgesandten haben zu keinerlei brauchbarem Ergebnis geführt, so daß man sich
besser aller Vermutungen enthalten wird. So auffällig ist die Tatsache, daß die
Namen fehlen, wohl doch nicht (vgl. Phil 4, 3 u. ö.), daß man eine nachträgliche
Streichung »bei der Veröffentlichung (etwa von der korinthischen Gemeinde oder
dem Sammler der Pls-briefe)« annehmen oder daraus schließen dürfte, daß »die
beiden ein schlechtes Andenken in der Gemeinde hinterlassen haben, so daß man
sie einer Erwähnung im Plsbrief nicht mehr für würdig hielt« (Lietzmann, 2 Kor
137); vgl. dazu Windisch, 2 Kor 262. 264 und 266.

Der jeweilige Anteil der Beteiligten läßt sich aus den VV 22. 23f näher bestimmen. Als eigentlicher »Führer der Abordnung«[1], welche der Apostel nach Korinth schickt, wird Titus zu betrachten sein; denn er ist es, an den Paulus zuerst die Aufforderung gerichtet hat und der diese nicht nur annahm, sondern ihr in seinem großen Eifer zuvorkam. Er allein wird mit Namen genannt, und ihm werden die beiden anderen beigeordnet[2] (vgl. VV 18. 22 συνεπέμψαμεν und μετ᾽ αὐτοῦ). Von den beiden namentlich nicht genannten Begleitern darf man vermuten, daß der in V 22 bezeichnete nicht denselben Rang besaß wie der von V 18f. Sein Verhältnis zur Gemeinde von Korinth scheint das am wenigsten offizielle gewesen zu sein[3]. Während Titus vom Apostel gesandt und der von V 18f als ein gewählter Abgeordneter von Gemeinden mit jenem »mitgeschickt« wird, zielt bei ihm die Erwähnung des oft erprobten Eifers, der durch das neu erstarkte Vertrauen zu den Korinthern noch größer geworden ist, auf bloße Empfehlung; er scheint aus dem engeren Kreis der paulinischen Mitarbeiter genommen zu sein. Dies dürfte dagegen für den unbekannten »Bruder« von V 18f nicht gelten; die Art seiner Empfehlung läßt jedenfalls nicht darauf schließen. H. Windisch wird den Sachverhalt richtig beschreiben, wenn er sagt: Dieser Gemeindevertreter steht »nicht selbständig neben ihm (Paulus): P. (und Timoth.) haben das Recht, ihn in der Sache, für die er Vertrauensmann ist, auch nach auswärts zu ›senden‹. Trotz seiner Vertrauensstelle und trotz des großen Ansehens, das er genießt, scheint er in noch höherem Maße ›Diener‹ des P. zu sein: den Titus bittet er, nach Kor. zu gehen — diesen Bruder ›schickt er mit‹«[4]. Die Tendenz, diesen Bruder als seinen Gesandten auszugeben und ihn Titus förmlich zu unterstellen, könnte jedoch durchaus eine polemische sein. Darauf wird man zu achten haben für den Fall, daß sich das Liebeswerk der Kollekte in Wahrheit als eine den paulinischen Gemeinden auferlegte Abgabe seitens Jerusalem erweisen sollte.

Wie schwierig die Funktion dieses Bruders zu bestimmen und wie sehr Paulus darauf bedacht ist, dessen Rolle im Kollektenwerk vor Mißdeutung zu schützen, zeigt dessen »umständliche Vorstellung«[5]. Auf die prinzipielle Unterstellung unter Titus, dem er als ein Gesandter des Apostels beigegeben ist, folgt eine erste Empfehlung: er ist ein Bruder, dessen Lob ἐν τῷ εὐαγγελίῳ (V 18) durch alle Gemeinden geht. Diese Kennzeichnung erlaubt keinerlei Feststellung darüber, ob dieser Bruder etwa ein Verkündiger des Evangeliums ist oder ob seine Bewährung allgemein in der Arbeit und Sorge für die »Sache des Evangeliums«[6] gründet. Sein Ruf ist überall hingedrungen; doch das weist

---

[1] Windisch, 2 Kor 266.

[2] Dies gilt zumindest für die Betrachtungsweise des Paulus; daß der Anteil der Gemeinden am Kollektenwerk in Wirklichkeit größer gewesen und die Tatsache von gewählten Gemeindeaposteln (vgl. VV 19. 23) als eine Einschränkung der paulinischen Souveränität zu betrachten ist, wird man nicht mit Sicherheit ablehnen können.

[3] Vgl. Windisch a. a. O. 266.

[4] Windisch a. a. O. 263.

[5] Lietzmann, 2 Kor 137.

[6] Windisch, 2 Kor 262; vgl. Lietzmann a. a. O. 136; in diesem Fall wäre über den Verkündigungsdienst eines »Evangelisten« (vgl. Eph 4, 11) hinaus — oder auch

ihn weder als »Wanderprediger« noch als vielgereisten[1] »Gemeindeleiter von ökumenischem Ansehen« aus[2]; m. a. W. seine Person und sein Dienst »am Evangelium« bleiben so unbestimmbar wie seine Herkunft und sein Wirkungsfeld. Diese erste Charakterisierung erbringt also nur ein dürftiges Ergebnis; er ist eine bei den Gemeinden bekannte und anerkannte Persönlichkeit. Darüber hinaus wurde er jedoch — und das macht seine Gesandtschaft so gewichtig — ἐν τῇ χάριτι[3] ταύτῃ, d. h. für das Kollektenwerk »gewählt von den Gemeinden als Begleiter« des Paulus. Χειροτονηθείς[4] ist hapax leg. bei Paulus; deshalb ist die Behauptung fragwürdig, es müsse sich — analog dem griechisch-demokratischen Wahlrecht[5] — um eine »Wahl, die durch Abstimmung (mit aufgehobener Hand) erfolgt oder wenigstens bestätigt worden ist«[6], handeln. Da χειροτονεῖν nicht nur in diesem technischen Sinn, sondern allgemein in der Bedeutung »erwählen, ernennen, zu etwas bestimmen« verwendet wird, ohne daß dabei der Gedanke »einer Abstimmung innerhalb einer Vielheit von Personen«[7] mitgegeben wäre, ist die Beweislast, die man dem χειροτονεῖν in V 18 zumutet, wenn man es von einem gemeindlichen Wahlakt verstehen will, zu groß. Das technische Verständnis wird durch die Hinzufügung ὑπὸ τῶν ἐκκλησιῶν nicht eben erleichtert; denn es ist höchst unwahrscheinlich, daß Paulus in mehreren Gemeinden Wahlakte vornehmen ließ[8], nur um einen von allen approbierten Begleiter für die Kollektenreise zu erhalten. Am nächsten läge noch, an die benachbarten Gemeinden Mazedoniens zu denken[9]; doch abgesehen davon, daß der Text diese Vermutung nicht begünstigt[10], spricht 8, 4f

---

unabhängig davon — an alle Formen des Dienstes zu denken, vom Apostelhelfer über einen Gemeindevorsteher bis zum Diakonsdienst.

[1] διὰ πασῶν τῶν ἐκκλησιῶν ist nach Windisch (a. a. O. 262) »ähnlich plerophorisch wie 1 Thess 1, 8 ἐν παντὶ τόπῳ oder Röm 1, 8 ἐν ὅλῳ τῷ κόσμῳ . . ., es braucht also nicht zu besagen, daß der Bruder auch wirklich ›in allen Gemeinden‹ persönlich bekannt war«. Nur die Gemeinden Mazedoniens glaubt Bachmann, 2 Kor 322f, angesprochen.

[2] Windisch a. a. O. 262.

[3] Vgl. 8, 1. 4. 6. 7. 9.

[4] Das seltene Wort χειροτονεῖν (im Neuen Testament nur noch Apg 14, 23) ist nach Bauer, WB 1742: »durch Aufheben der Hand« und dann auch überhaupt »wählen«, besonders für bestimmte Ämter und Aufgaben.

[5] Vgl. Windisch a. a. O. 263.

[6] Bachmann, 2 Kor 323; sein Hinweis auf E. Ziebarth, Das griechische Vereinswesen, Leipzig 1896, wonach χειροτονεῖν aus dem Sprachgebrauch der Genossenschaften nicht belegt ist, obgleich dort mit Handaufhebung abgestimmt worden sei, ist bedeutsam; er läßt eine Abhängigkeit der paulinischen Gemeinden vom griechischen Vereinswesen nicht eben als naheliegend erscheinen. Vgl. dazu auch F. Poland, Geschichte des griechischen Vereinswesens, Leipzig 1909, 334.

[7] Bachmann a. a. O. A. 1.

[8] Alle paulinischen Gemeinden können nicht gemeint sein, weil Korinth zumindest unbeteiligt war an der Auswahl des Begleiters (vgl. dagegen 1 Kor 16, 3: ὡς ἐὰν δοκιμάσητε); an räumlich entfernte Gemeinden zu denken, scheidet aus, weil dies »eine durch χειροτονηθείς vorausgesetzte Vereinbarung« bis zur Unmöglichkeit erschweren würde; vgl. dazu Bachmann, 2 Kor 322.

[9] So die meisten Ausleger; vgl. Bachmann a. a. O.; Lietzmann, 2 Kor 137.

[10] In V 18b ist unter πασῶν τῶν ἐκκλησιῶν — gegen Bachmann a. a. O. — auch dann keineswegs nur an die mazedonischen Gemeinden zu denken, wenn dies für 19a erlaubt sein sollte.

insofern dagegen, daß die Mazedonier erst zu einem späteren Zeitpunkt dem Kollektenwerk beigetreten sind und Paulus erst bitten mußten, an der κοινωνία τῆς διακονίας beteiligt zu werden. Welche »Gemeinden« also wirklich gemeint sind, wird nicht ersichtlich; man wird deshalb auch den Gedanken an die Gemeinden in Judaia[1] nicht für unmöglich halten dürfen. Darauf führt v. a. die zu vermutende, der paulinischen Darstellung zugrundeliegende Tendenz; denn daß die Empfehlung jenes Bruders mit χειροτονηθεὶς ὑπὸ τῶν ἐκκλησιῶν eine »Betonung seiner amtlichen Eigenschaft« ist, so daß H. Lietzmann von ihm sagt, er sei »der offizielle Begleiter des Pls auf der Kollektenreise«[2], wird man so wenig bestreiten können wie seine gegenüber Titus betont nachgeordnete Bedeutung, wie sie ihm Paulus zuteilt. Auch die Tatsache, daß der Apostel selbst die Bestimmung eines Begleiters erbeten hat (vgl. V 20f), um Vorwürfe zu vermeiden, würde bei einem Bezug auf Jerusalem noch verständlicher. Zwar spricht Paulus in 8, 20 von der »überreichen Spende«, so daß man zunächst den Vorwurf ungerechter Bereicherung annehmen muß, den Paulus befürchtet; aber das schließt nicht aus, daß es in dieser Bitte um einen Begleiter *ursprünglich* um die Möglichkeit eines Nachweises für des Apostels eigene Bereitschaft und Geneigtheit (vgl. προθυμίαν ἡμῶν V 19) gegenüber der Forderung Jerusalems sich handelte, die den Vorwurf der fehlenden kirchlichen Gemeinschaft zwischen den paulinischen Gemeinden und der Muttergemeinde oder auch nur den der Säumnis in der Pflege der Verbundenheit mit ihr abzuwehren geeignet wäre[3]. Eine Steuer muß die Kollekte auch in diesem Fall nicht gewesen sein, wohl aber Ausdruck der Anerkennung der gesamtkirchlichen Oberhoheit Jerusalems (nicht seiner »Autoritäten«).

Die Frage nach den ἐκκλησίαι stellt sich noch einmal in V 24, wo ganz betont an den Schluß gesetzt ist εἰς πρόσωπον τῶν ἐκκλησιῶν. Der Satz gibt zwar stilistisch Rätsel auf[4], ist aber sachlich kaum anders zu verstehen denn als abschließende Bitte, den drei Gesandten gegenüber[5] ihre Liebe und das Rühmen des Apostels zu bewähren; dies jedoch »im Angesicht der Gemeinden«. Heißt das, weil jene »Vertreter der Gemeinden« (vgl. V 23) und diese in ihnen »gegenwärtig«[6] sind, oder bedeutet εἰς πρόσωπον τῶν ἐκκλησιῶν »mit Blick auf die Gemeinden«? Dann wäre hier noch einmal als das entscheidende Motiv für das

---

[1] Vgl. Gal 1, 22. Windisch, 2 Kor 263, hält vom Kontext her die am Kollektenwerk beteiligten Gemeinden für die Wählenden, doch kaum zu Recht.

[2] Lietzmann, 2 Kor 137.

[3] Windisch, 2 Kor 263, nennt den Gewählten einen »Generalvertreter und Generalinspektor der ganzen für Jerusalem bestimmten Kollektensache«, der »über die Aufbringung, wie über die Überbringung zu wachen« hat. Das geht in jedem Fall zu weit. Auch ist höchst fraglich, ob in der Organisation der Tempelsammlungen in der jüdischen Diaspora eine »Analogie zu dem von P. in Szene gesetzten Werk, und vielleicht sogar sein Vorbild« zu finden ist.

[4] Lietzmann, 2 Kor 137, hält das Partizip ἐνδεικνύμενοι (BDG go) für den Ersatz eines Verbum finitum, hier also eines Imperativs, wie ihn andere Zeugen eintrugen (vgl. C KLP vg bo sa pe); vgl. dagegen Windisch, 2 Kor 267f; dort auch einiges zu möglichen »Blattvertauschungen«.

[5] εἰς αὐτούς läßt sich schwerlich anders beziehen.

[6] Windisch, 2 Kor 268.

Kollektenwerk der Bezug auf die Gemeinden der Judaia herausgestellt[1]. Dieser Schluß hätte sicher ein verstärktes Gewicht.

Eine eindeutigere Antwort auf die Frage nach den ἐκκλησίαι gibt schließlich auch V 23 nicht, in welchem die Funktionen der drei Empfohlenen noch einmal verdeutlicht werden: Titus wird bezeichnet als κοινωνὸς ἐμός und εἰς ὑμᾶς συνεργός, d. h. er steht mit Paulus in engster Gemeinschaft und ist im Hinblick auf die Korinther ein »Mitarbeiter«; ob ein Mitarbeiter Gottes[2] oder — was wahrscheinlicher ist — des Paulus[3] oder auch ein Mitarbeiter der Gemeinde[4], läßt sich nicht entscheiden.

Mit H. Windisch wird man sagen können: »P. macht ihn also zu seinesgleichen, um ihn zu ehren und ihm eine gute Stellung in Kor. zu sichern«[5]; er ist ein persönlicher Vertrauensmann[6].

Von den Brüdern aber wird gesagt, sie seien ἀπόστολοι ἐκκλησιῶν und δόξα Χριστοῦ. Diese vielverhandelte und für die Geschichte des urchristlichen Apostolats überaus wichtige Stelle ist zu knapp, um eindeutig zu sein. Schon daß beide als ἀπόστολοι bezeichnet werden, ist auffällig, weil nur vom ersten in V 19 berichtet wird, daß er in offizieller Gesandtschaft χειροτονηθεὶς ὑπὸ τῶν ἐκκλησιῶν mitgesandt wird, während der zweite als ἀδελφὸς ἡμῶν eher aus dem Kreis der unmittelbaren Umgebung des Paulus, evtl. aus den Gemeinden Mazedoniens genommen zu sein scheint. Von einer offiziellen Beauftragung durch Mazedonien, oder auch nur durch eine Gemeinde, ist bei ihm nicht die Rede.

Auch heißt es nicht ἀπόστολοι τῶν ἐκκλησιῶν. Das muß nicht, kann aber bedeutsam sein; denn gegenüber πασῶν τῶν ἐκκλησιῶν (V 18) und ὑπὸ τῶν ἐκκλησιῶν (V 19) liegt in dem artikellosen ἐκκλησιῶν (V 23) möglicherweise eine Generalisierung: die beiden Genannten wären demnach hier als »Apostel von Gemeinden«, nicht aber Apostel bestimmter Gemeinden verstanden. Diese Verallgemeinerung könnte bedingt sein durch den in V 22 erwähnten Bruder, der dann nicht allein als ἀδελφὸς ἡμῶν (V 22) erscheinen, sondern von Paulus in V 23 zusätzlich als ein Apostel irgendeiner Gemeinde[7] ausgewiesen würde.

---

[1] Bachmann, 2 Kor 327, stellt ähnliche Überlegungen an und findet »durch das nachdrücklich schließende« εἰς πρόσωπον τῶν ἐκκλησιῶν den Gedanken hervorgehoben, »es gelte, in dieser Sache die Ehre des Apostels und die eigene zu wahren vor den als Zeugen und Beurteiler in dieser Angelegenheit berufenen ... Gemeinden«. Er denkt allerdings nur an die mazedonischen und »sonstigen«.

[2] Bachmann, 2 Kor 326, deutet diese Möglichkeit an.

[3] Windisch, 2 Kor 267.

[4] Vgl. den absoluten Gebrauch 1, 24; ähnlich gemeindebezogen könnte εἰς ὑμᾶς συνεργός auch hier sein, zumal ἐμός und εἰς ὑμᾶς sich kontrastierend gegenüberstehen; doch könnte natürlich auch nur die Betrachtungsweise verändert sein: »mir gegenüber« — »im Hinblick auf euch«.

[5] Windisch a. a. O. 267.

[6] Roloff, Apostolat — Verkündigung — Kirche 252, rechnet συνεργός zu den Begriffen, durch die »das offizielle Moment im Verhältnis des Apostels zu seinen Schülern am stärksten herausgestellt« wird. Vgl. zu συνεργός 1 Thess 3, 2; 1 Kor 3, 9; Röm 16, 3. 9. 21; Phil 2, 25; Phlm 1. 24.

[7] Es wäre zwar naheliegend, eine Gemeinde in Mazedonien als Absenderin zu vermuten, aber da von einer Wahl oder Sendung durch eine Gemeinde nicht gesprochen wird, läßt die Bezeichnung ἀπόστολος ἐκκλησίας auf jede nur mögliche Gemeinde schließen. Ähnliches gilt von der Person des so Bezeichneten; ihn unter

Darin stünde er dem vor ihm in V 18f Empfohlenen nicht nach[1], von dem jedoch darüber hinaus gesagt ist, daß er χειροτονηθεὶς ὑπὸ τῶν ἐκκλησιῶν sei, d. h. Apostel offenbar ganz bestimmter Gemeinden. Ist unsere Vermutung richtig, daß darunter die Gemeinden der Judaia zu verstehen sind, läge in dem verallgemeinernden Zusammenschluß des ἀπόστολος τῶν ἐκκλησιῶν mit dem ἀπόστολος ἐκκλησίας unter der gemeinsamen Bezeichnung ἀπόστολος ἐκκλησιῶν eine unverkennbare Einschränkung der amtlichen Funktion des ersteren, worin sich erneut die paulinische Tendenz der Darstellung seines und des Verhältnisses seiner Gemeinden zu Jerusalem ausdrücken würde. Eine »Spitze gegen Jerusalem« dürfte man diese nur insofern nennen, als sie einer Überbewertung der offiziellen Gesandtschaft jenes Mannes vorbeugt und die Souveränität der paulinischen Gesandtschaft und diejenige seiner Gemeinden herausstellt; denn Paulus beschreibt sein Verhältnis zu Jerusalem durchwegs positiv.

Bedeutsam ist in V 23b ferner die Relation auf Christus, die Paulus den »Aposteln von Gemeinden« zuschreibt; sie sind δόξα Χριστοῦ. Daß dieses »zweite Ehrenprädikat« den beiden »noch höheren Glanz gibt«[2], wird man nicht sagen dürfen; denn aus der Parallelität von V 23b zu V 23a ergibt sich, daß nicht jeweils zwei selbständige Ehrenprädikate gemeint sind, sondern daß die Stellung der Empfohlenen nur je nach zwei Seiten hin bestimmt ist: Titus ist κοινωνὸς ἐμός — εἰς ὑμᾶς συνεργός; die ἀπόστολοι ἐκκλησιῶν sind demnach als *solche* im Hinblick auf Christus dessen δόξα.

Die δόξα Χριστοῦ ist also nicht etwas Hinzukommendes, sondern etwas, was dem ἀπόστολος-ἐκκλησιῶν-Sein inhäriert. Gegenüber der Christusunmittelbarkeit der ἀπόστολοι Ἰησοῦ Χριστοῦ ist die Christusbezogenheit der ἀπόστολοι ἐκκλησιῶν mittelbar, durch Gemeinden vermittelt; aber ihr Auftrag hat Anteil an der δόξα Χριστοῦ, ihr Apostelsein ist »Glanz von Christus«, und darin ist die Würde und Autorität[3] der ἀπόστολοι ἐκκλησιῶν begründet; dennoch ist höchst fraglich, ob man ἀπόστολοι ἐκκλησιῶν als »Ehrentitel«[4] bezeichnen darf. Der »Glanz von Christus« liegt auf ihrem Auftrag; hingegen ist die Benennung vermutlich ebenso umschreibend wie κοινωνός und συνεργός. Ἀπόστολος erscheint eher als vager Verhältnisbegriff, der zwar den Gedanken der bevollmächtigten Gesandtschaft ausdrückt, dessen inhaltliche Bestimmung jedoch allein aus der Relation zum jeweiligen Sender hervorgeht. Insofern liegt gewiß eine gewichtige Unterscheidung zwischen ἀπόστολοι ἐκκλησιῶν und ἀπόστολοι θεοῦ bzw. ἀπόστολοι Ἰησοῦ Χριστοῦ; doch liegt der Unterschied nicht im »Apostolat«, sondern pri-

---

den Männern von Apg 20, 4 suchen zu wollen, ist so willkürlich wie jede andere Vermutung (gegen Bachmann, 2 Kor 326).

[1] Welcher Art der Bezug zu dieser Gemeinde war, als deren Apostel er ausgewiesen würde, ist gänzlich unbestimmt. Man muß mit der Möglichkeit rechnen, Paulus habe ihn nur als solchen bezeichnet, um der Gesandtschaft des offiziellen ἀπόστολος τῶν ἐκκλησιῶν ihr Gewicht nehmen zu können.

[2] Windisch, 2 Kor 267.

[3] Von Autorität sprechen u. a. Bachmann, 2 Kor 326: »autoritative Geltung«; Windisch, 2 Kor 267: »Träger der Autorität Christi«; dagegen Lietzmann, 2 Kor 137: »δόξα Χριστοῦ ist jeder Christ«; doch in 1 Kor 11, 7, worauf er verweist, ist von δόξα θεοῦ die Rede.

[4] Windisch a. a. O. 267.

mär in seiner verschiedenen Bestimmtheit[1]. Auch den ἀπόστολοι ἐκκλησιῶν wird eine sie autorisierende Bezogenheit auf Christus nicht vorenthalten, denn diese ist nicht erst und nicht nur durch die Gemeinde vermittelt, sondern sie haftet am Auftrag selbst.

Auch wenn wir hier nicht in die Diskussion um die Ursprünge des christlichen Apostolats eintreten wollen, muß doch auf die — fast als communis opinio geltende — Auffassung hingewiesen werden, die in 2 Kor 8, 23 (auch Phil 2, 25) einen »nicht-spezifischen Gebrauch«[2] des Begriffs ἀπόστολος sieht oder gar eine Vorstufe zum paulinischen Selbstverständnis als ἀπόστολος Ἰησοῦ Χριστοῦ[3]. Das ist in hohem Maß zweifelhaft. »Paulus bezeichnet offensichtlich nur sich selbst als ἀπόστολος Ἰησοῦ Χριστοῦ«, stellt J. Roloff[4] heraus, um den »spezifischen Wortgebrauch« von ἀπόστολος dem nicht-spezifischen von 2 Kor 8, 23 gegenüberzustellen, ohne der Frage nachzugehen, ob nicht gerade darin das genuin paulinische Verständnis von der Christusunmittelbarkeit seiner Berufung zum Apostel sich aussagt, die er etwa seinen Gegnern in 2 Kor 11, 13 abspricht, ohne jedoch abstreiten zu können, daß sie sich zu Recht ἀπόστολοι nennen dürfen.

Sowohl die Sache wie der Begriff ἀπόστολος lagen dem Paulus schon vor, und er präzisiert sie nur, indem er die »berufenen« Apostel (primär sich selbst) als die bevollmächtigten Gesandten Christi denen gegenüberstellt, die diese unmittelbare Berufung nur behaupten[5], den sog. ψευδαπόστολοι von 2 Kor 11, 13, und sie abhebt von denen, die ihre Berufung zum Amt eines Apostels der Gemeinde verdanken; ἀπόστολοι sind sie alle. Der Unterschied liegt in der unmittelbaren (vgl. ἀπόστολοι Ἰησοῦ Χριστοῦ), angemaßten (vgl. ψευδαπόστολοι)

---

[1] Unabhängig von der behaupteten Herleitung des urchristlichen Apostolats aus dem spätjüdischen Šaliaḥ-Institut wird man Rengstorf, ThW I 421, darin zustimmen müssen, daß der ἀπόστολος im Neuen Testament »überall die Bezeichnung eines Menschen, der gesandt ist, eines Gesandten, und zwar eines bevollmächtigten Gesandten« ist.
[2] Vgl. Roloff, Apostolat — Verkündigung — Kirche 39, welcher behauptet, es sei in der Bestimmung des paulinischen Apostelbegriffs von der »inzwischen allgemein anerkannten Feststellung auszugehen, daß in den paulinischen Briefen eine strikte Scheidung zwischen einem spezifischen und einem nicht-spezifischen Gebrauch ... eingehalten ist«.
[3] Vgl. Schmithals, Apostelamt 49 f; ferner Munck, Paul, the Apostles, and the Twelve 96–110, v. a. 101 ff; und Lohse, Ursprung und Prägung des christlichen Apostolats 259–275, nach denen die vorpaulinischen Apostel »lediglich Sendboten von Gemeinden bzw. des jerusalemischen Zwölferkreises« waren (Roloff, Apostolat — Verkündigung — Kirche 23).
[4] Roloff a. a. O. 39.
[5] Die Gegnerfrage wird gerade in 2 Kor 10–13 so differierend beantwortet, daß hier nur vorsichtigste Aussagen angebracht erscheinen; vgl. zum Problem der Gegner v. a. E. Käsemann, Die Legitimität des Apostels, Eine Untersuchung zu II Kor 10–13, in: ZNW 41 (1942) 33–71; R. Bultmann, Exegetische Probleme des zweiten Korintherbriefes, Darmstadt ²1963; W. Schmithals, Die Gnosis in Korinth, Eine Untersuchung zu den Korintherbriefen (FRLANT 66), Göttingen ²1965; G. Klein, Die zwölf Apostel, Ursprung und Gehalt einer Idee (FRLANT 77), Göttingen 1961, 54–60; G. Friedrich, Die Gegner des Paulus im 2. Korintherbrief, in: Abraham unser Vater (Festschrift für O. Michel), Leiden–Köln 1963, 181–215; D. Georgi, Die Gegner des Paulus im 2. Korintherbrief, Studien zur religiösen Propaganda in der Spätantike (WMANT 11), Neukirchen 1964.

oder mittelbaren (vgl. δόξα Χριστοῦ) Stellung zu Christus. Die Hinzufügung δόξα Χριστοῦ verwehrt es, den Apostolat der Gemeindeapostel rein ekklesiologisch zu verstehen und ihn dem christologisch begründeten des Apostels Jesu Christi entgegenzusetzen[1]. Beide stehen in einer christologischen Relation und sind auf die ἐκκλησίαι hin orientiert[2], allerdings auf verschiedene Weise. Problematisch ist von daher auch die Rede vom »weiteren« oder »engeren«[3] Apostelbegriff bei Paulus. Offenbar hat nämlich Paulus nur einen Begriff für verschiedene Sachverhalte, die — um eindeutig zu sein — durch eine Genitivverbindung erst näher umschrieben werden müssen. Zu prüfen wäre vielmehr der gelegentliche absolute Sprachgebrauch von οἱ ἀπόστολοι bei Paulus, der möglicherweise die eigentliche vorpaulinische Formel ist, die Paulus selbst übernimmt und differenziert[4].

An den in Frage kommenden Stellen ist nämlich die »Nähe« zur Jerusalemer παράδοσις unübersehbar:

Gal 1, 17. 19 setzt Paulus seinen Apostolat betont neben den offenbar schon geltenden der Jerusalemer Autoritäten und klärt — zumindest ansatzweise — sein Verhältnis zu ihnen: seine Selbständigkeit wie seinen Willen zur Gemeinschaft.

Oἱ ἀπόστολοι sind an beiden Stellen — 1, 19 beweist es — ein schon begrenzter Kreis von als ἀπόστολοι bekannten Männern.

1 Kor 9, 5 wird gleichfalls in der Rede von den »übrigen Aposteln« die Überschaubarkeit und Begrenztheit des Apostelkreises vorausgesetzt. Ganz besonders deutlich ist dies in

1 Kor 15, 7 in der Formulierung: τοῖς ἀποστόλοις πᾶσιν. Welcher Art diese Begrenzung war und auf welchen Personenkreis sie sich bezog, wissen wir nicht. Jedenfalls kann keine Rede davon sein, daß jeder beliebige Missionar sich »Apostel« nennen konnte, oder davon, daß erst Lukas etwa eine Begrenzung vorgenommen hätte; dies mag für die Einschränkung auf die Zwölf gelten, die Zahl der »Apostel« dagegen war auch für Paulus begrenzt.

Röm 16, 7 läßt nicht klar erkennen, wer und was gemeint ist; aber wie in 2 Kor 11, 5. 13; 12, 11 ff (in der Auseinandersetzung mit den ὑπερλίαν ἀπόστολοι und ψευδαπόστολοι) ist bei dieser absoluten Verwendung von ἀπόστολοι (ein Titel, den man nach 2 Kor 11 und 12 auch bald usurpieren konnte) der Unterschied zu den oben genannten Stellen deutlich. Kann sich Röm 16, 7 noch auf jenen begrenzten Kreis beziehen, so lassen die Stellen in 2 Kor erkennen, daß möglicherweise gerade dieser Mißbrauch des ἀπόστολος-Begriffs Paulus zu seinen Differenzierungen zwingt. In jedem Fall bleibt bedeutsam, daß Paulus für

---

[1] Gegen Güttgemanns, Literatur zur Neutestamentlichen Theologie 67.
[2] So könnte man Roloff a. a. O. 273 zustimmen, wenn er von »verschiedenen Personenkreisen« spricht, die durch ἀπόστολοι Ἰησοῦ Χριστοῦ und ἀπόστολοι ἐκκλησιῶν gekennzeichnet sind; aber unrichtig wird es sein, den letzteren Gebrauch einen »nicht-spezifischen« (a. a. O. 39) zu nennen (oder nicht-»technisch« wie Schmithals, Apostelamt 50), denn spezifisch ist immer nur der Inhalt, nicht der Begriff, weshalb er der verschiedene Zusätze bedarf, um eindeutig zu sein.
[3] Vgl. Roloff a. a. O. 60 A. 72 zu Michel, Röm 379 A. 8.
[4] Vgl. Gal 1, 17. 19; 1 Kor 9, 1. 2. 5; 15, 7. 9; (2 Kor 11, 5. 13; 12, 11ff; Röm 16, 7). Zum Ganzen jetzt Schnackenburg, Apostel vor und neben Paulus 341–358.

die verschiedenen Gruppen von ἀπόστολοι die gemeinsame Bezeichnung beläßt,
aber die Art ihrer Legitimation durch seine genitivischen Hinzufügungen erläutert. Oἱ ἀπόστολοι wäre demnach die Formel, die Paulus aus der Tradition
übernimmt — ohne daß wir diesen abgeschlossenen Kreis zuverlässig bestimmen könnten; dagegen differenzieren ἀπόστολοι 'Ιησοῦ Χριστοῦ und ἀπόστολοι
ἐκκλησιῶν zwei Typen von Aposteln, die beide in Relation stehen zu Christus,
wobei die ersten Repräsentanten des Christus, die zweiten hingegen δόξα Χριστοῦ, beide aber auf die ἐκκλησίαι ausgerichtet sind: die ersten, sofern sie diese
begründen, so daß ihre ganze Existenz mit dem ἀπόστολος Χριστοῦ auf dem
Spiele steht, die zweiten, sofern sie durch die ἐκκλησίαι ihre Aufgabe erhalten
und innerhalb der Gemeinden vermitteln. Für beide Typen steht ein Begriff.
Es hält sich im Begriff auch ein sachliches Moment durch, welches die bevollmächtigten Gesandten, seien sie von Christus unmittelbar berufen oder von
den Gemeinden zu ihrer Aufgabe bestellt, charakterisiert: auf ihrem Auftrag,
dem eine Beauftragung bzw. Berufung zugrunde liegen muß, liegt in verschiedener — unmittelbarer oder vermittelter — Weise die δόξα Χριστοῦ; hinter
ihnen steht der Herr mit seiner Autorität. (Daß diese nicht von Christus ablösbar und in der Gemeinde nur paränetisch durchsetzbar ist, muß hier nicht
betont werden.)

Festzuhalten ist, daß ἀπόστολος für Paulus — ähnlich wie ἐπίσκοπος, διάκονος,
κοπιῶντες, προιστάμενοι usw. — ein inhaltlich jeweils erst näher zu bestimmen-
des Beziehungswort ist, hinter dem als allgemeine Vorstellung die bevollmächtigte Beauftragung steht.

Die Beziehung des christlichen ἀπόστολος zum spätjüdischen šalîaḥ-Institut
sind allgemeiner Natur, so daß neben einer möglicherweise gemeinsamen Wurzel
eine Abhängigkeit beider voneinander nicht behauptet werden kann. Daß beim
jüdischen šalîaḥ-Institut vielfach »finanzielle und verwaltungstechnische Be-
lange«[1] zu vertreten waren, kann man nicht als zwingende Analogie für die
Aufgabenbereiche und zur Charakterisierung der ἀπόστολοι ἐκκλησιῶν gelten
lassen. Denn wenn es zutrifft, »daß solche Gemeindeapostel offenbar im
paulinischen Missionsgebiet eine allgemein geläufige Erscheinung darstellten«[2],
dann wäre es reiner Zufall, daß Epaphroditos in Phil 2, 25 und die ἀπόστολοι
ἐκκλησιῶν mit der Überbringung der Unterstützung für Paulus bzw. der Sammlung für Jerusalem, also mit im weitesten Sinn finanziellen Dingen zu tun
haben. Die Schilderung des Dienstes des Epaphroditos weist ebenso darüber
hinaus wie jene der Funktion der Gemeindeapostel in 2 Kor 8, 23.

Für unsere Deutung der οἱ ἀπόστολοι auf die Jerusalemer — wer immer dazu
zählen mochte — sprechen neben Gal 1, 17. 19; 1 Kor 15, 7 die ähnlich gebauten
Aussagen: οἱ ἅγιοι (vgl. 1 Kor 16, 1; 2 Kor 8, 4; 9, 1. 12; Röm 15, 25. 31), οἱ

---

[1] Roloff, Apostolat — Verkündigung — Kirche 209, mit Hinweis auf H. Vogelstein, The Development of the Apostolate in Judaism and its Transformation in
Christianity, in: HUCA II (1925) 99–123, v. a. 119; Rengstorf, ThW I 416.
[2] Roloff a. a. O. 39; vgl. dazu neben Rengstorf a. a. O. 417 H. Vogelstein, Die
Entstehung und Entwicklung des Apostolats im Judentum, in: MGWJ 49 N. F.
13 (1905) 427–449; v. Campenhausen, Apostelbegriff 96–130, v. a. 102.

πτωχοί als Bezeichnung für die Gläubigen Jerusalems[1] (oder die Gemeinden der Judaia? Dann würde sich die Bezeichnung αἱ ἐκκλησίαι von 8, 19 in diesen Vorstellungskreis einordnen; vgl. Gal 1, 19. 22). Unsere Stelle ermöglicht keine vollständige Klärung; doch ergibt die Auslegung eine gewisse Bestätigung für die Behauptung K. Holls[2], die Urgemeinde habe aus ihrer »Heiligkeit« auch bestimmte »Rechtsforderungen« den Heidenchristen gegenüber abgeleitet. Daß dies nicht deutlicher wird, sondern eher verschleiert erscheint, ist paulinische Absicht.

Diese läßt sich abschließend noch einmal aus 8, 19 b erheben. Hier wird von der Kollekte gesagt, sie werde von Paulus geleistet πρὸς τὴν αὐτοῦ τοῦ κυρίου δόξαν καὶ προθυμίαν ἡμῶν. Um die Schwierigkeit dieser Wendung zu beseitigen, hat man sie teils als von χειροτονηθείς[3], teils von συνέκδημος[4] abhängig, teils als zu στελλόμενοι[5] gehörig erklärt, oder man hat das πρός »sinngemäß« im ersten Glied mit »zum«, im zweiten mit »gemäß« wiedergegeben[6]. Eine weitere Schwierigkeit, die wenig beachtet wird[7], ist schließlich die pointierte Gegenüberstellung von αὐτοῦ und ἡμῶν. Zusammenhang und Wortlaut von V 19 b fordern meiner Meinung nach den nächstliegenden Bezug auf διακονουμένῃ ὑφ’ ἡμῶν[8]. Der συνέκδημος wurde von den Gemeinden gewählt als ein Begleiter des Paulus in diesem (und nur für dieses) Gnadenwerk, welches besorgt wird von ihm »zu des Herrn selbst Ehre und zum Erweis unserer Bereitwilligkeit«[9]. Πρός läßt sich in beiden Gliedern mit »zu, im Hinblick auf« wiedergeben als

---

[1] Vgl. Holl, Der Kirchenbegriff des Paulus 58–60.
[2] Holl a. a. O. 60. Er bestätigt der Tübinger Schule, daß sie ein richtiges Gespür dafür gehabt hätte, was hinter der »Spende« der paulinischen Gemeinden steckte (vgl. a. a. O. 58).
[3] Vgl. Windisch, 2 Kor 264. Zwar hält Windisch auch eine Beziehung auf das Gnadenwerk für möglich, aber »nicht das Werk an sich, sondern seine Sicherung durch Begleiter« sei hier die Hauptsache.
[4] Nach Schlatter, Paulus der Bote Jesu 601, ist die Wendung »an die den Satz tragende Aussage ›er wurde als unser συνέκδημος gewählt‹«.
[5] Bachmann, 2 Kor 323f, sieht in den Bezügen auf διακονουμένῃ, συνέκδημος, χειροτονηθείς »etwas Gezwungenes« und schlägt deshalb eine Verbindung mit dem folgenden στελλόμενοι vor; er übersetzt: »indem wir gemäß seiner, des Herrn, Ehre und unserer Bereitwilligkeit das fernzuhalten suchen«. Windisch a. a. O. hält das wohl zu Recht für ausgeschlossen.
[6] Vgl. Lietzmann, 2 Kor 137; Wendland, 2 Kor 221. Durch die unmittelbare Parallelität zu πρὸς . . . δόξαν ist aber auch dies wohl ausgeschlossen; vgl. Windisch a. a. O. A. 2.
[7] Bachmann a. a. O. macht zwar darauf aufmerksam, meint aber: »Auch begreift man nicht recht, zu welchem Zwecke dabei durch die Einschaltung von αὐτοῦ . . . die Person des Herrn hier so stark betont ist und ihr die ἡμεῖς gegenübergestellt sind«. Windisch a. a. O. sieht darin »an den Geber und Stifter der χάρις« erinnert: »eben zu seiner Ehre wird das von ihm geschaffene Werk bedient und vollendet« — aber die Gegenüberstellung der ἡμεῖς wird übersehen. Auch wenn in BCD it vg u. a. αὐτοῦ fehlt, hebt das die sachliche Entgegensetzung von τοῦ κυρίου δόξαν — προθυμίαν ἡμῶν nicht auf.
[8] Windisch läßt a. a. O. diese Deutung offen, die heute u. a. von Kuss, 2 Kor 229, vertreten wird.
[9] στελλόμενοι ist anakoluthisch an συνέκδημος ἡμῶν angeschlossen, nicht an συνεπέμψαμεν; vgl. Bl.–Debr. § 468, 1.

Ausdruck von Bestimmung und Zweck[1]. Bestimmt ist die διακονία des Paulus (und seiner Gemeinden) *primär* zur Verherrlichung des Herrn selbst; damit wird ihr eine letztmögliche Sinnrichtung gegeben, welche verhindern könnte, daß man dieses Gnadenwerk für eine auferlegte Steuer zur Anerkennung der Oberhoheit Jerusalems hält; zugleich hat sie auch (καί) den Zweck, seine — des Apostels — Bereitwilligkeit zur κοινωνία mit Jerusalem unter Beweis zu stellen[2]. Diese Tendenz der paulinischen Darstellung prägt das ganze Kapitel, so daß man nichts hier »einträgt«, wenn man die Wendung von V 19 b in diese Ambivalenz hineinstellt. Der vermutlich von Jerusalem beabsichtigte Zweck der Kollekte, die von K. Holl behauptete Rechtsforderung an die Heidenchristen, wird von Paulus wohl bewußt verdeckt durch die Zielangabe πρὸς τὴν αὐτοῦ τοῦ κυρίου δόξαν und die seine Freiwilligkeit betonende und seine Unabhängigkeit wahrende Formulierung καὶ προθυμίαν ἡμῶν.

3. Die Behauptung des Apostolats vor der Gemeinde gegen seine Bestreiter

E. Käsemann hat mit seiner Untersuchung zu 2 Kor 10–13[3] einen vielbeachteten Versuch unternommen, die Hintergründe der gegen Paulus und seinen Apostolat erhobenen Vorwürfe herauszustellen; er glaubt, als eigentlichen Kampfgrund den paulinischen Begriff von Amt und Autorität erheben zu können. Gegen Käsemanns Bestimmung der Gegner des Paulus in Korinth werden zwar berechtigte Einwände erhoben, von denen noch zu handeln sein wird, doch unbestreitbar dürfte das eigentliche Ergebnis seiner Untersuchung sein, daß Paulus in 2 Kor 10–13[4] seinen Apostolat verteidigt[5] — und darin Amt und Autorität in der Kirche; ferner die Tatsache, daß er sich nicht — — jedenfalls nicht nur — unmittelbar seiner Gegner erwehrt, indem er mit diesen selbst abrechnet[6].

---

[1] Dazu Bl.–Debr. § 239, 7.

[2] Bousset, 2 Kor 203, verschleiert diesen Sachverhalt, wenn er übersetzt: »dem Herrn selbst zur Ehre, uns zur Ermunterung«. Vgl. dagegen Bauer, WB 1401: προθυμία = Geneigtheit, Bereitwilligkeit, guter Wille.

[3] E. Käsemann, Die Legitimität des Apostels, Eine Untersuchung von II Korinther 10–13, in: ZNW 41 (1942) 33–71.

[4] Auf die literarkritischen Fragen nach dem Zusammenhang dieser Kapitel mit dem übrigen Brief bzw. behaupteten Briefteilen und die vielfältig vorgetragenen Teilungshypothesen wird hier nicht eingegangen. Vgl. dazu A. Hausrath, Der Vier-Capitelbrief des Paulus an die Korinther, Heidelberg 1870; den ausführlichen Bericht bei Windisch, 2 Kor 12–18; Schmithals, Die Gnosis in Korinth 18–22 (bzw. ²1965, 90–94); Bornkamm, Die Vorgeschichte des sogenannten Zweiten Korintherbriefes 16–23.

[5] Käsemann, Legitimität 48 ff; vgl. die Zustimmung bei J. Munck, Paulus und die Heilsgeschichte, Åarsskrift for Aarhus Universitet XXVI, 1, Kopenhagen 1954, 188; Bultmann, Exegetische Probleme des zweiten Korintherbriefes 20; Bornkamm a. a. O. 10; Roloff, Apostolat — Verkündigung — Kirche 76; dagegen: Georgi, Die Gegner des Paulus 39–49.

[6] So Lietzmann, 2 Kor 139. Das erschwert die Beantwortung der Frage nach den Gegnern; denn es ist damit zu rechnen, daß sich Paulus über die ihm bekannt gewordenen Argumente der Gegner hinaus auch möglicher weiterer Angriffe erwehrt, die nicht unmittelbar mit Korinth etwas zu tun haben müssen.

Vielmehr verteidigt er sich vor der Gemeinde[1] gegen jene Vorwürfe, die man in Korinth erst auf Grund des überheblichen Apostolatsverständnisses der Gegner gegen ihn erhoben hatte. Die Situation der Kapitel 10–13 scheint daher von jener in den Kapiteln 1–9 keineswegs so verschieden zu sein, daß man zu einer Briefzerteilung berechtigt oder gar genötigt wäre; ist dort auch der Ton des Briefes — von der beabsichtigten Rückgewinnung der Gemeinde bestimmt — werbend, wogegen er sich in den Kapiteln 10–13 — durch die kontrastierende Abhebung seines Apostolats von demjenigen der ψευδαπόστολοι (11, 13) — erheblich verschärft, so geht es doch in beiden Fällen um die Gemeinde, welche geneigt war, sich von Paulus abzuwenden und ψευδαπόστολοι das Ohr zu leihen. Die Lage in Korinth hatte sich in der Zwischenzeit offenbar so weit zugunsten des Paulus gebessert (vgl. 7, 5–16), daß er es in den Kapiteln 10–13 wagen kann, in scharfer Auseinandersetzung mit den Gegnern vom wahren μέτρον τοῦ κανόνος (10, 13f) eines Apostels zu reden.

Für E. Käsemann ergibt sich aus der Dialektik der paulinischen Beweisführung die Gewißheit, daß der eigentliche Streit nicht zwischen Paulus und seinen Gegnern in Korinth ausgefochten wird, die von sich aus einen so radikalen Angriff gegen ihn unternommen hätten, sondern zwischen Paulus und den Aposteln in Jerusalem, daß es also im letzten um die Anerkennung der Prävalenz von Jerusalem und die Proklamation eines Legitimitätsprinzips gehe, auf Grund dessen man Paulus den Apostolatsanspruch absprechen wollte[2]. Wieweit freilich die Urapostel direkt oder nur indirekt beteiligt seien, lasse sich nicht ausmachen; jedenfalls werde ihre Autorität gegen Paulus ausgespielt[3]. Daher rechne Paulus zwar mit seinen unmittelbaren Gegnern schonungslos ab, hüte sich aber, mit Jerusalem in Konflikt zu kommen.

E. Käsemann hält die Gegner für Juden (vgl. 11, 22), die auf ihre judenchristliche Herkunft, auf ihre Überlieferungen und Verheißungen pochen, denen es jedoch nicht um eine gnostische Heilslehre zu tun ist. Sie nennen sich Christusapostel (vgl. 11, 13), womit sie wohl ihre Beziehung zum historischen Jesus und ihre Legitimität gegen Paulus ausspielten.

Was sie primär angriffen, sei das bei Paulus fehlende μέτρον, welches den Apostel kennzeichnet (seine δοκιμή), seine Sendung durch Christus, die fehlenden Apostelzeichen (vgl. σημεῖα 12, 12), seine mangelnde Anerkennung durch Unterhaltsgewährung seitens der Gemeinde und sein sarkischer Lebenswandel

---

[1] Nicht aber, wie Käsemann annimmt, gegen die Urapostel in Jerusalem; vgl Käsemann a. a. O. 48: Paulus »verteidigt sich gegen die Urapostel und schlägt die Eindringlinge in Korinth«.

[2] Einen deutlichen Hinweis dafür sieht Käsemann nicht nur in der Argumentation der Gegner des Paulus, sondern gerade auch in den ὑπερλίαν ἀπόστολοι von 11, 5 und 12, 11. Schon die in 3, 1 genannten »Empfehlungsschreiben« der anderer »Apostel« verweisen seiner Meinung nach auf eine Autorität im Hintergrund, die den Paulus zu dialektischer Vorsicht zwinge. Wie wenig zimperlich Paulus sons wohl vorgegangen wäre, würde in 11, 13 immerhin angedeutet, wo er seine Gegner ψευδαπόστολοι und ἐργάται δόλιοι, indirekt auch »Satansdiener« nennt; vgl. dazu A. Schlatter, Die korinthische Theologie (BFChTh 18, Heft 2), Gütersloh 1914, 101 ff

[3] Der Ausdruck ὑπερλίαν ἀπόστολοι (»Überapostel«) bringe — auf die Urapostel bezogen — die von Paulus abgewehrte Herabwürdigung seines Apostolats in vorsichtiger Weise ins Spiel.

(vgl. κατὰ σάρκα 10, 2). Es fehle ihm die ἱκανότης; ein Beweis dafür sei seine ἀσθένεια. Die mangelnde apostolische Autorität verrate seine pseudoapostolische Existenz. Für Paulus, der die Größe der Gefahr für sein Wirken als »Apostel Jesu Christi« kenne, seien die Eindringlinge (ὁ ἐρχόμενος in 11, 4 ist nach E. Käsemann wohl ein summarischer Hinweis wie ὁ τοιοῦτος von 10, 11) eine dämonische Verführung für die Gemeinde (vgl. 11, 3. 13 ff). Zur äußeren Dialektik in der Beweisführung des Paulus im Blick auf die Jerusalemer Urapostel im Hintergrund kommt nach E. Käsemann die noch größere Schwierigkeit, daß er auch die apostolische Existenz als dialektisch aufweisen müsse: Gottes Kraft erweise sich gerade in dem schwachen Auftreten des Apostels (vgl. 13, 4); in seinem Versagen mache ihn Christus erst ganz zu seinem Apostel, der alles aus Gnade allein vermag.

So fruchtbar dieser zweite Ansatz ist, so wenig überzeugt der erste. R. Bultmann[1] spricht deshalb von einem Fehlgriff E. Käsemanns, »daß er zu den an Paulus vermißten Merkmalen der Legitimität auch die Autorisierung durch eine autoritative, in rechtlicher Geltung stehende Instanz rechnet«, und annimmt, »daß die in Korinth eingedrungenen Gegner eine Delegation mit einem amtlichen Auftrag, und zwar aus der Urgemeinde, seien, daß sie die Autorität der Urapostel gegen Paulus ausspielen, also ein Traditionsprinzip vertreten«[2].

R. Bultmann betont seinerseits mit Nachdruck: »alles tritt . . . hinter dem einen Thema des Apostolats zurück«[3]; doch erklärt er die Dialektik der paulinischen Argumentation wesentlich einleuchtender durch den Hinweis auf die καύχησις als dem eigentlichen Thema von 11,22 – 12,18[4]. Paulus verurteile den Vergleich mit den Gegnern und ihrer καύχησις, müsse sich aber doch darauf einlassen; daher der paradoxe Verlauf seines eigenen Rühmens, das in ein Rühmen der ἀσθένεια ausmündet (vgl. 11, 30). Ähnlich stehe es mit dem ἀπολογεῖσθαι[5]; denn die Gemeinde müsse seine Ausführungen in 10, 12–12,18, zumal 12, 11–18 als Selbst-Verteidigung ansehen, obwohl sie keineswegs so gemeint seien (vgl. 12, 19). Die Gemeinde solle ihn verstehen lernen; das sei die Absicht des Apostels. Zusammenfassend sagt R. Bultmann: »Nirgends also ist Paulus durch den Respekt vor den wirklich oder vermeintlich hinter den Geg-

---

[1] R. Bultmann, Exegetische Probleme des zweiten Korintherbriefes, Darmstadt ²1963 (Fotomechanischer Nachdruck von SyBU 9, Uppsala 1947).
[2] A. a. O. 21; die scheinbare Stütze für Käsemanns Auffassung in 10, 12 ff beruhe auf dem Mißverständnis, als hätten die Gegner an Paulus das rechte μέτρον τοῦ κανόνος vermißt, d. h. die »Dienstvorschrift« oder »Berufungsinstallation«, und nicht umgekehrt Paulus an ihnen, denen er ein εἰς τὰ ἄμετρα καυχᾶσθαι zum Vorwurf macht (vgl. 10, 13). Auch die Empfehlungsbriefe von 3, 1 weisen nach Bultmann nicht auf die Urgemeinde als Aussteller; die συστατικαὶ ἐπιστολαὶ πρὸς ὑμᾶς ἢ ἐξ ὑμῶν sind vielmehr Gemeindeempfehlungen; sie spielen in den Kapiteln 10–13, bei der Abgrenzung des paulinischen κανών von dem seiner Gegner, keine Rolle.
[3] A. a. O. 24.
[4] A. a. O. 29. Paulus sage in 10, 12–18, »daß er sich nicht vergleichen wolle, wobei er es tatsächlich doch schon tut«. Es folge in 11, 1–6 die motivierte, durch die VV 7–15 unterbrochene und mit V 16 wieder aufgenommene Bitte, sein καυχᾶσθαι zu ertragen, bis dann V 22 die καύχησις wirklich beginne.
[5] A. a. O. 29.

nern stehenden Autoritäten gehemmt, sondern *allein durch die Situation*, die ihn zwingt, sich selbst zu charakterisieren«[1].

Präzisiert besteht die Situation darin, daß sich die Gemeinde von den Gegnern des Paulus hatte aufwiegeln und durch ihre *καύχησις* hatte betören lassen; sie waren den Korinthern als *ὑπερλίαν ἀπόστολοι* (vgl. 11, 5; 12, 11) erschienen[2]. Paulus hingegen mußte nun der Gemeinde zeigen, daß er hinter diesen durchaus nicht zurückstehe in allem, worin sie sich rühmen, daß sie vielmehr in Wahrheit *ψευδαπόστολοι* (11, 13) seien, welche die Gemeinde nur ausnützen wollen (vgl. 11, 7–11. 12) und ihr einen anderen Jesus verkünden und einen anderen Geist (vgl. 11, 4) — einen Jesus, der gerade nicht mehr seine »im Apostel wirkende *δύναμις* und *ζωή* . . . in seiner *ἀσθένεια* offenbare«[3].

R. Bultmann bestimmt nun seinerseits die Gegner als gnostische Pneumatiker[4]; doch bleiben seine Hinweise auf spezifisch gnostische Anschauungen[5] wie sein methodisch zweifelhafter Rückgriff auf ähnliche gnostisch-pneumatische Erscheinungen in 1 Kor umstritten[6].

Einen Vermittlungsversuch unternahm J. Roloff[7], der das Charakteristikum der paulinischen Gegner in Korinth »gerade in dem Ineinander« zweier Legitimationsreihen sehen will: a) der historischen Legitimation aus ihrer Abstam-

---

[1] A. a. O. 30 (Hervorhebung von mir).

[2] A. a. O. 27 f liefert Bultmann den Nachweis der Identität der korinthischen Gegner mit den *ὑπερλίαν ἀπόστολοι = ψευδαπόστολοι*; vgl. auch Bornkamm, Die Vorgeschichte des sogenannten Zweiten Korintherbriefes 15; Klein, Die zwölf Apostel 58 A. 248; Munck, Paulus und die Heilsgeschichte 171f; Roloff, Apostolat — Verkündigung — Kirche 79 A. 129.

[3] Bultmann a. a. O. 27.

[4] A. a. O. 24. 30; er nennt als ihre Kennzeichen: das imponierende Auftreten (vgl. 10, 1. 10), Gabe der freien pneumatischen Rede: *λόγος* und *γνῶσις* (vgl. 11, 6), *ὀπτασίαι* und *ἀποκαλύψεις* (vgl. 12, 1), sichtbare Dokumentierung von *ἐξουσία* (vgl. 10, 8; 13, 10) und *σημεῖα τοῦ ἀποστόλου* (vgl. 12, 12). Vgl. dazu Reitzenstein, Hellenistische Mysterienreligionen 361–371.

[5] A. a. O. 23 f; noch energischer setzt sich Schmithals, Die Gnosis in Korinth ²1965, 273, für eine einheitliche gnostische Gegnerfront in den beiden Briefen an die Korinther ein; vgl. dazu auch Schmithals, Apostelamt 104 A. 70.

[6] Vgl. Käsemann, Legitimität 36, gegen W. Lütgert, Freiheitspredigt und Schwarmgeister in Korinth (BFChTh 12, Heft 3), Gütersloh 1908, 79; Bornkamm, Die Vorgeschichte des sogenannten Zweiten Korintherbriefes 16 A. 66; Roloff, Apostolat — Verkündigung — Kirche 80 A. 135, im Anschluß an Goppelt, Die apostolische und nachapostolische Zeit 67 ff.

[7] Roloff a. a. O. 75–82, v. a. 80. Im einzelnen sind Roloffs Argumente anfechtbar; denn daß 11, 22 Wert auf die Herkunft aus dem »palästinensischen« Judentum lege (vgl. dagegen Bultmann a. a. O. 25), behauptet in dieser Form auch Gutbrod (ThW III 393, 30) nicht, auf den er sich beruft, und daß die Gegner ihren Apostolat auf einem dem jüdischen strukturgleichen Sukzessionsprinzip aufbauten, beweist die »aufsteigende Reihe der Prädikate«, die in 11, 22 in *διάκονοι Χριστοῦ εἰσιν* ausmündet, keineswegs.

Jedenfalls zeigt auch Roloff, daß die verschiedenartigen Elemente im Bild der korinthischen Gegner noch nicht befriedigend erklärt sind. Das behauptete Ineinander zweier Legitimationsreihen wird freilich eher verunklart, wenn Roloff feststellt, das Bild der Lügenapostel sei »in allen seinen Zügen von einem inneren Widerspruch geprägt, der sich letztlich nur auf die . . . Heterogenität ihres Selbstverständnisses zurückführen läßt« (a. a. O. 81). Die Heterogenität scheint anders begründet.

mung vom palästinensischen Judentum und b) der pneumatischen Legitimation, welche die erste überlagert. Er kennzeichnet die gegnerische Position deshalb als »gnostisierenden Judaismus«.

Muß danach die Frage nach den paulinischen Gegnern in 2 Kor auch weiterhin als ungelöst gelten, so ist doch darin Übereinstimmung erzielt, daß es in den Kapiteln 10–13 »vor allem um den echt christlichen Begriff der apostolischen Auktorität«[1] geht, den Paulus der korinthischen Gemeinde auf der Folie der eingedrungenen pneumatischen »Überapostel« darlegt. Auf die Urapostel als Hintermänner wird man dabei ebenso verzichten müssen[2] wie auf eine allzu einheitliche Festlegung der Gegner. Das Heterogene in ihrer Charakterisierung dürfte nämlich kaum in deren eigenem Selbstverständnis begründet sein[3], sondern weit eher in der paulinischen Gedankenführung, die vermutlich auf tatsächliche, aber auch auf mögliche korinthische und sonstige Gegner Bezug nimmt. Es geht für Paulus primär um die Gemeinde, nicht um die Gegner an sich; denn er will seinen apostolischen Anspruch neu zur Geltung bringen, indem er der Gemeinde das wahre μέτρον τοῦ κανόνος eines Apostels Jesu Christi vor Augen führt.

Auf diesem Hintergrund werden im Folgenden einzelne für unseren Zusammenhang bedeutsame Stellen befragt werden.

a) Die Vollmacht eines Apostels

2 Kor 10, 2–6

Was uns hier und im Folgenden beschäftigt, ist die Vollmacht des Apostels gegenüber seiner Gemeinde. Dabei bleibt zu beachten, daß nach den Kapiteln 1–7 das gestörte Verhältnis zwischen Paulus und den Korinthern zwar inzwischen weitgehend entschärft, aber doch nicht restlos bereinigt werden konnte; daher die Wendung ὅταν πληρωθῇ[4]. Das hat gewiß zur »Voraussetzung, daß der Gehorsam gegen Christus und, was für P. dasselbe ist[5], der Gehorsam gegen den Ap. von der Gemeinde noch nicht völlig oder überhaupt nicht durch die Tat realisiert ist, *entweder* weil irgend ein letzter Beweis noch geliefert, ein letzter Stein des Anstoßes noch beseitigt werden muß, *oder* … weil eben gegenüber einer Auflehnung, gegenüber einem Verstoß nun rückhaltlos Unter-

---

[1] Baur, Paulus, der Apostel Jesu Christi 289, zitiert bei Käsemann, Legitimität 50.
[2] Vgl. v. a. Kümmel, im Anhang zu Lietzmann, 2 Kor 210, und oben S. 160 A. 2.
[3] Gegen Roloff a. a. O. 81.
[4] Windisch, 2 Kor 300, verkompliziert den Sachverhalt unnötig, wenn er zwischen 2, 9; 7, 15 und 10, 6 Unvereinbarkeit feststellt und einen neuen zu bereinigenden Zwischenfall annimmt. Die Differenzen in den Angaben zur Situation in 2, 5–11; 7, 5–16 und 10, 2–6 resultieren aus den verschiedenen Darstellungsabsichten. Sowohl die Aufforderung, »Liebe gegen ihn zu beschließen« in 2, 8, wie der Hinweis auf die »Bestrafung von seiten der πλείονες« in 2, 6 lassen das ὅταν πληρωθῇ als gerechtfertigt erscheinen; vgl. Lietzmann, 2 Kor 141.
[5] Wegen des engen Zusammenhangs von V 5 und V 6 klammert Bachmann, 2 Kor 345, die ὑπακοή gegen Paulus aus und sieht sie ganz auf Christus gerichtet. Ὅταν πληρωθῇ scheint aber doch auf eine — wenngleich nicht näher bestimmbare — Forderung anzuspielen, so daß hier wie sonst der Gehorsam gegen Christus den Gehorsam gegen den Apostel impliziert.

werfung verlangt worden ist «[1]. Welche konkrete Forderung oder Erwartung Paulus daran knüpft, gibt der Text nicht sicher zu erkennen. Der Apostel versucht, durch den Hinweis darauf, daß es seine Aufgabe ist, alles gefangenzuführen in den Gehorsam gegen Christus, auch seine eigene apostolische Stellung in der Gemeinde so zu festigen, daß er bei seinem Kommen mit den Gegnern »ins Gericht gehen «[2] kann. »So beschreibt er einen großzügig angelegten *Feldzugsplan*, den er im Dienste Christi auszuführen bereit steht, wobei er den Kampf gegen Unglauben und Gottlosigkeit überhaupt und den gegen den Ungehorsam in den Gemeinden zusammen schaut «[3].

Daß in gleicher Weise auch die ὑπακοή gegen Christus und jene gegen den Apostel in eins gesehen werden, bezeugt V 2, wenn Paulus hinweist auf seine Entschlossenheit, mit welcher er gegen gewisse Wortführer vorzugehen gedenkt. Worum es also geht, ist — gemildert durch paränetische Weitschweifigkeit — »die Unterwerfung der Gemeinde «[4].

2 Kor 10, 8f; 13, 10

Die — schon in 10, 3–6 erläuterte apostolische ἐξουσία wird in V 8f gegen die angemaßte jener zur Geltung gebracht, die sich nach V 7 als besondere »Christusdiener «[5] betrachten. Ist ihre gemeinsame Christuszugehörigkeit an sich noch vergleichbar, so nicht mehr die besondere, vom Herrn empfangene Vollmacht[6]. Sie wird näher bestimmt als eine »zur Auferbauung und nicht zur Zerstörung «[7]. Diese Hinzufügung ist durch die vorausgehenden Verse nicht

---

[1] Windisch, 2 Kor 299.

[2] Zu ἐκδικεῖν vgl. Schrenk, ThW II 440 ff: v. a. »rächen, strafen «. Bachmann a. a. O. nennt als Möglichkeiten: »etwa Wegweisung aus der Gemeinde bei dauernder Hartnäckigkeit, volle und letzte Aufdeckung ihrer Heimlichkeiten, Anwendung apostolischer Strafgewalt «. Paulus selbst läßt die Art seines Vorgehens völlig offen.

[3] Windisch, 2 Kor 297.

[4] Windisch, 2 Kor 299.

[5] Kümmel, im Anhang zu Lietzmann, 2 Kor 208. Schon Windisch, der (2 Kor 301f) die verschiedenen Möglichkeiten der Deutung des Χριστοῦ εἶναι an dieser Stelle zusammentrug, entschied sich (mit Bachmann, 2 Kor 348f u. a.) für »ein besonderes Dienstverhältnis «und zwar von V 8 aus, wo ausdrücklich die apostolische Vollmacht zur Sprache kommt. Lietzmann, 2 Kor 141, pflichtet dagegen Lütgert, Freiheitspredigt und Schwarmgeister in Korinth 211, bei und spricht mit ihm unter Hinweis auf 1 Kor 1, 12 von der »Christuspartei «. Dem Text gemäßer scheint es zu sein, von einer Gruppe in der Gemeinde zu reden, die aus einem eigenwilligen Christusverhältnis ihre spezielle ἐξουσία herleitete, welche sie gegen die Autorität des Paulus ausspielte (vgl. Kümmel a. a. O.); denn daß der Angriff nicht das »Christsein «des Apostels bedroht (vgl. Windisch a. a. O.; so neuerdings Käsemann, Legitimität 36, der jedoch zunächst den Kampf als »zentral gegen sein Apostolat «gerichtet betont), dürfte ebenso sicher sein wie die Hypothese einer »Christuspartei «bestreitbar.

[6] Vgl. Lietzmann, 2 Kor 142.

[7] Anspielung auf Jer 1, 10; 24, 6 vermuten Windisch, 2 Kor 303; Vielhauer Oikodome 77 f; Kümmel a. a. O. 208; Pfammatter, Die Kirche als Bau 64. Nach Windisch a. a. O. 301 A. 2 hat Paulus sein Berufsbewußtsein überhaupt dem Propheten Jeremia nachgebildet; dies zeige Gal 1, 15 (vgl. Jer 1, 5). Dagegen kommt Tr. Holtz, Zum Selbstverständnis des Apostels Paulus, in ThLZ 91 (1966) 326, zum Ergebnis, Paulus habe »das Jeremia-Buch offenbar kaum gekannt «; jedenfalls benütze er es nicht sicher erkennbar; sein apostolisches Selbst bewußtsein gründe vielmehr in Dt-Jesaja.

nahegelegt, denn sie steht sogar in einem gewissen Widerspruch zu den VV 3–6, in welchen Paulus noch von der Notwendigkeit der καθαίρεσις ὀχυρωμάτων gesprochen hatte, die ihm als Aufgabe auferlegt sei; man vermutet deshalb in dem Zusatz eine Polemik gegen die Gegner[1], welchen Paulus vorwirft, daß sie ihre — aus dem Χριστοῦ εἶναι abgeleitete — ἐξουσία zur καθαίρεσις der Gemeinde gebrauchen. Zwingend ist diese Vermutung nicht; καθαίρεσις läßt sich auch als einfacher Gegensatz zu οἰκοδομή[2] verstehen, zumal dann, wenn Paulus hier tatsächlich auf Jeremia-Zitate anspielen sollte; möglich wäre auch, daß er seine Aussagen in den VV 2–6 vor Mißdeutung schützen möchte.

Die entscheidende Aussage von V 8 ist also für unseren Zusammenhang: Paulus kann von sich — ohne fürchten zu müssen, in diesem Rühmen zuschanden zu werden — eine besondere ἐξουσία behaupten, welche ihm vom κύριος gegeben wurde εἰς οἰκοδομήν, d. h. zur Erbauung der Gemeinde. Darin unterscheidet sich sein eigenes Χριστοῦ εἶναι sowohl von dem allgemeinen Christsein der Gemeinde wie von der behaupteten besonderen Christus-Zugehörigkeit seiner Gegner; es ist das — im Folgenden entfaltete — περισσότερόν τι seiner Stellung als Apostel zur Gemeinde. Ihm kommt das οἰκοδομεῖν zu, die Gemeinde hingegen ist sein Arbeitsgebiet, der Ort seiner οἰκοδομή. Dieses οἰκοδομεῖν jedoch geschieht mit ἐξουσία, d. h. in Vollmacht und Befähigung durch den κύριος. Mit diesem Gedanken von 10, 8 schließt dann auch in 13, 10 die Apologie seines Apostolats.

Deutlicher tritt hier zu Tage, was Paulus mit seinem ganzen Brief bezwecken wollte, speziell mit den Kapiteln 10–13: sie sollen vermeiden helfen, daß er bei seinem Kommen »Strenge gebrauchen«[3] müßte; seine apostolische Autorität in Strenge durchzusetzen, wäre nämlich durchaus κατά (= gemäß) τὴν ἐξουσίαν, ἣν ὁ κύριος ἔδωκεν (13, 10). Paulus hofft, es nicht tun zu müssen, wohl wegen der darin liegenden Gefahr der καθαίρεσις. Daher soll schon der Brief, welchen er ἀπών vorausschickt, trotz seiner harten Auseinandersetzung mit Gemeinde und Gegnern, jenen Gehorsam vollenden[4], der es ihm ersparen sollte, παρών von seiner ἐξουσία als Apostel Gebrauch zu machen. Dann wäre nämlich die καθαίρεσις ὀχυρωμάτων[5] unumgänglich, im Sinne des αἰχμαλωτίζειν πᾶν νόημα εἰς τὴν ὑπακοὴν τοῦ Χριστοῦ[6].

Während in 10, 8 die Gegner dem Apostel sein περισσότερόν τι καυχᾶσθαι aufzwingen, worin er dann seine ihm vom Herrn gegebene Vollmacht ins rechte Licht treten läßt, erscheint in 13, 10 diese ἐξουσία soweit gesichert, daß Paulus bitten kann, sich ihrer nicht erst bedienen zu müssen. Aus 13, 10 geht also noch einmal hervor, wie sehr es Paulus im ganzen 2 Kor um die Bereinigung der Spannungen zur korinthischen Gemeinde zu tun ist, um ihre κατάρτισις[7], ihre ὑπακοή; erst in zweiter Linie um die Abrechnung mit der παρακοή seiner

---

[1] Vgl. Bachmann, 2 Kor 351; Windisch, 2 Kor 303.
[2] Vgl. Lietzmann, 2 Kor 142.
[3] Vgl. Windisch, 2 Kor 425; Lietzmann, 2 Kor 162.
[4] Vgl. 10, 6.
[5] Vgl. 10, 4.
[6] Vgl. 10, 5; zum Ganzen Pfammatter a. a. O. 62–66.
[7] Vgl. Windisch, 2 Kor 424.

Gegner[1]. Einen Umschwung hatte schon Titus vermelden können[2], doch hofft Paulus mit seinem Brief den Gehorsam vollenden zu können — noch vor seinem persönlichen Kommen.

b) Das μέτρον eines Apostels

2 Kor 10, 13. 15f
Über das μέτρον τοῦ κανόνος (10, 13) hat E. Käsemann[3] eine Fülle von Beobachtungen zusammengestellt, deren Wert freilich dadurch beeinträchtigt wird, daß er die Frontstellungen mißversteht[4], so als ob nicht Paulus an seinen Gegnern das εἰς τὰ ἄμετρα καυχᾶσθαι angriffe, sondern diese an ihm das rechte μέτρον[5] vermißten; auch die von E. Käsemann herangezogene Parallele in 1 Kor 2, 15f trägt nur zur Verunklarung seiner Ergebnisse bei[6]. Richtig erkannt hat er das *μέτρον* des Apostels selbst[7], worauf es für unseren Zusammenhang entscheidend ankommt: denn *dieses μέτρον ist die Abhängigkeit vom Herrn einerseits und das paulinische Missionsgebiet, seine Missionsarbeit andererseits.* Diese Zweiseitigkeit[8] wird von E. Käsemann zwar erarbeitet, aber nicht genügend betont (bei R. Bultmann fehlt sie ganz) und nicht richtig verknüpft. Das Χριστοῦ εἶναι, d. h. ihre Abhängigkeit oder Zugehörigkeit zu Christus machen nämlich auch die korinthischen Gegner für sich geltend (vgl. 10, 7); doch verführt sie dieses Wissen zur Maßlosigkeit (vgl. 10, 13), während es Paulus die für ihn charakteristischen Beschränkungen auferlegt[9]. E. Käsemann weist mit Recht hin auf sein »Verhalten den anderen Aposteln gegenüber«[10], denen er die Freiheit beläßt, »deren man ihn berauben möchte«, auf sein abwartendes Verhalten der Gemeinde gegenüber, »obwohl für ihn alles auf dem

---

[1] Vgl. 10, 6.
[2] Vgl. 7, 13b – 15.
[3] Käsemann, Legitimität 56–61.
[4] Vgl. dazu Bultmann, Exegetische Probleme 21f.
[5] Käsemann beruft sich a. a. O. 59 auf Windisch, 2 Kor 310: »Dienstvorschrift«, »Berufungsinstallation«. Μέτρον τοῦ κανόνος ist aber hier sicher »Beurteilungsmaßstab« oder »Auftragsmaß«; so Kümmel, im Anhang zu Lietzmann, 2 Kor 209; Lietzmann, 2 Kor 143.
[6] Paulus erweist sein *μέτρον* im Folgenden charakteristischerweise gerade als geschichtlich bestimmt durch seine Missionsarbeit. Käsemanns Verweis auf den Pneumatiker (a. a. O. 57), der sein Maß nicht im Irdisch-Vorfindlichen hat, kann deshalb nur auf die Gegner zutreffen, deren εἰς τὰ ἄμετρα καυχᾶσθαι in der faktischen Maß-stab-losigkeit begründet ist; sie haben es nur »in sich« (vgl. V 12) und können sich daher nur »selbst empfehlen«. Es ist deshalb falsch, wenn Käsemann (a. a. O. 58) für Paulus feststellt, sein Maß lasse sich »nicht irgendwo draußen vorfinden«, es ruhe im Apostel selbst. Zu Käsemanns Auffassung vgl. auch Bousset, 2 Kor 208.
[7] Vgl. Bultmann a. a. O. 22 A. 25.
[8] Die zweiseitige Bestimmung seines Maßstabs unterscheidet ihn erst von seinen Gegnern; denn vom »Christussinn« regiert zu sein, haben sicher auch seine Gegner behauptet, die auch Käsemann als Pneumatiker kennzeichnet (Käsemann a. a. O. 36).
[9] Gegen Käsemann (a. a. O. 58) wird man deshalb sagen müssen: begriffen wird das Amt des Apostels nicht allein durch den Christussinn, sondern auch durch das einsehbare μέτρον.
[10] A. a. O. 58f.

Spiel steht und er schon längst mit richtender Vollmacht hätte eingreifen
können«. Beide Momente haben ihre gemeinsame Wurzel in dem geschichtlichen *μέτρον* des Apostels, welches in seiner Gemeinde besteht. Sie ist sein
»Empfehlungsbrief«[1], sie ist sein *μέτρον τοῦ κανόνος*[2], wie umgekehrt der Apostel
das ihrige; aber sie ist geschichtliches Maß, daher auch Grenze. Wie sehr beide
einander »auch Hindernis und vorzeitige Grenze«[3] werden können, haben die
Spannungen zwischen Paulus und der Gemeinde gezeigt, die zum Teil noch
fortwirken in dem werbenden Abwarten des Apostels, der den vollen Gehorsam
(vgl. 10, 6) so wenig erzwingen kann wie er den Umschwung in der Gemeinde
zu erwirken vermochte (vgl. die Kapitel 2 und 7). Darin erweist sich, daß der
Apostel in der Gemeinde nicht nur einen geschichtlichen Beweis seines Apostolats
besitzt, sondern daß auch umgekehrt die geschichtliche, d. h. konkrete Gemeinde sein Maß und seine Grenze ist.

Es erweist sich ferner, daß der Apostel nicht Herr dieses Geschehens ist,
sondern daß er in dem einsehbaren *μέτρον* seiner Missionsarbeit und seiner
Gemeinden einem nicht einsehbaren unterworfen ist, nämlich seiner Abhängigkeit vom Herrn. E. Käsemann beruft sich für seine zu einseitig auf die Abhängigkeit vom Herrn gerichtete Argumentation nicht ganz zu Recht auf die
klare »doppelte Ausrichtung«[4], welche H. W. Beyer[5] hervorgehoben hat; denn
nach dessen Auffassung ist das paulinische *μέτρον* »die ihm auferlegte Bestimmung und zugleich die ihm geschenkte *χάρις* (...), der Segen, den Gott auf
seine missionarische Tätigkeit gelegt hat«. Aufweisbare Missionserfolge und
darin sich ausweisende Bestimmung bilden also *zusammen* das *eine μέτρον τοῦ*
κανόνος des Apostels. Nur so kann Paulus die Gemeinde darauf hinweisen, daß
sein Ruhm, sein ihm von Gott zugemessenes *μέτρον* darin bestehe: *ἐφικέσθαι*
ἄχρι καὶ ὑμῶν (10, 13), d. h. bis zu ihnen gelangt zu sein. Das aber ist ein
»kontrollierbares Faktum«[6], das im Folgenden gegen die Eindringlinge in Korinth ausgespielt werden kann, welche »sich ins Maßlose rühmen auf Grund
fremder Arbeitsleistungen«[7]. Mit E. Käsemann kann man dann jedoch sagen,
Paulus erwarte, »daß die Korinther das an ihnen geschehene Werk als Beweis
seiner Legitimation verstehen«[8]. Damit ist durch seine missionarischen Leistungen, die er der Gemeinde vorweisen könnte, seit er nach Korinth gelangt
war, hingedeutet auf das *μέτρον τοῦ κανόνος οὗ ἐμέρισεν ἡμῖν ὁ θεὸς μέτρον*, welches
darin einsichtig wird: durch die Gemeindegründung sind die Korinther »offenbar«-geworden als ein »Brief Christi«, ausgefertigt durch den Dienst des Apostels; darum auch »sein« Brief[9]. So kann Paulus die Korinther erinnern »an

---

[1] Vgl. 2 Kor 3, 2f.
[2] Käsemann legt den Akzent zu einseitig auf die Abhängigkeit vom Herrn als
μέτρον, welches sich fremder Beurteilung entzieht; darunter leiden seine Ausführungen über die Gemeinde als *μέτρον* des Apostels (a. a. O. 59–61).
[3] Käsemann, Legitimität 60.
[4] A. a. O. 59.
[5] ThW III 603f.
[6] Gegen Käsemann a. a. O. 59.
[7] Vgl. 10, 15.
[8] Käsemann a. a. O. 60.
[9] Vgl. 3, 2f.

den Grund ihrer eigenen christlichen Existenz, indem er sie an sein Werk
erinnert« und sie damit zur Glaubensentscheidung auffordert, »die den Grund
seiner Apostolizität zugleich mit dem ihrer christlichen Existenz bejaht«; denn
»da der Christenstand der Korinther dem apostolischen Dienst entsprang, würden sie sich selbst als Christen aufgeben müssen, wollten sie seine Legitimität
bestreiten. Der Apostel ist das ihnen zugeteilte Maß gewesen, wie sie das seinige
sind«[1].

Das wird auch — nach den VV 15. 16 — für die Zukunft gelten: Apostel
und Gemeinde sollen »mit und am andern wachsen. So bewirkt nach dem ihnen
gemeinsamen Kanon das Zunehmen des Glaubens bei den Korinthern zugleich
das μεγαλυνθῆναι des Apostels unter ihnen. Daraus kommt es dann weiter zur
περισσεία ihres gemeinsamen Kanons, nämlich zum εἰς τὰ ὑπερέκεινα ὑμῶν εὐαγ-
γελίσασθαι .... So nur kann Paulus mit dem Evangelium über die Korinther
hinauswachsen, so daß die περισσεία entsteht. Weil umgekehrt jedoch der gemeinsame Kanon durch die geschichtliche Bindung aneinander bestimmt wird,
kann er für den Apostel auch zur Schranke werden, die ihm den weiteren Weg
versperrt. Daß der Herr ihn empfiehlt und ihm δοκιμή verschafft, äußert sich
darin, daß die Gemeinde sein Empfehlungsbrief wird. Ist sie gehindert, das zu
sein, hält ihr Glaube nicht mit seinem Kanon Schritt, so bleibt die περισσεία
aus und fehlt ihm die Voraussetzung zu einem Auftreten in den ὑπερέκεινα«[2].
Erst wenn der Glaube der Korinther also genügend gewachsen wäre, könnte
Paulus κατὰ τὸν κανόνα sein Missionsgebiet ausweiten bzw. seine Missionsarbeit
ausdehnen[3]. Niemals jedoch würde er ἐν ἀλλοτρίῳ κανόνι seinen Ruhm suchen
(vgl. 10, 16), d. h. in fremdes Arbeitsgebiet eindringen[4] und »fremden Kanon
verletzen«[5], »wie es seine Gegner mit Bezug auf das von ihm evangelisierte
Korinth tun«[6].

Was uns 10, 12–16 erkennen läßt, ist also die gegenseitige — unkündbare —
Zuordnung von Apostel und Gemeinde; sie sind sich gegenseitiges μέτρον,
»gegenseitig ›Beweis‹ und ›Ruhm‹«; es »erkennt einer im andern den gemeinsam über ihnen waltenden Herrn«[7]. Wenn sich die korinthischen Gegner da-
zwischenzudrängen versuchten, taten sie es εἰς τὰ ἄμετρα καυχώμενοι ἐν ἀλ-

---

[1] Käsemann a. a. O. 60; vgl. Kümmel, im Anhang zu Lietzmann, 2 Kor 209.
[2] Käsemann a. a. O. 60f.
[3] Vgl. Beyer, ThW III 604: »dann wird der Kanon, der dem Apostel gegeben
ist, zur Wegweisung für ihn«. Daß es an sich nicht um ausgegrenzte Gebiete, Räume
und Bezirke geht, stellen Beyer a. a. O. 603 und Käsemann a. a. O. 59 zu Recht
fest; doch da der κανών die tatsächliche Missionsarbeit des Apostels als von Gott
gegebenes μέτρον ausweist, besitzt dieser κανών auch eine räumliche Dimension.
Beyer betont richtig: Paulus berufe sich nicht »auf ein Recht, allein als Missionar
nach Korinth zu kommen, sondern auf die geschichtliche Tatsache, daß ihm dies
vergönnt gewesen ist«. Damit aber wurde Korinth *sein* Missionsgebiet.
[4] Paulus wird kaum an Rom, wo ja schon gepredigt ist, denken, wenn er hofft,
»das Evangelium in den Ländern über euch hinaus zu predigen« (vgl. 10, 16); eher
an seinen Plan, nach Spanien zu reisen.
[5] Käsemann a. a. O. 59.
[6] Beyer a. a. O. 604, 13f.
[7] Käsemann a. a. O. 60.

λοτρίοις κόποις (10, 15), maß-stab-los sich selbst empfehlend, ohne vom Herrn empfohlen zu sein, daher ohne *δοκιμή*[1]. Die *δοκιμή* des Apostels hingegen besteht darin, daß er in den Gemeinden ein geschichtliches, kontrollierbares *μέτρον* besitzt, seine Empfehlung vom Herrn her.

c) Der Apostolat als Diakonie

2 Kor 11, 23–30; 12, 9f

Man darf vermuten, daß sich die Gegner des Paulus in Korinth *διάκονοι Χριστοῦ* nannten; denn daß es sich um eine titelartige Selbstbezeichnung handelt, ergibt sich neben der Aufzählung 11, 22f[2] aus der Tatsache, daß Paulus diesen Titel sonst nicht kennt[3]. H. Lietzmann identifiziert nun *διάκονοι* und *ἀπόστολοι*[4]; ob zu Recht, ist fraglich. Denn während sich aus dem *Χριστοῦ εἶναι* (vgl. 10, 7) und *διάκονοι Χριστοῦ εἰσιν* (11, 23) eine entsprechende Selbstbezeichnung der Gegner wahrscheinlich machen läßt, findet sich die Rede von den *ὑπερλίαν ἀπόστολοι* (11, 5; 12, 11) immer nur im Munde des Paulus. Als *ὑπερλίαν ἀπόστολοι* mögen sie eher der Gemeinde erschienen sein, gerade im Vergleich mit ihrem *ἀπόστολος* Paulus, dem sie seine *ἀσθένεια* zum Vorwurf machen[5]. Um seinen Anspruch als Apostel zu rechtfertigen, muß sich deshalb Paulus des Vorwurfs der *ἀσθένεια* erwehren, indem er klarstellt, wie weit er seine Gegner als *διάκονος Χριστοῦ* übertrifft[6] und warum dennoch wahre *διακονία* in *ἀσθένεια* verlaufen muß[7].

»Widerwillig« zwar und erst »nach umständlichen Vorbereitungen«[8] läßt Paulus sich auf diese *ἀφροσύνη* des ihm aufgenötigten Sich-Rühmens ein[9], aber sein Sich-der-Schwachheit-Rühmen[10] verdeutlicht, worin und wie sehr der Gegenstand seines Ruhmes sich von dem seiner Gegner unterscheidet. Ihr aufgeblasen anmaßendes Verhalten hatte er in V 20 noch sarkastisch karikierend der eigenen ihm vorgeworfenen Schwäche (vgl. V 21) entgegengestellt; nun ver-

---

[1] Vgl. 10, 18.
[2] »Daß die aufsteigende Linie der Prädikate in 11, 22 ausmündet in *διάκονοι Χριστοῦ*« (Roloff, Apostolat — Verkündigung — Kirche 77), dürfte nicht zutreffen; vgl. Lietzmann, 2 Kor 150 (zu 11, 22): »drei Bezeichnungen desselben Begriffs«.
[3] Als Titel könnte *διάκονος* allenfalls Phil 1, 1 und Röm 16, 1 gebraucht sein, aber dort fehlt *Χριστοῦ*.
[4] Lietzmann a. a. O. 150; die VV 13–15 und der Vergleich mit 6, 4ff scheinen es ihm nahezulegen; ähnlich Windisch, 2 Kor 352f.
[5] Vgl. 11, 21; ferner 10, 1. 10; 11, 6; dazu Käsemann, Legitimität 34f.
[6] Zu *ὑπὲρ ἐγώ* vgl. Bachmann, 2 Kor 383; Windisch, 2 Kor 353; Lietzmann, 2 Kor 151.
[7] Treffend bezeichnet Bultmann die Dialektik, wenn er (Exegetische Probleme 29) sagt: »Höchst paradox läuft aber das *καυχᾶσθαι* in ein Rühmen der *ἀσθένεια* aus (V 30), wodurch alles V 23–29 Gesagte *nachträglich* unter den Gesichtspunkt der *ἀσθένεια* gerückt wird« (Hervorhebung von mir); vgl. auch Windisch, 2 Kor 362; Käsemann, Legitimität 52.
[8] Bultmann a. a. O. 29.
[9] Vgl. 11, 1. 16f. 21; 12, 11.
[10] Vgl. 11, 30; 12, 5. 9; 13, 4.

deutlicht er in den VV 23–28 seine διακονία als bestehend aus lauter Mühen, Gefahren und Leiden. Zusammenfassend sagt davon E. Käsemann, seine διακονία bekommt »zu ihrem Inhalt das Leiden als die eigentliche ›Erscheinungsform des apostolischen Christus-Dienstes‹«[1]. Darin gründet der Ruhm der ἀσθένεια (vgl. V 30): sie ist für ihn »die Bedingung seines Wirkens«[2], »Unterpfand des Gegenwärtigseins der Christuskraft«[3], der »Offenbarungsort der göttlichen δύναμις auf Erden«[4], »ihre Offenbarungsart, ihr Medium und notwendiges Korrelat«[5].

Wenn das καυχᾶσθαι, das er um der Gemeinde willen begonnen hat, einen Sinn haben soll, dann nur als τὰ[6] τῆς ἀσθενείας καυχᾶσθαι. So erweist sich gerade darin die ἀφροσύνη der Gegner — wie der Gemeinde —, daß sie die Schwachheit des Apostels schmähten, welche für ihn der Grund seines Rühmens ist.

12, 9: ἀρκεῖ σοι ἡ χάρις μου· ἡ γὰρ δύναμις ἐν ἀσθενείᾳ τελεῖται. E. Käsemann interpretiert das wohl richtig: »Im Apostolat realisiert sich Gottes Kraft so, daß sie selber zu ihrem Telos gelangt und gleichzeitig Vollendung schafft. In ihm vollzieht sich ja das ἐπισκηνῶσαι der Christuskraft, die irdische Manifestation des Christus selbst«[7]. Was Gegner und Gemeinde nicht erkennen, ist »die mit sachlicher Notwendigkeit sich im Apostel widerspiegelnde Kreuzgestalt Jesu«[8].

Zusammenfassend läßt sich also von der ἀσθένεια sagen, daß sie die eigentliche Legitimation des Apostels ist, da nur sie der δύναμις τοῦ Χριστοῦ Raum schafft (vgl. 12, 9 f; 13, 4). Darin unterscheidet sich sein διάκονος Χριστοῦ εἶναι als Apostel von dem nur behaupteten seiner Gegner. Seine apostolische Existenz wie seine Vollmacht werden transparent auf den sie begründenden Christus hin und seine in ihnen sich offenbarende δύναμις. Der Apostel ist in seiner Schwachheit der Ort der Epiphanie des Christus vor der und für die Gemeinde.

d) Der Verzicht des Apostels auf seine ἐξουσίαι

2 Kor 11, 7 ff; 12, 11–13

Noch einmal betont Paulus, die Selbstverteidigung des Sich-Rühmens (vgl. 11, 16 – 12, 18) sei Torheit; hätte ihn die Gemeinde nicht den ὑπερλίαν ἀπόστολοι

---

[1] Käsemann, Legitimität 53, mit einer Formulierung von Wendland, 2 Kor 241.
[2] Schlatter, Paulus der Bote Jesu 668; vgl. 12, 10.
[3] W. Grundmann, Der Begriff der Kraft in der neutestamentlichen Gedankenwelt (BWANT, 4. Folge, Heft 8), Stuttgart 1932, 104; vgl. 12, 9.
[4] Stählin, ThW I 489; vgl. 13, 4.
[5] Käsemann, Legitimität 54; seinen Ausführungen über »Die Schwachheit des Apostels« sind auch obige Zitate entnommen.
[6] τὰ (τῆς ἀσθενείας) ist rückverweisend auf die in den VV 23–28 genannten Erscheinungsweisen dieser Schwachheit, welche zunächst als »Leistungsnachweis« seiner διακονία aufgereiht wurden.
[7] A. a. O.; letzteres im Anschluß an Windisch, Paulus und Christus 232 (bei Käsemann irrtümlich 419).
[8] Käsemann a. a. O. 55; vgl. 2 Kor 13, 4.

gegenüber zurückgesetzt[1], hätte es ihrer auch nicht bedurft; vielmehr hätte dann die Gemeinde ihn empfehlen müssen. Ihr Hereinfall auf deren eitles Sich-Rühmen hat ihn erst zum Selbstruhm genötigt (vgl. 12,11).

In V 12 liefert Paulus nun mit einer knappen Feststellung noch den Nachweis, daß auch τὰ σημεῖα τοῦ ἀποστόλου von ihm gewirkt wurden — gemeint sind »Zeichen, Wunder und Krafttaten«[2]. Für unseren Zusammenhang ist dieser Nachweis nur deshalb bedeutsam, weil den σημεῖα offensichtlich — ähnlich wie den ὀπτασίαι und ἀποκαλύψεις κυρίου — legitimierender Charakter zukommt[3]. »Das Wunder gehört tatsächlich zum Wesen des Apostolates und wird darum von ihm (Paulus) ebenfalls für sich in Anspruch genommen«[4]. Doch sowohl von seinen ekstatischen Erlebnissen (vgl. 12, 1 ff) wie von seinen σημεῖα berichtet Paulus mit größter Zurückhaltung. Ersteres sind Erfahrungen, die dem Apostel allein zu eigen sind, so daß weder die Gemeinde daran teilhat noch der Apostolat dadurch begründet[5] oder auch nur verteidigt werden kann; darum verweist der Apostel auf das, was an ihm zu sehen und zu hören ist[6]. Das allein bewirkt die οἰκοδομή der Gemeinde. Die σημεῖα hingegen stehen für Paulus unter einem anderen Aspekt wie für seine Gegner; sie sind ihm nicht Ausfluß seiner pneumatischen Kräfte, sondern Teil seines Dienstes[7]; daher geschahen sie ἐν πάσῃ ὑπομονῇ[8], in aller Ausdauer.

Paulus lehnt es mit seinem kurzen feststellenden Hinweis von V 12 ab, nur die Zeichen, Wunder und Krafttaten als Erweis des Geistes zu betrachten und sich darin mit seinen Gegnern zu messen; Erweis des Geistes ist ihm vielmehr »seine gesamte apostolische Wirksamkeit in Wort und Tat — kurz, seine Diakonia«[9]. Es gilt demnach auch für die σημεῖα 11, 30: εἰ καυχᾶσθαι δεῖ, τὰ τῆς ἀσθενείας μου καυχήσομαι. Mit E. Käsemann[10] darf man die Stellungnahme des Paulus zum Vorwurf mangelnder Apostelzeichen wohl so zusammenfassen: »Nicht einzelne Machttaten und Erlebnisse ekstatischer Art, sondern die Kon-

---

[1] Über die Identität der ὑπερλίαν ἀπόστολοι mit ψευδαπόστολοι = korinthische Gegner vgl. Bultmann, Exegetische Probleme 28.
[2] Vgl. Gal 3, 5; Röm 15, 19; ferner 2 Thess 2, 9; Hebr 2, 4; Apg 2, 22.
[3] Vgl. 12, 1 ff; zumindest gilt dies von den Pneumatikern in Korinth, die sich ihrer ekstatischen Erlebnisse rühmten, so daß Paulus genötigt ist, auch von seinen eigenen zu berichten.
[4] Käsemann, Legitimität 62; vgl. den ganzen Abschnitt »3. Die Apostelzeichen« a. a. O. 61–71; dazu Wendland, 2 Kor 251.
[5] Vgl. Rengstorf, ThW I 441 f; Käsemann, Legitimität 70.
[6] Vgl. 12, 6.
[7] Vgl. Käsemann a. a. O. 63.
[8] Käsemann stellt a. a. O. 63 diesen für Paulus bestimmenden Gesichtspunkt in den Horizont des Abschnittes 11, 23 ff »mit seiner Aufzählung der geduldig ertragenen Christusleiden«.
[9] Käsemann, Legitimität 67; so auch Bachmann, 2 Kor 403 f.
[10] A. a. O. 70 f. Die Anwendung des Satzes von E. Haupt, Zum Verständnis des Apostolates im Neuen Testament, Halle 1896, 151: »Nur das Charisma hat in der Kirche eine wirkliche ἐξουσία«, ist nur zutreffend, wenn man mit Käsemann a. a. O. 69 auch betont, daß Charisma für Paulus »Konkretion der Diakonia geworden« ist; sonst gäbe dieser Satz allenfalls die Meinung der pneumatischen Gegner des Apostels wieder.

tinuität des in ὑπομονή und ἀσθένεια verlaufenden ... Dienstes in[1] der Gemeinde ist das eigentliche Apostelzeichen «.

Wenn in V 13 — im Rückgriff auf 11, 7–12 — der einzig scheinbar berechtigte Vorwurf angesprochen ist, daß Paulus den Korinthern gegenüber auf sein Apostel-»Recht«[2] des Unterhaltsempfangs verzichtet hat, so wird hier — auch wenn die Pointe dieses Vorwurfs sich nicht eindeutig erheben läßt[3] — wie in der gegnerischen Forderung nach Aufweis von ὀπτασίαι, ἀποκαλύψεις (vgl. 12, 1) und σημεῖα (vgl. 12, 12) eine »Anschauung des Urchristentums« sichtbar, welche nach Meinung von E. Käsemann[4] »die immer noch nachwirkende Auffassung« widerlegt, »als sei das Charisma im Neuen Testament anders als der Amtsbegriff des Frühkatholizismus unjuridisch verstanden worden«. Käsemann fährt fort: »Die Sphäre des Geistes schließt die des Rechtes nicht aus, sondern ein«. Wenngleich Paulus »einzig von seiner διακονία aus verstanden werden will«[5], entbehrt diese doch keineswegs der ἐξουσία.

e) Die christologische Relation des Apostolats

2 Kor 12, 19; 13, 2f

Dem Mißverständnis wehrend, als sei sein Brief eine Selbstverteidigung vor seiner Gemeinde[6], stellt Paulus fest, daß er in Verantwortung vor Gott und in seiner Bestimmtheit von Christus[7] rede. Es liegt ihm fern, die Gemeinde etwa als richterliche Instanz anzuerkennen[8]. Vielmehr kommt er im Folgenden[9] noch einmal auf die ἐξουσίαι zu sprechen, die der Herr ihm gab, nämlich — um der οἰκοδομή der Gemeinde willen (vgl. 12, 19; 13, 10) — durchzugreifen und jene nicht zu schonen[10], die früher sündigten. Er hofft, dies durch sein Schreiben noch verhindern zu können[11]; sonst würde die Gemeinde die gewünschte Selbstbezeugung Christi, des im Apostel Redenden und durch ihn Handelnden gerade darin erfahren, daß er gegen sie nicht schwach sein würde.

---

[1] »An« der Gemeinde zitiert Bultmann, Exegetische Probleme 21, der Käsemann voll und ganz zustimmt; möglicherweise nimmt er mit »an« die notwendige Korrektur vor.

[2] Vgl. 1 Kor 9, 4ff.

[3] Vgl. Käsemann a. a. O. 36: »Der Verzicht auf gemeindliche Zuwendungen wird ihm verargt und bald als Zeichen seiner Kälte den Korinthern gegenüber (vgl. 11, 11), bald als berechnende Hinterlist (vgl. 12, 16), teilweise auch als Zugeständnis seiner Unterlegenheit den andern Aposteln gegenüber ausgelegt« (vgl. Zusammenhang von 11, 5ff und 12, 13). »Umgekehrt hält man nicht für ausgeschlossen, daß er sich heimlich und auf Umwegen entschädigt, und traut ihm Gewinnsucht durchaus zu (7, 2; 12, 17f)«. Deutlich wird nur, daß die Gegner von diesem »Recht« eines Apostels Gebrauch machen, ja die Gemeinde frech ausbeuten (vgl. 11, 20).

[4] Käsemann a. a. O. 62 gegen Haupt a. a. O. 132ff.

[5] Bultmann a. a. O. 21; vgl. 12, 9f: δύναμις ἐν ἀσθενείᾳ τελεῖται.

[6] Vgl. zum Ganzen Windisch, 2 Kor 406f.

[7] Vgl. Neugebauer, In Christus 119f.

[8] Vgl. Bultmann, Exegetische Probleme 29.

[9] Vgl. 13, 2ff; 13, 10.

[10] »Was er mit dem οὐ φείσομαι meint, ist bereits 12, 20f angedeutet, vgl. auch 10, 2ff, eine Strafpredigt, ein Strafgericht, eine feierliche Ausschließung der dann noch Widerspenstigen aus der Gemeinde« (Windisch, 2 Kor 415).

[11] Vgl. 13, 10.

In Umkehrung des ἐν Χριστῷ λαλοῦμεν (12, 19) wird in 13, 3 von dem im Apostel redenden Christus gesprochen. Christus ist »als handelndes Subjekt in ihn eingegangen«[1]. Er redet durch ihn.

Diese christologische Relation des Apostolats läßt sich aus 2 Kor 5, 18 ff noch besser verdeutlichen; doch wird diese Stelle in anderem Zusammenhang besprochen (vgl. auch die Auslegung zu Röm 15,15–18).

---

[1] Windisch a. a. O. 417.

5. Kapitel

DIE PAULINISCHE ἀποστολή εἰς τὰ ἔϑνη
NACH DEM RÖMERBRIEF

1. δοῦλος und ἀπόστολος: die Gebundenheit des Apostels an den κύριος

Röm 1, 1

»Kaum in einem anderen Brief des Apostels ist so wenig von der Gemeinde
ausdrücklich die Rede wie im Römerbrief«[1]. Umso bedeutsamer ist es zu sehen,
in welcher Weise Paulus seine ἀποστολή εἰς τὰ ἔϑνη[2] gegenüber einer Gemeinde
zur Geltung bringt, die er weder gegründet hat noch kennt.

Daß er der römischen Gemeinde weithin[3] unbekannt ist, ist offenbar auch
der Grund seiner ausführlichen Legitimierung des Briefes und des Anspruchs,
mit welchem er ihn schreibt[4]. Wie in Phil 1, 1; Gal 1, 10 nennt Paulus sich
in V 1 einen δοῦλος Χριστοῦ Ἰησοῦ. Diese Selbstbezeichnung charakterisiert ihn
als in besonderer Weise von Jesus Christus als dem Herrn in Dienst genommen.
Der alttestamentliche Hintergrund dieses paulinischen Selbstverständnisses ist
kaum zu bestreiten[5]. Fraglich ist nur, in welchem Maß und in welchem Sinn der
paulinische δοῦλος-Begriff von diesem Hintergrund her bestimmt wird[6]. Denn

[1] Brunner, Röm 127 ff, Exkurs: »Kirche, Gemeinde«.
[2] Vgl. Gal 2, 8.
[3] Die Frage der ursprünglichen Zugehörigkeit von Kapitel 16 zum Römerbrief
wurde immer wieder erörtert, ohne daß Übereinstimmung erzielt worden wäre. Die
auffällige Tatsache, daß Paulus in diesem Kapitel eine Fülle von Gliedern der ihm
unbekannten Gemeinde von Rom aufzählt, war vielen Exegeten Anstoß zur Abtrennung dieses Kapitels. Am häufigsten wird die These vertreten, Kapitel 16 sei
ursprünglich ein Grußbillet an die Gemeinde von Ephesus gewesen, das durch die
Überbringerin Phoebe (vgl. Röm 16, 1) auch nach Rom gelangte; siehe zu Kapitel 16.
[4] Vgl. dazu Lietzmann, Röm 24: »Die folgende, in V 5 gipfelnde Erweiterung
erklärt sich aus dem Bedürfnis des P., sich der ihm noch unbekannten Gemeinde
als ›ihren‹ mit göttlichem Auftrag versehenen Apostel vorzustellen, der ein autori-
tatives Anrecht an sie hat«; anders Michel, Röm 32: »... feierlich ..., im Hinblick
auf die Gemeindeversammlung in Rom, der dieser Brief vorgelesen werden soll«.
[5] »Da ist augenscheinlich als formelles Muster die atl. Vorzugsbezeichnung einzelner Gottesmänner wirksam gewesen« (Lietzmann, Röm 23); ähnlich Michel,
Röm 33 f; vgl. auch Rengstorf, ThW II 264 ff. 279 f; Deissmann, Licht vom Osten
270 ff; Zimmerli - Jeremias, ThW V 655 ff.
Wie wenig dieses paulinische Selbstverständnis griechischem Empfinden entspricht, betonen v. a. Barrett, Röm 16 f; Huby, Röm 36 f; Kuss, Röm 3 (gemeint
ist im Folgenden immer: Der Römerbrief, Regensburg ²1963); Rengstorf a. a. O. 267;
ferner C. H. Dodd, The Bible and the Greeks, London 1954, 9.
[6] Eine verhaltene Auskunft gibt Michel, Röm 35: »Das Handeln Gottes, das
hier gemeint ist, erinnert an das, was den Propheten widerfuhr (Jer 1, 5; Jes 49, 1)«.
Saß, Zur Bedeutung von δοῦλος bei Paulus 24–32, der allgemein den alttestamentlichen δοῦλος-Begriff als Hintergrund des paulinischen herausstellen wollte, wird
darin von Holtz, Zum Selbstverständnis des Apostels Paulus 322–330, präzisiert,
sofern nur die Vorbilder der »Völkerpropheten« Jeremia und Deutero-Jesaja in
Frage kämen; Holtz sucht sogar wahrscheinlich zu machen, daß Paulus sich im
Sinn von Jes 49 als »Knecht« versteht; vgl. dazu jetzt auch Blank, Paulus und
Jesus 224–229, und die dort angegebene Literatur.

wenn auch als gesichert zu betrachten ist, daß Paulus »seine eigene Berufung analog zur prophetischen Berufung«[1] versteht, so ist damit zwar eine wichtige generelle Beziehung hergestellt, über den Inhalt des spezifisch paulinischen *δοῦλος*-Begriffs aber ist nichts entschieden.

Die Brücke, die man häufig in der LXX-Übersetzung von *κύριος* für Jahwe bzw. vom »Knecht Jahwes« (vgl. Jes 49) zum »Knecht des *κύριος* Jesus« gegeben sieht[2], ist in den paulinischen Briefen nicht gangbar. An der einzigen Stelle, an der Paulus *δοῦλος* und *κύριος* gemeinsam verwendet, bezeichnet er die Verkündiger als *δούλους ὑμῶν*, d. h. aber: der Gemeinden. Die Selbstbezeichnung als *δοῦλος Χριστοῦ Ἰησοῦ* weist also zunächst nur auf die völlige Unterordnung gegen Christus[3], so daß sie in diesem Sinn auch für die Mitarbeiter des Apostels[4] oder auch für alle Gläubigen[5] Verwendung finden kann. Damit wird nicht geleugnet, daß sie von Paulus vornehmlich im Sinn einer Ehrenbezeichnung in Briefeingängen (vgl. Röm 1, 1; Phil 1, 1) gebraucht wird zur Kennzeichnung jener, die wie der Apostel selbst *Χριστοῦ δοῦλος* sind im Bezug auf die Verkündigung des Evangeliums (vgl. Gal 1, 10; 2 Kor 4, 5).

Neben dieser Gebundenheit als *δοῦλος* an den *Χριστὸς Ἰησοῦς* erwähnt Paulus in V 1 seine Sendung als *κλητὸς ἀπόστολος*. Damit wird die Eigenart seines Dienstverhältnisses verdeutlicht[6]: Paulus ist beauftragter Bote des Auferstandenen. Er hat seine Sendung nicht durch die Gemeinde erhalten, sondern ist in seiner Berufung durch den Christus Jesus zu dessen Apostel geworden. Die prägnante Kürze der Formel *κλητὸς ἀπόστολος*, ohne die Wiederholung der für den paulinischen Apostolat konstitutiven Näherbestimmung *Χριστοῦ Ἰησοῦ*, verweist auf den nicht mehr bestrittenen, weil als unbestreitbar erwiesenen Anspruch des Paulus, ein (gleichberechtigter) Apostel Christi Jesu zu sein[7].

Die Voranstellung des *δοῦλος* gegenüber dem *ἀπόστολος* sichert den Dienstcharakter des Apostolats, der aus sich nichts ist; denn es handelt sich beim Apostelamt um ein totales In-Anspruch-genommen-Sein des Berufenen im

---

[1] Blank a. a. O. 229.
[2] Vgl. Blank a. a. O.
[3] Nygren, Röm 39: *δοῦλος* »erhält seine nähere Bestimmung dadurch, daß Christus der Herr ist«. — »Er ist *der Herr* in absolutem Sinn, er ist Kyrios«. Paulus ist seit Damaskus »nicht mehr sein eigener Herr, sondern der Leibeigene des Herrn«; es ist seine »einzige Aufgabe, ..., die Botschaft vom Herrn Jesus Christus in die Welt hinauszutragen«.
[4] Vgl. Phil 1, 1; deshalb sprechen viele Erklärer vom Amtscharakter des *δοῦλος*-Begriffs bei Paulus (Reithmayr, Röm 41; de Wette, Röm 8; Tholuck, Röm 34; Bardenhewer, Röm 14f) oder von Ehrentitel bzw. Würdenamen (Schaefer, Röm 39f; Sickenberger, Röm 177; ähnlich Kuss, Röm 3); ein »besonderes Dienstverhältnis« konstatieren Bisping, Röm 78f; Cornely, Röm 29; Gutjahr, Röm 2f; Barrett, Röm 13; Althaus, Röm 7; ähnlich Michel, Röm 33.
[5] Röm 6, 16f; 1 Kor 7, 22–24; vgl. dazu Jülicher, Röm 226; Zahn, Röm 30; Lagrange, Röm 2; Huby, Röm 38.
[6] Darin stimmen nahezu alle Autoren überein, wie immer sie das Verhältnis *δοῦλος* — *ἀπόστολος* sonst bestimmen.
[7] *κλητός* verweist auf das Außerordentliche seiner Berufung und Beauftragung als Apostel und hebt ihn ab von anderen *ἀπόστολοι*, sei es angemaßten Aposteln oder Aposteln von Gemeinden o. ä.; so Bisping, Röm 79; Althaus, Röm 7; auch Michel, Röm 34 ff.

Dienste dessen, der ihn zu diesem Amt berief und der einzig seine Autorität begründet[1]. 'Αφωρισμένος εἰς εὐαγγέλιον θεοῦ präzisiert den Auftrag des Apostels als Aussonderung zur Verkündigung des Evangeliums. Das Partizip ἀφωρισμένος könnte zwar auch ein neues Glied der Selbstvorstellung sein; doch wahrscheinlicher ist es auf die beiden vorausgehenden Substantiva zu beziehen: Paulus ist sowohl δοῦλος Χριστοῦ 'Ιησοῦ als auch ἀπόστολος durch und im Hinblick auf seine Aussonderung für das Evangelium[2].

2. χάρις und ἀποστολή: der heilsgeschichtliche Ort des Apostolats

Röm 1, 5; 15, 15–18

Durch Jesus Christus, seinen Herrn, hat Paulus[3] (vgl. V 5) »Gnade und Apostelamt« empfangen. Die meisten Erklärer beziehen χάρις und ἀποστολή eng aufeinander[4]. Wie in V 1 — welchen V 5 nach einem kurzen christologischen Einschub wieder aufnimmt — das δοῦλος-Sein in Apostolat und Aussonderung für das Evangelium näher bestimmt wird, so hier die χάρις in ihrer konkreten Gestalt der ἀποστολή. Beide Begriffe interpretieren sich gegenseitig. 'Αποστολή ist eine summarische Zusammenfassung jener χάρις, die Paulus in seiner Berufung zum Apostel erfahren hat; sie schließt also die χάρις seiner Bekehrung, der Beauftragung als Apostel durch den Auferstandenen ebenso ein wie seine Sendung als Verkündiger εἰς πάντα τὰ ἔθνη und deren Wirksamwerden in der ὑπακοὴ πίστεως[5]. Umgekehrt ist χάρις die summarische Zusammenfassung jenes Geschehens, das durch die Vermittlung des Apostelamts zur ὑπακοὴ πίστεως führt, und zwar ἐν πᾶσιν τοῖς ἔθνεσιν. Ausgangs- und Endpunkt dieses Geschehens ist der Χριστὸς 'Ιησοῦς κύριος. Durch ihn hat Paulus χάριν καὶ ἀποστολήν empfangen, und »für seinen Namen«, d.h. für Christus, übt er seinen

---

[1] Michel, Röm 33, beschreibt die Korrespondenz von δοῦλος — ἀπόστολος mit: »Berufung und Dienst, Abhängigkeit und eigene Verantwortung, Würde und Demut«; Kuss, Röm 3: »Die Bezeichnung ›Sklave Christi Jesu‹ ... bestimmt seine Stellung nach der Seite Gottes hin, die durch Jesus Christus gehandelt hat« — Apostel »seine Stellung nach der Seite der Menschen hin« — mit einem besonderen Auftrag; ähnlich sieht Rengstorf, ThW II 280, durch δοῦλος — ἀπόστολος das Amt des Paulus beschrieben: »nach seiner Christus zugewandten Seite und damit nach seinem letzten Grund« bzw. »nach seiner Bedeutung und Wirkung nach außen«.
[2] Vgl. dazu Bisping, Althaus, Michel, jeweils a. a. O. zur Stelle.
[3] Nur Paulus selbst kann hier gemeint sein; vgl. de Wette, Röm 10; auch Lietzmann, Röm 26; Michel, Röm 40.
[4] Weder Identität im Sinn von Gnade des Apostelamts (vgl. Bisping, Röm 82; Bardenhewer, Röm 19; Michel, Röm 41; Kuss, Röm 10) noch ein bloß ursächlicher Zusammenhang sind jedoch gemeint (Gnade als Grund und Voraussetzung des Apostolats — de Wette, Röm 9; Tholuck, Röm 43; ähnlich Sanday–Headlam, Röm 4; Lagrange, Röm 10), sondern wechselseitige Explikation; vgl. Cornely, Röm 47: »gratiam et (quidem) apostolatum«; die empfangene Gnade besteht im Apostolat, und der Apostolat ist Werk der Gnade (vgl. Reithmayr, Röm 52; ähnlich Lietzmann, Röm 26; Nygren, Röm 46; Huby, Röm 11; Althaus, Röm 8). Eine völlige Trennung, wie sie Zahn, Röm 43f, durchführt (χάρις = Christwerden; ἀποστολή = Sendung), wird allgemein abgelehnt.
[5] Vgl. A. Satake, Apostolat und Gnade bei Paulus, in: NTS 15 (1968/69) 96–107, bes. 106f.

Apostolat aus: εἰς ὑπακοὴν πίστεως[1]. Das Apostelamt erscheint also in Röm 1, 5 als Ort der Vermittlung eines »Gnadengeschehens«[2], das von Christus seinen Ausgang nimmt und in der ὑπακοὴ πίστεως der Heidenvölker ans Ziel kommt. Ohne diese christologische Bestimmtheit des Apostelamts selbst außer acht zu lassen, könnte man sagen: Sinn der ἀποστολή des Paulus ist es, Glaubensgehorsam zu wecken unter den Heidenvölkern[3]; das legitimiert den Anspruch seines Apostelamts und seiner Verkündigung; sie sind Teil eines Gnadengeschehens von Christus her und auf ihn hin.

Röm 15, 15–18

Grund und Bedeutung des Aposteldienstes erfahren in Röm 15, 15 ff eine bei Paulus ungewöhnliche Darstellung, die jedoch unsere bisherigen Auslegungen in vollem Umfang bestätigt.

Paulus versteht seinen »teilweise allzu kühn« geratenen Brief als eine »Rückerinnerung«, zu welcher seine ihm gegebene Gnade des Apostelamts[4] εἰς τὰ ἔθνη ihn berechtigt (vgl. V 15). Auch hier wird — wie in 1, 5 — die χάρις seines Amts auf ein Geschehen bezogen; denn die χάρις bedeutet konkret die Berufung zum λειτουργὸς Χριστοῦ Ἰησοῦ εἰς τὰ ἔθνη — wobei die λειτουργία in dem »priesterlichen Dienst am Evangelium Gottes«[5] besteht —, und dieser Dienst kommt darin ans Ziel (vgl. ἵνα γένηται), daß die Opferdarbringung der Völker[6] angenehm, wohlgefällig wird.

Sachlich erfolgt also hier eine Umschreibung der Aussagen von Röm 1, 1. 5 mit kultischen Begriffen. Es ist derselbe δοῦλος Χριστοῦ Ἰησοῦ — ἀφωρισμένος εἰς εὐαγγέλιον θεοῦ — εἰς ὑπακοὴν πίστεως ἐν πᾶσιν τοῖς ἔθνεσιν, der sich hier als

---

[1] ὑπακοὴ πίστεως kann verschieden verstanden werden: als gen. obj.: Gehorsam gegen die Glaubensbotschaft oder Gehorsam, der Glauben begründet, Hingabe an den Glauben bewirkt; als gen. subj.: Gehorsam, der aus Glauben kommt bzw. zu welchem der Glaube nötigt; als gen. epex.: Gehorsam, der im Glauben besteht; vgl. dazu v. a. Kuss, Röm 10; Michel, Röm 41.
Mit Michel wird man sagen können: »Glaube ist für Paulus zunächst Gehorsam gegenüber dem Wort, und Gehorsam ist für ihn der grundlegende und entscheidende Glaubensakt«; ähnlich Nygren, Röm 46f; Althaus, Röm 8.
[2] Blank, Paulus und Jesus 193 ff. Die »heilsgeschichtliche Würde« des Apostels ist auch nach Kuss, Röm 1, der Sinn der Darlegung. Angemessener ist jedoch von dem heilsgeschichtlichen »Ort« des Apostolats zu reden: als »Ort der Vermittlung des Heils- und Gnadengeschehens«.
[3] Vgl. Reithmayr, Röm 53; Bisping, Röm 83; Nygren, Röm 47: »Als Apostel der Heiden hat er auch einen Auftrag an die Gemeinde in Rom«.
[4] Vgl. Röm 1, 5; 12, 3.
[5] ἱερουργεῖν ist sonst der Bibel fremd; Tholuck, Röm 731, verweist auf eine vergleichbare Aussage bei Josephus; doch auch diese Stelle erlaubt es nicht, den Sinn von ἱερουργεῖν in Röm 15, 16 genauer zu bestimmen. Deshalb kann man nur sinngemäß umschreiben, was Paulus wohl sagen will: die Verkündigung des Evangeliums ist »eine Art Priesterdienst« (Michel, Röm 364).
[6] Der Genitiv ist nicht eindeutig; es könnte sowohl »das Opfer, das in der Bekehrung der Heiden besteht«, wie »der Opferdienst, den die Heiden vollziehen«, gemeint sein. In beiden Fällen ist an den Glaubensgehorsam der Heiden zu denken; er ist »das Opfer, welches in und mit der Bekehrung der Heiden dargebracht wird« (Reithmayr, Röm 751).

λειτουργὸς¹ Χριστοῦ ᾽Ιησοῦ — ἱερουργοῦντα τὸ εὐαγγέλιον τοῦ θεοῦ — ἵνα γένηται ἡ προσφορὰ τῶν ἐθνῶν εὐπρόσδεκτος bezeichnet. Beide Male ist das Geschehen von der χάρις bestimmt, welche ἀπὸ τοῦ θεοῦ, d. h. von Gott seinen Ausgang nimmt, die das Apostelamt dem Christusdienst zuordnet und deren Finalität auf die Gemeinde gerichtet ist. Statt der ὑπακοή (πίστεως — vgl. 1, 5; 6, 16f), welche erst in V 18 erwähnt ist, nennt Paulus in V 16 die προσφορὰ εὐπρόσδεκτος als Ziel seines apostolischen Wirkens, d. h. genauer: die Wirkung der ὑπακοή bzw. ihre Bedeutsamkeit; aber nicht wie in Röm 6, 16f εἰς δικαιοσύνην, zur Rechtfertigung des einzelnen, sondern ihre Bedeutsamkeit vor Gott, sofern durch die ὑπακοή die Völker zur Gott wohlgefälligen Opfergabe werden². Ohne diese Parallelisierung beider Texte³ pressen zu wollen, erlaubt sie doch eine Reihe wichtiger Feststellungen:

a) δοῦλος Χριστοῦ ᾽Ιησοῦ (1, 1) und λειτουργὸς Χριστοῦ ᾽Ιησοῦ (15, 16) sprechen synonymisch von ein- und demselben Dienst für den Christus Jesus. Obschon sie einen verschiedenen Begriffshorizont assoziieren, δοῦλος den alttestamentlicher Gottesknechtschaft, λειτουργός den »kultisch-priesterlichen Vorstellungsbereich«⁴, verwendet sie Paulus als Interpretamente der spezifischen Christusbezogenheit seines Dienstes⁵.

---

¹ Es besteht keine Veranlassung, wegen des nachfolgenden ἱερουργοῦντα hier vom »Priester« zu sprechen (vgl. A. Maier, Röm 420; de Wette, Röm 191; Bisping, Röm 357; Cornely, Röm 750; Jülicher, Röm 327). Mag man den λειτουργός auch mit Lietzmann, Röm 120, »in sakralem Sinne« verstehen (vgl. Bauer, WB 932: »mit relig. Einschlag«), so ist er doch zunächst nichts anderes als »Diener, Amtswalter« (so Reithmayr, Röm 751; B. Weiss, Röm 120; Bardenhewer, Röm 205; Althaus, Röm 147).

² B. Weiss, Röm 119, formuliert unscharf: »sofern durch die Verkündigung desselben (= des Evang.) die gläubig gewordenen Heiden eine Opfergabe werden«; denn der Gehorsam der zum Glauben gekommenen Heiden ist das angenehme Opfer. Es ist also nicht etwa der verkündigende Apostel, der dieses Opfer »darbringt«; auch ist es nicht die Verkündigung, durch welche die Heiden eine Opfergabe werden, vielmehr sind sie dies selbst in ihrer gehorsamen Annahme der Verkündigung durch ihren Glauben.

³ Übersieht man sie, legt sich vom Kontext her ein Verständnis von λειτουργός im Sinn des »priesterlichen Amts« nahe, so daß die verwendeten Kultbegriffe mehr als vertretbar Gewicht bekommen. Vgl. A. Maier, Röm 420, der λειτουργός in Verbindung mit ἱερουργεῖν und προσφορά = ἱερεύς setzt (ähnlich de Wette, Röm 191; Bisping, Röm 357; Lietzmann, Röm 120; Michel, Röm 364, einschränkend: »eine Art Priesterdienst«; Strathmann, ThW IV 237: »geradezu wie ›Priester‹«). Von hier aus versteht sich dann der völlig irreführende Hinweis auf den Hohenpriester des Hebräerbriefs (Hebr 8, 2; 10, 11), so daß der λειτουργός zum »Bestandteil des großen Erlösungsopfers J. Chr.« wird, der »dem ewigen Hohenpriester . . . dienend zu Handen geht« (Reithmayr. Röm 751).

⁴ Strathmann a. a. O. 237; vgl. v. a. H. Wenschkewitz, Die Spiritualisierung der Kultusbegriffe (Angelos, Heft 4), Leipzig 1932, 128 f.

⁵ Zu δοῦλος vgl. Röm 1, 1; Phil 1, 1; Gal 1, 10; zu λειτουργός Röm 13, 6; Phil 2, 25. Auffällig ist, daß λειτουργός bei Paulus in verschiedenen Zusammenhängen vorkommt, wobei keineswegs der sakrale Charakter dominiert; man wird es allgemein mit »Sachwalter« übersetzen dürfen; dagegen scheint δοῦλος an den genannten Stellen zum term. techn. für die »Diener Christi Jesu« im Bezug auf die Verkündigung des Evangeliums zu tendieren.

b) Der Christus Jesus ist also der gemeinsame Bezugspunkt; er legitimiert die δουλεία und λειτουργία — auch und gerade des Apostels —, bestimmt die Eigenart dieses Dienstes und gibt ihm Autorität und Wirksamkeit (vgl. Röm 15, 17f).

c) Wie δοῦλος und λειτουργός verweisen auch ἀφωρισμένος und ἱερουργοῦντα auf alttestamentliche Bedeutungszusammenhänge; die aussondernde Erwählung eines Propheten und den kultischen Dienst eines Opferpriesters hält Paulus gleicherweise für geeignet als Deutungskategorien für seinen Dienst am Evangelium[1].

d) Diese Darstellung des apostolischen Selbstverständnisses — denn nur von diesem kann nach Röm 1, 1. 5; 15, 15f die Rede sein — in alttestamentlichen Kategorien ist für dessen Auslegung zu beachten. Der Apostel weiß sich »nach Art« eines alttestamentlichen Gottesknechts in den Dienst genommen, »in der Weise« eines Propheten berufen und ausgesondert, »ähnlich« einem Liturgen bestellt, eine προσφορὰ εὐπρόσδεκτος zu besorgen, und »wie« ein Priester mit der Verwaltung des Evangeliums betraut. Bei aller kategorialen Entsprechung ist sein Apostelamt jedoch etwas grundlegend Neues durch seine Bestimmtheit von dem Christus Jesus[2].

e) Auf Grund dieser christologischen Bestimmtheit des Apostelamts kommt diesem eine ὑπακοή (πίστεως), ein Glaubensgehorsam seitens der Völker zu, von welchem die Rechtfertigung des Einzelnen (vgl. 1, 5; 6, 16f) und die Wohlgefälligkeit der προσφορὰ τῶν ἐθνῶν konditional abhängen.

Die Fortsetzung in den VV 17. 18 liefert dafür eine weitere Bestätigung: Die καύχησις[3], welche in dieser Charakterisierung seines Apostelamts liegt, wird nämlich in V 17f sowohl im Sinn einer legitimen Feststellung (vgl. ἔχω οὖν) hervorgehoben wie gegen Mißverständnisse abgesichert. Sein Ruhm in Bezug auf seine besondere, in dem priesterlichen Auftrag der Evangeliumsverkündigung bestehende Beziehung zu Gott gründet in seiner Bestimmtheit von dem Christus Jesus[4], dessen λειτουργὸς εἰς τὰ ἔθνη er geworden ist. Im Dienst also liegt sein Ruhm begründet; dazu ist ihm die Gnade von Gott gegeben (vgl.

---

[1] Zu ἀφωρισμένος vgl. Röm 1, 1; Gal 1, 15; zu ἱερουργοῦντα vgl. Tholuck, Röm 731: »Dieses apostolische Amt stellt er als ein priesterliches dar«; Bardenhewer, Röm 205: »wie ein Priester«; Wenschkewitz a. a. O. 128: »Vergleich ... mit dem priesterlichen Tun«.

[2] Vgl. Cornely, Röm 749ff: »Interpretes plerique monere solent, Apostolum de sua praedicatione Evangelii inter gentes hic loqui metaphorice vel allegorice similitudine desumta a sacerdotis sacrificantis functionibus«; aber er fragt nach Recht und Sinn dieser Übertragung und vergleicht die Apostel mit denen, »quorum officium est victimam summo sacerdoti sacrificium offerenti rite praeparare« — »ita ut Apostolus sacerdos Christi vocetur, quatenus ei *tamquam* summo sacerdoti sacrificium offerenti, *quasi* assistens hostiam ab eo offerendam praeparat et adducit« (Hervorhebungen von mir). Mit größerem Recht spricht Michel, Röm 364f, von der Besonderheit dieser »Bildsprache« des Paulus: »Derartige kultische Bilder setzen voraus, daß die Vorschriften des AT's durch das eschatologische Heilsgeschehen der Gegenwart einen neuen Sinn empfangen haben«.

[3] Man wird in Röm 15, 15 den »apologetischen Ton« (de Wette, Röm 191) nicht so betonen dürfen, daß eine Einwirkung der καύχησις-Problematik von 2 Kor 10–13 sich aufdrängen würde.

[4] Vgl. Neugebauer, In Christus 123f; Tholuck, Röm 731; Althaus, Röm 133.

V 15f). Von sich aus würde er nicht wagen, etwas zu sagen, würde nicht durch ihn der Christus selbst seine Wirksamkeit erweisen — zu Gehorsam von Völkern (vgl. V 18). So will Paulus »in dem gleichen Atem allen Selbstruhm ausschließen und doch durch den Hinweis auf die Größe dessen, was Christus getan hat, seine apostolische Autorität weiter begründen«[1]. Denn es bleibt des Apostels »Wort und Werk«, welches die Völker in ihrem Glaubensgehorsam zur προσφορὰ εὐπρόσδεκτος werden läßt, auch wenn er darin ganz und gar Werkzeug dessen ist, der durch ihn redet und handelt[2]. Der »verkündigte Christus« und »der gegenwärtig wirksame« erweisen sich so als »identisch«[3]. Ist es also auch Christus, der εἰς ὑπακοὴν ἐθνῶν durch den Apostel wirkt, so geschieht dies doch durch den ihn verkündigenden Apostel.

Man darf F. X. Reithmayr zustimmen, wenn er sagt: »Eben daraus, daß er Christo allen Ruhm überläßt ... und mit Übergehung alles anderen, was er beigetragen, einzig das hervorhebt, was dieser, sei es in Wort oder Tat, durch ihn gewirkt, mußte jedermann umso klarer die Echtheit seines Apostolates erkennen«[4].

So kann man abschließend zusammenfassen:

a) Thematisch geht es in dem Hinweis auf τὴν χάριν τὴν δοθεῖσάν μοι ἀπὸ τοῦ θεοῦ (V 15) konkret[5] um das Apostelamt des Paulus, dem dieser in ähnlicher Weise mehrfach gegenüber der römischen Gemeinde die geschuldete Anerkennung verschaffen will; denn:

b) ist er auch nur λειτουργὸς Χριστοῦ Ἰησοῦ, Diener dessen, der durch ihn Glaubensgehorsam unter den Völkern wirkt, so ist doch er es, der durch seinen priesterlichen Auftrag der Evangeliumsverkündigung die Völker zu einem Gott wohlgefälligen Opfer bereitet.

c) Die kultische Begrifflichkeit, mit deren Hilfe Paulus seinen apostolischen Dienst hier interpretiert, darf nicht mißverstanden werden im Sinn eines priesterlichen Mittlerdienstes[6]. Diese kultischen Begriffe, wie alle anderen alttestamentlichen Deutungskategorien, deren Paulus sich bedient, finden ihre

---

[1] Althaus, Röm 147; vgl. Tholuck, Röm 732: »Anschein, daß der Apostel sein Ansehen auch insbesondere durch seine Erfolge begründen will«; er sieht in ihnen mit Chrysostomus die »göttliche Bestätigung seines Apostolats«. Bardenhewer, Röm 205: »Insofern ich von Gott zum Apostel berufen bin, habe ich das Recht, mich dessen, was ich als Apostel für die Sache Gottes getan habe, zu rühmen, aber freilich immer nur ›in Chr. J.‹ ..., weil nicht ich es getan, sondern er durch mich«. Vgl. auch Lietzmann, Röm 120.

[2] Vgl. Sickenberger, Röm 294f: »stellt ihn nur als Werkzeug in Christi Hand dar, der durch ihn (= Paulus) Heiden zum Glaubensgehorsam (1, 5) geführt hat«.

[3] Neugebauer a. a. O. 123.

[4] Reithmayr, Röm 753; vgl. de Wette, Röm 191.

[5] Michel, Röm 364: »Dies Amt ist für ihn das konkrete Zeichen der Gnade Gottes«; »Gnade wird ... geschichtlich und personhaft«.

[6] Vgl. Schweizer, Gemeinde und Gemeindeordnung 156; Wenschkewitz a. a. O 129: »Der Ap. steht nicht als Mittler zwischen der Gemeinde und Gott«. Es ist im Text nicht davon die Rede, daß Christus als Hoherpriester die Opfergabe darbringt, so daß sich Paulus als einen, »welcher diesem die Heidenvölker zu würdiger Darbringung zubereitet« (Reithmayr, Röm 752), bezeichnen würde. Schelkle, Jüngerschaft und Apostelamt 116: »Sein Dienst ist es, die Heiden zu bereiten, daß sie hl. Opfergabe werden«.

Verwendung zur metaphorischen Beschreibung[1] seines apostolischen Selbstverständnisses, nicht zur Inhaltsbestimmung des apostolischen Amts.

d) Dem apostolischen Amt wird vielmehr sein heilsgeschichtlicher Ort zugewiesen, indem es als Teil eines Gnadengeschehens, näherhin als Vermittlungsort dieses Geschehens, bestimmt wird. Darin liegt die καύχησις, deren der Apostel sich rühmt, daß Christus durch ihn wirkt[2].

e) Auf diesem christologischen Hintergrund tritt die Bedeutung des Apostels als λειτουργὸς Χριστοῦ 'Ιησοῦ — εἰς τὰ ἔθνη ebenso unmißverständlich zu Tage wie der Glaubensgehorsam, welchen die ἔθνη demjenigen schulden, in dessen Wort und Werk sich Christus immer wieder wirksam zeigte. Er hat ja die Gnade des Apostelamts zu eben diesem Zweck (εἰς τὸ εἶναι — ἵνα γένηται) empfangen, damit die Völker in ihrem Glaubensgehorsam ein Gott wohlgefälliges Opfer würden[3].

3. Die Heilsbedeutung der ὑπακοή

Röm 6, 16f

Die Heilsbedeutung der ὑπακοή (πίστεως; vgl. 1, 5) wird in 6, 16f aufgegriffen[4]. Zunächst erinnert Paulus an einen allgemeinen Sachverhalt: »Nicht wißt ihr, daß, wenn ihr hingebt euch als Knechte zu Gehorsam, Knechte dessen ihr seid, dem ihr gehorcht . . ., solche der Sünde zum Tod oder des Gehorsams zur Gerechtigkeit?«

Wurde zu Röm 1, 5 gesagt, das Gnadengeschehen von Christus her komme in der ὑπακοή (πίστεως) ans Ziel, so muß jetzt hinzugefügt werden: weil dieser

---

[1] »Die bildliche Anwendung« der Ausdrücke λειτουργός, ἱερουργεῖν, προσφορά wird zwar von vielen Autoren betont (vgl. Sickenberger, Röm 294; Bardenhewer, Röm 205), doch wird ihr Bildcharakter (vgl. Michel, Röm 364) in der sachlichen Interpretation meist nicht festgehalten oder verunklart; vgl. Sickenberger a. a. O.: »Amt eines Opferpriesters«.
Mit Asmussen, Röm 292, ist zu den VV 15. 16 zu sagen: »In ihnen schildert der Apostel sein Missionswerk an den Heiden, indem er es ganz in Opferbegriffe faßt«. Zur »Vergeistigung kultischer Begriffe« vgl. v. a. Michel, Röm 364 A. 6 und 365 A. 3; ferner Wenschkewitz a. a. O. 129f: »übertragene Verwendung der Kultustermini«.
Dagegen kommt K. Weiß, Paulus — Priester der christlichen Kultgemeinde, in: ThLZ 79 (1954) 355–364, zu dem Ergebnis, daß Paulus »sich als Priester im Dienste des Christuskultes für die Christusgemeinde Opfer darbringend versteht« (a. a. O. 358). Diesem Sachverhalt werde »weder ein bildliches noch ein spiritualisierendes Verständnis der Texte gerecht«. Eher müsse man von »heils- oder endgeschichtlicher Verwirklichung des Kultus« reden (a. a. O. 362).
[2] Vgl. Michel, Röm 367: »Der Apostel gehört als Prediger zum Heilsvollzug hinzu«.
[3] Es ist deshalb auch nicht richtig, Paulus einen »Opferpriester« zu nennen (vgl. Bisping, Röm 358f; Sickenberger, Röm 294; Bardenhewer, Röm 205; Lietzmann, Röm 120; Althaus, Röm 147). Sein priesterliches Tun bezieht sich allein auf das εὐαγγέλιον τοῦ θεοῦ; die Opfergabe jedoch liegt im Gehorsam der Völker selbst. So Nygren, Röm 321; Michel, Röm 366: »damit die Völker zum Gehorsam, d. h. zum Glauben kommen«; Schweizer a. a. O. 156: »der Glaube der Gemeinde ist das Lobopfer«.
[4] Vgl. de Wette, Röm 86; B.Weiss, Röm 64; Nygren, Röm 189.

Gehorsam zur Rechtfertigung führt. Δοῦλος (vgl. 1, 1) ist also jeder, der solchen Gehorsam leistet und dadurch der δικαιοσύνη teilhaftig wird.

In V 17 dankt nun Paulus dafür, daß die Gemeinde zu diesem Gehorsam gekommen ist, gibt aber diesem Gehorsam eine eigenartige und singuläre Näherbestimmung: εἰς ὃν παρεδόθητε τύπον διδαχῆς. Über diesen »Typus der Lehre«, dem die Gemeinde übergeben wurde[1], ist viel gerätselt worden[2]. Seine Erwähnung ist vom Zusammenhang des Kontextes her so wenig begründet, daß R. Bultmann[3] ihn als Zwischensatz eines Glossators bezeichnet. Stilistische und textkritische Änderungsvorschläge[4] haben zu keinem einsichtigen Ergebnis geführt, und die sachliche Erklärung bleibt auf Vermutungen angewiesen. Denn ob τύπος hier — wie öfter bei Paulus[5] — »Vorbild, Muster« bedeutet, so daß man an das Vorbild der christlichen Lehre zu denken hätte[6], oder »Form, Gestalt«, womit nach einigen Erklärern die paulinische Gestalt der διδαχή gemeint wäre[7] oder wahrscheinlich allgemeiner: die in der römischen Gemeinde gepredigte »Gestalt der Lehre«[8], läßt sich nicht entscheiden. So wenig wie der τύπος ist aber auch die διδαχή selbst nach Inhalt und Umfang näher zu bestimmen.

Bleibt also auch die Erklärung des τύπος διδαχῆς unsicher, so besteht doch kein Grund, mit R. Bultmann die Zwischenbemerkung als Glosse auszuscheiden. Paulus sieht die ὑπακοή, welche zur Rechtfertigung führt, auf eine διδαχή

---

[1] Zur Auflösung der Konstruktion vgl. Tholuck, Röm 315; Zahn, Röm 319ff; Bl.–Debr. § 294, 5.

[2] Vgl. dazu v. a. Kuss, Röm 387ff; Michel, Röm 159f.

[3] R. Bultmann, Glossen im Römerbrief, in: ThLZ 72 (1947) 197; so dann auch E. Fuchs, Die Freiheit des Glaubens, BEvTh 14 (1949) 44; G. Bornkamm, Das Ende des Gesetzes, BEvTh 16 (1952) 48 A. 28.

[4] Dazu J. Kürzinger, Τύπος διδαχῆς und der Sinn von Röm 6, 17f, in: Biblica 39 (1958) 156–176.

[5] Vgl. 1 Thess 1, 7; 1 Kor 10, 6; Phil 3, 17; Röm 5, 14.

[6] Vgl. Bisping, Röm 200: »Die christliche Lehre ist hiernach gleichsam die Form, das Modell, nach dessen Gestalt wir umgeformt, umgestaltet werden müssen«; Tholuck, Röm 315, verweist auf Luther, Calvin u. a., welche »die in der διδαχή vorliegende Lebensnorm« annehmen; Schaefer, Röm 207f, denkt an »das ›Abbild‹ der Lehre ... in einem demgemäßen Leben und Wirken«; Jülicher, Röm 267: »Typus, Norm, Muster von Lehre«; Zahn, Röm 320: »eine Lehre, die als Typus dient«; Nygren, Röm 189: »die christliche Lehre (διδαχή) ist nicht nur Verkündigung ..., sie ist auch Muster oder Modell (τύπος), nach dem das ganze Leben der Christen geformt werden soll«.

[7] Vgl. de Wette, Röm 86; v. a. B. Weiss, Röm 64. Dagegen Cornely, Röm 337: »multo minus vero concedimus, Paulum hic suum Evangelium quatenus nonullis doctrinis clarius propositis ab aliorum Apostolorum praedicatione differebat, designare voluisse; nulla enim prorsus hic erat ei ratio, cur de suo Evangelio loqueretur, quia ipse Romanis nondum praedicaverat neque Romani in ipsius Evangelium traditi apte dici possunt«; ähnlich ablehnend Lietzmann, Röm 70; doch verkennen beide die Absicht von B. Weiss, dem es um den τύπος der Lehre geht, der dem paulinischen entspricht, ohne daß er auf Paulus selbst zurückgeführt werden müßte.

[8] Vgl. Reithmayr, Röm 301: »Form oder Modell, in welches die Gläubigen ... eingefügt worden sind, um nach deren Gestalt ausgeformt und gebildet zu werden«; ähnlich A. Maier, Röm 218: »christl. Lehre im ganzen — Form, Gestalt — ... im Vergleiche mit einer anderen«; Tholuck, Röm 315: »Lehrform« = τρόπος διδασκαλίας; Cornely, Röm 337 (mit Verweis auf Chrys. Theod. Oec. Theoph. etc.; Est. Just. etc.); Bardenhewer, Röm 96; Lietzmann, Röm 70; Michel, Röm 160.

gerichtet. *Διδαχή* ohne Artikel ist aber bei Paulus nicht einfach »Lehre« im Sinn einer umrissenen »Lehrdarstellung«, deren Inhalt als *τύπος*, d. h. als Norm zu betrachten wäre, sondern meint zunächst »Unterweisung«; »Lehre« also gleichbedeutend mit »Belehrung« (vgl. 1 Kor 14, 6. 26). Sofern solche Belehrung aber immer eine »Lehre« impliziert, ist die Tendenz zur »erlernbaren Lehre« (vgl. Röm 16, 17) in der Sache selbst begründet. Für Paulus ergibt die Analyse der Begriffe *διδάσκειν*, *διδάσκαλος*, *διδαχή*[1], daß der Vorgang der Belehrung akzentuiert bleibt.

Deshalb wird man aus Röm 6, 17 kaum mehr entnehmen dürfen, als daß der Apostel Gott dafür dankt, daß die römische Gemeinde in freiem Gehorsam die Belehrung angenommen hat, wie sie ihr »durch die Verkündiger des Evangeliums vorgelegt wurde«[2]. Die paulinische Wendung *εἰς ὃν παρεδόθητε* wird dabei hindeuten auf »ein Geschehen, in dem zuletzt Gottes Handeln offenbar wurde«[3]; denn die *ὑπακοή* (*εἰς δικαιοσύνην* V 16), welche der *διδαχή* geleistet wird, ist als *ὑπακοή* (*πίστεως* 1, 5) Ziel jenes Gnadengeschehens, das *ἀποστολή* wie *διδαχή* vermitteln. Beide kann man nur empfangen und annehmen[4]. *Διδαχή* ist deshalb wohl am sachgemäßesten mit »Belehrung durch das Evangelium« oder allgemein »christlicher Unterweisung«[5] wiederzugeben; an eine spezifischere Form einer Lehre[6] ist nicht zu denken.

4. χάρις und χάρισμα: über Ursprung und Bedeutung der Gemeindedienste

Röm 12, 3–8

Wie in Röm 1, 5 die *χάρις* in der *ἀποστολή* ihre konkrete Gestalt gewinnt, so in Röm 12, 3 ff in der apostolischen Mahnung zur Besonnenheit. An beiden Stellen wird also der Gnadencharakter der apostolischen Wirksamkeit betont. Gnade ist es, daß Paulus in seiner Bekehrung mit der *ἀποστολή* betraut wurde; Gnade ist es auch, die in der Ausübung seiner *ἀποστολή* wirksam wird. So er-

---

[1] Zu *διδάσκειν*, *διδάσκαλος*, *διδαχή* vgl. v. a. Rengstorf, ThW II 149, 11 ff. 166f.
[2] Kuss, Röm 390; vgl. Lagrange, Röm 156.
[3] Kuss a. a. O.
[4] Vgl. de Wette, Röm 86: *παρεδόθητε* »erinnert an göttliche Führung und Hilfe«; Bisping, Röm 200, spricht von der »Gewalt der Gnade«; Gutjahr, Röm 210, vom »Werk der Gnade«; Althaus, Röm 69: »zu der (= der christl. Lehre) Gott sie durch sein Wirken hingeführt hat«.
[5] Dazu Tholuck, Röm 316; Cornely, Röm 377; Zahn, Röm 320; ähnlich Lagrange, Röm 156; Kuss, Röm 390.
[6] Gegen Seeberg, Der Katechismus der Urchristenheit 3f; Gutjahr, Röm 210: »Es könnte darunter wohl auch das formulierte *Glaubensbekenntnis* verstanden werden, das die Täuflinge bei der Taufe ablegten«; ähnlich Kürzinger a. a. O.; auch Kuss, Röm 389, hält einen Zusammenhang mit einem kurzen »Taufbekenntnis« für möglich, zieht aber den »Inhalt des Glaubens im weitesten Sinne« als näherliegend vor. Vgl. auch Bornkamm, Das Ende des Gesetzes 48: »gebunden in Gehorsam an das Taufbekenntnis«.
Auf die bei Paulus zu beobachtende Tendenz der Verfestigung der »Belehrung« zur »Lehre« macht Norden, Agnostos Theos 270f, aufmerksam: »daß eine ursprünglich historische Aufzählung der wichtigsten Heilstatsachen auf dem Wege ist, sich zu einer Glaubensformel zu entwickeln«.

weist sich im Römerbrief das Apostelamt durchgehend hineingenommen in ein Gnadengeschehen, welches Gott durch Christus im Apostelamt wirkt und dessen Finalität auf die Gemeinde zielt. Es ist deshalb bedeutsam, daß Paulus die einzige Weisung zur Ordnung der Gemeinde unter dem Stichwort »der ihm gegebenen Gnade« gibt[1]. Er hat die $\chi\acute{\alpha}\varrho\iota\varsigma$ seiner $\mathring{\alpha}\pi o\sigma\tauo\lambda\acute{\eta}$ empfangen, um Glaubensgehorsam zu bewirken unter allen Völkern (vgl. 1, 5). Dem $\pi\tilde{\alpha}\sigma\iota\nu$ $\tauo\tilde{\iota}\varsigma$ $\mathring{\epsilon}\vartheta\nu\epsilon\sigma\iota\nu$ von 1, 5 entspricht daher wohl $\pi\alpha\nu\tau\grave{\iota}$ $\tau\tilde{\wp}$ $\mathring{o}\nu\tau\iota$[2] $\mathring{\epsilon}\nu$ $\mathring{\upsilon}\mu\tilde{\iota}\nu$ in 12, 3. Seine ihm gegebene Gnade, wirksam in der Ausübung seiner $\mathring{\alpha}\pi o\sigma\tauo\lambda\acute{\eta}$, richtet sich auf »alle« Heiden, also auch auf jeden einzelnen in der römischen Gemeinde. Dies ist der Grund, weshalb Paulus seine Ermahnung von 12, 3–8 in der Einleitung schon so gewichtig macht; er hat die $\chi\acute{\alpha}\varrho\iota\varsigma$ empfangen $\epsilon\mathring{\iota}\varsigma$ $\mathring{\upsilon}\pi\alpha\kappa o\grave{\eta}\nu$ $\pi\acute{\iota}\sigma\tau\epsilon\omega\varsigma$ (1, 5)[3]. Dieser Anspruch auf Gehorsam des Glaubens wird durch den Begriff $\chi\acute{\alpha}\varrho\iota\varsigma$ keineswegs verdeckt; doch erlaubt es diese »Person und Amt oder Auftrag bei Paulus zusammenschließende Auffassung der Gnade«[4], nicht etwa nur auf das Amt als in der Gnade begründet zu verweisen, sondern das allem zu Grunde liegende Gnadengeschehen selbst in der Befolgung der apostolischen Weisung ans Ziel kommen zu lassen.

Es ist also nicht der allgemeine Bezug, daß »alle Glaubenden an der Gnade Anteil haben, so daß für Paulus im Hinweis auf die ›Gnade‹ die angemessenere, auch überzeugendere Begründung für die apostolische Ermahnung«[5] läge, vielmehr wird in der betonten Voranstellung der apostolischen $\chi\acute{\alpha}\varrho\iota\varsigma$ die $\mathring{\upsilon}\pi\alpha\kappa o\grave{\eta}$ $\pi\acute{\iota}\sigma\tau\epsilon\omega\varsigma$ als die den Gnadenstand der Gemeinde begründende Antwort auf das Gnadengeschehen gefordert[6]. Die $\chi\acute{\alpha}\varrho\iota\varsigma$ $\delta o\vartheta\epsilon\tilde{\iota}\sigma\acute{\alpha}$ $\mu o\iota$ kennzeichnet das Apostelamt als den heilsgeschichtlichen Ort der Vermittlung des Gnadengeschehens. So richtig es demnach ist, wenn J. Blank feststellt: »Der Gnaden-Charakter des paulinischen Apostolats und der Gnaden-Stand der ›Ecclesia ex gentibus‹ hängen nach paulinischer Theologie eng zusammen«[7], so wenig darf man doch die Zwischenglieder der Verkündigung des $\epsilon\mathring{\upsilon}\alpha\gamma\gamma\acute{\epsilon}\lambda\iota o\nu$ $\vartheta\epsilon o\tilde{\upsilon}$ und der $\mathring{\upsilon}\pi\alpha\kappa o\grave{\eta}$ $\pi\acute{\iota}\sigma\tau\epsilon\omega\varsigma$ übersehen, an welchen dieser Gnaden-Stand hängt.

Es besteht kein Grund, die Mahnung von VV 3–5, welche mit solchem Glaubensgehorsam rechnet, auf die »Charismatiker« im besonderen zu bezie-

---

[1] Vom Einsatz apostolischer Autorität sprechen deshalb fast alle Erklärer; vgl. Lagrange, Röm 296; Lietzmann, Röm 109; Barrett, Röm 235; Huby, Röm 415; Althaus, Röm 125; Michel, Röm 295.
Vgl. auch Röm 15, 15f; 1 Kor 3, 10; Gal 2, 9: immer impliziert $\chi\acute{\alpha}\varrho\iota\varsigma$ $\delta o\vartheta\epsilon\tilde{\iota}\sigma\acute{\alpha}$ $\mu o\iota$ in diesen Zusammenhängen das apostolische Amt; dazu Blank, Paulus und Jesus 196.
[2] $\epsilon\mathring{\iota}\nu\alpha\iota$ bedeutet hier keineswegs »etwas Besonderes darstellen«; $\pi\alpha\nu\tau\grave{\iota}$ $\tau\tilde{\wp}$ $\mathring{o}\nu\tau\iota$ meint vielmehr jedes einzelne Mitglied der Gemeinde; vgl. Jülicher, Röm 311; Lagrange, Röm 296; Barrett, Röm 235; Huby, Röm 415; zu $\epsilon\mathring{\iota}\nu\alpha\iota$ = gelten vgl. v. a. Lietzmann, Gal 13.
[3] »Der Glaube ist Gehorsam, der Gehorsam des Gehorsams, die Rückkehr zum Gehorsam« (Fuchs, Die Freiheit des Glaubens 43).
[4] Blank a. a. O. 196.
[5] Blank a. a. O. 196. Dieser Gedanke ist hier eingetragen; der Text spricht nur von der dem Apostel gegebenen Gnade.
[6] Vgl. Barrett, Röm 235: »Paul is about to give an authoritative exposition«.
[7] A. a. O.

hen[1] und bestimmte Vorfälle in Rom zu vermuten[2]; sie verbleibt im allgemeinen wie ihre genannten Voraussetzungen. Was Paulus fordert, ist eine besonnene Selbsteinschätzung gemäß dem μέτρον πίστεως, wie es Gott einem jeden zuteilte. Ob hier πίστις im subjektiven Sinn als Bedingung der Charismen (oder gar sie hervorbringendes Prinzip) zu verstehen ist[3] oder im objektiven für die Charismen selbst steht[4], verändert kaum die Intention der Aussage: Der Glaube des Einzelnen ist einem μέτρον unterworfen und durch das μέτρον beschränkt; er hat sich innerhalb dieses von Gott zugeteilten μέτρον zu bescheiden[5]. Damit ist die Grundtendenz der folgenden Ausführungen angegeben: jeder solle den ihm zukommenden Dienst erkennen, die »Besonderheit« seiner Gnade sehen und ihre Begrenzung, und so zum Wohle des Ganzen der Gemeinde beitragen[6]. Die gegenseitige Verwiesenheit und Ergänzung wird in V 4 zunächst am Bild des Leibes veranschaulicht. Der Leib ist ein Beispiel für Einheit in Vielheit[7]; »denn wie wir an einem Leib viele Glieder haben, die Glieder aber nicht alle die gleiche Verrichtung haben . . . «. Damit wird ein Zweifaches verdeutlicht: erstens besteht die Einheit des Leibes in der Vielheit der Glieder; sie ist in dieser Korrespondenz vorgegeben und entsteht nicht etwa durch Einheitlichkeit gleicher Funktionen; zweitens hebt die Gleichheit der Glieder, sofern sie Teile des einen Leibes sind, nicht die Ungleichheit ihrer Funktionen auf[8]. Dieses Beispiel findet nun in V 5 seine Anwendung auf den »einen Leib« hin, der wir, »die vielen«, sind »in Christus«. Es ist zu beachten, daß hier nicht eigentlich vom »Leib Christi« die Rede ist, so daß man mit O. Michel sagen könnte: »Christus ist hier der in seinem Leibe gegenwärtige Herr, in den jeder einzelne Glaubende eingegliedert ist. Das Motiv des σῶμα ist durch eine gegebene theologische Vorstellung vom σῶμα Χριστοῦ geprägt, wird aber hier durch das Bild von der Vielheit der μέλη und der Einheit des σῶμα ausgelegt«[9]. Vielmehr bleibt Paulus

---

[1] So Michel, Röm 295; ähnlich Althaus, Röm 126, und frühere Erklärer wie A. Maier, Röm 366.

[2] Tholuck, Röm 653f, dürfte eher das Richtige treffen, wenn er hinter den Versen eine »Befürchtung von Zuständen wie in Korinth, 1 Kor 14, wo sich in Bezug auf gewisse χαρίσματα der geistige Dünkel regte«, vermutet; diese Befürchtungen sind aber sehr allgemeiner Natur und wohl ohne konkreten Bezug auf Rom; vgl. Lietzmann, Röm 109; dagegen G. Schrenk, Der Römerbrief als Missionsdokument, in: Studien zu Paulus (AThANT 26), Zürich 1954, 103.

[3] Vgl. de Wette, Röm 168: »Der Glaube . . . ist das subjektive Prinzip der Gaben und Leistungen . . ., während χάρις das objektive ist (V 6)«; Tholuck, Röm 656: »nur die notwendige Bedingung, aber nicht das erzeugende Prinzip für die Charismen kann der Glaube sein«.

[4] Zahn, Röm 542, rechnet diesen Glauben, »wovon Gott einem jeden ein beschränktes und verschiedenes Maß zuteilt«, selbst unter die χαρίσματα; vgl. Bardenhewer, Röm 177 A. 2; Lagrange, Röm 296; Huby, Röm 416: »Paul aurait pu dire: ›sur la mesure des dons, des charismes‹«.

[5] Am zutreffendsten interpretiert wohl B. Weiss, Röm 105, dieses μέτρον πίστεως als ein Maß von Glauben, welches, »wie die πίστις überhaupt, ein gottgegebenes ist«. Michel, Röm 296, setzt deshalb μέτρον πίστεως = μέτρον χάριτος.

[6] Vgl. Huby, Röm 416: »chacun a sa fonction à remplir et doit s'y tenir, pour ne point troubler l'unité et la croissance harmonieuse de la communauté chrétienne«.

[7] Huby, Röm 416f: »Corps et membres disent unité et multiplicité«.

[8] Vgl. Nygren, Röm 299f.

[9] Michel, Röm 297.

zunächst durchaus auf der Ebene des Leibgleichnisses[1] von V 4, dessen ersten Skopus er in V 5 aufnimmt: wie wir an einem Leib viele Glieder haben ..., »so sind wir, die Vielen, ein Leib (in Christus), einzeln aber untereinander Glieder«. Es wird also auch hier die Einheit eines Leibes aus vielen Gliedern herausgestellt, wobei die wechselseitige Verwiesenheit der Glieder aufeinander stärker unterstrichen wird als in V 4.

Die Näherbestimmung ἐν Χριστῷ besagt, wie F. Neugebauer[2] herausgearbeitet hat, die (eschatologische) »Bestimmtheit durch Christus«. Mit anderen Worten: das Leibgleichnis läßt sich auf die christliche Gemeinde anwenden, weil in ihr die Vielen zusammengefügt sind zur Einheit eines Leibes »in Christus«[3]. Das Sein »in Christus« ist die vorgegebene Einheit, in der die Vielheit der Glieder aufgehoben ist »wie« im Leib. Es ist deshalb hier auch von geringer Bedeutung, »ob man die Herkunft der Leib-Christi-Vorstellung in einer jüdischen bzw. gnostisch-jüdischen Adamsidee findet«[4] oder anderswo sucht, für Paulus ist der »Leib«, zumindest in Röm 12, 4f, ein bildhaftes Interpretament für die Einheit der Vielen »in Christus«.

Der zweite Skopus des Leibgleichnisses von V 4 wird in V 6 mit ἔχοντες δέ ausgeführt; wie »die Glieder aber nicht alle die gleiche Verrichtung haben ... «, so »haben wir (die Vielen, welche ein Leib sind ›in Christus‹) Gnadengaben — nach der uns gegebenen Gnade verschiedene«. Darin wird die »Mannigfaltigkeit« und »Verschiedenheit«[5] der Glieder gewahrt; wie jedes Glied am Leib seine πρᾶξις (V 4) hat — so hat jedes Glied der Gemeinde ein unterscheidbares, weil unterschiedenes χάρισμα[6].

Die Mahnung zur Selbstbescheidung in das von Gott zugemessene μέτρον (πίστεως — V 3) kommt hier zum Abschluß[7]. Das verschiedene »Maß des Glaubens« wird in V 6 expliziert als Besitz verschiedener Gnadengaben[8]. Πίστις

---

[1] Es ist deshalb auch nicht angängig, mit Lietzmann, Röm 109, auf die »genaue Parallele 1 Kor 12, 12 ff« zu verweisen. Vielmehr ist Barrett, Röm 236, Recht zu geben, der zu »body in Christ« schreibt: »One aspect of Pauline usage cannot easily be paralleled; this is the description of the Church as the body of Christ. This phrase, however, does not occur in Romans, where (...) we have no more than simile or analogy«; vgl. Jülicher, Röm 311.

[2] Neugebauer, In Christus 104: »Die Leib-Vorstellung und damit auch die ekklesiologische Seite der Formel sind also nur ein Sonderfall des ›in Christo Jesu‹«.

[3] Vgl. Barrett, Röm 236: »›one body in Christ‹ is, ..., a stage on the way to ›the body of Christ‹ ... Evidently it (= the latter term) is closely related to the Pauline ›in Christ‹ (...), and its setting is accordingly not so much sacramental ... as eschatological«. Nygren, Röm 300: »In Christus sind wir ein Leib ...«. »In Christus ist die Einheit«.

Dagegen führt Barths Auslegung, Röm 426 ff, »nicht ›Teil‹ ist der Einzelne, sondern selber das Ganze« (a. a. O. 427), zu spekulativen Aussagen, die sich vom Text entfernen.

[4] Vgl. Neugebauer a. a. O. 98.

[5] Vgl. Nygren, Röm 300; Michel, Röm 296.

[6] Vgl. Tholuck, Röm 658: »je nach der einem jeden von Gott gegebenen Bestimmung, oder Bestimmtheit«; Althaus, Röm 126: »Die Glieder sind als Leib eine Einheit, aber eben als Glieder am Leibe verschiedener Verrichtung«.

[7] Mit καθάπερ begann eine ins Leibgleichnis gefaßte Erläuterung jener Verschiedenheit des zugeteilten μέτρον πίστεως.

[8] »Dieses μέτρον πίστεως entspricht dem Anteil an den χαρίσματα, die Gott, bzw. der Geist, verleiht«. So Bultmann, Theologie des Neuen Testaments 326; vgl. de Wette, Röm 168.

wie χαρίσματα gründen in freier Zuteilung Gottes (ὡς ὁ θεὸς ἐμέρισεν bzw. κατὰ τὴν χάριν τὴν δοθεῖσαν ἡμῖν), sind also Wirkungen der χάρις. Das Beispiel von der Einheit der Glieder in dem einen Leib läßt die Mahnung nun dahin präzisieren, daß die Unterschiede der πράξεις, d. h. die Verschiedenheiten der χαρίσματα der Gemeindeglieder, ebenso beachtet werden müssen wie ihre wechselseitige Zuordnung und Ergänzung und daß in diesen Verschiedenheiten ein μέτρον zu erkennen ist, ein bestimmtes jeweiliges Maß — in Besonderheit und Begrenzung[1].

Diese Tendenz des Abschnitts[2] ist zu beachten. Die unterschiedlichen Gnadengaben der Einzelnen sind gottgewollt; darum soll jeder mit dem ihm gegebenen Charisma den anderen dienen und es zum Aufbau der Gemeinde, als eines Leibes aus vielen Gliedern, einbringen; die Anerkennung seines μέτρον bewahrt den Einzelnen davor, von sich selbst zu hoch zu denken und die Besonderheit seines Charismas zu verkennen. Der Gedanke an das zugeteilte μέτρον, der in den χαρίσματα κατὰ τὴν χάριν τὴν δοθεῖσαν ἡμῖν διάφορα wieder begegnet, scheint auch in den Zusätzen der VV 6b–8 bestimmend zu sein. Wenn also zum Charisma der προφητεία die Näherbestimmung κατὰ τὴν ἀναλογίαν τῆς πίστεως hinzugefügt wird, kann das wohl nur bedeuten »in Entsprechung des Glaubens«, d. h. nicht über das hinaus, was dem μέτρον πίστεως entspricht[3]. Ähnlich werden die Charismen der διακονία auf den »Sektor« der Diakonie, des Lehrenden auf das »Gebiet« der Lehre, des Ermahnenden auf den »Bereich« der Paraklese verwiesen[4]. Den abschließend Genannten, welche »mitteilen, fürsorgen (oder vorstehen?), Barmherzigkeit üben«, könnte das klar umrissene oder aufweisbare μέτρον fehlen, so daß die Zusätze allgemeiner gehalten sind und vielleicht innere Kriterien benennen[5]: Einfachheit, Eifer, Freudigkeit. Jedenfalls begegnet der προιστάμενος in einem Zusammenhang, der es nicht eben nahelegt, von einem »Gemeindevorsteher« zu sprechen. Selbst wenn mit προιστάμενος ein »Vorstehen« angedeutet sein sollte, wäre der Aufgabenbereich offen und nur undeutlich umrissen zu denken, damit σπουδή als angemessenes Kriterium verständlich bliebe.

Der Aufzählung von Charismen in den VV 6b–8 liegt kein klar erkennbares Einteilungs- oder Ordnungsprinzip zu Grunde. Der Wechsel in Konstruktion (εἴτε — εἴτε, ὁ — ὁ) und Beschreibung (vgl. die Zusätze), die Ablösung in der Nennung von Charismen (προφητεία, διακονία) durch die ihrer Träger (ὁ διδάσκων

---

[1] Vgl. Huby, Röm 416: »aucun n'a la même fonction que les autres, mais chacun sa fonction distincte«; Michel, Röm 297: »der Glaube bejaht die Begrenzung«.

[2] Dazu Tholuck, Röm 658; Nygren, Röm 300f; auch Michel, Röm 297.

[3] In diesem subjektiven Sinn — Glaube als Maß — verstehen ἀναλογία πίστεως z. B. Reithmayr, Röm 652; de Wette, Röm 169; Tholuck, Röm 663; Zahn, Röm 543; Althaus, Röm 126; Michel, Röm 298; etwas anders Jülicher, Röm 312: »was aus Glauben kommt und zum Glauben leitet«.
Dagegen wollte man gelegentlich die ἀναλογία πίστεως auch im objektiven Sinn als »Richtschnur des geoffenbarten Glaubens« verstehen; vgl. Bisping, Röm 335 (Schrift und Tradition als Maßstab); Sickenberger, Röm 275 (christliche Glaubenslehre).

[4] de Wette, Röm 169f, hält diese Zusätze zu Recht für eine »beschränkende Bestimmung der Sphäre«; vgl. Huby, Röm 418: »l'Apôtre indique ›la limite‹«.

[5] Vgl. Huby a. a. O.: »›la manière‹ de les exercer«.

etc.), des Tätigkeitsgebietes (ἐν τῇ διδασκαλίᾳ etc.) durch den Modus der Ausübung (ἐν ἁπλότητι etc.), das alles läßt eher eine gewisse Beliebigkeit der Aufreihung vermuten als eine bestimmte Absicht zu systematisieren. Daß die
προφητεία zuerst genannt wird, entspricht ihrer Hochschätzung bei Paulus[1];
wie immer sie inhaltlich zu bestimmen ist, ein »Amt« im spezifischen Sinn ist
an dieser Stelle so wenig gemeint wie bei διακονία. Zwar kennt Paulus den
προφήτης[2] und den διάκονος[3], aber an den Stellen, wo sie begegnen, ist kaum
etwas anderes als der Träger des Charismas der προφητεία und διακονία bezeichnet. Für Röm 12, 6 ff ergibt sich aus dem Zusammenhang, der von
nichts anderem als von der Zuteilung verschiedenartiger Charismen spricht,
daß durchweg Inhaber solcher Charismen und nicht Amtsträger vorgestellt
werden[4], deshalb ist auch der Wechsel ἡ διακονία — ὁ διδάσκων z. B. vermutlich
eine unerhebliche Abwechslung.

Es bleibt dahingestellt, ob und inwieweit etwa hinter den bezeichneten
Charismen und Inhabern von Charismen Funktionen und Funktionäre des
Gemeindelebens mehr oder minder amtlichen Charakters sichtbar werden. Es
hat deshalb alles, was zur näheren inhaltlichen Bestimmung der angeführten
Charismen und ihrer Zuordnung gesagt wird, lediglich den Wert von Vermutun-
gen. Man darf nicht vergessen, Paulus hatte nicht die Absicht, der römischen
Gemeinde etwas über Gemeindeordnung zu schreiben. Er kommt auf die χαρίσ-
ματα überhaupt nur zu sprechen in der Erläuterung seiner Ermahnung, der
Einzelne solle sein μέτρον πίστεως erkennen[5].

Im einzelnen dürfte es kaum gelingen, die in Röm 12, 6 b–8 aufgezählten
Charismen bezüglich ihrer inhaltlichen Bestimmtheit zu definieren, sie etwa
gar in ein Charismen-System zu bringen, oder auch nur Konkretes über ihren
Bezug zur römischen Gemeindeordnung zu erheben. Solche Versuche sind zwar
immer wieder gemacht worden, aber sie können nicht zum Ziel führen; es
bedarf in solchen Bestimmungen zu sehr der spekulativen Phantasie, so daß
ihnen nicht der Charakter von Beliebigkeit anhaften müßte.

Vom Charisma der προφητεία kann man nur eines mit Sicherheit sagen:
daß es dem Bereich der Glaubensverkündigung zugehört und unter den Gemeinde erbauenden Charismen einen hervorragenden Rang einnimmt[6]. Ein

---

[1] Vgl. 1 Kor 12, 28; 14, 5 u. ö.; dazu Tholuck, Röm 662f: »Vorrang« unter den
Charismen; Cornely, Röm 655: »secundum dignitatis gradum«; Zahn, Röm 546,
macht darauf aufmerksam, daß Prophetie hier offensichtlich die »höchste Form
der innergemeindlichen Rede« sei.
[2] Zu προφήτης vgl. E. Fascher, *ΠΡΟΦΗΤΗΣ*, Eine sprach- und religionsgeschicht-
liche Untersuchung, Gießen 1927, Kapitel IV: προφήτης im Neuen Testament und
der hellenistischen Umwelt, 170f.
[3] Vgl. Phil 1, 1; Röm 16, 1.
[4] Nach Tholuck, Röm 661, ist es »fraglich . . ., ob in derselben (= Stelle) überhaupt von Ämtern die Rede ist«; zumindest sind die erwähnten Charismen »weder
an bestimmte Ämter gebunden zu denken, noch dem vorkommenden Ämtern bloß
je eines der Charismen zuzuschreiben« (a. a. O.).
[5] de Wette, Röm 169: »Anerkennung der Verschiedenheit der Gaben« ist das
Ziel, nicht Paränese über Gemeindeordnung.
[6] Nach Reithmayr, Röm 652, umschreibt προφητεία den Beruf »des christlichen
Predigers«; de Wette, Röm 169: »früher (. . .) beschränkte man diese Gabe willkürlich auf die Auslegung des A.T.«. Ebenso willkürlich ist es, die προφητεία mit

Amt wird man die Tätigkeit der προφῆται in den paulinischen Gemeinden nicht nennen können; die προφητεία ist eine Geistgabe, um die jeder beten kann und die der Geist gibt, indem er den Erwählten zum Reden drängt; darin ist sie der Glossolalie ähnlich, doch unterscheidet sie sich von dieser durch Vernünftigkeit der Rede einerseits und durch die Kontrollmöglichkeit des prophetisch Redenden andererseits[1]. Nachdem auch die Apostel »Propheten« (wenngleich nicht umgekehrt alle Propheten »Apostel«) genannt werden können, ist προφητεία wohl ein Oberbegriff, der eine Reihe von Charismen im Rahmen der Wortverkündigung zusammenfaßt, so daß z. B. auch in Röm 12, 6–8 die Tätigkeiten des διδάσκων oder παρακαλῶν unter diesem Oberbegriff subsumiert werden könnten[2]; doch vom διδάσκαλος scheint sich der προφήτης an sich durch die größere Spontaneität seiner vom Geist gewirkten Äußerungen zu unterscheiden[3].

Die διακονία ist ein ähnlicher Oberbegriff wie προφητεία; an keiner Stelle läßt sich in den paulinischen Briefen ein bestimmtes Tätigkeitsfeld des διάκονος umreißen[4]. Die Gegner des Paulus in Korinth scheinen den Titel διάκονοι Χριστοῦ in einem sehr umfassenden Sinn für sich in Anspruch genommen zu haben (vgl. 2 Kor 11, 23), so daß er in ihrem Munde etwa dem ἀπόστολος gleichkommt. Anders verwendet Paulus die Bezeichnung; doch läßt sich eine inhaltliche Bestimmung nicht durchführen. Διάκονος deutet bei Paulus allgemein auf einen »Helfer« (aber keineswegs immer auf eine »untergeordnete« Stellung); doch läßt sich der Bereich der Hilfeleistung nicht ermitteln. In Betracht kommt der gesamte Gemeindedienst, sowohl der soziale Bereich als auch der von Gemeindeleitung und Wortverkündigung[5]. Ein konkretes Amt scheidet

---

A. Maier, Röm 369f, als »Offenbarungsgabe« zu bezeichnen, deren Gegenstand »das Verborgene in Gott, in seinem Willen«, bzw. »in der überirdischen Welt überhaupt« sei. Will man jede willkürliche Bestimmung des Inhalts von προφητεία vermeiden, muß man Tholuck, Röm 662, zustimmen, wonach die »Prophetengabe keine fixierte« ist. Er meint zwar a. a. O. 663 mit Origenes, »daß Ermahnung, Trösten, Erbauen zum Amte des Propheten gehörte«, doch sind das nur mögliche Elemente desselben; vgl. B. Weiss, Röm 108f: »Gabe der Gemeindeerbauung«; Michel, Röm 298: »Weisung der Gemeinde in bestimmter Situation«. Michel macht a. a. O. A. 5 aufmerksam auf »die Einordnung des urchristlichen προφήτης in die Gemeinde neben anderen Charismatikern«. Zum Ganzen vgl. Fascher a. a. O.
[1] Daß ein προφήτης »seines religiösen Bewußtseins enthoben und zur Mitteilung der höheren Einsicht oder Anschauung getrieben« sei (A. Maier, Röm 370), ist sicher falsch; vgl. 1 Kor 14, 32: πνεύματα προφητῶν προφήταις ὑποτάσσεται. Die Tätigkeit des προφήτης hat ihre Begrenzung in der ἀναλογία πίστεως. »Sinn: der Prophet halte sich innerhalb der ... Schranke seiner prophetischen Begabung« (Tholuck, Röm 665).
[2] Vgl. S. 190 A. 4 und A. 5.
[3] Vgl. de Wette, Röm 170; Bisping, Röm 335.
[4] Vgl. dazu Phil 1, 1. Ältere, vorwiegend katholische Autoren sprechen unbefangen vom »Amt des Diakons und der Diakonisse, der Armen- und Krankenpflege ...«, womit bei befähigten Individuen zuweilen auch die Lehre verbunden war (A. Maier, Röm 370; vgl. Schaefer, Röm 366); aber auch Lietzmann, Röm 109, versteht διακονία hier »schon im technischen Sinne des Diakonenamtes«; kaum zu Recht. Barrett, Röm 238: »on the way to becoming a technical term«.
[5] So Reithmayr, Röm 654: »irgendeine Stelle in dem ministerium ecclesiasticum«; ähnlich de Wette, Röm 169; Jülicher, Röm 312; Zahn, Röm 546; B. Weiss, Röm 105: »in äußeren Gemeindeangelegenheiten«; Bardenhewer, Röm 179: »mehr

zunächst in Röm 12, 6f aus[1]. Man könnte allenfalls versucht sein, die im Folgenden erwähnten χαρίσματα auf irgendeine Weise dem Oberbegriff des Charismas διακονία zuzuordnen; denn mit ὁ διδάσκων beginnt eine Konkretisierung der Charismen, die einen solchen Versuch zu begünstigen scheint.

ʿΟ διδάσκων ist aber wohl zu unterscheiden von ὁ διδάσκαλος[2]. Jeder »Lehrer« ist ein »Lehrender«, aber es muß nicht jeder »Lehrende« im spezifischen Sinn »Lehrer« sein. Ähnlich wie der κατηχῶν von Gal 6, 6 könnte der διδάσκων auf sehr verschiedene Weise an der Wortverkündigung beteiligt gedacht werden[3].

Noch weniger als ὁ διδάσκων läßt ὁ παρακαλῶν ein förmliches Gemeindeamt vermuten[4]; ein offizieller »Ermunterer« ist schwer vorstellbar. Beide Charismen, deren Ausübung durch die Partizipien hier betont ist, lassen sich sowohl dem Bereich der προφητεία wie dem der διακονία zuordnen und sind deshalb nach Inhalt und Begrenzung nicht näher explizierbar[5]. Fraglich ist auch, ob ὁ μεταδιδούς, ὁ προϊστάμενος, ὁ ἐλεῶν sachlich dem Tätigkeitsfeld von διακονία zuzurechnen sind oder ob auch sie — im Sinn bloßer Aufzählung angefügt — für sich genommen sein wollen. O. Michel spricht von »Äußerungen der Liebe«, »die nunmehr auf die gleiche Würde emporgehoben werden wie die großen Gnadengaben«[6]. »Emporgehoben« weckt jedoch die falsche Vorstellung von verschiedener Wertigkeit der Charismen. Darauf liegt im Text kein Akzent; der Text handelt von der bunten Verschiedenheit der Charismen, nicht von ihrer verschiedenen Würde.

ʿΟ μεταδιδούς verweist auf jene, die von dem Ihrigen »mitteilen«, also auf private Wohltätigkeit und Unterstützung Bedürftiger[7]; ähnlich wird ὁ ἐλεῶν zu verstehen sein[8] von jenen, die zwar nicht mit Hab und Gut, wohl aber mit

---

oder weniger ständige Dienstleistung«; Huby, Röm 420: »toute action servant à édifier la communauté«; Michel, Röm 299: »allgemeine Dienste innerhalb der Gemeinde« bzw. »Versorgung der Gemeindeglieder in ihren jeweiligen Bedürfnissen«.

[1] Cornely, Röm 656: »ministerium aliquod«.

[2] Es ist deshalb unbegründet, vom »Amt des ordentlich bestellten Lehrers, welcher den katechetischen Unterricht zu besorgen ... hatte« (Reithmayr, Röm 654; ähnlich A. Maier, Röm 371; Schaefer, Röm 366) zu sprechen oder als Aufgabenbereich »Vorträge zur Belehrung der Gemeinde« (Bardenhewer, Röm 179) bzw. »Bewahrung der geschichtlichen und paränetischen Traditionen« (Michel, Röm 299) zu vermuten.

[3] Daß ὁ διδάσκων nicht mit Sicherheit auf ein bestimmtes Amt schließen läßt verdeutlicht die phantasievolle Erklärung Tholucks zu διδασκαλία (Röm 666): »sie war mit dem Amte der ἐπίσκοποι verbunden (...), zuweilen mit dem Diakonat zuweilen auch allgemein«.

[4] Dagegen Reithmayr, Röm 655: »Bereich des kirchl. Lehramtes«; Bisping, Röm 335: »Homilet«; anders Michel, Röm 299: »zur Mahnrede und zum Unterricht«. Den begrenzten Wert solcher Vermutungen beweist auch hierzu Tholuck, wenn er (Röm 666) von der Tätigkeit des παρακαλῶν sagt: »verband sich gewiß am häufigsten mit der διδασκαλία und war auf kein bestimmtes Amt fixiert«. Deshalb bleibt nur mit Cornely, Röm 657, festzustellen: »nihil certi de eo statui potest«.

[5] Vgl. Bardenhewer, Röm 179: »Grenze ... schwer zu ziehen«; Barrett, Röm 238: »it would be wrong to deduce an absolute distinction between teaching and preaching«.

[6] Michel, Röm 299.

[7] de Wette, Röm 170; Lietzmann, Röm 109.

[8] Barrett, Röm 238: »it would be wrong to distinguish between practising charity and doing acts of mercy«.

Herz und Hand »Barmherzigkeit üben«. Ein Amt wird darin nur angesprochen finden können, wer um jeden Preis Ämter »entdecken« will; man erinnert dann an »kirchlich bestellte Verteiler von Almosen an Bedürftige und an Krankenpfleger«[1], übersieht aber, daß ὁ μεταδιδούς und ὁ ἐλεῶν Verbalsubstantiva sind, die zunächst jedenfalls nicht von Ämtern, sondern von Tätigkeiten sprechen. Zwischen beiden steht nun der vielverhandelte ὁ προιστάμενος. Diese Stellung spricht ebenso wie der angegebene Modus der Ausübung dieser charismatischen Tätigkeit (ἐν σπουδῇ) dafür, daß auch die Bedeutung des προΐστασθαι zwischen μεταδιδόναι und ἐλεεῖν zu suchen ist. »Fast möchte man es lieber ... wie προστάτις 16, 2 von Fürsorge für Fremde, Patronat ... verstehen, so daß es sich besser an das Vorhergehende und Folgende anschlösse«, meint W. M. L. de Wette[2]. Das ergäbe in der Tat den besten Sinn; dennoch entscheidet sich de Wette mit v. a.[3] für: »wer der Gemeinde (...) vorsteht«. Daß »der Ausdruck προΐστασθαι ohne bestimmenden Zusatz gar nicht verständlich«[4] sei, würde — wenn es zuträfe — auch eine Deutung auf »Gemeindevorsteher« ausschließen. Faßt man προΐστασθαι jedoch absolut, im Sinn von »praeesse«[5], bleibt eine Vielfalt von Bezügen möglich, vom Hausvorstand oder Patron, Hausgemeindevorstand bis zum Gemeindevorsteher; es könnte auch der Vorsteher sozialer Einrichtungen darunter verstanden werden oder allgemein jeder, der die Gabe hat »zu regieren, zu organisieren und zu verwalten«[6]. In jedem Fall meint προΐστασθαι ein »Vorstehen« in der Bedeutung von »Fürsorgen« und kommt so der προστάτις nahe. Jede Konkretion liegt mithin näher als die auf einen Gemeindevorsteher; zumal ὁ μεταδιδούς, ὁ προιστάμενος usw. nicht auf einen einzelnen, sondern generell auf jeden einzelnen zielt, der ein solches Charisma besitzt.

Dem Gefälle des Textes entsprechend, der in V 3 zur Beachtung des von Gott jedem einzelnen zugeteilten μέτρον πίστεως mahnt und in den VV 4–6a dieses zugeteilte μέτρον an den verschiedenartigen von der Gnade gewährten

---

[1] Vgl. Reithmayr, Röm 655: »Verrichtungen, welche Diakonen und Diakonissinnen übertragen waren, und 1 Kor 12, 28 unter ... ἀντιλήμψεις zusammengefaßt sind«; Bisping, Röm 335f, nennt den μεταδιδούς »Almosenspender der Gemeinde«, »Armenpfleger«; den ἐλεῶν »Krankenpfleger«; ähnlich Bardenhewer, Röm 179.

[2] de Wette, Röm 170. Tholuck, Röm 667, gibt »zu berücksichtigen ..., daß der Sinn von προΐστασθαι im Klass. und in der κοινή weiter geht als bloß auf das Vorstehen, und auch das Schützen und Hilfeleisten mit befaßt (vgl. Pape)«.

[3] Z. B. Reithmayr, Röm 655; Bisping, Röm 335; Zahn, Röm 548; auch Lietzmann, Röm 109f, hält diese Erklärung für »recht wahrscheinlich«; vgl. auch Althaus, Röm 127.

[4] A. Maier, Röm 372; ähnlich de Wette, Röm 170.

[5] Cornely, Röm 657: »nonnulli ad rem quandam sive domesticam sive publicam vel etiam ecclesiasticam administrandam idonei«; vgl. Tholuck, Röm 667: »an die Gabe der κυβέρνησις in verschiedenen Verhältnissen zu denken«; Schaefer, Röm 367: allgemein »zu leiten und zu führen«; B. Weiss, Röm 109: »Vorsteherschaft, die irgendwelche Verhältnisse zu leiten hat«; Barrett, Röm 239: »it does not describe any office with precision«; »it rather refers to a function (...) exercised by several persons, perhaps jointly or in turn«; Huby, Röm 421: »un terme général ... on pense à celui qui préside aux bonnes oeuvres, soit pour recueillir les aumônes, soit pour les distribuer«; Michel, Röm 299, v. a. 300 A. 1: »sich um etwas kümmern, für jemanden sorgen«; »Patronat für Schutzlose«.

[6] Jülicher, Röm 312.

Charismen erläutert, die ähnlich verschieden sind wie die πρᾶξεις der Glieder des Leibes, handelt es sich lediglich um eine Aufzählung von Beispielen ohne jede Absicht zur Vollständigkeit[1].

Von keinem der erwähnten Charismen wird angedeutet, daß es irgend jemandem vorbehalten oder anders denn durch Gnade zu erhalten sei; die Aufzählung stellt vielmehr fest, daß die Gnade »etwa« diese oder jene Charismen gebe und verweist ihre Inhaber auf das in ihrem Charisma mitgesetzte, aufweisbare oder innere μέτρον.

Die lockere grammatikalische Konstruktion der VV 6–8 spiegelt diesen Sachverhalt paradigmatischer Aufreihung wider: »ἔχοντες δέ gehört zu dem beide Glieder des V 5 beherrschenden ἐσμέν und hebt neben dem, worin sie alle gleich sind, ihre Verschiedenheit hervor. Daher das mit Nachdruck am Schluß stehende διάφορα«[2]. Die folgende Aufzählung solcher verschiedenartiger Charismen wird zunächst angedeutet mit εἴτε — εἴτε[3] und endet mit bloßer Anfügung von ὁ μεταδιδούς, ὁ προιστάμενος, ὁ ἐλεῶν. Eine gewisse Gliederung kann man innerhalb dieser Aufzählung nicht verkennen: auf zwei Abstrakta (προφητεία und διακονία) folgen zwei Konkreta (ὁ διδάσκων und ὁ παρακαλῶν); den Abschluß bilden die drei unverbundenen, möglicherweise sozialen Charismen.

Zuordnungen ergeben sich zwar als möglich, sind aber keineswegs zwingend. So könnte man noch am ehesten versucht sein, in προφητεία und διακονία zwei Gruppen von Charismen zu vermuten, wobei der προφητεία die Tätigkeit des διδάσκων und des παρακαλῶν zugehörig wäre und der διακονία das Tun von ὁ μεταδιδούς, ὁ προιστάμενος, ὁ ἐλεῶν. Die erste zusammengehörige Reihe wäre dann dem Wort, die zweite dem Dienst zugeordnet[4]. Aber man könnte ebenso gut z. B. διδάσκων und παρακαλῶν zum Bereich der διακονία rechnen[5] oder διδάσκων zu προφητεία und παρακαλῶν zu διακονία usw.[6]. Die Möglichkeiten für Vermutungen sind fast unbegrenzt; doch finden nicht alle im Text eine Stütze. So ist etwa der Eintrag der aus Phil 1, 1 bekannten ἐπίσκοποι und

---

[1] Vgl. Jülicher, Röm 311; Sickenberger, Röm 275: »Beifügung einzelner Beispiele«; Barrett, Röm 237: »impossible to regard this as a list of ministers«; Althaus, Röm 126: »in freier Folge«; Michel, Röm 298: »7 Beispiele«.

[2] de Wette, Röm 168: »indem wir aber . . . «; B. Weiss, Röm 105f; Lietzmann, Röm 109: »statt hinter διάφορα erst den allgemeinen Gedanken zu Ende zu führen (. . .), bringt Pls. sofort Beispiele und fällt dabei aus der Konstruktion«.

[3] Michel, Röm 299: »Hervorhebung von proph. Wort und Diakonie, wie die Satzkonstruktion beweist«; auch die folgenden zwei Glieder sind »stilistisch enger miteinander verbunden«.

[4] So etwa Reithmayr, Röm 657: »Magisterium ecclesiasticum« (Propheten, Lehrer, Tröster), »Ministerium ecclesiasticum« (Diakonie etc.); Jülicher, Röm 312: »drei verschiedene Formen, wie das Wort Gottes in den Gemeinden verkündigt worden ist«; in V 8 b findet er »die wichtigsten Unterarten« der Diakonie.

[5] Vgl. Zahn, Röm 546: »Zu den διακονίαι gehören alle in V 7 b – 8 aufgezählten Tätigkeiten«; Huby, Röm 420: »Ici le terme semble englober sous une dénomination commune les différents fonctions qui vont être énumerées ci-après«. Auch Michel, Röm 299, stellt die Frage: »Oberbegriff der ›Diakonie‹?«, bestimmt aber die διακονία wegen ihrer Stellung zwischen προφητεία und διδασκαλία als zur Wortverkündigung gehörig.

[6] Das zweimalige εἴτε — εἴτε würde auch diese Zuordnung erlauben, zumal die folgenden Glieder lose angehängt erscheinen. B. Weiss, Röm 109, zieht daher auch aus dieser bloßen Anfügung den Fehlschluß, daß »es sich nicht mehr um bestimmte

διάκονοι ebenso irreführend wie die Frage nach den πρεσβύτεροι, welche Paulus ohnehin nicht zu kennen scheint[1].

Eine entsprechende Verteilung der in Röm 12, 6–8 erwähnten Charismen auf ἐπίσκοποι, διάκονοι, πρεσβύτεροι ist so willkürlich wie jede Erklärung paulinischer Sachverhalte durch Heranziehung der Apostelgeschichte oder anderer neutestamentlicher oder nachneutestamentlicher Schriften[2]. Da sowohl vom Textgefälle wie vom formalen Aufbau der VV 6b–8 her der paradigmatische Charakter dieser Aufzählung von Charismen feststeht, wird man von den erwähnten Gruppierungsmöglichkeiten nur vorsichtigen Gebrauch machen dürfen. Festzuhalten ist, daß es in Röm 12, 6–8 grundsätzlich um Charismen geht, nicht um Ämter, mögen auch einzelne der genannten Charismen zum Amt hin tendieren[3]. Aber es ist weder von einem προφήτης oder διάκονος noch von einem διδάσκαλος usw. die Rede; vielmehr geht es durchweg um die Charismen selbst (προφητεία, διακονία) oder um den, der sie (ständig oder teilweise?) ausübt (διδάσκων, μεταδιδούς etc.). Jedes Glied der Gemeinschaft, die »in Christus« ein »Leib« ist, hat sein Charisma und damit den anderen Gliedern des Leibes zu dienen (vgl. V 5). Paulus faßt bei seiner Aufzählung keineswegs nur Charismen ins Auge, die einen »besonderen Beruf« und eine damit verbundene besondere Stellung in der Gemeinde begründen konnten, sondern subsumiert jede Art des Tätigwerdens eines Gliedes zum Wohle anderer unter dem Begriff χαρίσματα[4]. Nicht nur für den Apostel bedeutete die ihm widerfahrene χάρις seiner Bekehrung Erwählung zum Apostel (vgl. Röm 1, 1) und Aussonderung zum Evangelium Gottes, so daß seine χάρις zugleich seine ἀποστολή begründete (vgl. Röm 1, 5), für jedes Glied am Leib der Vielen, die »in Christus« sind, gilt, daß es in seiner χάρις ein besonderes χάρισμα empfangen hat[5]. Diese χαρίσματα

Funktionen an der Gemeinde handelt, sondern um Tätigkeiten im sozialen Leben«. Es ist ja gerade bedeutsam, daß auch soziale Tätigkeiten als Funktionen des Gemeindelebens gewertet werden, wozu eine charismatische Begabung nicht weniger erforderlich ist als für jede andere Art von Tätigkeit in der Gemeinde.

[1] Vgl. Tholuck, Röm 662: »nach welchen die zwei fixierten Ämter, das Episkopat und das Diakonat vorausgeschickt sein sollen, im Folgenden aber durch zwei Gaben das Episkopat, durch drei das Diakonat spezialisiert sein«. Reithmayr, Röm 653, nennt διακονία »Ministerium ecclesiasticum«; dieses sei »nicht auf den Ordo des Diakonats ... einzuschränken, sondern auf sämtliche Stufen auszudehnen, welche der ›Kirchendienst‹ (...) umfaßt, wohin auch das Amt des Bischofs, Presbyters etc. gehört«. A. Maier, Röm 372, zu προιστάμενος: »damit wird der πρεσβύτερος und ἐπίσκοπος nach der Amtsfunktion des Vorstehens, der Kirchenleitung bezeichnet«. Derlei Kombinationsmöglichkeiten sind unbegrenzt.

[2] Zu diesem methodisch fragwürdigen Vorgehen vgl. A. Maier, Röm 370f; Tholuck, Röm 665; Michel, Röm 299.

[3] Barrett, Röm 237: »a series of gifts, some of which suggest, more or less clearly, ministerial office«; aber: »primarlily function and activity rather than office«; Althaus, Röm 127, sieht teilweise durch die Gaben einen »Beruf« begründet; ein Beweis dafür ist nicht zu erbringen.

[4] Vgl. dazu Reithmayr, Röm 650: »selbst Erscheinungen des gewöhnlichen Tugendlebens«; de Wette, Röm 170: »Begriff des χάρισμα, d. i. der Gabe kirchlicher Wirksamkeit, zu dem der christlichen Wirksamkeit überhaupt erweitert«; Tholuck, Röm 655: die »den Gemeindezwecken dienstbar gewordenen individuellen Anlagen«.

[5] Reithmayr, Röm 644, nennt dies zutreffend »das Grundgesetz des ganzen kirchlichen Lebens«.

sind κατὰ τὴν χάριν ... διάφορα; jeder besitzt sein je eigenes χάρισμα, entsprechend der je eigen gegebenen χάρις[1]. Solche χαρίσματα sind auch »mitteilen, fürsorgen (vorstehen), Barmherzigkeit üben«, d. h. Tätigkeiten, bei denen schwerlich an Ämter, ja nicht einmal an herausgehobene Funktionen des Gemeindelebens zu denken ist. Eine Ausnahme könnte — wie gezeigt — allenfalls der προιστάμενος machen, doch spricht die Stellung zwischen μεταδιδούς und ἐλεῶν ebenso dagegen wie die Näherbestimmung durch ἐν σπουδῇ; der Modus der Wahrnehmung eines Charismas ersetzt hier offensichtlich dessen genauere Zirkumskription. Was sich demnach aus Röm 12, 3–8 für die Gemeindeordnung ergibt, ist allgemeiner Natur und zielt auf Ordnung in der Gemeinde, nicht aber auf »Gemeindeordnung«. Es wird jedem Charisma ein bestimmter Ort, ein Bereich oder auch ein bestimmter Modus der Ausübung zugewiesen, aber es wird keine Hierarchie von Charismen, geschweige denn von Ämtern entworfen[2].

Zusammenfassung:
Der Einzelne ist durch sein ἐν Χριστῷ εἶναι, d. h. durch seine Bestimmtheit von Christus, Glied eines Leibes (vgl. V 5). Wie aber der Leib des Menschen nicht die Summe von Gliedern darstellt, sondern immer schon als Einheit in der Vielheit von Gliedern existiert (vgl. V 4), so ist auch die Einheit der Vielen in dem einen Leib konstituiert durch das ἐν Χριστῷ εἶναι der vielen Glieder; nur dadurch sind die Vielen ein Leib[3]. Gleich dem Leib aber, der viele Glieder hat, ohne daß die Glieder alle die gleiche Verrichtung hätten, haben auch die Glieder des »in Christus« geeinten Leibes verschiedene χαρίσματα. Das sie hervorbringende Prinzip ist die χάρις[4]. Durch die χάρις sind die Glieder, was sie sind, und diese χάρις ist an ihnen »nicht unwirksam geblieben«; denn sie hat

---

[1] An Röm 12, 6 dürfte die These von Satake, Apostolat und Gnade bei Paulus 101, scheitern: Paulus begreife χάρις »ausschließlich als diejenige, die seinen apostolischen Dienst begründet und beherrscht«, bringe sie aber »nie« in Verbindung mit Diensten, »die von andern Gemeindegliedern geleistet werden«. Satake gibt zu, in Röm 12, 6 beziehe sich »›wir‹ offensichtlich auf alle Gemeindeglieder«, meint aber dann doch die Stelle »ausklammern« zu können, denn sie sei »auf jeden Fall« ... »die einzige Stelle in den paulinischen Briefen, wo χάρις nicht auf Paulus allein, sondern auf Christen im allgemeinen bezogen ist«. Seine Beweisführung ist wenig überzeugend; vgl. a. a. O. 101, bes. A. 2; 102, bes A. 4 und A. 5; und v. a. 103.
[2] Vgl. dazu Bisping, Röm 331f: »Grundregel ..., daß jedes Glied sich in der ihm zugewiesenen Sphäre bewege«; Cornely, Röm 651: »pro doni accepti mensura commune Ecclesiae bonum promoveant«; Nygren, Röm 301: jede Gabe »nur eine neben anderen, ebenso notwendigen«; Huby, Röm 416: »charismes, reçus en vue du ministère«; Michel, Röm 298: »er vermeidet jedenfalls eine hierarchische oder gesetzliche Ordnung«.
[3] Jülicher, Röm 311: »so sind auch wir Christen in Christus, d. h. durch den Anschluß an ihn, als den neuen Mittelpunkt unsers Lebens, *gleichsam* ein Leib, ohne daß der Einzelne an diesem Leibe mehr wäre als ein Glied mit einer besonderen Funktion« (Hervorhebung von mir). Nygren, Röm 298, sagt zu weitgehend: »In Christus sein heißt aber, ein *Glied am Leibe Christi* sein«; zutreffender a. a. O. 301: »Im Glauben ist die Einheit ›in Christus‹ gegeben; in dieser Einheit soll jede besondere Gabe und jeder besondere Dienst eingeordnet werden und seine Legitimation erhalten«.
[4] Neugebauer, In Christus 104: »die vor allen χαρίσματα Ereignis wurde« im Tod Jesu.

jedem in seiner Begnadung sein eigenes χάρισμα zugeteilt[1]. Aufweisbar ist das χάρισμα; aber die Verschiedenheit der χαρίσματα weist auf verschiedenartige Zuteilung der einen χάρις[2]. Κατὰ τὴν χάριν (τὴν δοθεῖσαν ἡμῖν) (V 6) bedeutet deshalb ὡς ὁ θεὸς ἐμέρισεν μέτρον (πίστεως) (V 3). Eben dieses dem Einzelnen gegebene Charisma zur Entfaltung und zur Wirkung zu bringen und darin sich zu bescheiden, heißt nach V 3, auch das von Gott selbst zugeteilte μέτρον πίστεως erkennen und anerkennen[3].

In solchem gegenseitigen Dienst der Glieder aneinander (vgl. V 5) existiert der Leib der Vielen »in Christus«[4]. Nichts würde dem Text weniger entsprechen als eine Herausstellung besonderer »Ämter« oder »hoher und niedriger« Charismen. Was die Ordnung der Gemeinde als des Leibes stiftet, ist die χάρις und die Anerkennung des in den Charismen zugemessenen μέτρον für den Einzelnen in seiner Bestimmtheit von Christus. Von »Gemeindeordnung« wird in Röm 12, 3–8 ausschließlich in diesem Sinn gesprochen[5].

5. Empfehlung für Phoebe und Grüße

Röm 16, 1–23

Weder aus dem kurzen Empfehlungsschreiben für Phoebe (vgl. VV 1. 2) noch aus der folgenden Grußliste (vgl. VV 3–23) erfahren wir Sicheres über die Ordnung einer heidenchristlichen Gemeinde[6]. Deshalb ist es für unsere Fragestellung auch unerheblich, ob das 16. Kapitel als ursprünglicher Bestandteil des Briefes Pauli an die Römer zu gelten hat oder nicht[7]. Die in V 1 f

---

[1] Reithmayr, Röm 649: »Wie das ganze Leben der Kirche als ein durch Gnade getriebenes und zu vollendendes aufzufassen ist, so sind auch alle einzelnen Kräfte, welche dazu zusammenwirken, entweder als Ausfluß oder unter dem Einfluß der χάρις tätig zu denken«.

[2] Der Ereignischarakter der Gnade ist festzuhalten; χάρις ist also nicht einfach »die charismatische Begabung im allgemeinen« (Bardenhewer, Röm 178). Die χάρις ist es, welche das Gliedwerden des Einzelnen am Leibe derer, die »in Christus« sind, wirkt; diesem Eingegliedert-werden entspricht aber auch ein aktives sich Eingliedern (vgl. Althaus, Röm 126), d. h. das Glied muß den ihm zugewiesenen Ort ausfüllen, seine ihm zukommende Funktion wahrnehmen.

[3] Cornely, Röm 652: »consequitur, primum quidem fidelibus variis varia officia esse implenda neque singulos ad omnia esse aptos, ... deinde singulis fidelibus id unum officium esse implendum, ad quod dono accepto destinati ac praeparati sunt, ab aliis omnibus artem esse abstinendum«.

[4] Huby, Röm 417: »ils sont membres les uns des autres: chaque fidèle contribue au bien de tout le corps et au bien de chacun des autres membres réciproquement«.

[5] Althaus, Röm 126: »So sind die Christen als Gemeinde eins, ein Leib, aber diese Einheit bedeutet nicht die Gleichheit im Verhältnis zueinander«.

[6] Es ist ein Irrtum zu meinen, die VV 1 und 2 »vervollständigen das Bild, das wir sonst von den urchristlichen Ämtern haben« (Nygren, Röm 323).

[7] Nach Jülicher, Röm 334, ist es »eine von zahlreichen Forschern seit 80 Jahren gebilligte Vermutung, daß in Röm 16 ein Bruchstück eines paulinischen Epheser-Briefs vorliegt, das in ältester Zeit durch ein Versehen sich an den Römerbrief heran- oder in ihn hineingeschoben habe«. Vgl. schon Baur, Paulus, der Apostel Jesu Christi 414 ff; dann auch P. Feine, Die Abfassung des Philipperbriefes in Ephesus, mit einer Anlage über Röm 16, 3–20 als Epheserbrief (BFChTh 20, Heft 4), Gütersloh 1916, 121–149.

empfohlene Schwester Phoebe ist nicht nur allgemein eine christliche »Schwester«, sondern »auch eine Helferin der Gemeinde in Kenchreä«. Diese singuläre Bezeichnung[1] einer Frau als διάκονος wird häufig im amtlichen Sinn einer »Diakonisse« verstanden[2]; doch dieses Verständnis ist ebenso fragwürdig wie die immer wieder gemachten Versuche, das Aufgabengebiet eines solchen weiblichen διάκονος zu umreißen[3]. Hält man sich an den Text, so kann man nur aus der Fortsetzung (παραστῆτε αὐτῇ ... καὶ γὰρ αὐτὴ προστάτις πολλῶν ἐγενήθη καὶ ἐμοῦ αὐτοῦ) schließen, daß Phoebe als προστάτις πολλῶν jenes »Helfen, Beistehen«[4] geübt hat, welches Paulus nun der Gemeinde ihr gegenüber wünscht; d. h. ihre Tätigkeit gehört in den Bereich einer patrona, einer Beschützerin, Helferin[5]. Darin vollzog sich ihre διακονία, und darin war sie ein διάκονος der Gemeinde von Kenchreä.

Eine spätere kirchliche Entwicklung kann nicht ohne weiteres zur Erhellung paulinischer Sachverhalte herangezogen werden[6]; deshalb wird man von der Kennzeichnung Phoebes als »Diakonisse« abgehen müssen. Wie in Röm 12, 6 nur vom Charisma der διακονία die Rede ist, so bezeichnet auch διάκονος in 16, 1 nur ein Tätigsein im Bereich der διακονία[7].

Ähnlich unbestimmt ist in V 3 die Beifügung συνεργούς μου ἐν Χριστῷ Ἰησοῦ für Priska und Aquila. Sie sind, wie die in V 9f Genannten, »Mitarbeiter«, die durch ihre Bestimmtheit von dem Christus Jesus her mit Paulus verbunden sind. Näherhin besteht die Gemeinsamkeit ihrer Arbeit wohl im Dienst an der Ausbreitung des Evangeliums[8]. Solcher Dienst kann aber sehr verschieden

---

Dagegen vgl. Barrett, Röm 281; Althaus, Röm 149ff; Michel, Röm 375f, und R. Schumacher, Die beiden letzten Kapitel des Römerbriefes, Ein Beitrag zu ihrer Geschichte und Erklärung (NTA XIV, Heft 4), Münster 1929.

[1] Vgl. Michel, Röm 377: »auffallend, vielleicht sogar im NT hier allein belegt«; denn: »1 Tim 3, 11 may describe female deacons, or possibly the wives of deacons« (Barrett, Röm 282); dazu neuerdings Brox, Die Pastoralbriefe 154f.

[2] So Reithmayr, Röm 766; de Wette, Röm 196; Bisping, Röm 363ff; Sickenberger, Röm 299; Bardenhewer, Röm 211; v. a. auch Lietzmann, Röm 124; Nygren, Röm 323; Michel, Röm 377 (A. 2 und A. 3); Schumacher a. a. O. 49; dagegen v. a. Jülicher, Röm 330; Barrett, Röm 282: »on the way to technical use«; ähnlich vorsichtig Althaus, Röm 149; Prat, La Théologie I 483.

[3] Vgl. Bisping, Röm 363ff: »Die Diakonissen der ersten Kirche hatten das Amt, die Armen und Kranken des weiblichen Geschlechts zu pflegen, bei der Taufe den Frauen Hilfe zu leisten usw. Sie werden in der Regel aus dem Stand der betagteren Witwen, die nur einmal verheiratet gewesen, gewählt und durch ein Gelübde zur Enthaltsamkeit verpflichtet«. Ähnlich Sickenberger, Röm 299; aber auch Michel, Röm 377 (und A. 4).

[4] Daß zwischen beiden Arten von Beistand »ein innerer Zusammenhang« besteht, konzediert auch Michel, Röm 378. Zu παρίστημι vgl. Bauer, WB 1244f.

[5] Darin stimmen die meisten Ausleger überein (vgl. Lietzmann, Röm 124; Michel, Röm 377; zu προστάτις vgl. Bauer, WB 1425), ohne jedoch daraus einen Schluß auf die Art der διακονία Phoebes zu ziehen. Sickenberger, Röm 299, zieht irrtümlich auch »Vorsteherin« in Betracht; dagegen Lietzmann a. a. O.; A. Kalsbach, Die altkirchliche Einrichtung der Diakonissen bis zu ihrem Erlöschen (RQ, 22. Supplementheft), Freiburg 1926, 10.

[6] Zu welchen spekulativen Kombinationen dies führen kann, siehe bei Reithmayr, Röm 766.

[7] Vgl. 1 Kor 16, 15: εἰς διακονίαν τοῖς ἁγίοις ἔταξαν ἑαυτούς.

[8] So B. Weiss, Röm 124: »in der Sache Chr.«; Michel, Röm 378: »Missionsarbeit«.

gedacht werden; er hat seine Besonderheit durch den unmittelbaren Bezug auf den Christus Jesus. Daß die Arbeit von Priska und Aquila »alle heidenchristlichen Gemeinden« (vgl. V 4) zu Dank verpflichtet, spiegelt vielleicht ihre übergemeindliche Wirksamkeit wider. Ein Amt scheinen sie nicht innegehabt zu haben. Vielmehr erscheinen sie als »Mittelpunkt einer ›Hausgemeinde‹, wie Phlm 2 und 1 Kor 16, 19 eines engeren Kreises von Gläubigen, die sich . . . im Hause des Aquila versammelten, da die Verhältnisse der Großstadt Versammlungen der Gesamtgemeinde höchstens einmal in der Woche, am Sonntag (1 Kor 16, 2), zuließen«[1].

Wie sich eine derartige »Hausgemeinde« zusammensetzte, wie oft sie sich versammelte, wer sie leitete usw. — entzieht sich unserer Kenntnis. Man kann nur annehmen, daß der Hausherr mit seiner Frau maßgeblichen Einfluß hatte auf die Gestaltung der Zusammenkünfte; Schlüsse auf die Organisation frühchristlicher Großstadtgemeinden lassen sich aus der gelegentlichen Erwähnung solcher Hausgemeinden nicht ziehen[2]. Sie stehen offensichtlich in einem komplementären Verhältnis zur Ortsgemeinde[3]; denn der Brief des Paulus richtet sich nach 1, 7 an alle römischen Christen, wobei man annehmen darf, daß ihnen der Brief in einer Versammlung der Gesamtgemeinde vorgelesen wurde (vgl. 16,16). Wir haben keinen Grund anzunehmen, daß etwa jeder Gläubige primär einer Hausgemeinde zugehörte; Hausgemeinden scheint es in besonders günstigen Fällen gegeben zu haben, wohl vor allem in den Anfängen der Gemeindebildung. Im Normalfall dürfte eher ein einzelner Hausbesitzer die Christen der Stadt zu Versammlungen geladen haben; dafür ist V 23 ein Hinweis, wo es von Gaios heißt, er sei ὁ ξένος μου καὶ ὅλης τῆς ἐκκλησίας[4].

---

[1] Jülicher, Röm 331. Fraglich ist jedoch, wie man diesen engeren Kreis von Gläubigen zu denken hat, ob als »Gesamtfamilie, welche in ihrem Hause befindlich, eine kleine Kirche ausmachte« (so Reithmayr, Röm 768, mit früheren Auslegern wie Orig., Theod., Tol., Est., Just.), oder als die in einem Haus sich versammelnde Teilgemeinde (so Bisping, Röm 363f; B. Weiss, Röm 124; Sickenberger, Röm 300; Bardenhewer, Röm 212; Lietzmann, Röm 124; Althaus, Röm 150).

[2] Vermutungen sind es, wenn z. B. Jülicher a. a. O. sagt, diese Hausgemeinden seien »regelmäßig, wahrscheinlich allabendlich« zusammengekommen, oder wenn v. Dobschütz, Die urchristlichen Gemeinden 91, folgert, »das Christentum in der Welthauptstadt« sei »in Form einzelner Kreise« aufgetreten. Letzteres wäre auch dann unbewiesen, wenn man die in den VV 5–15 Genannten auf einzelne Hausgemeinden verteilen könnte (so Sickenberger, Röm 303, der darin die Anfänge der Pfarreienbildung sehen wollte), wofür kein hinreichender Grund besteht.

[3] Vgl. 16, 23 ὅλης τῆς ἐκκλησίας; 1 Kor 14, 23 ἡ ἐκκλησία ὅλη. Daß es in Rom »mehrere solche Hausgemeinden« gab (Bisping, Röm 364; Tholuck, Röm 737; Bardenhewer, Röm 212; u.a.), wird man annehmen dürfen, auch wenn der Hinweis, den manche (vgl. de Wette, Röm 198; B. Weiss, Röm 124f; Althaus, Röm 151) in den VV 14. 15 dafür gegeben sehen, nicht zwingend ist.

[4] »Hausgemeinden« und »Versammlungen der Gemeinde in einem bestimmten Haus« sind möglicherweise zwei verschiedene Ansätze der Gemeindebildung; gemeinsam ist ihnen, daß einer wie Priska und Aquila (VV 3–5) »Raum und den guten Willen hat, seine ›familia‹ und Freunde zur Andacht zu versammeln« (Lietzmann, Röm 124f), oder daß einer, wie Gaios (vgl. V 23), ein ξένος, d. h. nicht nur Quartiergeber für Durchreisende war (vgl. Althaus, Röm 152; Lietzmann, Röm 128; Lagrange, Röm 376f), sondern als Hausherr »für alle Gemeindeglieder ein offenes Haus hatte« (B. Weiss, Röm 127; ähnlich Michel, Röm 386), in dessen Haus möglicherweise die Gemeindeversammlungen stattfanden (vgl. Althaus a. a. O.).

Der sonstige Ertrag von Röm 16, 1–23 für das Problem der Gemeindeordnung ist gering. Paulus gibt zwar den erwähnten Freunden und Mitarbeitern zum Teil ehrenvolle Prädikate wie ἀγαπητός μου, ἀπαρχή, συγγενεῖς μου, συνεργὸς ἡμῶν, δόκιμος, ἐκλεκτός[1] usw., doch haben diese Beifügungen, die sich sachlich oft auch nicht wesentlich unterscheiden[2], keine unmittelbare Bedeutung für die Ordnung der Gemeinde. Eine Ausnahme bildet vielleicht der ἀπαρχὴ τῆς ᾿Ασίας εἰς Χριστόν genannte Epainetos. Wie Stephanas, die Erstlingsgabe Achaias (für Christus)[3], scheint ihm seine frühe Gewinnung für Christus eine besonders ehrenhafte Stellung, zumindest ein hohes Ansehen in der Gemeinde eingebracht zu haben.

Ein für den Dienst innerhalb der Gemeinden charakteristischer Begriff ist hingegen das häufig verwandte κοπιᾶν[4]. Doch bezeichnet κοπιᾶν nichts anderes als ein hartes sich Abplagen für die Gemeinde[5]. In Röm 16 ist diese Bezeichnung Frauen vorbehalten, so daß man diese der »Phoebe an die Seite rücken«[6] darf, wenngleich ihre διακονία noch weniger zu bestimmen ist als die Phoebes. Die kurzen Beifügungen haben kaum einen anderen Sinn als »die so Gerühmten zu neuem Eifer anspornen, zugleich die Autorität der Verdienten und Bewährten . . . stützen«[7] zu wollen. »Auffällig« nennt es F. Neugebauer, »daß ab Röm 16, 10 b, wo weniger klangvolle Namen stehen, nur noch ἐν κυρίῳ in Verbindung mit Personen erscheint«[8]. Doch meint er selbst: »das kann Zufall sein, und es wäre verfehlt, wollte man an diese Beobachtung weittragende Schlüsse knüpfen«. Es ist in der Tat kein Grund ersichtlich, zwischen ἐν Χριστῷ und ἐν κυρίῳ in Röm 16 eine bedeutungsvolle Differenz zu vermuten.

Eine Häufung von Zusätzen gibt jedoch der Erwähnung von Andronikus und Junias[9] in V 7 besonderes Gewicht, ohne daß sich eine Begründung für

---

[1] Eine besondere Bedeutung für die Gemeinde vermuten darin Sanday–Headlam, Röm 427; Lagrange, Röm 369; Michel, Röm 381.

[2] Vgl. Jülicher, Röm 331; Althaus, Röm 150: »Alles aber, . . ., hat das Vorzeichen ›in Christus‹, ›im Herrn‹«.

[3] 1 Kor 16, 15 ff; vgl. Michel, Röm 379.

[4] Vgl. Röm 16, 6. 12; 1 Kor 16, 16. Dasselbe vom Apostel selbst 1 Kor 4, 12; 15, 10; Gal 4, 11; Phil 2, 16. Dazu v. a. v. Harnack, κόπος (κοπιᾶν, οἱ κοπιῶντες) im frühchristlichen Sprachgebrauch 1–10; Hauck, ThW III 828: »christl. Arbeit an der Gemeinde und für die Gemeinde«; Bauer, WB 876f: »sich abmühen, sich plagen«.

[5] Dazu Neugebauer, In Christus 142. Für allerlei Vermutungen ist Raum; vgl. Bisping, Röm 365: »von einer gewissen Lehrtätigkeit . . . oder etwa von einer Armen- und Krankenpflege«. Doch keine Vermutung läßt sich erhärten; fest steht nur, daß sich die Genannten »im Dienst für die Gemeinde abgemüht« haben (Michel, Röm 381).

[6] Jülicher, Röm 331; vgl. auch B. Weiss, Röm 124f; aber nicht als »Diakonissen« (Bardenhewer, Röm 215).

[7] Jülicher a. a. O.

[8] Neugebauer, In Christus 130. »Die ›in-Christo‹-Formel ist wesentlich ein Ausdruck des gegenwärtigen Heilsgeschehens, sofern dieses in der Ekklesia und durch die Verkündigung des Apostels geschieht« (a. a. O. 148). Diesem Indikativ des Heilsgeschehens ἐν Χριστῷ stellt Neugebauer den mit ἐν κυρίῳ charakterisierten Imperativ des Tuns gegenüber; doch trägt diese Unterscheidung für Röm 16 nichts aus. Neugebauer selbst meint a. a. O. 146 A. 27: »In solchen Fällen werden sich der abgeschliffene Gebrauch von ›im Herrn‹ und ›in Christo‹ sehr nähern, ja die Vertauschbarkeit der beiden Formeln wird ein Gradmesser ihrer Abgeblaßtheit sein«.

[9] Zur Frage, ob es sich um einen ᾿Ιουνιᾶς oder eine ᾿Ιουνία handelt, vgl. Michel, Röm 379.

die Betonung erkennen ließe. Sie sind συγγενεῖς des Paulus und seine συναιχμάλωτοι, d. h. Landsleute¹ und Mitgefangene². Inwiefern sie dieses sind oder
waren, ist uns nicht bekannt. Daß sie »angesehen sind unter den Aposteln«,
könnte sie selbst als Apostel ausweisen, aber auch einfach ihr Ansehen »bei«
den Aposteln feststellen³.

Sie als ἀπόστολοι 'Ιησοῦ Χριστοῦ — und in den Kreis der 1 Kor 15, 7 genannten
ἀπόστολοι πάντες gehörig — zu betrachten⁴, ist nicht mehr als eine Vermutung.
Näherliegend scheint es, die Tatsache, daß sie auch⁵ schon vor Paulus Christen
geworden waren, mit ihrer jüdischen Abstammung (συγγενεῖς) in Verbindung
zu bringen und daraus ihr Ansehen »bei« den Aposteln (in Jerusalem) herzu-
leiten⁶. Sie werden also möglicherweise der Urgemeinde angehört haben, ohne
jedoch selbst Apostel gewesen zu sein. Auszuschließen ist auch diese Möglichkeit nicht, zumal wir trotz zahlreicher Untersuchungen noch immer im Unklaren sind über Herkunft, Bedeutung und Geschichte des urchristlichen Aposto-
lats⁷. Für unseren Zusammenhang ist jedoch eine andere Beobachtung wichtiger. Paulus erwähnt Andronikus und Junias an keineswegs herausragender
Stelle. Wenn sie als ἀπόστολοι zu betrachten wären, müßte man daraus schlies-
sen, daß sie keinesfalls in Betracht gezogen werden könnten als Apostel, die in
Rom das Fundament des Glaubens legten. Paulus könnte sie in diesem Fall
wohl schwerlich so beiläufig erwähnen, wie es tatsächlich — wenn auch mit

---

¹ Vgl. Bauer, WB 1530. Man könnte allenfalls zweifeln, ob darunter »Volks-
genossen« (de Wette, Röm 197; B. Weiss, Röm 124; Sickenberger, Röm 301; Lietzmann, Röm 124) oder im engeren Sinn »Verwandte« gemeint sind (so Lagrange,
Röm 365f); dagegen ist es sicher ein Irrtum, bei συγγενεῖς vom »gemeinsamen
Wirken« zu sprechen (Roloff, Apostolat — Verkündigung — Kirche 60).
² Wie Phlm 23; vgl. Bauer, WB 1551; wir wissen nicht, worauf Paulus näherhin
anspielt.
³ Vgl. dazu Schnackenburg, Apostel vor und neben Paulus 346f. Er kommt zum
Ergebnis: »Andronikus und Junias gehörten also zu einem Kreis von ›Aposteln‹,
die frühe und angesehene Verkündiger des Evangeliums waren, ohne sich auf eine
Erscheinung des Auferstandenen berufen zu können«. Schnackenburg spricht dabei
von einem Apostelbegriff, den Paulus »schon vorfand«.
⁴ Roloff a. a. O. 61 mit Kümmel, Kirchenbegriff und Geschichtsbewußtsein 5;
vgl. Reithmayr, Röm 768f: »Rang von Aposteln«; Jülicher, Röm 331: »die er
geradezu unter die Apostel ... einrechnet«; Michel, Röm 380: »Gesandte«.
⁵ οἱ καί wird sich auf Andronikus und Junias beziehen; doch wäre auch eine
engere Beziehung zu ἀπόστολοι denkbar. Die Genannten hätten dann entweder zu
denen gehört, die schon vor Paulus Apostel waren, oder es würde ihr Ansehen bei
den Aposteln vor Paulus gerühmt. An die beiden letzten Möglichkeiten denken die
Textvarianten in DEFG, bei Ambst und Pel (vgl. Reithmayr, Röm 768f; Lietzmann, Röm 124) τοῖς γὰρ πρὸ ἐμοῦ; dieselbe Tendenz liegt bo zugrunde, wo das
καί fehlt; vgl. Lietzmann a. a. O.
⁶ So v. a. B. Weiss, Röm 124ff; Michel, Röm 380: »Vertreter der Urgemeinde«.
Ansehen »bei« den Aposteln nehmen ferner an: Zahn, Röm 609 A. 61; Bardenhewer, Röm 213; u. a. (Offen lassen die Frage z. B. de Wette, Röm 197; Bisping,
Röm 366).
⁷ Von »Aposteln im weiteren Sinn«, d. h. Missionaren, sprechen in der Auslegung
von V 7: Tholuck, Röm 739; Sickenberger, Röm 301; Lietzmann, Röm 124.
Schnackenburg a. a. O. 346f begründet u. a. von hier aus seine These: »Paulus
kennt verschiedene in der Urkirche tätige ›Apostel‹, für die es keine eindeutigen
und einheitlichen Kriterien gab« (a. a. O. 349).

gewisser Betonung — geschieht. So kann man nur feststellen, daß ihre Erwähnung in Röm 16, 7 weder für das Problem der urchristlichen Gemeindeordnungen noch für die konkrete Gestalt der heidenchristlichen Mission außerhalb des paulinischen Bereichs noch für die gesamtkirchliche Situation zur Zeit des Römerbriefs etwas austrägt. Dasselbe gilt auch für den Gruß der ἐκκλησίαι πᾶσαι τοῦ Χριστοῦ (V 16). Man kann darin allenfalls einen Versuch sehen, die Verbindung zwischen den Gemeinden des Christus zu vertiefen[1].

---

[1] Vgl. Jülicher, Röm 332; Althaus, Röm 151; Michel, Röm 382. Hinweise, daß Paulus »Abgeordnete fast aller Kirchen um sich zu haben pflegte« (Reithmayr, Röm 773, mit Bezug auf Apg 20, 4), oder daß die »östlichen Kirchen« ... »um die Begrüßung dieser Kirche gebeten« hätten (Reithmayr a. a. O.; dagegen de Wette, Röm 198), sind ebenso fragwürdig wie Aussagen dieser Art: »Ausdruck der Einheit der Katholizität der Kirche, geknüpft an die fürstliche Mutter von allen«, oder: »Adresse vom ganzen Erdkreis an die Vorsteherin des Erdkreises« (Reithmayr a. a. O. nach Theodoret).

6. Kapitel

DIE APOSTOLISCHE FREIHEIT ZU BEFEHLEN UND IHRE ANWENDUNG NACH DEM BRIEF AN PHILEMON

1. Philemon und seine Hausgemeinde

Phlm 1. 2

Wenngleich der Philemonbrief der persönlichste unter allen Paulusbriefen ist[1], ist er doch nicht nur als Privatbrief zu werten[2]. Die Erwähnung des Bruders Timotheus als Mitabsender[3], des Mitstreiters Archippus und der Hausgemeinde als Mitangesprochene bezeugen ihn als apostolisches Schreiben[4]. Zwar bleibt Philemon durchwegs der eigentliche Adressat[5], aber die Einbeziehung des Timotheus als apostolischen Mitarbeiters einer-

---

[1] Bieder, Phlm 1, nennt den Brief »an eine Einzelperson gerichtet«; doch dürfe man sich durch den persönlichen Charakter des Briefes (vgl. J. J. Müller, Phlm 173: personal letter) nicht verleiten lassen, »den Brief als bloß geschichtlich interessantes Dokument zu lesen«.

Sachgemäßer gibt Greeven, Prüfung der Thesen von J. Knox 373, im Blick auf den »Charakter eines privaten Schreibens« von VV 4–24 zu bedenken: »Umso mehr bedarf es einer Erklärung, warum in der Adresse neben Philemon noch zwei weitere Personen und eine Hausgemeinde als Briefempfänger genannt werden . . .«.

[2] Gegen Vincent, Phlm 175 (»The title ›apostle‹ is laid aside as not befitting a private and friendly letter«); vgl. Wickert, Der Philemonbrief — Privatbrief oder apostolisches Schreiben 233. 235. 236; ferner Jang, Der Philemonbrief im Zusammenhang 13: »Wird der Philemonbrief erst einmal als eine private Bittschrift mißverstanden . . .«; Lohse, Phlm 264: »Es handelt sich daher nicht um ein reines Privatschreiben . . ., sondern um eine verbindliche Botschaft des Apostels«.

[3] Jang a. a. O. 22: »Wenn Timotheus als ›Absender‹ genannt wird, so bedeutet das noch nicht, daß er Mitverfasser des Briefes ist«. Bieder möchte — nach Jang a. a. O. — darum einen Hinweis dafür finden, »daß Paulus seelsorgerliche Fälle nicht aus seiner eigenen seelsorgerlichen ›Genialität‹, nicht ›in eigener Vernunft und Kraft‹ behandelt, sondern mit seinem Mitarbeiter berät und bespricht«; vgl. Bieder, Phlm 9. Richtiger scheint Jangs Auskunft zu sein, der als Grund für die Einbeziehung des Timotheus a. a. O. 22 nennt: ». . . um die Anliegen seines Briefes dadurch als nicht nur von seinen eigenen Wünschen herkommend zu deklarieren: Es liegt ein gesamtchristliches Interesse vor . . .«.

[4] Vgl. Wickert a. a. O. 233: »An dem Bestreben des Paulus, seine apostolische Autorität nicht aufdringlich zur Geltung zu bringen, ist . . . nicht zu deuteln«; ähnlich Lohse, Phlm 264.

[5] Zu Philemon vgl. Lightfoot, Phlm 303–306; sehr viel mehr als Lohmeyer, Phlm 175, wird man über ihn nicht sagen können: »Die Existenz einer solchen Hausgemeinde läßt ihn als einen begüterten und angesehenen Bürger Kolossaes erscheinen«.

Zu den Thesen von J. Knox, Philemon among the Letters of Paul, A new View of its Place and Importance, New York–Nashville ²1959, daß nicht Philemon, sondern Archippus der eigentliche Adressat des Briefes sei, vgl. die Kritik bei Lohse, Phlm 261; Feine–Behm–Kümmel, Einleitung 251: »scheitert an der natürlichen Exegese von Phlm 1. 2 und Kol 4, 17, wie an der Tatsache, daß Markion einen Phlm und einen Laodizenerbrief kannte«; ähnlich Moule, Phlm 14 ff. Zustimmung fanden die Thesen von Knox dagegen bei Greeven, Prüfung der Thesen von J. Knox 374 ff.

seits und der »Gemeinde in seinem Hause« andererseits ist nicht nur vom »Briefstil«[1] bedingt, sondern weist auf den doppelten Hintergrund des Briefes: die apostolische Autorität des Schreibers[2] und die Bedeutung des verhandelten Sachverhalts für das Leben der Christen, die sich in Philemons Haus zu versammeln pflegten[3]. Der Brief ist ganz offensichtlich dazu bestimmt, in dieser Versammlung der Hausgemeinde verlesen zu werden[4].

Paulus spricht nicht als »Bittsteller«[5] zu Philemon, sondern als Apostel, auch wenn er es im Briefeingang unterläßt, sich so zu nennen. Ohne auf seine Autorität pochen zu müssen, erreicht sein Bitten solche Dringlichkeit, daß es unmöglich scheint, Philemon hätte noch anders handeln können, als es Paulus wünschte. Diese Dringlichkeit gründet in der besonderen Christusbezogenheit des Apostels, die sich gerade in den Gefangenschaftsbriefen (aber auch im 2 Kor) als ein ὑπὲρ Χριστοῦ πάσχειν (vgl. Phil 1, 29) darstellt. Daher will die vorangestellte Selbstbezeichnung als »Gefangener Christi Jesu«[6] wohl beachtet sein. Sie ist »Krönung seines Werkes und seiner Berufung« ... »und verleiht ihm eine Autorität, der es möglich wird, ›freimütig zu gebieten‹«[7].

Mit Wickert a. a. O. 235 wird man bezüglich des angesprochenen Philemon sagen dürfen: »Zweifellos nimmt Paulus auf die private Sphäre des Adressaten Rücksicht ... «. »Daß seine Rücksicht nicht eine menschliche ..., sondern ... die des Apostels ist, beweist jedoch ein Vergleich von Phlm 8 f mit 1 Kor 9, 19 ff «.

[1] Vgl. Dibelius–Greeven, Phlm 103; richtiger sagt dazu Lohmeyer, Phlm 174, dem Brief eigne ein »gewisses Maß von Öffentlichkeit «.

[2] Vgl. Wickert a. a. O. 233. 236. Die Einbeziehung der Hausgemeinde hat erhebliches Gewicht; als Mitangesprochene ist sie auch Mitbeteiligte in dieser Sache. Es ist ja für Paulus überhaupt kennzeichnend, daß er sich immer, zumindest aber immer *auch* an ἐκκλησίαι wendet — und seien sie noch so kleine Haus-ἐκκλησίαι (vgl. dazu K. L. Schmidt, ThW III 508). Das eigentliche Gegenüber des Apostels sind ἐκκλησίαι, erst in zweiter Linie Personen wie Philemon oder die ἐπίσκοποι und διάκονοι in Phil 1, 1.

[3] Paulus versucht in diesem Brief nicht nur eine persönliche Angelegenheit mit Philemon zu bereinigen, indem er diesen bittet, den entlaufenen Sklaven Onesimos als »geliebten Bruder« (vgl. V 16) wieder aufzunehmen, so als gelte es, ihn — Paulus selbst — aufzunehmen (vgl. VV 12. 17), sondern er nützt die Gelegenheit, um — ausgehend von einer Tagesfrage — Grundsätzliches zu sagen; vgl. dazu neben Wickert a. a. O. 230–238 v. a. Lohmeyer, Phlm 175: »... was Paulus von Onesimus zu sagen hat, ist durch ihn (Phlm) auch für diese Gemeinde gesprochen und über eine nur persönlich zu regelnde Frage hinausgehoben «; ähnlich J. J. Müller, Phlm 174 f; Lohse, Phlm 262 ff.

[4] Vgl. die Segenswünsche in den VV 3. 25.

[5] Gegen Meinertz, Phlm 115.

[6] Nach Jang, Der Philemonbrief im Zusammenhang 22, »... geht es nicht an, δέσμιος Χριστοῦ Ἰησοῦ nur in übertragenem Sinne zu deuten « (gegen E. R. Goodenough, Paul and Onesimus, in: HThR Vol XXII, 2 [1929] 181–183). »Nein, Pl redet hier von seiner wirklichen Gefangenschaft und von seiner äußeren Gebundenheit, in der er sich damals in Rom befand « (Schumann, Phlm 44).

Mit Bieder, Phlm 8, wird man sagen müssen: »wichtiger als seine strenge Bindung und Gebundenheit an Jesus Christus (vgl. δοῦλος) ist *hier* die *Bewährung* dieser seiner Gebundenheit in der Bindung irdischer Gefangenschaft «.

[7] Lohmeyer, Phlm 175; auch Lohse, Phlm 266, sieht darin »... angedeutet, daß das Schreiben nicht lediglich als Privatbrief betrachtet sein will, sondern eine Botschaft enthält, die die Empfänger zum Gehorsam gegenüber dem apostolischen Wort verpflichtet «; vgl. Bieder a. a. O. 7 f.

Gefangener zu sein um Christi Jesu willen, bedeutet für Paulus: ganz in die Lebensgemeinschaft mit Christus eintreten und aus dieser totalen Gebundenheit an Christus heraus zu handeln. So ist Gefangensein für Christus als eine besondere Gnade gesehen, die seinem Apostel-Christi-Sein seine tiefste Würde verleiht.

Sein Rühmen war ja immer schon ein Rühmen seiner Schwachheit (vgl. 2 Kor 12, 9); denn nur in Schwachheit komme Gottes Kraft zur Vollendung. Wenn er schwach ist, ist er in Wahrheit stark — dann wohnt die Kraft Christi in ihm (vgl. 2 Kor 12, 10).

Gerade weil Paulus ein »Gefangener Christi Jesu« ist — was demnach umfassender verstanden sein will, als es die meisten Übersetzungen nahelegen, wenn sie den Genitiv umschreiben mit »um Christi willen«[1] —, ist es Christus selbst, dessen Autorität ihn und seine Bitte an Philemon legitimiert[2].

Paulus erinnert also nicht nur an seine Gefangenschaft um Christi willen, um seiner Bitte Nachdruck zu verleihen, sondern er begründet durch diese Selbstbezeichnung den Anspruch und die Dringlichkeit seiner Bitte als einer Forderung Christi[3].

Daß der Philemonbrief kein reiner Privatbrief ist, wird andererseits auch unterstrichen durch die Kennzeichnungen der Angesprochenen, die nur sinnvoll

---

[1] Vgl. dazu O. Schmitz, Die Christus-Gemeinschaft des Paulus im Lichte seines Genitivgebrauchs (Neutestamentliche Forschungen, 1. Reihe, Heft 2), Gütersloh 1924, 189: kein gen. auct., aber auch kein einfacher Gen. der Abhängigkeit, sondern: »Sinn bekommt die ungewöhnliche Formulierung erst, wenn man sie aus dem Bewußtsein der ›mystischen‹ Leidensgemeinschaft mit Christus heraus entstanden denkt und den Genitiv in ganz allgemeiner Weise die Eigenart dieses Gefangenen charakterisieren läßt. Er ist Gefangener Christi Jesu, ›Christus-Jesus-Gefangener‹«. Beide Momente, das geschichtliche und das »mystische«, sind also in dieser Formulierung verbunden; vgl. Thompson, Phlm 182: »a) his imprisonment has been the result of his loyalty to Jesus in preaching the Gospel; and b) his whole life has been captured by Jesus and by the need to serve him (Phil 3, 12)«; vgl. auch Moule, Phlm 140.

[2] Den Ansatz der paulinischen Gedankenverbindung in δέσμιος Χριστοῦ ’Ιησοῦ dürfte schon v. Osterzee, Phlm 158, zutreffend formuliert haben: »Das heißt nicht: *für* Jesum Christum, sondern: welchen J. Chr. (d. h. dessen Sache) in die Gefangenschaft gebracht, in Fesseln gelegt hat«.

Präziser bestimmt den Sachverhalt jedoch Neugebauer, In Christus 120f: Es finden »Rede und Autorität des Apostels ihre Bestimmung in Christo, schließlich aber auch das ganze Sein und Wirken des Apostels. Paulus betrachtet sich selbst ja auch hinsichtlich dessen, was mit ihm geschehen ist und was er tut, hinsichtlich seiner Berufung und seiner Verkündigung. Man kann Paulus also nicht unabhängig davon sehen, daß er Apostel ist« (a. a. O. 121); im Zusammenhang von Phlm 1 mit Phil 1, 12f bestimmt Neugebauer dann a. a. O. die Gefangenschaft »als eine ›christusmäßige‹, als eine auf das Christusgeschehen bezogene und zugleich von dem Christusgeschehen bestimmte«; als solcher liegt in ihr eine Unterstreichung seiner Autorität als Apostel Christi.

[3] M. Meinertz, Der Philemonbrief und die Persönlichkeit des Apostels Paulus, Düsseldorf 1921, dürfte der Selbstbezeichnung als δέσμιος Χριστοῦ ’Ιησοῦ ihr ganzes Gewicht nehmen, wenn er meint: »Er (Pl) will rühren und bewegen« (a. a. O. 7). »Das Wort ist also hier mit Absicht gewählt, um auf Philemon Eindruck zu machen« (a. a. O. 8). Es ist dagegen mit Lohse, Phlm 266, festzuhalten: »Sein Leiden ..., das er im Dienst seines Herrn zu erdulden hat, läßt ihn mit umso größerem Gewicht zur Gemeinde sprechen«.

erscheinen, wenn der Brief der ganzen Hausgemeinde zu Gehör gebracht werden sollte.

Philemon selbst wird als συνεργός[1], »Mitarbeiter«, vorgestellt. Damit wird er ausgewiesen als einer, der Anteil hat an der Verkündigung des Evangeliums Christi[2]. Ein besonderes Amt ist offenbar nicht gemeint; vielleicht darf man vermuten, daß die Hausgemeinde in ihm nicht nur ihren Gastgeber, sondern wohl auch ihren natürlichen Vorsteher hatte[3]. Bedenkt man, daß Paulus sich an gewichtiger Stelle (vgl. 1 Kor 3, 9) selbst einen συνεργὸς θεοῦ nennt, gewinnt diese Bezeichnung den Charakter einer Auszeichnung vor der Hausgemeinde[4].

Archippus dagegen, von dem man vermutet, daß er der Sohn des Hauses gewesen sei[5], wird eigens als συστρατιώτης[6], »Mitstreiter«, erwähnt. Nach E. Lohmeyer[7] kommt diese Bezeichnung nur bestallten Gemeindeführern zu. Doch der Hinweis auf Phil 2, 25, wo Epaphroditos so genannt wird, kann davon ebensowenig überzeugen wie der auf Phil 4, 2f; denn Euodia und Syntyche werden zwar gerühmt als αἵτινες ἐν τῷ εὐαγγελίῳ συνήθλησάν μοι, aber daß sie zu den Führern der Gemeinde von Philippi zählten, ist damit nicht erwiesen, so wenig sich dies für den in 4, 3 angesprochenen Syzygos oder für Epaphroditos, den »Apostel«, d. h. Gesandten, Boten der Gemeinde von Philippi, nachweisen läßt.

---

[1] Vgl. 1 Thess 3, 2; 2 Kor 8, 23; Röm 16, 3. 9. 21; Phil 2, 25; 4, 3; dazu Lohse, Phlm 267: »als tätiges Glied der Gemeinde am gemeinsamen Werk beteiligt, das Evangelium in Wort und in der Tat der Liebe zu bezeugen«; ferner Bertram, ThW VII 872, 5–8: »Paulus hat ... seine Gefährten durch die Verwendung solcher u. ä. Bezeichnungen geehrt und ihre Autorität den Gemeinden gegenüber gestärkt«.

[2] Vgl. Bertram a. a. O. 872, 13–17: »Bei diesen Formulierungen geht es nicht um ehrende Bezeichnungen der Gefährten, also um soziologische Kategorien, sondern um eine theologische Aussage: Paulus und die anderen stehen in demselben Dienst, sie alle sind *Gehilfen* und *Handlanger* Gottes (...) und damit *Arbeiter* am Reiche Gottes«; vgl. ferner Thompson, Phlm 183: »Philemon was a fellow-worker i. e. in furthering the cause of Jesus«.

[3] Vgl. aber Bieder, Phlm 10: »auf die rechtliche Stellung des Philemon innerhalb der Gemeinde fällt keinerlei Gewicht«; immerhin kann man mit J. J. Müller, Phlm 173f, vermuten: »possibly took part himself in the preaching of the Gospel«.

[4] Vgl. Bertram a. a. O. 872, 8–10: »Einen besonderen Charakter haben wohl Aussagen, in denen Paulus sich selbst mit anderen unter dem Titel συνεργός zusammenschließt«; dazu Otto, Die mit συν verbundenen Formulierungen im paulinischen Schrifttum 88–97.

[5] Vgl. Lightfoot, Phlm 308–310. Knox, Philemon among the Letters of Paul, suchte aus einer Kombination der Angaben in Phlm und Kol die Rolle des Archippus anders zu bestimmen: er sei der eigentliche »Herr des Onesimos«, der in Kol 4, 17 »an die Wahrnehmung einer bestimmten ihm aufgetragenen διακονία erinnert« werde, die aus Phlm deutlich werde. Philemon sei hier nur »als Respektsperson« zuerst genannt, damit des Apostels Bitte an den ihm unbekannten Archippus dringlicher werde (Zitate nach Greeven, Prüfung der Thesen von J. Knox 373ff, der darin eine »durchaus erwägenswerte Beleuchtung« der Adresse des Phlm sehen will); vgl. dagegen Lohse, Phlm 261ff (dort weitere Literatur).

[6] Zu συστρατιώτης vgl. Bauernfeind, ThW VII 711; Dibelius–Greeven, Phlm 103; Moule, Phlm 140: »fellow-Compaigner«. Den metaphorischen Charakter dieser Bezeichnung betonen Bauernfeind a. a. O. und A. 36; Moule a. a. O.

[7] Lohmeyer, Phlm 175 und A. 3.

Gegenüber »Mitarbeiter« bedeutet »Mitstreiter« sicher eine Steigerung, die an selbstlosen Einsatz, an Kampf, Mühsal und Ausdauer in der Ausbreitung des Evangeliums und im Aufbau der Gemeinden erinnert[1]. So erklärt sich die auszeichnende Nennung des Archippus als besonders engen Mitarbeiters des Apostels wiederum aus dem Blick auf die Hausgemeinde[2]. Solche Hausgemeinden[3] wird man sich als die Zellen für die Gemeindebildung vorstellen müssen[4]. Sie ermöglichen es den Christen, sich zu versammeln und sich der Zusammengehörigkeit (als Glieder des Leibes Christi) bewußt zu werden[5]. Welche Rolle die Hausbesitzer spielten, kann man nur vermuten[6]. Doch ist es wohl möglich, daß sich aus den »natürlichen Vorstehern« solcher Hausgemeinden allmählich Gemeindevorsteher, etwa die ἐπίσκοποι, entwickelt haben[7].

---

[1] Vgl. Bauernfeind, ThW VII 711.

[2] Das will nicht heißen, daß Archippus in der Hausgemeinde des Philemon selbst eine wichtige Funktion hatte; er wird nur *vor* der Hausgemeinde besonderer Erwähnung gewürdigt.

[3] Vgl. 1 Kor 16, 19; Röm 16, 5; (Kol 4, 15); dazu Dibelius–Greeven, Phlm 103; Lohmeyer, Phlm 175; Michel, Röm 378 (zu Röm 16, 5); ferner G. Harder, Hausgemeinde, in: Biblisch-historisches Handwörterbuch II 662; Maier, Paulus als Kirchengründer und kirchlicher Organisator 27–29; v. a. aber F. V. Filson, The Significance of the Early House Churches, in: JBL 58 (1939) 105–112.

[4] Vgl. J. Weiß, 1 Kor 387 (zu 1 Kor 16, 19); Maier a. a. O. 27 ff, v. a. 28; Lohse, Phlm 261; Lohse sagt speziell im Blick auf die Hausgemeinde des Philemon: »Er hat der Gemeinde sein Haus als Stätte der Versammlung zur Verfügung gestellt (V 2) und den Heiligen tätige Liebe erwiesen (VV 5. 7)«. J. Weiß und Maier erläutern die Funktion der Hausgemeinden umfassender.

[5] Filson a. a. O. 110 glaubt allerdings auch umgekehrt wegen der Existenz mehrerer Hausgemeinden an einen Zusammenhang zwischen diesen und den Parteiungen in den Gemeinden einer Stadt: »Christians of a certain tendency grouped together and thereby were confirmed in that tendency ... Such a physically divided church tended almost inevitably to become a mentally divided church«.

[6] Nach Filson a. a. O. 111 f brachten die Gastgeber der Hausgemeinden Eigenschaften mit, die für die Führung und Entwicklung der Gemeinden selbst wichtig waren:
a) Bildung und Verwaltungsfähigkeiten: »The host of such a group was almost inevitably a man of some education, with a fairly broad background and at least some administrative ability«.
b) Selbständigkeit und Initiative: »Moreover, many of these hosts in the earliest years of the Gentile church came from the ›God-fearers‹, who had shown independence enough to leave their ancestral or native faith and establish contact with the synagogues. They had thus shown themselves to be men of initiative and decision. In a mission movement which required resourcefulness and courage«, they were likely candidates for leadership« (a. a. O. 112).
Über die Rolle der Frauen vgl. Maier a. a. O. 28; zu Apphia (Phlm 2) v. a. Jang, Der Philemonbrief im Zusammenhang 23.

[7] Vgl. Filson a. a. O. 112: »The house church was the training ground for the Christian leaders who were to build the church after the loss of ›apostolic‹ guidance, and everything in such a situation favored the emergence of the host as the most prominent and influential member of the group«.
Zu beachten sind aber in diesem Zusammenhang die Grenzen, die Maier a. a. O. 28 für mögliche Kombinationen und Spekulationen absteckt: »Inwieweit die Patrone der Hausgemeinden als kirchlich führend (›Vorsteher‹) innerhalb derselben und innerhalb der Gesamtgemeinden zu gelten haben und inwieweit sie selbst zur Vornahme kultischer Handlungen befugt waren, entzieht sich unserer Kenntnis«.

2. Die apostolische Freiheit zu befehlen

Phlm 8. 9

Wie wenig davon die Rede sein kann, daß Paulus dem Philemon gegenüber als »Bittsteller« auftritt[1], beweist V 8. Trotz der paränetischen Einkleidung[2] will seine Bitte deutlich als eine Forderung verstanden sein, die Gehorsam verlangt[3]. Die Dialektik, die den ganzen Brief durchzieht, läßt nicht übersehen, daß Paulus befiehlt, auch wenn er bittet. Er spricht von der »Pflicht« (τὸ ἀνῆκον[4]) und verzichtet aus Liebe[5] darauf, sein Verlangen unvermittelter zur Geltung zu bringen. Aber er läßt keinen Zweifel daran, daß er die »Freiheit«[6]

---

[1] Vgl. Lueken, Phlm 338: »Eine Bitte; — von seinem Apostel-Recht, Vorschriften zu erteilen, will Paulus keinen Gebrauch machen«; ähnlich v. Osterzee, Phlm 160, welcher meint, daß dem Philemon »die Gewährung seiner Bitte als Sache der Pietät« erscheinen mußte. Vgl. dagegen Bieder, Phlm 26 ff: »daß er auch anders denn als bittender Mahner auftreten konnte« ... »als befehlender Apostel« ..., wozu er »volles Recht« hätte.

[2] Vgl. dazu Schmitz, ThW V 792 A. 166: »Daß παρακαλεῖν, auch wo es mahnen meint, den Ton der Bitte hat, zeigt Phlm 8 f, wo es von ἐπιτάσσειν ausdrücklich unterschieden wird und als Ausfluß der Liebe erscheint«; ähnlich H. Schlier, Vom Wesen der apostolischen Ermahnung, in: Die Zeit der Kirche, Freiburg 1956, 89; vgl. ferner C. J. Bjerkelund, Parakalô, Form, Funktion und Sinn der parakalô-Sätze in den paulinischen Briefen (Bibliotheca Theologica Norvegica 1), Oslo 1967 (zitiert bei Lohse, Phlm 276f A. 7): »παρακαλῶ kommt dann bei Paulus zur Anwendung, wenn die Frage der Autorität kein Problem darstellen darf, und der Apostel sich an die Glieder der Gemeinde wie an seine Brüder wenden kann, in dem Bewußtsein, daß sie ihn als Apostel anerkennen wollen« (Bjerkelund a. a. 188); dazu auch Scott, Phlm 106f; Bieder, Phlm 28: »der bittende Mahner hat größere Würde als der befehlende Herr«; Lohmeyer, Phlm 184.

[3] Vgl. V 21; dazu Lightfoot, Phlm 337: »It was his Apostolic authority which gave him this right to command in plain language«; ähnlich Scott, Phlm 106f; J. J. Müller, Phlm 179f; Moule, Phlm 144; Lohse, Phlm 276.

[4] Lohse, Kol 224f, meint zu τὸ ἀνῆκον allgemein: »Was sich ziemt, ist durch Sitte und Tradition festgelegt«; ähnlich Lohmeyer, Phlm 183: »bezeichnet den Kreis der Pflichten, dem jeder unterstellt ist, der Fromme, will er nicht das Urteil Gottes, der Bürger, will er nicht die Strafe des Gesetzes, der Beamte, will er nicht die Rüge seiner Behörde sich zuziehen«.
Deutlicher reden Schlier, ThW I 361, und Bieder, Phlm 26f. »Im NT ist Phlm 8 τὸ ἀνῆκον ... nicht nur das, was sich geziemt, sondern das, wozu man, obwohl in privater Angelegenheit, so gut wie rechtlich verpflichtet ist« (Schlier a. a. O.). Was Paulus »befehlen könnte, das wäre nur das, was zu des Philemon Pflicht und Schuldigkeit gehört« (Bieder a. a. O. 27).

[5] Vgl. Lohse, Phlm 267. 277: »Damit wird weder auf die Liebe des Apostels noch auf die des Philemon Bezug genommen, sondern schlechthin auf die ἀγάπη verwiesen, in der Christen einander begegnen und miteinander umgehen« (gegen Dibelius–Greeven, Phlm 104); vgl. auch Moule, Phlm 144: »I prefer to appeal to Christian love rather than to exercise my right to demand«; ähnlich Thompson, Phlm 185.

[6] Zu παρρησία vgl. Neugebauer, In Christus 120: »Der Apostel hat seine παρρησία in Christo. Dieser Begriff bezeichnet schon in der Septuaginta sowohl die Offenheit wie eine Öffentlichkeit des Redens, und er bedeutet wesentlich ›das Freisein des Gerechten zu Gott‹ (Schlier, ThW V 874), bei Paulus sowohl das Offensein gegenüber Gott als auch gegenüber den Menschen. παρρησία kann darum auch den Sinn von ›Autorität‹ bekommen und damit die apostolische Vollmacht bezeichnen«. Vgl. dazu Schlier a. a. O. 881, 35 (zu Phlm 8): »Bedeutung von παρρησία ..., die der von ἐξουσία nahekommt«; ferner Lohmeyer, Phlm 184; Lohse, Phlm 276.

hätte zu »gebieten«[1]. Diese Freiheit gründet ἐν Χριστῷ[2]. Von solcher παρρησία spricht der Apostel besonders gern im Zusammenhang mit dem Leiden für Christus[3] oder wenn er von seiner Schwachheit redet, die aus dem Vertrauen auf Gott und Christus lebt[4]. Nicht aus sich selbst, aus eigener apostolischer Machtvollkommenheit gibt Paulus Weisungen. Er bleibt darin stets an Christus gebunden. Je mehr er seinetwillen leiden muß, desto freimütiger gibt er von ihm und für ihn Zeugnis. Sein Leiden ist geradezu der Erweis und das Maß seiner Freiheit[5].

In solcher Freiheit »in Christus« kann er auch »gebieten«[6], denn Christus gebietet durch ihn. Es kann daher nicht verwundern, daß Paulus im Philemonbrief, wo er sich schon als »Gefangener Christi Jesu« einführt und seinem παρακαλεῖν in V 9 mit dem erneuten Hinweis auf seine Fesseln Nachdruck verleiht[7], von dieser Freiheit zu gebieten spricht[8].

---

[1] Zu ἐπιτάσσω, ἐπιταγή vgl. v. a. Delling, ThW VIII 37, 30: »Wie selbstverständlich Paulus an sich ein apostolisches Recht voraussetzt, Weisungen zu geben, zeigt διατάσσω (... vgl. ἐπιτάσσω Phlm 8)«; dazu Lohmeyer, Phlm 183: »... erfüllt seinen Sinn nur dort, wo der Gedanke einer unbedingten, Gehorsam erzwingenden Gewalt gesetzt ist«; Lohse, Phlm 276: »Paulus hätte das volle Recht, Befehle zu erteilen«, »und über eine ἐπιταγή, die kraft apostolischen Rechtes ergeht, wäre kein weiteres Wort zu verlieren, sondern ihr ist als bindender Weisung unbedingt zu gehorchen (vgl. 1 Kor 7, 6. 25; 2 Kor 8, 8; Röm 16, 26)«.

[2] Neugebauer, In Christus 120 (zu Phlm 8): »Autorität in Christo ist Autorität gegenüber Brüdern, die ihre Bestimmung in dem barmherzigen Erlöser besitzt und sich von ihm herleitet; ›in Christo‹ bezeichnet also die Autorität des Apostels als eine empfangene, als eine auf Berufung gegründete. Darin steht der Indikativ des Apostolats, aus dem an unserer Stelle der Imperativ im wahrsten Sinne des Wortes folgt«.

[3] Vgl. Lohmeyer, Phlm 184: »Es ist ein Wort, das bei Paulus nicht die ›Freiheit eines Christenmenschen‹, sondern des Apostels charakterisiert — jene Freiheit, die allen äußeren Gewalten trotzend, in offenem Zeugnis freudig und stolz triumphiert. Es steht im NT deshalb mit Vorliebe dort, wo die Apostel um dieses ihres Zeugnisses willen haben leiden müssen und leiden dürfen«.

[4] Vgl. 1 Thess 2, 2; Phil 1, 20 — 2 Kor 3, 12; dazu Bieder, Phlm 7f: »Er, der ›Gefangene des Christus Jesus‹ ... ist gerade in der Verhüllung seiner apostolischen Sendung um so mehr zu ehren und zu lieben« (a. a. O. 8).

[5] Vgl. dazu Güttgemanns, Der leidende Apostel und sein Herr, v. a. § 7. Der christologische Hintergrund der apostolischen Leiden nach Gal 6, 17 (a. a. O. 126ff); § 8. Die apostolische Existenz als christologische Verkündigung nach 2 Kor 10, 1 (a. a. O. 135ff); § 11. Der leidende Apostel als ›Vater‹ seiner Gemeinde nach Gal 4, 12–20 (a. a. O. 170ff); § 22. Die Leiden des Apostels und die Leiden der Gemeinde (a. a. O. 323ff).

[6] Vgl. Neugebauer, In Christus 120f; Lohmeyer, Phlm 185.

[7] Vgl. Lohmeyer, Phlm 185: »ein ›Gefangener Christi‹ ist nicht Gegenstand des Mitleides, sondern des höchsten Ruhmes vor Gläubigen« ... »ein Appell an die Würde, die das Martyrium verleiht« (Martyrium ist aber für δέσμιος zu weitgehend). Ähnlich verhalte es sich mit πρεσβύτης; vgl. aber Lohse, Phlm 277, zu πρεσβύτης.

[8] Moule, Phlm 144, spricht von »›freedom to speak‹ authoritatively«; mit Scott, Phlm 106f, könnte man hinzufügen: »freedom in Christ« = »his right as an apostle«.

Man wird also nicht sagen können, die apostolische Autorität erscheine hier für einen Moment, doch wolle Paulus keinen Gebrauch machen von seinem Recht, Anweisungen zu geben[1]. Die Autorität des Apostels, der »in Christus« die Macht hat zu gebieten, ist aus jeder Zeile zu spüren.

Daher ist eher E. Lohmeyer Recht zu geben, wenn er sagt, daß Paulus schon entschieden habe, auch wenn er schließlich die Bitte vorzieht und seine Autorität nur »wie im Vorübergehen«[2] betont.

Ob Paulus mehr als die Wiederaufnahme des Onesimos erreichen will, ob seine »Vorentscheidung« einschließt, daß die Freigabe des Onesimos erfolgen solle, damit dieser Paulus und so dem Werk des Evangeliums diene, läßt sich kaum sagen.

Die VV 13. 14 scheinen es nahezulegen; aber in dieser Entscheidung soll Philemon doch offenbar wirklich frei sein und nicht sich gezwungen fühlen müssen. Paulus rechnet ebenso mit der Möglichkeit, daß dieses Freilassen nicht geschieht und hält dem Philemon diesen Weg bewußt offen[3].

Aber zu tun, »was sich ziemt«, d. h. seine Bruderpflicht gegenüber dem Sklaven zu erkennen, darin könnte Paulus dem Philemon gebieten.

3. Der unerzwingbare Gehorsam

Phlm 21

Es bleibt nach dem Vorausgehenden festzuhalten: Paulus könnte dem Philemon gebieten. Hinter diesem Gebot stünde der Herr[4].

Daher kann Paulus auch für seine »Bitte« Gehorsam erwarten[5]. Ὑπακοή ge-

---

[1] Gegen Meinertz, Phlm 117. Bieder, Phlm 26ff, stellt dagegen die Frage: »will er (Pl) von vornherein unterstrichen haben, daß auch sein Bitten das Bitten eines *Apostels* ist, der *freiwillig* auf sein gutes Recht verzichtet?« (a. a. O. 28).

[2] Lohmeyer, Phlm 184.

[3] Vgl. Thompson, Phlm 185: ». . . Paul knows that appeal to authority is really out of place in a fellowship where love is the main force at work. He therefore prefers to rely on an appeal to the generous love of Philemon, *and leaves him to make his decision*« (Hervorhebung von mir); ähnlich Lohse, Phlm 287: »Es bleibt Philemon überlassen, auf welche Weise er die ἀγάπη seinem heimkehrenden Bruder gegenüber wirksam werden lassen will«.

[4] Vgl. Neugebauer, In Christus 120: In Phlm 8 »entfaltet sich die Vollmacht des Apostels im ἐπιτάσσειν, einem sehr massiven Verbum, welches ein Befehlen bedeutet, das auf jeden Fall Gehorsam verlangt «; immer bleibt jedoch diese Vollmacht »Autorität, die er in Christo hat «; vgl. Scott, Phlm 106f.

[5] Vgl. Lohmeyer, Phlm 191: »Noch einmal bricht in diesen Worten die apostolische Autorität hindurch; er erwartet ›Gehorsam‹, aber er weiß auch, daß er ihn nicht erzwingen, sondern ihm nur ›vertrauen‹ kann «.
Dagegen ist es eine ganz ungerechtfertigte Abschwächung der paulinischen Absichten, wenn Staab, Phlm 112, meint: Paulus unternimmt »einen neuen Angriff auf das gute Herz des Freundes «. Gleiches gilt, wenn Dibelius–Greeven, Phlm 106, ὑπακοή übersetzen mit »Bereitwilligkeit «; vgl. dagegen auch Wickert, Der Philemonbrief — Privatbrief oder apostolisches Schreiben 233: dadurch wird zu Unrecht »die von Philemon erwartete Handlungsweise ganz in dessen persönliches Belieben « gestellt.

bührt zunächst zwar nur Gott und Christus[1], aber als Haltung der zum Glauben
Gekommenen bezieht sich der Gehorsam auch auf die Lehre und das Wirken
des Apostels[2].
Solcher Gehorsam läßt sich aber nicht erzwingen. Paulus kann nur darauf
vertrauen[3], daß Philemon seine Aufgabe »im Herrn« wahrnehme, nämlich
»einen Nutzen zu bringen«[4]. Er läßt Philemon in aller Deutlichkeit wissen,
daß er eigentlich »sich selbst ihm schuldig sei«, da er durch ihn — Paulus —
zum Heil gekommen ist. Philemon hätte ihm zu dienen[5]. Dieser Aufgabe kam

---

[1] Vgl. Röm 1, 5; 5, 19; 6, 16; 15, 18; 16, 19. 26; auch 2 Kor 10, 5; dazu Lohse,
Phlm 286.
[2] Vgl. Röm 15, 18; ist es auch zunächst Christus, der solchen Glaubens-Gehorsam
erwirkt, so doch durch Wort und Tat des Apostels hindurch; Röm 6, 17; 16, 19
erscheint der Gehorsam auf διδαχή bezogen, und Phil 2, 12 bleibt offen, ob er auf
den Apostel gerichtet oder absolut gemeint ist — 2 Kor 2, 9; 7, 9 ff. 15 ist das
erstere sicher; vgl. dazu Lohse, Phlm 286 A. 3; ferner Jang, Der Philemonbrief im
Zusammenhang 61–64: »Die Freilassung des Onesimus als Erweis der ἀγάπη und
der ὑπακοή«. Mit Lohse, Phlm 286 f, muß gesagt werden: Philemon »wird zum
Gehorsam gegenüber dem apostolischen Wort verpflichtet«.
Vgl. dazu auch Scott, Phlm 106 f: »In various places in his letters he (= Paulus)
alludes to the large powers enjoyed by the apostles. They were regarded, in no
merely metaphorical sense, as Christ's ambassadors, who acted in the name of their
Master, and whose orders were to be obeyed as coming from him«. Daß Paulus
davon nur selten Gebrauch macht, »trasting rather to persuasion and to the deep
respect and affection with which his churches looked up to him as to their spiritual
father«, nimmt davon nichts zurück. So schon Eisentraut, Phlm 107: »Der Apostel
will also aus dem in V 8 angegebenen Grunde (διὰ τὴν ἀγάπην) formell nicht befehlen,
setzt aber voraus, daß der Gehorsam materiell geleistet wird«.
[3] »... aber nicht aus der Überzeugung, daß es sich hier um eine Angelegenheit
handelt, auf die seine ›Amts‹-Befugnis sich nicht erstreckt ..., sondern weil er
vertrauen kann, daß gerade so der Angeredete seiner Gehorsamspflicht genügen
wird« (Wickert a. a. O. 233); vgl. Thompson, Phlm 189; er verlagert zu Unrecht
den Akzent, wenn er betont: »Paul is confident that in his treatment of Onesimus
Philemon will not be content with the bare minimum that *love demands*« (Hervorhebung von mir); ähnlich Vincent, Phlm 191; er spricht von »*obedience to the
claims of Christian duty as they shall appeal to his conscience*« (Hervorhebung von mir).
Es wird dem Text auch nicht gerecht, mit Staab, Phlm 112, vom »Vertrauen
auf die oft bewährte Willfährigkeit Philemons« zu reden. Denn dieses Vertrauen
hindert Paulus nicht, vom *Gehorsam* zu reden; vgl. Bieder, Phlm 49 f.
[4] Zur Interpretation von Lohmeyer, Phlm 191: »Paulus möchte einen Nutzen
von Philemon haben«, sagt Neugebauer, In Christus 144 A. 15: »Auch diese dann
sehr prägnante Bedeutung gäbe einen guten Sinn in Verbindung mit der Herren-
formel, sofern der imperativische Wunsch, der den Sklaven freigelassen haben will,
ganz von der Kyriosformel bestimmt wäre, die damit das ›nützliche‹ Tun des
Philemon als Gehorsam gegen den Herrn verstanden wüßte. Aber man wird es wohl
doch bei der gewöhnlichen Bedeutung von ὀναίμην belassen können«; d. h. bei »ich
möchte froh werden« (Neugebauer a. a. O. mit Lohmeyer, Phlm 181, und Bauer,
WB 1130).
[5] Bieder, Phlm 37, dürfte den Sachverhalt richtig wiedergeben: »Hier scheint
aber Paulus mit der größten Selbstverständlichkeit den Dienst des Philemon für
sich gebrauchen zu wollen«; der Dienst des Onesimos erscheine als »Ersatzleistung«.
Allerdings: »Wenn Paulus voraussetzt, daß Phlm eigentlich ihm zu dienen habe«,
so spricht er nicht »*von der Selbstverständlichkeit gegenseitigen Dienstes*, wie er unter
Christen zu geschehen hat«.
Aus V 19 ergibt sich: »a debt on the other side« (Scott, Phlm 112); Philemon

»an seiner Stelle« bisher Onesimos, sein Sklave, nach, den Paulus gern behalten hätte (vgl. V 13)[1]. An sich wäre es aber des Philemon eigene Aufgabe gewesen. Solcher Dienst für und mit dem Apostel war »Ehrenpflicht«[2] des Gläubigen, die mit dem zum Glauben Kommen gegeben war. Auf dieses ὑπέρ als Ausdruck echter Stellvertretung wird noch an anderer Stelle zurückzukommen sein[3].

Wenngleich sich also der Philemonbrief zunächst und betont an Philemon persönlich richtet, erweist er sich doch auch als »Gemeindebrief« (womit nicht zuletzt seine Aufnahme in den Kanon gerechtfertigt sein dürfte). Er spricht deutlicher als die früheren Briefe von der Freiheit des Apostels zu gebieten und von seiner Autorität, Gehorsam zu fordern, von der Bindung der Gläubigen an ihn wie von seiner eigenen Gebundenheit an Christus.

Zwar erscheinen alle diese Aussagen und Forderungen »dialektisch gebrochen« durch die paränetische Absicht, die den Brief durchzieht, aber an ihrer Gültigkeit bleibt kein Zweifel. So kann Paulus gleichzeitig gebieten und bitten, an die Pflicht erinnern und an die Liebe appellieren, seine Entscheidung fällen,

---

schuldet sich Paulus; »he is under a obligation to him that can never be repaid« (Scott a. a. O.). Scott wird freilich nicht Recht haben, wenn er a. a. O. meint: »It need not be inferred, that Philemon had been directly converted by Paul«. Ein solches Schuldverhältnis, wie es V 19 ausdrückt, scheint bei Paulus im besonderen zwischen Apostel und Gemeinde bzw. Gläubigen, die sich seiner Verkündigung verdanken, zu entstehen. Darauf ist zurückzukommen.

Zu VV 13. 19 vgl. ferner Radford, Phlm 358f. 363: »Philemon ... owed his life as a Christian to St. Paul as his spiritual father«; ähnlich Moule, Phlm 148.

[1] Daß Paulus den Onesimos gerne behalten hätte, »damit er ihn als seinen persönlichen Diener und im Dienst des Evangeliums gebrauche« (so H. Windisch zustimmend in seiner Besprechung von Lohmeyers Philemonkommentar, in: ThLZ 55 [1930] 249), dürfte richtig sein; dabei ist unerheblich, wo der Akzent zu setzen wäre; denn auch ein dem Paulus persönlich geleisteter Dienst würde als ein δουλεύειν εἰς τὸ εὐαγγέλιον zu verstehen sein (vgl. Phil 2, 22). Dagegen ist reine Vermutung, was Greeven, Prüfung der Thesen von J. Knox 375, über die διακονία des Onesimos äußert.

[2] Lohmeyer, Phlm 187: Als Apostel kann Paulus »erwarten, daß alle Gläubigen ihm ›dienen‹. Denn der Dienst, der ihm erwiesen wird, vorübergehend oder dauernd, heißt ihm zugleich ein Dienst der Sache, die er treibt und selber ist; er ist darum jedem Gläubigen eine Art Ehrenpflicht, die mit seinem Glauben gegeben ist«. So richtig die ersten Aussagen sein dürften, so unpräzis ist die letzte. Der Anspruch auf solchen Dienst besteht seitens des Apostels — wie aller Diener des Evangeliums — jenen Gemeinden bzw. Gläubigen gegenüber, die durch ihn bzw. sie zum Glauben kamen. Das Schuldverhältnis ist nicht mit dem Glauben gegeben, sondern in der Tatsache begründet, daß einer zum Glauben kam. Phil 2, 30 betont Paulus diese Pflicht der ganzen Gemeinde, die sich in ihrer Dienstleistung für den Apostel durch Epaphroditos vertreten ließ. Es ist also nicht so, wie J. J. Müller, Phlm 183, verharmlosend meint: »This service Onesimos could even render to Paul on behalf of or instead of Philemon, who himself could do nothing to the apostle in imprissonment«; sondern mit Moule, Phlm 148, ist zu sagen: »Apparently Onesimus' master owed his Christian existence — his very self — to St. Paul«; vgl. auch Bieder, Phlm 46f: »Er schuldet dem Apostel Dank, ja, mehr, sich selbst«. Bieder ist allerdings, wenn er V 19 für eine humorvolle Schuldverschreibungsformel hält, im Irrtum.

[3] Vgl. zu 2 Kor 5, 20 im II. Teil, 3. Kapitel, 2. und 3. Abschnitt.

ohne die Freiheit des Philemon zu ignorieren, ja sogar mit apostolischer Autorität fordern, ohne die Freiwilligkeit auf seiten Philemons aufzuheben. »Diese Autorität nimmt der Liebe die Wärme und Freiheit ihres Gefühles, und diese der Autorität die Unbedingtheit ihrer Forderung«[1].

---

[1] Lohmeyer, Phlm 184.

7. Kapitel

DIE SORGE DES APOSTELS UM SEINE GEMEINDEN UND DIE SORGE DER GEMEINDEN FÜR IHREN APOSTEL NACH DEM BRIEF AN DIE PHILIPPER

1. Die Sorge des Apostels um Ordnung und Bestand seiner Gemeinde

a) Die Empfehlung des Timotheus als Nachfolger

Phil 2, 19–24
Timotheus wurde des öfteren mit Sondermissionen betraut. 1 Thess 3, 1 ff sendet ihn Paulus, um über den Stand des Glaubens der Gemeinde Nachricht zu erhalten; 1 Kor 4, 17 ist er beauftragt, die Korinther an des Apostels »Wege in Christus« zu erinnern.

Diesen Stellen gegenüber fällt auf, daß Timotheus in Phil 2, 19–24 ungemein eindringlich empfohlen wird — obwohl er den Philippern schon aus der Zeit der Gemeindegründung bestens bekannt sein mußte — und daß für seine Sendung im Grunde keine bestimmten Aufgaben genannt werden. Zwar legt V 19 den Gedanken nahe, Paulus wolle durch ihn nur neue Nachrichten erhalten, vielleicht erfahren, wie sein Brief aufgenommen wurde[1]. Doch wenn hier noch eine baldige Rückkehr des Timotheus vorgesehen scheint, durch die Paulus über die Verhältnisse in Philippi in Kenntnis gesetzt werden könnte, so weist V 20, der auf ein längeres oder dauerndes Bleiben zielt, in eine ganz andere Richtung.

Es wird von Timotheus gesagt, daß er sich lauter (wie kein anderer) um die Angelegenheiten der Philipper kümmern werde[2]. Damit ist sein Auftrag nur sehr vage bestimmt; das läßt aber vermuten, daß es sich nicht um eine begrenzte Sondermission handelt, sondern um eine sehr weitgehende und möglicherweise auf Dauer bestimmte Sendung[3]. Der Gedanke einer Rückkehr wird ohnedies weder in V 19 ausgesprochen noch im Folgenden aufgegriffen. Eher wird man dagegen in V 23 dem Abwarten des Paulus, bis seine Sache sich überschauen ließe[4], entnehmen dürfen, daß diese Sendung des Timotheus in der Sorge des

---

[1] Vgl. K. J. Müller, Phil 199; ähnlich B. Weiss, Phil 425; Tillmann, Phil 149; Friedrich, Phil 114.

[2] Daß diese Empfehlung nur Vertrauen einflößen wolle in die Fähigkeiten und die Charakterfestigkeit des Timotheus, der demnach wahrheitsgetreu dem Apostel berichten könnte, weil in voller Hingebung, offen und ehrlich, durch Fragen und Untersuchungen sich ein Bild verschaffen würde — wie K. J. Müller a. a. O.; B. Weiss a. a. O. meinen —, übersieht, daß der Zusammenhang nur auf das Schicken abzielt, nicht aber eigentlich auf die Rückkehr des Boten.

[3] Nach Beare, Phil 94–98, sendet Paulus den Timotheus »as a responsible and trusted lieutenant« (97); Bonnard, Phil 53 A. 8, meint zu πέμπειν: »On pourrait le traduire par les idées de délégation ou de représentation juridiques«; vgl. Gnilka, Phil 158: »Im πέμπειν liegen Autorität und Vollmacht«.

[4] Zu ὡς ἂν ἀφίδω τὰ περὶ ἐμέ vgl. Bauer, WB 252f: »sobald ich meine Lage überblicke«; Barth, Phil 81: ἀφοράω = »etwas von ferne erblicken«.

Apostels, der um den Ernst seiner eigenen Lage einerseits und die Gefährdung der Gemeinde andererseits weiß, begründet ist. In der Tat macht der Zusammenhang erst verständlich, warum Paulus seinen Mitarbeiter mit solcher Eindringlichkeit empfiehlt. Paulus spricht in 2, 17 — wie schon vorher 1, 20 ff — von seinem möglicherweise bevorstehenden Tod. Er empfindet davor keine Furcht; für ihn wäre es eine Freude, als Trankopfer — für seine Gemeinden — ausgegossen zu werden. Aber er ist in Sorge um die Gemeinde, daß sie auch feststehe in dem einen Geist, einmütig den Kampf für den Glauben führe und sich von Widersachern nicht verwirren lasse. Paulus weiß, daß sie — denen »das für Christus Leiden« (vgl. 1, 29) gegeben ist — einen Kampf zu führen haben, wie er selbst ihn kämpft (vgl. 1, 27 ff. 30). Zwar hat er die Zuversicht nicht aufgegeben, selbst bald nach Philippi kommen zu können (vgl. 2, 24); aber er ist auch zu sterben bereit (vgl. 2, 17).

In dieser Ungewißheit über sein Schicksal zögert er, Timotheus abzusenden (vgl. 2, 23). Das kann nur bedeuten, daß Dauer und Umfang des Auftrags für Timotheus von der Entwicklung des Prozesses gegen Paulus abhängen[1]. Der Zweck der ganzen Empfehlung dürfte damit deutlich geworden sein: Paulus, der in gleicher Weise mit seiner Freilassung wie mit dem Todesurteil rechnet, will seiner Gemeinde den von ihm selbst erwählten, weil überaus bewährten »Mann seiner Wahl« als Nachfolger empfehlen. Nur so ist diese durch nichts veranlaßte auszeichnende Würdigung seines Mitarbeiters begründet, nur so wird diese Würdigung selbst verständlich. Paulus hätte keinen Gleichgesinnten[2], der so selbstlos die Sache Christi suchte wie gerade Timotheus. Daß »alle« andern nur das Ihrige suchten, ist mit unmotiviert schneidender Schärfe gesagt und will vielleicht nur die Lauterkeit des Timotheus in noch helleres Licht stellen[3].

Er ist umso würdiger, die Sorge für die Gemeinde zu übernehmen, als seine Bewährung im Dienst am Evangelium bekannt ist. Diese Aussagen von V 22 sind freilich typisch paulinisch ineinander verschoben. Daß nämlich Timotheus dem Paulus wie ein Kind seinem Vater gedient habe, stellt zunächst nur sein Verhältnis zu Paulus dar und zeugt von seiner Liebe, seinem Eifer wie auch seiner Ergebenheit. Weil aber sein Dienst im Grunde nicht dem Apostel galt,

---

[1] Vgl. Lohmeyer, Phil 118. Im Falle des Todes von Paulus würde sich die Rückkehr (vgl. V 19) völlig erübrigen; seine Sendung wäre davon unberührt, nicht aber deren Zeitpunkt und auch nicht Auftrag und Vollmacht; vgl. B. Weiss, Phil 426.

[2] Der Apostel vergleicht Timotheus nicht mit sich selbst, sondern doch wohl mit den andern Mitarbeitern, die für diese Sendung in Frage kamen und von denen man annehmen kann, daß sie an Hingabe und Bereitschaft für den Dienst am Evangelium viele Wünsche offen ließen; vgl. B. Weiss, Phil 426; Tillmann, Phil 150; Michaelis, Phil 50; Barth, Phil 80.

Was es bedeutet, daß sie »alle das Ihre suchen«, kann man nur vermuten; vgl. Dibelius, Phil 65.

Zum Ganzen vgl. Ch. Panayotis, *ἰσόψυχος* Phil 2, 20, in: JBL 70 (1951) 293–296.

[3] Michaelis, Phil 50, macht aufmerksam, daß auch am Schluß des Briefes keinerlei Namen genannt werden; es heißt in 4, 21 nur: »es grüßen euch *οἱ σὺν ἐμοὶ ἀδελφοί*«. Einzelheiten für dieses auffallend scharfe Urteil in 2, 21 kann auch Michaelis nicht entdecken. Zu *γνησίως* vgl. Dibelius, Phil 65.

nennt Paulus diesen persönlichen Dienst einen Dienst »am«[1] Evangelium, ja er stellt diesen Dienst auf eine Stufe mit seinem eigenen[2]: σὺν ἐμοὶ ἐδούλευσεν εἰς τὸ εὐαγγέλιον.

Die Absicht, mit der dies geschieht[3], dürfte wiederum im Zweck der Sendung des Timotheus zu suchen sein: er soll ja nicht nur als ein zuverlässiger und vertrauenswürdiger Gefolgsmann des Apostels ausgewiesen werden, vielmehr will Paulus ihm »eine verwandte Autorität und Würde zusprechen«[4], wie sie ihm selbst zukommt. Darum der Hinweis, daß er wie kein anderer die Sache Christi suche und nicht seine eigene; der Hinweis auf seine Bewährung und auf seinen dem Dienst des Apostels gleichen Dienst am Evangelium[5]. Er ist wie Paulus selbst ein Knecht von Christus Jesus; allerdings ist einzuräumen, daß wir über die Art seiner Berufung zum Dienst am Evangelium nichts erfahren; der Apostel ist mittelbar der Urheber seiner Berufung, sofern er das Wort Gottes verkündete, dem Timotheus diente, auch wenn er primär Paulus zu Diensten war.

Dieses natürliche Verhältnis der Über- und Unterordnung — von Paulus als Vater-Sohn-Verhältnis bestimmt — wird man kaum leugnen können; dieses Verhältnis dürfte aber auch theologisch von Bedeutung sein.

---

[1] Nach Lohmeyer, Phil 118 A. 1, trägt das εἰς hier, wie häufiger in der Koine, die Funktion des ἐν.
Der ursprüngliche Gedankengang des Paulus, der den persönlichen Dienst, den Timotheus ihm leistete, als einen Dienst am Evangelium kennzeichnen will, würde aber auch ein εἰς im Sinne von »in Richtung« auf das Evangelium rechtfertigen; vgl. auch B. Weiss, Phil 426; Michaelis, Phil 50.

[2] Schon im Briefeingang hatte sich Paulus mit Timotheus zusammen als Knechte Christi Jesu eingeführt, ohne jegliche Unterscheidung. An unserer Stelle wird die Gemeinsamkeit des Dienstes erst durch ein eingeschobenes σύν hergestellt. An sich wäre vom gebrauchten Bild her zu erwarten: ἐμοὶ ἐδούλευσεν; durch das beigefügte σύν (ἐμοί) wird zunächst die Unterordnung aufgehoben und als gemeinsame Zuordnung zum Evangelium bestimmt. Darin könnte begründet sein, daß Paulus vom gemeinsamen δουλεύειν spricht und Timotheus in 1, 1 in die Selbstbezeichnung δοῦλοι Χριστοῦ Ἰησοῦ einbezieht. Vgl. dazu Friedrich, Phil 114.

[3] Der Hinweis von Dibelius, Phil 65, auf 1 Thess 1, 6, wonach Paulus kein ἐγώ im menschlichen Sinne mehr kenne, läßt das für Paulus charakteristische Ineinander von Menschenwort und Gotteswort, Gehorsam gegen Menschen als Gehorsam gegen Gott völlig außer Acht. In analoger Weise sieht Paulus auch einen persönlichen Dienst für ihn als Diener des Evangeliums mit dem sachlichen Dienst am Evangelium in eins.

[4] Lohmeyer, Phil 117.
G. Otto faßt den Bedeutungsumfang der Begriffe συνεργός, σύνδουλος (συνεργεῖν, συνδουλεύειν) in seiner Dissertationsschrift: Die mit συν verbundenen Formulierungen im paulinischen Schrifttum, Berlin 1952, in folgende Punkte zusammen (a. a. O. 96f):
1. »συνεργός ist stets von . . . συνεργὸς τοῦ θεοῦ her zu verstehen. συνεργός hat immer theologische oder christologische Beziehung«.
2. »Gottes Mitarbeiter sein heißt Gottes Diener für die Gemeinde sein«.
3. »Die Gleichheit der Tätigkeit der συνεργοί ist getragen von der Gleichheit des Glaubens«.
4. »Der Ausdruck . . . tendiert zur Amtsbezeichnung«.
5. »Bei der Mehrzahl der teils sehr gebräuchlichen Bezeichnungen läßt sich zumindest im Kontext die dahinterstehende Verbundenheit im Glauben erkennen«.

[5] σύνδουλος und συνεργός ist nicht jeder beliebige Mitarbeiter; die Begriffe implizieren das Moment der Rechtmäßigkeit und der Legitimation; vgl. Kittel, ThW I 197.

Paulus läßt keinen Zweifel daran, daß die Gemeinde an *ihn* als ihren Apostel gebunden ist und gebunden bleibt bis zum Tag von Christus Jesus. Seinetwillen würde die Gemeinde froh sein, wenn er wieder zu ihr käme (vgl. 1, 26), und um der Gemeinde willen wäre es auch wichtig, wenn er am Leben bliebe (vgl. 1, 24). Nun aber ist er verhindert und rechnet sogar mit der Möglichkeit, für immer daran gehindert zu werden durch seine Verurteilung[1]. Daher plant er die Sendung seines »Mitdieners« am Evangelium und erwägt, ihm die Sorge um die Gemeinde anzuvertrauen.

Sendung bedeutet aber immer schon Abhängigkeit und gehorsame Unterordnung des Gesandten gegenüber dem Sendenden. Es bedürfte kaum einer so warmen Empfehlung, könnte Timotheus von sich aus die Rechte eines Apostels beanspruchen. Er kann sich eben nicht auf unmittelbare Sendung von Christus berufen wie Paulus, sondern ist erst durch die Verkündigung des Evangeliums zum Diener am Evangelium und damit zum Knecht Christi geworden. Timotheus wird daher von Paulus gesandt und beauftragt, und Paulus will sogar den Zeitpunkt seiner Sendung bestimmen.

Das ist von besonderer Wichtigkeit; denn in dem Moment, wo für Paulus das Bevorstehen des Todes zur Gewißheit würde, käme Timotheus nicht mehr als stellvertretender Bote, sondern als »der erkorene Nachfolger des Apostels«; er hätte dann »die Rechte und Pflichten, die ihm gleichsam als Erben des paulinischen Vermächtnisses zukommen«[2].

Indem Paulus so die Gemeinde auf seinen Tod vorbereitet, stellt er zugleich die Regelung seiner Nachfolge in Aussicht. Timotheus würde als bewährter Diener am Evangelium seinen Platz einnehmen und in eigener Verantwortung und mit derselben Gesinnung die Angelegenheiten der Gemeinde besorgen[3].

---

[1] Die Unsicherheit in der Bestimmung der Gefangenschaft, in der Paulus sich befand, als er den Philipperbrief schrieb, beeinträchtigt diese Aussage nicht.
[2] Darin wird man Lohmeyer, Phil 118, zustimmen dürfen, auch wenn man seine Theorie vom Martyrium der Philippergemeinde nicht zu teilen vermag. Es scheint in der Tat um alle Rechte und Pflichten des Apostels zu gehen, die Timotheus übernehmen sollte, nicht nur um ein »in dem Martyrium zur Seite zu stehen« (Lohmeyer, Phil 118); vgl. auch Peterson, Apostel und Zeuge 22: »der seelsorgliche Klang der Worte des Paulus kann die Tatsache nicht aus der Welt schaffen, daß wir hier in die Anfänge kirchlicher Verwaltung und Organisation hineinschauen«.
[3] Die Notwendigkeit dieser Sendung wurde durch die wohl bald darauf erfolgte Freilassung des Apostels gegenstandslos; das ist aber keine Beeinträchtigung unserer Schlußfolgerungen.
Dies umso weniger, wenn der Philipperbrief möglicherweise in seiner ursprünglichen Gestalt das 3. Kapitel und Teile des 4. Kapitels nicht enthalten haben sollte, so daß Paulus in 2, 19–24 schon daran dachte, den Brief mit diesen Anordnungen, Erklärungen (vgl. VV 25–30) und Bitten (vgl. 4, 2. 3), sowie — vielleicht — mit dem Dank für die Gaben der Gemeinde (vgl. 4, 10–20) abzuschließen; vgl. dazu B. D. Rahtjen, The Three Letters of Paul to the Philippians, in: NTS 6 (1959/60) 167–173.
Selbst wenn die Einfügung der genannten Teile noch von Paulus selbst vorgenommen sein sollte, bleibt dem Brief der Charakter einer ganz persönlichen, beschwörenden Mahnung eines Mannes, der mit dem Tod rechnet und dieses Sterben als Gewinn betrachtet. Daß er diesen Eindruck verwischen will, bezeugt seine Zuversicht, selbst nach Philippi zu kommen (vgl. 2, 24), ebenso wie die liebevolle, um das Vertrauen der Philipper werbende Empfehlung des Timotheus in 2, 19–24.

Daß alle rechtlichen Kategorien fehlen, so daß man schwerlich von »apostolischer Sukzession« sprechen dürfte, läßt nicht übersehen, daß ein rechtlicher Sachverhalt impliziert ist[1]. Die grundlegende (eschatologische) Bedeutung des Apostels für seine Gemeinde wird dabei voll gewahrt, auch wenn die zeitliche Sorge für die Gemeinde in die Hände des Timotheus gelegt werden soll.

Ihn senden zu können, läßt Paulus εὔψυχος werden: »froh«, weil er τὰ περὶ (αὐτῶν) »geordnet weiß« (vgl. γνούς V 19). Er wird ihn nicht zu ihnen (πρὸς ὑμᾶς) schicken, sondern für sie (ὑμῖν V 19), zu ihrem Besten, daß er »das Ihrige besorge« (τὰ περὶ ὑμῶν μεριμνήσει V 20)[2].

b) Mahnung zur Einheit der Gemeinde

Phil 1, 27 ff

Die Mahnung an die ganze Gemeinde in 1, 10, lauter und unanstößig zu sein für den Tag Christi, wird in 1, 27 aufgenommen: »Nur wandelt würdig des Evangeliums des Christus«. Das vorausgehende »nur« hat wohl kaum einschränkende Bedeutung, eher scheint es die Einzigartigkeit dieser Forderung zu unterstreichen[3], die »das Evangelium des Christus« zur Richtschnur des Lebenswandels[4] macht.

Daß Paulus die Hoffnung auf Freilassung nicht aufgab (und darum seiner Erwartung Ausdruck gibt, selber kommen zu können), nimmt nichts zurück von seiner Autorisierung des Timotheus. Delling (RGG[3] V 333) nennt die bestimmte Zusage der baldigen Entsendung des Timotheus, der offenbar v. a. der Gemeinde in ihren Schwierigkeiten helfen soll, neben der Sorge um Eintracht in der Gemeinde als *Hauptabsicht* des Philipperbriefs.

[1] Vgl. Bonnard, Phil 54: »1) Nous avons sous les yeux un cas concret de transmission d'autorité d'un apôtre à un collaborateur de la 2ᵉ génération chrétienne. 2) Cette transmission est fondée sur l'intimité du liens personnels qui unissent l'apôtre et son collaborateur (v. 19 et 20). 3) Ces liens sont décrits comme une unanimité de pensée et d'action pour l'Église de Philippes et le service de l'Évangile«. Dagegen meint Gnilka, Phil 160, man dürfe »hier nicht angezeigt sehen«, daß Timotheus »als der designierte Nachfolger Pauli der Gemeinde vorgestellt werden soll«; doch soll auch seiner Auffassung nach »die Gemeinde zur Kenntnis nehmen«, »daß er als sein mit der vollen Autorität ausgerüsteter Stellvertreter nach Philippi kommt«.

[2] Wenn in V 20 von Timotheus gesagt wird, daß er γνησίως τὰ περὶ ὑμῶν μεριμνήσει, dann wird man in V 19 γνοὺς τὰ περὶ ὑμῶν nicht so verharmlosen dürfen, daß Paulus nur durch seinen Boten in Erfahrung bringen wolle, wie es um die Angelegenheiten der Philipper steht. V 20 stützt unsere Auslegung von V 19.

[3] Nach Lohmeyer, Phil 73, soll das »nur« auf Zeit und Geschichte begrenzen, doch legt das der Text nicht nahe; vgl. Gal 2, 10; dagegen Michaelis, Phil 29: »Maximalforderung«; so auch Barth, Phil 38: »nur Eins!«

[4] πολιτεύεσθαι meint zunächst ein polisgerechtes Verhalten und zielt auf die Erfüllung der staatsbürgerlichen Pflichten (vgl. K. J. Müller, Phil 102; Peterson, Apostel und Zeuge 14).

Ob aber Paulus an eine »neue Staatsangehörigkeit« des Christen mit entsprechenden »Pflichten« denkt (so Haupt, Phil 45; vgl. K. J. Müller a. a. O.; Friedrich, Phil 105), ist mehr als fraglich. Paulus gebraucht das Verbum doch wohl eher (vgl. 1 Thess 2, 12) synonym mit περιπατεῖν; vgl. dazu Dibelius, Phil 59; Lohmeyer, Phil 74; v. a. R. Brewer, The meaning of Politeuesthe in Phil 1, 27, in: JBL 73 (1954) 76–83.

Nachdem in 1, 9f Liebe, Erkenntnis und Verständnis genannt werden, die den Christen zu prüfen und zu wählen befähigen, worauf es jeweils für ihn ankommt, kann das Evangelium an unserer Stelle nur als Quelle der Erkenntnis verstanden sein, nicht aber als Summe von Normen[1]. Das »Evangelium des Christus« ist nicht ein Kodex von Richtlinien für würdiges Verhalten, sondern »die von Christus aufgetragene apostolische Botschaft (deren Inhalt Christus selbst ist)«[2]. Der Wandel der Christen muß also würdig sein des Christus, der ihnen durch das Evangelium verkündet wurde (vgl. 1, 5).

Die Aufforderung richtet sich an jeden einzelnen, vornehmlich aber an die Gemeinde in ihrer Gesamtheit[3]. Denn der geforderte würdige Wandel wird näherhin bestimmt als »Feststehen in einem Geiste«[4] und als ein »gemeinsames Kämpfen mit einer Seele für den Glauben an das Evangelium«[5]. Dieser Kampf ist zweifellos nach außen gerichtet gegen Widersacher, deren Verderben gerade darin offenbar wird, daß die Gemeinde sich nicht erschüttern läßt; ihre Festigkeit wiederum ist für die Gemeinde selbst Anzeichen des Heiles, das Gott ihr schenkt (vgl. V 28).

Von dieser Bewährung im gemeinsamen — durch Uneinigkeit vielleicht gefährdeten — Eintreten für das Evangelium zu erfahren, danach verlangt den Apostel — sei es kommend und sehend oder abwesend hörend. Er kann aber nur darauf vertrauen, daß der, welcher in ihnen ein so gutes Werk angefangen hat, es auch vollenden wird (vgl. 1, 6). Andererseits kann er die Gemeinde darauf verweisen, daß sie nur denselben Kampf kämpfen, den sie an ihm sahen und jetzt von ihm hören (vgl. 1, 27. 30 b).

Was er selbst an sich erfahren hat und immerfort erfährt, ist ihm typisch für das Leben des Christen an sich und für das Leben seiner Gemeinde: es ist gekennzeichnet von »dem für Christus« bzw. »dem anstelle Christi«[6], das sich

---

[1] Von einem Wandel nach den Normen des Evangeliums zu sprechen (vgl. Lohmeyer, Phil 73; ähnlich Staab, Phil 180), ist also mißverständlich.

K. J. Müller, Phil 103, denkt sogar an die die Kirche als Ganzes und die Einzelgemeinde betreffenden Gesetze und Anordnungen Jesu, was im Text keine Stütze hat.

[2] Michaelis, Phil 29.

[3] Daß die Mahnung vorzugsweise den Gemeindeorganen gelte, welche ermahnt werden, damit sie darauf achten, daß die Vorschriften des Herrn der Kirche im Leben der Gemeinde verwirklicht werden, ist dem Text nicht zu entnehmen (gegen Müller a. a. O.).

[4] πνεῦμα meint möglicherweise das alle erfüllende göttliche Pneuma; vgl. κοινωνία πνεύματος = gemeinsame Teilhabe an dem einen göttlichen Geist; dazu Haupt, Phil 46; Barth, Phil 40. Allerdings würde es dann wohl heißen müssen ἐν τῷ ἑνὶ πνεύματι; auch legt das folgende μιᾷ ψυχῇ eine allgemeinere Bedeutung näher.

[5] συν-αθλεῖν könnte wohl auch auf Paulus, wird sich aber vermutlich auf den gemeinsamen Kampf der Philipper beziehen; vgl. dazu Haupt, Phil 47.

[6] τὸ ὑπὲρ Χριστοῦ bietet wegen seiner elliptischen Form, aber auch hinsichtlich des sachlichen Inhalts einige Schwierigkeiten. Gegenüber der Formulierung ὑπὲρ Χριστοῦ von 2 Kor 5, 20 erscheint es hier durch den Artikel formelhaft, wobei aus der inhaltlichen Bestimmung des »an ihn glauben dürfen« und des »für ihn leiden dürfen« eigentlich nur das zweite Glied zu ὑπὲρ paßt (vgl. Michaelis, Phil 30). Ob Paulus also eine Zäsur macht, um das Leiden für Christus als eine sogar das Geschenk des Glaubens noch übertreffende Gnade herauszustellen, was die meisten Erklärer annehmen (vgl. B. Weiss, Phil 427), oder ob er in »hebräischer Manier« (wie K. J. Müller, Phil 111, vermutet) das Hauptmoment absolut voranstellt, um es dann im Satzbau mit τὸ ὑπὲρ αὐτοῦ wieder aufzugreifen, bleibt offen.

als Leidenskampf, als ein Erdulden von Verfolgung darstellt. In diesem Kampf sieht Paulus eine χάρις, die den Erwählten zuteil wird, eine Gnade, in der sich die Gewährung des eschatologischen Heils anzeigt[1]. Das Gleichgestaltetwerden mit dem Leiden Christi ist ihm mehr als nur Glaube an Christus. Die Gemeinde ahmt dabei in ihrem Leiden zunächst »das für Christus Leiden« des Apostels nach. Für beide aber — Apostel wie Gemeinde — ist »das für Christus Leiden« Grundgesetz ihres Lebens, dessen Befolgung allein zu einem Wandel würdig des Evangeliums des Christus führt.

Die Situation des Apostels und der Gemeinde müssen sich deshalb nicht völlig entsprechen[2]. Es ist durch nichts angedeutet, daß die ganze Gemeinde oder auch nur »Aufseher und Helfer« in der Situation des Martyriums oder der Christenverfolgung sich befinden. Die Leiden des gefangenen Apostels und der Kampf der Gemeinde von Philippi sind sich nur strukturell gleich.

Das Leben des Christen wie der Gemeinde ist immer Kampf für das Evangelium des Christus bzw. Leiden für Christus. Darin weiß es sich begnadet und zum Heil erwählt. Diese Teilhabe an dem Leiden Christi ist für den Apostel wie für die Gemeinde der Weg zum Heil und der Grund ihrer Hoffnung.

Stärker könnte die Christusgebundenheit des Apostels und der Gemeinde kaum ihren Ausdruck finden. Aus solcher Gebundenheit heraus wird der geforderte Wandel, würdig des Evangeliums von Christus (vgl. V 27), möglich.

Phil 4, 2f
Die Mahnungen zur Einheit in der Gemeinde werden in 4, 2f konkret: nach der allgemeinen Aufforderung von 4, 1, »festzustehen im Herrn«[3], folgt in V 2

Gegen ein formelhaftes Motto spricht, daß die Wendung sonst nicht mehr so begegnet. Man wird darum eher geneigt sein, von einem rhetorisch bedingten Anakoluth (oder einer Parenthese; vgl. B. Weiss, Phil 427) zu reden; darauf deutet auch die Antithese ὑπέρ — εἰς; vgl. dazu Dibelius, Phil 59. Michaelis, Phil 29, möchte an Motto und Abbreviatur zugleich denken; das ist weniger wahrscheinlich. »Das für Christus« meint also wohl ein »für Christus Leiden«, d. h. Verfolgung erdulden, wobei das ὑπέρ von den meisten Erklärern nach Bl.–Debr. § 231, 2 mit »für« oder »im Interesse von« wiedergegeben wird (vgl. Michaelis, Phil 30; Dibelius, Phil 58; Lohmeyer, Phil 78; Peterson, Apostel und Zeuge 15). Möglich — und für die inhaltliche Bestimmung nicht ohne Bedeutung — wäre aber auch die Übersetzung »anstelle Christi« (vgl. dazu 2 Kor 5, 20 und Phlm 13). Zum Ganzen vgl. jetzt Güttgemanns, Der leidende Apostel und sein Herr, v. a. § 22. Die Leiden des Apostels und die Leiden der Gemeinde (a. a. O. 323 ff).

[1] Vgl. dazu B. Weiss, Phil 418; Haupt, Phil 49f; Koester, Die Idee der Kirche beim Apostel Paulus 36.

[2] Die These Lohmeyers, wonach Paulus im Philipperbrief als Martyrer an Martyrer schreibe — er denkt sogar in Phil 1, 1 an eingekerkerte Episkopen und Diakone —, hat kaum Zustimmung gefunden; vgl. Tillmann, Phil 128; Michaelis, Phil 30; Staab, Phil 180; v. a. aber R. Bultmann in seiner Rezension zu Lohmeyers Philipperkommentar, in: DLZ 51 (1930) 777: Es kann sich »doch nur um relativ harmlose Anfeindungen der Gemeinde handeln, wie sie vermutlich nirgends ausblieben; und es ist eine pädagogische, freilich in der Daseinsauffassung des Paulus begründete Captatio, wenn Paulus solches zu gleichem Rang erhebt mit dem, was er selbst zu erdulden hatte und hat«.

[3] Die Martyriumssituation der Gemeinde in Philippi, die Lohmeyer, Phil 165f, in den Angaben von 4, 1–3 bestätigt findet, ist dem Text nicht zu entnehmen.

eine besondere Aufforderung an Euodia und Syntyche, seine früheren »Mit-streiterinnen« (vgl. V 3). Welche Rolle diese beiden Frauen[1] in der Gemeinde von Philippi spielten, zu welcher Zeit sie des Apostels Mitkämpferinnen gewesen sind, welcher Art ihre Streitigkeiten waren, welche Hilfe ihnen zuteil werden sollte, das alles sind offene Fragen, auf die es nur mehr oder minder wahrscheinliche Antworten gibt[2]. Man kann vermuten, daß beide Frauen dem Apostel in der Zeit der Gemeindegründung eine besondere Stütze waren im Kampf für das Evangelium[3]. Aus dieser Zeit dürfte jedenfalls ihre herausragende Stellung innerhalb der Gemeinde resultieren. Ihr Eifer für die Sache Christi ist unbestritten; doch welcher Art ihr Dienst war, ist weder für die Zeit der Gemeindegründung noch für spätere Zeiten erkennbar. Sie als »Diakonissen« zu bezeichnen, legt sich nicht nahe, da sie nur aufgefordert werden »eines Sinnes zu sein im Herrn«. Eifersucht scheint also im Spiel gewesen zu sein; denn sie sollen den Streit untereinander schlichten. Der »Jochgenosse« von V 3 wird dann »auch« gebeten zu vermitteln, so daß, wenn man diesen als einen Vorsteher ansehen dürfte, von Schwierigkeiten der Unterordnung unter Vorsteher nicht die Rede sein würde[4]. Es ginge dann entweder bei ihrer Auseinandersetzung um die Geltung in der Gemeinde, um rivalisierenden Ehrgeiz oder um unterschiedliche Auffassungen in ihrer Betätigung, die zum Streit führten. Dabei ist keineswegs vorausgesetzt oder auch nur wahrscheinlich, daß Euodia und Syntyche Vorsteherinnen gewesen seien[5]. Die alphabetische Nen-

---

Schon V 1 muß nicht auf das »Ausharren« im Martyrium zielen, sondern ist durchaus auch ohne diese Hypothese verständlich. Daß die Martyrersituation auch die Vermutung als richtig erweise, »Bischöfe und Diakone« seien in 1, 1 besonders genannt, weil sie verhaftet waren, und daß alle in 4, 2f Genannten zu den Führern der Gemeinde gehörten, so daß sie jetzt in ihren Streitigkeiten gemahnt werden, stärkendes Vorbild der verfolgten Gemeinde zu sein (a. a. O. 167), ist durch nichts bewiesen.

[1] Daß es sich bei Euodia und Syntyche wirklich um Frauen handelt, wird allgemein angenommen. Die Namen sind also nicht Chiffren für Parteien oder Allegorien. Lipsius und Klöpper (zitiert bei Ewald, Phil 213 A. 1) denken zwar auch an Frauen, wollen aber in ihnen die »Verschiedenheit des juden- und heidenchristlichen Typus« verkörpert sehen; doch das ist reine Vermutung; vgl. dazu Haupt, Phil 157 A. 1: »antiquiert«; Gnilka, Phil 166: »Verstiegenheiten«.

[2] Vgl. Bonnard, Phil 74: »Ces deux noms de femmes ont fait rêver les historiens!« Mit Friedrich, Phil 123, kann man nur sagen, daß man weder den Vorfall noch die beiden Frauen »näher kennt«.

[3] Daß Frauen vor allem bei der Gemeindegründung eine hervorragende Rolle spielten, wird allenthalben deutlich; vgl. dazu B. Weiss, Phil 436; Ewald, Phil 214; Michaelis, Phil 65; Barth, Phil 117; Gnilka, Phil 166; und besonders συνήθλησάν μοι in 4, 3.

[4] Gegen K. J. Müller, Phil 319.

[5] Vgl. Tillmann, Phil 157; Lueken, Phil 399: »führende Stellung in der Gemeinde«; Bonnard, Phil 74: »On notera l'importance des femmes dans les premiers jours de cette Église«.

Zurückzuweisen ist mit Gnilka, Phil 166, »die Vermutung von Schmithals, daß sie die Einheit der Gemeinde leugneten, indem sie den von den Antipaulinern einberufenen Versammlungen ihre Türe geöffnet hätten (dann als Vorsteherinnen von Hausgemeinden)«; vgl. W. Schmithals, Die Irrlehrer des Philipperbriefes, in: ZThK 54 (1957) 297–341, bes. 338.

nung ihrer Namen und das gleichlautend angefügte »ermahne ich« könnte vielmehr ein Hinweis darauf sein, daß die sachlichen Differenzen rein persönlichen Ursprungs waren[1], weshalb Paulus die beiden — ohne eine im geringsten zu begünstigen — mahnt, um des Dienstes für den Herrn willen einig zu sein.

4, 3: Die Einigungsbemühungen von Euodia und Syntyche sollen nun auch unterstützt werden von einem γνήσιος σύζυγος. Als Eigenname ist Syzygos sonst nicht belegt[2]; dennoch erweckt die Anrede den Eindruck, als wolle Paulus zugleich mit dem Namen auf die Aufgabe des Syzygos anspielen[3], die beiden Streitenden wieder unter ein Joch zu spannen oder zu deren echtem Jochgenossen zu werden durch die Hilfestellung bei der Wiederherstellung der Einheit, also durch das συλλαμβάνεσθαι. Möglich wäre freilich auch die Anrede als »Arbeitsgefährte« (sei es des Paulus oder der beiden Frauen)[4], dagegen dürfte die Wahrscheinlichkeit gering sein, daß mit σύζυγος der Ehegatte einer der beiden Frauen gemeint sein könnte[5]. Die Vielfalt der Möglichkeiten bedingt natürlich auch größte Unsicherheit in der Bestimmung der Stellung des Angesprochenen in der Gemeinde. Er wird zwar nicht unter jene gerechnet, von denen Paulus sagt συνήθλησάν μοι, aber es kann kein Zweifel bestehen, daß er zum Zeitpunkt des Briefes eine führende Rolle spielte in Philippi[6]. Ihn als »Bischof von Philippi« und eigentlichen Briefempfänger anzusprechen[7], ist schon im Blick auf 1, 1 unmöglich; denn der Brief ist dort ausdrücklich an »alle in Christus Jesus Geheiligten in Philippi« gerichtet und die anschließend miterwähnten ἐπίσκοποι treten als mehrere auf und sind nicht »Bischöfe « in unserem Verständnis. Der Monepiskopat ist bei Paulus nirgends angedeutet. Die Aufgabe des Angesprochenen ist jenes (κοπιᾶν und) νουθετεῖν, wodurch in 1 Thess 5, 12 die Aufgabe dessen bezeichnet wird, der fürsorgend in der Gemeinde sich müht. Sein Zuspruch und vielleicht auch der Einsatz seiner Autorität sollen beitragen, des Apostels Mitkämpferinnen für das Evangelium miteinander zu versöhnen. Der Hinweis auf Clemens und die übrigen Mitarbeiter dürfte durch

---

[1] Eine innere Beziehung zu 2, 3 ist nicht schlüssig aufzuweisen, aber möglich.

[2] Stöger, Dienst am Glauben 119, spricht aus unerfindlichen Gründen davon, es sei ein »beliebter« Eigenname; doch ist schon unklar (vgl. Michaelis, Phil 65), ob es sich überhaupt um einen Eigennamen handelt; vgl. auch Ewald, Phil 216f; Tillmann, Phil 157; Barth, Phil 117; de Boor, Phil 142; Staab, Phil 195f. γνήσιος = »echt« würde entschieden besser zu »Jochgenosse« (oder »Arbeitsgefährte«) passen; so Michaelis, Phil 65; Lohmeyer, Phil 166. Zum Ganzen vgl. Gnilka, Phil 167.

[3] Vgl. Stöger, Dienst am Glauben 119; Gnilka, Phil 166: »Wortspiel«. K. J. Müller, Phil 321, lehnt »Zusammenjocher« ab. Syzygos werde ein echter »Jochgenosse«, weil er sich mit den beiden Frauen zusammen der zu bewältigenden Aufgabe bemächtigt (a. a. O.); vgl. auch Michaelis, Phil 65. Epaphroditos als angesprochen zu vermuten, ist willkürlich; vgl. Haupt, Phil 159.

[4] Vgl. Dibelius, Phil 72.

[5] Vgl. Ewald, Phil 216f; Michaelis, Phil 65. Daß Lohmeyer, Phil 166, auf Grund seiner Martyriumshypothese vom gleichen Joch des Martyriums spricht, kann nicht überraschen, aber auch nicht überzeugen.

[6] Vgl. Ewald, Phil 217; Michaelis, Phil 65.

[7] Nach K. J. Müller, Phil 321, spreche 1, 1 nur bei »falscher« Deutung gegen diese Aussage.

die Rückerinnerung an den schweren Kampf der Anfangszeit begründet sein[1].
Er zeigt, wie nahe Euodia und Syntyche dem Apostel gestanden haben, stellt
ihre Verdienste in das rechte Licht und kontrastiert die frühere Verbundenheit
aller Mitarbeiter im Kampf für das Evangelium mit dem Schaden, der durch
die gegenwärtigen Zwistigkeiten, durch Ehrgeiz oder Rechthaberei etwa, entstehen könnte. Ob Clemens[2], der allein namentlich genannt wird, schon tot ist
oder wegen seiner Bedeutung für die Gemeinde eigens genannt wird, oder —
was mir am wahrscheinlichsten zu sein scheint — nicht mehr in der Gemeinde
sich aufhält, aber in hohen Ehren bei der Gemeinde steht, ist nicht mit Sicherheit zu entscheiden. Für die letztgenannte Möglichkeit könnte sprechen, daß
die Namen der übrigen verschwiegen werden, um unter den noch in der Gemeinde lebenden Mitarbeitern aus der Gründungszeit keine Eifersucht zu ent-
fachen[3]. Weder für Syzygos noch für Clemens und die namentlich nicht genannten Mitarbeiter legt sich eine Identifizierung mit den in 1, 1 erwähnten
ἐπίσκοποι und διάκονοι nahe[4]. Dagegen wird — und dieser Gedanke ist dem
Paulus wichtiger — aus der Tatsache, daß ihre Namen im »Buch des Lebens«
stehen, deutlich, daß, wer mitkämpft für das Evangelium, erwählt ist zum
Leben. Deshalb ist Paulus besorgt, daß die verdienstvollen Frauen dieser Erwählung nicht verlustig gehen. Die ganze Gemeinde soll am Tage Christi Jesu
seine Freude und sein Ruhmeskranz sein (vgl. 4, 1). Er bleibt ihr Apostel bis
vor den Richterstuhl Christi; darum ist er darauf bedacht, daß alle, die mit
ihm gearbeitet, gelitten und gekämpft haben, feststehen im Herrn (vgl. 4, 1)
und ihr Sinnen auf den Herrn richten (vgl. 4, 2).

2. Apostel und Gemeinde als συμμιμηταί

a) Vorbildhafte μίμησις

Phil 3, 17
Das Apostelamt des Paulus ist in Philippi unangefochten; darum kann er
den Philippern gegenüber sein Vorbild als nachahmenswert hinstellen, ohne
— wie in 1 Kor 11, 1 — im gleichen Atemzug hinzufügen zu müssen: »ahmet

---

[1] Clemens und die übrigen Mitarbeiter sollen nicht zusammen mit Syzygos sich
um die Wiederherstellung der Eintracht unter den Frauen mühen, wie Ewald,
Phil 215f, fälschlich als Möglichkeit einräumt; denn μετά schließt sich unmittelbar
an συνήθλησάν μοι an und bezieht sich nicht auf συλλαμβάνου. Ihre Erwähnung ist
reine Assoziation; vgl. Tillmann, Phil 157.
[2] Ein Clemens ist in Philippi belegbar; doch ist nichts auszumachen über seine
Person, etwa über seine Identität mit dem Verfasser des I Clem; s. Haupt, Phil 161;
Bonnard, Phil 74: »Ce Clément nous est totalement inconnu«.
[3] Daß es zu viele gewesen wären, die Paulus hätte aufzählen müssen, wie K. J.
Müller, Phil 323; Haupt, Phil 161, vermuten, ist nicht von der Hand zu weisen;
aber Paulus kennt auch längere Aufzählungen (vgl. Röm 16). Daß ihre Namen im
»Buch des Lebens« stehen, muß nicht bedeuten, daß sie verstorben sind.
[4] Dagegen nimmt Gnilka, Phil 167, für Syzygos an: »Wahrscheinlich haben wir . . .
mit diesem einen jener Männer vor uns, die zu den Episkopen und Diakonen der
Gemeinde gehörten«; auch für Clemens erwägt er diese Möglichkeit (a. a. O. 168).

mein Beispiel nach — wie auch ich das (Beispiel) Christi (nachahme)«. E
versteht sich wie von selbst, daß der Apostel nur das Abbild Christi, des Urbild
der μίμησις seitens der Jünger, darstellt; doch darin ist er sich seiner Bedeutung
als Apostel bewußt; sein Vorbild ist τύπος, d. h. sein Verhalten ist normativ
ohne daß damit die eigentliche Norm des Urbilds verdeckt würde. Paulus ist
selbst μιμήτης, aber als solcher τύπος für seine Gemeinden. Er selbst als Nach
ahmer Christi beweist wie alle jene, die ihrerseits wieder seinem Beispiel ge
folgt sind, daß diese Norm erfüllbar ist. Darum fordert Paulus die Philippe
auf: συμμιμηταί μου γίνεσθε, »werdet meine Mitnachahmer«. In dieser Über
setzung[1], die ich vorziehen möchte, bleibt der christologische Horizont ge
wahrt, ohne daß der Stellung des Apostels zwischen Christus und der Gemeinde
Einbuße geschähe. Er bleibt für die Gemeinde τύπος und ist zunächst einma
der Nachahmer Christi. Indem die Philipper seinem apostolischen Beispie
folgen, werden sie zugleich Nachahmer Christi[2].

Die Gebundenheit der Gemeinde an den Apostel ist darum nicht wenige
grundlegend als dessen Gebundenheit an Christus. Daß des Apostels Beispie
schon von vielen nachgeahmt wird, könnte ein Hinweis auf besonders willige
Gemeindeglieder sein, deren vorbildlicher Lebenswandel der Gemeinde an
schaulich (vgl. σκοπεῖτε) vor Augen steht[3], doch ist auch nicht ohne weiteres
auszuschließen, daß Paulus damit die Betrachtung ausweitet auf andere Ge
meinden. Diese Ausweitung könnte dem Zweck dienen, unter den verschie
denen Gemeinden durch gegenseitigen Ansporn immer größere Gemeinsamkei
und Verbundenheit zu schaffen[4]. Solches wechselseitige Hinweisen einer Ge
meinde auf die andere findet sich bei Paulus häufiger[5]. Doch ist der Hinweis
zu unbestimmt, als daß man ihn als ein typisch paulinisches Mittel zur Bindung
der Gemeinden aneinander bezeichnen dürfte. Es geht Paulus zunächst un
das συμμιμεῖσθαι, das Nachahmen seitens der Gemeinde — zusammen mit ihm
Auch die Tatsache, daß diese Aufforderung in ähnlicher Form mehrfach be
gegnet[6], ist eher ein Hinweis als ein Beweis, daß sie von Paulus als Gemeinder

---

[1] Gegen Haupt, Phil 150 A. 1; Tillmann, Phil 155; Michaelis, Phil 61; u. a. (auch
gegen die Zürcher Bibel).
  Friedrich, Phil 121: »er bittet sie, mit ihm zusammen . . . dem gemeinsamer
Ziel zuzusteuern«. Damit wird der Gedanke der Nachahmung Christi in der Nach
ahmung des Apostels freilich zu Unrecht preisgegeben.
  K. J. Müller erklärt, Phil 291, das συν in συμμιμηταί im Blick auf die Gemeinde
als Glied, das der Gesamtkirche zu folgen habe. Mit der zu weitgehenden Inter
pretation des συν verbindet sich bei ihm die Vernachlässigung des μου.
[2] Vgl. auch 1 Thess 1, 6f.
[3] Vgl. B. Weiss, Phil 434; de Boor, Phil 39, denkt an die Episkopen und Diakon
von 1, 1; doch das ist völlig unbegründet.
[4] K. J. Müller, Phil 291, überbetont das möglicherweise mitschwingende Motiv
Paulus wolle die einzelnen Gemeinden aneifern und versuche, sie zu einem einheit
lich geleiteten Ganzen organisch zu verbinden. Diese Absicht wird man — soferr
sie überhaupt feststellbar ist — nicht dem συν, sondern allenfalls der Fortsetzung
des Gedankens entnehmen dürfen: »schaut auf die, welche so wandeln«. Jedoch ist
von anderen Gemeinden nicht ausdrücklich die Rede, und es liegt wohl näher, an
einzelne Gemeindeglieder in Philippi zu denken.
[5] Vgl. 2 Kor 8, 1; 9, 2 u. ö.
[6] Vgl. 1 Kor 11, 1; 1 Thess 1, 6.

verbindend gedacht sei. Sie ist in jedem Fall Anrede an eine ganz bestimmte
Gemeinde und erhellt zuerst einmal die autoritative, normative Stellung des
Apostels für seine Gemeinden.

b) Werbung um Gehorsam

Phil 2, 12

Werbung um Gehorsam ist kein Widerspruch gegen die Aufforderung von
3, 17: »werdet meine Mit-nachahmer«; als Apostel ist Paulus τύπος, Vorbild
rechter μίμησις; als solchem gebührt ihm Gehorsam. Das beweist die in 2, 12
ausgesprochene Anspielung auf den früher[1] allezeit geleisteten Gehorsam. An
diesen Gehorsam wird jetzt offensichtlich appelliert, auch wenn die Forderung
nach Gehorsam nicht ausdrücklich erhoben wird[2].

Der Neueinsatz nach dem »Christushymnus« in den VV 6–11 mit ὥστε ist
vermutlich nicht als eine Folgerung aus dem unmittelbar Vorhergehenden
(2, 6–11) zu verstehen[3]; vielmehr greift Paulus damit den Hauptgedanken, der
ihn seit 1, 27 beschäftigte, wieder auf mit der Mahnung, das Heil zu wirken im
Gehorsam gegen das Evangelium von dem Christus, der sich verdemütigte und
gehorsam wurde bis zum Kreuzestod.

Die Beziehung des ὑπηκούσατε von 2, 12 zu ὑπήκοος in 2, 8 ist zunächst undeutlich[4]. Daß Paulus den Kreuzesgehorsam als vorbildlich herausstellen wolle,
wird man kaum sagen dürfen, da in V 8 der Gehorsam nur die Verdemütigung
interpretiert und ὑπηκούσατε V 12 nicht auf Gehorsam gegen Gott zielt.

Es geht vielmehr — wie 2, 14ff zeigen — um den Lebenswandel des Christen.
Der Hymnus vom Kyrios Jesus Christus ist im Zusammenhang nur als Para-
digma gedacht, dessen Züge nicht im einzelnen ausgewertet werden, sondern in
ihrer Gesamtaussage: Christus, der Knechtsgestalt annahm und sich verdemütigte, erwies gerade in dieser Selbstverdemütigung seinen Gehorsam und
wurde deshalb erhöht.

Die Gemeinde wird daher vom Apostel ermahnt zum Gehorsam, der darin
besteht, seine Forderung nach gegenseitiger Höherschätzung in Demut (vgl.
2, 3) anzunehmen und zum Dienst aneinander bereit zu sein (vgl. 2, 4). Nur
darauf sinnend (vgl. 2, 5) werden sie ihr Heil wirken (vgl. 2, 12). Das beweist
ihm die demütige Hingabe, die Christus in seine Herrlichkeit führte.

Der Apostel fordert also Gehorsam nicht um seiner selbst willen, sondern im
Blick auf das Heil, das sich die Gemeinde wirkt, indem sie gehorcht und in

---

[1] παρουσία schaut doch wohl zurück auf des Apostels erste Anwesenheit in der
Gemeinde (vgl. B. Weiss, Phil 423), nicht aber voraus auf einen geplanten Besuch,
wie Lohmeyer, Phil 102, und auch Michaelis, Phil 46, annehmen.

[2] Vgl. B. Weiss, Phil 423; Haupt, Phil 90.

[3] Phil 1, 27; 2, 3f. 5. 8. 9. 12 interpretieren sich fortlaufend.

[4] Ein unmittelbarer Anschluß an ὑπήκοος in V 8 ist nicht gegeben. Den Anschluß
aber nur als »zufällig« zu bezeichnen oder höchstens als unwillkürliche Nachwirkung
(so Ewald, Phil 132), dürfte den Gesamtzusammenhang außer Acht lassen; vgl.
Haupt, Phil 89; Tillmann, Phil 147: Die Ermahnung von 1, 27ff kommt »zum
Abschluß«; so auch Staab, Phil 186. Michaelis, Phil 46, schließt zu eng nur an
ὑπήκοος von V 8 an.

Demut die Einheit sucht, die ihr als »Frucht der Selbstentäußerung Christi vorgegeben ist[1]. Diese Selbstentäußerung Christi hat für die Gemeinde prinzipielle Bedeutung; die Weisungen des Apostels wollen nur diese herausstellen und zu gehorsamer Nachahmung aufrufen. Insofern gebührt aber dem Apostel selbst Gehorsam. Wie sehr sich Paulus scheut, diese Forderung nach Gehorsam direkter auszusprechen, bezeugt nicht nur 2, 12, wo sie zweifellos beabsichtigt, aber nur zwischen den Zeilen zu lesen ist, sondern auch 2, 1, wo er in fünf verschiedenen Wendungen die Art seiner Gehorsamsforderung als Mahnung in Christus, Zuspruch der Liebe, Gemeinschaft des Geistes, Mitfühlen und Erbarmen interpretiert. Da es um das Heil der »vom Christusgeschehen bestimmten« (vgl. 2, 5a)[2], mit dem »für Christus Leiden« begnadeten (vgl. 1, 29) und auf den Weg der Selbstentäußerung Christi gerufenen Gemeinde geht, wäre eine andere Art von Gehorsamsforderung un denkbar. Nicht dem Apostel selbst gebührt also der Gehorsam[3]; er ist nur — in seiner Anwesenheit wie in seiner Abwesenheit[4] — der für Christus Mahnende

3. Die Sorge der Gemeinde für den Apostel

a) Epaphroditos als ἀπόστολος der Gemeinde bei Paulus

Phil 2, 25–30

Die Empfehlung des Epaphroditos für seine Rückkunft nach Philippi wird mit ganz persönlichen Gründen motiviert. Epaphroditos, der als ἀπόστολος der Gemeinde[5] und λειτουργὸς τῆς χρείας zu Paulus gekommen war, um zu ver vollständigen, was an der λειτουργία[6] der Gemeinde noch fehlte, war zu Tod

---

[1] Peterson, Apostel und Zeuge 16 (zu Phil 2, 5).

[2] Vgl. Neugebauer, In Christus 105f.

[3] Das fehlende μοι hinter ὑπηκούσατε gibt zu erkennen, daß es um einen absoluten heilsnotwendigen Gehorsam geht; vgl. Ewald, Phil 132 A. 2, gegen Haupt, Phil 90f und vor allem gegen Holsten, Das Evangelium des Paulus 455. Zum Ganzen vgl Haupt, Phil 89ff; Barth, Phil 62–67; Beare, Phil 89: »... without an objekt« — »as in V 8«. »Here the sense is probably of obedience to the Gospel (2 Thess 1, 8) the obedience of faith which the apostolic commission promotes (Röm 1, 5), o more concretely of obedience to the Apostle's counsels and directions, accepted a carrying all the authority of the God who gave him the grace of the apostolate«

[4] Beare, Phil 89, konstatiert eine Ähnlichkeit mit den Abschiedsreden des Mose und schließt aus grammatischen Gründen auf den Sinn: wirket euer Heil — während meines Lebens und nach meinem Tod; doch Satzstellung wie Zusammenhang deuten auf eine Beziehung zu ὑπηκούσατε.

[5] ἀπόστολος ist hier wie 2 Kor 8, 23 im Sinne des Gemeindeapostels als Bote de Gemeinde zu verstehen; vgl. B. Weiss, Phil 426; Tillmann, Phil 150; Michaelis Phil 51; Dibelius, Phil 66; Lietzmann, 2 Kor 137, zu 2 Kor 8, 23; nicht zutreffen Saß, Apostelamt und Kirche 104f, der diese ἀπόστολοι mit denen von 1 Kor 12, 2 in Verbindung bringt und als »Missionare der Gemeinde« bestimmt.

[6] λειτουργία kann einfach als finanzielle Unterstützung verstanden werden (vgl 2 Kor 9, 12), hat aber einen wohl gewollt sakralen Klang. Der Bote bringt ihm j nicht nur eine Geldspende der Gemeinde; er hat, wie V 30 deutlicher zeigt, die Stell der abwesenden Philipper einzunehmen und dem Apostel für sie zu dienen. Diese Dienst ist geschuldet und wird als Opferdienst verstanden.

erkrankt gewesen. Paulus hält es daher für nötig und richtig, ihn zurückzu-schicken und begründet diese frühzeitige Rücksendung der Gemeinde gegen-über damit, daß Epaphroditos von Sehnsucht und Besorgnis schier vergehe. Durch nichts wird vom Text her nahegelegt, daß Epaphroditos, der vielfach unter die »Vorsteher« der Gemeinde von Philippi gerechnet wird[1], etwa wegen ausgebrochener Verfolgungen in Philippi »von Furcht zerrissen«[2] gewesen sei. Seine Besorgnis wird einzig aus dem Wissen darüber erklärt, daß die Gemeinde von seiner schweren Erkrankung erfahren habe.

Dagegen könnte seine Sehnsucht nach der Gemeinde in der Tat ihren Grund haben in der Verantwortung, die er als ein »Vorsteher« für sie empfand. In diese Richtung weisen auch die ehrenden Bezeichnungen[3], mit denen Paulus ihn bedenkt. Für seine Rücksendung ist das allerdings ohne Belang, eher für seine Beauftragung durch die Gemeinde. Paulus scheint sogar zu fürchten, daß man Epaphroditos wegen seiner frühen Heimkehr und seiner Ungeduld Vorhaltungen machen werde. Daher mahnt er die Gemeinde nach-haltig, ihn »im Herrn«, d. h. wie solche, die ganz vom Herrn bestimmt sind, aufzunehmen und ihn — wie überhaupt solche, die am »Werk Christi«[4] mit-wirken — »wert zu halten«. Männer wie Epaphroditos, die das Leben einsetzen bei ihrem Werk für Christus, haben Anspruch auf Ehre und Hochschätzung[5]. Das besondere Verdienst des Epaphroditos bestand über das, was die Titel andeuten, hinaus in seinem »Liturgendienst« für den Apostel.

Λειτουργία bezeichnet dabei einen dem Apostel geschuldeten Dienst seitens der Gemeinde, nicht nur die materielle Unterstützung selbst[6].

Der Apostel hat zwar in der Regel auf seine Rechte und Vollmachten ver-zichtet (vgl. 1 Kor 9, 15ff), woraus ihm mancher teilweise sehr weitgehende Vorwurf gemacht wurde, so als wage er es nur nicht — wissend um die Minder-wertigkeit seines Apostelamtes — von seinen Rechten Gebrauch zu machen;

---

[1] Diese Vermutung wird etwa von Tillmann, Phil 150; Staab, Phil 189, ausge-sprochen; aber auch Lohmeyer, Phil 119, hält dafür, freilich mehr, um seine These vom Martyrium der Gemeinde zu unterbauen. Er spricht sogar (a. a. O. 120) von einer führerlosen Gemeinde, die durch die sofortige Sendung des Epaphroditos eine vorläufige Hilfe durch den Apostel erfährt.

[2] Lohmeyer verweist auf den starken Ausdruck »ἀδημονεῖν = von Furcht zer-rissen werden« (a. a. O. 119 A. 4), was nur durch Verfolgungen in Philippi gerecht-fertigt sei. Dagegen vgl. Peterson, Apostel und Zeuge 24; B. Weiss, Phil 426: »in banger Unruhe«; Barth, Phil 83: in »Sorge«.

[3] ἀδελφός ist jeder christliche Bruder, συνεργός dagegen wird nur genannt, wer an der apostolischen Verkündigung beteiligt ist, und συστρατιώτης weist auf Teilhabe an den Kämpfen und Leiden des Apostels hin.
Epaphroditos muß also wenigstens an der Verkündigung des Evangeliums in irgendeiner Form beteiligt gewesen sein; möglicherweise war er schon in der Zeit der Gemeindegründung ein Kampfgefährte und ist nicht erst im Dienst am gefan-genen Paulus sein Leidensgefährte geworden.

[4] Die Textvarianten (Χριστοῦ; τοῦ Χριστοῦ; κυρίου; bzw. ἔργον ohne Zusatz) zei-gen, daß das ἔργον inhaltlich immer auf Christus zu beziehen wäre, auch wenn es ohne Zusatz stünde; vgl. Dibelius, Phil 66; Haupt, Phil 113 A. 1: »terminus tech-nicus« für »die Arbeit im Dienst Christi«.

[5] Vgl. 1 Kor 16, 16. 18.

[6] Vgl. 2 Kor 9, 12; hier wird in ähnlicher Weise die Kollekte für (die Armen) Jerusalem(s) als λειτουργία bestimmt.

doch an dieser Stelle (wie in Phlm 13) wird deutlich, daß sein freiwilliger Verzicht seinen Anspruch keineswegs aufhebt. Worin besteht aber dieser Anspruch? Wohl zunächst im Anspruch auf materielle Unterstützung. Die Gemeinde hatte für seinen Unterhalt mitzusorgen, und das offenbar nicht nur, wenn er sich in der Gemeinde selbst aufhielt[1]. Den Anspruch auf Unterhalt seitens der Gemeinde betont er auch 1 Kor 9, 4f; doch, um dem Evangelium keinen »Einschnitt«, d. h. kein Hindernis zu bereiten (vgl. 1 Kor 9, 12), verzichten er und seine Mitarbeiter darauf, dem Anspruch (in Korinth) Geltung zu verschaffen. Von den Philippern jedoch hat er sich im Notfall immer helfen lassen; von ihnen drohte wohl keine Gefahr für seine apostolische Freiheit und Unabhängigkeit in der Verkündigung des Evangeliums. Von ihnen nahm er sogar Hilfe an, während er sich in Korinth aufhielt (vgl. 2 Kor 11, 8f), nur um den Korinthern nicht zur Last zu fallen und »frei« zu bleiben (vgl. 1 Kor 9, 19). Dabei war Paulus in Korinth offensichtlich in echter Verlegenheit und angewiesen auf die Hilfe derer, die aus Mazedonien kamen (vgl. 2 Kor 11, 9).

Trotzdem läßt sich zunächst nicht entscheiden, ob hinter dieser Unterstützung nur eine lobenswerte Mildtätigkeit der Mazedonier — hier also der Philipper — steht, oder ob diese Unterstützung geleistet wurde auf Grund des apostolischen Anspruchs, auch außerhalb der Gemeinde Unterhalt fordern zu können.

Auf letzteres verweist in 2 Kor 11, 8 der Ausdruck ὀψώνιον, der wohl geschuldeten »Sold« meinen dürfte, und das Gesamtverständnis von Phil 2, 25–30. Der Anspruch des Apostels ist danach nicht nur unabhängig vom Ort seines momentanen Aufenthalts, sondern geht über die rein materielle Unterstützung hinaus[2]. Die Gemeinde selbst hätte dem Apostel und darin dem ἔργον Χριστοῦ zu dienen. Dieser persönliche Dienst gegenüber dem Apostel wurde schon in der Empfehlung des Timotheus (vgl. 2, 22) als ein δουλεύειν εἰς τὸ εὐαγγέλιον verstanden; auch von Epaphroditos wird nun gesagt, daß er »um des ἔργον Χριστοῦ willen dem Tode nahekam«; da seine Aufgabe nur darin bestand, anstelle der Gemeinde Paulus zu dienen, werden auch hier persönliche Dienstleistung und sachlicher Dienst für Christus in eins gesehen[3]. Epaphroditos erfüllt diese Verpflichtung der Gemeinde (vgl. ὑμῶν) stellvertretend, ausfüllend ihren Mangel, d. h. ihr Fehlen[4].

Der sakrale Klang[5] dieser Aussage über den Liturgiendienst des Epaphroditos (vgl. 2, 25) und der Liturgie der Liebesgabe seitens der Gemeinde wird im Blick auf das ἔργον Χριστοῦ verständlich: Paulus will die Liebesgabe und den Liebes-

---

[1] Vgl. Haupt, Phil 114; Lohmeyer, Phil 121: ein Anspruch, der »nicht auf den Ort und die Zeit seines Aufenthaltes beschränkt ist, sondern als Forderung bestehen bleibt, wo immer er weilt, und zeitlich unbeschränkt ist«.
[2] Ewald, Phil 160, bemerkt zu Recht, daß Paulus wohl kaum die Summe des Überbrachten als unzureichend bezeichnet wird.
[3] So auch Lohmeyer, Phil 121; Gnilka, Phil 164.
[4] Damit wäre zu vergleichen der stellvertretende Dienst, den Onesimos für seinen Herrn bei Paulus leistete: in beiden Fällen geht es um ein echtes ὑπέρ der Stellvertretung; vgl. Phlm 13.
[5] Vgl. Dibelius, Phil 66; Barth, Phil 83.

dienst an ihn aufgefaßt wissen als einen Christus geschuldeten Opferdienst[1]. Des Apostels Forderung wird also christologisch begründet; sie hat ihren Grund in seinem von Christus verliehenen Amt als Apostel, seinem Dienst am ἔργον Χριστοῦ[2]. Der Apostel nimmt daher für sich in Anspruch, daß die von ihm gegründeten Gemeinden[3] ihm, der das Werk Christi betreibt, und so durch ihn »dem Werke Christi« dienen, sei es auch nur durch einen, der stellvertretend wie Epaphroditos[4] diese Verpflichtung wahrnimmt. Daß Epaphroditos dabei sein Leben aufs Spiel setzte, wirft möglicherweise Licht auf die autoritäre Stellung des Apostels[5].

Um der Gemeinde die Möglichkeit zu nehmen, Epaphroditos wegen der frühzeitigen Heimkehr Vorwürfe zu machen, weist Paulus hin auf diese sich selbst nicht schonende Bereitschaft ihres Boten und sein Verdienst, den Opferdienst der Gemeinde ausgeführt und ihr Fehlen ersetzt zu haben[6].

Der Anspruch des Apostels, den wir dem Text entnehmen können, geht also weit über das Recht auf Unterhalt und auf Unterstützung, wenn er sich außerhalb der Gemeinde befindet, hinaus. Die Bezogenheit der Gemeinde und ihrer Glieder auf ihren Apostel, der sie durch das Evangelium »zeugte«, erweist sich als ebenso radikal und grundlegend wie die Bezogenheit des Apostels auf Christus.

b) Die Spende der Gemeinde für Paulus

Phil 4, 10–20

Der aus 2, 25–30 erarbeiteten grundsätzlichen Verpflichtung hatte die Gemeinde von Philippi nachzukommen gesucht durch die von Epaphroditos überbrachte Gabe.

4, 10–20 zeigt aber, wie weit Paulus davon entfernt ist, diese Liebesgabe der Philipper in rechtliche Kategorien zu bringen, obwohl sie geschuldet ist und einer apostolischen ἐξουσία korrespondiert.

Paulus leugnet nirgends den Anspruch, den er auf materielle Unterstützung hätte, verzichtet aber, darauf zu insistieren, um unabhängig zu bleiben und so dem Evangelium am besten zu dienen, indem er es umsonst, ohne seine Rechte am Evangelium zu nutzen, darbietet[7].

Dagegen betont er Phil 4, 10–20 den hohen Wert der freiwilligen Opfer der philippischen Gemeinde; er nennt sie »einen lieblichen Duft, ein willkommenes, Gott wohlgefälliges Opfer« (vgl. V 18)[8]. Paulus versteht sich als »berufener

---

[1] Vgl. B. Weiss, Phil 427; Friedrich, Phil 115: »wegen des Christuswerkes«.

[2] Vgl. Bonnard, Phil 58: »ils ont accompli un ›office‹ religieux qui les a rendus participants de la grâce même de l'apostolat accordée à Paul«.

[3] Aber auch die einzelnen durch ihn zum Glauben gekommenen Gemeindeglieder; vgl. Phlm 19.

[4] Oder Onesimos; vgl. Phlm 13.

[5] Vgl. Lohmeyer, Phil 121.

[6] Vgl. Haupt, Phil 114; zu ἀναπληροῦν vgl. 1 Kor 16, 17; 2 Kor 11, 9; dazu Bauer, WB 118: »eine Lücke ausfüllen, ersetzen«; »das Fehlen jemandes ausgleichen, einen Abwesenden vertreten«.

[7] Vgl. zu 1 Kor 9, 4 ff v. a. 1 Kor 9, 17f; 2 Kor 11, 7 ff.

[8] Vgl. auch 2, 25. 30.

Apostel Jesu Christi durch den Willen Gottes« (vgl. 1 Kor 1, 1); wer ihn unterstützt, bringt daher Gott ein Opfer dar. Der Apostel wird transparent auf den hin, der ihn zum Dienst am Evangelium aussonderte. Gott wird daher auch diese gute Gabe lohnen (vgl. V 19).

Den Philippern gegenüber ist Paulus nicht ängstlich um seine Unabhängigkeit besorgt gewesen. Von ihnen allein hat er von Anfang an »auf Rechnung des Gebens und Empfangens«[1] Gaben angenommen.

Trotz dieses Vergleiches mit kaufmännischem Gehaben fehlt dem Abschnitt jeglicher rechtliche Akzent[2]. Das entscheidende Motiv, das Paulus in den Vordergrund stellt, ist die κοινωνία, die Gemeinschaft des wechselseitigen Gebens und Nehmens: καλῶς ἐποιήσατε συγκοινωνήσαντές μου τῇ θλίψει.

Paulus nimmt die Gemeindespende entgegen, nicht weil ihm an der Gabe selbst so viel läge (vgl. V 17) — er hat gelernt, Mangel zu leiden wie Überfluß zu haben (vgl. V 12) —, sondern weil sich in ihr die κοινωνία der Gemeinde ausdrückt.

Die Liebesgabe hat ihre Frucht in sich; sie erzeugt einen »Überschuß« in ihrer »Rechnung« (vgl. V 17). Während die kaufmännische Rechnung und Gegenrechnung in V 15 noch den Anspruch des Apostels auf Entlohnung für seine Tätigkeit impliziert, drängt sich hier der Gedanke an den eschatologischen καρπός[3], an die Frucht, die einen Überschuß in der Abrechnung schafft (vgl. V 17), an Gott, der dieses wohlgefällige Opfer annehmen und vergelten wird (vgl. V 18f), in den Vordergrund.

Des Apostels Hinweis auf den vergeltenden Gott ist die einzig mögliche »Quittung«[4] für diese ihm zugedachte — weil geschuldete — und zugleich Gott geopferte Liebesgabe.

---

[1] Vgl. B. Weiss, Phil 438f; Dibelius, Phil 75.
[2] Das Moment der Geschuldetheit solcher Unterstützung kommt dafür in 2, 25-3(deutlich zum Ausdruck, wenngleich auch hier nicht ohne Umschreibungen, di(einen »rechtlichen« Anspruch vermeiden sollen.
[3] Vgl. Lohmeyer, Phil 186; dagegen B. Weiss, Phil 438f; Michaelis, Phil 72, di(aber beide den eschatologischen Aspekt nicht ausschließen.
[4] Vgl. Peterson, Apostel und Zeuge 38f.

II. TEIL

STRUKTUREN
PAULINISCHER GEMEINDE-THEOLOGIE
UND GEMEINDE-ORDNUNG

1. Kapitel

DIE GEMEINDE ALS ἐκκλησία τοῦ θεοῦ

1. Ἐκκλησία bei Paulus

Das Verständnis der paulinischen Ekklesiologie hängt wesentlich an der richtigen Bestimmung des paulinischen Begriffs von der ἐκκλησία[1] (τοῦ θεοῦ)[2]. Versteht man sie als »Gesamtkirche«, als Korrespondenzbegriff zu »Volk Gottes«, so liegt es nahe, in ἐκκλησία eine den »Einzelgemeinden« vorausliegende, sie zusammenfassende und sie qualifizierende Größe zu sehen[3]. Die Einzelgemeinde ist dann Teil und Darstellung der Gesamtkirche, deren Ordnungen auch für die Einzelgemeinden als bestimmend zu denken sind. Werden Gesamtkirche und Gesamtkirchenordnung zudem rein geistlich-religiös verstanden[4], ist es von vornherein als ausgeschlossen zu betrachten, daß den Phänomenen von Gemeindeordnung in den paulinischen Gemeinden irgendeine rechtliche Bedeutsamkeit zukommen könnte[5].

Demgegenüber ist mit L. Cerfaux festzuhalten, daß es eine unbewiesene Behauptung darstellt, zu sagen »que, toujours et partout, le mot ›ekklesia‹ ait évoqué directement et explicitement l'idée d'une Église universelle«[6]. Im Gegenteil, es ist sogar fraglich — und es ist auch immer wieder gefragt worden[7] —, ob Paulus überhaupt von der ἐκκλησία τοῦ θεοῦ im Sinne der »Gesamtkirche« spreche.

---

[1] Schweizer, Gemeinde und Gemeindeordnung, verdeutlicht diese Relation für alle Schriften des Neuen Testaments, freilich nur in groben Zügen.

[2] K. L. Schmidt, ἐκκλησία, in: ThW III 502–539, hier 509: »wenn . . . der Zusatz τοῦ θεοῦ fehlt, so ist dieser immer mitzudenken«.

[3] Schmidt a. a. O. und ders., Die Kirche des Urchristentums 258 ff, hat mit seiner Sicht der paulinischen ἐκκλησία τοῦ θεοῦ als Einzelgemeinde und Gesamtgemeinde (bzw. Kirche), wobei letztere nicht erst durch die Vereinigung der Einzelgemeinden zustande komme, jenen doppelten Kirchenbegriff bei Paulus unterstrichen, der seit v. Harnack (s. S. 84 A. 2) die Diskussion entscheidend, und doch vermutlich zu Unrecht bestimmte. Vgl. auch Braun, Neues Licht auf die Kirche 33 ff.

[4] So v. a. Sohm, Wesen und Ursprung des Katholizismus, im Vorwort zur 2. Auflage 1912, XXXII: »Jede Christenversammlung im Namen Christi ist die souveräne, geistlich keiner anderen Macht unterworfene Kirche Christi. Die Kirche Christi ist frei vom *Kirchenrecht*«. Vgl. dagegen Schmidt a. a. O. 318: »von einem . . . spiritualistischen Kirchenbegriff . . . keine Rede«; Menoud, L'Église 16: »plus qu'une réalité mystique«. Zur Kritik an Sohms Grundauffassung vgl. auch E. Schott, Ist das Kirchenrecht eine Funktion des Kirchenbegriffs?, in: ThLZ 79 (1954) 461–464.

[5] Extrem formuliert findet sich dieser Standpunkt Sohms bei Müller – v. Campenhausen, Kirchengeschichte I 93f: »Die Kirche ist da ohne Beziehung auf ihre Mitglieder«. Ihrer Meinung nach sind ἐκκλησίαι »keine ›Ortsgemeinden‹, sondern Häufchen und Versammlungen von Gottes Volk, der ἐκκλησία«; diese ist aber »eine himmlische Größe«, daher ist auch »jeder Gedanke an eine gesellschaftliche Organisation ausgeschlossen«.

[6] Cerfaux, La Théologie de l'Église 79. Seine Arbeit hat bislang, wie es scheint, nicht die ihr gebührende Beachtung gefunden.

[7] Vgl. P. Batiffol, L'Église naissante et le Catholicisme, Paris ²1909, 90; H. Leclercq, Artikel »Église«, in: Cabrol–Leclercq, Dictionnaire d'archéologie chrétienne

Die Stellen, welche für ein solches Verständnis herangezogen werden können, sind nicht eindeutig. Sie sprechen einmal davon, daß Paulus die ἐκκλησία τοῦ θεοῦ verfolgt habe[1]. Darunter könnte man in der Tat die »Gesamtkirche« verstehen, würde nicht Gal 1, 22f nahelegen, konkret an die ἐκκλησίαι τῆς Ἰουδαίας zu denken[2]; sie können sich über Paulus verwundern als dem διώκων ἡμᾶς ποτε. Zum andern sprechen einige Stellen prinzipiell über Vorgänge und Erscheinungen in der ἐκκλησία bzw. in den ἐκκλησίαι[3]; ihr prinzipieller Charakter rechtfertigt es jedoch nicht, von ihrem konkreten Gemeindebezug zu abstrahieren[4]. Was für »jede Gemeinde Gottes« Geltung hat, muß nicht für »die Kirche Gottes als solche« gelten.

Ist es also zumindest zweifelhaft, ob der Begriff ἐκκλησία bei Paulus überhaupt an »Gesamtkirche« denken läßt, so kann umgekehrt nicht bestritten werden, daß Paulus ἐκκλησία vorwiegend für die Einzelgemeinde verwendet[5].

Am aufschlußreichsten für diesen paulinischen Gebrauch dürfte 1 Kor 11, 18–22 zusammen mit 14, 23 sein:

Grundlegend ist für die ἐκκλησία das συνέρχεσθαι ἐν ἐκκλησίᾳ (vgl. 11, 18). Ἐν ἐκκλησίᾳ weist dabei auf die örtlich zu verstehende Gemeindeversammlung, welche durch das συνέρχεσθαι entsteht. 14, 23 läßt jedoch eine wichtige Unterscheidung erkennen durch die Hinzufügung: (ἡ ἐκκλησία) ὅλη. Es gibt demnach Versammlungen ἐν ἐκκλησίᾳ, in denen die Gesamtheit der Gläubigen an einem Ort zusammenkommt, und solche, in denen sich nur Teile derselben zusammenfinden. Ein prinzipieller Unterschied ist nicht angedeutet. In beiden

---

IV (²1921) 2220ff; W. Koester, Die Idee der Kirche beim Apostel Paulus (NTA XIV), Münster 1928, 51ff; neuerdings Blank, Paulus und Jesus 240ff.

Die Argumente der drei Erstgenannten, denen es vornehmlich um die Priorität des Sprachgebrauchs von ἐκκλησία als Bezeichnung der Einzelgemeinde bei Paulus ging, fanden zu ihrer Zeit keinen Anklang; man vergleiche Linton, Das Problem der Urkirche 138ff. Ihre Feststellung, daß »die Bedeutung Gesamtkirche erst in späteren Briefen (v. a. Kol und Eph) zu belegen sei« (Linton a. a. O. 141), wurde abgewiesen mit dem Hinweis: »wenigstens für vier Stellen aus den älteren Briefen steht die Bedeutung Gesamtekklesia fest« (Linton a. a. O. 141; er nennt in A. 8: Gal 1, 13; 1 Kor 15, 9; 1 Kor 10, 32; 1 Kor 12, 28). Von der Richtigkeit dieser Behauptung war man bisher allgemein überzeugt (vgl. Linton a. a. O. 138ff), auch wenn man zu ihrer Rechtfertigung bisweilen andere und sehr disparate Stellen zusammennahm; vgl. Kattenbusch, Der Quellort der Kirchenidee 146f.

[1] Gal 1, 13; 1 Kor 15, 9; Phil 3, 6 (ohne τοῦ θεοῦ).

[2] Cerfaux a. a. O. 81 zu Gal 1, 13. 22: »Tout se comprendrait bien ... si c'était à la communauté primitive que Paul songeait en s'accusant d'avoir persecuté l'Église de Dieu«. Auch 1 Kor 15, 9 weist seiner Meinung nach »dans l'horizon de Jérusalem«; vgl. Schmidt, ThW III 508, 9ff; Kümmel, Kirchenbegriff und Geschichtsbewußtsein 20.

[3] 1 Kor 6, 4; 10, 32; 11, 16. 18. 22; 12, 28; 14, 33ff.

[4] Schmidt a. a. O. 508 tut das zu Unrecht. Alle diese Stellen stehen »au contexte où Paul réorganise les assemblées de la communauté« (Cerfaux a. a. O. 83 zu 1 Kor 10, 32; 11, 22).

[5] Vgl. Koehnlein, La notion de l'Église 360ff; er unterstreicht zunächst die Übereinstimmung von Batiffol, Leclercq, Koester (vgl. S. 229 A. 7) in dieser Frage: »sont d'accord à penser qu' ἐκκλησία n'avait primitivement qu'un sens local«; mit K. L. Schmidt, Die Kirche des Urchristentums 258–319, bestätigt er dann (a. a. O. 361): »il s'agit, certes, très souvent d'une communauté particulière«.

Fällen handelt es sich um eine Versammlung ἐν ἐκκλησίᾳ, »in« oder »als Gemeinde«.

Letzteres beweist 11, 20, wo in genauer Parallele zu 11, 18 statt ἐν ἐκκλησίᾳ — ἐπὶ τὸ αὐτό steht, wodurch der Zweck des Zusammenkommens ἐν ἐκκλησίᾳ angedeutet ist: man versammelt sich, um in Gemeinde zu sein, die Versammlung wird »zur Gemeinde«[1]. Denselben Sinn dürfte 14, 23 ἐὰν οὖν συνέλθῃ ἡ ἐκκλησία ὅλη ἐπὶ τὸ αὐτό haben: die gesamte Gemeinde versammelt sich, um Gemeinde zu sein, »als Gemeinde«.

So kann dann sowohl die Gesamtgemeinde wie jede Hausgemeinde als versammelte ἐκκλησία genannt werden[2] und behält diese Bezeichnung auch außerhalb der konkreten Versammlung. Die Bezeichnung wird zum Namen. Auch nach — wenn auch nicht unabhängig von — den Zusammenkünften ist die Gemeinde ἡ ἐκκλησία τοῦ θεοῦ[3].

Eine Verachtung der ἐν ἐκκλησίᾳ Versammelten, wie sie bei den korinthischen Mahlzusammenkünften durch die Vorwegnahme des Essens und Trinkens einzelner Begüterter eingerissen war, kommt deshalb einer Verachtung der ἐκκλησία τοῦ θεοῦ gleich (vgl. V 22).

Die Verachtung ist eine dreifache: solches Verhalten vereitelt den Sinn des Zusammenkommens ἐν ἐκκλησίᾳ, weil es Spaltungen verursacht und einen Teil der Versammelten beschämt. Das Essen und Trinken nimmt für die sich Versammelnden einen solch isolierten und isolierenden Platz ein, daß der Sinn des Zusammenkommens »in Gemeinde« völlig verfehlt wird. So wird diese Mißachtung der konkreten Versammlung ἐν ἐκκλησίᾳ zu einer Verachtung der ἐκκλησία τοῦ θεοῦ, in der man ja nicht zusammenkommt, um Gastmähler zu halten, sondern um miteinander das κυριακὸν δεῖπνον zu feiern (vgl. V 20).

Ein erstes wichtiges Ergebnis ist festzuhalten:

Jede Gemeinde ist ἐκκλησία τοῦ θεοῦ[4]. Sie wird also bei Paulus nicht primär als Teil oder Repräsentantin einer »Gesamtkirche« betrachtet; wo immer Gläu-

---

[1] Vgl. Cerfaux, La Théologie de l'Église 84, zu 1 Kor 11, 18. 20: »Dans la première phrase, ἐκκλησία, comme souvent dans les épîtres aux Corinthiens, est là avec sons sens du grec profane, l'assemblée (populaire), avec cette différence que la réunion chrétienne poursuit un but religieux«. Zu ἐν ἐκκλησίᾳ = »als Gemeinde« vgl. Bultmann, Kirche und Lehre 21; zu ἐπὶ τὸ αὐτό Cerfaux a. a. O. 145 A. 3: »c'est une formule consacrée quand il s'agit des réunions chrétiennes et qui équivaut à ἐν ἐκκλησίᾳ«; ferner Schweizer, Gemeinde und Gemeindeordnung 201.
[2] Die kultische Zusammenkunft als Ansatz für das paulinische Verständnis der ἐκκλησία τοῦ θεοῦ wird häufig betont, aber nicht entschieden genug festgehalten; vgl. dazu Mundle, Das Kirchenbewußtsein der ältesten Christenheit 39: »in den kultischen Versammlung konstatiert sich die Gemeinde«; Bultmann a. a. O. 20f: »Die ›Kirche‹ ist die kultische Versammlung der Gemeinde«; Käsemann, Leib und Leib Christi 185: »Paulus bestimmt so das Wesen der Kirche ganz scharf vom Kult her«; ähnlich Brun, Der kirchliche Einheitsgedanke 96; Vielhauer, Oikodome 114.
[3] Vgl. Bultmann a. a. O. 21: »Eben damit« — daß die »Kirche« die versammelte Gemeinde ist — »ist die ›Kirche‹ auch die eschatologische Gemeinde«.
[4] Cerfaux, La Théologie de l'Église 81, formuliert den Sachverhalt am klarsten: »dès le début de la carrière littéraire de Paul l'expression ›l'Église de Dieu‹ s'appliquait à des églises particulières«. Weniger scharf Bultmann, Kirche und Lehre 20: »Nicht der Begriff der Kirche« — nämlich neutestamentliche ἐκκλησία = alttestamentlicher Qāhāl — »ist ein neuer; neu ist aber die Überzeugung, daß der

bige ἐν ἐκκλησίᾳ zusammenkommen, sei es in Gruppen, Hausgemeinden oder
Versammlungen der gesamten Ortsgemeinde, entsteht ἡ ἐκκλησία τοῦ θεοῦ.
Der vorwiegende paulinische Sprachgebrauch von ἐκκλησία ist demnach konkret auf »Gemeinde« und »Gemeindeversammlung« bezogen, wobei aber ein
Unterschied bestehen bleibt zwischen ἐκκλησία und ἐκκλησία τοῦ θεοῦ; ersteres
blickt auf die Gemeinde als Versammlung, letzteres benennt deren Charakter[1].
    Zusammenfassend für mehrere ἐκκλησίαι oder generell für alle Gemeinden
(Gottes) gebraucht Paulus den Plural[2], ohne dabei den festgestellten Sinn von
ἐκκλησία zu verändern. Eine unterscheidende Nuance verrät jedoch der Gebrauch von ἐκκλησία mit oder ohne Artikel, ohne daß die Grenze immer scharf
zu ziehen wäre[3]: das συνέρχεσθαι ἐν ἐκκλησίᾳ kennzeichnet das Zusammenkommen in oder als Gemeinde[4]; ἐκκλησία ohne Artikel hat so generische Bedeutung. Dagegen weist es mit Artikel auf eine bestimmte bzw. auf eine konkret versammelte Gemeinde.
    Analoges gilt von der Verwendung des artikellosen bzw. mit Artikel ver-
sehenen Plurals[5], wie am Beispiel von 2 Kor 8, 16–24 noch zu zeigen ist.

2. Jerusalem als ἡ ἐκκλησία τοῦ θεοῦ

    Zum traditionsgeschichtlichen Problem der neutestamentlichen ἐκκλησία τοῦ
θεοῦ liefert Paulus in seinen Briefen einige beachtenswerte Aspekte. Auf wel-

---

Qāhāl verwirklicht, daß die Gemeinde der Gerechten erschienen ist, daß das wahre
Israel da ist, berufen durch Jesus Christus, den Messias, den Herrn der Gemeinde;
daß sie sich darstellt in den einzelnen Gemeinden (ἐκκλησίαι), die zur Gesamtgemeinde (ἐκκλησία) gehören, jedoch nicht so, daß die einzelnen als Teile oder Glieder das Ganze konstituieren, sondern so, daß das Ganze in jeder einzelnen Gemeinde da ist«. Bultmann belastet seinen Schluß mit zu vielen Assoziationen; es
ist keineswegs sicher, daß sich für Paulus mit dem Begriff ἐκκλησία auch die Vorstellungen vom endzeitlichen Gottesvolk und vom wahren Israel etc. verbinden; dies
ist auch zu sagen gegen Braun, Neues Licht auf die Kirche 41, der sich dabei auf K. L.
Schmidt stützt: »Die Kirche ist überall gegenwärtig, wo Gott sein Volk versammelt«.
Fraglich ist auch die Behauptung von K. L. Schmidt, Die Kirche des Urchristentums 318, »daß jede Einzelgemeinde als solche schon die über die Erde verbreitete
und sich verbreitende Gesamtgemeinde darstellt«, und dies »genau so gut wie die
jerusalemische«, von welcher er a. a. O. 317 sagt, daß »diese Einzelgemeinde kraft
ihres Anspruchs sofort die Gesamtgemeinde, die Kirche, geworden« sei.
    Welchen Inhalt der Begriff ἐκκλησία τοῦ θεοῦ bei Paulus hat, ist nur von seinen
eigenen Voraussetzungen her zu erheben.
    Festzuhalten ist zunächst nur dies, daß nach Auffassung aller Genannten jede
Einzel-ἐκκλησία die ἐκκλησία τοῦ θεοῦ darstellt; offen bleibt, in welchem Sinn.
    [1] Cerfaux a. a. O. 79: »Rien ne dit non plus qu' ›église‹ et ›Église de Dieu‹
soient synonymes«; a. a. O. 155: »L'ekklesia est très techniquement l'assemblée
du démos« ... »les assemblées chrétiennes ... sont des ›assemblées de Dieu‹ ...
des églises du Christ« (a. a. O. 156). Weil Paulus aber nur von letzteren sprechen
will, bleibt auch dort, wo er nur von ἐκκλησία spricht, τοῦ θεοῦ hinzuzudenken
(vgl. Schmidt, ThW III 509).
    [2] Ob Singular oder Plural: »le sens du mot est identique« (Cerfaux a. a. O. 144f).
    [3] Vgl. Schmidt a. a. O.
    [4] Cerfaux a. a. O. 145: »L'Église est la tenue de l'assemblée chrétienne, la réunion
actu de l'église locale«; vgl. Kattenbusch, Der Quellort der Kirchenidee 170 ff.
    [5] Gegen Schmidt a. a. O. 508, 18 ff.

chem Weg ihm dieser Begriff zugekommen ist, wird sich zwar kaum ausmachen lassen[1]; doch daß er ihn auf irgendeine Weise von der Jerusalemer Urgemeinde selbst überkommen hat, dürfte K. Holl unbestreitbar erwiesen haben[2]. Die Jesus-Gemeinde in Jerusalem lernte sich in einem, sie vom Judentum immer stärker ausgrenzenden Sinn als die wahre ἐκκλησία τοῦ θεοῦ verstehen[3] und scheint daraus eine besondere Rolle als »Vorort« und Mittelpunkt der Christenheit abgeleitet zu haben[4].

Gerade die Selbstbezeichnungen, die K. Holl namhaft macht, sind Ausdruck dieses Jerusalemer Selbstverständnisses[5]. Dazu gehörte auch das Wissen, ἡ ἐκκλησία τοῦ θεοῦ zu sein[6].

Möglicherweise verstand man das in einem universalen, repräsentativen Sinn. Sicher aber drückte diese Selbstbezeichnung die Ehrenstellung Jerusalems auf nachdrücklichste Weise aus; denn sie scheint zunächst Jerusalem vorbehalten

---

[1] Cerfaux konstruiert a. a. O. 144 einen möglichen Weg über Antiochia, doch ist das nicht mehr als eine Vermutung.

[2] Holl, Der Kirchenbegriff des Paulus 44–67, v. a. 45. 55 ff. 62; vgl. Braun, Neues Licht auf die Kirche 42.

[3] Vgl. K. L. Schmidt, Die Kirche des Urchristentums 302 ff. 317; Kümmel, Kirchenbegriff und Geschichtsbewußtsein 19 f.

[4] Holl hat a. a. O. 61 den Begriff »Vorort« im Sinn von »Mittelpunkt« geprägt (vgl. Schmidt a. a. O. 302). Er kennzeichnet damit das Jerusalemer Selbstverständnis; dementsprechend »entstehen nach der Vorstellung der Urgemeinde nicht ... neue selbständige Mittelpunkte, sondern nur Ableger der einen Gemeinde, die in Jerusalem ihren eigentlichen Sitz hat« (a. a. O. 56).
Mundle, Das Kirchenbewußtsein der ältesten Christenheit 29, widerspricht dieser Auffassung; kaum zu Recht.
Widersprechen wird man erst, wenn dieses Bild der Urgemeinde zur Schablone für die gesamte Urkirche wird, wie bei Gulin, Das geistliche Amt 302: »Das ist also das Bild der Urkirche nach dem Neuen Testament: eine mit einer rechtlichen und vor allem religiösen Autorität versehene Gemeinde, die Jerusalem als ihr Zentrum und die einzelnen Lokalgemeinden als ihre Ableger betrachtet hat«.
Holl ist an diesem Mißverständnis nicht ganz unschuldig; er sagt a. a. O. 63 von Paulus: »Jerusalem bleibt auch für ihn nicht nur der ideelle Ausgangspunkt, sondern der Mittelpunkt, zu dem sich alles andere nur wie der Umkreis verhält«.
Hier widerspricht ihm Wendland, Geist, Recht und Amt 299, nicht ohne Grund. Auch für Wendland ist Jerusalem zwar »leitender Vorort der Gesamtkirche«, aber er versteht die Vorortschaft als »geistlichen Vorrang« und dürfte darin dem paulinischen Verständnis besser gerecht werden. Für Wendland sind darum die Gemeinden nicht »Ableger der einen Gemeinde«, sondern: »Jede Gemeinde ist vielmehr Ekklesia wie die Urgemeinde selber« (a. a. O. 300) — eine Auffassung, die Holl an anderer Stelle selbst entwickelt: »War aber Christus in einer Gemeinde wirksam gegenwärtig, dann mußte sie auch als ἐκκλησία τοῦ θεοῦ im vollen Sinn gelten«. ... »Jerusalem verbleibt nur die Bedeutung eines Sinnbilds ... « (a. a. O. 64).

[5] Holl a. a. O. 59 ff: οἱ ἅγιοι, οἱ πτωχοί, οἱ ἐκλεκτοὶ τοῦ θεοῦ; auch in diesem Punkt widerspricht Mundle a. a. O. 26; doch vgl. die Zustimmung bei Kümmel, Kirchenbegriff und Geschichtsbewußtsein 16 ff; Kümmel versteht diese Selbstbezeichnungen der Urgemeinde als Ausdruck ihres Wissens, »Träger der Kunde von *dem eschatologischen Ereignis*« zu sein (a. a. O. 13, Hervorhebung von mir).

[6] Vgl. dazu Holl a. a. O. 45; Schmidt a. a. O. 302; Kattenbusch, Die Vorzugsstellung des Petrus 348; Asting, Die Heiligkeit im Urchristentum 152; Kümmel a. a. O. 19 f.

gewesen zu sein[1]. Paulus bestätigt dies, obwohl er und gerade weil er den Inhalt des Begriffs entscheidend verändert. Deutlicher als aus 1 Kor 15, 9; Phil 3, 6 geht aus Gal 1, 13. 22f hervor, daß die ἐκκλησία τοῦ θεοῦ, welche Paulus einst verfolgte, Jerusalem bzw. genauer αἱ ἐκκλησίαι τῆς ᾿Ιουδαίας waren, d. h. die Gemeinden im Umkreis von Jerusalem[2]. In dieser Ausweitung auf die ἐκκλησίαι τῆς ᾿Ιουδαίας liegt schon eine erste paulinische Modifikation der Rolle Jerusalems. Paulus weist über Jerusalem hinaus auf die Bedeutung der Erstgemeinden in ganz Judaia, um den Hoheitsanspruch Jerusalems zu korrigieren[3] — eine Tendenz, die sich durchgehend, vor allem aber beim Kollektenwerk für Jerusalem deutlich äußert. Für Paulus sind Jerusalem und die Gemeinden Judaias primär eine geistliche Größe. Wenn er 1 Thess 2, 14 ihre Nachahmung durch seine Gemeinde in Thessalonich hervorhebt, spiegelt sich darin die spezifisch paulinische Sicht der Dinge.

Diese ursprüngliche, von Paulus nicht bestrittene, aber modifizierte Selbstbezeichnung Jerusalems scheint sich an einigen Stellen im absoluten Gebrauch von ἡ ἐκκλησία bzw. αἱ ἐκκλησίαι erhalten zu haben. Daß τοῦ θεοῦ hinzuzudenken und daß auch das absolut gebrauchte ἡ ἐκκλησία niemals die Gesamtkirche, sondern immer nur eine bestimmte Gemeinde bzw. eine konkrete Gemeindeversammlung meint, wurde schon im ersten Abschnitt betont. Für beides liefert Phil 3, 6 einen Beleg. Wie in 1 Kor 15, 9 und Gal 1, 13 ist τοῦ θεοῦ zu ergänzen[4] und weist die Verfolgertätigkeit des Paulus auf die ἐκκλησίαι τῆς ᾿Ιουδαίας. Deren Abbreviatur dürfte — analog zu ἡ ἐκκλησία als Abbreviatur

---

[1] Vgl. Cerfaux a. a. O. 85: »... avait appartenu d'abord en propre à l'Église de Jérusalem«; vgl. auch a. a. O. 144; so auch schon Asting a. a. O. 152f, der zu Apg 18, 22 meint, hier sei sehr wahrscheinlich die Jerusalemer Gemeinde »ohne irgendwelche nähere Bestimmung ἡ ἐκκλησία genannt«, woraus man schließen dürfe, »daß die Gemeinde in Jerusalem einfach ἡ ἐκκλησία genannt worden ist«. Kümmel a. a. O. 20 hält dies für möglich: »es läge dann also ein analoger Fall vor wie bei der Bezeichnung ›die Heiligen‹, die auch einfach die Christen in Jerusalem bezeichnen konnte, weil auf diese Gemeinde der Titel zuerst angewandt worden war«. Er nennt a. a. O. A. 62 Zeugen für die Auslegung von Apg 18, 22 im Sinne von Asting.
Wichtiger noch ist, daß Kümmel a. a. O. 20 auch aus den Paulusbriefen Stellen anführt, die eine Selbstbezeichnung Jerusalems als ἡ ἐκκλησία τοῦ θεοῦ »wahrscheinlich« machen: 1 Kor 15, 9; Gal 1, 13. 22; Phil 3, 6; d. h. alle Texte, in denen Paulus sich als Verfolger »der Ekklesia Gottes« ausweist.
Zwar erlaubt nach Kümmel erst Mt 16, 17–19 »einen sicheren Schluß« dieser Art; aber das heißt doch zumindest, daß man rückschließend auch für Paulus einen solchen Sprachgebrauch annehmen darf.
[2] Zu Kümmel a. a. O. 20, nach dessen Auffassung Paulus an den genannten Stellen »von seiner Verfolgung der palästinischen ἐκκλησία τοῦ θεοῦ redet«, vgl. Cerfaux a. a. O. 81: »Tout se comprendrait bien si l'Église de Jérusalem s'était la première, donné le titre d'Église de Dieu et si c'était à la communauté primitive, que Paul songeait en s'accusant d'avoir persécuté l'Église de Dieu«.
[3] Es trifft also nicht ganz zu, wenn Cerfaux a. a. O. 86 meint, wo Paulus den Titel für Jerusalem bzw. die Gemeinden in Judaia gebrauche: »il se conforme simplement à l'usage établi«; Paulus übernimmt die Bezeichnung, nicht ohne die in ihr enthaltenen Vorstellungen und Ansprüche zu korrigieren.
[4] Einige Handschriften haben dieses Fehlen richtig empfunden und ergänzen θεοῦ (G 464 al vulg Ambst).

für Jerusalem als ἡ ἐκκλησία τοῦ θεοῦ — in einer Reihe von Stellen zu erblicken sein, die sich nicht einfach generell auf die ἐκκλησίαι πᾶσαι[1] zu beziehen scheinen. *1 Kor 11, 16* wehrt Paulus mögliche Einwände gegen seine Anordnungen zum Schleiertragen der Frauen beim Gottesdienst mit dem Hinweis ab, daß nicht nur ἡμεῖς[2] τοιαύτην συνήθειαν οὐκ ἔχομεν (nämlich: Frauen unverschleiert zu lassen), οὐδὲ αἱ ἐκκλησίαι τοῦ θεοῦ. Man wird es nicht für unmöglich halten dürfen, daß hier an eine normative Funktion der Gemeinden in Judaia erinnert wird, auch wenn die Sitte des Schleiertragens der Frauen beim Gottesdienst nicht eindeutig auf palästinensische συνήθεια verweist[3].

1 Kor 14, 33f wird — wiederum im Zusammenhang mit einer συνήθεια — das Verbot eingeschärft, daß die Frauen im Gottesdienst zu Wort kommen, ein Verbot, wie es ἐν πάσαις ταῖς ἐκκλησίαις τῶν ἁγίων bestehe. Wegen des πάσαις wird man geneigt sein, an eine, auch in den paulinischen Gemeinden, allgemein verbreitete Sitte zu denken, doch ist auch hier nicht auszuschließen, daß die ἐκκλησίαι τῶν ἁγίων an die Gemeinden um Jerusalem erinnern, zumal οἱ ἅγιοι möglicherweise eine ganz ähnliche Begriffsgeschichte durchlaufen hat wie ἡ ἐκκλησία[4].

Zu diesen Stellen fügt sich auch die Kollektengesandtschaft von *2 Kor 8, 16—24*, die Paulus seiner Gemeinde in Korinth im Blick auf »die Gemeinden« empfiehlt; denn gerade in diesem Text gab es ein bisher kaum lösbares Problem. Neben Titus, der sich als Leiter der paulinischen Kollektengesandtschaft herausstellen läßt, findet in V 18f ein namentlich nicht genannter Bruder Erwähnung, von dem es heißt, daß sein Lob wegen des Evangeliums bei allen Gemeinden verbreitet ist (vgl. V 18) und daß er ein χειροτονηθεὶς ὑπὸ τῶν ἐκκλησιῶν συνέκδημος sei, ein von den Gemeinden gewählter Reisebegleiter (V 19). Es würde der Eigenart der Kollekte in paulinischer Sicht und dem Gefälle dieser — teilweise eigenartigen — Empfehlung der Kollektengesandtschaft[5] am besten entsprechen, auch hier in den αἱ ἐκκλησίαι die Gemeinden in Judaia bzw. Jerusalem angesprochen zu finden. Auf diesem Hintergrund ließe sich am besten verstehen, weshalb Paulus hier seine Kollekte als eine χάρις — πρὸς τὴν αὐτοῦ τοῦ κυρίου δόξαν καὶ προθυμίαν ἡμῶν, eine »Gabe — zu des Herrn selbst Ehre und unserer Bereitwilligkeit« (V 19b) bezeichnet und der Korinther darauf hinweist, daß sie diesen Beweis ihrer Liebe εἰς πρόσωπον τῶν ἐκκλησιῶν erbringen (V 24). Nur Jerusalem bzw. den Gemeinden in Judaia gegenüber muß Paulus einen Beweis seiner Bereitwilligkeit erbringen. Der von den Gemeinden gewählte, Paulus begleitende Bruder, welchen dieser seiner Gemeinde in Korinth so weitschweifig empfiehlt, scheint — wenn man die paulinischen Tendenzen insgesamt betrachtet — ein Abgesandter Jerusalems gewesen zu sein, dessen Rolle Paulus jedoch in seinem Sinne herunterspielt.

---

[1] Vgl. zu diesem geläufigen Sprachgebrauch bei Paulus 1 Kor 4, 17; 7, 17; 14, 33f; 2 Kor 8, 18; 11, 28; 12, 13; Röm 16, 4. 16.

[2] Darunter könnten sowohl Paulus selbst als auch seine Gemeinden verstanden werden.

[3] Vgl. J. Weiß, 1 Kor 268; Lietzmann, 1 Kor 53.

[4] Vgl. Holl, Der Kirchenbegriff des Paulus 45. 59ff; Kümmel, Kirchenbegriff und Geschichtsbewußtsein 16ff. 19ff.

[5] Vgl. die Auslegung des Textes.

Zusammenfassend läßt sich sagen: Paulus übernimmt aus der Tradition den Begriff der ἐκκλησία τοῦ θεοῦ als einer anfänglichen Selbstbezeichnung Jerusalems[1]; doch er verändert den darin sich ausdrückenden Anspruch[2], indem er Jerusalem zusammenschaut mit den als Vorort der Christenheit gleich bedeutsamen ἐκκλησίαι τῆς Ἰουδαίας. Er läßt diese Selbstbezeichnungen Jerusalems bzw. der Gemeinden in Judaia in den gelegentlichen Abbreviaturen von ἡ ἐκκλησία und αἱ ἐκκλησίαι (τοῦ θεοῦ) noch erkennen; auch bestätigt er ihren Vorrang und ihre Vorbildfunktion für Gemeindesitten, aber nicht ohne sie als rein religiös-geistlichen Vorrang und ethische Vorbildlichkeit zu interpretieren[3]. Eine dritte Modifikation, die zum spezifisch paulinischen Gebrauch von ἐκκλησία τοῦ θεοῦ führt, zeigt 1 Thess 2, 14, wo Paulus spricht von τῶν ἐκκλησιῶν τοῦ θεοῦ τῶν οὐσῶν ἐν τῇ Ἰουδαίᾳ ἐν Χριστῷ Ἰησοῦ.

3. Der paulinische Repräsentationsgedanke

Welche Komponente — traditionsgeschichtlich betrachtet — den paulinischen ἐκκλησία-Begriff stärker geprägt hat, die hellenistische von der ἐκκλησία als Versammlung des δῆμος[4] oder die palästinensisch-jerusalemische von der ἐκκλησία τοῦ θεοῦ[5], ist schwer zu sagen[6]. Für beide finden sich, wie schon gezeigt wurde, hinreichend Belege.

---

[1] Vorschnell sieht Braun, Neues Licht auf die Kirche 44, in dieser Übernahme des ἐκκλησία-Begriffs durch Paulus eine Überwindung des Gegensatzes zwischen Paulus und Jerusalem, wie er von F. C. Baur, Paulus, der Apostel Jesu Christi, Stuttgart 1845; J. Réville, Les origines de l'Épiscopat, Étude sur la formation du gouvernement ecclésiastique au sein de l'Église chrétienne dans l'empire romain, Paris 1894; H. Monnier, La notion de l'apostolat des origines à Irénée, Paris 1903; W. Lütgert, Amt und Geist im Kampf (BFChTh 15), Gütersloh 1911 u. a. behauptet wurde.

[2] Mundle, Das Kirchenbewußtsein der ältesten Christenheit 28, betont, »daß Paulus an sich keineswegs beabsichtigt, sich zu den Uraposteln in Gegensatz zu stellen«. Das ist so nicht ganz zutreffend; seine eigenen Auffassungen gehen sehr wohl in manchen Punkten in eine andere Richtung; was Paulus jedoch immer zu vermeiden bemüht ist, ist der offene Konflikt mit Jerusalem, die Spaltung. Ebenso unrichtig ist es, wenn K. L. Schmidt, Die Kirche des Urchristentums 302 ff, für Petrus und Paulus denselben Kirchenbegriff konstatiert; vgl. ders., Le Ministère et les ministères 335. Zwar handelt es sich um den gleichen Begriff, aber die damit verbundenen Vorstellungen sind verschieden.

[3] Brun, Der kirchliche Einheitsgedanke 97, sieht das Verhältnis zu Jerusalem zu Recht »eher als ein religiös und moralisch autoritäres denn als ein kirchenrechtliches aufgefaßt«; doch entspricht das paulinischer Sicht, nicht dem Jerusalemer Selbstverständnis.

[4] Vgl. K. L. Schmidt, ThW III 502 ff, v. a. 516 ff; C. G. Brandis, Ἐκκλησία, in: Pauly–Wissowa V (1905) 2163 ff; Cerfaux, La Théologie de l'Église 143 ff. 155 ff.

[5] Kümmel, Kirchenbegriff und Geschichtsbewußtsein 20: »Daß Paulus den Terminus ἐκκλησία übernommen hat, ist zweifellos«; a. a. O. 19: »Daß dieser Begriff auf die Urgemeinde zurückgeht, ist sicher«.

[6] Daß Paulus selbst die Jerusalemer Selbstbezeichnung als ἡ ἐκκλησία τοῦ θεοῦ mit Hilfe des hellenistischen ἐκκλησία-Begriffs auf seine Gemeinden übertragbar machte, ist wohl möglich; 1 Thess 1, 1; 2, 14 (vgl. auch Gal 1, 2) könnten ein solches

Die *ἐκκλησία* entsteht auch für Paulus durch das *συνέρχεσθαι ἐν ἐκκλησίᾳ*, d. h. durch die Versammlung, die zusammenkommt, um *ἐκκλησία* zu sein, und sich in der Versammlung als *ἡ ἐκκλησία (τοῦ θεοῦ)* erfährt. Dabei ist kein Unterschied, ob es sich z. B. um eine *ἐκκλησία κατ᾽ οἶκον*[1] oder um die *ἐκκλησία ὅλη*[2] handelt, sofern sie nur *ἐπὶ τὸ αὐτό*[3], d. h. *ἐν ἐκκλησίᾳ*, »als Gemeinde«, zusammenkommen. So spricht Paulus dann allgemein nicht nur von der konkreten Versammlung der Gemeinde oder Teilen derselben, sondern überhaupt von der Gemeinde als *ἐκκλησία* bzw. im Plural von *ἐκκλησίαι*. Dies ist sogar der bei Paulus überwiegende Sprachgebrauch, so daß man den hellenistischen Einfluß nicht zu gering veranschlagen darf[4].

1 Thess 1, 1 und 2, 14 zeigen jedoch, daß solche *ἐκκλησίαι* für Paulus von Anfang an einen spezifischen — sie von den hellenistischen *ἐκκλησίαι* unterscheidenden — Charakter besitzen: sie sind *ἐκκλησία — ἐν θεῷ πατρὶ καὶ κυρίῳ Ἰησοῦ Χριστῷ* (1, 1) bzw. *ἐκκλησίαι — τοῦ θεοῦ ... ἐν Χριστῷ Ἰησοῦ* (2, 14). Diese theologische und christologische Charakterisierung der Gemeinde in dem ältesten literarischen Dokument des Paulus lassen eine Priorität der Übernahme des profanen hellenistischen *ἐκκλησία*-Begriffs als gänzlich unwahrscheinlich erscheinen[5]. Die Gemeinde ist für Paulus immer schon eine »Versammlung Gottes« und bestimmt durch ihren Herrn Jesus Christus. Dies aber gilt bei Paulus — und darin wird er sich von der Jerusalemer Auffassung unterscheiden — von jeder einzelnen Gemeinde. Jede *ἐκκλησία* ist *ἐκκλησία τοῦ θεοῦ*.

In den beiden genannten frühen Stellen aus 1 Thess ist diese für Paulus kennzeichnende Auffassung schon klar ausgeprägt. Im Vergleich mit späteren Briefen ist ihre Ausführlichkeit sogar auffällig. Das könnte darauf hinweisen, daß Paulus anfangs größeres Gewicht auf die Durchsetzung seiner Auffassung legen mußte, sie aber dann rasch durchzusetzen vermochte. Nach 1 Thess 2, 14 ist deutlich: es gibt für Paulus nicht etwa eine einzige *ἐκκλησία τοῦ θεοῦ*, sondern viele *ἐκκλησίαι τοῦ θεοῦ*. Schon hier ist zu sagen, daß auch nicht ihre Summierung die eine *ἐκκλησία τοῦ θεοῦ* ergibt[6], so wenig diese bei Paulus als der ideelle Zusammenschluß aller Gemeinden Gottes zu verstehen ist. Moderne Unterscheidungen wie Kirche (= Gesamtkirche) und Gemeinde (= Einzelgemeinde) sind für Paulus unanwendbar[7].

Übergangsstadium markieren. Es dürfte jedenfalls zu weit gehen, wenn Kümmel a. a. O. 20 bezüglich des Terminus *ἐκκλησία* behauptet, Paulus »setzt ihn als Selbstbezeichnung aller christlichen Gemeinden voraus«.

[1] 1 Kor 16, 19; Röm 16, 5; Phlm 2.
[2] 1 Kor 14, 23.
[3] 1 Kor 11, 20; 14, 23.
[4] Vgl. 1 Thess 1, 1; 1 Kor 4, 17; 6, 4; 7, 17; 11, 18; 12, 28; 14, 4. 5. 12. 19. 28. 34. 35; 16, 1. 19; 2 Kor 8, 1. 18. 23; 11, 8. 28; 12, 13; Gal 1, 2; Röm 16, 1. 4. 23; Phil 4, 15.
[5] Für das traditionsgeschichtliche Problem läßt sich von hier aus nur sagen, daß in der Zuhilfenahme des hellenistischen *ἐκκλησία*-Begriffs die entscheidende Voraussetzung zu sehen ist für die Antithese des paulinischen zum Jerusalemer *ἐκκλησία*-Verständnis.
[6] Vgl. Scheel, Zum urchristlichen Kirchen- und Verfassungsproblem 426 ff; K. L. Schmidt, Die Kirche des Urchristentums 318.
[7] Gegen Schmidt, ThW III 510 ff.

1 Thess 2, 14 bestätigt nicht nur unser bisheriges Ergebnis, wonach jede Gemeinde, ja selbst Hausgemeinde, ohne jede Einschränkung ἐκκλησία τοῦ θεοῦ ist; die Stelle zeigt überdies, in welchem Sinn der vielverhandelte paulinische Repräsentationsgedanke zu verstehen ist[1].

Solange man davon ausging, daß Paulus das Jerusalemer ἐκκλησία-Verständnis teile, Jerusalem als die ἐκκλησία τοῦ θεοῦ schlechthin werde in den einzelnen Gemeinden repräsentativ dargestellt, solange man also fälschlich auch für Paulus einen Oberbegriff »Gesamtgemeinde« bzw. »Gesamtkirche« postulierte[2], solange war es unmöglich, den spezifisch paulinischen Repräsentationsgedanken in den Blick zu bekommen. Sohms und v. Harnacks Kontroverse über Kirche und Gemeinden, die bis heute in immer neuen Modifikationen fortgeführt wurde, konnte so nie gelöst werden[3].

Für Paulus ist jede einzelne ἐκκλησία (auch jede ἐκκλησία κατ' οἶκον) als solche und in vollem Sinn Darstellung der ἐκκλησία τοῦ θεοῦ. Also nicht umgekehrt, so als ob die Gesamtkirche — repräsentiert durch die ἐκκλησία τοῦ θεοῦ in Jerusalem — in der Einzelgemeinde ihre Darstellung und Konkretion erfahre[4].

Von dieser Feststellung aus versteht sich der paulinische Sprachgebrauch, wie er 1 Thess 1, 1 und 2, 14 schon entfaltet vorliegt: eine jede christliche ἐκκλησία ist bestimmt ἐν θεῷ πατρὶ καὶ κυρίῳ 'Ιησοῦ Χριστῷ. Darin gründet ihre Eigenart und Würde. Diese Formulierung des Bestimmtseins der Gemeinde ἐν Χριστῷ 'Ιησοῦ (vgl. 2, 14 mit 1, 1), die später nur noch gelegentlich und verkürzt begegnet[5], ist immer mitzudenken, wo von der ἐκκλησία (τοῦ θεοῦ)

---

[1] Was bei Holl, Der Kirchenbegriff des Paulus 63f, nicht deutlich genug herausgestellt wird, formuliert Wendland, Geist, Recht und Amt 300, eindeutig: »Jede Gemeinde ist ... Ekklesia wie die Urgemeinde selber, und diese selbständige Würde, ihr pneumatischer Charakter, wird durch diese Abhängigkeit von dieser in keiner Weise aufgehoben«; die Abhängigkeit gegenüber Jerusalem ist eine geistliche, keine formal-juristische. Von den einzelnen Gemeinden gilt, daß sie »selber in vollem Sinne Kirche repräsentieren« (Wendland a. a. O. 289).

[2] Es ist nicht paulinische Auffassung, wenn Dahl, Volk Gottes 248f, — wie dies nahezu selbstverständliche Annahme auf der Folie des Holl und K. L. Schmidt Erarbeiteten geworden ist — sagt, der einzelne werde durch die Einzelgemeinde »ein Glied des gesamten Gottesvolkes, denn die Einzelgemeinde ist ja eine Vertretung und eine Darstellung der Gesamtkirche«; ähnlich Brun, Der kirchliche Einheitsgedanke 96.

[3] Vgl. dazu v. a. Linton, Das Problem der Urkirche; diese Problemgeschichte von 1932 bedürfte allerdings inzwischen einer Neubearbeitung und Fortführung.

[4] Tr. Schmidt, Der Leib Christi 123, hat diesen Sachverhalt am schärfsten erfaßt: »Die Lokalgemeinde ist ihm (Paulus) die sichtbare Darstellung der Gesamtgemeinde. Darin liegt zunächst, daß *nur* in der Einzelgemeinde die Kirche Gottes in Erscheinung tritt und greifbar wird« (Hervorhebung von mir). Auf die Unschärfen bei Holl, Der Kirchenbegriff des Paulus 63f; K. L. Schmidt, Die Kirche des Urchristentums 318; Bultmann, Kirche und Lehre 20; Dahl, Volk Gottes 248f, u. a., wurde mehrfach hingewiesen; sie spiegeln sich deutlich im Referat von Koehnlein, La notion de l'Église 361: »chaque communauté particulière est considerée comme si elle était la communauté totale«; bzw. a. a. O.: »elle est potentiellement le tout«. Auch Wendland hält a. a. O. 289 zu Unrecht fest an »Gesamtkirche« bei Paulus.

[5] Gal 1, 22 ἐν Χριστῷ (ohne τοῦ θεοῦ); Röm 16, 16 τοῦ Χριστοῦ; vgl. dazu Schmidt, ThW III 509, 17 ff.

gehandelt wird, nicht anders als die Bestimmung τοῦ θεοῦ (bzw. ἐν θεῷ πατρί — 1 Thess 1, 1) selbst.

Obwohl man also L. Cerfaux Recht geben muß, wenn er ἐκκλησία und ἐκκλησία τοῦ θεοῦ auseinanderzuhalten empfiehlt[1], wird man doch auch K. L. Schmidt nicht widersprechen können, daß jede ἐκκλησία, und sei sie noch so klein, eine ἐκκλησία τοῦ θεοῦ darstelle[2].

Den Beweis dafür, daß nach paulinischer Auffassung jede Gemeinde konkret eine ἐκκλησία τοῦ θεοῦ darstellt, kann man 1 Thess 2, 14 in zweifacher Weise entnehmen. Schon der Plural hatte gezeigt, daß es für Paulus viele ἐκκλησίαι τοῦ θεοῦ gibt[3] und nicht etwa eine ἐκκλησία τοῦ θεοῦ, die sich in den vielen ἐκκλησίαι darstellt. Der partizipielle Zusatz τῶν οὐσῶν ἐν τῇ Ἰουδαίᾳ, »welche sind in der Judaia«, verdeutlicht noch den paulinischen Repräsentanzgedanken: die ἐκκλησία τοῦ θεοῦ ist überall, wo immer Christen ἐν ἐκκλησίᾳ zusammenkommen, in der Judaia so gut wie in Galatien, Makedonien oder Korinth etwa. So findet der paulinische Repräsentanzgedanke in 1 Thess 2, 14 und den vergleichbaren Texten 1 Kor 1, 2 und 2 Kor 1, 1 am klarsten seinen Ausdruck; doch sind auch alle jene Stellen heranziehbar, an welchen die Näherbestimmung τοῦ θεοῦ fehlt, aber zu ergänzen ist, wie gezeigt wurde, und an welchen der partizipielle Zusatz (οὖσα ἐν) durch den einfachen Genitiv ersetzt ist, wie z. B. 1 Thess 1, 1: τῇ ἐκκλησίᾳ Θεσσαλονικέων[4]. Die mannigfachen Abwandlungen der Formeln von 1 Thess 1, 1; 2, 14, die sich an diesen Stellen zeigen, können das gefundene Ergebnis nicht beeinträchtigen.

Was sich in allen Paulusbriefen von Anfang an durchhält, ist ein der Jerusalemer Auffassung entgegengesetztes Verständnis der Einzelgemeinden als ἐκκλησίαι τοῦ θεοῦ: sie sind nicht Konkretion und Darstellung der durch Jerusalem repräsentierten einen ἐκκλησία τοῦ θεοῦ, sondern jede Gemeinde ist für sich und in vollem Sinn ἐκκλησία τοῦ θεοῦ.

4. Das Verhältnis der paulinischen Gemeinden zu Jerusalem

a) Antijerusalemische Tendenzen im paulinischen ἐκκλησία-Verständnis

Was sich aus dem Bisherigen zu dieser Frage ergibt, ist im Folgenden zu prüfen an den übrigen Texten, die das Verhältnis des Paulus und seiner Gemeinden zu Jerusalem beleuchten; doch scheint es, als ob schon den gewonnenen Einsichten prinzipielle Geltung zukäme.

---

[1] Cerfaux, La Théologie de l'Église 79; im Blick auf die hellenistische Komponente im paulinischen Verständnis der Gemeinde als ἐκκλησία τοῦ θεοῦ bekommt diese Unterscheidung ihr Gewicht.

[2] ThW III 508, 29 ff; bei Schmidt ist dieser Sachverhalt nur nicht differenziert genug herausgearbeitet; seine Bestimmung des Darstellungsgedankens bleibt ein verschwommenes Schwanken zwischen »Kirche« und »Gemeinde«.

[3] Vgl. dazu v. Harnack, Entstehung und Entwickelung 167: Es wird »von Anfang an . . . von Ekklesia im Plural gesprochen«.

[4] Vgl. ferner 1 Kor 16, 1. 19; 2 Kor 8, 1; Gal 1, 2. 22; Röm 16, 1.

Die Gemeinde von Jerusalem hat sich als ἡ ἐκκλησία τοῦ θεοῦ verstanden; sie scheint daraus nicht nur eine moralische Ehrenstellung abgeleitet, sondern eine Reihe von — möglicherweise auch rechtlichen — Ansprüchen erhoben zu haben[1]. Die Kollekte, die man Paulus nach Gal 2, 10 in Jerusalem auferlegte, wird allgemein als ein solcher Versuch gewertet[2]; aber auch die Tatsache selbst, daß Paulus nach Jerusalem reiste, um sein Evangelium den dortigen Autoritäten vorzulegen, damit er nicht »vergeblich liefe oder gelaufen wäre« (vgl. Gal 2, 2), wird man kaum anders verstehen können denn als Rücksicht auf die besondere Stellung der Jerusalemer Gemeinde[3].

Paulus greift deren Selbstverständnis als ἡ ἐκκλησία τοῦ θεοῦ auf, das er nicht grundsätzlich bestreitet, und bekennt mehrfach, Jerusalem »die (erste) Gemeinde Gottes« verfolgt zu haben. Doch in der Auseinandersetzung mit den Ansprüchen, die Jerusalem aus seiner Stellung abzuleiten begann, entwickelte Paulus sein eigenes Verständnis der ἐκκλησία τοῦ θεοῦ. Indem er das hellenistische Grundverständnis von ἐκκλησία als konkreter (Volks-)Versammlung zugrundelegt und es mit dem aus der Tradition übernommenen Jerusalemer Selbstverständnis als ἡ ἐκκλησία τοῦ θεοῦ verbindet, ergibt sich für ihn der neue Gedanke der ἐκκλησία τοῦ θεοῦ, die in jeder Versammlung ἐν ἐκκλησίᾳ entsteht. Wie sich im 2. Abschnitt zeigen ließ, finden sich bei Paulus nicht nur Spuren des Jerusalemer Selbstverständnisses, es läßt sich auch der Weg seiner Uminterpretation verdeutlichen. In Gal 1, 13. 22f, aber auch schon 1 Thess 2, 14 erscheint die paulinische Tendenz nahezu unverhüllt. Er spricht nicht von Jerusalem als ἡ ἐκκλησία τοῦ θεοῦ, die er verfolgt habe (vgl. V 13), sondern von ταῖς ἐκκλησίαις τῆς Ἰουδαίας ταῖς ἐν Χριστῷ (V 22) als den Verfolgten (vgl. V 23). Der Plural der Einbeziehung ganz Judaias ist hier ebenso absichtsvoll wie in 1 Thess 2, 14, wo gleichfalls von τῶν ἐκκλησιῶν τοῦ θεοῦ τῶν οὐσῶν ἐν τῇ Ἰουδαίᾳ geredet wird, deren Nachahmer die Thessalonicher geworden sind. K. L. Schmidt hält es für möglich, daß auch in den hier sich findenden christologischen Zusätzen »eine gewisse Spitze gegen die persönlich und örtlich versteifte Urjüngerhaltung« enthalten sein könne, so daß gegenüber der über-

---

[1] Gegen die Behauptung von Holl, Der Kirchenbegriff des Paulus 62: »Diese Gemeinde ist befugt und verpflichtet, ein Aufsichts- und selbst ein gewisses Besteuerungsrecht über die ganze Kirche auszuüben«, erhebt Kümmel, Kirchenbegriff und Geschichtsbewußtsein 53 A. 85, Einspruch: »Ich möchte nur bemerken, daß keinerlei Beweis für die Behauptung möglich ist, daß die Übernahme der Kollekte durch Paulus die Anerkennung eines *rechtlichen* Anspruchs der Urgemeinde gewesen sei, doch müßte die ganze Frage neu untersucht werden«. (Hervorhebung von mir).
[2] Paulus versucht zweifellos, den wahren Charakter dieser Jerusalemer Auflage zu verschleiern (vgl. Holl a. a. O. 59). Er hat sie »mehr als Liebes-, denn als Rechtsverpflichtung empfunden« (Mundle, Das Kirchenbewußtsein der ältesten Christenheit 26), zumindest stellt er sie so dar. Es geht entschieden zu weit und läßt die paulinische Interpretation gänzlich unberücksichtigt, wenn K. L. Schmidt, Die Kirche des Urchristentums 306f, zwischen Kollekte und Tempelsteuer der Juden eine Parallele zieht und behauptet, daß Paulus »diese seinen Gemeinden auferlegte Steuer« . . . und damit »eine sehr konkrete Rechtsbefugnis der Urgemeinde bejahte«.
[3] Holl dürfte Recht haben, wenn er a. a. O. 62f sagt: Paulus bewahrt sich »eine gewisse Ehrfurcht vor der Urgemeinde und vor Jerusalem und sucht dieses Gefühl (namentlich durch die Spende) auch auf seine Gemeinden zu übertragen«. Jerusalem bleibt für ihn geistlicher Vorort.

zogenen Autorität der Jerusalemer die einzige Autorität Christi als des Herrn seiner Gemeinden betont sei[1]. In jedem Fall erscheint an beiden Stellen der paulinische Gedanke der Repräsentation der ἐκκλησία τοῦ θεοῦ in den ἐκκλησίαι tendenziös gegenüber der Jerusalemer Auffassung. Die ausführlichen Kennzeichnungen seiner eigenen Gemeinden, wie sie sich aus 1 Thess 1, 1; 2, 14 erheben ließen, sind dann vermutlich Phasen der Durchsetzung dieses seines Verständnisses in seinen eigenen Gemeinden — gegen Jerusalem. Die späteren Briefe geben von einer harten Auseinandersetzung zwischen Paulus und Jerusalem (in diesem Punkt und überhaupt) nur wenig zu erkennen[2]. Paulus scheint sich durchgesetzt zu haben; zumindest in seinen und für seine Gemeinden. Das Gesagte will nicht einen offenen Gegensatz zwischen Paulus und Jerusalem behaupten; doch dürfte deutlich geworden sein, daß der jeweilige Ekklesia-Begriff bei allen Gemeinsamkeiten doch sehr verschieden ist[3].

Was Paulus gelten läßt, ist das Jerusalemer Selbstverständnis an sich, auch die ehrenvolle Stellung der Muttergemeinde, die er einst verfolgte, ihre geistliche Autorität und ihre religiöse Vorbildlichkeit[4]; aber was er bekämpft, sind die Folgerungen, die man in Jerusalem aus dieser Stellung zu ziehen versuchte. Für Paulus ist Jerusalem wohl die erste ἐκκλησία τοῦ θεοῦ, aber nicht die einzige, nicht die alle übrigen zusammenfassende; für ihn steht Jerusalem am Anfang, aber nicht im Mittelpunkt der ἐκκλησία τοῦ θεοῦ[5]; sie ist in seinem Verständnis nicht eine, und nicht eigentlich eine vorgegebene, sondern eine in jeder ἐκκλησία sich darstellende, genauer noch eine in den Gemeinden und durch deren Zusammenkommen erst zustande kommende, sich konstituierende[6].

---

[1] ThW III 511, 32f.

[2] Vgl. Gal 1. 2; 2 Kor 8. 9; Röm 15, 25ff. Zum Ganzen vgl. K. Karner, Die Stellung des Apostels Paulus im Urchristentum, in: ZSTh 14 (1937) 158: diese »läßt sich nicht so umschreiben, daß man einen möglichst tiefen Bruch zwischen ihm und den Uraposteln, bzw. der Urgemeinde annimmt«; ferner O. Kuss, Die Rolle des Apostels Paulus in der theologischen Entwicklung der Urkirche, in: MThZ 14 (1963) Heft 1, 1–59; Heft 2/3, 109–187; vgl. v. a. 35; jetzt auch ders., Paulus, Regensburg 1971, v. a. 53–59.

[3] Gegen K. L. Schmidt, Die Kirche des Urchristentums 310; ders., ThW III 510, 22ff.

[4] Am zutreffendsten beschreibt Cerfaux, La Théologie de l'Église 169f, diese »rôle de Jérusalem«: 1. »Jérusalem est le centre idéal de la diaspora d'églises fondées par saint Paul«. 2. »Jérusalem resterait le centre politico-religieux de l'Israel renouvelé«. »Les traditions de Jérusalem font loi«. 3. »Jérusalem y gagnait un empire religieux et la chrétienté des Gentils sauvait, en même temps que son unité, son attache vivante avec le centre du monothéisme et la pureté des moeurs«. »L'unité de l'Église était sauvegardée«.

[5] Gegen Holl, Der Kirchenbegriff des Paulus 63.

[6] Darum ist die Unterscheidung »unsichtbare — sichtbare Kirche« für Paulus nicht anwendbar; sein »Kirchenbegriff« ist streng an den konkreten, geschichtlich existierenden Gemeinden orientiert; vgl. Mundle, Das Kirchenbewußtsein der ältesten Christenheit 40: »Die wahrnehmbare, empirische Kirche als solche (ist) eine himmlische, jenseitige Größe«. Diese Identität des Geschichtlichen und Eschatologischen betont auch Beyschlag, Die christliche Gemeindeverfassung 51. Dagegen — kaum zu Recht — v. Harnack, Entstehung und Entwickelung 37: die ἐκκλησία »ist also eine himmlische Größe, d. h. im Grunde nicht Einzelgemeinde, sondern Erscheinung des Ganzen in dem Teil«; ähnlich Scheel, Zum urchristlichen

b) Antijerusalemische Tendenzen im Verständnis der Kollekte

Die antijerusalemischen Tendenzen, wie sie für den paulinischen ἐκκλησία Begriff aufgezeigt wurden, sind für das Problem der Kollekte seit langen bekannt[1]. Dennoch hat man den inneren Zusammenhang beider Problem stellungen zu wenig beachtet. Paulus kämpft in beiden Fällen nicht gegen berechtigte Ansprüche Jerusalems und seiner Autoritäten, wohl aber um die Selbständigkeit und Unabhängigkeit seiner Gemeinden[2]. Er verhindert mit seinem ἐκκλησία-Begriff ein — modern gesprochen — zentralistisches Kirchen verständnis, indem er ihm ein »zentripetales«[3] entgegensetzt, welches die volle Selbständigkeit der einzelnen Gemeinden wahrt, auch wenn ihnen in Jerusalem ein religiöses Zentrum gesetzt ist[4]. Wo jedoch — wie im Falle der Kollekte — die Gefahr der Verunselbständigung und mißbräuchlicher Abhängigmachung auftaucht, ist Paulus gezwungen, seine eigene Auffassung des Gemeinschafts verhältnisses zwischen seinen Gemeinden und Jerusalem zu verdeutlichen Davon geben die Kollektentexte, vor allem Gal 2, 10; 2 Kor 8. 9 und Röm 15, 25 ff Zeugnis. In Gal 2, 10 bleibt durch die knappe und verhaltene Formu lierung μόνον τῶν πτωχῶν ἵνα μνημονεύωμεν der wahre Charakter dieser Auf forderung seitens der Jerusalemer Autoritäten noch stark im Dunkel. Unter dem Vorzeichen des ἐμοὶ γὰρ οἱ δοκοῦντες οὐδὲν προσανέθεντο von V 6 bekomm jedoch das μόνον von V 10 verstärktes Gewicht; das Folgende muß demnach zumindest als »Auflage« verstanden werden, über deren rechtlichen oder rein religiösen Charakter sich allerdings von Gal 2, 10 her so wenig ausmachen läß wie über ihre Bedeutung für Paulus bzw. die Jerusalemer.

Umso deutlichere Konturen erhalten die mit der Kollekte für Jerusalem ver bundenen Probleme durch die Analyse von 2 Kor 8. 9 und Röm 15, 25 ff.

Als wichtigste lassen sich herausstellen: Für Paulus und seine Gemeinder ist die Kollekte eine διακονία εἰς τοὺς ἁγίους[5], eine Dienstleistung gegenübe Jerusalem. Wie anders man die Dinge in Jerusalem betrachtete, gibt Paulu

---

Kirchen- und Verfassungsproblem 415. 420 ff; v. Dobschütz, Die Kirche im Ur christentum 118; Müller – v. Campenhausen, Kirchengeschichte I 93: »für Paulu ist die Kirche . . . eine himmlische Größe«.

[1] Vgl. Holl a. a. O. 59 ff; bei Holl bleibt Jerusalem auch für Paulus »Mittelpunkt und »nicht nur der ideelle Ausgangspunkt«. Zutreffender wird es sein, mit Mundl a. a. O. 26 zu sagen, die Kollekte »wird von den Uraposteln als Anerkennung der Primates der Jerusalemer Gemeinde gedacht worden sein«; d. h. Jerusalem wollt sich auch Paulus gegenüber als »Mittelpunkt« der Kirche behaupten; die Auflag von Gal 2, 10 wird man nicht anders als in diesem Sinn verstehen können. Nur s behalten die paulinischen Versuche, die Kollekte in anderem Licht erscheinen z lassen, ihr Gewicht; sie ist für Paulus weder Liebesgabe noch Steuer, sondern »ein pneumatische Handlung, welche die Einheit der Kirche praktisch bezeugt und *de geistlichen Vorrang der Mutterkirche anerkennt*« (Wendland, Geist, Recht und An 299; Hervorhebung von mir).

[2] Vgl. Mundle a. a. O. 33: Paulus kämpft nicht gegen die Autorität der Uraposte »sondern um Bewegungsfreiheit und Gleichberechtigung neben ihnen«.

[3] Vgl. O. Bauernfeind, »Wachsen in allen Stücken«, in: ZSTh 14 (1937) 472.

[4] Wendland spricht a. a. O. 300 von einem »Verhältnis freier Gebundenheit« Jerusalem bleibt auch für Paulus Zentrum, aber rein religiöses, also nicht Zentrale

[5] Vgl. 2 Kor 8, 4; 9, 1. 12. 13; Röm 15, 31.

erst am Ende in 2 Kor 9, 12f zu erkennen, wo von der δοκιμὴ τῆς διακονίας ταύτης und von der ὑποταγὴ τῆς ὁμολογίας ὑμῶν die Rede ist, also von einer »Bewährung« und vom »Gehorsam« des Bekenntnisses, die sich in den Augen der Jerusalemer in der Kollekte ausdrücken und sie veranlassen werden, Gott zu preisen. Auch wenn Paulus abschwächend hinzufügt, daß sich der »Gehorsam des Bekenntnisses« auf das Evangelium des Christus richtet, so verdeckt er nur schwach, daß es auch ihm mit der Kollekte um einen Beweis seiner und seiner Gemeinden προθυμία, d. h. ihrer »Bereitwilligkeit« (vgl. 8, 19 b) gegenüber Jerusalem geht.

Wie in 9, 13 mit dem Hinweis auf den primär dem Evangelium und nur mittelbar Jerusalem, der Muttergemeinde, als Ausgangspunkt dieses Evangeliums geleisteten Gehorsam, versucht Paulus in dem ganzen Abschnitt 8, 1–15 — in teils verschachtelten Sätzen und Konstruktionen — jeden rechtlichen Aspekt der Kollekte im Sinn einer Anerkennung der Oberhoheit Jerusalems und seiner Autoritäten auszuschließen. Für ihn ist die Kollekte χάρις und κοινωνία; d. h. sie ist für ihn ein »Gnadenwerk«[1], dem ein Gnadengeschehen zugrundeliegt[2], und sie ist ein »Gemeinschaftswerk«[3], das dem Gemeinschaftswillen seiner Gemeinden entspringt und einen Erweis ihrer κοινωνία wie ihrer προθυμία, d. h. ihrer Bereitwilligkeit zur Gemeinschaft mit Jerusalem ausdrückt. In 9, 12 wird überdies die διακονία als λειτουργία expliziert und damit in die Nähe einer gottesdienstlichen Handlung gerückt. Es ist nicht anzunehmen, daß die Umständlichkeit dieser Werbung für die Kollekte und die Weitschweifigkeit ihrer theologischen Begründung noch aus der in 2 Kor 8. 9 nachwirkenden Verstimmung zwischen Paulus und der korinthischen Gemeinde herrühren[4]; jedenfalls ist dies nicht der einzige Grund; sie liegen weit mehr in der Kollekte selbst begründet. Paulus läßt keinen Zweifel daran, daß es bei dem Kollektenwerk entscheidend auf seine, seiner Mitarbeiter (vgl. 8, 16f) und seiner Gemeinden Bereitwilligkeit ankommt. Am Beispiel der Gemeinden Mazedoniens, deren vorbildliches Verhalten er den Korinthern als Ansporn vor Augen führt, hatte Paulus 8, 1–6 deutlich gemacht, wie sehr für ihn in der Kollekte das Verhältnis seiner Gemeinden zunächst einmal zu ihm selbst, ihrem Apostel, in Frage stand; sie ist — so betrachtet — eine Bestätigung seiner Bedeutung als des Apostels seiner Gemeinden, weit mehr als die Erfüllung einer durch Jerusalem auferlegten Verpflichtung. In der Kollekte schenken sich die Gemeinden Christus, aber auch ihrem Apostel[5].

Doch das ist, was Paulus so gut weiß wie seine Gemeinden, nur die eine Seite; denn die Kollekte hört trotz dieser paulinischen Interpretationen nicht auf, eine geschuldete Verpflichtung gegenüber Jerusalem zu sein.

---

[1] Vgl. 2 Kor 8, 7. 19.
[2] Vgl. 2 Kor 8, 1. 4. 6. 7; 9, 8. 14.
[3] Vgl. 2 Kor 8, 4; 9, 13.
[4] Die Auslegung von 2 Kor 8. 9 wird im ersten Teil nur z. T. aufgenommen, um den Umfang dieser Arbeit zu reduzieren; sie ist ein Teil meiner Arbeit über »Koinonia — Einheit bei Paulus«, in der das Verhältnis der paulinischen Gemeinden zu Jerusalem unter dem veränderten Aspekt der κοινωνία untersucht wird.
[5] Vgl. 2 Kor 8, 5.

Das bestätigt die Empfehlung der Kollektengesandtschaft in 2 Kor 8, 16–24.
Zwar handelt es sich um eine Gesandtschaft des Apostels; zwei der Gesandten
sind aus dem Kreis seiner Mitarbeiter genommen; doch ließ sich zeigen[1], daß
diesen beiden ein von den Gemeinden gewählter Begleiter beigegeben wurde,
dessen Rolle im Kollektenwerk mißdeutbar gewesen sein muß. Bei aller Empfehlung ist die paulinische Tendenz, ihn als seinen Gesandten auszugeben und
ihn Titus, dem vermutlichen Leiter der Gesandtschaft, förmlich zu unterstellen
(vgl. συνεπέμψαμεν δὲ μετ᾽ αὐτοῦ V 18), unübersehbar. Seine »Wahl durch die
Gemeinden« (vgl. V 19), die ihn zu einem offiziellen Begleiter des Paulus auf
der Kollektenreise macht[2], weist — wenn die Auslegung zur Stelle richtig ist —
ebenso nach Jerusalem wie die anschließenden Hinweise, daß das Kollektenwerk «zum Erweis unserer Bereitwilligkeit — natürlich gegenüber Jerusalem —
besorgt« wird (vgl. V 19 b) und die Gemeinde von Korinth ihren »Beweis der
Liebe« εἰς πρόσωπον τῶν ἐκκλησιῶν erbringen solle (vgl. V 24). Seine offizielle
Funktion als ἀπόστολος der Urgemeinde wird von Paulus nach Kräften heruntergespielt, nicht zuletzt dadurch, daß er ihm eine gegenüber Titus nachgeordnete Stellung zuteilt und die ihn autorisierende Bezogenheit auf Christus
herausstellt, nicht die auf Jerusalem (vgl. V 23 b). Die δόξα Χριστοῦ, welche
auf diesen von Paulus abgeschickten ἀπόστολοι ἐκκλησιῶν liegt, wird nicht von
den Gemeinden — auch nicht von Jerusalem — vermittelt, sondern haftet am
Auftrag selbst. Diese Einschränkungen der offiziellen Funktion des in V 18f
genannten Bruders sind vermutlich von der Absicht getragen, seine Beiordnung
gegen eine Überbewertung seitens Jerusalem, aber auch gegen eine mögliche
Mißdeutung in Korinth zu schützen[3].

Diese kurze Zusammenfassung der Auslegungsergebnisse von 2 Kor 8. 9
bestätigt also in vollem Umfang die Vermutungen K. Holls, daß in der Kollekte
eine Forderung Jerusalems zu sehen sei[4]. Paulus anerkennt hingegen zwar die
Verpflichtung seiner Gemeinden zur κοινωνία mit Jerusalem und zur Sorge für
»die Armen« der Urgemeinde[5], doch sucht er sie ihres rechtlichen Charakters

---

[1] Vgl. die Auslegung des Textes.

[2] Vgl. Lietzmann, 2 Kor 137.

[3] Der Hinweis auf die Abwehr möglicher Verdächtigungen, Paulus wolle sich
selbst bereichern, ist in diesem Zusammenhang zu sehen.

[4] Über den Charakter dieser Forderung ist damit noch nicht entschieden. Nach
Holl a. a. O. 62 handelt es sich um »ein Aufsichts- und selbst ein gewisses Besteuerungsrecht«; vgl. dazu K. L. Schmidt, Die Kirche des Urchristentums 305 ff;
»Steuer«; ders., ThW III 510f; Kattenbusch, Die Vorzugsstellung des Petrus 345;
»Art des Tributs«; Käsemann, Leib und Leib Christi 175: »Steuer«; ferner Saß,
Apostelamt und Kirche 119–125.

Brun, Der kirchliche Einheitsgedanke 95 ff, sieht in diesen Aussagen die Bedeutung Jerusalems und seiner ursprünglichen Leiter »in nicht zu rechtfertigender
Weise verschärft und verschoben«.

»Vielleicht hat man die Kollekte zur Bedingung der Anerkennung der heidenchristlichen Mission gemacht« (Mundle a. a. O. 26) oder machen wollen?

Wie immer die Forderung seitens Jerusalem bestimmt werden muß, Paulus versteht sie als Verpflichtung aus Dankbarkeit (vgl. Röm 15, 25 ff), und alles, was man
sicher sagen kann, ist, daß er mit der Kollekte »den geistlichen Vorrang der Mutterkirche anerkennt« (Wendland, Geist, Recht und Amt 299).

[5] Vgl. Gal 2, 10; Röm 15, 25 ff; nach Holl a. a. O. 59 ist die Rede von den Armen
»eine verhüllende Redeweise«.

durch eine Fülle theologischer Motivationen zu entkleiden. Seine eigene Sicht läßt sich aus 2 Kor 8, 19 b erheben: für ihn geschieht die Kollekte »zur Ehre des Herrn selbst und « — seine und seiner Gemeinden Freiheit und Unabhängigkeit betonend — »zum Erweis unserer Bereitwilligkeit «.

Dieses Ergebnis wird durch Röm 15, 25 ff noch erhärtet, obwohl der wirkliche Charakter der Kollekte hier noch stärker verschleiert erscheint. Wenn in V 26 — in offensichtlicher Verdeckung der eigentlichen Veranlassung der Kollekte — gesagt wird, die Gemeinden Mazedoniens und Achaias hätten »beschlossen«, κοινωνίαν τινὰ ποιήσασθαι, d. h. ein *gewisses* Gemeinschaftswerk zu veranstalten zugunsten der »Armen « unter den Heiligen in Jerusalem, kann man verstehen, weshalb Paulus die römische Gemeinde auffordert, in ihren Gebeten mitzukämpfen, daß seine διακονία — ἡ εἰς Ἱερουσαλήμ dort auch εὐπρόσδεκτος γένηται (vgl. V 30f). Paulus weiß um das Risiko in seiner Auffassung von der Kollekte.

c) *Κοινωνία* mit Jerusalem

Von κοινωνία war zwar auch 2 Kor 8, 4; 9, 13 schon die Rede, doch aus Röm 15, 25 ff läßt sich dieses paulinische Prinzip sehr viel besser verdeutlichen. V 27 nennt den Grundsatz, der bei Paulus in vielen Abwandlungen zu finden ist[1], wonach zwischen jenen, die geistige Güter empfangen, und jenen, die sie vermittelten, ein Schuldverhältnis entsteht. Dies gilt nach Röm 15, 27 insbesondere für die Heiden(gemeinden) gegenüber »den Heiligen von Jerusalem« (vgl. V 26), von denen sie Anteil empfingen an den geistigen Gütern, weshalb sie schuldig sind[2], ihnen mit den »fleischlichen «, d. h. irdischen zu dienen. Das Prinzip, das sich aus diesen Versen erheben läßt, ist das Prinzip κοινωνία, des wechselseitigen Anteil-gebens und Anteil-nehmens zum Zwecke des gemeinsamen Anteil-habens an allen Gütern, wie es noch deutlicher Gal 6, 6 formuliert ist.

Prinzipiell zu verstehen ist dieser Grundsatz wechselseitiger κοινωνία, weil er für das Gemeinschaftsverhältnis κατηχῶν — κατηχούμενος, d. h. Lehrer — Schüler[3] ebenso gilt wie für das Gemeinschaftsverhältnis zwischen Jerusalem,

---

[1] Vgl. 1 Kor 9, 11; Gal 6, 6; Phil 4, 10–20; Phlm 19.

[2] ὀφειλέται εἰσὶν αὐτῶν (V 27a), bzw. ὀφείλουσιν (V 27b); vgl. dazu Käsemann, Leib und Leib Christi 175: man muß κοινωνία »immer als Schuld-, Dienst- oder Gnadenverhältnis verstehen«. Die paulinischen Gemeinden stehen »der Muttergemeinde in Jerusalem nicht gleichgeordnet gegenüber. Diese ist im Gegenteil übergeordnete Autorität. Die Basis der κοινωνία mit ihr ist ein Schuldverhältnis«.

[3] Vgl. Gal 6, 6. Asting, Verkündigung 176, bemerkt zu Gal 6, 6 a. a. O. A. 56: »Schniewind (= J. Schniewind, Die Begriffe Wort und Evangelium bei Paulus, Bonn 1910, 22f) übertreibt ohne Zweifel, wenn er an dieser Stelle in dem Verbum κοινωνεῖν den ganzen Gemeinschaftsgedanken ausgedrückt findet. Andererseits übertreibt Seesemann in die entgegengesetzte Richtung, wenn er (Der Begriff κοινωνία im NT, BZNW 14 [1933] 99) behauptet, daß Paulus den Ausdruck κοινωνία nie in der Bedeutung von ›Gemeinschaft‹ = societas, ›Genossenschaft‹ gebraucht «.

Asting sieht eine Brücke im gemeinsemitischen Gedanken von der Bedeutung des Geschenkes für die Entstehung einer Gemeinschaft. »Mitteilsamkeit « führe zur Gemeinschaft, und im Gedanken des »Anteilhabens « selbst liege der Gemeinschaftsgedanke auf der Hand; er trete in Gal 6, 6 »in der ganzen Aussage in Erscheinung «.

der Muttergemeinde, von der die geistigen Güter ausgingen, und den Heidengemeinden, die diese empfingen.

Von diesem Prinzip κοινωνία her wird in Röm 15, 25 ff nicht nur die Kollekte selbst, sondern auch das in ihr sich konkretisierende Gemeinschaftsverhältnis mit Jerusalem interpretiert. Die κοινωνία, d. h. die Teilhabe, welche Jerusalem als Ausgangsort des Evangeliums an den geistigen Gütern gewährte (vgl. V 27), wird durch den Beschluß einer κοινωνία τις, eines Gemeinschaftswerkes gegenüber den Armen Jerusalems beantwortet[1].

Paulus steht zu dieser Verpflichtung seiner Gemeinden zur κοινωνία mit Jerusalem; was er zu verhindern bemüht ist, ist auch hier — wie bei der Durchsetzung seines Verständnisses der ἐκκλησία τοῦ θεοῦ und der Kollekte selbst — ein mögliches und in der Auflage von Gal 2, 10 vermutlich sich ausdrückendes Verständnis derselben. Schon der umschreibende Ausdruck κοινωνία, der auch für die Kollekte selbst gebraucht wird[2], soll das in der Kollekte sich äußernde Gemeinschaftsverhältnis zu Jerusalem mit anderen als mit rechtlichen Qualifikationen benennen. Damit werden die zu vermutenden Rechtsansprüche seitens Jerusalem uminterpretiert. Dasselbe geschieht auf andere Weise mit der Einschränkung κοινωνίαν τινά und durch die zweimalige, die Freiwilligkeit betonende Hervorhebung des »Beschlusses« seiner Gemeinden in ηὐδόκησαν (VV 26. 27). Auf diese Weise wird jeder Gedanke an eine auferlegte Steuer u. dgl. abgewehrt; die mit der Kollekte bewiesene κοινωνία anerkennt deren Geschuldetheit, zeigt aber auch, daß diese Anerkennung nicht erzwingbar, sondern nur in Freiheit zu leisten ist.

Auch die partielle κοινωνία, welche die Gemeinden beschlossen, bzw. der punktuelle Gemeinschaftserweis, welchen die Kollekte darstellt[3], sind gleichfalls keine Aufhebung jener generellen Verpflichtung, die das Prinzip κοινωνία beinhaltet. Es geht an sich um uneingeschränkte Partnerschaft[4], um einen Austausch von τὰ πνευματικά und τὰ σαρκικά (vgl. V 27 b) und darin um ein Verhältnis von Abhängigkeit und Gebundenheit. Diese aber ist für Paulus eine frei anzunehmende, keine rechtlich bestimmbare, weshalb er sein Prinzip κοινωνία in Röm 15, 25 ff nur geschützt durch Einschränkungen auf das Verhältnis seiner Gemeinden zu Jerusalem anzuwenden wagt.

Dennoch kann man nicht genug betonen, daß das Prinzip κοινωνία einen Schlüssel zum Verständnis nicht nur paulinischer »Kirchenpolitik«, sondern auch für das Zueinander von Amt und Gemeinde liefert. Darauf wird zurückzukommen sein.

---

[1] In κοινωνίαν τινά scheinen Anerkennung des grundsätzlichen Anspruchs Jerusalems und dessen Einschränkung sich zu mischen.

[2] Vgl. Röm 15, 26 κοινωνίαν τινὰ ποιήσασθαι. Nach Lohmeyer, Phil 17, bezeichnet κοινωνία »die ›Teilnahme‹, die der Einzelne an einem objektiven Wert gewinnt oder die er in gegenständlichem Akt einem ›Bruder‹ gewährt «; dies aufgreifend grenzt Käsemann, Leib und Leib Christi 174, κοινωνία als einen vorwiegend »objektiven Tatbestand« ab gegen ein »subjektiv-menschliches Verhältnis«.

[3] Auch wenn man τινά nicht als Einschränkung, sondern im Sinne von »irgendein«, »ein gewisses« versteht, ist die paulinische Tendenz, die generelle Verpflichtung zur κοινωνία durch einen aktuellen Gemeinschaftserweis als erfüllt hinzustellen, gewahrt; vgl. auch ἐν τοῖς σαρκικοῖς Röm 15, 27.

[4] Vgl. Gal 6, 6: ἐν πᾶσιν ἀγαθοῖς.

Zunächst ist festzuhalten, daß für Paulus die Urgemeinde von Jerusalem durchaus Anspruch hat auf die in der Kollekte sich konkretisierende κοινωνία seitens der heidenchristlichen Gemeinden[1]. Sie sind solche Gemeinschaft(-s-erweise) schuldig; doch ist ihm diese Schuldigkeit eine sittliche, nicht eine rechtliche Verpflichtung.

d) Übereinstimmung mit »den Geltenden« in Jerusalem

In der Verteidigung des paulinischen Apostolats und seines Evangeliums von Christus ließen sich dieselben Gemeinsamkeiten und Unterschiede zwischen Paulus und Jerusalem feststellen. Wir entnehmen im Folgenden dem Überblick über Gal 1. 2[2] die wichtigsten Gesichtspunkte, soweit sie das Verhältnis der paulinischen Gemeinden zu Jerusalem beleuchten bzw. die Stellung des Paulus zu »den Geltenden«. Wie hinsichtlich der ἐκκλησία τοῦ θεοῦ hat Paulus auch von seinem Apostelamt und von dem εὐαγγέλιον τοῦ Χριστοῦ (Gal 1, 7), das er nicht παρὰ ἀνθρώπου übernommen, auch nicht gelernt, sondern δι᾽ ἀποκαλύψεως Ἰησοῦ Χριστοῦ (1, 12) empfangen hat, eine eigene, mit der Jerusalemer nicht völlig übereinstimmende Auffassung. Zwar betont Paulus, daß an seiner Verkündigung auch ein ἄγγελος ἐξ οὐρανοῦ nichts ändern dürfte, ohne dem Fluch zu verfallen (vgl. V 8f), d. h. er ist von der Richtigkeit und Vollständigkeit seines Evangeliums völlig überzeugt. Dennoch geht er (vgl. Gal 2, 1 ff) εἰς Ἱεροσόλυμα, um den »Geltenden« das Evangelium, das er unter den Heidenvölkern predigte, auseinanderzusetzen (vgl. V 2 mit der Begründung: μή πως εἰς κενὸν τρέχω ἢ ἔδραμον). Man wird nicht annehmen dürfen, daß man ihn nach Jerusalem zitierte; er geht nach eigener Aussage κατὰ ἀποκάλυψιν, einer Offenbarung gemäß; und er geht nicht mit der Absicht nach Jerusalem, die »Geltenden« (vgl. VV 2. 6) zu Richtern über sein Evangelium oder sein Apostelamt zu machen. Was er sucht, ist die Demonstration der Einheit gegenüber den Bestreitern seines Evangeliums und seines Apostolats. Und das ist auch unstreitig das Ergebnis seiner Reise nach Jerusalem. Er erhielt von den in Geltung Stehenden keinerlei Auflage; sein Heidenapostolat findet einschränkungslose Anerkennung, und er scheidet von den »Säulen« der Urgemeinde (vgl. V 9) in völliger Übereinstimmung[3], mit einer klaren Bestätigung seiner Sendung für die Heidenmission.

Mit anderen Worten, sein aus Offenbarung empfangenes Apostelamt ist selbständig, und das ihm gleichfalls geoffenbarte Evangelium keiner Ergänzung oder Korrektur bedürftig; beide sind richtenden Instanzen, selbst der Autorität der Jerusalemer Urapostel entzogen. Dennoch legt Paulus Wert auf die Bestätigung der Übereinstimmung mit »den Geltenden«.

Unsere bisherigen Ergebnisse stimmen also überein:
Jerusalem und die dort geltenden Autoritäten haben auch für Paulus ihre

---

[1] Vgl. Käsemann, Leib und Leib Christi 175.
[2] Vgl. die Auslegung des Textes.
[3] Ohne aufdringliche Polemik gegen Petrus unterstreicht Paulus »die völlige Unabhängigkeit und Selbständigkeit« (v. Campenhausen, Kirchliches Amt 35) seines Apostolats; vgl. Goppelt, Die apostolische und nachapostolische Zeit 126.

Bedeutung[1]. Es gibt zwischen ihnen keine unüberbrückbare Kluft, keinen sie
offen trennenden Gegensatz. Paulus anerkennt die Autorität des Kephas, den
er nach Gal 1, 18 besucht, um ihn kennenzulernen, und den er im Sinn der
Tradition Gal 2, 7. 8 auch Πέτρος nennt, genauso wie er sich dem Urteil der
»Säulen« der Urgemeinde stellt. Das heißt aber nicht, daß er sein Verhältnis
zu ihnen als ein rechtliches Verhältnis der Unterordnung versteht. Es ist wohl
kein Zufall, daß in 2, 9 von der κοινωνία gesprochen wird, womit sein Verhältnis
zu Jerusalem analog dem seiner Gemeinden zu Jerusalem bezeichnet ist. Paulus
unterstreicht die Würde Jerusalems als Vorort der Christenheit und die Bedeutung der geltenden Autoritäten; was er verhindert, ist jedoch jeder Eindruck einer Abhängigkeit seines Evangeliums, seines Apostolats oder seiner
Gemeinden von der Urgemeinde oder »den Geltenden«. So vergißt er zwar
nicht, die von den Jerusalemern wohl anders gedachte Auflage der Kollekte
zu erwähnen (vgl. 2, 10), interpretiert sie aber in seinem Sinn als »Sorge für
die Armen«, die er und seine Gemeinden sich auch nach Kräften angelegen sein
ließen, wie er rückschauend betont.

Der im Galaterbrief ausgetragene Kampf des Paulus für sein Evangelium
(und seinen Apostolat) verdeutlicht also dieselbe Gemeinsamkeit, um die sich
Paulus Jerusalem gegenüber immer bemühte; zugleich aber läßt er keinen
Zweifel an der Eigenständigkeit des paulinischen Apostolats, seines Evangeliums und seiner Gemeinden, denen die Sorge um die Armen Jerusalems Anlaß
wird, ihre Dankbarkeit und ihre Bereitschaft zur κοινωνία mit der Urgemeinde
zu bekunden[2].

Auch die direkte Auseinandersetzung mit Kephas in Antiochia (vgl. Gal
2, 11–14) liefert keine Anhaltspunkte für eine grundsätzliche Differenz zwischen den beiden Aposteln. Das, woran Kephas gemessen »ein Verurteilter«
war, war das Evangelium. An diese Norm ist auch ein Apostel gebunden, weshalb Paulus es in seiner Geltung selbst gegen Kephas zu verteidigen sich gezwungen sieht. Der Zwischenfall von Antiochia hat daher zunächst nur ein
unbestreitbares Ergebnis: im Zuge der Verteidigung seines Evangeliums und
seines Apostolats kann Paulus auf diese Auseinandersetzung verweisen als auf
die härteste Probe, welcher die Unabhängigkeit sowohl seines Apostolats wie
seines Evangeliums unterworfen wurde; das heißt aber: Paulus bekam beides
von Kephas bestätigt[3]. Wahrheit und Unabhängigkeit seines Evangeliums und
seines Apostolats, um die es in der Apologie von Gal 1. 2 geht, bedeuten aber
zugleich Legitimität seiner Mission und Selbständigkeit seiner Gemeinden.

---

[1] Brun, Der kirchliche Einheitsgedanke 95, widerspricht Holls Auffassung, »die
Einheit der Kirche wäre ... in der Stadt Jerusalem und in dem dort vorhandenen
Apostolat lokal und amtlich verankert« gewesen; er verkennt dabei sowohl dieses
Jerusalemer Selbstverständnis wie die paulinischen Tendenzen, die sich eben
gegen solche Überschätzung richten, ohne die Bedeutung Jerusalems und »der
Geltenden« leugnen zu wollen und zu können. Vgl. dazu Mundle, Das Kirchenbe-
wußtsein der ältesten Christenheit 22. 42.

[2] Vgl. Wendland, Geist, Recht und Amt 300: »Verhältnis freier Gebundenheit«.

[3] Man muß annehmen, daß Kephas sein Vergehen einsah; denn Paulus berichtet
von diesem Zwischenfall doch offensichtlich, um die völlige Durchsetzung des ihm
offenbarten Evangeliums zu illustrieren.

Eine radikal antipetrinische Tendenz findet sich bei Paulus weder in Gal 1. 2, noch in 1 Kor 1, 12[1] oder 1 Kor 3, 22[2] oder sonstwo[3]. Für Paulus ist Kephas eine — wenn nicht die entscheidende Autorität der Jerusalemer Urgemeinde. Ihn sucht er auf, um ihn kennenzulernen (vgl. Gal 1, 18), er ist unter den »Säulen«, die seinen Apostolat, sein Evangelium, seine Mission anerkennen (vgl. Gal 2, 9), und hätte Kephas nicht auch für Paulus solches Gewicht besessen, hätte er nicht als Höhepunkt seiner Apologie von Gal 1. 2 davon berichtet, ausgerechnet gegen ihn die Wahrheit seines Evangeliums durchgesetzt und ihm ins Angesicht widerstanden zu haben (vgl. Gal 2, 11–14).

Aber diese Geltung des Kephas bleibt nach Auffassung von Paulus beschränkt auf Jerusalem und die ἀποστολὴ τῆς περιτομῆς (vgl. Gal 2, 8)[4], bzw. wie bei jedem Apostel: auf die Gemeinden, denen gegenüber er legitimerweise eine ἐξουσία als »ihr« Apostel besaß (vgl. 1 Kor 9, 1 f. 5). Von diesem paulinischen Grundsatz wird noch zu handeln sein.

e) Übernahme Jerusalemer παράδοσις und συνήθεια

Daß zwischen paulinischem Evangelium und Jerusalemer παράδοσις kein sachlicher Gegensatz besteht, hatten die Auseinandersetzungen von Gal 1. 2 zur Voraussetzung, und das bestätigen sie im Ergebnis.

Von dieser Jerusalemer παράδοσις spricht Paulus aber auch 1 Kor 15, 1–5 und präzisiert ihr Verhältnis zu seinem Evangelium. Nach Gal 1, 12 stammt sein Evangelium aus Offenbarung; dieses empfangene, keiner Ergänzung bedürftige Evangelium hat er gepredigt (vgl. 1 Kor 15, 1), hat er den Jerusalemer Autoritäten vorgelegt (vgl. Gal 2, 2) und gegen die Bestreiter sowohl wie gegen die Verfälschung durch Kephas verteidigt (vgl. Gal 1. 2). Es ist so festzuhalten, wie es von Paulus gepredigt wurde[5].

Ist es also gleichwohl nicht aus der Überlieferung übernommen, steht es doch nicht in Gegensatz zu ihr; zwischen beiden herrscht vielmehr sachliche Übereinstimmung (vgl. 1 Kor 15, 1–3). Paulus betont sogar gegenüber den Korinthern, ἐν πρώτοις, d. h. entweder »in den Anfängen« oder »in erster Linie«, »als Wichtigstes« sie mit der Jerusalemer παράδοσις bekannt gemacht zu haben. Sein Evangelium hat die Jerusalemer Überlieferungen[6] aufgenommen.

---

[1] Was es um die Erwähnung des Kephas an dieser Stelle auf sich hat, bleibt dunkel; daß es eine Kephaspartei in Korinth gegeben habe, ist nicht zu erweisen, auch nicht wahrscheinlich. Es ist eher anzunehmen, daß gewisse Leute das Ansehen des Kephas ausspielten gegen Paulus, ohne daß damit ein Gegensatz beider behauptbar würde.

[2] Man könnte aus der Stellung von Kephas hinter Paulus und Apollos allenfalls schließen, daß sich in Korinth nur eine kleine Minderheit ausdrücklich zu ihm bekannte.

[3] 1 Kor 9, 5; 15, 5 verraten vielmehr eine durchaus positive Wertschätzung des Kephas.

[4] Vgl. dazu Wilkens, ThW VII 732 (zu στῦλος).

[5] Vgl. τίνι λόγῳ (1 Kor 15, 2).

[6] Vgl. zu 1 Kor 15, 3–5 als Jerusalemer Urkerygma: Holl, Der Kirchenbegriff des Paulus 45 ff; Mundle, Das Kirchenbewußtsein der ältesten Christenheit 22; Kümmel, Kirchenbegriff und Geschichtsbewußtsein 7 ff.

Ähnlich erinnert Paulus 1 Kor 11, 23 ff an übernommene παράδοσις, um den Korinthern den Sinn ihres Zusammenkommens ἐν ἐκκλησίᾳ zu erläutern, d. h. genauer, ihrer Zusammenkünfte als Gemeinde Gottes, mit der Absicht, das κυριακὸν δεῖπνον φαγεῖν (vgl. V 20). Zwar wird an dieser Stelle hinter die Jerusalemer παράδοσις zurückgegriffen auf ihren Ursprung ἀπὸ τοῦ κυρίου (V 23), aber sachlich ist nichts anderes gemeint als in 1 Kor 15, 3: Paulus übernahm urgemeindliche Traditionen[1].

Das ist für Paulus überhaupt die wichtigste Funktion der Urgemeinde: Jerusalem und seine führenden Autoritäten, Kephas, die Säulen, die Zwölf, sind Ursprung und Garanten der Überlieferung[2]. An dieser religiösen Bedeutung Jerusalems und »der Geltenden« hat Paulus nie gerüttelt. Ihre παράδοσις ist normativ, ihre συνήθεια der Beachtung wert (vgl. 1 Kor 11, 16)[3].

5. Einzelgemeinde und »Gesamtkirche«

Nach unserem Ergebnis kann man die Feststellung von L. Cerfaux nicht nachdrücklich genug unterstreichen: »La notion de ›peuple de Dieu‹ est une chose, et l'histoire du mot ›église‹ une autre«[4]; d. h. der Gedanke vom »Volk Gottes« ist mit der »Kirche« nicht identisch[5]. Beide haben eine völlig verschiedene Begriffsgeschichte durchlaufen[6]. Es konnte aber gezeigt werden, daß diese Unterscheidung noch nicht genügt; denn man muß fortfahren: das Jerusalemer Verständnis der ἐκκλησία τοῦ θεοῦ »est une chose«, das paulinische »une autre«. Zwar konnten wir die Jerusalemer Auffassung nur indirekt aus dem paulinischen Sprachgebrauch und den zum Verhältnis der paulinischen Gemeinden zu Jerusalem erörterten Problemkreisen erschließen, aber daraus ergab sich, daß der Jerusalemer Begriff von der ἐκκλησία τοῦ θεοῦ zentralistisch, statisch zu nennen ist, wobei Jerusalem als die ἐκκλησία τοῦ θεοῦ, d. h. als Vorort und Repräsentantin der Gesamtekklesia verstanden sein wollte und daraus entsprechende Konsequenzen abzuleiten versuchte[7].

---

[1] 1 Kor 11, 16 könnte wie 1 Kor 14, 33 f ein Hinweis darauf sein, daß Paulus auch συνήθεια, d. h. Gewohnheitsrecht von Jerusalem übernahm.

[2] Vgl. Kümmel, Kirchenbegriff und Geschichtsbewußtsein 13: Die Urgemeinde versteht sich als »Träger der Kunde von *dem eschatologischen Ereignis*« und dieses Kerygma legt Paulus »als gemeinsame Überzeugung aller Christen in seinen Briefen zugrunde« (Hervorhebung von mir).

[3] Menoud, L'Église 15: »Paul manifeste le même souci de marcher d'accord avec Jérusalem dans les questions relatives à la vie de l'Église«. Er nennt Paulus aus diesem Grund einen »homme ecclésiastique«.

[4] Cerfaux, La Théologie de l'Église 79.

[5] Gegen H. Schlier, Zu den Namen der Kirche in den paulinischen Briefen, in: Unio Christianorum (Festschrift für Erzbischof L. Jaeger), Paderborn 1962, 147–159, besonders 147–152. Er nennt ἐκκλησία einen »erfüllteren Begriff, in dem das, was ›Volk Gottes‹ meint, aufgehoben ist« (a. a. O. 148).

[6] Oepke, Leib Christi oder Volk Gottes bei Paulus 363–368, versucht eine ähnliche Abgrenzung zweier verschiedener Vorstellungen; doch wird bei ihm das Gemeinsame überzeichnet.

[7] Vgl. Holl, Der Kirchenbegriff des Paulus 45 f. 61 f.

Demgegenüber entwickelte Paulus, obwohl er denselben, der Tradition entnommenen Begriff benützte, ein konkurrierendes ἐκκλησία-Verständnis, das er gegen das Jerusalemer durchzusetzen unternahm. Seinen ἐκκλησία-Begriff könnte man kontrastierend als zentripetal, dynamisch bezeichnen; denn die Grundlage seines ἐκκλησία-Verständnisses bildet die konkrete, die sich versammelnde Gemeinde. Sie ist, wo immer man ἐν ἐκκλησίᾳ sich versammelt, Darstellung der ἐκκλησία τοῦ θεοῦ. Sie ist selbständig und mit Jerusalem nur durch das Band der κοινωνία verbunden.

Diese grundlegende Unterscheidung könnte zur Folge haben, daß die gegenwärtig stagnierende Auseinandersetzung zum Problem Kirche — Gemeinde — Gemeindeordnung neu in Gang kommt. Denn mit Hilfe dieser fundamentalen Unterscheidung läßt sich eine bisher nicht nachhaltig genug bestrittene Voraussetzung als falsch erweisen: der latente Gegensatz zwischen Kirche und Gemeinden bei Paulus.

Paulus kennt keine Gesamt-»Kirche«.

Um dieses Ergebnis zu erhärten, überprüfen wir jene Stellen, die einen Zweifel an dieser These aufkommen lassen könnten.

Von den Texten, die vom »Kirchen«-verfolger Paulus handeln, wurde gezeigt, daß sich hier ἐκκλησία (τοῦ θεοῦ)[1] mit großer Wahrscheinlichkeit auf Jerusalem bzw. die Gemeinden in Judaia bezieht[2]. Dieser konkrete Sprachgebrauch entspricht dem üblichen bei Paulus. Phil 3, 6, wo in solchem Zusammenhang nur von ἡ ἐκκλησία gesprochen wird, macht keine Ausnahme und ist analog zu verstehen.

1 Kor 6, 4; 10, 32 und 11, 22 kann man in eine Gruppe zusammenfassen.

Das absolut gebrauchte ἡ ἐκκλησία (τοῦ θεοῦ) könnte man an diesen Stellen im Sinn der »Gesamtkirche« verstehen; doch liegt es wesentlich näher, die Stellen aus dem Kontext heraus konkret auf Korinth zu beziehen. In der Gemeinde von Korinth hat man Richter bestellt, die bei »der Gemeinde« verachtet sind (vgl. 6, 4); die Korinther sind es, die aufgefordert werden, unanstössig zu sein — nicht nur vor Juden und Griechen — auch vor »der Gemeinde Gottes« (vgl. 10, 32), und sie werden gefragt, ob sie »die Gemeinde Gottes« verachten (vgl. 11, 22). Nichts zwingt, an eine abstrakte ἐκκλησία (τοῦ θεοῦ) zu denken, immer bleibt der konkrete Bezug zur korinthischen Gemeinde gewahrt: Sie ist selbst die verachtete ἐκκλησία τοῦ θεοῦ. Sonst würde Paulus in 11, 22 nicht ganz situationsbezogen auf die korinthischen Verhältnisse fortfahren: καὶ καταισχύνετε τοὺς μὴ ἔχοντας?[3] Die genannten Stellen sind also weit eher ein Beweis unserer These, wonach das typisch Paulinische der Redeweise von der ἐκκλησία τοῦ θεοῦ eben darin besteht, daß jede Gemeinde für sich ἐκκλησία τοῦ θεοῦ ist, die sich um geeignete Richter kümmern, vor der man unanstößig sein und die vor der Verachtung geschützt werden muß.

---

[1] Gal 1, 13; 1 Kor 15, 9; Phil 3, 6. Cerfaux sagt a. a. O. 147 zu diesen Stellen, wo von Jerusalem die Rede sei, »on ne peut sans plus, identifier celle-ci avec une Église universelle«; vgl. Blank, Paulus und Jesus 240 ff.

[2] Vgl. Gal 1, 13 und 1, 22; dazu Cerfaux a. a. O. 81 und Kümmel, Kirchenbegriff und Geschichtsbewußtsein 20.

[3] Cerfaux betont a. a. O. 84 gerade im Blick auf diese Fortführung: »ce n'est nullement l'Église universelle«.

Eine weitere Gruppe bilden 1 Kor 11, 16 und 14, 33f, wo im Plural von αἱ ἐκκλησίαι τοῦ θεοῦ gesprochen wird bzw. den πάσαις ταῖς ἐκκλησίαις τῶν ἁγίων. Aber es bedarf keines Beweises, daß es sich hier nicht um die eine »Gesamtkirche« handelt, sondern entweder um einen generellen Sachverhalt, der für »jede Gemeinde Gottes« bzw. »der Heiligen« Geltung beansprucht, oder — was immerhin möglich und für 11, 16 sogar wahrscheinlich zu machen ist — um die ἐκκλησίαι τῆς Ἰουδαίας (bzw. τῶν ἁγίων)[1], in deren Vorbild Paulus diese und jene συνήθεια begründet.

Bleibt als schwierigste und umstrittenste Stelle, an der sich unsere These zu bewähren hat, aber auch ihre größte Bedeutung gewinnt: *1 Kor 12, 28.*

Καὶ οὓς μὲν ἔθετο ὁ θεὸς ἐν τῇ ἐκκλησίᾳ πρῶτον ἀποστόλους . . . Man ist bisher nahezu nahezu selbstverständlich davon ausgegangen[2], daß an dieser Stelle nur die Gesamtkirche gemeint sein könne[3]; in ihr habe Gott »erstens« Apostel, »zweitens« Propheten, »drittens« Lehrer eingesetzt. Mit A. v. Harnack hat man diese Trias von Ämtern als ideell gesamtkirchlich bezeichnet, »im Gegensatz zu den Episkopen und Diakonen, die als gewählte Verwaltungsbeamte den Einzelgemeinden dienten«[4]. Harnack »kannte somit eine doppelte Organisation«: die der Lehre und die der Verwaltung, eine gesamtkirchliche und eine gemeindebezogene[5]. Umgekehrt betrachtete R. Sohm sowohl die ἐκκλησία τοῦ θεοῦ wie auch die genannten Ämter und Funktionen als gesamtkirchlich und rein religiös[6]. Die Einzelgemeinde als solche verlor ganz ihre Bedeutung[7]. Auf diesen Grundthesen wurden mannigfache Theorien aufgebaut. Sie würden sich erledigen, wenn die Voraussetzung als falsch erwiesen wäre, daß ἡ ἐκκλησία in 1 Kor 12, 28 die Gesamtkirche meine. Dieser Sprachgebrauch wäre, wie sich aus dem Vorhergehenden ergab, singulär, so daß von vornherein zu fürchten ist, daß er die ihm zugemutete Beweislast nicht zu tragen vermag.

L. Cerfaux hat jedoch Gründe zusammengetragen, die es geradezu zwingend nahelegen, in 1 Kor 12, 28 ἡ ἐκκλησία im Sinn der (Einzel-)Gemeinde zu verstehen[8]. Er fragt mit Recht: »Faut-il, dans les grandes épîtres déjà, admettre

---

[1] Vgl. Cerfaux a. a. O. 82: »on a des raisons de croire que l'expression ›Église des Saints‹ désigne elle-même les communautés de Judée«.

[2] Cerfaux a. a. O. 147: »un cas auquel on attribue souvent une évidence indiscutée«; vgl. Linton, Das Problem der Urkirche 141, der die Einwände (Paulus gehe prinzipiell von der konkreten Einzelgemeinde aus) abtut mit einem ungeprüften Hinweis u. a. auf 1 Kor 12, 28.

[3] Vgl. z. B. Soiron, Die Kirche als der Leib Christi 77, der völlig unbegründet von 1 Kor 12, 28 behauptet: »ἐν τῇ ἐκκλησίᾳ erweitert seine (des Paulus) bisherigen Ausführungen auf die ganze Kirche und damit auch den Begriff des ἐν σῶμα«.

[4] Kredel, Der Apostelbegriff in der neueren Exegese 186; vgl. v. Harnack, Die Lehre der zwölf Apostel 98–110, v. a. 104, und 145–149; ders., Entstehung und Entwickelung 18f. 155–173.

[5] Kredel a. a. O.

[6] Sohm, Kirchenrecht I 16–22; ders., Wesen und Ursprung des Katholizismus 26–68; ferner Scheel, Zum urchristlichen Kirchen- und Verfassungsproblem 403–457. Dazu Kredel a. a. O. 186–191.

[7] Vgl. Müller – v. Campenhausen, Kirchengeschichte I 93f; dazu die Kritik v. Harnacks an Sohm, daß »bei Ekklesia niemals an eine Ortskirche zu denken« wäre (v. Harnack, Entstehung und Entwickelung 130ff).

[8] Cerfaux a. a. O. 147 ff.

un développement sémantique conduisant le terme ἐκκλησία à la signification d'Église universelle ?«[1] Wie wenig das anzunehmen ist, beweist der einheitliche Gebrauch von ἐκκλησία und ἐκκλησίαι im 1 Kor[2], wobei nur an den besprochenen Stellen 1 Kor 6, 4; 10, 32; 11, 22 überhaupt ein Zweifel möglich wäre an der Bedeutung »Gemeinde «.

Der Kontext von 1 Kor 12, 28 handelt in Kapitel 11–14 ausschließlich von der konkreten ἐκκλησία von Korinth bzw. dem συνέρχεσθαι ἐν ἐκκλησίᾳ (vgl. 11, 18) und den in den Gemeindeversammlungen aufgetretenen Problemen[3]. Nachdem Paulus in 11, 17–34 die Mißstände bei den Mahlversammlungen angeprangert und der Gemeinde den Sinn ihres Zusammenkommens neuerlich verdeutlicht hat, spricht er im 12. Kapitel von den Dingen des Geistes bzw. den Geistbegabten. Seine Argumentation in Kapitel 12 ist von Anfang an prinzipiell, obwohl kein Zweifel bestehen kann, daß Paulus die konkrete Gemeindesituation in Korinth vor Augen hat, die nach Kapitel 14 von einem Rangstreit der Pneumatiker bestimmt ist. Man hält in Korinth die Glossolalie für die wirkungsvollste und bedeutendste Äußerung des πνεῦμα, wogegen Paulus — was allgemein zugegeben wird — der Glossolalie nicht erst in Kapitel 14 ihren rechten Ort zuweist, sondern sie schon in den Charismenaufzählungen von 12, 8–10 und 12, 28–30 absichtsvoll zurückstuft.

Im unmittelbaren Kontext des 12. Kapitels veranschaulicht Paulus das Zueinander der Gemeindeglieder mit ihren verschiedenen Zuteilungen von χαρίσματα[4] mit dem Verhältnis der Glieder eines Leibes zueinander[5] und schließt in V 27: ὑμεῖς δέ ἐστε σῶμα Χριστοῦ καὶ μέλη ἐκ μέρους. Es kann nicht zweifelhaft sein, daß Paulus mit ὑμεῖς die konkrete Gemeinde in Korinth anspricht: sie ist σῶμα Χριστοῦ und nach Teilen betrachtet sind sie Glieder.

Wenn Paulus nun fortfährt καὶ οὓς μὲν ἔθετο ὁ θεός ..., ist der Anschluß mit καὶ οὓς μέν[6] so unmittelbar auf ὑμεῖς bezogen, daß zu einen Wechsel des konkreten ἐκκλησία-Verständnisses eigentlich nicht zu denken ist[7]. Dasselbe beweist die Parallelität der Formulierungen ὑμεῖς δέ ἐστε σῶμα Χριστοῦ καὶ μέλη ἐκ μέρους. Καὶ οὓς μὲν ἔθετο ὁ θεός (12, 27 f) zu νῦν δὲ ὁ θεὸς ἔθετο τὰ μέλη, ἓν ἕκαστον αὐτῶν ἐν τῷ σώματι καθὼς ἠθέλησεν (12, 18). In beiden Fällen wird von den μέλη τοῦ σώματος ihre Setzung durch Gott hervorgehoben, in beiden Fällen ist σῶμα konkret zu verstehen; im Bild vom Leib wie in der dem Bild

---

[1] A. a. O. 146.
[2] Cerfaux a. a. O. 147: »Dans le contexte de 1 Cor, ἐκκλησία prend très souvent le sens d'assemblée ou réunion. Pourquoi ne pas le lui donner ici encore?«
[3] Cerfaux a. a. O. 148: »Le but de Paul, dans ces Chapitres XII–XIV, est en effet de rétablir l'ordre et l'unité dans l'Église de Corinthe. Il ne s'occupe pas immédiatement de l'unité de l'Église universelle«.
[4] Vgl. 1 Kor 12, 4 ff. 7. 8–10. 11.
[5] Vgl. 1 Kor 12, 12 a. 14–26, v. a. 18.
[6] Der Absatz, den Nestle in seinem Druck macht, ist sachlich unbegründet.
[7] Cerfaux a. a. O. 148: »Quand il a développé la comparaison du corps et des membres, il conclut donc: ›Vous (les Corinthiens), vous êtes le corps du Christ‹«. »Et il peut continuer immédiatement: Et ainsi, dans votre assemblée, il y a des fonctions et charismes divers, qui s'ordonnent hiérarchiquement comme les membres du corps (1 Cor 12, 27 ff)«.

entsprechenden Wirklichkeit des σῶμα Χριστοῦ, der Gemeinde von Korinth[1]: ὑμεῖς δέ ἐστε σῶμα Χριστοῦ, dessen Glieder ἔθετο ὁ θεός. Ist demnach der konkrete Bezug auf Korinth nicht zu leugnen, so daß man mit L. Cerfaux sagen möchte: »Il faudrait des raisons évidents pour fair, sur le terrain grec et à l'occasion de querelles locales, le passage sémantique de l'église locale à l'Église universelle«[2]; so ergibt sich doch eine Schwierigkeit durch die Fortführung πρῶτον ἀποστόλους; denn es ist nicht anzunehmen, daß es in einer Gemeinde viele oder mehrere Apostel gab. Es wurde aber schon darauf hingewiesen, daß Paulus im 12. Kapitel von Anfang an prinzipiell argumentiert; man vgl. 12, 1: περὶ δὲ τῶν πνευματικῶν; 12, 4 ff: διαιρέσεις δὲ χαρισμάτων εἰσίν ... διακονιῶν εἰσιν ... ἐνεργημάτων εἰσίν. Auch das Bild vom Leib (vgl. 12, 12–26) hat allgemeine Bedeutung, und es könnte nicht nur von Korinth gesagt werden: ὑμεῖς δέ ἐστε σῶμα Χριστοῦ. Bild und Anwendung sind also konkret und doch prinzipiell. Was von Korinth gilt, gilt von jeder Gemeinde. Jede Gemeinde ist σῶμα Χριστοῦ[3] und für jede Gemeinde gilt V 28 ff[4]; daher der generische Plural ἀποστόλους usw. und das konkret, aber auch generell zu verstehende ἐν τῇ ἐκκλησίᾳ.

Abschließend kann man mit L. Cerfaux zusammenfassen: »Que les principes qu'il applique à l'église particulière aient valeur universelle, ce n'est pas une raison pour cesser d'envisager l'église locale«[5].

Freilich darf man nicht übersehen, daß in dieser »valeur universelle« von 1 Kor 12, 28, wie in allen generellen Aussagen dieser Art, eine gesamtkirchliche Implikation liegt[6]. Das gilt auch für den als typisch paulinisch erwiesenen Repräsentationsgedanken, wonach jede Gemeinde ἐκκλησία τοῦ θεοῦ ist, selbständige Darstellung derselben und nicht Repräsentantin der durch Jerusalem dargestellten und zusammengefaßten. In der Konkurrenz mit diesem Jerusalemer Verständnis ist der paulinische ἐκκλησία-Begriff von der späteren Entwicklung sehr rasch[7] überholt worden. Schon Paulus hatte Mühe, ihn gegen-

---

[1] Cerfaux a. a. O. 148 weist mit Recht darauf hin, daß »l'application de la comparaison du corps ne se fait donc pas directement à l'Église universelle; il s'agit de l'église de Corinthe, où Paul veut remettre ordre et unité«.
[2] A. a. O. 149. »C'est, en effet, un développement d'importance et qui, pour s'expliquer dans le monde grec où précisément le sens d'assemblée où de communauté locale est le seul possible, requerrait des circonstances très spéciales qui manquent encore«.
[3] Cerfaux a. a. O. 149 A. 1: »S'appuyer sur la théorie du corps mystique, qui créerait précisément le climat de l'Église universelle, serait un cercle vicieux. Car cette théorie n'a pas encore, au niveau des grandes épîtres, la rigidité qu'on lui suppose; elle s'applique, elle aussi, à l'église locale«.
[4] 1 Kor 6, 4; 14, 5. 12. 23 zeigen, daß ἐκκλησία mit Artikel nicht anders als das artikellose (häufig mit ἐν verbundene) gleicherweise konkret wie generell zu verstehen ist (vgl. 1 Kor 4, 17; 11, 18; 14, 4. 19. 28 u. ö.). Dasselbe gilt vom Plural mit oder ohne Artikel (vgl. 2 Kor 8, 1. 18 bzw. 2 Kor 8, 19; 11, 8 u. ö.).
[5] Cerfaux a. a. O. 148.
[6] Cerfaux a. a. O. 150f: »Dans la formule de 1 Cor 12, 28 ... ›assemblée‹ est toujours un nom commun; mais à voir la solennité de l'affirmation et sa portée générale ..., on pressent que la pensée, brusquement s'est décollée de l'assemblée locale, qu'elle envisageait d'abord immédiatement, et plane sur les horizons de l'Église universelle«.
[7] Vgl. schon die unpaulinischen »Kirchen«-Spekulationen im Kolosser- und Epheserbrief.

über Jerusalem und dessen gesamtkirchlichen Ansprüchen durchzusetzen und seinen Gemeinden in feinen Differenzierungen sowohl dieses Verständnis wie die Eigenart ihres Verhältnisses der κοινωνία mit Jerusalem auseinanderzusetzen[1]. Es ließen sich darüber hinaus weitere Momente benennen, die zu einem gesamtkirchlichen Verständnis der ἐκκλησία τοῦ θεοῦ führen mußten; der Gedanke etwa an das eine »Volk Gottes«[2], das »wahre Israel«, das eine normative Evangelium, die Verbindlichkeit der Jerusalemer παράδοσις, die faktischen Verhältnisse, etwa die Kooperation der Gemeinden im Kollektenwerk, der Austausch von Briefen und Gesandten usw.; nicht zuletzt dürfte das Apostolatsverständnis des Paulus selbst, als einer prinzipiellen ἀποστολή . . . εἰς τὰ ἔθνη (Gal 2, 8), und seine insgesamt positive Stellung zu Jerusalem, die einer so schwierigen Differenzierung bedurfte, dieser Entwicklung Vorschub geleistet haben. Das alles kann den als völlig einheitlich erwiesenen paulinischen Begriff von der konkreten Gemeinde als ἐκκλησία τοῦ θεοῦ jedoch nicht verunklaren.

Damit ist auch für das Problem der Gemeindeordnung bei Paulus ein neuer Ausgangspunkt gewonnen, der die bisherigen Frontstellungen überwindet[3].

Ist der Gegensatz Gesamtkirche — Einzelgemeinde ein rein apologetisches Problem zwischen Paulus und Jerusalem, und ist der paulinische ἐκκλησία-Begriff in sich einheitlich, sofern er sich konkret an der bzw. den Gemeinden orientiert[4], dann sind im Folgenden Wesen und Strukturen dieser »Gemeinden Gottes« zu bestimmen und deren Bedeutung zu erheben.

---

[1] Ob Jerusalem und die Geltenden dieses paulinische Verständnis so akzeptierten, wie es in Gal 2, 1–14 dargestellt wird, ist nicht sicher.

[2] Cerfaux, La Théologie de l'Église 149 ff, präzisiert diesen Einfluß der »théologie du peuple de Dieu«, der dazu führte, daß ἐκκλησία zu einer »signification de nom propre appliqué au peuple chrétien« geworden ist:
a) die »notion religieuse que chaque réunion locale est . . . une assemblée de l'unique peuple de Dieu«;
b) »Les églises sont, réalisée en chacune d'elles, cette unique convocatio qui appelle Juifs et Gentils dans l'unité, et les églises dans l'unité«.

[3] K. L. Schmidts kaum noch bestrittene Auffassung, ἐκκλησία beziehe sich bei Paulus sowohl auf Einzelgemeinden wie auf die Gesamtkirche, und die Einzelgemeinde sei Darstellung der Gesamtkirche, ist damit als nicht paulinisch erwiesen; vgl. dazu K. L. Schmidt, Die Kirche des Urchristentums 302 ff; ders., ThW III 510 ff.
Die gesamtkirchlichen Implikationen rechtfertigen es nicht, mit Dahl, Volk Gottes 254, zu sagen, daß »in den späteren Briefen der Gedanke an die Gesamtkirche jedenfalls in der Sache eine größere Rolle spielt«, oder mit H. Schlier, Über das Hauptanliegen des 1. Briefes an die Korinther, EvTh 8, N. F. 3 (1948/49) 469, zu meinen: »Es ist kein Zufall, daß gerade in diesem Brief der Apostel den Blick der Korinther auf die Gesamtekklesia des öfteren lenkt (1, 2; 4, 17; 7, 17; 11, 16; 14, 33) und, wie man mit Recht gesagt hat, ein allgemeines Kirchenrecht zu entstehen beginnt«. Irreführend ist auch die Feststellung von Percy, Der Leib Christi 7, es sei »der späteren Forschung immer klarer geworden, daß der Gedanke der Universalgemeinde in den paulinischen Homologumena eine weit größere Rolle spielt, als man früher meinte«.

[4] Was Batiffol, Leclercq, Koester (vgl. Koehnlein, La notion de l'Église 360; Linton, Das Problem der Urkirche 138 ff) früher schon, allerdings ohne Wirkung zu erzielen, von den Texten her zu bedenken gaben, hat Cerfaux a. a. O. 81 ff. 145 ff klar herausgearbeitet. Seine Auffassung hat jedoch so wenig Aufmerksamkeit gefunden, daß R. Schnackenburg, Artikel »Kirche«, in: LThK VI (²1961) 171, ihn im gegenteiligen Sinn zitieren kann.

2. Kapitel

WESENSBESTIMMUNGEN DER GEMEINDE

Unter den verschiedenen Bildern, die Paulus für die Gemeinde gebraucht[1], betrachten wir im Folgenden nur die für deren Wesensbestimmung wichtigsten.

1. Die Gemeinde als θεοῦ οἰκοδομή

1 Kor 3, 9 sagt Paulus von der Gemeinde, und zwar unbestreitbar konkret von der korinthischen Gemeinde: θεοῦ γεώργιον, θεοῦ οἰκοδομή ἐστε. Das zuerst gebrauchte Bild von der Gemeinde als »Gottes Acker« ist von den vorausgehenden VV 5–8 her nahegelegt, wo Paulus seinen eigenen Dienst an der Gemeinde als des Pflanzenden und den des Apollos als des Begießenden auf eine Stufe stellt, indem er von beiden ihre Abhängigkeit von Gott als dem Wachstum Schenkenden (vgl. V 6f) betont. Im Hinblick auf diese Abhängigkeit von Gott ist ihr Dienst an der Gemeinde (vgl. V 5) grundsätzlich gleich, auch wenn gewisse Unterschiede nicht geleugnet werden (vgl. V 5 ἑκάστῳ ὡς ὁ κύριος ἔδωκεν und V 8 ἕκαστος δὲ τὸν ἴδιον μισθὸν λήμψεται κατὰ τὸν ἴδιον κόπον). Davon wird in einem späteren Zusammenhang zu reden sein[2]. Die Gemeinde ist θεοῦ γεώργιον. Gott ist der Herr und Eigentümer dieses Ackers, dem er auch selbst das Wachstum gibt. Paulus und Apollos sind bei der Bestellung dieses Ackers seine συνεργοί. Von dieser Charakterisierung wird gleichfalls noch zu sprechen sein. Sie stehen der Gemeinde als θεοῦ συνεργοί in bestimmter Weise gegenüber, wie die betonte Kontrastierung ἐσμέν — ἐστέ zu erkennen gibt.

Wie θεοῦ γεώργιον stellt nun aber auch die Fortführung θεοῦ οἰκοδομή ἐστε ein Besitzverhältnis fest: die Gemeinde ist »Gottes Bau«. Diese Zusammenstellung von »Acker« und »Bau« ist traditionell[3]. Beiden Bildern ist gemeinsam, daß sie etwas Statisches ausdrücken, sofern sie ein Besitzverhältnis konstatieren, und etwas Dynamisches, sofern an ihnen etwas geschieht[4]. Wie das

---

[1] Vgl. dazu Schnackenburg a. a. O. 171; zu den Bildbezeichnungen im einzelnen: W. Straub, Die Bildersprache des Apostels Paulus, Tübingen 1937; E. Stauffer, Die Theologie des Neuen Testamentes, Stuttgart [4]1948, § 38; P. S. Minear, Bilder der Gemeinde, Kassel 1964; besonders aber Vielhauer, Oikodome 77ff: »1. Das Bild vom Bau als Bild für die missionarische Tätigkeit des Apostels«, und Pfammatter, Die Kirche als Bau 19–35.

[2] Vgl. 4. Kapitel: Die »Nachfolger« der Apostel.

[3] Vgl. Vielhauer a. a. O. 79; Michel, ThW V 148, 20f und A. 4; ferner a. a. O. 142ff; dazu A. Fridrichsen, Ackerbau und Hausbau, in: ThStKr 94 (1922) 185f.

[4] Roloff, Apostolat — Verkündigung — Kirche 108, sieht gerade im Dynamischen des Bildgebrauchs im NT den entscheidenden Unterschied zum statischen Gebrauch in Qumran (1 QH VI 25–29; 1 QS VII 17 und VIII 8; 1 QS VIII 5f und XI 8): »Die ἐκκλησία ist im Werden begriffen«. Es ist unverständlich, warum Vielhauer a. a. O. 85 eben dieses dynamische Moment ausklammern will, wenn er betont, daß »der θεμέλιος nicht das Fundament und das ἐποικοδομεῖν nicht die Gestaltung der οἰκοδομή von V 9« sei und fortfährt: »Die Bau-Allegorie ist an die οἰκοδομή nur

Bild vom Acker vorauswirkt auf die Beschreibung des Tuns des Apostels und seiner Mitarbeiter sowie ihr zeitliches Nacheinander, so hängt sich an das Bild vom Bau von V 10 an eine ähnliche Betrachtung ihrer Tätigkeit unter der Rücksicht des Fundament-Legens und des darauf Weiterbauens und damit des prinzipiellen Zueinanders.

Für Paulus sind die Bilder und ihre Entfaltung gleichermaßen bedeutsam. In dem Besitzverhältnis, das sich in den Bildern aussagt, liegt für ihn die theologische Bestimmung des Wesens der Gemeinde: sie ist Acker und Bau — (τοῦ) ϑεοῦ, d. h. sie ist Gottes Eigentum (vgl. V 9). Was an ihr geschieht von denen, die pflanzen und begießen, das Fundament legen und darauf weiterbauen, wirkt Gott selbst durch seine συνεργοί (vgl. VV 6–10)[1].

In der Entfaltung der Bilder vom Acker (vgl. VV 5–8) und Bau (vgl. VV 10–15) ist der Aspekt, unter dem sie betrachtet werden, ein anderer. Gottes Acker und Bau sind nicht ein für allemal fertiger Besitz; vorgegebene, aber nicht immer schon vollendete Größen[2]. In der Entfaltung der Bilder interessiert Paulus, was an ihnen geschieht. Dabei liegt es in der Natur der Bilder, daß es beim Pflanzen und Begießen des Ackers vornehmlich auf den ankommt, der das Wachstum gibt, während zwischen dem Pflanzenden und dem Begießenden zwar ein zeitlicher, aber kein wesentlicher Unterschied besteht. Anders ist es beim Bau. Könnte man beim Acker den vorgegebenen und sich in der Tätigkeit der Pflanzenden und Begießenden durchhaltenden Bezug auf Gott betont sehen, so erscheint der Bau Gottes in viel stärkerem Maß als das Ergebnis des Bauens[3]. Nicht ohne Grund erwähnt Paulus in V 10 die χάρις seines Apostelamts[4]. Es ist seine geschichtlich einzigartige Funktion als Apostel, für diese

---

angeschlossen, sie führt aber das Bild der οἰκοδομή von V 9 nicht aus; hier herrscht der Gesichtspunkt des Bauens, der V 9 fernliegt«.

Einseitig ist es, wenn Wikenhauser, Die Kirche 180, bei der Erbauung des Leibes Christi nur an den »inneren Ausbau« der Gemeinde (bzw. Kirche) denkt; denn gemeint ist jegliches ἔργον an und in der Gemeinde. Dagegen stimmt Wikenhauser mit Roloff überein, wenn er a. a. O. 129 in 1 Kor 3, 9 ff »die Gemeinde als im Werden begriffenen ›Bau Gottes‹ bezeichnet« sieht und von denen spricht, »die an diesem Bau weiterbauen«.

[1] Vielhauer a. a. O. 79 versteht die ϑεοῦ συνεργοί im Anschluß an Bauer, WB 1560, fälschlich als »Arbeitsgenossen im Dienste Gottes«; vgl. dagegen Otto, Die mit συν verbundenen Formulierungen im paulinischen Schrifttum 88 ff, und J. Weiß, 1 Kor 77 f.

[2] Vgl. Bornkamm, Die Erbauung der Gemeinde als Leib Christi 116 A. 5: οἰκοδομή ist »nomen actionis«.

Daß wirklich an einen Bau gedacht sei, an dem gebaut werde, bestreitet Vielhauer a. a. O. 80 ff; er meint: »Offenbar stellt sich der Apostel nicht ein einheitliches Gebäude vor . . ., an dessen Bau die ἐποικοδομοῦντες arbeiten, etwa gar die οἰκοδομή von V 9, sondern es sind verschiedene individuelle Werke . . ., die die einzelnen ›daraufbauen‹«. Er stößt sich an den »heterogenen Bildern«; doch wird die Entfaltung des οἰκοδομή-Bildes in den VV 9–11 erst in V 12 ff durch neue Metaphern verunklart.

[3] Vgl. Michel, ThW V 148, 13 und v. a. 143.

[4] Vgl. dazu Blank, Paulus und Jesus 196; auch Vielhauer, Oikodome 77, betont: »So ist der ›Bau‹ der Gemeinde . . . seine eigentliche Aufgabe«; gemeint ist: als Apostel. Es bleibt unerfindlich, warum Wendland in seinem vorzüglichen Aufsatz (Geist, Recht und Amt 296) schreibt, es gelte, »daß nicht die Gemeinde den Lehrern, sondern die Lehrer und Apostel der Gemeinde gehören, welche Gottes Tempel ist

ϑεοῦ οἰκοδομή das ϑεμέλιον zu legen (vgl. 1 Kor 3, 10; Röm 15, 20). Ein ϑεμέλιον ἄλλον (V 11) kann niemand legen; jeder andere kann darauf nur »weiterbauen«[1] (vgl. V 10). Erst ab V 12 verschiebt sich dann das Bild, wenn Paulus — offenbar warnend — betont, jeder möge zusehen, wie er darauf weiterbaue, und dabei die Baumaterialien als Vergleich heranzieht, um Wert und Unwert des Weiterbauens zu veranschaulichen[2].

Für die Gemeinde als ϑεοῦ οἰκοδομή ergibt sich aus V 10f, daß sie als Gottes Bau erst wird, was sie ist, durch das, was durch den Apostel und seine Mitarbeiter bzw. »Nachfolger« an ihr geschieht[3].

Die Tätigkeiten innerhalb der οἰκοδομή, der »Erbauung« der Gemeinde, werden später in anderem Zusammenhang besprochen werden müssen. Aber aus 1 Kor 3, 9ff ist deutlich, daß die ϑεοῦ οἰκοδομή auch als das Ergebnis des οἰκοδομεῖν von ϑεοῦ συνεργοί zu betrachten ist. Sonst würde Paulus statt des singulären Ausdrucks ϑεοῦ οἰκοδομή wohl auch hier den 1 Kor 3, 16f (vgl. 1 Kor 6, 19; 2 Kor 6, 16) verwendeten und als geprägten Terminus aus der alttestamentlichen Tradition übernommenen Begriff des ναὸς ϑεοῦ benutzt haben, der sehr viel eindeutiger einen statischen Sachverhalt ausdrückt[4]. Auf-

---

(1 Kor 3, 22–23. 16–17). Eben diese Unterordnung der Ämter unter die Gemeinde als den Bau Gottes schließt jede sich isolierende, auf Eigenrecht sich gründende, über die Gemeinde sich erhebende Hierarchie vollständig aus«. 1 Kor 3, 9ff setzt ihn klar ins Unrecht.

[1] Zu ἐποικοδομεῖν vgl. Michel a. a. O. 150f: »Das ›Daraufweiterbauen‹ von 1 Kor 3, 10 setzt die eigentlich apostolisch-grundlegende Tätigkeit fort, hat aber nicht die gleiche Bedeutung wie das Grundlegen (ϑεμέλιον τιϑέναι)«; ferner Bornkamm a. a. O. 116 (im Anschluß an Vielhauer a. a. O. 83ff): (ἐπ-)οικοδομεῖν = »missionarische Tätigkeit wie das Lehren und Betreuen der Gemeinde durch seine *Nachfolger*, wenn auch ihm als Apostel das Legen des Fundamentes vorbehalten ist, und jene nur darauf weiterbauen können« (Hervorhebung von mir).

[2] Nach Lietzmann, 1 Kor 17, ist »die ganze Allegorie . . . nicht glücklich«; J. Weiß, 1 Kor 82, meint, »daß P. hier an einer etwas künstlichen Häufung von Metaphern gescheitert sei«; dagegen weist Vielhauer a. a. O. 83f darauf hin, daß der Orientale gerade das Ungemäße, Störende, Auffallende mehr liebe als die konsequente Durchführung eines Motivs.

[3] Bornkamm, Die Erbauung der Gemeinde als Leib Christi 116f: »Die οἰκοδομή der Gemeinde ist zunächst Inhalt und Aufgabe der dem Apostel vom Herrn übertragenen ἐξουσία (2 Kor 10, 8; 13, 10; 12, 19). In sehr bestimmter Weise setzt jedoch das prophetische Reden im Gottesdienst — aber nicht dieses allein (1 Kor 14, 26) — das apostolische Wirken in der Gemeinde fort, unbeschadet der unwiederholbar Gemeinde gründenden Funktion des Apostels (1 Kor 4, 14ff)«. Im gleichen Sinn sagt Vielhauer a. a. O. 78: »οἰκοδομή ist Metapher für Gründung, Erhaltung und Förderung der Gemeinde«. Bornkamm stimmt mit Vielhauer auch darin überein, daß er die οἰκοδομὴ τῆς ἐκκλησίας die »immer neu zu vollziehende, sich vollziehende Konstitution, die creatio continua der Kirche« nennt (Bornkamm a. a. O.; Vielhauer a. a. O. 92) »Kirche« meint dabei sicher nichts anderes als die jeweils konkreten Gemeinden.

[4] Zu den traditionsgeschichtlichen Hintergründen vgl. Roloff, Apostolat — Verkündigung — Kirche 106ff; Roloff behandelt allerdings »Tempel« und »Bau« als Synonyme; so sagt er a. a. O. 109: »Auch nach 1 Kor 3, 10 ist der ναὸς τοῦ ϑεοῦ freilich nicht fertig . . ., d. h. der heilige Bau der Kirche ist eine eschatologische Größe«. Abgesehen davon, daß Paulus nicht vom heiligen »Bau der Kirche« spricht, ist in 1 Kor 3, 9 »an ein Haus oder einen Tempel . . . nicht gedacht« (Vielhauer, Oikodome 79). Vielhauer bemerkt a. a. O. 86 richtig, daß Paulus »ναός oder οἶκος ϑεοῦ nie zum Objekt von οἰκοδομεῖν« gemacht hat.

fälligerweise wird jedoch vom ναός (τοῦ) θεοῦ (3, 16f; 2 Kor 6, 16) bzw. vom ναός τοῦ ἐν ὑμῖν ἁγίου πνεύματος (1 Kor 6, 19) nur in Zusammenhängen gesprochen, wo vom Einzelnen oder den Einzelnen die Rede ist, nicht aber von der Gemeinde[1].

Das legt den Gedanken nahe, daß Paulus prinzipiell Statisches und Dynamisches in seiner Gemeindebetrachtung verbindet[2]; davon ist sein Begriff von der ἐκκλησία τοῦ θεοῦ selbst ebenso geprägt wie der von der Gemeinde als θεοῦ οἰκοδομή. Erstere kann für Paulus nicht gedacht werden ohne das Zusammenkommen ἐν ἐκκλησίᾳ, letzteres nicht ohne das οἰκοδομεῖν[3]. Dann wird man auch bei θεοῦ γεώργιον das Statische des Vorgegebenen nicht überbetonen dürfen, nur weil sich das dynamische Moment des Pflanzens und Begießens nicht ohne weiteres aus dem Bild selbst ergibt; fehlen tut es in der paulinischen Betrachtung keineswegs.

Ist also die Gemeinde, und zwar generell jede Gemeinde, auch primär θεοῦ γεώργιον, θεοῦ οἰκοδομή, so ist sie dies doch nicht ohne die Pflanzenden und Begießenden, die Fundament Legenden und darauf Weiterbauenden. Den θεοῦ συνεργοί ist damit ihr theologischer Ort zugewiesen: sie stehen als συνεργοί auf Seiten Gottes, der durch sie wirkt — im Gegenüber zur Gemeinde; die Gemeinde entsteht nicht ohne ihr ἔργον[4].

2. Die Gemeinde als σῶμα Χριστοῦ

Ausgangspunkt für das paulinische Verständnis der Gemeinde als σῶμα Χριστοῦ sind für uns die Texte 1 Kor 12, 12. 14–27 und Röm 12, 4f. In beiden Fällen handelt es sich eindeutig um *Gemeinde*paränese. Die Gemeinde erscheint in ihr jeweils als ein dem Leib analog strukturierter Organismus, als eine gegliederte Einheit in Vielheit[5].

---

[1] Daß in 1 Kor 3, 16f die »Gemeinde dreimal ›Tempel Gottes‹ genannt« werde (Vielhauer a. a. O. 85), ist kaum anzunehmen; V 17 präzisiert ausdrücklich: οἵτινές ἐστε ὑμεῖς. Dagegen muß man Vielhauer zustimmen, wenn er fortfährt: »Mit dem vorhergehenden Bauen hat diese Erwähnung eines Sakralbaues sachlich nichts zu tun« . . . »der Tempel von Vers 16 und 17 ist nicht Gegenstand, bzw. Ergebnis des ἐποικοδομεῖν« (a. a. O. 85f).

[2] Holl, Der Kirchenbegriff des Paulus 46, behauptet Ähnliches von der Urgemeinde: »Die Urgemeinde betrachtet sich selbst als einen gottgegründeten Bau und sieht dies dadurch verbürgt, daß bestimmte, noch lebende Persönlichkeiten von Christus dazu berufen sind, ihren Bestand zu sichern«; er verweist in diesem Zusammenhang auf das Jerusalemer Verständnis von ἐκκλησία, πέτρα, στῦλοι = »die tragenden Säulen der Kirche«.
Dieser Fragenkomplex bedürfte einer gründlicheren Bearbeitung; denn daß zwischen Mt 16, 18 und 1 Kor 3, 9–17 sowohl Gemeinsamkeiten wie Unterschiede bestehen, ist evident; vgl. Roloff a. a. O. 109; ferner Koehnlein, La notion de l'Église 374: für Paulus »Christ est le seul fondement de l'Église«. »Les apôtres ne sont que des instruments . . . «.

[3] Vgl. dazu v. a. Roloff a. a. O. 108 ff.

[4] Der Entfaltung der Metaphern γεώργιον und οἰκοδομή von 1 Kor 3, 9 ist eines gemeinsam: »Paulus nimmt für seine Arbeit zeitliche und sachliche Priorität in Anspruch« (Roloff a. a. O. 111; vgl. Vielhauer a. a. O. 85).

[5] Im einzelnen muß auf die Auslegung beider Stellen verwiesen werden. Daß es sich um die Gemeinde handelt, die bei Paulus als »Leib Christi« bestimmt wird,

Diese bildhafte Verwendung des Begriffs σῶμα bei Paulus wird im allgemeinen nicht bestritten[1]; Uneinigkeit besteht jedoch über Herkunft und Bedeutsamkeit dieses Gebrauchs[2]; doch kann zumindest die erste Frage hier außer Betracht bleiben.

Tertium comparationis zwischen Leib und Gemeinde ist in jedem Fall der Organismusgedanke[3]: wie der Leib bei aller Vielheit seiner Glieder eine Einheit darstellt und jedem Glied des Leibes eine unverzichtbare Rolle zukommt, so ist auch die Gemeinde als Einheit zu sehen, in der jeder Einzelne mit seinem je verschiedenen Charisma eine lebenswichtige Funktion besitzt[4]. In diesen Vergleichspunkten herrscht Übereinstimmung in der Verwendung des σῶμα-Begriffs in 1 Kor 12 und Röm 12. Verschieden wird jedoch in den beiden Texten die Rückführung des auf die Gemeinde angewandten Leibgleichnisses auf dessen sachlichen Grund in σῶμα-Χριστοῦ-Sein der Gemeinde durchgeführt.

In Röm 12, 5a heißt die Konklusion: οὕτως οἱ πολλοὶ ἓν σῶμά ἐσμεν ἐν Χριστῷ. Die Gemeinde läßt sich nicht nur einem Leib vergleichen, sie ist ein »Leib«[5]. Allerdings wird nicht gesagt, daß sie »Leib Christi« sei, sondern Leib ἐν Χριστῷ, d. h. durch ihre Bestimmtheit von Christus[6]. Mit anderen Worten: Röm 12, 5

---

betonen u. a. Tr. Schmidt, Der Leib Christi 140ff; Wikenhauser, Die Kirche 88; Percy, Der Leib Christi 3. 43ff; Cerfaux, La Théologie de l'Église 145. 149 A. 1. 186f; Reuss, Die Kirche als »Leib Christi« 113.
Dagegen hebt Käsemann diesen paulinischen Sprachgebrauch nicht deutlich genug ab vom deuteropaulinischen in Kol und Eph; vgl. Käsemann, Das theologische Problem des Motivs vom Leibe Christi 178–210.
[1] Vgl. Schweizer, σῶμα, in: ThW VII 1067, 1 und A. 430.
[2] Die Frage nach der Herkunft der paulinischen σῶμα-Χριστοῦ-Vorstellung ist lebhaft diskutiert worden; vgl. dazu v. a. Robinson, The Body 55, und Best, One Body 83ff. Ersterer unterteilt die Herkunftstheorien nach Vertretern so:
a) Stoic (Tr. Schmidt, Der Leib Christi, 1919; W. L. Knox, St. Paul and the Church of the Gentiles, 1939; G. Johnston, The Doctrine of the Church in the NT, 1943).
b) Gnostic (H. Schlier, Christus und die Kirche im Epheserbrief, 1930; E. Käsemann, Leib und Leib Christi, 1933; R. Bultmann, Theologie des NT, I, 1948).
c) The Old Testament Concept of Corporate Personality (A. Schweitzer, The Mysticism of Paul the Apostle, 1930; A. R. Johnson, The One and the Many in the Israelite Conception of God, 1942); dazu gehörte auch Best, One Body, 1955.
d) The Christian Eucharist (A. E. J. Rawlinson, Corpus Christi, in: Mysterium Christi [ed. G. K. A. Bell and A. Deissmann], 1931).
e) Rabbinic Speculation on the Body of Adam (W. D. Davies, Paul and Rabbinic Judaism, 1948).
Best nennt a. a. O. 93 des weiteren: Percy, Der Leib Christi, 1942, der auf die ἐν Χριστῷ-Formel reflektiert.
Vgl. ferner Cerfaux, La Théologie de l'Église 201ff; Thornton, The Body of Christ 55. 77; Dupont, Gnosis 427 (mit reicher Literaturangabe).
[3] Zur Rolle des Organismusgedankens vgl. Tr. Schmidt a. a. O. 142f; Wikenhauser a. a. O. 143–152; Percy a. a. O. 45; Menoud, L'Église 39; Nygren, Corpus Christi 20; Soiron, Die Kirche als der Leib Christi 74; Robinson, The Body 50; Best, One Body 105; Dahl, Volk Gottes 224ff; Schweizer a. a. O. 1071, 20ff; Käsemann, Das theologische Problem des Motivs vom Leibe Christi 180–182.
[4] Paulus verwendet das Leibgleichnis, um die Einheit und Mannigfaltigkeit der Charismen in ihrer Notwendigkeit und Sinnhaftigkeit zu erweisen.
[5] Schweizer a. a. O. 1067, 11; Käsemann a. a. O. 180.
[6] Vgl. Neugebauer, In Christus 39–44; ders., Das Paulinische »In Christo«, in: NTS 4 (1957/58) 124–138; ferner Schweizer a. a. O. 1067, 15ff.

bleibt (im Hinblick auf die Charismenfrage der VV 6–8) auf der Ebene des Leibgleichnisses, weshalb die Fortführung in V 5b gerade die wechselseitige Verwiesenheit der Glieder stark hervorhebt: τὸ δὲ καθ᾽ εἷς ἀλλήλων μέλη. Anders ist der Sachverhalt in 1 Kor 12, 12b. 27. Zwar ist auch in 1 Kor 12 das Leibgleichnis der Ausgangspunkt (vgl. V 12a), und es wird sogar wesentlich breiter ausgeführt (vgl. VV 14–26) als in Röm 12, 4f; aber seine Durchführung wird unterbrochen durch die kurze Konklusion von V 12b οὕτως καὶ ὁ Χριστός, wo man als eigentlichen Vergleichspunkt die Gemeinde erwarten dürfte, und durch den als Erklärung beigefügten V 13: ... εἰς ἓν σῶμα ἐβαπτίσθημεν. Daß man die Gemeinde als Vergleichspunkt erwarten müßte, erhärtet V 27, wo im Blick auf die Gemeinde von Korinth gesagt ist: ὑμεῖς δέ ἐστε σῶμα Χριστοῦ.

Die paulinischen Aussagen über das σῶμα Χριστοῦ sind ausschließlich auf »Gemeinde« bezogen, nicht auf »Kirche«[1]. Das ist als eine wichtige Beobachtung festzuhalten[2]. Sie bestätigt unsere früheren Feststellungen, daß ἐκκλησία (τοῦ θεοῦ) bei Paulus ausschließlich Bezeichnung für Einzelgemeinden ist, nicht anders als θεοῦ γεώργιον und θεοῦ οἰκοδομή[3].

Die Gemeinde ist ὁ Χριστός (V 12b). Wie dies näherhin zu verstehen ist und woher Paulus diese Vorstellung zuwächst, braucht hier nicht verfolgt zu werden. Die Aussage konstatiert eine »seinshaft-reale Verbindung mit dem erhöhten Christus«[4], die nach V 13 durch die Taufe ἐν ἑνὶ πνεύματι ... εἰς ἓν σῶμα entsteht. E. Schweizer weist darauf hin, daß die Aussage von V 13 nicht eindeutig ist; man könnte interpretieren: »wir wurden in ein einheitliches Ganzes, eben die Gemeinde, hineingetauft; oder: wir wurden getauft, so daß ein einheitliches Ganzes entstand, oder auch: wir wurden alle auf den einen für uns gestorbenen Christus getauft«[5].

Wenn aber die Gemeinde — in einem hier nicht näher zu bestimmenden Sinn — ὁ Χριστός ist, dann erscheint der mit dem einen Leib und seinen vielen Gliedern verglichene ὁ Χριστός als eine statische, vorgegebene Größe, die nicht durch das Getauftwerden der πάντες (vgl. V 13) entsteht, sondern in die man hineingetauft wird, so daß die erstgenannte Auslegung die wahrscheinliche ist[6]. Die Bestätigung gibt V 27; zwar ist inzwischen in den VV 14–26 das Leib-

---

[1] Vgl. S. 259 A. 5; auf Kirche beziehen u. a. Mundle, Das Kirchenbewußtsein der ältesten Christenheit 37f; Brun, Der kirchliche Einheitsgedanke 109; Nygren, Corpus Christi 15; Soiron a. a. O. 77. 79 (er sieht in 1 Kor 12, 28 eine Ausweitung des zunächst auch seiner Meinung nach auf die Gemeinde bezogenen Soma-Begriffs); Best, One Body 96.

[2] Vgl. Schweizer a. a. O. 1066ff: »Die Gemeinde als Leib Christi«. Er betont auch, daß Leib Christi nur die Gemeinde ist, nie der Einzelne (a. a. O. 1068, 14). Anders Käsemann a. a. O. 197–201.

[3] Vgl. den vorhergehenden Abschnitt.

[4] Reuss, Die Kirche als »Leib Christi« 116; vgl. Käsemann a. a. O. 182: »Der erhöhte Christus hat wirklich einen irdischen Leib, und die Glaubenden werden mit ihrem ganzen Sein realiter darin eingegliedert«.

[5] A. a. O. 1068, 19ff (mit Literaturhinweisen).

[6] Auch Schweizer betont a. a. O. 1068, 23ff, daß »der überraschende Schluß des Vergleichs V 12« (οὕτως καὶ ὁ Χριστός) nur verständlich sei, »wenn selbstverständlich ist, daß der eine Leib der Gemeinde kein anderer ist als der Leib Christi selbst«, und interpretiert V 13 von da aus: »Der Leib Christi ist die vorgegebene Tatsache,

gleichnis (vgl. V 12a; ähnlich Röm 12, 4) als Leibparabel weiter entfaltet
worden, aber auf dem veränderten Hintergrund des ὁ Χριστός-Seins der Gemeinde[1], so daß der ganze Text transparent geworden ist auf die korinthische
Situation und den Streit der Gemeindeglieder um den Rang und Wert der
verschiedenen Charismen. Erst auf dieser Folie des tatsächlichen Leib-Seins
der Gemeinde bekam die Leibparabel ihre ganze Bedeutsamkeit. Das gilt im
besonderen für die Auswertung in den VV 28–30. V 27 zieht noch einmal die
in den VV 12b. 13 vorweggenommene Konklusion: Die Gemeinde kann mit
dem Leib verglichen werden, denn sie ist »Leib Christi«[2].

Das Verhältnis von Bild und realer Aussage ist demnach in der Beschreibung
der Gemeinde als σῶμα nicht ganz einheitlich bei Paulus. Was sich zunächst
durchhält, ist der Organismusgedanke, der aus der paränetischen Anwendung
des Leibgleichnisses (vgl. 1 Kor 12, 12a; Röm 12, 4f) und seiner Entfaltung als
Leibparabel (vgl. 1 Kor 12, 14–26) auf das konkrete Gemeindeleben sich ergibt;
in beiden Fällen geht es um Einheit in Vielheit, um die Zuordnung des Ganzen
und seiner Teile und das Verhältnis der Glieder untereinander. Nach Röm 12, 5
erscheint jedoch dieses Leib-Sein der Gemeinde als ein Sonderfall des grund-
legenden ἐν Χριστῷ-Seins der Gemeinde[3]. Das »Sein in Christus« ist die vorgegebene Einheit, in der die Vielheit der οἱ πολλοί aufgehoben ist wie die
Vielheit der Glieder in der Einheit des einen Leibes[4]. Der Gedanke ist grundsätzlich der gleiche wie in 1 Kor 12, 12b. 27; nur das Leibgleichnis selbst ist
anders akzentuiert und prinzipieller, vermutlich wegen der von Korinth verschiedenen Situation, die Paulus in Rom voraussetzt[5]; den Korinthern gegenüber entfaltet er das Gleichnis vom Leib zur Parabel, um auch die konkreten
und aktuellen korinthischen Probleme einzubeziehen.

Es ist zu beachten, daß in 1 Kor 12, 27 σῶμα Χριστοῦ indeterminiert ist.
Das muß nicht, wird aber wohl ein Hinweis sein, daß die Kennzeichnung der

---

nicht erst das Produkt der Gemeinschaft« (a. a. O. 1069, 1ff). Vgl. Rawlinson
Corpus Christi 287: »durch die Taufe Christo einverleibt«.

[1] V 12bf sind keine nur parenthetische Unterbrechung; sie bewirken, wie die
Auslegung zur Stelle ergab, eine Gedankenverschiebung, die ihr Gewicht hat im
Blick auf die VV 28–30.

[2] Mit Schweizer a. a. O. 1068f (v. a. A. 444) muß man die von J. Havet, Christ
collectif ou Christ individuel en I Cor XII 12?, in: Analecta Lovaniensia Biblica et
Orientalia II, 4 (1948) 1–24 (vgl. Schweizer a. a. O. A. 443), behauptete »ungenaue
Ausdrucksweise für einen reinen Vergleich« als verfehlt ablehnen. Auch wird nicht,
wie Schlier, Christus und die Kirche im Epheserbrief 41, meint, bloße Zugehörigkeit zu Christus ausgedrückt; vielmehr ist mit Tr. Schmidt, Der Leib Christi 143
zu sagen: Die Gemeinde als Verkörperung Christi »ist der Organismus, in dem er
lebt und den er von innen heraus bewegt und treibt«.

[3] Vgl. Neugebauer, In Christus 104.

[4] Percy, Der Leib Christi 43: »Nichts liegt ... näher als die Ableitung des
Sinnes der Vorstellung von der Gemeinde als dem Leib Christi gerade aus jenem
Verständnis des Sinns der Formel ἐν Χριστῷ«. Konkret heißt das für Percy: »Ein-
verleibung in Christus selbst als den Gekreuzigten und Auferstandenen« (44); ähnlich Nygren, Corpus Christi 18ff, v. a. 20. Vgl. dagegen Käsemann a.a.O. 185. 191f.

[5] Der römischen Gemeinde gegenüber ist Paulus nicht genötigt, die Gemeinde-
probleme, derentwillen er das Leibgleichnis in 1 Kor 12 heranzieht, so ausführlich
zu erörtern wie dort; er kann es kürzer und prinzipieller tun und deshalb auch
stärker auf der Ebene des Leibgleichnisses bleiben.

Gemeinde als σῶμα Χριστοῦ auch hier nur als eine unter vielen möglichen Kennzeichnungen für die Gemeinde verstanden sein will. Nichtsdestoweniger ist sie real gemeint und nicht nur bildhaft[1]. Die Gemeinde ist »Leib Christi« bzw. ὁ Χριστός (V 12). Sinngemäß kann kein großer Unterschied bestehen zwischen σῶμα Χριστοῦ und ὁ Χριστός. Sie besagen beide, »daß der eine Leib der Gemeinde kein anderer ist als der Leib Christi selbst«[2]. Das statische Moment in der Betrachtung der Gemeinde als ὁ Χριστός (V 12 b) wurde schon hervorgehoben; es fehlt auch nicht in V 27 bei σῶμα Χριστοῦ. Mit ὑμεῖς δέ ἐστε wird ein Sein festgestellt, kein Entstehen oder Werden. In dieses σῶμα wird der Einzelne durch die Taufe eingegliedert (vgl. V 13).

Σῶμα Χριστοῦ ist die Gemeinde als ganze in ihrer Bestimmtheit ἐν Χριστῷ (vgl. Röm 12, 5) bzw. als ὁ Χριστός (vgl. 1 Kor 12, 12 b); für die Einzelnen aber gilt: sie sind μέλη ἐκ μέρους (1 Kor 12, 27 b). Die Bestimmung des Verhältnisses von Bild und Aussage im paulinischen Verständnis der Gemeinde als σῶμα Χριστοῦ, wie sie W. G. Kümmel[3] gibt, scheint daher zutreffend zu sein: »Weil diese eschatologische Wirklichkeit des Leibes Christi aus vielen Einzelnen besteht, *entspricht* sie zugleich einem Organismus«.

Die Gleichförmigkeit dieser paulinischen Auffassung zu der im vorausgegangenen Abschnitt zu ϑεοῦ οἰκοδομή erhobenen ist nicht zu übersehen. Von »Gottes Bau« (vgl. 1 Kor 3, 9), welchen die Gemeinde darstellt, wurde festgestellt: er ist zugleich vorgegeben und Ergebnis des Bauens; wobei der überaus häufige Gebrauch von οἰκοδομεῖν bei Paulus die Bedeutung dieses Bauens unterstreicht[4]. Die ϑεοῦ οἰκοδομή kennt solche, die in ihr das Fundament legen, und solche, die darauf weiterbauen (vgl. 1 Kor 3, 10 ff). Dieses Ergebnis konnte zusammengefaßt werden in den Satz: Die Gemeinde wird, was sie ist, durch das, was an ihr geschieht.

So ist auch die Gemeinde als σῶμα Χριστοῦ vorgegeben, sofern sie ὁ Χριστός ist, und konkret, sofern sich dieser Χριστός in der Gemeinde und ihren Gliedern

---

[1] Vgl. Käsemann a. a. O. 182: »Der Vergleich entfaltet vielmehr die Realität, die mit den Identitätsaussagen anvisiert wird, indem er sie konkret auf das Gemeindeleben anwendet«.

[2] Schweizer a. a. O. 1068, 24f; vgl. Tr. Schmidt, Der Leib Christi 141: »die *Gemeinde als Leib* ist immer der *Leib Christi*«; Wikenhauser, Die Kirche 89: »Die Zugehörigkeit zu Christus bildet für den Leib ... die Konstitutive«; Percy, Der Leib Christi 5: »Christus selbst jener Leib ..., dessen Glieder die einzelnen Gläubigen sind«; Menoud, L'Église 16: die Gemeinde ist »le corps vivant du Christ«; Nygren, Corpus Christi 22: »Der Leib Christi ist Christus selbst«.

Die Deutungen dieser Vorstellung reichen von sehr allgemeinen (vgl. Dahl, Volk Gottes 224: »Einheit in Christus«; »die Gläubigen sind der Leib Christi, weil sie ›in Christus‹ leben«) über alttestamentlich orientierte (vgl. Dupont, Gnosis 450, mit Prat, La Théologie II 343: »personalité collective«; Best, One Body 104: »corporate personality«) zu sehr speziellen (vgl. Holstein, Die Grundlagen des evangelischen Kirchenrechts 42f: »der Geistleib ist die Form seiner persönlichen Wesenheit«, nämlich Jesu als des Christus; Oepke, Leib Christi oder Volk Gottes bei Paulus 365: »Christus für uns« — statt paulinischer Christusmystik).

[3] Im Anhang zu Lietzmann, 1 Kor 188; vgl. Tr. Schmidt, Der Leib Christi 142: »Es sind für Paulus nicht zwei verschiedene Gedanken, sondern nur *zwei Seiten desselben Gedankens*«.

[4] Wogegen der einmalige Gebrauch von ϑεοῦ οἰκοδομή (1 Kor 3, 9) stark kontrastiert.

verleiblicht, die Gemeinde also Χριστοῦ σῶμα ist. Daran kann Paulus in 1 Kor 12; Röm 12 die paränetische Aufforderung an die Gemeinden knüpfen, »das wirklich, leiblich zu leben, was sie durch Christus, in ihm schon ist «[1].

Was gegenüber dem erarbeiteten Verständnis der Gemeinde als θεοῦ οἰκοδομή fehlt, ist der Gedanke an das Entstehen dieses σῶμα. Wodurch wird die Gemeinde σῶμα Χριστοῦ, in das der Einzelne durch die Taufe eingegliedert wird? Einen wichtigen Hinweis ergab die Auslegung von 1 Kor 10, 16f.

V 16b: τὸν ἄρτον ὃν κλῶμεν, οὐχὶ κοινωνία τοῦ σώματος τοῦ Χριστοῦ ἐστιν; V 17: ὅτι εἷς ἄρτος, ἓν σῶμα οἱ πολλοί ἐσμεν· οἱ γὰρ πάντες ἐκ τοῦ ἑνὸς ἄρτου μετέχομεν. Das bei der Herrenmahlfeier gebrochene Brot bedeutet »Teilhabe an dem Leib des Christus «[2]. Wie immer dieses eucharistische Leib-verständnis zu präzisieren ist, in dieser Teilhabe der Vielen an »dem Leib des Christus« gründet die Einheit der Gemeinde; weil es ein Brot ist und alle von diesem einen Brot essen, welches Teilhabe am Leib des Christus gewährt, sind die Vielen selbst »ein Leib«[3]. Aus dem eucharistischen Leibverständnis entwickelt Paulus ein ekklesiologisches[4]. Paulus gibt also durchaus eine Antwort auf die Frage, wodurch die Gemeinde σῶμα Χριστοῦ wird, und es will scheinen, daß damit zugleich die Frage nach der Herkunft der paulinischen Idee von der Gemeinde als »Leib Christi« beantwortet ist[5]. Die Gemeinde wird ἓν σῶμα durch die gemeinsame κοινωνία τοῦ σώματος τοῦ Χριστοῦ. Πολλοί bzw. πάντες können Hinweise darauf sein, daß es bei der Feier des Herrenmahls in den paulinischen Gemeinden selbstverständlich war, daß alle von dem einen Brot auch wirklich aßen. Dennoch wäre es irrig, σῶμα Χριστοῦ bei Paulus aktualistisch verstehen zu wollen, so als ob es nur beim Herrenmahl selbst zustandekomme. Aus 1 Kor 12, 12b. 27, aber auch Röm 12, 5a ergab sich, daß die

---

[1] Schweizer a. a. O. 1067, 17ff.

[2] Vgl. Röm 7, 4; dazu Schweizer a. a. O. 1064f.
Das determinierte τὸ σῶμα τοῦ Χριστοῦ ist nicht »der am Kreuz für die Menschen hingegebene Leib Jesu« (Schweizer a. a. O.), sondern — in einem näher zu bestimmenden Sinn — der Leib des Erhöhten; dazu vgl. Käsemann a. a. O. 191–197.

[3] σῶμα als Charakterisierung der Gemeinde ist auffälligerweise in 1 Kor 12, 27 indeterminiert.
Über die Wahl des Terminus und die Implikation Gottesvolk ist bei Schweizer a. a. O. 1071 ζ wenig Zuverlässiges zu erfahren.

[4] Wenn Käsemann a. a. O. 193 feststellt: »Die Bezeichnung des eucharistischen Elementes als Leib Christi war Paulus offensichtlich liturgisch vorgegeben«, und fortfährt: »Die Verbindung dieser Anschauung mit der ekklesiologischen vom Christusleib der Kirche wird durch den Apostel hergestellt«, kommt er zwar zum selben Ergebnis, doch verunklart er es, indem er hinzufügt: »und zwar auf dem Wege über einen Vergleich «. Damit stellt er sich in Widerspruch zu seinen eigenen Aussagen a. a. O. 201f, daß gerade nicht »von einer Vielheit her auf die sie zusammenhaltende Einheit geblickt« werde, sondern »genau umgekehrt«, »der himmlische Christus einen die Erde durchdringenden und umspannenden Leib« habe, der dann »mit der Kirche identifiziert« werde, »worauf schließlich *in einem letzten Schritt* das Verhältnis der Glieder dieses Leibes vom Gedanken eines Organismus her als gegenseitige und allgemeine Solidarität beschrieben wird« (Hervorhebung von mir).

[5] Vgl. Rawlinson, Corpus Christi 286: »Vielleicht sind sowohl der Gedanke als auch der Ausdruck ›Leib Christi‹ zuerst von der Sprache des Abendmahls eingegeben worden«.

Gemeinde auch nach — wenn auch wohl nicht unabhängig von — ihren Mahlzusammenkünften *σῶμα Χριστοῦ* ist. Gleiches ließ sich ja auch von den Versammlungen *ἐν ἐκκλησίᾳ* und der bleibenden — von den Zusammenkünften ebensowenig völlig trennbaren — Bezeichnung der Gemeinde als *ἐκκλησία τοῦ θεοῦ* festhalten. Dann gilt aber auch von der Gemeinde als *σῶμα Χριστοῦ*, analog zu ihrer Wesensbestimmung als *θεοῦ οἰκοδομή*, daß sie wird, was sie ist, durch das, was in ihr geschieht[1]. Von den Zusammenkünften, deren Sinn es ist, das Brot zu brechen, das Teilhabe gewährt am Leib des Christus (vgl. 10, 16b), bzw. nach 1 Kor 11, 20 »das Herrenmahl zu essen«, läßt sich demnach so wenig absehen wie bei Gottes Bau von denen, die an ihm bauen[2].

Das Amt des Apostels und seiner »Nachfolger« und die Feier des Herrenmahls sind nicht etwas Hinzukommendes; sie gehören in die Wesensbestimmung von Gemeinde als *θεοῦ οἰκοδομή* und *σῶμα Χριστοῦ* ebenso hinein wie das Sich-Versammeln der Gemeinde *ἐν ἐκκλησίᾳ* für das *ἐκκλησία τοῦ θεοῦ*-Sein der Gemeinde.

Zu dieser theologischen und christologischen Bestimmung des Wesens der Gemeinde müßte an dieser Stelle eine pneumatologische hinzutreten; sie wird jedoch später im Zusammenhang mit den Charismen einer ausführlicheren Darlegung bedürfen. Es wird sich dann auch zeigen, daß diese Bestimmung sekundär ist und nichts wesentlich Neues hinzufügt, weil vom *πνεῦμα* nur in Relation zu Gott und Christus gesprochen wird.

3. Gesamtkirchliche Implikationen

Wenngleich als gesichert gelten kann, daß *θεοῦ οἰκοδομή* und *σῶμα Χριστοῦ*, wo sie bei Paulus vorkommen als Kennzeichnungen der Gemeinde, sich nirgends auf die »Kirche« beziehen, ist doch nicht zu leugnen, daß auch diesen Begriffen und den an sie geknüpften Aussagen eine die Einzelgemeinde transzendierende Bedeutsamkeit zukommt. Weil sie generell auf jede Gemeinde anwendbar sind und ihre konkreten Anwendungen bei Paulus prinzipielle Gel-

---

[1] Vgl. dazu Bornkamm, Die Erbauung der Gemeinde als Leib Christi 121; Paulus wende sich in 1 Kor gegen ein falsches Sakramentsverständnis: »Wohl geht es im Sakrament um das erlösende Anteilempfangen an dem ›für euch‹ hingegebenen *σῶμα Χριστοῦ* (1 Kor 11, 24; 10, 16) … *Aber das σῶμα, der in den Tod gegebene Leib Christi* … *macht uns als die Empfangenden zum σῶμα der Gemeinde* (1 Kor 10, 17)« (Hervorhebung von mir).
Vgl. ferner Bultmann, Kirche und Lehre 22; zwar spricht er davon, daß bei »Leib Christi« sich die »drei Momente des *Kirchen*begriffs« wiederholen (Hervorhebung von mir), doch liegt das an seiner nicht durchgehaltenen Aussage, »daß das Ganze in jeder einzelnen Gemeinde da ist« (a.a.O. 20); Bultmann fährt fort: »das *kultische*, sofern die Sakramente der Taufe und des Herrenmahls die Gemeinde konstituieren«.
[2] In diesem Sinne sagt Käsemann, Das theologische Problem des Motivs vom Leibe Christi 192, zu 1 Kor 10, 16f: »Wie die Taufe in den Christus eingliedert, so gibt nach dieser letzten Stelle das eucharistische Element derart Anteil am Leibe des gekreuzigten Christus, daß damit unsere Gliedschaft am Christusleibe der Kirche *neu* bekundet und ergriffen wird«, bzw. »*sich erneut vollzieht* und bestätigt wird« (a. a. O. 194; Hervorhebungen von mir).

tung besitzen[1], verwundert es auch weder, daß beide Begriffe in der deutero-
und nachpaulinischen Literatur Ansatz zu »Kirchen«-spekulationen geworden
sind[2], noch daß sie in der Kommentarliteratur weithin als Kirchenbegriffe
gelten[3] und — das gilt vor allem für die Idee vom Leib Christi — mit dem
Volk-Gottes-Gedanken kombiniert oder auch parallelisiert werden[4].

Damit wird jedoch der spezifisch paulinische Gebrauch verunklart und seine
Abgrenzung gegen andere oder spätere Auffassungen unmöglich.

Als unpaulinisch muß es deshalb gelten, von der Kirche zu behaupten, sie
sei »da ohne Beziehung auf ihre Mitglieder«[5]; das gilt weder von der Gemeinde
als ἐκκλησία τοῦ θεοῦ noch von der Gemeinde als σῶμα Χριστοῦ.

Auch ist es nicht richtig, für die paulinischen Gemeindebegriffe eine Entwicklung vom Ganzen zum Teil anzunehmen[6]; was sich feststellen läßt, ist
immer wieder ein die Einzelgemeinde — die bei Paulus ausschließlicher Gegenstand der Betrachtung ist — transzendierendes Moment.

Daß der eine ὁ Χριστός in der Vielheit der ἐκκλησίαι als σῶμα zur Darstellung
kommt, ist z. B. ein solches Moment[7]. Dagegen würde es paulinischem Denken
wiederum gar nicht entsprechen, von der »Kirche« als einem Organismus zu
reden[8]. Es ist sicher nicht ohne weiteres erlaubt, alles, was Paulus von der
Gemeinde sagt, mutatis mutandis auf die Kirche zu übertragen.

---

[1] Cerfaux, La Théologie de l'Église 148, spricht mit Bezug auf 1 Kor 12, 28 von
einer »valeur universelle« bei derartigen Aussagen, die primär konkret gedacht
sind, aber allgemeine Gültigkeit haben.

[2] Vgl. die unpaulinischen σῶμα-κεφαλή-Aussagen in Eph 1, 22f; 4, 15; 5, 23;
Kol 1, 18; 2, 10; dazu Käsemann, Das theologische Problem des Motivs vom Leibe
Christi 204f. 208–210.

[3] Vgl. etwa Brun, Der kirchliche Einheitsgedanke 109; Percy, Der Leib Christi
7; Brunner, Röm 129: Exkurs »Kirche, Gemeinde«; Dahl, Volk Gottes 224ff;
Schweizer, ThW VII 1071, 30f; Schlier, Zu den Namen der Kirche in den paulinischen Briefen 152–157, besonders 155ff.

[4] Vgl. Oepke, Das neue Gottesvolk 218–226; ders., Leib Christi oder Volk Gottes
bei Paulus 363–368; Brun a. a. O. 109; v. Campenhausen, Kirchliches Amt 60; vgl.
dazu Käsemann a. a. O. 185–188; zum Thema Gottesvolk ferner E. Käsemann,
Zum Thema der urchristlichen Apokalyptik, in: ZThK 59 (1962) 264f.

[5] Müller – v. Campenhausen, Kirchengeschichte I 94.

[6] v. Harnack, Entstehung und Entwickelung 161f, formuliert diesen Grundsatz
im Blick auf die Organisation; ähnlich Scheel, Zum urchristlichen Kirchen- und
Verfassungsproblem 411; Gerke, Die Stellung des 1 Clem 103 A. 1. Von der über-
greifenden Leib-Christi-Vorstellung her argumentieren z. B. Bultmann, Kirche und
Lehre 22; Käsemann, Leib und Leib Christi 170.

[7] Mundle, Das Kirchenbewußtsein der ältesten Christenheit 38: »Die Ekklesia
ist für Paulus die Sphäre, in der der erhöhte Christus wirkt . . .«. Er ist »in der
Vielheit der Ekklesien . . . als der eine Leib des erhöhten Christus gegenwärtig«.

[8] So Brun, Der kirchliche Einheitsgedanke 109: »Kirche ein einheitlicher Organismus«. Er irrt auch darin, »daß das Bild des Leibes eben nur zur Veranschaulichung und Ausgestaltung des für Paulus maßgebenden Gedankens von der Kirche
als Volk Gottes und Christi angewendet wird«. Paulinisch dürfte es dagegen sein,
wenn Tr. Schmidt, Der Leib Christi 140ff, v. a. 144, im Blick auf die Einzelgemeinde formuliert: »In dieser Gesamtpersönlichkeit der Ekklesia also gewinnt die geistige Person des gegenwärtigen, pneumatischen Christus ein Organ ihres Wirkens,
ein soma, in dem sie anschaulich, körperlich zur Erscheinung kommt«. Mit Käsemann, Das theologische Problem des Motivs vom Leibe Christi 204, kann man sagen, die Gemeinde ist der Ort, an dem »Christus sich irdisch offenbart und durch
seinen Geist in der Welt verleiblicht«.

3. Kapitel

DIE GEMEINDE UND IHR APOSTEL

1. Die »grund«-legende Bedeutung des Apostels für die Gemeinde

Von der Gemeinde als ϑεοῦ οἰκοδομή (1 Kor 3, 9) läßt sich nicht sprechen ohne die Einbeziehung der ϑεοῦ συνεργοί, d. h. des Apostels, seiner Mitarbeiter und »Nachfolger«[1]. Die Gemeinde ist zwar als ϑεοῦ οἰκοδομή ein von Gott gewirkter, ihm zugehöriger Bau; insofern ist dieser als Werk Gottes vorgegeben und von Gott selbst erbaut; doch ist von seinen συνεργοί nicht abzusehen: die Gemeinde als ϑεοῦ οἰκοδομή[2] ist zugleich das Ergebnis ihrer οἰκοδομή bzw. ihres οἰκοδομεῖν.

Als »Bau Gottes« wird aber die Gemeinde bezeichnet in Gegenüberstellung zu den ϑεοῦ συνεργοί, den »Bauleuten«, die als »Mitarbeiter« auf seiten Gottes stehen; ihr ἔργον kommt der Gemeinde zugute, genauer gesagt: durch ihre Arbeit wird die Gemeinde erst, was sie ist, ϑεοῦ οἰκοδομή. Dies begründet die fundamentale, die »Grund«legende Bedeutung des Apostels für die[3] Gemeinde. Er ist es, der als weiser Baumeister das Fundament dieses Baus der Gemeinde gelegt hat (vgl. 1 Kor 3, 10)[4]. Ein anderes Fundament könnte niemand legen als das gelegte, welches ist Jesus Christus (vgl. V 11). Dieser christologische Bezug des Apostolats soll im nächsten Abschnitt behandelt werden; hier interessiert allein den ekklesiologische. Das Fundament-Legen geschah in der Sicht des Paulus κατὰ τὴν χάριν τοῦ ϑεοῦ τὴν δοϑεῖσάν μοι[5], d. h. er betrachtet es als Erfüllung seiner apostolischen Aufgabe, Gemeinde(n) zu gründen. Wiewohl dieses ϑεμέλιον τιϑέναι (vgl. V 10) die grundlegende Predigt von Jesus Christus

---

[1] Über den Charakter dieser Nachfolge wird später einiges gesagt werden; daher zunächst die Anführungszeichen als Hinweis auf ein bestimmtes, hier rein zeitliches Verständnis von Nachfolge.

[2] Das Wort scheint von Paulus in der Absicht gewählt zu sein, beides gleichzeitig ausdrücken zu können; daher nicht ναός, οἶκος oder οἰκία.

[3] Generell für jede, aber immer konkret für jede »seiner«, d. h. die von ihm gegründeten Gemeinden.

[4] Mit Recht meint Michel, ThW V 143, 9 ff, das Bild vom Bau behalte gegenüber dem des Ackers einen gewissen Vorzug, weil es der Sache besser entspricht. Paulus hat sowohl zeitlich als auch sachlich durch seine Missionspredigt die Grundlage der Gemeinde gebildet. Vgl. dazu Vielhauer, Oikodome 85: »Paulus bringt also mit dem Bild vom Fundamentieren für seine apostolische Tätigkeit 1. das zeitlich Primäre, 2. die sachlich entscheidende Bedeutung seiner Arbeit für jede weitere Arbeit und damit 3. seine absolute Überlegenheit, Autorität und Sonderstellung zum Ausdruck«; vgl. Pfammatter, Die Kirche als Bau 22–24.

Es ist also keinesfalls richtig, wie Scheel, Zum urchristlichen Kirchen- und Verfassungsproblem 431, zu sagen: »seinen Dienst ... betrachtet er (Paulus) lediglich als einen grundsätzlich den übrigen Diensten an der Ekklesia gleichgeordneten Dienst«. Vgl. dagegen Batiffol, Urkirche 55 ff; Fridrichsen, Die neutestamentliche Gemeinde 55 f; v. Campenhausen, Kirchliches Amt 48 ff, v. a. 50; Roloff, Apostolat — Verkündigung — Kirche 109.

[5] Vgl. Blank, Paulus und Jesus 196: »Überall, wo dieser Zusatz (δοϑεῖσά μοι) sich findet, handelt es sich um die besondere Gnade des Apostel-Amtes«.

meint — er ist das gelegte Fundament —, wäre der Text doch falsch akzentuiert, wollte man aus κατὰ τὴν χάριν ... schließen, seine apostolische Verkündigung sei der Kritik entzogen, »weil sein Tun eigentlich Gottes Handeln war«[1]. Der Akzent liegt vielmehr auf der Gemeindegründung, die Paulus entsprechend der ihm als Apostel gegebenen Gnade als seine ureigenste Funktion bezeichnet[2]. Zu θεμέλιος bzw. θεμέλιον betont K. L. Schmidt[3] zu Recht den christologisch-ekklesiologischen Sprachgebrauch bei Paulus, wie auch sonst im Neuen Testament, und die Nähe dieses Begriffs zum Gedanken von der οἰκοδομή. Immer ist Christus das Fundament des Gemeindebaus.

Unrichtigkeiten und Unschärfen lassen sich jedoch an K. L. Schmidts Formulierung der Beziehung zwischen Christus-Fundament und Gemeinde-Bau verdeutlichen. Er sagt: »Die Kirche, die Gemeinde ist ein von Gott, von Christus gebautes und von der Gemeinde und ihren Führern immer wieder mit Gott in Christus zu bauendes Haus (οἰκία)«[4].

Einmal sind Kirche und Gemeinde für Paulus ungeeignete Synonyma[5]. Zum andern ist die Gemeinde ein von Gott gebauter Bau; daß er auch von Christus gebaut sei, wird nirgends gesagt. Christus ist einzig und allein gesehen als das Fundament, auf dem der Gemeindebau steht. Sodann sind in K. L. Schmidts Zusammenfassung die Gewichte der ständigen οἰκοδομή der Gemeinde falsch gesetzt. Die Voranstellung der Gemeinde und die Zurücksetzung ihrer Führer ist tendenziös und unsachgemäß. K. L. Schmidt übergeht die grund-legende Rolle des Apostels und der auf dem von ihm gelegten Grund Weiterbauenden (vgl. 1 Kor 3, 10 ff). Daß diese οἰκοδομή darüber hinaus Aufgabe der ganzen Gemeinde und jedes einzelnen Gemeindeglieds ist[6], kann nicht geleugnet werden; doch wird solche — paränetisch geforderte — gegenseitige Erbauung überhaupt erst möglich auf der Grundlage des vom Apostel und seinen Mitarbeitern geleisteten ἔργον der οἰκοδομή als θεοῦ συνεργοί. Schließlich ist in K. L. Schmidts Bestimmung der Zusammenhänge zwar richtig, daß dieser Gemeindebau ein »mit Gott« zu bauender bleibt (vgl. θεοῦ συν-εργοί V 9), aber der Hinweis auf das »in Christus« ist hier so verfehlt wie die Bezeichnung οἰκία für diesen Bau. Ersteres ist eingetragen, letzteres verfehlt die paulinische Absicht, mit οἰκοδομή die Gemeinde als (vorgefertigten) Bau Gottes und als Ergebnis des Bauens seiner Mitarbeiter zugleich zu kennzeichnen[7].

---

[1] So versteht es Vielhauer a. a. O. 84.

[2] Vgl. Roloff a. a. O. 105: »Gemeindegründende und -leitende Tätigkeit ... als wesenhaft seinem apostolischen Auftrag zugehörig verstanden«; ähnlich v. Campenhausen, Apostelbegriff 127: »Für Paulus sind die Apostel ... die grundlegenden, von Christus bevollmächtigten Prediger des Evangeliums, Missionare und Gemeindegründer«.

[3] ThW III 63 f.

[4] A. a. O. 63, 35 ff.

[5] K. L. Schmidt hebt zwar auch in seinem Artikel ἐκκλησία ständig hervor, daß man sich bei Paulus nur für einen der Begriffe entscheiden müsse, aber da er den paulinischen ἐκκλησία-Begriff nicht scharf genug von der Gemeinde her sieht, bleibt er selbst unentschieden; vgl. ThW III 510 ff.

[6] Vgl. 1 Thess 5, 11; 1 Kor 8, 1. 10; 10, 23; 14, 17 u. ö.

[7] οἰκία (und οἶκος) kennt Paulus nur als Bezeichnung eines tatsächlichen Hauses (vgl. 1 Kor 16, 15; Phil 4, 22) oder in übertragener Bedeutung für den Leib des

Der Gedanke vom ϑεμέλιον τιϑέναι begegnet noch einmal Röm 15, 20 und er-läutert dort aus dem Kontext der VV 15 ff das paulinische Verständnis der Auf-gabe und Funktion des Apostels innerhalb der οἰκοδομή der Gemeinde. Auch in diesem Text findet sich die einleitende Formel διὰ τὴν χάριν τὴν δοϑεῖσάν μοι ἀπὸ τοῦ ϑεοῦ (vgl. V 15 mit 1 Kor 3, 10), mit welcher Paulus begründet, warum er es wage, der römischen Gemeinde τολμηροτέρως, d. h. reichlich kühn zu schreiben. V 16 wird der Inhalt der dem Apostel gegebenen χάρις erläutert; sie besteht darin: εἰς τὸ εἶναί με λειτουργὸν Χριστοῦ ᾿Ιησοῦ εἰς τὰ ἔϑνη, ἱερουργοῦντα τὸ εὐαγγέλιον τοῦ ϑεοῦ, ἵνα γένηται ἡ προσφορὰ τῶν ἐϑνῶν εὐπρόσδεκτος, ἡγιασμένη ἐν πνεύματι ἁγίῳ. Wie in Röm 1, 1. 5[1] ist die χάρις auf ein Geschehen bezogen, welches nach 15, 15 f von Gott ausgeht, das Apostelamt als Dienst für Christus und als priester-lichen Dienst am Evangelium Gottes einbezieht und dessen Finalität (ἵνα γένηται) auf die Gemeinde gerichtet ist. Aus der Parallelität der Aussagen von Röm 1, 1. 5 mit 15, 15 ff konnte in der Auslegung der Stellen gefolgert werden, daß damit dem apostolischen Dienst sein heilsgeschichtlicher Ort zugewiesen wird. Der Apostolat ist nicht nur Teil eines Gnadengeschehens, sondern Ort der Ver-mittlung dieses Geschehens. Zwar ist der Apostel als λειτουργός (bzw. δοῦλος Röm 1, 1) nur Diener dessen, der durch ihn Glaubensgehorsam unter den Völkern wirkt (vgl. 15, 18); aber darin besteht auch seine καύχησις (vgl. V 17), daß Christus diesen Gehorsam durch ihn wirkt[2]. In dieser christologischen Re-lation ist auch der Gehorsam zu sehen, den die ἔϑνη dem Apostel als λειτουργὸς Χριστοῦ ᾿Ιησοῦ schulden, durch den Christus in Wort und Werk, in Kraft von Zeichen und Wundern, in Kraft des Heiligen Geistes diesen Gehorsam erwirkte (vgl. V 18 f). In diesem Glaubensgehorsam[3] der Völker kommt der Dienst des Apostels ans Ziel (vgl. auch Röm 1, 1. 5); durch ihn werden die ἔϑνη eine προσφορὰ εὐπρόσδεκτος. Die Funktion des Apostels läßt sich nun aus der Be-stimmung seines heilsgeschichtlichen Orts deutlicher ablesen.

Einzelnen (vgl. 2 Kor 5, 1). Dieser Gebrauch ist analog zu dem von ναός (vgl. 1 Kor 3, 16 f; 6, 19; 2 Kor 6, 16).

Vielhauer, der den Gedanken des Bauens aus ϑεοῦ οἰκοδομή (1 Kor 3, 9) ausschließt — und damit die spezifische Eigenart des Begriffs verfehlt —, sagt — Oikodome 88 — zu Röm 15, 20: Gemeinde sei nicht »das grammatikalische Objekt von οἰκοδομεῖν, wohl aber das sachliche, da sie ja Zweck und Ergebnis des ›Bauens‹, der Missions-arbeit ist«. Daß der Inhalt von οἰκοδομή und ϑεμέλιον τιϑέναι »Gemeindebildung in dem prägnanten neutestamentlichen Sinne« ist, betont auch Vielhauer a. a. O. 87 f.

[1] Vgl. die Auslegung von Röm 1, 1. 5; 12, 3; 15, 15 ff.

[2] Hanson, Unity 92: »The apostles possess a divine right of determination over the faith and doctrine of Christians«. Dieses Recht »is not based on his individual position of power, but on his ministry«.
Roloff, Apostolat — Verkündigung — Kirche 117, ergänzt: »Im Grunde ist es also Christus selbst, der im Reden und Handeln des Apostels am Werke ist«. »Der Apostel handelt im Auftrag und an der Stelle des erhöhten Herrn«.

[3] Mundle, Das Kirchenbewußtsein der ältesten Christenheit 34: »Widerspruch gegen seine apostolische Autorität hat er mit aller Energie bekämpft«. Was Paulus verlangt, ist: »bedingungslose Unterwerfung unter sein Evangelium«. A. a. O. 40: »Durch sein Verhalten hat er in seinen Kirchen die Überzeugung von der Autorität des apostolischen Amtes und das Bewußtsein von dem Vorhandensein eines nor-mativen Evangeliums ... geweckt und somit selbst die Grundlage gelegt, auf der die spätere Kirche weitergebaut hat«. Hanson a. a. O. 92: »Pl. demands obedience in all things«.

Seine ihm von Gott gegebene Gnade, sein Christus unmittelbar zugeordneter Dienst geben dem Apostel als λειτουργὸς Χριστοῦ ᾽Ιησοῦ und seinem priesterlichen Dienst am Evangelium eine einzigartige Stellung. Funktion des Apostolats ist es, ein Gnadengeschehen zu vermitteln, das von Gott und Christus seinen Ausgang nimmt und in der ὑπακοὴ πίστεως der Heidenvölker ans Ziel kommt (vgl. Röm 1, 1. 5; 15, 15f).

Die Aufgabe eines Apostels leitet sich daraus her und besteht im ἱερουργεῖν τὸ εὐαγγέλιον τοῦ θεοῦ, worin sich für Paulus alles zusammenfaßt, was sich an Arbeit und Mühe mit der Verkündigung des Evangeliums verbindet, die als Zweck hat, die Völker zu einem Gott wohlgefälligen Opfer zu machen (vgl. Röm 15, 16). Diese Aufgabe werden andere mit dem Apostel teilen; seine mit dem Apostolat gesetzte Funktion bleibt jedoch das θεμέλιον τιθέναι. Als Apostel legt er mit seiner Erstverkündigung das Fundament Christus in den Gemeinden. Seine eigentliche Funktion ist demnach, Gemeinden zu gründen, durch seine Verkündigung jenes Gnadengeschehen in ihnen in Gang zu bringen, Glaubensgehorsam unter den Völkern zu wecken[1].

Diese prinzipielle Bestimmung seiner ἀποστολὴ εἰς τὰ ἔθνη erfährt jedoch in Röm 15, 20 eine für Paulus charakteristische Beschränkung: er predigt nur dort, wo der Name Christus noch nicht genannt worden ist, ἵνα μὴ ἐπ᾽ ἀλλότριον θεμέλιον οἰκοδομῶ, wie er diesen Grundsatz[2] begründet. Seine Funktion als Apostel ist es, mit seiner Verkündigung einen Neuanfang[3] zu machen, das Fundament zu legen, auf dem andere[4] mit ihrer Verkündigung weiterbauen können. Ist dieses Fundament schon gelegt, hat Paulus nur noch eine Aufgabe wie jeder andere Verkündiger des Evangeliums: er kann (ἐπ-)οἰκοδομεῖν, d. h. einen Beitrag leisten zur οἰκοδομή einer Gemeinde[5]; doch ist das nicht seine spezifische apostolische Funktion. Als Apostel hieße das für ihn, auf »fremdem «[6] Fundament weiterbauen, ja unter Umständen sogar, »fremden Kanon verletzen «[7]. Diese strenge Bezogenheit des Apostels auf die von ihm gegründeten Gemeinden und umgekehrt soll später unter anderer Rücksicht, wenn von der Gemeinde als μέτρον τοῦ κανόνος des Apostels die Rede ist, ausführlich erörtert werden. Der zu entfaltende Grundsatz ist jedenfalls in seinen Voraus-

---

[1] Vgl. Asting, Verkündigung 178f: »Die Aufgabe eines Apostels ... besteht in der Verkündigung «. »Was sie *schafft*, ist eben die Gemeinde « (Hervorhebung von mir); ferner a. a. O. 398: »Paulus der geistige Vater der Gemeinde «. »Als ein solcher steht er in einer besonderen Stellung, die verschieden von der Stellung ist, die spätere Verkündiger der Gemeinde gegenüber einnehmen «.
Roloff, Apostolat — Verkündigung — Kirche 136, kennzeichnet »die ekklesiologische Funktion « des Apostels innerhalb der Bewegung des Evangeliums »auf die Kirche hin « als »an eine einmalige heilsgeschichtliche Situation gebunden «.
[2] Michel, ThW V 143, 15ff, unterscheidet (mit Hinweis auf Röm 1, 11. 14f) richtigerweise zwischen Regel und Gesetz.
[3] Vgl. Vielhauer, Oikodome 87.
[4] ἄλλος δέ (1 Kor 3, 10) ist generisch zu verstehen von allen, die auf dem vom Apostel gelegten Fundament aufbauen werden.
[5] Vgl. 1 Kor 14, 3. 5. 12. 26; Röm 1, 11. 14f u. ö.; dazu Vielhauer, Oikodome 84: »Wie das θεμέλιον τιθέναι Metapher für seine Verkündigung ist, so das ἐποικοδομεῖν Metapher für das Lehren und τὸ ἔργον Metapher für die Lehre des jeweiligen Lehrers «.
[6] Nicht »falschem « Grund.
[7] Käsemann, Legitimität 59, zu 2 Kor 10, 13. 15f; dazu 5. Kapitel, 1. Abschnitt.

setzungen deutlich geworden: der Apostel ist für seine von ihm gegründeten Gemeinden von grund-legender Bedeutung. Er setzt das Fundament ihrer οἰκοδομή. Die Gemeinde verdankt sich ihm und bleibt auf ihn verwiesen. Weniger prinzipiell zu verstehen ist es, daß der Apostel die Grenzen seines Arbeitsgebiets einzuhalten sich bemüht[1]. Daß er seine Ehre darein setzt, es zu tun (vgl. Röm 15, 20), liegt in der Konsequenz seines aufgezeigten Grundsatzes: wenn das ἐπ-οικοδομεῖν nicht einmal in den von ihm gegründeten Gemeinden seine eigentliche Aufgabe ist, versteht sich, daß er in einer nicht von ihm gegründeten solches nur mit größter Zurückhaltung tut[2].

Als Ergebnis läßt sich herausstellen: Um die grundlegende Bedeutung des Apostels für seine Gemeinde(n) zureichend zu charakterisieren, ist auszugehen vom paulinischen Apostolatsverständnis. Danach gehört das Gründen von Gemeinden wesentlich zum Apostel; sie sind das Ackerfeld seiner Pflanzung[3]. Die Gemeinde ist damit umgekehrt »apostolisch«, sie verdankt sich ihm und bleibt an ihn gebunden[4]. Der Apostel stellt für seine Gemeinden die »oberste Instanz«[5], die schlechthinnige Autorität[6] dar. Was er beanspruchen kann, sind die Rechte eines Vertreters Christi[7]; denn Christus handelt durch ihn zu Gehorsam von Völkern (vgl. Röm 15, 18). Autorität und Gehorsamsanspruch des Apostels gründen in dieser seiner Bezogenheit auf Christus, dessen λειτουργὸς εἰς τὰ ἔθνη er geworden ist. Ist er als solcher auch ganz Werkzeug dessen, der durch ihn redet und handelt, so ist es doch sein eigenes Wort und Werk, worin dieses geschieht. Darum gilt der geforderte Gehorsam immer auch dem Apostel und seinem Wort. Gehorsam als ein dem Apostel geleisteter ist zugleich Gehorsam gegen den ihn sendenden[8], durch ihn redenden und handelnden, sein Wort autorisierenden Christus. H. v. Campenhausen hat aus diesem Sachverhalt zutreffend gefolgert, daß die apostolische Zentralgewalt den kirchlichen

---

[1] Vielhauer a. a. O. 87 bestimmt zwar die Eigenart der paulinischen Missionsarbeit richtig mit »1. einen völligen Neuanfang zu machen . . . 2. zu diesem Zwecke die Grenzen seines Arbeitsgebietes einzuhalten«; doch bezieht sich die Einhaltung der Grenzen des Arbeitsgebiets nicht allein darauf, »nur εἰς τὰ ἔθνη zu missionieren«, sondern konkret auf die von ihm gegründeten Gemeinden.

[2] Der Römerbrief ist dafür insgesamt ein sprechendes Zeugnis; daß Paulus überhaupt nach Rom schreibt, hat seine besonderen Gründe; zu ihnen gehört das prinzipielle Recht seiner ἀποστολὴ εἰς τὰ ἔθνη, aber auch die Tatsache, daß Rom keine von einem Apostel gegründete Gemeinde gewesen zu sein scheint; vgl. die Auslegung von Röm 16, 7.

[3] Vgl. 1 Kor 3, 6–9.

[4] Vgl. Saß, Apostelamt und Kirche 49–69; Fridrichsen, Die neutestamentliche Gemeinde 55; Dahl, Volk Gottes 233.

[5] Mundle, Das Kirchenbewußtsein der ältesten Christenheit 34.

[6] Vgl. v. Campenhausen, Recht und Gehorsam 287: »Seine Stellung als Gründer und ›Apostel‹ gibt ihm in seiner Gemeinde zweifellos ein einzigartiges Recht«; ders., Kirchliches Amt 49: Der Apostel ist für seine Gemeinden »schlechthin *die* Autorität«; vgl. ferner Saß a. a. O. 57ff; Fridrichsen a. a. O. 55f.

[7] Vgl. Hanson, Unity 91: »as the emissary of Christ Paul represents Him«; ferner Rengstorf, Apostolat und Predigtamt 11–18; Saß a. a. O. 32–44; Gulin, Das geistliche Amt 304ff.

[8] Vgl. Friedrich, Geist und Amt 76: »Im Dienst seiner Boten ist der erhöhte Christus gegenwärtig«.

Vollmachtsbegriff begründet; am Apostolatsverständnis hängt das kirchliche Recht[1].

Der paulinische Apostolatsbegriff ist aber ganz an den Gemeinden orientiert, deren Gründung die wesentlichste Funktion des Apostolats bedeutet. Als λειτουργὸς Χριστοῦ 'Ιησοῦ hat der Apostel seine Vollmacht weder aus sich selbst noch von der Gemeinde[2]. Er steht in seinem θεμέλιον τιθέναι als θεοῦ συνεργός der Gemeinde gegenüber.

Ist damit der heilsgeschichtliche Ort des Apostolats eher formal umschrieben, so geht es im Folgenden um seine inhaltliche Bestimmung.

2. Der Apostel als Vermittler des Versöhnungsgeschehens

Schon der Bestimmung des heilsgeschichtlichen Orts des Apostels innerhalb der οἰκοδομή jener Gemeinden, in welchen er das Fundament Christus gelegt hat[3], war zu entnehmen, daß der Apostolat im Gegenüber zur Gemeinde unmittelbar dem Wirken Gottes zuzuordnen ist, als dessen συνεργοί Paulus sich selbst, seine Mitarbeiter und »Nachfolger« bezeichnet.

Im Vergleich mit Röm 1, 1. 5; 15, 15 ff ließ sich dieser heilsgeschichtliche Ort auch als Vermittlung eines Gnadengeschehens deuten, das von Gott und Jesus Christus seinen Ausgang nimmt und als Vermittler den Apostel als λειτουργὸν Χριστοῦ 'Ιησοῦ εἰς τὰ ἔθνη einbezieht; durch ihn bzw. seinen Dienst am Evangelium, kommt das Gnadengeschehen in der ὑπακοὴ πίστεως der ἔθνη ans Ziel, durch ihn und seinen Dienst werden die ἔθνη eine προσφορὰ εὐπρόσδεκτος[4]. Diese Vermittlung eines Gnadengeschehens versteht Paulus ganz kon-

---

[1] Vgl. v. Campenhausen, Apostelbegriff 97: »An der richtigen Erkenntnis des Apostolats hängt daher die Begründung jeder kirchlichen Vollmacht und jedes kirchlichen Rechts«.

[2] Die Apostel sind nicht Sendboten der Gemeinde, wie die in 2 Kor 8, 23; Phil 2, 25 ff Erwähnten (vgl. dazu Holl, Der Kirchenbegriff des Paulus 54), sondern »*Vertreter Christi*« (Gulin, Das geistliche Amt 305). Das Amt der Apostel »hat seine Vollmacht nicht in dem Willen der Gemeinde, sondern in dem mandatum Christi« (Wendland, Geist, Recht und Amt 297, der dabei F. Brunstäd, Die Kirche und ihr Recht, Halle 1935, 23 zitiert). Ähnlich sagt es Mundle, Das Kirchenbewußtsein der ältesten Christenheit 35.

[3] Vgl. v. Campenhausen, Apostelbegriff 123: »Christus, das Evangelium, dieser ›Grund‹ liegt fest, und zu ihrer Verkündigung ist der Apostolat gestiftet«; ähnlich Asting, Verkündigung 164.

Mit Roloff, Apostolat — Verkündigung — Kirche 111, kann man den »Sachzusammenhang ... zwischen Christus als dem Urheber und Inhalt des Evangeliums und dem Apostel als dem, der das Evangelium und damit Christus in Vollmacht zur Erbauung der Gemeinde vertritt und verwaltet«, verschieden betont sehen. Der »Nachdruck« liege entweder »auf der grundlegenden Bedeutung der Christusverkündigung« oder sei »auf die einmalige Funktion des Apostels als des Verkündigers und Boten gelegt«. Daß für Paulus allein Christus das Fundament der Kirche sei, stellt Holl, Der Kirchenbegriff des Paulus 63, als antijerusalemer Tendenz heraus.

[4] Vgl. Roloff a. a. O. 105: Paulus steht »als berufener Apostel geradezu in einer von Gott ausgehenden Bewegung, die auf die Erweckung von Glaubensgehorsam unter den Heiden abzielt und demnach final auf die Kirche hin ausgerichtet ist« (vgl. a. a. O. auch 135 ff); Linton, Kirche und Amt im NT 117, meint von der in diesem »Gnadenamt« (a. a. O. 143) liegenden Autorität: »Wir können uns diese Autorität nicht radikal, religiös und realistisch genug denken«.

kret. Nur aus diesem Grund ist es z. B. möglich, daß Paulus im Zusammenhang
mit der Kollekte χάϱις selbst als Bezeichnung der Kollekte, also des Gnaden-
werkes, dem das Gnadengeschehen zugrundeliegt, verwenden[1] und sich als
Vermittler dieses konkreten Gnadengeschehens ausgeben kann, von dem die
Gemeinden Mazedoniens sich erst die Gnade erbitten, an diesem Gnaden- und
Gemeinschaftswerk beteiligt zu werden[2].

Inhaltliche Bestimmungen des heilsgeschichtlichen Orts des Apostolats fehl-
ten diesen Texten nicht völlig. Sie sind zumindest angedeutet als ἱεϱουϱγεῖν τὸ
εὐαγγέλιον τοῦ ϑεοῦ (Röm 15, 16) bzw. als εὐαγγελίζεσϑαι (Röm 15, 20), als ὀνο-
μάζειν Χϱιστόν (Röm 15, 20; vgl. 1 Kor 3, 11 ϑεμέλιον . . . ὅς ἐστιν Ἰησοῦς Χϱιστός).
Eine inhaltlich vollere Bestimmung gibt 2 Kor 5, 18 ff. J. Blank hat erst
kürzlich Sinn und Kontext dieser Stelle ausführlich erörtert, so daß es hier
nicht notwendig erscheint, dies neuerdings zu tun[3], zumal sich unsere Beobachtungen und Ergebnisse im wesentlichen nicht unterscheiden[4]. Danach ist für
den Kontext davon auszugehen, »daß 2 Kor 5, 14–21 der literarischen Form
nach ein Argument oder eine Zusammenfassung von Argumenten zum Zweck
der Auseinandersetzung mit den Gegnern darstellt«, allerdings ein Argument,
das er der Gemeinde »an die Hand«[5] geben will, damit sie sich ihres Apostels
zu rühmen imstande sei (vgl. V 13). 2 Kor 5, 18 ff ist dann eine positive Darlegung des paulinischen Apostolatsverständnisses im Rahmen einer kurzen Zusammenfassung seiner Soteriologie[6]. Das Versöhnungsgeschehen hat von Gott
selbst seinen Ausgang genommen, »der uns durch Christus — näherhin durch
den Tod Christi (vgl. VV 14 b. 15. 19) — mit sich selbst versöhnt hat« (vgl.
V 18)[7]. In dieses Versöhnungsgeschehen ist der Apostel einbezogen. Die διακονία τῆς καταλλαγῆς, die Gott ihm gab, ist mit der Versöhnung selbst gleichen
Ursprungs; in beiden sieht Paulus ein Handeln Gottes; derselbe Gott, der uns
durch Christus mit sich versöhnte, ist auch der Urheber des Apostolats als des
»Dienstes der Versöhnung«, welche durch den Apostel verkündet werden soll[8].

---

[1] Vgl. 2 Kor 8, 19.
[2] Vgl. 2 Kor 8, 1 ff. 4.
[3] Blank, Paulus und Jesus 285 ff. 304–326.
[4] Vgl. die Auslegungen zu 2 Kor 2. 7. 10–13.
[5] Blank a. a. O. 313. Im Rahmen seiner Apologie des Apostolats, welche der
2 Kor insgesamt darstellt, sucht Paulus, bevor er sich in den Kapiteln 10–13 mit
den Gegnern auseinandersetzt, sein Verhältnis zur Gemeinde zu ordnen; vgl. Kapitel 1–7.
[6] Vgl. Windisch, 2 Kor 191 ff.
[7] Blank a. a. O. 285: »Die Versöhnung hat . . . den Charakter des Handelns
Gottes, nicht des Menschen . . . Die Menschen sind . . . Empfänger der Versöhnung«.
[8] An ϑεοῦ knüpft Paulus ein doppeltes Partizip: τοῦ καταλλάξαντος ἡμᾶς und καὶ
δόντος ἡμῖν . . .; vgl. dazu Roloff, Apostolat — Verkündigung — Kirche 122f:
»Paulus ist Träger des ›Dienstes der Versöhnung‹, der kausal mit Gottes Versöhnungswerk in Christus zusammengehört (V 18). Diese kausale Zusammengehörigkeit erweist sich aber nun darin, daß der Apostel und seine Botschaft seinen Ort
innerhalb dieses Versöhnungswerkes selbst hat: die διακονία τῆς καταλλαγῆς ist
darin gesetzt, daß Christus selbst den Kosmos mit sich versöhnt hat«. Ähnlich
Gulin, Das geistliche Amt 307: »Das göttliche Versöhnungswerk hat nach Paulus
diese beiden Aspekte: 1. Gott hat die Versöhnung gestiftet, und 2. Gott hat das
Predigtamt des Apostolats eingesetzt«. »So ist das Kerygma als ein notwendiger
und organischer Teil in das Heilsgeschehen selber einbezogen«.

»Oder wie V 19 denselben Sachverhalt wendet und darin das universale, ›weltbezogene‹ Handeln Gottes herausstellt: In Christus war Gott handelnd tätig als der, der die Welt, d. h. grundsätzlich die ganze Menschheit ... mit sich versöhnte, indem er all ihre Übertretungen überging und das ›Wort der Versöhnung‹ eingesetzt hat, um durch die Heilsbotschaft und ihre Boten die Teilhabe an der Versöhnung und das Eingehen auf das Versöhnungsangebot zu ermöglichen«[1]. Aufgabe des Apostels ist es demnach, »die Botschaft von der vollbrachten Weltversöhnung auszurichten«[2]. Sein heilsgeschichtlicher Ort ist es, Vermittler dieses von Gott ausgehenden und auf die ganze Menschheit[3] bezogenen Versöhnungsgeschehens zu sein. Der Apostolat ist »das vermittelnde Zwischenglied zwischen der Versöhnungstat und ihrer Zuwendung«; näherhin sind es »›Dienst‹ und ›Wort‹ der Versöhnung, Apostelamt und Verkündigung, welche die Zuwendung der in Christus geschehenen Versöhnung möglich machen«[4].

'Η διακονία τῆς καταλλαγῆς bestimmt den heilsgeschichtlichen Ort des Apostolats formal, ὁ λόγος τῆς καταλλαγῆς inhaltlich: sein »Dienst der Versöhnung« vollzieht sich in der und als »Verkündigung der Versöhnung«.

J. Blank verweist in diesem Zusammenhang auf die Parallele von 2 Kor 2, 14–17 und sagt: »In der Verkündigung des Evangeliums sieht Paulus primär den triumphierenden Gott am Werk, der durch den Apostel ›den Geruch seiner Erkenntnis‹ allerorten offenbar macht. Paulus versteht also sein Apostelamt und seine Botschaft als Moment des Offenbarungsgeschehens«[5]. Was vom Apostolat in geschichtlich einmaliger und unwiederholbarer Weise gilt: als Vermittler in das Offenbarungs- und Versöhnungsgeschehen selbst einbezogen zu sein[6], unterscheidet den Apostel prinzipiell von denen, die durch ihr εὐαγγε-

---

[1] Blank a. a. O. 286.
[2] A. a. O. 325.
[3] Auf diese Verdeutlichung dessen, was Paulus unter κόσμος (V 19a) versteht (durch αὐτοῖς V 19b), weist Blank a. a. O. 286 hin.
[4] A. a. O. 286. »Daß die Versöhnung grundlegend objektiv-universalen Charakter hat, vorgängig ihrer Zuwendung, ergibt sich klar aus 2 Kor 5, 18–20« (a. a. O.).
Oepke, Leib Christi oder Volk Gottes bei Paulus 366, sieht in diesem Versöhnungsangebot Gottes in Christus den eigentlichen »Quellort der Kirchenidee«; vgl. dazu Roloff a. a. O. 123: »Das Werk Gottes, das in der dienenden Hingabe Jesu Christi ein für allemal erfüllt ist, wird in der Kirche durch die Verkündigung des Apostels gegenwärtige, Gehorsam fordernde Wirklichkeit« (a. a. O. 123). Man könnte in der Tat die Apostel die eigentlichen »Kirchen«-gründer nennen.
[5] A. a. O. 308; er zitiert Käsemann, Legitimität 53 (Blank: 31), nach dessen Auffassung der Apostolat als »irdische Manifestation des Christus« (Blank: Evangeliums) zu bezeichnen ist; daß Paulus sich jedoch »nicht nach Art der hellenistischen Gottesboten versteht und den Stil der apodiktischen Offenbarungsrede (auch 2 Kor 5!) vermeidet«, betont Bornkamm, ThW VI 681 A. 10.
[6] Bornkamm a. a. O. 682 (zu πρεσβεύειν V 20) übersieht, daß nicht nur Versöhnungstat Gottes und Versöhnungsbotschaft unlösbar zusammengehören, sondern auch Versöhnungsbotschaft und Apostolat; vgl. v. Campenhausen, Apostelbegriff 130 A. 1: »Der Apostel gehört ... selbst mit zu dem Kerygma, das er verkündigt« (nach: E. Fuchs, Die Auferstehung Jesu Christi und der Anfang der Kirche, in: ZKG 51 [1932] 11); vgl. ferner Schlink, Die apostolische Sukzession 103f; G. Soehngen, Überlieferung und apostolische Verkündigung, in: Episkopus, Festschrift für M. Kard. v. Faulhaber, Regensburg 1949, 95.

λίζεσθαι auf dem von ihm gelegten Fundament weiterbauen. Sie teilen seine Aufgabe[1], nicht aber seine heilsgeschichtlich einzigartige Funktion. Als solche jedoch, die seine Aufgabe übernehmen, darf man sie in die primär auf Paulus als Apostel bezogene Aussage von V 20 einbeziehen: »So sind wir nun Gesandte für Christus, indem Gott durch uns ermahnt; wir bitten für Christus: Laßt euch versöhnen mit Gott«[2].

3. Der Apostel als Repräsentant Gottes und Christi

Mit ὑπὲρ Χριστοῦ οὖν πρεσβεύομεν ὡς τοῦ θεοῦ παρακαλοῦντος δι᾽ ἡμῶν zieht Paulus in 2 Kor 5, 20a eine grundsätzliche (vgl. οὖν) Schlußfolgerung aus dem Vorausgehenden, v. a. aus 5, 18f, wonach die Verkündigung »nicht nur eine nachträgliche Mitteilung des Heilsgeschehens« ist, sondern »zu ihm wesensmäßig hinzu« gehört[3]. G. Bornkamm betont bei dieser Feststellung allerdings zu einseitig die Verkündigung und zu wenig den Verkündiger.

V 18f hat seinen Skopus aber gerade darin, dem Apostelamt als διακονία τῆς καταλλαγῆς und der Verkündigung als λόγος τῆς καταλλαγῆς einen *gleich unmittelbaren* Bezug auf das Versöhnungsgeschehen zu geben. V 20a. b zeigt denselben Skopus, wenn in V 20a mit der »Verwendung des feierlich-offiziellen Ausdrucks

---

Dagegen dürfte es nicht richtig sein zu behaupten, daß »der Apostolat, wie Paulus ihn versteht, im Evangelium begründet ist und umgekehrt das Evangelium den Apostolat fordert und sich schafft« (Kertelge, Das Apostelamt des Paulus 170). Der Apostel gehört nicht »mit ins Evangelium« (Kertelge a. a. O. 169), wohl aber »zum« Evangelium; sie haben beide ihren Ursprung in Gottes Versöhnungshandeln in Christus.

[1] Asting, Verkündigung 178f: »Die Aufgabe eines Apostels ... besteht in der Verkündigung«. »... was sie schafft, ist eben die Gemeinde«. »Das besagt, daß Gott ihn dazu ausersehen hat, durch die Verkündigung des Wortes Gottes seine Kirche zu bauen, sowie sie zu erhalten und zu leiten«. Vgl. v. Campenhausen, Kirchliches Amt 48ff; Dahl, Volk Gottes 233: »Zu dem Christusevangelium gehört wesentlich hinzu, daß es von dem Apostel — und von den Aposteln — verkündigt wird«; »deshalb sind die Gemeinden ... auch an die Apostel gebunden«. Roloff a. a. O. 136: »Darin besteht ... die Einmaligkeit und Unwiederholbarkeit des apostolischen Dienstes, daß er an eine einmalige heilsgeschichtliche Situation gebunden ist, die durch den Übergang von Jesus zur Kirche und damit den Beginn dieser Bewegung des in der Auferstehung gründenden Evangeliums bestimmt ist«.

[2] In der »Versöhnung« sieht Blank »das entscheidende Motiv der apostolischen Bekehrungspredigt«. »Versöhnung besagt: Gott hat durch Christus die Feindschaft der Feinde besiegt und Frieden, als objektiven Heilszustand, gemacht; darum haltet nicht länger an dem durch Gott selbst prinzipiell aufgehobenen Zustand fest, sondern geht auf das neue Verhältnis, das ja schon grundgelegt ist, ein und ›laßt euch mit Gott versöhnen‹« (a. a. O. 287).

Schlink nennt a. a. O. 103f das »Amt der Versöhnung« des Apostels insofern eine »besondere Heilstat Gottes, als ohne den Apostolat die Heilstat Christi der Welt verborgen geblieben wäre«. In diesem Sinn ist mit Dahl a. a. O. 231 zu sagen: »Die Kirche entsteht durch Verkündigung«. Man vergleiche dazu auch F. Brunstäd, Die Kirche und ihr Recht, in: Wort und Tat, Berlin 1934, 288–314, v. a. 302f: »Ihr (d. h. der Apostel) Christuszeugnis gründet die Gemeinde« (a. a. O. 302).

[3] Bornkamm, ThW VI 682, 9ff (zu πρεσβεύω).

πρεσβεύω«[1] auf den »Botschafterdienst«[2] des Apostels für Christus abgehoben wird, während in V 20b der Inhalt[3] seines Botschafterdienstes für Christus angedeutet erscheint. Es ist daher zwar richtig, wenn G. Bornkamm V 20 (a). b expliziert: »Die Botschaft hat ihre Autorität darin, daß Christus selbst im Wort seiner Gesandten zu Wort kommt, oder, was für den Apostel dasselbe besagt: Gott selbst mahnt, indem er sich des Apostels als seines Mundes bedient. Im *Dienst* und *Wort* von der Versöhnung vergegenwärtigt sich die vollzogene Versöhnungstat als Angebot und Einladung zum Glauben, der dieses Geschehen annimmt«[4]. Falsch ist es jedoch, in der Wendung ὑπὲρ Χριστοῦ πρεσβεύειν dann nur den »autoritativen, offiziellen Charakter der Verkündigung« ... »mit höchstem Nachdruck« ausgesprochen zu behaupten und die (inhaltliche) »Autorität der Botschaft« gegen die (formale) »Autorität eines Amtsträgers« abzuheben[5]. Beides gehört nach 5, 18f. 20 wesentlich zusammen[6]. Nur so behält dann auch der paulinische Gedanke der »Repräsentation Christi«[7] in seinen Gesandten sein Gewicht. Daß es sich um Repräsentation Christi handelt, unterstreicht auch G. Bornkamm: »Es genügt ... nicht, ὑπὲρ[8] Χριστοῦ πρεσ-

---

[1] Bornkamm a. a. O. 682, 2f.

[2] A. a. O. 681, 38. Weil Bornkamm diese Zweigliedrigkeit der Argumentation nicht scharf genug herausarbeitet, kann er dann ganz zu Unrecht behaupten, Paulus habe nur Interesse »an der (inhaltlichen) Autorität der Botschaft«, »nicht der (formalen) Autorität eines Amtsträgers« (a. a. O. 682, 21f). Vgl. dagegen Linton, Kirche und Amt im NT 114: »Zur Botschaft ... gehören auch die Verkündiger«; und — mit Bezug auf Bornkamm — Roloff a. a. O. 123 A. 291: »Der Zusammenhang der Stelle betont ... die unbedingte Autorität und Vollmacht des Trägers des Versöhnungsdienstes«. Zu allgemein formuliert Menoud, L'Église 59: »l'autorité dans l'Église vient d'en haut«.

[3] Nicht nur die Ausrichtung, wie Bornkamm a. a. O. 682 A. 11 meint; expliziert wird in V 20b das ὑπὲρ Χριστοῦ.

[4] A. a. O. 682, 15ff (Hervorhebungen von mir); vgl. v. Campenhausen, Apostelbegriff 110: »›Evangelium‹ und Apostolat sind engstens zusammenhängende Begriffe und zwar so, daß in die apostolische Verkündigung des Evangeliums auch die Vollmacht zu Gründung, Leitung und Unterweisung der Gemeinden mit einbegriffen ist«.

[5] Bornkamm a. a. O. 682, 13ff. 21ff; vgl. dagegen Asting, Verkündigung 164f; Bultmann, Theologie des Neuen Testaments 457: »Der Begriff des Apostels ... ist also primär bestimmt durch den Gedanken der Autorisierung«.

[6] v. Campenhausen, Apostelbegriff 110: »Der Apostel ... hat Anspruch auf den Gehorsam der Gemeinden ... weil er und soweit er der Träger des Auftrags und der Vollmacht Jesu Christi ist und Christus selbst in seinem Wort und seiner Person vertritt«.

[7] Bornkamm a. a. O. 682, 29f; er akzentuiert aber auch hier fälschlich den Gesandten*dienst*, obwohl er ὑπὲρ Χριστοῦ mit Luther übersetzt »an Christi Statt«. Vgl. zur Repräsentation Christi v. a. Gulin, Das geistliche Amt 308; Asting, Verkündigung 164; v. Campenhausen, Apostelbegriff 110f; Menoud, L'Église 60; Linton, Kirche und Amt im NT 118. 139; Gerhardsson, Die Boten Gottes und die Apostel Christi 116–124, v. a. 118; und Roloff, Apostolat — Verkündigung — Kirche 117. 122f.

[8] R. Berger, Die Wendung »offerre pro« in der römischen Liturgie (Liturgiewissenschaftliche Quellen und Forschungen, Heft 41), Münster 1965, 3–15: »Daß ... Paulus ὑπὲρ als Stellvertretungspartikel kennt« und daß man folglich den Stellvertretungsgedanken auch aus all den Stellen nicht streichen kann, in denen man nur diesen finalen Sinn ὑπὲρ = »für« oder »zu Gunsten von« entnehmen zu können glaubt, »ergibt sich zwingend aus Philemon 13« (a. a. O. 9). Stellvertretung und

βεύομεν 5, 20 mit ›für die Sache Christi‹ zu umschreiben, weil dadurch das Besondere des Gesandtendienstes, *die Repräsentation Christi und die aus ihr folgende Autorität* der Botschaft, nicht zur Genüge zum Ausdruck kommt «[1]. Was hier völlig zutreffend formuliert ist, daß nämlich Repräsentation Christi und die an seiner Statt geschehende Verkündigung die zwei untrennbaren Elemente des Gesandtendienstes[2] eines Apostels darstellen, wird bei G. Bornkamm aus einer Fixierung auf die Verkündigung heraus ständig verwischt. Nur so kann er in unmittelbarer Fortsetzung zum Obigen verunklarend hinzufügen: »... nur darf ὑπὲρ Χριστοῦ nicht im Sinne einer Stellvertretung für einen Abwesenden (vice et loco) und der Dienst des Apostels nicht als Fortsetzung des Werkes Christi verstanden werden «[3].

Nach den VV 18f. 20 ist der Zusammenhang folgender: Gott ist es, der uns mit sich durch Christus versöhnte (vgl. V 18a); er ist es *auch*, der dem Apostel den Dienst der Versöhnung gab (vgl. V 18b), und zwar *so*[4], daß Gott es war, der in Christus die Welt mit sich versöhnte *und* in den Apostel das Wort der Versöhnung legte (vgl. V 19), d. h. das Wort davon, was durch Christus zur Versöhnung aller geschah. Der Gesandtendienst des Apostels geschieht daher an Stelle Christi, durch den Gott die Versöhnung bewirkte; seine Verkündigung ist Explikation des Versöhnungsgeschehens; also nicht Fortsetzung[5], sondern Vergegenwärtigung des Versöhnungshandelns Gottes in Christus. Doch darin ist der Apostel Repräsentant Christi und Gottes zugleich. Er verkündigt als einer, durch den Gott selbst mahnt (vgl. V 20a), die Versöhnung, die in Christus geschah; zugleich als einer, durch den Christus mahnt (vgl. V 20b), sich versöhnen zu lassen. Er steht also weder an der Stelle, wo vorher für Gott Christus stand, noch ist er ein »Stellvertreter Gottes«; er *repräsentiert* vielmehr in seinem Dienst und Wort der Versöhnung beide; ihr Handeln wird durch ihn und seine Verkündigung offenbar.

---

nicht nur Solidarität dürfte »ziemlich sicher« auch in 2 Kor 5, 14f und 5, 20f zum Ausdruck kommen. »An Stellen, wo an sich die Übersetzung ›zum Nutzen‹ ausreicht, darf darum der Gedanke ›anstelle‹ nicht einfach ausgeschlossen werden« (a. a. O.). »Das ist ... sachlich bedingt. Denn eine Stellvertretung liegt für gewöhnlich im Interesse dessen, der vertreten wird«, zu dessen Gunsten etwas geschieht, und umgekehrt: »wenn einer etwas in meinem Interesse, zu meinem Nutzen tut, dann oft genug auch an meiner Stelle« (a. a. O. 10). Ohne den Stellvertretungsgedanken wäre 1 Kor 15, 29 — die Taufe »für Verstorbene« — wohl nicht verstehbar (vgl. a. a. O.).

Zum Gedanken der Stellvertretung vgl. ferner Gulin, Das geistliche Amt 304 ff; Friedrich, Geist und Amt 75 f; Roloff, Apostolat — Verkündigung — Kirche 104. 111. 122 f (v. a. 123 A. 292 und A. 293).

[1] Bornkamm a. a. O. 682, 27 ff (Hervorhebung von mir) in Abgrenzung gegen Rengstorf, Apostolat und Predigtamt 19 A. 52, und Lietzmann, 2 Kor 127, aber mit Bultmann, Theologie des Neuen Testaments 299 f. Wieder wird jedoch bei Bornkamm die Autorität des Botschafters unterschlagen.

[2] Zu πρεσβεύω — πρεσβύτης vgl. Bornkamm a. a. O. 681–683.

[3] A. a. O. 682, 32 ff gegen Saß, Apostelamt und Kirche 81: »Der Apostel steht für Gott also an der Stelle, wo zuvor Christus stand, als Fortsetzer des Werkes Christi«; vgl. dagegen Gerhardsson a. a. O. 124.

[4] ὡς ὅτι ist hier zu beachten, obwohl es nahezu immer übergangen wird (vgl. z. B. die Zürcher Bibel); dazu Bl.–Debr. § 396; die Vulg. übersetzt »quoniam quidem«.

[5] Deshalb ist die Formulierung von Saß (s. A. 3) in der Tat nicht sehr glücklich; vgl. dazu auch Roloff a. a. O. 123 und A. 293.

Es berührt sich dieses Ergebnis mit dem im 1. Abschnitt über den heilsgeschichtlichen Ort und die Aufgabe eines Apostels Erarbeiteten, wenn Paulus
in 2 Kor 6, 1 erläuternd fortfährt: Συνεργοῦντες δὲ καὶ παρακαλοῦμεν. Wie in der
Auferbauung der Gemeinde als ϑεοῦ οἰκοδομή erweist sich der Apostel, welcher
deren Fundament legte, als ϑεοῦ συνεργός (vgl. 1 Kor 3, 9)[1]. Sind in jenem
Zusammenhang (vgl. 1 Kor 3, 5–15) die Mitarbeiter bzw. »Nachfolger« unter
die Bezeichnung ϑεοῦ συνεργοί subsumiert, so wird man dies auch für 2 Kor 5,
20 ff vermuten dürfen[2]. Zwar muß »festgehalten werden, daß es in diesem Text
in erster Linie um die Rechtfertigung des paulinischen Apostolats geht« und
daß »uns« und »wir« sich in 2 Kor 5, 11 ff »durchweg auf Paulus selbst«
bezieht[3]; doch wird man, wieder mit J. Blank, diesen im Plural gehaltenen
Formulierungen — wie der in συνεργοῦντες anklingende und für συνεργοί erwiesene Sachverhalt bestätigt — ein prinzipielles Moment nicht völlig absprechen dürfen.

An 2 Kor 5, 20 hebt J. Blank darüber hinaus die mit der Repräsentation
Gottes und Christi notwendigerweise verbundene Haltung des Verkündigers
der Versöhnungsbotschaft hervor: »Der Versöhnungs- und Friedensbote Gottes
kommt nicht als Herr mit äußerer Macht, sondern im Auftrag Gottes und
Christi als einer, der herzlich zuredet und bittet: ›Laßt euch mit Gott versöhnen‹. Mit Zuspruch und Bitte tritt er der Welt gegenüber, so wie es der
›Liebe Christi‹ entspricht. Dem Evangelium ist eine bestimmte Weise glaub-
würdiger Bezeugung zugeordnet«[4]. Paulus verdeutlicht sie im Folgenden (2 Kor
6, 3–10), indem er die vielen Trübsale, Nöte, Ängste, Leiden und Entbehrungen
aufzählt, die er um des Evangeliums willen (vgl. V 3) auf sich nahm, ἵνα μὴ
μωμηϑῇ ἡ διακονία, d. h. damit der Dienst (am Evangelium) nicht getadelt
wird; vielmehr: συνιστάνοντες ἑαυτοὺς ὡς ϑεοῦ διάκονοι, d. h. in allem suchte er
sich als Gottes Helfer zu erweisen[5].

---

[1] Zur Repräsentation Gottes vgl. Asting, Verkündigung 164: »Bevollmächtigte
Boten Christi, Stellvertreter Gottes auf Erden«; Linton, Kirche und Amt im NT 139:
»Apostel zu sein ... bedeutet für ihn, ein Christus für die Gemeinde zu sein. Mit
der Autorität Christi spricht er Gottes Wort zu Fall und Auferstehung ...«.

[2] Kertelge, Das Apostelamt des Paulus 177, weitet — doch wohl zu Unrecht —
aus auf die »Dienstleistungen innerhalb der Gemeinde«: »Diese Dienste sind entsprechend ihrer ›charismatischen‹ Natur Teilnahme an dem einen ›Dienst der Versöhnung‹ (2 Kor 5, 18), den Gott der Kirche eingestiftet hat und ›den der Apostel
in einmaliger Weise in seiner Verkündigung repräsentiert«.

[3] Blank, Paulus und Jesus 313. Kertelge sieht dagegen a. a. O. A. 63 in dem
zweifachen »uns« die doppelte »Ausrichtung des Versöhnungswerkes Gottes auf
die Kirche insgesamt und den Apostel besonders« eingeschlossen.

[4] A. a. O. 325; vgl. dazu Holl, Der Kirchenbegriff des Paulus 63; Gulin, Das
geistliche Amt 308; Linton, Kirche und Amt im NT 118. 138; Roloff, Apostolat —
Verkündigung — Kirche 121 ff. 135 ff; v. a. auch Brandt, Dienst und Dienen im
NT 99 ff. 104 ff.

[5] ϑεοῦ διάκονοι (vgl. 1 Kor 3, 5; 2 Kor 3, 6; 6, 4; auch 1 Thess 3, 2, wo es aber in
den Handschriften mit συνεργός wechselt) ist möglicherweise eine von Paulus bevorzugte Selbstbezeichnung, im Gegensatz zu seinen sich διάκονοι Χριστοῦ nennen-
den korinthischen Gegnern (vgl. 2 Kor 11, 23).
   Wie es zur Bezeichnung διάκονος τῆς ἐκκλησίας (vgl. Röm 16, 1) und zum Titel
διάκονος (vgl. Phil 1, 1b) kam, ist bis heute ungeklärt; ein vom Apostel als ϑεοῦ
διάκονος abgeleitetes Verständnis liegt nahe. Vgl. dazu Roloff a. a. O. 121f; er

Der Gedanke der Repräsentation Gottes und Christi durch den Apostel, wie er sich aus 2 Kor 5, 18 ff herausstellen ließ, begegnet — wenn auch abgewandelt — in allen Briefen. Es mag genügen, anhangweise zur Erhärtung des Ergebnisses darauf hinzuweisen[1].

1 Thess 2, 13 wird das Ineinander von Gotteswort und Apostelpredigt in einer bewußt konstruierten Formulierung verdeutlicht. Paulus sagt von den Thessalonichern, daß sie den λόγον ἀκοῆς παρ' ἡμῶν τοῦ θεοῦ angenommen haben οὐ λόγον ἀνθρώπων ἀλλὰ καθὼς ἀληθῶς ἐστιν λόγον θεοῦ. Der Nachsatz erläutert die Konstruktion des Vordersatzes: Des Apostels — und seiner Mitarbeiter — Predigt ist Gottes eigene Heilsbotschaft, welche durch die Predigt vermittelt wird, genauer: welche sich in ihrer Predigt vermittelt[2].

1 Thess 4, 8 drückt diesen Bezug noch schärfer aus: Wer die Weisungen des Apostels verwirft, οὐκ ἄνθρωπον ἀθετεῖ ἀλλὰ τὸν θεόν; d. h. sein verächtliches Verhalten gegenüber dem Apostel wäre in seiner Konsequenz zugleich Gottesverachtung[3].

Für die Repräsentation Christi durch den Apostel ergab sich aus *Röm 1, 5; 15, 15ff*: Der Apostel hat seine ἀποστολή empfangen εἰς ὑπακοὴν πίστεως ἐν πᾶσιν τοῖς ἔθνεσιν, Gehorsam zu erwirken unter den Völkern (vgl. 1, 5), wodurch sie zur προσφορὰ εὐπρόσδεκτος werden (vgl. 15, 15f); dies jedoch ὑπὲρ τοῦ ὀνόματος αὐτοῦ (d. h. Χριστοῦ). Die Verwendung von ὑπέρ im Sinn von »für«, »zugunsten« zeigt die auch in 2 Kor 5, 20 beobachtete Komponente der Stellvertretung als ein Handeln »für« einen andern; was aber der Apostel »für« Christus tut, tut er zugleich in seiner Vertretung[4], als sein Repräsentant.

Identität seines apostolischen Wirkens mit dem des durch ihn handelnden Christus besagt Röm 15, 18: der Apostel wird nicht wagen, etwas zu sagen, ὧν οὐ κατειργάσατο Χριστὸς δι' ἐμοῦ.

1 Thess 4, 2 erinnert Paulus die Thessalonicher an τίνας παραγγελίας, bestimmte Weisungen, die er ihnen gab διὰ τοῦ κυρίου Ἰησοῦ. Wie in 4, 8 die Verachtung seiner Weisungen als Gottesverachtung ausgelegt wird, so hier das Aufstellen von Geboten als im Willen des Herrn begründet; auch darin handelt Christus durch ihn (vgl. Röm 15, 18)[5].

---

folgert aus dem Schlüsselwort διακονία »im Mose-Christus-Midrasch von 2 Kor 3« und 2 Kor 11, 23, »daß bereits vor und neben Paulus das Wort διάκονος zur Bezeichnung eines Trägers eines besonders von Christus beauftragten Dienstes in der Kirche geläufig gewesen sein muß«.

Die Übersetzung »Helfer« für διάκονος ist generell vorzuziehen; der Unterschied zu συνεργός (»Mitarbeiter«) ist gering.

[1] Vgl. im einzelnen die Auslegungen zur Stelle.
[2] Vgl. Asting, Verkündigung 158f. 171.
[3] Vgl. v. Dobschütz, 1 Thess 171f; ferner Menoud, L'Église 31: »Leur parole est la parole de Dieu«.
[4] Der von Bornkamm abgelehnte Begriff der »Stellvertretung« (vgl. ThW VI 682, 32 ff) ist für ihn vermutlich zu stark von katholischer Dogmatik belastet; sachgemäß ist der Begriff nämlich durchaus.
[5] Vgl. Linton, Kirche und Amt im NT 137: »Als Apostel Christi kann er mit Autorität auftreten«; nach Gulin, Das geistliche Amt 308, ist die »Vollmacht des Apostolats eine göttliche«.

2 Kor 12, 19; 13, 3 bestätigen, daß diese Deutung sachgemäß ist. Die Korinther verlangen von Paulus eine δοκιμή — τοῦ ἐν ἐμοὶ λαλοῦντος Χριστοῦ (13, 3), d. h. förmlich einen Beweis des in ihm redenden Christus[1], welchen Paulus bei seinem Kommen durch schonungsloses Vorgehen zu erbringen gedenkt (vgl. οὐ φείσομαι V 2). In Umkehrung des ἐν Χριστῷ λαλοῦμεν von 12, 19 spricht 13, 3 von dem ἐν ἐμοί, d. i. im Apostel, λαλοῦντος Χριστοῦ. Der Bezug ist umkehrbar: spricht der Apostel, dann aus seiner totalen Bestimmtheit von Christus heraus; diese kann aber auch so ausgedrückt werden, daß Christus »in ihm«, d. h. durch ihn spricht. Der Apostel ist Repräsentant Christi[2].

2 Kor 1, 18 f weitet diesen Repräsentationsgedanken aus durch einen, den Einzelfall (den wegen des veränderten Reiseplans erhobenen Vorwurf der Doppelzüngigkeit) transzendierenden theologischen Hinweis auf die Redlichkeit und Widerspruchslosigkeit seiner — und seiner Mitarbeiter[3] — Predigt: der von ihnen gepredigte λόγος ist Gottes Sohn Christus Jesus; deshalb ist jener so untrüglich wie dieser[4].

Wichtig ist, daß damit Paulus nicht nur für sich selbst, sondern auch für seine Mitarbeiter Zuverlässigkeit in der Verkündigung von Christus Jesus, das heißt aber nach allem Vorausgehenden auch: in der Repräsentation Christi, behauptet.

Abschließend sei hingewiesen auf den formelhaften Ausdruck dieser Repräsentation Gottes und Christi in Gal 1, 1: Paulus ist Apostel, nicht von Menschen, auch nicht durch einen Menschen, ἀλλὰ διὰ Ἰησοῦ Χριστοῦ καὶ θεοῦ πατρός. Der Anspruch, der darin offen zu Tage tritt[5], kann in anderem Zusammenhang ebenso verhalten angedeutet werden. Ein Beispiel ist 1 Kor 4, 1 ff: Paulus mahnt die Korinther, die er 1, 12 ff; 3, 1 ff wegen ihrer Parteiungen als Folge eines ungerechtfertigten Personenkults heftig tadelt, man solle ihn, Apollos usw. betrachten als ὑπηρέτας Χριστοῦ καὶ οἰκονόμους μυστηρίων θεοῦ. Sieht man von der Tendenz des Textes ab, die darauf zielt, die Apostel als die Geringsten hinzustellen, die »der Welt ein Schauspiel« geworden sind (vgl. 4, 9), läßt sich der Repräsentationsgedanke auch hier nicht übersehen.

4. Die ἐξουσίαι eines Apostels und ihre Grenzen

a) Die ἐξουσίαι

Der Apostel als Repräsentant Gottes und Christi, dem in seiner διακονία τῆς καταλλαγῆς die Vermittlung der durch Gott in Christus gewirkten Versöhnung

---

[1] Zu δοκιμή vgl. Bauer, WB 401 f: 1. Erprobtheit; 2. Bewährung; zu 2 Kor 13, 3: »hier hat δοκιμή beinahe den Sinn von Beweis«.

[2] Christus ist »als handelndes Subjekt in ihn eingegangen« (Windisch, 2 Kor 417).

[3] Vgl. 4. Kapitel: Die »Nachfolger« der Apostel.

[4] Vgl. Kümmel, im Anhang zu Lietzmann, 2 Kor 198: »begründet in Gottes eindeutiger Rede in Jesus Christus«.

[5] Vgl. Linton, Kirche und Amt im NT 117 (zu Gal 1, 1): »Der Apostel ist ein Sendbote ... mit Jesu eigener Vollmacht ausgestattet«. »Eben als Apostel haben sie ihre Autorität, und zwar als von Christus empfangene«. Vgl. auch a. a. O. 135 ff.

anvertraut ist, hat seinen heilsgeschichtlichen Ort innerhalb dieses Versöhnungsgeschehens selbst, welches er *ὑπὲρ Χριστοῦ* zu verkündigen hat (vgl. 2 Kor 5, 18 ff).

Derselbe heilsgeschichtliche Ort des Apostolats ließ sich aus dem Gedankenbereich der Gemeinde als *θεοῦ οἰκοδομή* so beschreiben, daß der Apostel als derjenige, welcher das Fundament dieses Gottesbaus legte, auf seiten Gottes steht als *θεοῦ συνεργός* — der Gemeinde als *θεοῦ οἰκοδομή* gegenüber (vgl. 1 Kor 3, 9 ff). Die Gemeinde ist sein *ἔργον ἐν κυρίῳ* (1 Kor 9, 1).

Daraus leitet sich für Paulus als Apostel eine grundlegende *ἐξουσία* ab, wie sie 2 Kor 10, 8; 13, 10 formuliert ist. Er kann sich seinen Gegnern gegenüber über das an sich noch vergleichbare *Χριστοῦ εἶναι* (vgl. V 7) hinaus rühmen *περὶ τῆς ἐξουσίας ἡμῶν, ἧς ἔδωκεν ὁ κύριος εἰς οἰκοδομὴν καὶ οὐκ εἰς καθαίρεσιν ὑμῶν* (10, 8)[1].

Diese Vollmacht, in der seine *οἰκοδομή* der Gemeinde geschieht[2], ist vom Herrn selbst legitimiert. Sie ist das gewisse »Etwas« (vgl. *περισσότερόν τι* V 8), dessen sich der Apostel rühmen kann, weil er es der Gemeinde wie seinen Gegnern »voraus«-hat. Sie würde es, wenn der Gehorsam der Gemeinde bis zum persönlichen Kommen des Apostels nicht geleistet wäre (vgl. V 6)[3], rechtfertigen, daß er Strenge zur Anwendung kommen ließe, um darin seine *ἐξουσία* gegenüber der Gemeinde zu erweisen (vgl. 13, 10). Mit anderen Worten: die dem Apostel vom Herrn gegebene *ἐξουσία* enthält der Gemeinde gegenüber einen Anspruch auf Gehorsam[4]. Das bezieht sich konkret auf »seine«, d. h. nur auf die von ihm gegründeten Gemeinden[5]. Sie sind für ihn — wie Korinth — *ἡ ... σφραγίς μου τῆς ἀποστολῆς ... ἐν κυρίῳ* (1 Kor 9, 2); oder wie 2 Kor 3, 2 denselben Gedanken ausdrückt: *ἡ ἐπιστολὴ ἡμῶν ...* . Sie allein sind »Brief« und »Siegel« des Apostels[6], allerdings als *ἐπιστολὴ Χριστοῦ διακονηθεῖσα ὑφ᾽ ἡμῶν* (V 3). In dieser christologischen Relation sagt sich aus, daß der Gehorsam, den die Gemeinde ihrem Apostel gegenüber bewährt, nicht nur die Anerkennung der dem Apostel gegebenen *ἐξουσία* unter Beweis stellt, sondern auch, inwiefern die Gemeinde als ein vom Apostel besorgter Brief offenbar wird als

---

[1] Vgl. die Auslegungen zur Stelle und Vielhauer, Oikodome 77 f.
[2] Zu *ἐξουσία* vgl. Foerster, ThW II 559–572, v. a. 567. Vielhauer bezeichnet a. a. O. 78 die *οἰκοδομή* als »Auftrag und Inhalt der apostolischen Vollmacht «; vgl. ferner Friedrich, Geist und Amt 71 (mit O. Michel, Gnadengabe und Amt, in: Deutsche Theologie [1942] 135 A. 4).
[3] Hintergrund dieser Aussage von 2 Kor 10, 2 ff wie 13, 10 ist das gestörte Verhältnis zwischen Paulus und den Korinthern, die ihm in der Sache des *ἀδικήσας* (vgl. 2 Kor 7, 12) den Gehorsam verweigert, sich den Argumenten der paulinischen Gegner geneigt gezeigt hatten und erst seit dem Besuch des Titus ihren Gehorsam gegen den Apostel wieder zu bewähren begannen; vgl. 2 Kor 2, 5–10; 7, 5–16.
[4] Vgl. v. Campenhausen, Recht und Gehorsam 287; ders., Apostelbegriff 110: »Anspruch auf den Gehorsam der Gemeinden «; vgl. auch a. a. O. 124; ferner Cerfaux, La Théologie de l'Église 191; Fridrichsen, Die neutestamentliche Gemeinde 55: »Anspruch auf unbedingten Gehorsam «.
[5] Aus dem paulinischen *ἐξουσία*-Verständnis ist daher nicht ohne weiteres ein allgemeines kirchliches Recht ableitbar.
[6] Vgl. dagegen die »Empfehlungsbriefe « (2 Kor 3, 1), die seine korinthischen Gegner vorweisen können; dazu Georgi, Die Gegner des Paulus 242 ff; Blank, Paulus und Jesus 309.

»Brief Christi« (vgl. 2 Kor 3, 2f); es entscheidet sich am Verhalten zum Apostel als Repräsentanten Christi.

Derselbe Anspruch des Apostels auf Gehorsam ergibt sich aber auch aus einer Reihe von Stellen, die vom ὑπακούειν bzw. von der ὑπακοή[1] handeln. Zwar ist diese ὑπακοή zunächst als »Glaubensgehorsam« zu verstehen[2], welcher der Versöhnungsbotschaft zukommt[3], die zu verkünden Aufgabe eines Apostels ist. Dazu hat dieser Gnade und Apostelamt (vgl. Röm 1, 5) empfangen, daß er ὑπακοὴν πίστεως bewirke, und zwar prinzipiell ἐν πᾶσιν τοῖς ἔθνεσιν (Röm 1, 5). Ist es auch Christus, der letztlich solchen Glaubensgehorsam wirkt, so doch durch seinen Apostel (vgl. Röm 15, 18). Insofern ist der Gehorsam auch auf den Apostel als den Vermittler der Versöhnungsbotschaft gerichtet, bzw. auf einen τύπος διδαχῆς[4], dem die Gemeinde übergeben wurde, oder es ist allgemein von der ὑπακοή die Rede, wobei unentschieden bleibt, ob sie auf den Apostel oder seine Predigt bezogen zu denken ist[5].

Unzweideutig spricht jedoch 2 Kor 2, 9 vom »gehorsam sein« gegen den Apostel. 2 Kor 10, 6 bestätigt: Paulus wird gegen jeden Ungehorsam — in der korinthischen Gemeinde — strafend vorgehen, ὅταν πληρωθῇ ὑμῶν ἡ ὑπακοή. Erst muß die Gemeinde (vgl. ὑμῶν) wieder ganz in Gehorsam zum Apostel stehen, dann wird er die Ungehorsamen in der Gemeinde strafen; er, dessen Aufgabe es ist, »jeden Gedanken gefangenzuführen in den Gehorsam gegen Christus« (vgl. 10, 5). Immer bleibt der Gehorsam gegen den Apostel letztlich ein Gehorsam gegen Christus; das hebt aber nicht auf, daß er auch ganz konkret dem Apostel zu leisten ist. Paulus kann auf Philemons Gehorsam ebenso Vertrauen setzen[6] wie den Gehorsam der Korinther gegen Titus lobend erwähnen[7]. Letzteres ist für unseren Zusammenhang besonders wichtig, weil damit der Anspruch auch eines Mitarbeiters des Apostels auf Gehorsam der Gemeinde indirekt zum Ausdruck kommt. Aus der ἐξουσία — εἰς οἰκοδομήν und dem daraus sich herleitenden Anspruch auf Gehorsam, ebenso aber auch aus dem Gehorsam fordernden λόγος τῆς καταλλαγῆς, den der Apostel ὑπὲρ Χριστοῦ verkündet[8], resultiert die ἐξουσία des Apostels, παραγγελίας, Weisungen zu erteilen διὰ τοῦ κυρίου Ἰησοῦ[9]; sind sie auch in der Autorität des Herrn begründet, sind es doch Weisungen des Apostels. So kann Paulus nicht nur von seinen Weisungen zu Problemen der Gemeindeversammlungen sagen, daß hinter ihnen

---

[1] Nach v. Campenhausen, Recht und Gehorsam 287 A. 58, erscheint ὑπακοή »im NT — außer Phlm 21 ὑπ. gegen die Weisung des Apostels — stets im Zusammenhang mit der religiösen Entscheidung«, und er fragt deshalb: »Muß man da wirklich Phlm 21 für sich stellen?«
[2] Vgl. Röm 1, 5; 6, 16f; 15, 18; 16, 19. 26 u. ö.
[3] Vgl. Röm 16, 26.
[4] Zu Röm 6, 17 vgl. die Auslegung zur Stelle.
[5] Phil 2, 12 ist das erstere, Röm 16, 19 das letztere wahrscheinlicher. 16, 17f ist von Leuten die Rede, die Entzweiungen und Ärgernisse wider die gelernte »Lehre« (vgl. 6, 17) erzeugten. Phil 2, 12 werden die Philipper an die Zeit der Anwesenheit des Apostels erinnert, so daß der Gehorsam wohl auf ihn gerichtet zu denken ist.
[6] Vgl. Phlm 21.
[7] Vgl. 2 Kor 7, 15.
[8] Vgl. das im Vorausgehenden zu 2 Kor 5, 18ff Gesagte.
[9] Vgl. 1 Thess 4, 2; zu παραγγελία s. Bauer, WB 1215f: Ankündigung, Anweisung, Anordnung, Befehl, Weisung.

der Herr selbst steht (vgl. 1 Kor 14, 37)[1], er kann den Verheirateten gebieten[2] und dabei ausdrücklich betonen: οὐκ ἐγὼ ἀλλὰ ὁ κύριος (1 Kor 7, 10); doch kann Paulus auch ohne solche Zusätze von seinen eigenen Anordnungen sprechen (vgl. 1 Kor 11, 17; ähnlich 1 Thess 4, 11) oder von seiner παρρησία zu »gebieten« (vgl. Phlm 8). Ohne daß es, wie Phlm 8, immer hinzugefügt werden müßte, besteht kein Zweifel, daß die Anordnungen, Weisungen und Befehle des Apostels[3] ἐν Χριστῷ, in seiner Bestimmtheit von Christus legitimiert sind; immer behält 1 Thess 4, 8 seine Gültigkeit, wonach die Abweisung seiner Anordnungen eine Abweisung Gottes selbst darstellt.

Eine weitere Quelle der ἐξουσία eines Apostels ist sein Betrautsein mit dem Evangelium[4]. Sachlich bringt dieser Gesichtspunkt nichts Neues; das θεμέλιον τιθέναι für den Gottesbau der Gemeinde (vgl. 1 Kor 3, 9 ff) geschah in der Verkündigung des Evangeliums durch den Apostel, nicht anders als die Vermittlung des Versöhnungsgeschehens im λόγος τῆς καταλλαγῆς (2 Kor 5, 18 ff); denn auch darunter ist zu verstehen: die Verkündigung des Evangeliums von der in Christus geschehenen Versöhnung.

Neu ist jedoch, daß Paulus über die prinzipiellen ἐξουσίαι auf Weisungsbefugnis und Gehorsam hinaus im Hinblick auf seinen Dienst am Evangelium eine Reihe sehr konkreter ἐξουσίαι eines[5] Apostels gegenüber seinen Gemeinden geltend macht. Er nennt dafür in 1 Kor 9, 3–18 neben einer Anordnung des Herrn, nach welcher jene, die das Evangelium verkünden, vom Evangelium leben sollen (vgl. V 14), Gründe, welche die Angemessenheit dieser Anordnung vorbereitend unterstreichen (vgl. VV 7. 8–10. 13). Ein typisch paulinisches Begründungsargument bietet dabei V 11: »Wenn wir euch die geistlichen Güter gesät haben, ist es da etwas Großes, wenn wir eure irdischen Güter ernten?«[6]

Dieser in Gal 6, 6 als κοινωνία des wechselseitigen Anteil-gebens und Anteilnehmens zum Zwecke des gemeinsamen Anteil-habens an allen Gütern entfaltete Gedanke dient Röm 15, 27 zur Begründung des Gemeinschaftsverhältnisses der paulinischen Gemeinden zu Jerusalem[7], Gal 6, 6 zur Mahnung (κοινωνείτω) an die Unterwiesenen, Gemeinschaft zu halten mit den Unter-

---

[1] Die schwierige Textüberlieferung von 1 Kor 14, 37 erlaubt nicht, die Sachverhalte zu präzisieren; vgl. die Auslegung zur Stelle.

[2] Zu παραγγέλλειν s. Bauer, WB 1216: auffordern, einschärfen, befehlen, gebieten.

[3] 1 Kor 7, 6 ist, wie Phlm 8, angedeutet, daß Paulus sehr wohl einen Befehl erteilen (bzw. befehlen) könnte (zu ἐπιταγή, ἐπιτάσσειν s. Bauer, WB 597 f: Auftrag, Befehl, Gebot — bzw. befehlen, gebieten); ἐπιτάσσειν, παραγγέλλειν; ἐπιταγή, παραγγελία, ἐντολή scheinen ohne große Unterschiede gebraucht zu sein, doch ist ἐντολή bei Paulus meist auf das alttestamentliche Gesetz, bzw. im Plural auf die Gesetze, bezogen und in seiner Anwendung auf Christus (1 Kor 14, 37) unsicher bezeugt; auch das betonte λέγειν hat eine ähnliche Bedeutung (vgl. 1 Kor 7, 12; Röm 12, 3), abgeschwächter freilich, wie im allgemeinen auch διατάσσειν bzw. med. (1 Kor 7, 17; 11, 34; 16, 1); doch 1 Kor 9, 14 zeigt, daß auch διατάσσειν als »gebieten« vorkommt.

[4] Vgl. 1 Thess 2, 4.

[5] Die allgemeine Geltung ergibt sich aus 1 Kor 9, 4–6. 12.

[6] Vgl. Gal 6, 6; Röm 15, 27; Phil 4, 15. 17.

[7] Vgl. Kapitel 1, Abschnitt 4: Das Verhältnis der paulinischen Gemeinden zu Jerusalem.

richtenden; gemeint ist wohl auch hier ein Austausch irdischer und geistiger Güter[1]. Wie formalistisch dieser Grundsatz bei Paulus gehandhabt werden kann, zeigt Phil 4, 15, wo von der Gemeinschaft auf Rechnung des Gebens und Nehmens die Rede ist. Gemeint ist in jedem Fall ein Anspruch, und Paulus nennt ihn eine ἐξουσία, ein geschuldetes »Recht«, näherhin ein Recht am Evangelium, das jedem zukommt, der das Evangelium verkündet (vgl. 1 Kor 9, 14).

In 1 Kor 9, 4–6 wird diese ἐξουσία konkret genannt: der Apostel hat seiner[2] Gemeinde gegenüber das Recht, zu Lasten der Gemeinde seinen — und gegebenenfalls seiner Frau — Lebensunterhalt zu bekommen. Er bestreitet dieses Recht auch andern[3] in der Gemeinde von Korinth nicht, betont aber, daß er und seine Mitarbeiter größeres Recht haben (vgl. V 12), wohl durch ihre grundlegende Arbeit an der οἰκοδομή der Gemeinde. Daß Paulus darauf verzichtet, diese Rechte in Anspruch zu nehmen, hebt deren prinzipielle Gültigkeit nicht auf.

Schließlich sind unter dem Stichwort ἐξουσίαι eines Apostels auch jene Sachverhalte einzubeziehen, in denen anfängliches Kirchenrecht[4] sich ankündigt.

Gal 1, 8f droht Paulus in seiner Vollmacht als Apostel jedem Verfälscher des einen εὐαγγέλιον τοῦ Χριστοῦ, neben dem es kein ἄλλο εὐαγγέλιον (vgl. V 7) geben kann, Fluch an. Dieses — von Paulus aus Offenbarung empfangene — Evangelium steht jedem Verkündiger als eine unabänderliche Norm mit eindeutigem Inhalt[5] gegenüber; keiner, auch nicht Paulus selbst, darf es abändern, ohne daß ihn das angedrohte ἀνάθεμα ἔστω trifft. Die ἐξουσία, Fluch auszusprechen und damit jemanden dem Gericht Gottes auszuliefern, ist in der Betrauung des Apostels mit dem Evangelium des Christus mitgegeben[6]. Ist damit auch ein geistlicher Akt der Gemeindezucht, kein kirchenrechtlicher Akt von Exkommunikation gegeben, so zeigt der in 1 Kor 5, 3–5. 13 verhandelte Fall des Unzüchtigen, daß Paulus sehr wohl auch den beschließbaren Gemeindeausschluß kennt. Zwar läßt sich die Art des Zusammenwirkens von Apostel und Gemeinde, wie sie Paulus in diesen Aussagen vorschwebt, kaum eindeutig

---

[1] Eine ausführlichere Deutung von Gal 6, 6 wird meine Arbeit »Koinonia — Einheit bei Paulus« enthalten.

[2] Vgl. 1 Kor 9, 1.

[3] V 12 läßt an die korinthischen Gegner denken; vgl. Friedrich, Die Gegner des Paulus 188; diesen Gegnern ist die Bezahlung durch die Gemeinde »ein wichtiges theologisches Anliegen« (a. a. O.).

[4] v. Campenhausen, Recht und Gehorsam 292f (vgl. auch 286), sagt zwar vom Bann, er sei von einem »streng geistlichen Charakter«, stelle keine »Zwangsmaßnahme« dar und dürfe nicht als Beginn eines »Strafrechts in der Gemeinde« gewertet werden (gegen Lietzmann, Geschichte der alten Kirche 139; v. Harnack, Entstehung und Entwickelung 169), mit dem der »Rechtszwang« in die Kirche Einzug nehme (gegen W. Schönfeld, Die juristische Methode im Kirchenrecht, in: Archiv für Rechts- und Wirtschaftsphilosophie 18 [1924/25] 81); doch seine Erklärung des Bannvollzugs als »Grenzfall . . ., mit dem sich die Kirche von einem nicht mehr zu ihr gehörigen Stück ›Welt‹ zurückzieht«, ist zwar geistreich, wird aber dem paulinischen Denken kaum gerecht; in 1 Kor 5, 3–5. 13 z. B. geht es keineswegs um ein bloßes sich Zurückziehen der Gemeinde, sondern um den Ausschluß des Blutschänders.

[5] Über Gestalt und Umfang dieses Evangeliums ist allerdings nichts auszumachen.

[6] Vgl. auch 1 Kor 16, 22.

bestimmen[1], aber an einem Ausschluß des Betreffenden lassen die VV 5. 7. 13 nicht zweifeln. Die Gemeinde soll sich trennen von dem, der sich als übler Sauerteig erweisen würde.

Bestrafung[2] Ungehorsamer nimmt auch 2 Kor 10, 6 in Aussicht. 10, 4 nennt dabei als Ziel: πρὸς καθαίρεσιν ὀχυρωμάτων, d. h. Zerstörung von Bollwerken. Ist dem Apostel auch die Vollmacht, die der Herr ihm gab, eine εἰς οἰκοδομὴν καὶ οὐκ εἰς καθαίρεσιν (vgl. 2 Kor 10, 8), so heißt das nicht, daß er sie nicht auch πρὸς καθαίρεσιν anzuwenden imstande oder berechtigt wäre.

b) Ihre Begrenzung

Paulus ist sich immer bewußt, daß seine Autorität als Repräsentant Gottes und Christi eine abgeleitete und vermittelte ist[3]. Sein Apostolat ist Verwalterschaft und Dienst[4]; als ὑπηρέται Χριστοῦ und οἰκόνομοι μυστηρίων θεοῦ (vgl. 1 Kor 4, 1) bleiben die Apostel in ihrem ὑπὲρ Χριστοῦ πρεσβεύειν ὡς τοῦ θεοῦ παρακαλοῦντος δι᾽ (αὐτῶν) (vgl. 2 Kor 5, 20) Werkzeuge[5], deren Gott sich bedient: θεοῦ συνεργοί (1 Kor 3, 9). In den Selbstbezeichnungen δοῦλος Χριστοῦ[6], διάκονος θεοῦ[7] wird dieses Selbstverständnis gegen jede Anmaßung abgegrenzt. Die Vollmacht des Apostels ist eine Vollmacht zum Dienen; das aber heißt nicht, daß sie nicht auch in aller Entschiedenheit zur Geltung gebracht werden könnte, wenn das Evangelium des Christus in Gefahr ist (vgl. Gal 1, 8 f)[8]. Prinzipiell ist die ἐξουσία des Apostels εἰς οἰκοδομήν — οὐκ εἰς καθαίρεσιν. Paulus weiß, wie leicht der Einsatz rein formalistisch verstandener Vollmacht zur καθαίρεσις der Gemeinde führen kann; deshalb hofft er, seiner ἐξουσία gegenüber den Korinthern nicht erst Geltung verschaffen zu müssen und wünscht, sie möchten noch vor seinem Kommen zurecht gebracht werden (vgl. dazu

---

[1] Im folgenden Abschnitt soll dieses Problem ausführlicher erörtert werden.
[2] Zu ἐκδίκησις vgl. Bauer, WB 473.
[3] Vgl. Linton, Kirche und Amt im NT 118: »*Die Autorität ist nicht eine eigene, frei verfügbare, sondern eine von Christus verliehene*«; also »Autorität ... *innerhalb festgesetzter Grenzen*«.
[4] Vgl. Roloff, Apostolat — Verkündigung — Kirche 112 ff: »Verwalterschaft« — »Heiliger Dienst« — »Vaterschaft« — »διακονία«.
[5] Holl, Der Kirchenbegriff des Paulus 63, verzeichnet zwar die Dinge, wenn er für Paulus feststellt, er schiebe »gegenüber den ›Aposteln‹ mit Nachdruck den *lebendigen Christus* in den Vordergrund« und diese erschienen dadurch »nicht mehr als die selbstherrlichen Leiter der Kirche«; aber richtig bleibt, daß sie bei Paulus stärker »als Werkzeuge, als Diener, Verkünder, Boten Christi« zu betrachten sind; vgl. Koehnlein, La notion de l'Église 373 f.
[6] Vgl. dazu Roloff a. a. O. 121 ff; Holtz, Zum Selbstverständnis des Apostels Paulus 321–330; Blank, Paulus und Jesus 229.
[7] Vgl. dazu Gulin, Das geistliche Amt 308: Der Apostel hat »göttliche *Vollmacht*, aber diese Vollmacht besitzt er zum *Dienen*«; ähnlich Wendland, Geist, Recht und Amt 291; Menoud, L'Église 35 ff; Roloff a. a. O. 123.
[8] v. Campenhausen, Recht und Gehorsam 287: Der Apostel kann »zur geistlichen ›Rute‹ greifen«, zeigen, »wo wirklich die Kraft des Geistes« ist und so »in der Macht des Geistes, der bei ihm ist, in der Gemeinde den wirklichen Gehorsam des vollen, inneren Überführt- und Unterworfenseins im Not- und Ernstfall auch erzwingen — ohne Zwang erzwingen«; vgl. Menoud a. a. O. 31: »avec la pleine puissance du Christ«.

2 Kor 10, 8; 13, 9f). Auch als Apostel unterliegt er dem 1 Kor 8, 1 genannten Kriterium: ἀγάπη οἰκοδομεῖ.

Der Gehorsam, den der Apostel in seinen Gemeinden voraussetzen darf, gilt Christus und dem Evangelium, auch wenn er zunächst dem Apostel als Vermittler der Versöhnungsbotschaft geleistet wird. Seine Anordnungen, Weisungen, Befehle stehen unter der Bestimmung ἐν Χριστῷ; nur soweit sie von der Autorität des Christus getragen sind, kommt ihnen Verbindlichkeit zu, gebührt ihnen Gehorsam. Verbindliche und angemaßte Autorität, echte und falsche Repräsentanz Gottes und Christi scheiden sich an der Dienstgestalt des Vollmachtträgers[1].

Paulus geht für sich noch einen Schritt weiter, zu weit sogar, wie es scheinen konnte, als man ihm in Korinth einen Vorwurf daraus machte: er verzichtet auf seine Rechte am Evangelium[2] mit der Begründung, »damit wir dem Evangelium von Christus kein Hindernis bereiten«[3]. Um seine Verkündigung gegen den Verdacht mißbräuchlicher Selbstbereicherung zu schützen[4], läßt er sich nur von denen seinen Lebensunterhalt erleichtern, die zu solcher Sorge keinen Anlaß geben[5]. Lieber will er Opfer bringen und sich aufopfern für ihre Seelen, schreibt er den Korinthern (vgl. 2 Kor 12, 15), damit sie ihm glauben, daß er nicht das Ihrige suche, sondern sie selbst (vgl. V 14).

Aus paränetischen Gründen verzichtet er auch darauf, seine παρρησία ἐν Χριστῷ zu gebrauchen und Philemon das Geziemende zu befehlen. Paränetische Werbung ersetzt ihm die Forderung nach Gehorsam.

Eine weitere Begrenzung der ἐξουσία eines Apostels sei hier wenigstens noch angedeutet: die Begrenzung durch das μέτρον Gemeinde[6] in ihrer jeweiligen konkreten Gestalt. Es kann zwischen der Gemeinde und ihrem Apostel zu Auseinandersetzungen kommen, wie sie 2 Kor etwa widerspiegelt, in denen die ἐξουσία des Apostels nichts zu erzwingen vermag; wo es ankommt auf Liebe, Einsicht und Vertrauen seitens der Gemeinde. Was die Autorität des Apostels sichert, sind nicht durchsetzbare Rechte, sondern der frei zu leistende Gehorsam[7]: die κοινωνία zwischen Apostel und Gemeinde.

---

[1] Vgl. 1 Kor 4, 1 ff; 2 Kor 6, 3–10; 11, 23 ff; dazu Fridrichsen, Die neutestamentliche Gemeinde 55: »Solange der, der zum Dienst berufen ist, diese Bedingung erfüllt, hat er Anspruch auf unbedingten Gehorsam«.

[2] Vgl. 1 Kor 9, 12. 18; 2 Kor 11, 7; 12, 13ff; Phil 4, 10–20.

[3] Vgl. 1 Kor 9, 12.

[4] Vgl. 2 Kor 8, 20f; 12, 17.

[5] Vgl. 2 Kor 11, 8f; Phil 4, 10–20.

[6] Davon wird im 5. Kapitel, 1. Abschnitt, zu handeln sein.

[7] v. Campenhausen, Recht und Gehorsam 288: »ohne Zwang erzwingen«; a. a. O. 293: »Wenn die Erzwingbarkeit und der physische Zwang zum Wesen des Rechtes gehören, so gibt es also in der Tat kein ›Kirchenrecht‹; aber es gibt in der Kirche nichtsdestoweniger von Anfang an ... ein ›Recht‹, das auch bestimmte, feste Formen ausbilden und Normen festsetzen kann, insofern also auch ›formal‹ wird. Seine ›geistliche‹ Eigenart zeigt sich ... in der Art ihrer Behauptung und Durchsetzung«; a. a. O. 286: »Gehorsam als bloße mechanisch-automatische Anerkennung und Unterwerfung unter eine kirchliche Instanz ist dagegen ausgeschlossen und sinnlos«.

Vgl. dazu auch Wendland, Geist, Recht und Amt 291: »Es ist kein Zwang in der Autorität und kein Gezwungensein im Gehorsam«.

5. Die wechselseitige Abhängigkeit von Apostel und Gemeinde

a) Die Abhängigkeit der Gemeinde von ihrem Apostel

Die κοινωνία zwischen Apostel und Gemeinde ist ein Verhältnis des wechselseitigen Gebens und Nehmens, wie es 1 Kor 9, 11[1] beschreibt: der Apostel hat in der Gemeinde die geistlichen Güter (τὰ πνευματικά) gesät; darum hat er ein Anrecht darauf, die irdischen Güter (τὰ σαρκικά)[2] zu ernten. Was Paulus unter dem »Säen geistlicher Güter« versteht, wurde in den vorausgehenden Abschnitten ausführlich entwickelt. Immer ist es sein Dienst am Evangelium, aus dem sich seine ἐξουσίαι der Gemeinde gegenüber herleiten. Aus diesem Dienst des Apostels am εὐαγγέλιον τοῦ Χριστοῦ (Gal 1, 7 u. ö.) bzw. am εὐαγγέλιον τοῦ θεοῦ (Röm 15, 16 u. ö.) resultiert das Abhängigkeitsverhältnis der Gemeinde von »ihrem«, sie durch das Evangelium begründenden bzw. — ins Personale gewendet — sie durch das Evangelium zeugenden Apostel[3]. Diese Wendung ins Personale ist nicht zufällig; Paulus betrachtet das Abhängigkeitsverhältnis der Gemeinde zu ihm als das von Kindern zu ihrem Vater (vgl. 2 Kor 12, 14f); d. h. die geschuldete κοινωνία wird nicht als eine formale Rechtsforderung, sondern als personale Verpflichtung seitens der Gemeinde verstanden.

Deshalb verzichtet Paulus ja wohl auch auf seine Rechte als Apostel am Evangelium, solange und sofern sie mißdeutbar sind und ihre freie Gewährung nicht garantiert ist[4].

Phil 4, 14–17 illustriert, wie Paulus die geforderte[5] κοινωνία verstanden wissen will. In V 14 lobt er die philippische Gemeinde, daß sie gut daran tat: συγκοινωνήσαντές μου τῇ θλίψει. Er denkt dabei an die von Epaphroditos überbrachte Gabe, durch welche die Gemeinde nach längerer Zeit offenbar wieder einmal ihrer Sorge um den Apostel Ausdruck geben konnte[6]. Sie ist für Paulus Zeichen ihres συγκοινωνεῖν, ihrer κοινωνία. Keine andere Gemeinde stand so mit ihm in κοινωνία auf Rechnung des Gebens und Nehmens wie sie, von der er den Vorwurf nicht fürchten mußte, er suche die Gabe und nicht sie (vgl. V 15 ff). Konkret heißt das, daß Paulus sein Recht am Evangelium auf Bestreitung des Lebensunterhalts allein gegenüber der philippischen Gemeinde zur Anwendung kommen ließ, während er ansonsten seinen Ruhm darin erblickte, das Evangelium kostenfrei darzubieten[7].

Wie radikal Paulus jedoch an sich die geschuldete κοινωνία versteht, macht Phil 2, 30 deutlich, wo von Epaphroditos als Überbringer der philippischen

---

[1] Vgl. Gal 6, 6; Röm 15, 27; Phil 4, 15. 17.
[2] τὰ (σαρκικά) ist ein Hinweis auf die Totalität des Anspruchs; vgl. zu dieser Totalität v. Campenhausen, Recht und Gehorsam 283.
[3] Vgl. 1 Kor 4, 14f; 2 Kor 6, 13; 12, 13ff; Roloff, Apostolat — Verkündigung — Kirche 117 A. 271: für Paulus »sachgemäßer Ausdruck des in seinem Apostolat gesetzten Verhältnisses zu den Gemeinden«.
[4] Vgl. 1 Kor 9, 12. 18; 2 Kor 11, 7ff; 12, 13ff; Phil 4, 15.
[5] Vgl. Gal 6, 6; Röm 15, 27; dazu Koester, Die Idee der Kirche beim Apostel Paulus 60; Dahl, Volk Gottes 233.
[6] Zu V 18 vgl. 2, 25–30; 4, 10.
[7] Vgl. 1 Kor 9, 18.

Gabe gesagt wird, seine Sendung sei geschehen, ἵνα ἀναπληρώσῃ τὸ ὑμῶν ὑστέ-
ρημα τῆς πρός με λειτουργίας. Wie die Auslegung der Stelle ergab, weitet Paulus
damit den Anspruch auf materielle Unterstützung entschieden aus. Dieser ist
nicht nur unabhängig zu sehen vom konkreten Aufenthaltsort des Apostels —
die Gemeinde bleibt auch dann verpflichtet, für den Apostel zu sorgen, wenn
er sich nicht in ihr aufhält —, sondern er geht auch weit über materielle Hilfeleistung hinaus: die Gemeinde schuldet sich ihm prinzipiell; es bedeutet daher,
»einen Mangel auszufüllen«, wenn die Gemeinde selbst sich durch Epaphroditos
bei Paulus vertreten läßt. Was sie schuldet, ist die Mitarbeit am ἔργον Χριστοῦ
(vgl. V 30), die sich in der Sorge um den Apostel nur konkretisiert. Persönliche
Dienstleistung für den Apostel und sachlicher Dienst für Christus werden in
eins gesehen. Darum erscheint Epaphroditos als einer, der stellvertretend diese
Verpflichtung der Gemeinde erfüllt.

Phlm 13 erhärtet dieses Ergebnis: Paulus deutet Philemon an, daß er dessen
Sklaven Onesimos gerne behielte, ἵνα ὑπὲρ σοῦ μοι διακονῇ ἐν τοῖς δεσμοῖς τοῦ
εὐαγγελίου. Der Dienst, den Onesimos für Paulus leistet, steht unmittelbar in
Beziehung auf das Evangelium — wobei wiederum der an Paulus geschehende
und dem Evangelium geltende Dienst in eins gesehen werden; aber dieser
Dienst geschieht in Stellvertretung. Der ihn eigentlich schuldet, ist Philemon
selbst, dem Paulus in V 19 diese seine eigentliche Schuldigkeit verhalten andeutet: ἵνα μὴ λέγω σοι ὅτι καὶ σεαυτόν μοι προσοφείλεις. Der Apostel nimmt für
sich in Anspruch, daß die von ihm gegründeten Gemeinden, aber auch die
einzelnen durch ihn zum Glauben gekommenen Gemeindeglieder wie Philemon,
ihm, der das Werk Christi betreibt, und so durch ihn dem Werk Christi dienen;
und sei es auch nur durch einen, der stellvertretend wie Epaphroditos oder
Onesimos diese Verpflichtung wahrnimmt. Daß Paulus diesen Anspruch nur
mit aller Zurückhaltung paränetisch zur Geltung bringt, betont den Charakter
frei zu leistender Verpflichtung, kann aber dessen prinzipielle Gültigkeit nicht
verdecken. Die von der Gemeinde und jedem Einzelnen geschuldete κοινωνία
mit dem Apostel ist eine totale und erschöpft sich nicht in finanzieller bzw.
materieller Hilfeleistung, nicht in der Bestreitung des Lebensunterhalts und
der Leistung gelegentlicher Unterstützung[1]. Gal 6, 6 faßt diese Verpflichtung
zur κοινωνία prinzipiell, indem es sie generell auf jeden ὁ κατηχούμενος τὸν λόγον
gegenüber seinen κατηχοῦντι anwendet. Er wird aufgefordert zur κοινωνία ἐν
πᾶσιν ἀγαθοῖς[2]. Über die Erbringung des Lebensunterhalts hinaus ist ein
κατηχούμενος τὸν λόγον zu umfassender κοινωνία gegen seinen κατηχῶν verpflichtet.

Diese prinzipielle Gültigkeit ist besonders beachtenswert. Anspruch auf solche κοινωνία hat nicht nur ein Apostel wegen seiner grund-legenden Funktion
für die Gemeinde, sondern jeder, der das Evangelium verkündet. Sie ist sein
»Recht« an der Gemeinde (vgl. 1 Kor 9, 12).

---

[1] Dasselbe gilt analog für die Kollekte als κοινωνία τις seitens der paulinischen
Gemeinden gegenüber Jerusalem; vgl. Röm 15, 27.
[2] v. Campenhausen, Apostelbegriff 124, sagt in Bezug auf den Gehorsam, mit
dem Paulus rechnet und den er fordern könne, Paulus suche »zuletzt nicht Unterordnung, sondern Gemeinschaft«. Dem entspricht das Prinzip κοινωνία, wie es in
diesem Abschnitt erarbeitet wird.

Ist diese umfassende *κοινωνία* zwischen Gemeinde und Apostel in Gefahr, wie es 2 Kor zur Voraussetzung hat, dann steht nicht weniger als das Schicksal der Gemeinde auf dem Spiel. Die ausführlichen Interpretationen zu 2 Kor 2, 5–10; 7, 5–16 haben gezeigt, daß der Fall des *ἀδικήσας* anfangs zwar eine Sache innergemeindlicher Regelung gewesen wäre, aber durch die Weigerung der Gemeinde, die paulinischen Weisungen anzunehmen, zu einer Krise des Verhältnisses zwischen Gemeinde und Apostel geführt hatte. Der dem 2 Kor vorausgegangene »Tränenbrief«, auf den 2 Kor 2, 4; 7, 8 rückverweisen, scheint dieses spannungsgeladene Verhältnis nicht ganz gelöst zu haben. Es muß allerdings ein Brief gewesen sein, »in dem P. durchaus in Kraft der ihm verliehenen ap. Vollmacht der Gemeinde gegenüber auftrat, und wenn auch mildere und freundlichere Töne nicht ganz gefehlt haben können (V 4), so muß doch die ap. Autorität sich einen nicht mißzuverstehenden Ausdruck verschafft haben «[1].

Was in Frage stand, war mithin (bei einem Bruch mit dem Apostel) das Schicksal der Gemeinde. Ihre eschatologische Bezogenheit ist ja das eigentliche Thema der Auseinandersetzung von 2 Kor, das in Kapitel 1–7 in immer neuen Ansätzen angegangen wird. 2 Kor 1, 13 b. 14 spricht Paulus diese gegenseitige Verwiesenheit unmißverständlich aus: *ἐλπίζω δὲ ὅτι ἕως τέλους ἐπιγνώσεσθε, καθὼς καὶ ἐπέγνωτε ἡμᾶς ἀπὸ μέρους, ὅτι καύχημα ὑμῶν ἐσμεν καθάπερ καὶ ὑμεῖς ἡμῶν ἐν τῇ ἡμέρᾳ τοῦ κυρίου ἡμῶν ᾿Ιησοῦ.* Was hier prinzipiell über das wechselseitige Rühmen von Gemeinde und Apostel am Tag des Herrn Jesus ausgesagt wird, ist der Sache nach Gegenstand der in 2 Kor 2, 5–10; 7, 5–16 verhandelten Krise. Titus war Zeuge[2] des Umschwungs, der *μετάνοια* (vgl. 7, 9) der korinthischen Gemeinde geworden. Die *λύπη*, die Paulus als Apostel seiner Gemeinde hatte zufügen müssen durch seinen Tränenbrief, hatte ihr Ziel, die Erprobung ihrer Beziehung, erreicht; 7, 8f sagt Paulus dazu: »Denn wenn ich euch durch den Brief auch betrübt habe, bereue ich es nicht. Wenn ich es auch bereut habe, weil ich sah, daß euch jener Brief, wenn auch nur auf eine Stunde[3], betrübt hat, so freue ich mich jetzt, nicht weil ihr betrübt worden seid, sondern weil ihr betrübt worden seid zur Buße; denn ihr seid so, wie Gott es will, betrübt worden, damit ihr in keiner Weise von uns Schaden erleiden müßtet«. Der Umschwung in der Gemeinde bedeutet nicht nur eine völlige Wiederherstellung der Gemeinschaft mit dem Apostel, sie war im Blick auf die eschatologische Abhängigkeit der Gemeinde von ihrem Apostel eine heilsbedeutsame Rückwendung der Gemeinde.

Das Verhältnis Apostel — Gemeinde, das sich als umfassende *κοινωνία* in der Bestreitung des Lebensunterhalts etc. konkretisiert, ist demnach ein soteriologisch-eschatologisches. Ihre Zuordnung ist unkündbar. Wird diese *κοινωνία* aber aufgekündigt, stehen Heil und Unheil der Gemeinde in Frage. Das gibt dem Fall des *ἀδικήσας* von 2 Kor 2 und 7, damit aber auch der Erprobung der Bewährung der Gemeinde ihr eigentliches Gewicht.

---

[1] Windisch, 2 Kor 89.
[2] Bezüglich seiner Rolle vgl. die Auslegung zur Stelle.
[3] Diese starke Untertreibung erklärt sich aus der in Kapitel 7 gegenüber Kapitel 2 zu beobachtenden milderen Sprechweise aus Versöhnungsbereitschaft.

Der konkrete Fall verdeutlicht, daß der Gehorsam, den die Gemeinde dem Apostel schuldet, gleichfalls soteriologisch-eschatologische Bedeutsamkeit besitzt. Natürlich ist dabei immer mit zu betonen, daß der Anspruch des Apostels auf solchen Gehorsam aus seiner heilsgeschichtlichen Rolle als Vermittler der Versöhnungsbotschaft resultiert, welcher der eigentliche Glaubensgehorsam gebührt. 2 Kor 2, 9 (εἰ εἰς πάντα ὑπήκοοί ἐστε) beweist aber zwingend, daß der geforderte, doch nur durch Paränese erreichbare Gehorsam (vgl. die Funktion der λύπη) auch und gerade dem Vermittler gilt, dem Apostel[1].

Diese so grundlegende und total verstandene Abhängigkeit der Gemeinde vom Apostel und ihre Bewährung in der κοινωνία erwies sich durchgehend nicht als ein durchsetzbarer Rechtsanspruch, aber auch nicht nur als eine moralische Verpflichtung der Gemeinde, sondern als Ausdruck ihrer soteriologisch-eschatologischen Bezogenheit.

Paulus kann deshalb nur dankbar feststellen, daß sich die Gemeinde diesem Verständnis geöffnet hat und er sich wieder in allem auf sie verlassen kann[2].

Ihre Umkehr hat theologische Relevanz; denn es war das Ziel der paulinischen Bemühungen: φανερωθῆναι τὴν σπουδὴν ὑμῶν τὴν ὑπὲρ ἡμῶν πρὸς ὑμᾶς ἐνώπιον τοῦ θεοῦ (7, 12); vor Gott selbst sollte ihr Eifer für Paulus offenbar werden. Ihre Umkehr hat aber auch soteriologische Bedeutung; denn sie war μετάνοια εἰς σωτηρίαν (vgl. 7, 10).

b) Die Abhängigkeit des Apostels von der Gemeinde

Das Problem der Abhängigkeit besteht nicht nur für die Gemeinde dem Apostel gegenüber, sondern auch umgekehrt: die konkrete Gemeinde kann zur empfindlichen Begrenzung des apostolischen Wirkens werden, ja zu einer völligen Frustrierung des Apostels führen[3].

Die Abhängigkeit ist eine gegenseitige; oder anders gesagt: κοινωνία ist ein Prinzip wechselseitigen Gebens und Nehmens.

Es liegt in der Natur der Sache, daß immer dort, wo dieser Austausch verhindert oder einseitig gehandhabt, also nicht erwidert wird, oder wenn die Kommunikation ganz abbricht, Störungen des Gemeinschaftsverhältnisses auftreten, die bis zu dessen völliger Zerstörung gehen können. Durch Zwang ist

---

[1] Gleiches gilt in analoger Weise für den Apostelgehilfen Titus (vgl. 7, 15).
An dieser Stelle wird deutlich, wie sehr paulinisches Denken ins Gegenteil verkehrt wird, wenn etwa Beyschlag, Die christliche Gemeindeverfassung 81, schreibt, die Gemeinde sei »über seine eigene apostolische Individualität und individuelle Autorität« gestellt.

[2] Vgl. 2 Kor 7, 16 als abschließende Formulierung der neugewonnenen und gefestigten Beziehung. Sie erlaubt es ihm, in Kapitel 8. 9 die Kollektenangelegenheit neu anzugehen und ermöglicht in den Kapiteln 10–13 eine so harte Auseinandersetzung mit den Gegnern innerhalb der Gemeinde. Die literarkritischen Operationen an 2 Kor scheinen von diesem inneren Zusammenhang her keineswegs zwingend.

[3] In einem späteren Kapitel soll diesem Problem grundsätzlicher nachgegangen werden; hier sichten wir nur konkrete Beobachtungen.

die κοινωνία, diese zweiseitige Relation von Apostel und Gemeinde, weder herstellbar noch zu retten.

Wenn Philemon z. B. auf den paulinischen Wunsch nicht einzugehen gewillt war, hätte ihn auch kein Zwang dazu bringen können[1]. Gleiches gilt von der Situation, wie sie 2 Kor deutlich werden läßt: kein Machtmittel, keine Berufung auf ἐξουσίαι hätten den Umschwung in der Gemeinde herbeizuführen vermocht. Paulus konnte nur werben, argumentieren und hoffen. Allein seine Briefe, speziell der Tränenbrief, die Gesandtschaft des Titus und innergemeindliche Vorgänge, die zum Einlenken führten, haben schließlich eine Verständigung bewirkt.

Man kann ganz allgemein sagen, daß diese Weise paränetischer Werbung und Willensbildung in der Gemeinde kennzeichnend ist für Paulus und die Durchsetzung seiner Anordnungen. Er gibt keine Weisungen ohne Begründung[2] und verlangt nicht Gehorsam auf Grund seiner formalen Autorität als Apostel[3]. Was er wünscht, ist die Mitbeteiligung und die Selbständigkeit der Gemeinde[4]. Doch ist es ganz abwegig, von der Selbstbestimmung der Gemeinde im Sinn einer Gemeindeautonomie zu sprechen[5]; paulinische Gemeinden sind nicht »pneumatische Demokratien«, wie A. v. Harnack es formulierte[6]. Damit wird die Eigenart der soteriologisch-eschatologischen Bezogenheit von Gemeinde und Apostel gänzlich verkannt.

An Beispielen für die werbende Durchsetzung von Anordnungen und für die Begründung von Weisungen gibt es in den paulinischen Briefen keinen Mangel; wir werden in einem späteren Kapitel darauf zurückkommen; dasselbe gilt für das Problem Autorität und Gehorsam.

Wovon hier noch zu sprechen ist, ist der Problemkreis Mitbeteiligung und Selbständigkeit der Gemeinde.

Die Bestimmung des paulinischen Begriffs von ἐκκλησία (τοῦ θεοῦ), wonach jede Versammlung ἐν ἐκκλησίᾳ die Versammelten zur ἐκκλησία τοῦ θεοῦ werden und dann auch unabhängig von der Versammlung sein läßt, impliziert eine Selbständigkeit der Gemeinde, die nur durch das Prinzip der κοινωνία begrenzt wird. Das gilt sowohl im Verhältnis der Gemeinde zu »ihrem« Apostel[7], aber auch zu allen übrigen, die in ihr das Evangelium verkünden[8] oder den Dienst

---

[1] Vgl. Phlm 12. 14.
[2] Vgl. dazu Holl, Der Kirchenbegriff des Paulus 63f; v. Campenhausen, Recht und Gehorsam 287; Fridrichsen, Die neutestamentliche Gemeinde 56.
[3] Vgl. Holl a. a. O. 64: Wirken konnte Paulus »nie schlechthin durch Auktorität, sondern immer nur zugleich durch Gründe«. Schärfer trifft aber wohl Fridrichsen die Sache, wenn er a. a. O. sagt, Paulus behauptet seine apostolische Autorität, nicht ohne »*seine* Entscheidungen vor der Gemeinde zu begründen« (Hervorhebung von mir).
[4] Vgl. Holl a. a. O. 63: jeder einzelne ist »befähigt, ein Urteil über das, was Christi Sinn entspricht, zu gewinnen . . . «.
[5] Vgl. Beyschlag, Die christliche Gemeindeverfassung 79: Paulus verliert bezüglich der Gemeinden »die Achtung vor ihrem gottverliehenen Selbstbestimmungsrechte nicht«; ähnlich Müller – v. Campenhausen, Kirchengeschichte I 117f.
[6] Vgl. v. Harnack, Entstehung und Entwickelung 34ff.
[7] Vgl. 1 Kor 9, 11; 4, 15ff.
[8] Vgl. 1 Kor 9, 6. 11. 12.

eines κατηχῶν verrichten[1], wie auch im Verhältnis zu den übrigen Gemeinden, speziell zu Jerusalem[2].

Deshalb muß von dieser Selbständigkeit der Gemeinde ausführlicher gesprochen werden, wenn von den innergemeindlichen Strukturen gehandelt werden wird. Ein Beispiel für die von Paulus gewünschte Selbständigkeit der Gemeinde auch im forensischen Bereich gibt 1 Kor 6. Paulus tadelt die Gemeinde, weil sie bei Rechtsstreitigkeiten »über Dinge des gewöhnlichen Lebens« gerade jene zu Richtern setzt, die bei der Gemeinde verachtet sind (vgl. 6, 4). Sie hätte selbst dafür zu sorgen, diese Streitfälle zu bereinigen (vgl. 6, 1. 3. 5 ff). Auch im Fall des ἀδικήσας (vgl. 2 Kor 7, 12) hätte an sich die Gemeinde selbst für eine Regelung sorgen müssen. Erst durch ihr Versäumnis und die Weigerung gegen die Anordnungen des Apostels hatte sich dann die Lage zugespitzt zu einer Krise zwischen Gemeinde und Apostel[3].

Dieser Fall erlaubt aber noch zusätzliche Feststellungen zur Mitbeteiligung der Gemeinde. Unter dem Vorzeichen von 2 Kor 2, 9, wonach es im Streit zwischen Paulus und Korinth um die Bewährung des Gehorsams der Gemeinde geht, ist von Gemeindeautonomie nicht zu reden.

Die Frage ist, wie darf man die Angaben verstehen, die in 2 Kor 2, 5–10 die konkreten Vorgänge innerhalb der Gemeinde spiegeln. Die Auslegung des Textes ließ nur vorsichtige Schlüsse zu; denn die Angaben sind nicht eindeutig. V 6 stellt Paulus fest: ἱκανὸν τῷ τοιούτῳ ἡ ἐπιτιμία αὕτη ἡ ὑπὸ τῶν πλειόνων. Damit ist zwar klar, daß über »den Betreffenden« von seiten einer Mehrheit eine bestimmte (αὕτη) ἐπιτιμία, wohl eine Bestrafung, verhängt wurde, die Paulus als »ausreichend« bezeichnet; aber im einzelnen kann man die Hintergründe nur vermuten. Wir wissen weder, welche Art von Strafe gemeint ist, noch vermag man zu sagen, welches Strafmaß als genügend betrachtet wird, noch ließ sich eindeutig klären, wie die erwähnte Mehrheit zu verstehen ist. Von einer Abstimmung mit Mehrheitsbeschluß zu reden, ist nicht mehr als eine unbewiesene Möglichkeit. Ebenso gut könnte man über führende Personen spekulieren, die eine solche Mehrheitsentscheidung herbeiführten. Z. B. ließe sich an Titus denken, den Paulus nach Korinth schickte und der zumindest Zeuge des Umschwungs in der Gemeinde geworden war (vgl. 7, 5–15). Der Hinweis auf den Gehorsam, den Titus in Korinth fand (vgl. V 15), macht diese Vermutung noch am wahrscheinlichsten. Doch läßt man diese Frage besser offen; es handelt sich in jedem Fall um das »Einschwenken einer Mehrheit«, auf Grund dessen Paulus den Gehorsam der Gemeinde als bewährt betrachtet. Seine Mahnung, jetzt »Liebe gegen ihn zu beschließen« (vgl. 2 Kor 2, 8), wird man kaum auf einen weiteren Gemeindebeschluß deuten können; jedenfalls ist der Schluß nicht zwingend[4]. Die durchgängige Verwiesenheit der Gemeinde auf die Weisungen des Apostels, denen man sich erst entzieht und dann doch gehorcht, machen jede Behauptung einer autonomen, von der Autorität des Apostels (und seines Gesandten Titus) unabhängigen Gemeindejurisdiktion un-

---

[1] Vgl. Gal 6, 6.
[2] Vgl. Röm 15, 25 ff.
[3] Vgl. die Auslegungen zu 2 Kor 2, 5–10; 7, 5–16.
[4] Vgl. die Auslegung zur Stelle.

möglich[1]. Sicher ist allerdings auch, daß die Direktiven des Apostels ohne die Zustimmung der Gemeinde undurchführbar gewesen wären. Die Rolle der Gemeinde als Mitbeteiligter ist nicht zu übersehen[2]. Noch deutlicher wird das in 1 Kor 5, 3–5. 13. Ob Paulus auch im Fall des hier erwähnten Unzüchtigen[3] davon ausgeht, die Gemeinde hätte selbst besorgt sein sollen für eine Entfernung dieses Mannes aus ihrer Mitte, ist nicht ganz sicher. Er rügt nur, daß sich die Korinther aufgebläht haben, statt traurig zu sein, daß er noch nicht entfernt wurde[4]. Von sich aber stellt Paulus fest, daß er schon ein Urteil gefällt habe (vgl. ἤδη κέκρικα V 3), und zwar ὡς παρών, näherhin παρὼν δὲ τῷ πνεύματι. In einer schwer zu deutenden und für uns kaum nachvollziehbaren Weise bezieht Paulus jedoch die Gemeinde in das Zustandekommen dieses Urteils mit ein, wobei ungewiß bleibt, ob er an eine tatsächliche — zurückliegende oder künftige — oder auch nur an eine fiktive Gemeindeversammlung denkt, in welcher die Gemeinde mit seinem πνεῦμα zusammengeführt wird: ἐν τῷ ὀνόματι τοῦ κυρίου Ἰησοῦ συναχθέντων ὑμῶν καὶ τοῦ ἐμοῦ πνεύματος σὺν τῇ δυνάμει τοῦ κυρίου ἡμῶν Ἰησοῦ. Die Rolle der Gemeinde bei der Fällung dieses Urteils ist nicht befriedigend zu klären; auch wenn man an eine ἐν τῷ ὀνόματι τοῦ κυρίου sich versammelnde Gemeinde denkt, die das κέκρικα des Apostels ratifizieren sollte, bleibt dieser Gemeindebeschluß überbestimmt durch das ἤδη κέκρικα des Apostels[5].

Die Einbeziehung der Gemeinde kann rein situationsbedingt sein; Paulus könnte vermutlich — wenn man die 1 Kor zugrundeliegende Situation mit ihren Parteiungen und Differenzen bedenkt — nicht einfach befehlen, selbst wenn er es wollte. Aber auch sachlich ist klar, daß die Entscheidung des Apostels völlig wirkungslos bliebe, wenn die Gemeinde nicht geneigt ist, den Be-

---

[1] Zum Problem der Disziplinarordnung bei Paulus vgl. Hunzinger, Beobachtungen zur Entwicklung der Disziplinarordnung der Gemeinde von Qumran 238 ff. 241 f. 245.
[2] Ähnliches konstatiert Kapelrud, Die aktuellen und die eschatologischen Behörden der Qumrangemeinde 263, für Qumran. Auch hier konnten die Priester trotz ihrer »anscheinenden Souveränität« »nicht die Gemeinde allein regieren. In vielen Sachen hatten die Laien ein Wort mitzureden«. Vgl. dazu P. v. d. Osten–Sacken, Bemerkungen zur Stellung des Mebaqqer in der Sektenschrift, in: ZNW 55 (1964) 18–26.
[3] Vgl. die Auslegung des Textes.
[4] Das könnte immerhin auf einen trotzigen Widerstand gegen paulinische Anordnungen schließen lassen.
[5] Es ist nicht gerechtfertigt, wenn Hunzinger a. a. O. 241 A. 10 feststellt: »Bei der Handhabung der Kirchenzucht ist in den ältesten Schichten des NT eindeutig die versammelte Gemeinde die verantwortliche Instanz«. Zumindest bei Paulus findet sich dafür kein eindeutiger Beleg.
Eine zu Qumran analoge Entwicklung in den paulinischen Gemeinden nimmt allerdings auch Gnilka, Geistliches Amt und Gemeinde nach Paulus 102, an. Er findet sie in der »Tendenz ... von einer mehr demokratischen ... zu einer mehr monarchischen Form des Gemeindelebens«. Gnilka leugnet dabei nicht die wesentlichen Unterschiede, die zwischen Qumran und den Paulus-Gemeinden bestehen (a. a. O. 102 f); doch ist darüberhinaus zu fragen, ob den paulinischen Gemeinden jemals die behauptete demokratische Selbständigkeit zukam; vgl. Gnilkas eigene Ausführungen a. a. O. 99 f und 96: »Paulus, der als Gründer seiner Gemeinden immer die entscheidende Führungsrolle für sich in Anspruch nahm ...«.

treffenden — nach dem Urteilsspruch des Paulus — dem Satan zu übergeben zum Verderben des Fleisches, damit der Geist gerettet werde am Tag des Herrn (vgl. V 5). Der Apostel könnte also sein *ἤδη κέκρικα* keinesfalls vorbringen ohne die werbende und die Ausführung durch die Gemeinde anstrebende Parenthese von V 4. Damit ist zwar die Art der Mitwirkung der Gemeinde noch keineswegs geklärt[1], aber die Mitwirkung der Gemeinde hat sich als unverzichtbar ergeben. Der in V 7 vorbereitete abschließende Auftrag von V 13: »Schaffet den Bösen aus eurer Mitte hinweg!« ist nur ausführbar, wenn die Gemeinde sich das Urteil des Apostels zu eigen macht. Der Apostel ist abhängig von der Bereitwilligkeit der Gemeinde. Daran ändert auch nichts, daß der ganze Abschnitt, vor allem aber die Aussage *ἤδη κέκρικα ὡς παρών*, das gefällte Urteil von V 5 sowie der apodiktische Auftrag von V 13, dieses Urteil zu verifizieren, den Eindruck erwecken, als sei durch des Apostels Urteil die Sache selbst schon erledigt[2] und die ganze Parenthese von V 4 rein paränetisch.

Die Mitbeteiligung der Gemeinde, ihre Einbeziehung in das Urteil des Apostels, die Abhängigkeit der Ausführung des Urteils von ihrer Bereitwilligkeit sind als Begrenzung der apostolischen Autorität ebenso deutlich geworden wie die Notwendigkeit für den Apostel, seine Entscheidungen werbend in der Gemeinde durchzusetzen.

Das Prinzip *κοινωνία* erträgt keinen Zwang, keine unbegründeten, uneinsichtigen Direktiven.

---

[1] Diese braucht im vorliegenden Zusammenhang auch nicht näher erörtert zu werden.

[2] Vgl. E. Käsemann, Sätze heiligen Rechtes im Neuen Testament, in: Exegetische Versuche und Besinnungen II, Göttingen ²1965, 72 ff; er nennt die Gemeinde »nur sehr eingeschränkt Trägerin des Prozesses«. »Im vorliegenden Fall hat sie, nachdem sie ihre Pflicht zunächst versäumt hat, offensichtlich einzig die apostolische Anordnung auszuführen. Sie würde jedoch, selbst wenn ihre Autoritäten die Initiative ergriffen hätten, als solche wohl bloß Akklamationsrecht besitzen. Denn Paulus nimmt ja nun die Rolle wahr, die anders etwa den Propheten zugefallen wäre« (73).

4. Kapitel

DIE »NACHFOLGER« DER APOSTEL

1. Die Einbeziehung der Mitarbeiter

Die Einbeziehung der Mitarbeiter in den paulinischen Briefen ist oft unergiebig für eine Auswertung. Dies gilt im besonderen für die in den Briefanfängen genannten[1], deren Rolle als Mitabsender bzw. Mitgrüßende sich näherer Bestimmung meist entzieht. Man wird in der Regel nur annehmen dürfen, daß die in den Präskripten erwähnten Mitarbeiter zur jeweiligen Gemeinde in engerer Beziehung standen, so daß ihre Einbeziehung dem Brief noch größeres Gewicht verleihen mochte.

Unergiebig ist auch die Erwähnung der in den Grußlisten der Briefschlüsse aufgeführten Mitarbeiter[2]. Allenfalls ließe sich aus ihrer Einbeziehung die Vermutung ableiten, Paulus wolle die Christen bzw. die Gemeinden untereinander solidarisieren; denn an einen regionalen Zusammenschluß der Gemeinden, der dadurch bezweckt werden solle, ist keinesfalls zu denken[3]. Auch die gelegentliche Apostrophierung von Personen und Mitarbeitern, deren Bedeutung unbestimmt oder nur gering ist, muß für eine Auswertung außer Acht bleiben[4]. Ihre knappe Erwähnung erlaubt meist nur Vermutungen oder hat ihre Bedeutung in anderen Zusammenhängen als den hier verfolgten[5]. An einer Reihe von Stellen ist die Bedeutung erwähnter Mitarbeiter zumindest nicht eindeutig, so daß wir hier gleichfalls auf eine Auswertung verzichten. So ist z. B. aus 1 Kor 16, 12 über das Verhältnis von Paulus und Apollos nichts Sicheres zu erschließen[6]; in Röm 16, 7 herrscht Uneinigkeit bei den Exegeten, ob die Genannten (Andronikus und Junias) nur rühmlich bekannt sind unter den Aposteln oder ob sie selbst unter die Apostel gerechnet werden müssen. Daß sie die Apostel sind, denen die Christengemeinde von Rom ihre Gründung verdankt, ist kaum anzunehmen. Selbst wenn Röm 16, 3 ff ein ursprünglicher Anhang des Römerbriefs sein sollte, legt die nachgeordnete Erwähnung von Andronikus und Junias eine solche Funktion gegenüber der römischen Gemeinde nicht nahe.

Der Eindeutigkeit entbehrt auch Phil 2, 14; es wird nicht ersichtlich, um welche Mehrzahl von Brüdern es sich handelt, die aus den Fesseln des Apostels

---

[1] Vgl. 1 Thess 1, 1; 1 Kor 1, 1; 2 Kor 1, 1; Phlm 1.
[2] Vgl. 1 Kor 16, 19f; Röm 16, 3ff. 21ff; Phil 4, 21; Phlm 23f.
[3] Gegen Maier, Paulus als Kirchengründer und kirchlicher Organisator 29ff; 2 Kor 1, 1f gibt nur ein Beispiel dafür, wie Paulus verstreut wohnende Christen (ἅγιοι) in der Achaia in seinen Brief »an die Gemeinde Gottes in Korinth« einbezieht. Ansätze einer späteren Metropolitanverfassung wird man darin nicht erblicken dürfen (gegen Lietzmann, 2 Kor 99).
[4] Vgl. Gal 2, 1. 3; 2 Kor 2, 13; 9, 3. 5; 11, 9; 12, 17ff; Phil 4, 2. 18; Phlm 10.
[5] Vgl. z. B. Phil 4, 2 als Exempel für die unglaublichsten Vermutungen; oder Gal 2, 1. 3, wo die Erwähnung des Titus nur für die Frage der Beschneidung von Bedeutung ist.
[6] Vgl. zu dieser und den folgenden Stellen jeweils die Auslegungen.

Zuversicht gewinnt »und immer mehr es wagt, das Wort Gottes furchtlos zu verkündigen«. Auch andere Stellen sind in ihrer Bedeutung zu umstritten, als daß man sie zur Bestimmung des Verhältnisses erwähnter Mitarbeiter zum Apostel bzw. zur Gemeinde heranziehen dürfte. Wir haben keinerlei Gewißheit über die Struktur von Hausgemeinden bzw. über die Rolle derer, die es einer Gemeinde (oder Teilen der Gemeinde oder auch nur ihrer eigenen οἰκία) ermöglichen, sich in ihrem Haus zu versammeln[1]. Es läßt sich weder über die Stellung des Epaphroditos, der als Apostel, d. h. als Bote der Gemeinde bezeichnet wird (vgl. Phil 2, 25ff), noch über den »Syzygos« (vgl. Phil 4, 3), der gebeten wird, den Streit zwischen Euodia und Syntyche (vgl. Phil 4, 2) zu schlichten, Sicheres sagen; weder was ihre Rolle innerhalb der Gemeinde noch was den Charakter ihres Gemeindedienstes angeht. Von dem σύζυγος wissen wir ohnehin nicht, wer gemeint ist; das Wort erlaubt, auch wenn es kein Name ist, keine Schlüsse auf seinen Dienst in der Gemeinde. Epaphroditos andererseits hat zwar als Bote eine ganz bestimmte, konkrete Aufgabe, nämlich Paulus die Spende der philippischen Gemeinde zu überbringen (vgl. Phil 4, 10–20); ob er aber darüber hinaus mit der Gemeindeleitung zu tun hatte, etwa unter die ἐπίσκοποι oder διάκονοι von Phil 1, 1 zu rechnen sei, ist so ungewiß und offen wie die inhaltliche Bestimmung der Funktion Phoebes, die Paulus Röm 16, 1 empfiehlt als οὖσαν καὶ διάκονον τῆς ἐκκλησίας τῆς ἐν Κεγχρεαῖς. Auch die Aussagen von 1 Kor 16, 17f über Stephanas, Fortunatus und Achaicus erlauben keine weitreichenden Schlüsse; sie erscheinen stellvertretend für die Gemeinde bei Paulus, indem sie ihr Fehlen ausfüllen[2].

Im Folgenden werden deshalb nur die Stellen herangezogen, die im Zusammenhang der Erwähnung von Mitarbeitern explizit oder implizit Aussagen machen über den Charakter ihres Dienstes wie über ihr Verhältnis zu Apostel und Gemeinde.

2. Das Verhältnis der Mitarbeiter zum Apostel

a) Ihr Dienst in Entsprechung zu dem des Apostels

In der Erörterung der grund-legenden Funktion des Apostels für die οἰκοδομή der Gemeinde als ϑεοῦ οἰκοδομή wurde darauf hingewiesen, daß Paulus sich 1 Kor 3, 9 mit anderen, wie z. B. Apollos, zusammenfaßt unter der Bezeichnung ϑεοῦ γάρ ἐσμεν συνεργοί, und dies im deutlichen Gegenüber zur Gemeinde: ϑεοῦ γεώργιον, ϑεοῦ οἰκοδομή ἐστε. Der Apostel und seine Mitarbeiter sind von ihrer Funktion innerhalb der οἰκοδομή der Gemeinden her — als jene, die das Fun-

---

[1] Vgl. 1 Kor 16, 19; Röm 16, 3ff; Phlm 1b. 2.
[2] Das muß keineswegs heißen, daß sie die Gemeinde repräsentieren. Paulus erinnert hier nur an den entwickelten Grundsatz der κοινωνία, der Verpflichtetheit der ganzen Gemeinde gegenüber ihrem Apostel, welche durch die in 1 Kor 16, 17 Genannten ebenso ersatzweise erfüllt wird wie etwa von Epaphroditos für die Gemeinde in Philippi (vgl. Phil 2, 25ff) und von Onesimos für Philemon (vgl. Phlm 13).

dament Christus in der Gemeinde gelegt und als ἐποικοδομοῦντες mit ihrer Verkündigung darauf weitergebaut haben — »Mitarbeiter Gottes«[1]. Es verkennt den Skopus von 1 Kor 3, 5–15, wenn G. Bertram meint, im Blick auf die Mitarbeiter des Apostels sagen zu können: »Eine unbedingte Gleichstellung mit dem Apostel ist in dieser Bezeichnung nicht zu sehen«[2]. Gewiß leugnen die Bilder vom Acker (vgl. VV 6–9) und Bau Gottes (vgl. VV 9–15) weder die in früherem Zusammenhang erarbeitete zeitliche noch die sachliche Differenz zwischen dem Apostel und seinen Mitarbeitern, aber im Blick auf Gott, von dem alles abhängt (vgl. VV 6–8) und der das eigentliche ἔργον wirkt (vgl. V 9 συν-εργοί), und im Blick auf die Gemeinde, welcher dieses ἔργον zugute kommt, besteht im Charakter ihres Dienstes kein prinzipieller Unterschied: sie sind θεοῦ συνεργοί.

Unterschiedlich ist dann allerdings ihr jeweiliges ἔργον, auch in seinem Wert und seiner Beständigkeit. So ist es zwar richtig, daß Paulus »die Besonderheit seiner Stellung niemandem gegenüber aufgegeben« hat und daß er »seine Gefährten durch die Verwendung solcher und ähnlicher Bezeichnungen geehrt und ihre Autorität den Gemeinden gegenüber gestärkt« habe[3]; doch gilt das wohl von συστρατιώτης[4], κοινωνός[5], vielleicht auch von σύζυγος[6] usw., aber nur teilweise von συνεργός.

Teilweise deshalb, weil Paulus auch ohne die theo-logische Näherbestimmung von »seinen« Mitarbeitern sprechen kann, wobei συνεργός in diesem Fall auf die Gemeinsamkeit des ἔργον abhebt und συν- stärker den Charakter der Mit-arbeit heraushebt[7]. Dieser Gebrauch ist vermutlich synonymisch für συστρατιώτης etc. Der Abstand zwischen Apostel und Mitarbeitern erfährt dabei durch die Akzentuierung von συν- eine Betonung, während er in der Akzentuierung von θεοῦ συνεργοί aufgehoben erscheint; nur so kann Paulus in 1 Kor 4, 1 ff. 6 auf die Sinnlosigkeit hinweisen, seine Mitarbeiter gegen ihn ausspielen zu wollen.

Es wäre demnach durchaus paulinischer Sprachgebrauch, dürfte man in 1 Thess 3, 2 bei der Erwähnung des Timotheus lesen: τὸν ἀδελφὸν ἡμῶν καὶ συνεργὸν τοῦ θεοῦ ἐν τῷ εὐαγγελίῳ τοῦ Χριστοῦ. Die Textbezeugung ist schwankend, doch hat die Auslegung und Beurteilung der Varianten συνεργός als die

---

[1] Die Auskunft von Bauer, WB 1559 f: »In θεοῦ ἐσμεν συνεργοί 1 Kor 3, 9 bezieht sich συν nicht auf die Gemeinschaft mit Gott, sondern auf die Gemeinschaft der Lehrer in Korinth ›wir sind Arbeitsgenossen im Dienste Gottes‹« (so auch Vielhauer, Oikodome 79), ist kaum richtig. Im Vergleich mit 2 Kor 6, 1 (συνεργοῦντες) wird deutlich, daß Paulus tatsächlich einen gewissen Synergismus meint, den er in 2 Kor 5, 18 ff näher beschreibt. Vgl. zu συνεργός v. a. Otto, Die mit συν verbundenen Formulierungen im paulinischen Schrifttum 88 ff.
[2] Bertram, ThW VII 869–875; hier 872, 4 f (zu συνεργός).
[3] Bertram a. a. O. 872, 5 f und A. 21.
[4] Vgl. Phil 2, 25; Phlm 2.
[5] Vgl. 2 Kor 8, 23; Phlm 17.
[6] Vgl. Phil 4, 3.
[7] Vgl. 2 Kor 8, 23; Röm 16, 3. 9. 21; Phil 2, 25; 4, 3; Phlm 1. 24; mit Roloff, Apostolat — Verkündigung — Kirche 133, ist in diesem Zusammenhang auf κόπος, κοπιᾶν als Bezeichnung der gemeinsamen »Arbeit«, des gemeinsamen ἔργον hinzuweisen; vgl. auch Brandt, Dienst und Dienen im NT 105, und v. a. v. Harnack, κόπος (κοπιᾶν, οἱ κοπιῶντες) im frühchristlichen Sprachgebrauch 1–10.

wahrscheinlich ursprüngliche Lesart erwiesen[1]. Gerade für Timotheus und Titus, seine wohl engsten Mitarbeiter[2], können diese Bezeichnungen nicht befremden. »Bei diesen Formulierungen geht es nicht um ehrende Bezeichnungen der Gefährten, also um soziologische Kategorien, sondern um eine theologische Aussage: Paulus und die anderen stehen in demselben Dienst, sie alle sind Gehilfen und Handlanger Gottes«[3]. Diese inhaltliche Bestimmung von ϑεοῦ συνεργοί wird erhärtet durch das συνεργοῦντες von 2 Kor 6,1[4] im Zusammenhang des Textes 2 Kor 5, 11 ff, v. a. 18 ff, wodurch zweifellos eine echte »Mitwirkung« mit dem im Verkündigungsdienst der Versöhnung durch den Apostel zuredenden Gott ausgesagt ist; offen bleibt, ob Paulus — in dieser Apologie seines Apostolats — nur von sich, also vom Apostelamt, spricht oder wenigstens implizit dasselbe auch von den anderen ϑεοῦ συνεργοί aussagen will.

Es trägt jedoch nur zur Verunklarung der Sachverhalte bei, wenn G. Bertram behauptet: »συνεργοί 1 Kor 3, 9 entspricht dem διάκονοι 3, 5« bzw. »συνεργοί ϑεοῦ 1 Kor 3, 9 bedeutet in Parallele dazu (= zu δοῦλος) *Arbeiter Gottes*«[5].

Der für das paulinische Apostolatsverständnis eigentümliche, mit ϑεοῦ συνεργός ausgedrückte Gedanke der Mit-wirkung geht dabei leicht verloren, zumal dann, wenn man mit 2 Kor 1, 24 (συνεργοί ἐσμεν τῆς χαρᾶς ὑμῶν) den »besonderen Charakter« dieses συνεργεῖν des Apostels und seiner Mitarbeiter erläutern zu können glaubt[6].

Es ist festzuhalten: Gott selbst ist es, der durch seine συν-εργοί die Versöhnungsbotschaft verkündet[7]; es geht also um reale Mit-wirkung. Paulus weiß offenbar selbst, wie weitgehend dieser Anspruch ist, den er für sich wie für seine Mitarbeiter erhebt; deshalb versucht er, durch eine Reihe von Korrelatbegriffen alles Anstößige zu vermeiden bzw. zu mildern; darum sagt er 2 Kor 1, 24: οὐχ ὅτι κυριεύομεν ὑμῶν τῆς πίστεως, ἀλλὰ συνεργοί ἐσμεν τῆς χαρᾶς ὑμῶν. Diesem οὐχ ὅτι κυριεύομεν entspricht in 1 Kor 3, 5 die absolut gebrauchte Selbstbezeichnung διάκονοι[8]. Aus demselben Grund formuliert Paulus 1 Kor

---

[1] Vgl. die Auslegung zur Stelle.

[2] Zu Timotheus vgl. 1 Thess 1, 1; 3, 2. 6; 1 Kor 4, 17; 16, 10; 2 Kor 1, 1. 19; Röm 16, 21; Phil 1, 1; 2, 19; Phlm 1; zu Titus Gal 2, 1. 3; 2 Kor 2, 13; 7, 6. 13. 14; 8, 6. 16. 23; 12, 18.
Titus wird zwar nicht συνεργὸς τοῦ ϑεοῦ genannt, aber durch κοινωνὸς ἐμὸς καὶ εἰς ὑμᾶς συνεργός (2 Kor 8, 23) eindeutig gegen die im Folgenden genannten Gemeindeapostel und gegen die Gemeinde abgehoben und auf die Seite des Apostels und seines ἔργον gerückt.

[3] Bertram, ThW VII 872, 13f; vgl. Roloff a. a. O. 116 ff.

[4] Vgl. Bertram a. a. O. A. 24: zu ergänzen τῷ ϑεῷ. Dieser Sinn ergibt sich aus 2 Kor 5, 20: ὑπὲρ Χριστοῦ οὖν πρεσβεύομεν ὡς τοῦ ϑεοῦ παρακαλοῦντος δι' ἡμῶν in Parallele zu 6, 1: συνεργοῦντες δὲ καὶ παρακαλοῦμεν.

[5] A. a. O. 872, 17f bzw. 873, 5 (Hervorhebungen von mir).

[6] Bertram a. a. O. 872, 8 ff. In Wahrheit geht es an dieser Stelle um eine modale Bestimmung des apostolischen Dienstes, wie sie ähnlich in 1 Kor 4, 1 ff ausgedrückt ist.

[7] Vgl. 2 Kor 5, 18 ff.

[8] Die Benennungen ϑεοῦ διάκονοι (2 Kor 6, 4; vgl. die Varianten zu 1 Thess 3, 2) oder διάκονοι Χριστοῦ (2 Kor 11, 23), eine Selbstbezeichnung, die Paulus möglicherweise von seinen Gegnern übernimmt (vgl. Friedrich, Die Gegner des Paulus 186; dagegen Schmithals, Die Gnosis in Korinth ²1965, 195–197), verraten die gleiche Tendenz; vgl. auch δοῦλοι Χριστοῦ Ἰησοῦ (Phil 1, 1; vgl. Gal 1, 10; Röm 1, 1).

3, 22 f in einer aufsteigenden Klimax: »ob Paulus, ob Apollos, ob Kephas . . . alles ist euer, ihr aber seid des Christus, Christus aber ist Gottes«, und setzt in 4, 1 fort: so soll man uns halten ὡς ὑπηρέτας Χριστοῦ καὶ οἰκονόμους μυστηρίων θεοῦ. Alle diese Einschränkungen betreffen nur die menschliche Seite, machen aber die grundsätzlichen theologischen Aussagen nicht rückgängig. Der Gestalt nach ist das Apostelamt, bzw. das Amt der Verkündigung, Diakonie — διακονία τῆς καταλλαγῆς (2 Kor 5, 18); dem Wesen nach ist es ein ὑπὲρ Χριστοῦ πρεσβεύειν ὡς τοῦ θεοῦ παρακαλοῦντος (vgl. 2 Kor 5, 20). Darin aber ist der Dienst des Apostels von dem der anderen Verkündiger, dem seiner Mitarbeiter, prinzipiell nicht unterschieden; für alle θεοῦ συνεργοί gilt das συνεργοῦντες δὲ καὶ παρακαλοῦμεν von 2 Kor 6, 1[1].

Grundsätzliche Gleichheit[2] herrscht auch im Bezug auf das ἔργον, sofern es das ἔργον Χριστοῦ ist bzw. das ὑπὲρ Χριστοῦ πρεσβεύειν, das alle συνεργοί in ihrem Verkündigungsdienst bzw. ihrem Dienst am Evangelium gemeinsam wirken.

So kann von Timotheus 1 Kor 16, 10 gesagt werden: τὸ γὰρ ἔργον κυρίου ἐργάζεται ὡς κἀγώ. Mit Verweis auf den τοῦ θεοῦ γὰρ υἱὸς Χριστὸς Ἰησοῦς ὁ ἐν ὑμῖν δι' ἡμῶν κηρυχθείς, von dem es heißt, daß er οὐκ ἐγένετο ναὶ καὶ οὔ, betont Paulus in 2 Kor 1, 19 nicht nur seine eigene Zuverlässigkeit als Apostel, sondern auch die seiner Mitarbeiter in der Verkündigung — Silvanus und Timotheus. Der von ihnen allen verkündigte Christus verbürgt ihre Verläßlichkeit.

Aber nicht nur der Verkündigungsdienst ist für Paulus ἔργον Χριστοῦ (bzw. κυρίου); selbst ein entfernterer, zunächst Paulus geleisteter Dienst, wie ihn Epaphroditos in der Besorgung der philippischen Spende für Paulus erfüllte, wird dem ἔργον Χριστοῦ zugeordnet: er war διὰ τὸ ἔργον Χριστοῦ dem Tod nahegekommen.

Ist das ἔργον des Apostels und seiner Mitarbeiter auch verschieden, als ἔργον Χριστοῦ verbindet ihre Dienste die Gleichheit ihres Ursprungs und ihres Zieles.

Diese Betrachtungsweise ist die nämliche, wie sie sich aus 1 Kor 3, 6 ff im Bezug auf das ἔργον der θεοῦ συνεργοί ergab: »weder der Pflanzende noch der Begießende sind irgendetwas, sondern Gott, der das Wachstum gibt«, oder wie es in 1 Kor 12, 6 heißt: »der alles in allen wirkt«.

Sofern das ἔργον κυρίου der Mitarbeiter des Apostels Verkündigungsdienst ist, haben diese Mitarbeiter gleiche ἐξουσία wie der Apostel. Diese Konsequenz liegt in der Sache selbst begründet[3], wird aber in 1 Kor 9, 6. 11 ff auch klar ausgesprochen. Paulus wendet sich fragend an die Korinther, ob nur er und

---

[1] Richtig bestimmt den Unterschied der apostolischen διακονία zu anderen Diensten Roloff a. a. O. 124: er liegt »keinesfalls in einer qualitativen Unterscheidung«, »sondern darin, daß sie an einem besonderen heilsgeschichtlichen Ort geschieht«.

[2] Einebnend und die Funktion des Apostolats verkennend sagt Scheel, Zum urchristlichen Kirchen- und Verfassungsproblem 431 ff: »Paulus hat für sein ihm offenbartes Evangelium wohl unbedingte Anerkennung verlangt — wie übrigens jedes Charisma Anerkennung beanspruchen darf —, aber seinen Dienst (Röm 11, 13) betrachtet er lediglich als einen grundsätzlich den übrigen Diensten an der Ekklesia gleichgeordneten Dienst« (a. a. O. 431).

[3] Vgl. Asting, Verkündigung 403: »Die Rechte, die ein Verkündiger auf Grund seiner Wirksamkeit an und für sich hat . . . «.

Barnabas nicht das Recht hätten, nicht zu arbeiten (vgl. V 6), d. h. auf Kosten der Gemeinde zu leben; ein Recht, das nach V 14 allen Verkündigern des Evangeliums zukommt und das andere auch in Anspruch nehmen (vgl. V 12). Paulus macht für sich und Barnabas — wohl als Gemeindegründern — sogar größere Rechte geltend; zumindest könnten auch sie aus der Evangeliumsverkündigung leben, könnten für das Säen der geistigen Güter fleischliche, d. h. materielle Güter ernten (vgl. VV 11. 14). Solche ἐξουσία ist eine Frucht des ἔργον Χριστοῦ, das Apostel und Mitarbeiter in gleicher Weise betreiben[1].

Im Hinblick auf dieses ἔργον κυρίου (bzw. Χριστοῦ), als θεοῦ συνεργοί, können die Mitarbeiter des Apostels wie dieser selbst »den Gehorsam der Gemeinde beanspruchen«[2].

Gleichheit herrscht zwischen dem Apostel und seinen Mitarbeitern also nur, sofern sie θεοῦ συνεργοί sind und sofern sie das ἔργον κυρίου betreiben, unterschiedlich ist jedoch ihr ἔργον selbst. Nur der Apostel kann von der Gemeinde, die durch ihn zum Glauben kam, sagen: οὐ τὸ ἔργον μου ὑμεῖς ἐστε ἐν κυρίῳ; (1 Kor 9, 1). Seine grundlegende Funktion als Gemeindegründer wird durch die Einbeziehung der Mitarbeiter und die Anerkennung ihres gegenüber Gott und Christus gleichwertigen Dienstes nicht beeinträchtigt. Er ist es, der das Fundament legte, auf dem seine Mitarbeiter nur weiterbauen können; das ἔργον jedes einzelnen wird dabei nach Wert und Unwert erprobt werden[3].

Dieses ἔργον der ἐποικοδομοῦντες setzt das ἔργον des Apostels als Gemeindegründer voraus; die Mitarbeiter sind unter dieser Rücksicht »seine« συν-εργοί[4].

b) Ihre Stellung zum Apostel

Als συν-εργοί des Apostels, als seine κοινωνοί, seine συστρατιῶται, συναιχμάλωτοι[5] usw. stehen die Mitarbeiter zweifellos in einer bestimmten, aber meist nicht näher bestimmbaren Zuordnung zum Apostel. Ihre Einbeziehung geschieht in der Regel in so knapper Form, daß wir uns über die Verhältnisse im einzelnen kein klares Bild zu machen vermögen. Es läßt sich nur vermuten, daß die meisten der erwähnten Mitarbeiter sich in einem Verhältnis der Unterordnung bzw. der Abhängigkeit zum Apostel befanden; doch gilt das sicher nicht generell[6].

---

[1] Ein prinzipieller Unterschied besteht darin auch nicht zu den in Gal 6, 6 erwähnten κατηχοῦντες (vgl. das generische ὁ κατηχούμενος — τῷ κατηχοῦντι); auch der κατηχούμενος τὸν λόγον schuldet sich τῷ κατηχοῦντι mit allen Gütern; d. h. auch der κατηχῶν in der Gemeinde besitzt diese ἐξουσία — ἐκ τοῦ εὐαγγελίου ζῆν (1 Kor 9, 14).

[2] Bertram, ThW VII 873, 11; vgl. 2 Kor 7, 15.

[3] Vgl. 1 Kor 3, 12ff, wo dreimal vom ἔργον des Einzelnen die Rede ist; dazu Vielhauer, Oikodome 81. 84f.

[4] Bertram a. a. O. 873, 6f: Damit erhebt »Paulus für sich und seine Gehilfen einen theologischen Anspruch. Ihre Hilfeleistung bei der Verkündigung des Evangeliums bedeutet, daß sie zusammen mit dem Apostel teilhaben an der Last des Dienstes der Versöhnung und so im Sinne von Is 43, 24 an Gottes eigenem Werk in Mühe und Arbeit«.

[5] Vgl. Röm 16, 7; Phlm 23.

[6] Wie etwa das Verhältnis von Barnabas, Silvanos, Sosthenes, Apollos usw. zu Paulus im einzelnen aussah, läßt sich kaum bestimmen.

Für die paulinische Sicht der Dinge ist jedoch festzuhalten, was der prinzipiell zu verstehende Text 1 Kor 3, 5–15 ergab: es besteht zwischen ihnen sowohl eine zeitliche wie eine sachliche Differenz. Zeitlich sind sie seine »Nachfolger«; er ist der Pflanzende, sie sind Begießende. Sachlich sind sie an das von ihm gelegte Fundament, an seine grundlegende, die Gemeinde begründende Verkündigung der Versöhnung, an sein Evangelium gebunden; gemessen an seiner Fundament schaffenden οἰκοδομή besteht ihr ἔργον in einem sehr verschiedenartigen ἐποικοδομεῖν[1].

Bei einigen Mitarbeitern läßt sich das Verhältnis zum Apostel jedoch präzisieren, und da es sich dabei um seine engsten Mitarbeiter handelt, dürfte diesen Aussagen erhebliches Gewicht zukommen.

1 Kor 4, 17 sagt Paulus von Timotheus: ὅς ἐστίν μου τέκνον ἀγαπητὸν καὶ πιστὸν ἐν κυρίῳ. In V 15 erwähnt er, daß er selbst die Gemeinde von Korinth in Christus Jesus durch das Evangelium gezeugt habe. Das Bild vom zeugenden Vater besagt also im Hinblick auf Timotheus, daß er durch Paulus und seine Verkündigung des Evangeliums zum Glauben kam[2]. Was zwischen ihnen auf diese Weise entstand, war jenes Verhältnis der κοινωνία, wie es Gal 6, 6 u. ö. formuliert ist: eine wechselseitige Gemeinschaft des Gebens und Nehmens. Timotheus verdankt sich in seinem Glaubensleben dem Apostel wie ein Kind seinem Vater; umgekehrt sorgt sich der Apostel um seinen »Schüler« wie ein Vater um sein Kind.

In welch umfassender Weise Paulus dieses Gemeinschaftsverhältnis verstanden wissen wollte, wurde in einem früheren Abschnitt schon gezeigt[3] und geht aus Gal 6, 6; Phlm 19 deutlich hervor: sie ist eine κοινωνία — ἐν πᾶσιν ἀγαθοῖς, bzw. ein Verhältnis der Verdanktheit, welches Paulus dem Philemon so erläutert: ἵνα μὴ λέγω σοι ὅτι καὶ σεαυτόν μοι προσοφείλεις. In diesem Schuldverhältnis ist er sich selbst dem Apostel noch dazu schuldig.

Von diesem Kind-Vater-Verhältnis zwischen Timotheus und Paulus wird auch in Phil 2, 22 gesprochen; doch wird der Gedanke umgebogen auf das Evangelium hin. Die Gemeinde weiß nach der Auffassung des Paulus von Timotheus, ὅτι ὡς πατρὶ τέκνον σὺν ἐμοὶ ἐδούλευσεν εἰς τὸ εὐαγγέλιον. Der Dienst des Timotheus erscheint als Dienst im Bezug auf das Evangelium, darin als ein mit Paulus gemeinsamer Dienst; und dennoch als ein Dienst in Unterordnung gegenüber dem Apostel[4]. Solcher Unterordnung fehlt in einer Kind-Vater-Beziehung jedes rechtliche Moment; sie bezeichnet ein quasi natürliches Verhältnis väterlicher Autorität und kindlich-vertrauensvollen Gehorsams.

---

[1] Vgl. dazu Roloff, Apostolat — Verkündigung — Kirche 109: »Der Dienst des Apostels ist darum grundsätzlich allen anderen Diensten in der Gemeinde vorgeordnet ... «.

[2] Roloff a. a. O. 116 sieht in solchem Vater-Kind-Verhältnis »das Gegenüber des Apostels zur Kirche« betont. Dies ist zwar richtig, läßt sich aber nicht ohne gedankliche Zwischenglieder behaupten.

[3] Vgl. 3. Kapitel, 5. Abschnitt.

[4] Man wird nicht fehlgehen, wenn man annimmt, Paulus habe zunächst sagen wollen, Timotheus habe ihm wie ein Kind seinem Vater gedient; in einer gleitenden Gedankenverschiebung wird jedoch dieser persönliche Dienst als ein Dienst am Evangelium ausgewiesen.

Förmlicher ist diese Beziehung von Apostel und Mitarbeitern überall dort ausgedrückt, wo von Sendung und Gesandtschaften die Rede ist[1]. Förmlicher ist dabei vor allem das Verhältnis der Unterordnung von Gesandtem und Sendendem verstanden, wie es ja auch in der Natur der Sache liegt. Ein Beispiel gibt die Kollektengesandtschaft von 2 Kor 8, 6. 16 ff. Voraus ging nach V 6 eine zuredende Aufforderung des Apostels an Titus, er möchte, wie er früher angefangen hatte, das Kollektenwerk in Korinth vollenden. Titus hat diese Aufforderung auch angenommen (vgl. ἐδέξατο V 17), kam ihr sogar mit seiner Bereitwilligkeit noch entgegen — eine Gelegenheit für Paulus, auf τὴν αὐτὴν σπουδὴν ὑπὲρ ὑμῶν (V 16) hinzuweisen; in seinem übergroßen Eifer (vgl. σπουδαιότερος V 17), welcher dem des Apostels in nichts nachsteht, ging Titus αὐθαίρετος, d. h. freiwillig nach Korinth. In dieser Betonung der Freiwilligkeit wird deutlich, daß Paulus Wert darauf legt, seine Aufforderung nicht als Befehl verstanden wissen zu wollen.

Die abgesandten Männer sind jedoch zweifelsohne eine Gesandtschaft des Apostels: sie werden von Paulus zusammen mit Titus nach Korinth geschickt (vgl. συνεπέμψαμεν δὲ μετ' αὐτοῦ V 18 bzw. συνεπέμψαμεν δὲ αὐτοῖς V 22). Die Rolle der in den VV 18 ff. 22 genannten Brüder wurde an anderer Stelle schon erörtert[2]. Die paulinische Tendenz, sie dem Titus als Leiter der Kollektengesandtschaft unterzuordnen, ist unverkennbar (vgl. in V 6 die betonte Aufforderung an Titus und das συνεπέμψαμεν von VV 18. 22). Ihm gegenüber erscheinen sie — mit εἴτε — εἴτε V 23 deutlich abgesetzt — als »Brüder« und »Boten von Gemeinden«; Titus hingegen erfährt eine ihn auszeichnende Benennung als κοινωνὸς ἐμός — καὶ εἰς ὑμᾶς συνεργός. Bleibt συνεργός hier auch ohne nähere theologische Bestimmung im Sinne des θεοῦ συνεργός, ist die Betonung von εἰς ὑμᾶς συνεργός als Ergänzung des κοινωνὸς ἐμός doch in seiner Tendenz kaum anders zu verstehen[3]; zumindest ist Titus als qualifizierter Mitarbeiter des Apostels im Gegenüber zur Gemeinde und den Mit-abgesandten herausgehoben. Kaum zu bestreiten ist ferner die paulinische Tendenz, die Kollektengesandtschaft selbst zu gliedern im Sinne von Unterordnung: Titus ist als Leiter der Gesandtschaft zu betrachten; ihm wird der Bruder von V 18 ff beigegeben (vgl. συνεπέμψαμεν δὲ μετ' αὐτοῦ V 18), und mit diesen beiden wiederum schickt Paulus einen weiteren Bruder aus seinem engeren Mitarbeiterkreis (vgl. συνεπέμψαμεν δὲ αὐτοῖς V 22).

Titus begegnet im 2. Korintherbrief noch an anderer[4], gewichtigerer Stelle: 7, 6. 13. 14. In der Auseinandersetzung zwischen Paulus und der korinthischen Gemeinde, die dem 2 Kor vorausliegt und über die schon gesprochen wurde[5],

---

[1] Vgl. 1 Thess 3, 2. 5; 1 Kor 4, 17; 16, 10; 2 Kor 8, 6. 16 ff; Phil 2, 19 ff.

[2] Vgl. 1. Kapitel, 4. Abschnitt: b) Antijerusalemische Tendenzen im Verständnis der Kollekte; ferner die Auslegung des Textes.

[3] κοινωνός läßt sich, weil es nur hier als Bezeichnung eines Mitarbeiters erscheint, inhaltlich nicht bestimmen; doch wird der mit κοινωνία umschriebene Sachverhalt darin wohl anklingen; als συνεργός hat Titus in jedem Fall einen analogen Anspruch auf die κοινωνία der Gemeinde wie Paulus selbst, gleichviel ob er als θεοῦ συνεργός oder als συνεργός des Apostels zu betrachten ist.

[4] Daß Titus auch Gal 2, 1. 3; 2 Kor 2, 13; 12, 18 genannt ist, hat für unseren Zusammenhang keine Bedeutung.

[5] Vgl. 3. Kapitel, 5. Abschnitt und die Auslegung der Texte 2 Kor 2, 5–10; 7, 5–16.

kam Titus eine entscheidende Vermittlerrolle zu. Seine Gesandtschaft war erfolgreich, seine Rückkehr ein für Paulus tröstliches Ereignis (vgl. V 6), Anlaß zur Freude über den erstarkten ζῆλον ὑπὲρ ἐμοῦ (V 7), d. h. über den neuen Eifer, welchen die Gemeinde für Paulus inzwischen wieder bewiesen hatte. Nach V 12 stand der zunächst erfolglose »Tränenbrief« nicht anders als die Sendung des Titus nach Korinth unter dem Vorzeichen φανερωθῆναι τὴν σπουδὴν ὑμῶν (d. h. der Korinther) τὴν ὑπὲρ ἡμῶν πρὸς ὑμᾶς ἐνώπιον τοῦ θεοῦ. Und darin weiß sich Paulus nach der Ankunft des Titus getröstet; er kann sich wieder »in allem« auf sie verlassen (vgl. V 16). Die Vermittlerrolle des Titus dürfte in V 15 angesprochen sein, wenn von der ὑπακοή (πάντων) gesprochen wird. Man hat ihn aufgenommen wie sonst wohl den Apostel selbst: in Gehorsam, ja »mit Furcht und Zittern«[1]. Man muß nicht erst den rabbinischen Grundsatz heranziehen, wonach der Gesandte gleich dem Sendenden[2] zu betrachten ist; diese Gleichheit zwischen Paulus und Titus ist in der Gleichheit des gemeinsamen ἔργον κυρίου begründet, weshalb dem συνεργός des Apostels auch prinzipiell gleiche ἐξουσία zukommt: Anspruch auf ὑπακοή (und κοινωνία).

Die Gleichheit des ἔργον κυρίου wird in 1 Kor 16, 10 dem Mit-arbeiter Timotheus ausdrücklich bestätigt. Seine Sendung nach Korinth (vgl. 4, 17) erlaubt eine weitere Präzisierung des Verhältnisses Apostel — Mitarbeiter: ὑμᾶς ἀναμνήσει τὰς ὁδούς μου τὰς ἐν Χριστῷ Ἰησοῦ, καθὼς πανταχοῦ ἐν πάσῃ ἐκκλησίᾳ διδάσκω. Paulus lehrt überall — in jeder Gemeinde — seine »Wege in Christus«. An diese sind seine Mitarbeiter gebunden; sie können nur daran »erinnern«[3]. Damit ist im Falle des Timotheus nur konkretisiert, was 1 Kor 3, 5 ff prinzipiell gesagt ist: die Mitarbeiter bzw. »Nachfolger« können nur das vom Apostel Gepflanzte begießen, nur auf dem von ihm gelegten Fundament weiterbauen.

Nicht jede Sendung eines Mitarbeiters ist in ihrer Zielsetzung so deutlich umrissen; 1 Thess 3, 2. 5 wird der gleiche Timotheus gesandt εἰς τὸ στηρίξαι ὑμᾶς καὶ παρακαλέσαι ὑπὲρ τῆς πίστεως ὑμῶν τὸ μηδένα σαίνεσθαι ἐν ταῖς θλίψεσιν ταύταις. Seine Aufgabe als συνεργὸς τοῦ θεοῦ ἐν τῷ εὐαγγελίῳ τοῦ Χριστοῦ ist jenes (ἐπ-)οικοδομεῖν, welches nach 1 Thess 5, 11. 14 vornehmlich im παρακαλεῖν, νουθετεῖν τοὺς ἀτάκτους, παραμυθεῖσθαι τοὺς ὀλιγοψύχους, ἀντέχεσθαι τῶν ἀσθενῶν usw. geschieht und nicht nur Aufgabe der Mitarbeiter des Apostels, sondern jedes einzelnen Gläubigen ist (vgl. 5, 11: οἰκοδομεῖτε εἰς τὸν ἕνα).

Eine Sendung von herausragender Bedeutung beschreibt jedoch Phil 2, 19ff[4]. Paulus hofft, Timotheus bald nach Philippi schicken zu können. Die Begründung: »damit auch ich guten Mutes werde γνοὺς τὰ περὶ ὑμῶν« meint möglicher-

---

[1] In dieser Aussage liegt eine Übertreibung, mit der Paulus wohl seine eigene, neugewonnene Autorität als Apostel der Gemeinde mehr als die des Titus zu unterstreichen beabsichtigt.
[2] Mischna Berakhoth 5, 5; vgl. Str.–Bill. III 2–4.
[3] Wie diese Gebundenheit näherhin zu bestimmen ist, kann hier außer Betracht bleiben; vgl. aber Roloff, Apostolat — Verkündigung — Kirche 120: Des Timotheus' »Lehre ist für die Gemeinde bindend, in ihr begegnet Christus (ἐν Χριστῷ!), aber sie ist es in abgeleiteter Weise: so nämlich, daß in ihr das väterliche Wort (τὰς ὁδούς μου!) des Apostels zum Tragen kommt«.
Die Folgerung Roloffs: »So wirkt die Mittlerfunktion des Apostels in der Kirche weiter, ohne übertragbar zu sein«, ist vom Text her weder gefordert noch einsichtig.
[4] Vgl. die Auslegung des Textes.

weise nicht nur ein »Erfahren« dessen, wie es um die Gemeinde steht, sondern ein »Wissen« darum, daß die Angelegenheiten der Gemeinde gut geordnet sind. Die ausführliche Empfehlung des Timotheus in den VV 20–22, noch mehr aber die Begründung des Termins seiner Sendung in V 23 verweisen auf den besonderen Charakter dieser Sendung: Paulus will ihn senden, sobald er absehen kann, wie seine Angelegenheiten stehen. Nach 2, 17 muß Paulus aber ernsthaft damit rechnen, als »Trankopfer« hingegeben zu werden, d. h. er hat seinen möglichen Tod vor Augen. Zwar vertraut er darauf, auch selbst bald kommen zu können (vgl. V 24); aber für den Fall, daß er — für immer — daran gehindert werden könnte, stellt er die Sendung des Timotheus in Aussicht. Timotheus ist also vermutlich als *Nachfolger*[1] des Apostels in Aussicht genommen.

Dies ist von besonderer Wichtigkeit, nachdem die Gemeinde von Philippi nach Phil 1, 1 eine im Innern gefestigte und schon relativ klar strukturierte ist; in ihr gibt es ἐπίσκοποι und διάκονοι (vgl. 1, 1), sie delegiert ἀπόστολοι wie Epaphroditos (vgl. 2, 25 ff), in ihr gibt es einen σύζυγος, den Paulus als Streitschlichter angehen kann (vgl. 4, 2. 3). Wenn Paulus dennoch Timotheus als seinen Nachfolger empfiehlt, so kann nicht eine innergemeindliche Aufgabe gemeint sein, welche Timotheus übernehmen sollte; τὰ περὶ ὑμῶν μεριμνήσει (V 20) ist deshalb wohl von V 22 her zu verstehen als Auswirkung seines mit dem Evangeliumsdienst des Apostels vergleichbaren δουλεύειν εἰς τὸ εὐαγγέλιον.

---

[1] Vgl. dazu die Auseinandersetzung von Braun, Neues Licht auf die Kirche 157 ff, mit dem von K. L. Schmidt, Le Ministère et les ministères 315. 336, formulierten neueren Konsensus über die Frage des Ursprungs der Kirchenämter und der Apostelnachfolge, der zwar vom Konsensus um 1880 (vgl. dazu v. a. Linton, Das Problem der Urkirche 11) in vielem, speziell in einer grundsätzlich anderen Sicht der Kirche (einer religiösen, nicht mehr soziologischen) abweiche, aber nach wie vor mit ihm übereinstimme in der Verneinung einer Apostelnachfolge (vgl. etwa Beyschlag, Die christliche Gemeindeverfassung 76).

Braun stellt a. a. O. 165 f demgegenüber fest, daß die vom neueren wie älteren Konsensus dafür angeführten Gründe »mehr auf der Theologie als auf der Geschichte des Urchristentums und der eigentlichen Exegese« beruhten.

Diese theologische Fixierung ist in der Tat weit verbreitet. Dabei macht es keinen Unterschied, ob man mit Deissmann, Paulus 165, vom Ideal des 1 Kor ausgeht und in ihm ein klassisches Dokument des »vorkirchlich-charismatischen Zeitalters« sieht, oder mit Beyer, Das Bischofsamt im Neuen Testament 209 ff, die schon im paulinischen Schriftkreis faktisch begegnenden kirchlichen Ämter der Propheten, Lehrer, Hirten, Evangelisten usw. »von einem unmittelbaren Wirksamwerden des Geistes« (a. a. O. 211) ableitet, nach dessen Geringer-werden (!) erst der »Grundsatz, daß gültiges Amt von einem Apostel oder von der Gemeinde in geordneter Form übertragen werden müsse« (a. a. O. 211), aufgekommen sei; vgl. dagegen Friedrich, Geist und Amt 82 ff: »daß Geist und Amt zusammengehören«.

Solche die Apostelnachfolge verneinende Fixierungen auf Grund eingebrachter theologischer Prämissen sind nicht weniger bedenklich als die vorschnell bejahenden; man vgl. dazu etwa Schlatter, Paulus der Bote Jesu 456, der von den Mitarbeitern des Paulus behauptet, »sie verwalteten die Gemeindeämter«, während Koester, Die Idee der Kirche beim Apostel Paulus 12, den gleichen Leuten nur »beschränkten Wirkungskreis« zubilligt und ihnen jeden Anteil an der »apostolischen Vollmacht« abspricht.

Braun hat sicher Recht, wenn er a. a. O. 166 meint: »Das Problem der Apostelnachfolge (ist) ein Tatsachenproblem … nicht persönlicher Auffassungen«.

Timotheus soll also nicht die Gemeindeleitung etwa übernehmen, sondern als Nachfolger des Apostels dessen Sorge um die Gemeinde, dessen Funktion *gegenüber* der Gemeinde.

Das Problem der Apostelnachfolge klingt in den paulinischen Briefen nur an dieser Stelle an und wird völlig unjuridisch verhandelt; für Paulus gibt es noch nicht das Problem der successio apostolica. Er ist einfach aus Sorge um die Gemeinde(n) um einen geeigneten Nachfolger bemüht[1]. Kriterien der Eignung sind nach den VV 20–22 nicht nur persönliche Qualitäten; Paulus wüßte keinen, der ἰσόψυχος, d. h. der ihm (Timotheus oder auch dem Apostel selbst) gleichgesinnt wäre und so selbstlos »das des Christus Jesus« suchte wie Timotheus, dessen Bewährung — auch für die Gemeinde (vgl. γινώσκετε V 22) — offenkundig ist. Zu diesen persönlichen Qualitäten kommt als entscheidendes Kriterium die Bewährung als Mitarbeiter im Dienst am Evangelium (vgl. V 22 b).

Läßt sich demnach auch nicht im einzelnen das Verhältnis von Paulus zu allen seinen — in den Briefen genannten — Mitarbeitern klären, so ist doch sichtbar geworden, daß jene, die durch Paulus selbst zum Glauben kamen, wie Titus und Timotheus, und die so zu seinen engsten Mitarbeitern geworden waren, modellhaft illustrieren, wie Paulus sein Verhältnis zu seinen Mitarbeitern verstand. Gleichheit herrscht zwischen ihnen, was das ἔργον κυρίου und das ϑεοῦ συνεργοί (εἶναι) betrifft, Ungleichheit im ἔργον[2]. Ein solches ἔργον als ἐποικοδομοῦντες wirkten gewiß nicht nur die unmittelbaren Mitarbeiter des Paulus; aber aus ihren Reihen nimmt er vornehmlich jene, denen er bestimmte bedeutsame Gesandtschaften überträgt und die darin für ihn und mit einer der seinen analogen Autorität handeln; aus ihren Reihen wählt er z. B. auch

---

[1] Diesen bei Paulus zu beobachtenden »natürlichen Gang der Dinge« bezüglich der Apostelnachfolge versucht Braun a. a. O. 171 f zu veranschaulichen: »Anfangs werden die Urgemeinden von den Aposteln geleitet, denen sie ihre Gründung verdanken«; oder sie unterliegen »wenigstens der Aufsicht der Apostel«. Bei ihrer Verhinderung lassen sie sich »vertreten«; die Leitung fällt »schließlich ganz allein den aus ihrer Mitte erwählten Vorstehern zu«. »So übernimmt der Episkopat . . . (›Modalitäten sind unwichtig‹ — meint er) . . . die Nachfolge der Apostel«. Theologisch wird das Problem der Apostelnachfolge bei Paulus nur in 1 Kor 3, 5–15 implizit angesprochen, faktisch taucht es nur in Phil 2, 19 ff auf.

Brauns Rekonstruktion der tatsächlichen Entwicklung ist in jedem Fall »paulinischer« als Beyers Behauptung: »Die Kirche des Neuen Testamentes baut sich nicht aus der Gemeinde auf, sie entsteht aber auch nicht durch das Amt, sondern allein durch den heiligen Geist« (a. a. O. 223).

Eine Bestätigung der Rekonstruktion von Braun sucht Dix, Ministry 263, von 1 Clem her; doch ist das methodisch fragwürdig; vgl. dazu Schweizer, Gemeinde und Gemeindeordnung 191 A. 26.

Zur Frage der Apostelnachfolge vgl. A. Ehrhardt, The Apostolic Succession in the First Two Centuries of the Church, London 1953; und die bei Kertelge, Das Apostelamt des Paulus 179 A. 66, angegebene Literatur.

[2] Vgl. Roloff, Apostolat — Verkündigung — Kirche 111 (zu 1 Kor 3, 9): »Die Ackerarbeit ist hier zunächst nur Gleichnishintergrund für die Veranschaulichung der unterschiedlichen und in ihrer Unterschiedlichkeit doch zusammengehörigen Funktionen der Arbeiter in der Gemeinde«.

Korrekter wäre allerdings von 1 Kor 3, 5–9 her zu sagen: »*an* der Gemeinde«.

Timotheus als einen potentiellen Nachfolger, der zumindest gegenüber der Gemeinde von Philippi seine apostolische Aufgabe übernehmen sollte. Obliegt den Mitarbeitern als Gesandten und als Nachfolgern die volle Repräsentation des Apostels[1], so ist ihr persönliches Verhältnis zu ihm — wie das seiner Gemeinden zu ihm — bestimmt von Abhängigkeit und gehorsamer Unterordnung. Wie sehr aber gerade dieses Verhältnis von Gemeinschaft, Vertrauen und Freiwilligkeit getragen und geprägt ist, beweist seine Charakterisierung als Vater-Kind-Beziehung: ὡς πατρὶ τέκνον (Phil 2, 22).

3. Die Stellung der Mitarbeiter zu den Gemeinden

a) Das Verhältnis der Mitarbeiter zu den Gemeinden

Ist die im Vorausgehenden festgestellte Gleichheit des Apostels und seiner Mitarbeiter, sofern sie θεοῦ συνεργοί sind und das ἔργον κυρίου (Gottes sowohl wie das des Christus[2]) wirken, zutreffend, dann ist auch ihr Verhältnis zur Gemeinde ein analoges. Zwar übernehmen die Mitarbeiter und Nachfolger nur des Apostels Aufgabe der οἰκοδομή der Gemeinde durch den Dienst für Gott am Evangelium des Christus[3], nicht aber die geschichtlich einmalige, mit der grund-legenden Verkündigung der Versöhnungsbotschaft gegebene Funktion des Apostels, das Fundament zu legen, d. h. für Paulus zugleich konkret: Gemeinden zu gründen[4]; doch auch als ἐποικοδομοῦντες stehen sie der Gemeinde gegenüber, ihre οἰκοδομή kommt der Gemeinde von außen zu, und es gilt in Entsprechung von ihrem Dienst am Evangelium, was schon für den Apostel im Gegenüber zur Gemeinde erarbeitet wurde[5]: auch ihre Verkündigung — als συνεργοῦντες (vgl. 2 Kor 6, 1) — geschieht εἰς ὑπακοὴν πίστεως (Röm 1, 5); auch für sie leiten sich aus diesem Dienst am Evangelium ἐξουσίαι ab, die sich als Anspruch auf κοινωνία und ὑποταγή zusammenfassen ließen und die denen eines Apostels entsprechen. Als der das Fundament legende Gemeindegründer hat der Apostel wohl größeres Recht[6], aber nicht ein grundsätzlich anderes. Es

---

[1] Im einzelnen sind Art und Umfang ihrer Beauftragung schwer zu bestimmen. 1 Kor 4, 17 lehrt nur, daß die Beauftragten dabei an die ὁδούς des Apostels, seine Lehre, seine Verkündigung, sein Evangelium gebunden waren. Daß die geschichtlich einmalige Funktion des Apostolats nicht übertragen werden konnte, ist sicher; offen ist jedoch, wieweit solche vom Apostel Beauftragte mit dessen Aufgaben auch dessen Vollmachten übernahmen. Für Roloff a. a. O. 116 ist Timotheus in 1 Kor 4, 17 »gleichsam *nur* als der verlängerte Arm des Apostels ausgewiesen« (Hervorhebung von mir). Vermutlich dürfte man den gleichen Sachverhalt auch positiv formulieren.

[2] Als θεοῦ συν-εργοί sind sie an seinem ἔργον ebenso beteiligt wie als ὑπὲρ Χριστοῦ πρεσβεύοντες (vgl. 2 Kor 5, 20; 6, 1) am ἔργον Χριστοῦ (1 Kor 16, 10).

[3] Vgl. 1 Thess 3, 2.

[4] Für Paulus ist das Gemeindegründen mit dem Fundamentlegen durch die Erstverkündigung unablösbar verbunden.

[5] Vgl. Bertram, ThW II 631–649 (zu ἔργον); hier 640, 7 ff: »Es ist nicht nur der Apostel selber, der das Werk Gottes wirkt, sondern dasselbe gilt auch von seinen Mitarbeitern 1 Kor 16, 10; Phil 2, 30«.

[6] Vgl. 1 Kor 9, 12.

muß nicht noch einmal betont werden, daß dies alles auch von jenen Verkündigern des Evangeliums gilt, die nicht in unmittelbarer Beziehung zu Paulus stehen, sofern sie nicht als seine und des Evangeliums Gegner ein ἄλλο εὐαγγέλιον[1] verkündigen und sich damit den Fluch des ἀνάθεμα ἔστω[2] zuziehen. Hier kommt es nur deshalb auf die Mitarbeiter des Apostels an, weil er sie unmittelbar als seine (und Gottes) συνεργοί in sein ἔργον κυρίου einbezieht und aus ihrem Kreis auch seine potentiellen Nachfolger empfiehlt[3].

b) Das Verhältnis der Gemeinden zu den Mitarbeitern

Im Blick auf die Gemeinde läßt sich das Gesagte auch umkehren: Anerkennung und gehorsame Unterordnung[4] schuldet die Gemeinde auch den Mitarbeitern des Apostels, sofern ihr ἔργον als συνεργοί Gottes bzw. des Apostels hingeordnet ist auf das ἔργον κυρίου. Dabei muß ihr Dienst nicht notwendigerweise ein Verkündigungsdienst sein[5]. Selbst die Besorgung der philippischen Spende durch Epaphroditos hat ihren Bezug auf das ἔργον Χριστοῦ[6], wie überhaupt jeder persönliche Dienst für Paulus zugleich als ein sachlicher Dienst mit Bezug auf das Evangelium gesehen wird[7]. Anerkennung und Unterordnung verlangt dieses ἔργον κυρίου jedoch nicht nur, wenn es durch einen Mitarbeiter des Apostels[8] oder einen seiner Abgesandten geschieht[9], sondern prinzipiell jedes solche ἔργον, das an und in der Gemeinde geschieht[10] oder von den Gemeinden ausgeht[11].

Die Gemeinde hat ferner gegenüber den Mitarbeitern des Apostels die Verpflichtung zur κοινωνία; als Verkündiger des Evangeliums steht ihnen analog zum Apostel das Recht auf Lebensunterhalt zu[12]. Auch hier ist jedoch zu sagen,

---

[1] Vgl. Gal 1, 6 f.

[2] Vgl. Gal 1, 8. 9.

[3] Vgl. Phil 2, 19 ff. 22. Das Problem der Sendung in diesen oder der Beauftragung mit diesem Dienst ist von Paulus hier nicht näher zu erörtern. Wenn Schlink, Die apostolische Sukzession 89 f, schreibt: »Hier ist der faktisch geschehende Dienst, nicht die Sendung in den Dienst, der Grund für den Gehorsam, den die Gemeinde denen schuldet, die an ihnen arbeiten«, gilt das allerdings nur für die innergemeindlichen Dienste. Er selbst spricht a. a. O. 96 von »einer besonderen Sendung« für den Dienst der »Kirchengründung und Kirchenleitung, sowie für Helferdienste bei eben diesem Dienst« und von deren »Auftrag, in der Nachfolge der Apostel den Dienst der Apostel fortzusetzen« (a. a. O. 85).

[4] Vgl. 2 Kor 7, 15.

[5] 1 Kor 16, 10 ist dies von Timotheus anzunehmen.

[6] Vgl. Phil 2, 30.

[7] Zutreffend sagt Bertram, ThW II 640, 9 ff: Von Paulus wird »jede, auch die profanste Leistung im Interesse des christlichen Missionswerkes als ἔργον κυρίου aufgefaßt«. Auch wo sie zuerst dem Apostel gilt, bleibt ihr Bezug auf das Evangelium gewahrt; vgl. Asting, Verkündigung 406 (zu Gal 4, 13): »In der Liebe der Galater zu dem Verkündiger Paulus kommt ihr Gehorsam gegen das Evangelium zum Ausdruck«.

[8] Vgl. 2 Kor 8, 23; Röm 16, 3. 9. 21; Phil 2, 25; 4, 3; Phlm 1. 24.

[9] Vgl. 1 Thess 3, 2. 5; 1 Kor 4, 17 f; 16, 10; 2 Kor 7, 6; 8, 16–23; Phil 2, 19 ff.

[10] Vgl. 1 Thess 5, 12 f; 1 Kor 3, 13 ff; 16, 15 f; Gal 6, 6; Röm 16, 1 f; Phil 1, 1.

[11] Vgl. die Tätigkeit der ἀπόστολοι ἐκκλησιῶν 2 Kor 8, 23; ähnlich Phil 2, 25 ff.

[12] Vgl. 1 Kor 9, 6. 11.

daß dieses Recht grundsätzlich zu verstehen ist, so daß es alle jene in Anspruch nehmen können, die als *κατηχοῦντες* tätig werden im Bezug auf *τὸν λόγον*, d. h. die Verkündigung im weitesten Sinn, ob sie nun an oder in der Gemeinde geschieht[1].

Kriterium der Rechtmäßigkeit solchen Wirkens im Bezug auf das Evangelium ist für die Gemeinde einerseits das Evangelium selbst[2], andererseits die der Verkündigung dieses Evangeliums einzig angemessene Gestalt des Dienstes[3].

c) Das Verhältnis der Mitarbeiter des Apostels zu den Diensten in der Gemeinde

Als Sendboten des Apostels konkurrieren die apostolischen Mitarbeiter offensichtlich nicht mit Gemeindeautoritäten bzw. mit führenden Persönlichkeiten in den Gemeinden. Die *συνεργοί* des Apostels stehen so sehr auf dessen Seite, daß sie immer der Gemeinde als Ganzes gegenübertreten. So kann Paulus den Timotheus nach Thessalonich schicken, auch wenn in 1 Thess 5, 12 Leute genannt sind, die sich in der Gemeinde durch ihren *κόπος*, ihr *προΐστασθαι ἐν κυρίῳ*, ihr *νουθετεῖν* hervortun; ja er kann Timotheus in der Gemeinde Philippi als seinen Nachfolger empfehlen, obgleich es in ihr *ἐπίσκοποι* und *διάκονοι* gibt usw.[4]; d. h. aber: die Mitarbeiter des Apostels sind keine Konkurrenz für die Gemeindedienste.

Umgekehrt bleiben Gemeindedienste so sehr gemeindebezogen, daß etwa Phoebe, die einzige, von der berichtet wird, daß sie als *διάκονος* einer bestimmten Gemeinde in eine andere Gemeinde kommt, nämlich von Kenchreä nach Rom, hier keine Rolle spielt; Paulus kann nur bitten, man möge ihr gleichen Beistand gewähren, den sie selbst vielen gewährt hat[5]. Im Konkurrenzfall erscheinen die Mitarbeiter des Apostels als den Gemeindediensten vorgeordnet; ein Beispiel liefert die Kollektengesandtschaft 2 Kor 8, 16 ff. 23; darin unterscheiden sie sich nicht vom Apostel selbst, der in ähnlichem Zusammenhang 1 Kor 16, 3 Männer[6], die von der Gemeinde als geeignet erachtet werden, nach Jerusalem zu schicken ankündigt. Solche Gemeindeapostel[7] bleiben immer weisungsgebunden.

---

[1] Vgl. Gal 6, 6 in seiner prinzipiellen Gültigkeit.

[2] Vgl. Gal 1, 6 f.

[3] Vgl. 1 Thess 2, 7; 2 Kor 1, 24; 6, 3 ff; 11, 23 ff; Phil 2, 19 ff u. ö.

[4] Vgl. Phil 2, 19 ff mit 1, 1 b; oder auch die Sendung des Timotheus 1 Kor 4, 17; 16, 10 trotz der Aufforderung von 6, 5 und der Feststellung von 16, 15 f.

[5] Vgl. Röm 16, 1 f.

[6] Frauen werden in diesem Zusammenhang nicht genannt; doch müssen sie deshalb nicht von solchen Diensten ausgeschlossen gedacht werden.

[7] Neben 1 Kor 16, 3 (wo dieser Ausdruck allerdings fehlt) vgl. 2 Kor 8, 23 und Phil 2, 25.

Es ist schwer verständlich, wie Müller – v. Campenhausen, Kirchengeschichte I 118, den paulinischen Gemeinden Selbständigkeit und unmittelbare Verantwortlichkeit zuschreiben können, ohne die Rolle des Apostels und seiner Mitarbeiter für die Gemeinden überhaupt zu erwähnen.

4. *Der Charakter ihres Dienstes*

Zusammenfassend läßt sich der Charakter ihres Dienstes in Analogie zu dem des Apostels darstellen:

1. a) Als ϑεοῦ συνεργοί stehen sie wie der Apostel den Gemeinden gegenüber; sie arbeiten mit an Gottes und des Apostels ἔργον, an der οἰκοδομή der Gemeinde(n); dem Apostel gegenüber sind sie darin im speziellen Sinn συν-εργοί, ihm zugeordnet und teilweise von ihm abhängig. Das ἔργον des Einzelnen im Rahmen der οἰκοδομή der Gemeinde wird von Gott selbst auf seinen Wert oder Unwert hin geprüft werden.

b) Mit ihrem ἔργον sind sie, sofern es sich als ἔργον κυρίου von dem des Apostels im Wesen nicht unterscheidet, als συνεργοῦντες in den Dienst der Verkündigung der Versöhnung hineingenommen. Hinter ihrem ἔργον steht derselbe Χριστός, der ihre Zuverlässigkeit nicht weniger verbürgt als die des Apostels; als Verkündigungsdienst steht ihr ἔργον unter dem ὑπὲρ Χριστοῦ πρεσβεύομεν des Apostels, und es bleibt auch als Dienst für den Apostel bezogen auf das ἔργον Χριστοῦ.

2. a) Aus ihrem ἔργον als Dienst am Evangelium leiten sich für sie dieselben ἐξουσίαι ab wie für den Apostel.

b) Auch für sie gilt jedoch, daß der Verkündigung bzw. dem Dienst am Evangelium eine bestimmte Dienstgestalt entspricht, ohne die es nicht glaubwürdig verkündet werden kann; auch sie sind wie der Apostel οἰκόνομοι, διάκονοι, ὑπηρέται, δοῦλοι, συνεργοὶ τῆς χαρᾶς.

3. a) Vorgeordnet sind sie, weil sie der Gemeinde als Ganzes gegenübertreten, sowohl den Gemeindeaposteln wie den Gemeindediensten.

b) Gemeinsam ist ihnen jedoch mit diesen das ἔργον κυρίου bzw. ἐν κυρίῳ, der κόπος bzw. das κοπιᾶν, die σπουδή, das (ἐπ-)οικοδομεῖν usw.

c) Was die Aufgabe betrifft, unterscheidet sich also weder Apostel noch Mitarbeiter noch Gemeindedienste, wohl aber in ihrer Funktion, ihrem heilsgeschichtlichen Ort.

4. a) Dem Apostel als dem Pflanzenden und dem Fundament Legenden gegenüber bestimmt sich ihre Funktion aus der zeitlichen und sachlichen Differenz. Sie sind zwar als Mitarbeiter hineingenommen in die Vermittlung der Versöhnung, doch kommt darin dem Apostelamt zeitliche und sachliche Priorität zu. Nur dieses ist als διακονία τῆς καταλλαγῆς mit dem Versöhnungshandeln Gottes in Christus selbst mitgestiftet; die συνεργοί des Apostels stehen demnach mit ihrem ἔργον zwar im Gegenüber zur Gemeinde, doch als συν-εργοί, als Begießende, als »Kinder«, als Gesandte usw. sind sie dem Apostel nach- und zugeordnet.

b) Da sich ihr ἔργον als ἔργον κυρίου nicht unterscheidet, empfiehlt der Apostel aus ihrem Kreis, wen er als Nachfolger für besonders geeignet hält. Ihre unmittelbare Zuordnung zum Apostel und zur Versöhnungsbotschaft bestimmt den heilsgeschichtlichen Ort der apostolischen Mitarbeiter im Gegenüber zu Gemeinde und Gemeindediensten.

c) Doch verbindet sie nicht nur mit dem Apostel, sondern auch mit den Gemeindediensten dasselbe ἔργον κυρίου bzw. ἐν κυρίῳ.

Gal 6, 6 faßt diesen Sachverhalt prinzipiell, auch wenn Paulus an dieser Stelle primär an die κατηχοῦντες τὸν λόγον in den Gemeinden denkt: auch die Gemeindedienste, sofern sie vom Dienst am Evangelium bestimmt sind, haben ihre ἐξουσία, ihren Anspruch auf κοινωνία wie auf das ὑποτάσσεσθαι.

d) Deshalb erscheint zumindest die Vermutung berechtigt, daß sich wegen dieser Gemeinsamkeit des ἔργον κυρίου die Autorität der Gemeindedienste jener des Apostels und seiner Mitarbeiter immer mehr anglich bzw. jene auf sie überging.

In den paulinischen Briefen läßt sich dieser Übergang jedoch nur in Ansätzen verifizieren.

5. Kapitel

DAS μέτρον τοῦ κανόνος DES AMTES

1. Das μέτρον »Gemeinde«

Paulus weiß sich als Apostel einem μέτρον τοῦ κανόνος[1] unterworfen, einer klaren Begrenzung seines »Arbeitsgebiets«[2]; eine Auffassung, die unmittelbar mit seinem Apostolatsverständnis in Zusammenhang steht. In Röm 15, 20 findet sich der für ihn maßgebliche Grundsatz in seiner mehr allgemeinen Tendenz: οὕτως δὲ φιλοτιμούμενον εὐαγγελίζεσθαι οὐχ ὅπου ὠνομάσθη Χριστός, ἵνα μὴ ἐπ' ἀλλότριον θεμέλιον οἰκοδομῶ. Es würde für Paulus, dessen Aufgabe es nach 1 Kor 3, 10 ist, durch seine Verkündigung der Versöhnungsbotschaft das θεμέλιον τιθέναι, d. h. Gemeinden zu gründen und das Fundament Christus in ihnen zu legen, bedeuten, auf fremdem Fundament zu bauen, wollte er Christus verkünden, wo dieser Name schon genannt worden ist. Das wäre nicht seine grund-legende οἰκοδομή an der Gemeinde, sondern ein ἐπ-οικοδομεῖν, wie es andere Verkündiger des Evangeliums — etwa seine eigenen Mitarbeiter und die Nachfolger in seiner Arbeit an den Gemeinden — auch tun[3]. Nach paulinischer Auffassung ist demnach der Apostel in besonderer Weise[4] jenen Gemeinden verbunden und verpflichtet, die er selbst gegründet hat.

Dieses μέτρον τοῦ κανόνος eines Apostels wird in 2 Kor 10, 12–16 in der Auseinandersetzung mit seinen korinthischen Gegnern noch deutlicher entfaltet[5].

Paulus hatte die Gemeinde schon in V 8 an seine im Vergleich mit seinen Gegnern größere ἐξουσία als Apostel erinnert, die der Herr ihm zu ihrer οἰκοδομή gegeben hat. Er nimmt damit Bezug auf seine Funktion des θεμέλιον τιθέναι innerhalb der οἰκοδομή der Gemeinde[6]. Die Gemeinde ist sein ἔργον ἐν κυρίῳ[7]; sie verdankt sich seiner Verkündigung; sie ist sein einzig möglicher »Empfehlungsbrief«[8], sein Ruhm, wie umgekehrt dies der Apostel für die Gemeinde sein wird am Tag Jesu Christi[9]. Wir haben diese Beziehung zwischen der Gemeinde und »ihrem« Apostel schon in einem früheren Zusammenhang als eine soteriologisch-eschatologische bestimmt. Es besteht zwischen ihnen eine wechselseitige, unkündbare, heilsbedeutsame Zuordnung; sie sind sich gegenseitiges μέτρον.

---

[1] Vgl. 2 Kor 10, 13.
[2] Zu κανών vgl. Beyer, ThW III 600–606, v. a. 602 ff.
[3] Vgl. 1 Kor 3, 10 f; dazu Brandt, Dienst und Dienen im NT 114 A. 3: οἰκοδομή ist jegliche »Tätigkeit an und in der Gemeinde« (Hervorhebung von mir).
[4] Der Römerbrief zeigt, daß Paulus auch solches ἐπ-οικοδομεῖν einer Gemeinde, die er nicht gegründet hat, durchaus nicht geringschätzt.
[5] Vgl. die Auslegung des Textes.
[6] Vgl. 1 Kor 3, 9 ff.
[7] 1 Kor 9, 1.
[8] Vgl. 2 Kor 3, 2.
[9] Vgl. 2 Kor 1, 14; dazu 3. Kapitel, 5. Abschnitt.

Die Gegner, welche diese Verbundenheit durch eine einseitig christozentrische Verkündigung zu zerstören und die Gemeinde von Paulus abwendig zu machen begonnen hatten, entbehren dieses sie legitimierenden Maßstabs. Ihr *μέτρον* ist ein uneinsichtiges; sie sind für Paulus *ἐν ἑαυτοῖς ἑαυτοὺς μετροῦντες* (V 12), Leute, welche das aufweisbare *μέτρον* durch ein »sich an sich selber Messen« zu ersetzen gezwungen sind. Ihr sich Rühmen ist daher ein eitles *εἰς τὰ ἄμετρα καυχᾶσθαι* (vgl. V 13): sie rühmen sich ins »Unmeßbare«, »maß-stab-los«[1].

Gemeinsam ist Paulus mit seinen Gegnern das *Χριστοῦ εἶναι* (V 7): das im Dienst der Verkündigung liegende *μέτρον* ihrer Abhängigkeit vom Herrn[2]. Was jedoch den Gegnern, die sich selbst empfehlen bzw. durch Empfehlungsbriefe ausweisen müssen[3], fehlt, ist das geschichtliche, das einsichtige und aufweisbare *μέτρον*, wie es der Apostel in seinen Gemeinden besitzt. Sie sind sein Empfehlungsbrief[4]; in ihnen hat er seine Empfehlung vom Herrn, welche seine *δοκιμή* erweist (vgl. V 18).

Es verschleiert die Sachverhalte allzu sehr, wenn H. W. Beyer[5] den geschichtlichen *κανών* des Apostels formuliert als »die ihm auferlegte Bestimmung und zugleich die ihm geschenkte *χάρις* (Gal 2, 9; Röm 15, 15ff), den Segen, den Gott auf seine missionarische Tätigkeit gelegt hat«; er denkt dabei, wie die genannten Belegstellen zeigen, an die prinzipielle paulinische *ἀποστολὴ εἰς τὰ ἔθνη*. Paulus aber faßt sein *μέτρον τοῦ κανόνος* als Apostel ganz konkret: sein *μέτρον* sind die von ihm gegründeten Gemeinden. Der ihm von Gott zugemessene *κανών* besteht in dem *ἐφικέσθαι ἄχρι καὶ ὑμῶν* (V 13). Dieses »kontrollierbare Faktum«[6] erlaubt es ihm, sich nicht wie die Gegner *εἰς τὰ ἄμετρα* zu rühmen; denn in ihm liegt sein *μέτρον τοῦ κανόνος*. Dieser *κανών* liegt aber nicht einfach in der Tatsache, auch nach Korinth gelangt zu sein, sondern, wie V 14 verdeutlicht, in dem Umstand: mit dem Evangelium des Christus bis zu ihnen gedrungen zu sein.

Wenn er sich dessen rühmen kann, dann nicht *εἰς τὰ ἄμετρα καυχώμενοι ἐν ἀλλοτρίοις κόποις* (V 15); d. h. er rühmt sich dabei nicht eines uneinsichtigen, nicht aufweisbaren Maßstabs, nicht fremder Arbeit. Sich »maß«-los, ins Unmeßbare rühmen, heißt demnach auch, sich fremder Mühe rühmen, die Früchte fremder Arbeit ernten wollen. Solchen Vorwurf zu vermeiden, hat Paulus ja auch seine Ehre darein gesetzt, nirgends zu predigen, wo schon gepredigt war, d. h. nicht auf fremdem Fundament weiterzubauen[7]; denn das wäre mit der

---

[1] Zu *μέτρον, ἄμετρος, μετρέω* vgl. Deißner, ThW IV 635–638. V 13: *ἡμεῖς δὲ οὐκ εἰς τὰ ἄμετρα καυχησόμεθα* erlaubt unsere Folgerungen für die Gegner.

[2] Vgl. Käsemann, Legitimität 56–61, und die Auslegung zu 2 Kor 10, 13. 15f.

[3] Vgl. 2 Kor 3, 1; dazu Friedrich, Die Gegner des Paulus 182; Georgi, Die Gegner des Paulus 242ff: »Selbstempfehlung und Ausweis durch Empfehlungsbriefe mußten sich nicht ausschließen, sondern konnten auf einer Linie liegen. Beide bezeugten die Wirkung der göttlichen *δύναμις* in dem Verkündiger« (a. a. O. 245).

[4] Vgl. 2 Kor 3, 2; dazu Blank, Paulus und Jesus 195. 309: Paulus betrachtet die Gemeinde als »Bestätigung und Echtheitsausweis seines Apostelamtes«; vgl. Batiffol, Urkirche 45.

[5] ThW III 603f (zu *κανών*).

[6] Käsemann, Legitimität 59; Käsemann zieht allerdings falsche Schlußfolgerungen für Paulus.

[7] Vgl. Röm 15, 20.

Gefahr verbunden, fremden *κανών* zu mißachten und hieße, sich eines schon Fertigen rühmen (vgl. V 16).

Damit ist deutlich, welche Prinzipien nach paulinischer Auffassung das *μέτρον τοῦ κανόνος* eines Apostels bestimmen. Der *κανών* eines Apostels besteht in den von ihm gegründeten Gemeinden, bzw. generell darin, Gemeinden zu gründen[1]. Als Apostel legt er in ihnen durch seine Verkündigung des Evangeliums das Fundament Christus, auf dem andere Verkündiger immer nur aufbauen können, selbst ein anderer Apostel in einer nicht von ihm gegründeten Gemeinde. Die Gemeinde als *ἔργον ἐν κυρίῳ* eines Apostels ist primär das Feld des *κόπος* ihres Begründers; andere können mit ihrem *κόπος* grundsätzlich nur *συνεργεῖν*. Durch diese Bezogenheit von Gemeinde und sie begründendem Apostel sind sie sich gegenseitig *μέτρον*: Norm, oder wie E. Käsemann expliziert: »›Beweis‹ und ›Ruhm‹«, aber auch gegebenenfalls »Hindernis und vorzeitige Grenze«[2].

Wir haben diese Möglichkeiten schon am Beispiel von 1 Kor 5, 3–5. 13, vor allem aber an dem kritisch gewordenen Verhältnis zwischen Paulus und Korinth, wie es sich aus 2 Kor 2, 5–10 und 7, 5–16 erheben läßt, zu verdeutlichen versucht.

Man wird die allgemeinen Aspekte dieser paulinischen Auffassung vom *μέτρον τοῦ κανόνος*, von dem des Apostels einmal abgesehen, dahin generalisieren dürfen, daß dieser *κανών* »Gemeinde« bzw. »Gemeinden« in gleicher Weise für seine Mitarbeiter gilt, gleichviel ob sie als *συνεργοί* des Apostels, d. h. aber auch als Mitbeteiligte an der *οἰκοδομή* der Gemeinde als *θεοῦ οἰκοδομή* (vgl. 1 Kor 3, 9f), dieser gegenüberstehen oder *in* der Gemeinde am *κόπος* des Apostels Anteil nehmen und es fortführen durch ihr *συνεργεῖν καὶ κοπιᾶν*[3] bzw. ihr *ἐποικοδομεῖν* durch gegenseitiges *οἰκοδομεῖν*[4]. Auch für sie alle ist der *κανών* »Gemeinde« konkret und in Relation zum *κανών* des Apostels zu verstehen, d. h. sie tun ihr *ἔργον* als *συνεργοί* des Apostels nur an und in den von ihm gegründeten Gemeinden. In der konkreten Gemeinde liegt für sie dasselbe *μέτρον* wie für den Apostel; auch ihr *κόπος* kann sich nur im Wechselspiel mit der Gemeinde als fruchtbar erweisen; sie sind abhängig von der Anerkennung durch die Gemeinde und von deren Bereitwilligkeit, sich unterzuordnen[5], wie die

---

[1] Das hebt die prinzipielle paulinische *ἀποστολὴ εἰς τὰ ἔθνη* nicht auf; aber auch Paulus ist primär konkret Apostel »seiner« Gemeinden; vgl. 1 Kor 9, 1f. Dazu Blank, Paulus und Jesus 203.

[2] Käsemann, Legitimität 60; er hat diese Wechselbeziehung des gegenseitigen *μέτρον*-Seins von Apostel und Gemeinde a. a. O. 56–61 in seiner Auslegung von 2 Kor 10, 15f überzeugend dargestellt.
Vgl. dazu auch Goguel, L'Église primitive 110; v. Campenhausen, Apostelbegriff 123: »zuletzt muß das von den Aposteln gelegte Fundament auch die Apostel tragen, gerade auch im Urteil der Gemeinde«. Diese christologische Relation des Apostolats könnte allerdings leicht dazu verführen, die ekklesiologische zu übergehen bzw. jene gegenüber dieser einseitig zu betonen.

[3] Vgl. zu 1 Kor 16, 16 v. a. v. Harnack, *κόπος (κοπιᾶν, οἱ κοπιῶντες)* im frühchristlichen Sprachgebrauch 5; Brandt, Dienst und Dienen im NT 104; Greeven, Propheten, Lehrer, Vorsteher bei Paulus 33 ff.

[4] Vgl. 1 Thess 5, 11 ff mit 1 Kor 3, 9 ff; dazu Vielhauer, Oikodome 101 f.

[5] Vgl. 1 Thess 5, 12 f und 1 Kor 16, 15 f.

Gemeinde in ihrem Wachstum abhängt von der σπουδή, vom κόπος derer, die in ihr das ἔργον κυρίου wirken.

Das μέτρον »Gemeinde« versteht sich in Relation zur paulinischen Auffassung von der ἐκκλησία überhaupt. Ist die Einzelgemeinde, und nur die Einzelgemeinde, ἐκκλησία (τοῦ θεοῦ), dann gibt es auch keinen allgemein-kirchlichen, sondern nur einen auf konkrete Gemeinden bezogenen Apostolat, keine gemeinkirchlichen, sondern nur auf konkrete Gemeinden bezogene Tätigkeiten bzw. Gemeindedienste.

Das verneint nicht die prinzipielle Geltung und die Gemeinde begründende Funktion des Apostolats; diese aber hängen ausschließlich an dessen heilsgeschichtlichem Ort.

2. Das μέτρον des Einzelnen

Zu den genannten objektiven Begrenzungen durch das μέτρον der Abhängigkeit vom Herrn und durch das μέτρον Gemeinde(n) kommt für den Einzelnen das subjektive μέτρον: ἑκάστῳ ὡς ὁ θεὸς ἐμέρισεν (Röm 12, 3).

Dieses μέτρον gilt ganz allgemein. So kann Paulus im Zusammenhang der Fragen um Ehe und Jungfräulichkeit 1 Kor 7, 7 z. B. sagen: ich wünschte freilich, daß alle Menschen wären wie ich, ἀλλὰ ἕκαστος ἴδιον ἔχει χάρισμα[1] ἐκ θεοῦ, ὁ μὲν οὕτως, ὁ δὲ οὕτως. Diese Aussage zielt keineswegs auf einen besonderen charismatischen Charakter der Ehelosigkeit, auch das Heiraten wird als ein eigenes Charisma verstanden; Paulus versteht den Satz also generell: jeder hat eine eigene, d. h. »seine« je verschiedene Gnadengabe von Gott[2].

Damit ist zu vergleichen 1 Kor 7, 17: Εἰ μὴ ἑκάστῳ ὡς μεμέρικεν[3] ὁ κύριος[4], ἕκαστον ὡς κέκληκεν ὁ θεός[4], οὕτως περιπατείτω. Die Parallelität der Glieder zeigt, daß das von Gott einem jeden Zugeteilte nichts anderes meint als das, wozu der Einzelne berufen ist[5]. Das μέτρον des Einzelnen fällt in eins mit seiner besonderen Berufung[6]. Daran ist er aber auch gebunden; daher die Aufforde-

---

[1] Auf den paulinischen Charisma-Begriff ist später ausführlich zurückzukommen; grundsätzlich ist für Paulus χάρισμα die Individuation und Konkretion der χάρις; vgl. E. Käsemann, Amt und Gemeinde im Neuen Testament, in: Exegetische Versuche und Besinnungen I, Göttingen ⁴1965, 109–134, v. a. 123.

[2] Vgl. Käsemann a. a. O. 114f.

[3] μερίζειν = »teilen« (1 Kor 1, 13; 7, 33) begegnet in der Bedeutung »zuteilen« nur 1 Kor 7, 17; 2 Kor 10, 13 und Röm 12, 3 im Zusammenhang mit Überlegungen zu μέτρον, so daß μέτρον selbst als das »zugeteilte Maß« verstanden werden muß; vgl. Deißner, ThW IV 635–638.

[4] Die wechselnde Bezeugung von κύριος und θεός zeigt, daß ein Unterschied hier kaum empfunden wurde; man wird auch κύριος nach Röm 12, 3 auf θεός deuten müssen.

[5] Anders G. Harder, Miszelle zu 1. Kor. 7, 17, in: ThLZ 79 (1954) 367–372.

[6] Vgl. Friedrich, Geist und Amt 74ff, v. a. 76. Zu χάρισμα verweist er ferner auf K. L. Schmidt, Amt und Ämter im NT, in: ThZ 1 (1945) 309–311; J. Schniewind, Aufbau und Ordnung der Ekklesia nach dem NT, in: Festschrift R. Bultmann, Stuttgart–Köln 1949, 203–207; F. Grau, Der neutestamentliche Begriff Charisma, seine Geschichte und seine Theologie, Diss. Maschinenschrift, Tübingen 1946.

rung: οὕτως περιπατείτω. Die »Gnadengabe« des Einzelnen (vgl. 1 Kor 7, 7) ist eine Zuteilung (vgl. 1 Kor 7, 17a) und bedeutet als Berufung in einen bestimmten Stand (vgl. 1 Kor 7, 17b) zugleich eine Aufgabe (οὕτως περιπατείτω). Das μέτρον heißt in seiner allgemeinen Form: ἑκάστῳ ὡς ὁ θεὸς ἐμέρισεν (Röm 12, 3); das ergibt der Vergleich mit 1 Kor 7, 17a. Es kann jedoch inhaltlich verschieden gefaßt sein. Nach Röm 12, 3 ist das einem jeden Zugeteilte ein μέτρον πίστεως, d. h. ein bestimmtes Maß an Glauben. Es könnte an dieser Stelle ebenso gut heißen μέτρον χάριτος[1].

Diese Parallelität von zugeteiltem Glaubensmaß[2] und unterschiedlichen Gnadengaben entsprechend der einem jeden einzelnen verliehenen Gnade legt sich aus dem Gedankengang von Röm 12, 3ff. 6ff zwingend nahe. Jeder hat sein eigenes χάρισμα von Gott; ihre Verschiedenheit beruht auf verschiedener Zuteilung: ἔχοντες δὲ χαρίσματα κατὰ τὴν χάριν τὴν δοθεῖσαν ἡμῖν διάφορα (Röm 12, 6). Das allen χαρίσματα zugrundeliegende Prinzip ist die χάρις; ihrer je verschiedenen Zuteilung entsprechen (vgl. κατὰ ...) die χαρίσματα διάφορα. Es macht also keinen Unterschied, ob Paulus μέτρον πίστεως oder μέτρον χάριτος sagt. Keinesfalls ist der Glaube das die Charismen hervorbringende Prinzip; er ist genauso einem jeden zugemessen wie die χάρις; sein jeweiliges μέτρον ist verschieden wie die χαρίσματα. Nicht nur Paulus selbst kann also von der χάρις ἡ δοθεῖσά μοι sprechen und darunter konkret sein Apostelamt verstehen[3]; jeder hat seine ihm gegebene χάρις, sein ihm verliehenes χάρισμα, je nachdem wozu einer berufen ist[4]. Darauf soll einer aber auch bedacht sein (vgl. Röm 12, 3; 1 Kor 7, 17). Paulus hat entsprechend der ihm von Gott verliehenen Gnade als Baumeister den Grund gelegt (vgl. 1 Kor 3, 10); seine χάρις bzw. sein apostolisches Charisma besteht in der Grundlegung von Gemeinden; seine χάρις ist apostolische Vollmacht. Röm 1, 5; 12, 3; 15, 15 zeigen, wie er sie prinzipiell versteht und ausübt; 1 Kor 3, 10; 15, 10 erläutern ihre konkrete Auswirkung.

So soll aber auch jeder andere entsprechend seinem μέτρον πίστεως bzw. gemäß dem ihm verliehenen χάρισμα tätig werden in dem Bereich und auf die Weise, die ihm zugemessen sind[5]. Daraus darf man schließen, daß jeder einzelne wegen des ihm auferlegten μέτρον analog dem Apostel einem bestimmten κανών unterliegt und daß es für jedes χάρισμα eine adäquate Weise der Ausübung gibt[6].

---

[1] Vgl. die Auslegung zur Stelle; dazu Wikenhauser, Die Kirche 95f.
[2] Gemeint ist hier nicht der subjektive Glaube.
[3] Vgl. 1 Kor 3, 10; 15, 10; Gal 2, 9; Röm 1, 5; 12, 3; 15, 15; es ist daher abwegig zu behaupten, der Apostolat sei kein Charisma, sondern Berufung.
[4] Daß diese Gnadengabe »jedem entsprechend individueller Veranlagung und persönlichem Bemühen verliehen« werde, wie Soiron, Die Kirche als der Leib Christi 69, meint, ist sicher nicht richtig; die χαρίσματα sind unverdiente Gaben der χάρις. Vgl. dazu Kertelge, Das Apostelamt des Paulus 165.
[5] Vgl. Röm 12, 6–8.
1 Kor 12, 31 fällt aus dem Zusammenhang; es wird vielfach als eine störende Bemerkung eines Glossators gestrichen. Notwendig ist diese Streichung nicht. Das Verständnis der χαρίσματα ist nicht so starr, als daß jeder auf ein bestimmtes Charisma ein für allemal festgelegt wäre.
[6] Vgl. Roloff, Apostolat — Verkündigung — Kirche 127 (zu Röm 12, 6ff): Jedes Charisma ist »durch eine Angabe des Inhalts und des Maßstabes der jeweiligen Funktion gekennzeichnet« und hat eine »objektive Grenze«.

Von hier aus versteht sich 1 Kor 12, 4–6:

V 4: διαιρέσεις δὲ χαρισμάτων εἰσίν, τὸ δὲ αὐτὸ πνεῦμα·
V 5: καὶ διαιρέσεις διακονιῶν εἰσιν, καὶ ὁ αὐτὸς κύριος·
V 6: καὶ διαιρέσεις ἐνεργημάτων εἰσίν, ὁ δὲ αὐτὸς θεὸς — ὁ ἐνεργῶν τὰ πάντα ἐν πᾶσιν.

Von drei verschiedenen Aspekten her wird ein und derselbe Sachverhalt erläutert: es gibt »Verschiedenheiten in der Zuteilung«. V 6 ist eine erweiterte Erklärung des μέτρον: ἑκάστῳ ὡς ὁ θεὸς ἐμέρισεν[1]. Gott ist es, der alles in allen bewirkt; er ist die eigentliche Ursache für die verschiedenartigen Zuteilungen. V 4 faßt diese verschiedenen Wirkungen als verschiedene Zuteilung von χαρίσματα und führt sie auf ein und denselben Geist zurück; V 5 interpretiert sie als verschiedene Dienste, hinter denen derselbe Herr steht. Einheitlich ist das wirkende Prinzip, auch wenn es verschieden bezeichnet ist; einheitlich sind die Wirkungen, die unter wechselnden Gesichtspunkten verschieden benannt sind.

Zwischen χαρίσματα und διακονίαι besteht also kein Gegensatz: es gibt kein Charisma in der Gemeinde, das nicht Auftrag zur διακονία wäre, und es gibt keinen Dienst in der Gemeinde, der nicht in seinem Wesen χάρισμα, Wirkung der einem jeden geschenkten χάρις wäre[2]. Das μέτρον des Einzelnen bestimmt sich demnach aus dem κανών, d. h. dem Arbeitsbereich und der Dienstgestalt des jeweiligen χάρισμα, das einer zugeteilt erhält[3].

3. Das μέτρον »ἔργον«

Vom Apostel konnte gesagt werden, daß er als θεοῦ συνεργός in seiner οἰκοδομή der Gemeinde das ἔργον τοῦ θεοῦ[4] wirkt. An diesen Gemeinden, seinem ἔργον ἐν κυρίῳ (vgl. 1 Kor 9, 1), hängt auch seine δοκιμή als Apostel; die Gemeinden sind das μέτρον, an welchem seine Bewährtheit, seine Legitimation als Apostel sich er-»messen« läßt. Anders ausgedrückt: μέτρον des Apostels ist sein ἔργον ἐν κυρίῳ: d. h. die Gemeinden in ihrer konkreten Befindlichkeit, in der sie sein μεγαλυνθῆναι εἰς περισσείαν[5] sowohl zu ermöglichen wie zu verhindern imstande sind.

Gemessen wird der Apostel also an seinem ἔργον; sein »Werk« ist der eindeutige und aufweisbare Maßstab, dessen seine Gegner sich nicht rühmen können und den er deshalb gegen sie auszuspielen vermag; sein μέτρον ist ein geschichtliches, kein nur subjektives, behauptetes. Wird in 1 Kor 9, 1 summa-

---

[1] Röm 12, 3; vgl. 1 Kor 7, 17.
[2] Von diesem Verständnis der χαρίσματα her löst sich dann auch das Problem von 1 Kor 12, 28 ff, wo scheinbar »nicht-charismatische« Dienste wie die ἀντιλήμψεις und κυβερνήσεις mitten unter den sog. »Charismen« stehen.
[3] Vgl. Deißner, ThW IV 637, 19 ff: »Daneben kommt unter dem Bild vom μέτρον die Verschiedenheit und Mannigfaltigkeit der einem jeden zuerkannten Gnadengabe zum Ausdruck«.
[4] Vgl. zu 1 Kor 3, 9 Röm 14, 20; dazu Bertram, ThW II 640, 1 f: »Das ἔργον τοῦ θεοῦ Röm 14, 20 ist die οἰκοδομή der Gemeinde«.
[5] Vgl. 2 Kor 10, 15.

risch von der Gemeinde als dem ἔργον des Apostels ἐν κυρίῳ gesprochen, so zeigt doch eine ganze Reihe von Stellen, daß dieses ἔργον im Sinne eines konkreten κόπος und κοπιᾶν verstanden werden will[1]. Besonders aufschlußreich ist dabei 2 Kor 10, 15. Wenn sich Paulus rühmt, mit dem Evangelium des Christus bis nach Korinth gekommen zu sein, tut er dies nicht ἐν ἀλλοτρίοις κόποις; denn es hat vor ihm in Korinth noch niemand das ἔργον τοῦ θεοῦ gewirkt. Die Arbeit an der οἰκοδομή der Gemeinde, speziell das θεμέλιον τιθέναι als Apostel, ist für Paulus κόπος καὶ μόχθος[2]; ohne diese Arbeit und Mühe λόγῳ καὶ ἔργῳ[3], in Wort und Werk, käme keine Gemeinde zustande.

Das μέτρον des Apostels ist also die Gemeinde als sein ἔργον ἐν κυρίῳ, wobei er sich durch sein ἔργον an ihr als θεοῦ συνεργός ausweist. Gleiches gilt von seinen Mitarbeitern; auch sie wirken das ἔργον κυρίου (bzw. Χριστοῦ) wie der Apostel selbst[4]; auch ihr ἔργον kommt der Gemeinde von außen zu; sie stehen als συνεργοί nicht nur auf seiten des Apostels, sie werden 1 Kor 3, 9 auf Grund dieser ihrer Stellung auch unter die θεοῦ συνεργοί einbezogen und der Gemeinde als θεοῦ οἰκοδομή gegenübergestellt[5].

Auch ihr μέτρον ist das ἔργον, dessen Wert oder Unwert am Tag (des Gerichts) offenbar werden wird[6]; dann werden sie auch ihren je eigenen Lohn empfangen κατὰ τὸν ἴδιον κόπον[7]. Wird hier auch auf den Tag des Gerichts verwiesen, der das ἔργον jedes einzelnen erproben und offenbar machen wird, so heißt das nicht, daß das μέτρον der Mitarbeiter nicht auch ein geschichtlich einsehbares und aufweisbares sein muß.

Wenn Paulus 1 Kor 15, 10 von sich selbst sagen kann: περισσότερον αὐτῶν πάντων ἐκοπίασα, dann bedeutet das, daß der κόπος des Einzelnen verschieden groß sein kann, was sich forensischer Beurteilung durchaus nicht entzieht. Phil 2, 20ff zeigt darüber hinaus, welch strenge Maßstäbe Paulus an seine Mitarbeiter anlegt. Wer nicht »das des Christus sucht«, sondern das Seinige, wer nicht »so gesinnt« ist wie etwa Timotheus, wessen δοκιμή nicht erprobt ist im δουλεύειν εἰς τὸ εὐαγγέλιον, ist als Mitarbeiter nicht geeignet[8].

---

[1] Vgl. zu ἔργον 2 Kor 10, 11; Röm 15, 18; Phil 1, 22 — zu κόπος 1 Thess 2, 9; 3, 5; 1 Kor 3, 8; 2 Kor 6, 5; 10, 15; 11, 23. 27 — zu κοπιᾶν 1 Kor 4, 12 (κοπιῶμεν ἐργαζόμενοι); 1 Kor 15, 10 (ἐκοπίασα, οὐκ ἐγὼ δὲ ἀλλὰ ἡ χάρις τοῦ θεοῦ σὺν ἐμοί); Gal 4, 11; Phil 2, 16.

[2] Vgl. 1 Thess 2, 9 u. ö.

[3] Vgl. Röm 15, 18.

[4] Vgl. 1 Kor 16, 10; Phil 2, 30; ein Werk, das — nach Bauer, WB 609 — vom Herrn als Aufgabe gestellt ist.

[5] Vgl. 1 Thess 3, 2; 2 Kor 6, 1.

[6] Vgl. 1 Kor 3, 12ff. Man hat sich gefragt, ob mit dem erwähnten Feuer an das »Fegfeuer« gedacht ist. Paulus bleibt zwar auf der Ebene der Allegorie mit den Baumaterialien, doch in V 15 wäre in der Tat zu fragen, wie sich Paulus das ζημιωθήσεται, αὐτὸς δὲ σωθήσεται, οὕτως δὲ ὡς διὰ πυρός vorstellt; vgl. dazu Lietzmann, 1 Kor 17; Vielhauer a. a. O. 79ff; v. a. aber J. Gnilka, Ist 1 Kor 3, 10–15 ein Schriftzeugnis für das Fegfeuer?, Düsseldorf 1955, bes. 118–130; J. Michl, Gerichtsfeuer und Purgatorium, zu 1 Kor 3, 12–15, in: Analecta Biblica 17/18 I, Rom 1963, 395–401.

[7] 1 Kor 3, 8.

[8] Auch für das ἔργον eines Mitarbeiters gilt, was Roloff a. a. O. 132 in anderem Zusammenhang formuliert: es geschieht »innerhalb der vom Apostel gesetzten Norm«. Im Blick auf die Aufforderung zur μίμησις (Phil 3, 7) sagt er es mittelbarer

Im *μέτρον* »*ἔργον*« erweist also auch jeder Mitarbeiter und Nachfolger in der Arbeit des Apostels seine Legitimität.

Anerkennung verlangt aber nicht nur das *ἔργον κυρίου* der Mitarbeiter des Apostels, das der Gemeinde zugute kommt, sondern ebenso jedes *ἔργον*, welches stellvertretend für die Gemeinde z. B. zugunsten des Apostels geschieht[1]. *Τοὺς τοιούτους ἐντίμους ἔχετε* sagt Paulus Phil 2, 29 von Epaphroditos, der ihm die Spende der philippischen Gemeinde überbrachte; als *ἀπόστολος* (V 25), d. h. als Bote ist Epaphroditos ganz an den Auftrag der Gemeinde gebunden, die ihn zu diesem *ἔργον* bestellte; für Paulus aber ist dieses *ἔργον* unmittelbar bezogen auf das *ἔργον Χριστοῦ* (V 30); deshalb ist es die Gemeinde schuldig, »solche Männer — wie Epaphroditos — in Ehren zu halten«.

Ob also ein *ἔργον an* der Gemeinde oder *für* die Gemeinde oder *in* der Gemeinde geschieht, immer hat es Anspruch auf Anerkennung.

Letzteres bestätigen 1 Thess 5, 12f und 1 Kor 16, 15f. Die Thessalonicher werden aufgefordert, *εἰδέναι τοὺς κοπιῶντας* (*ἐν ὑμῖν*) . . . *καὶ ἡγεῖσθαι αὐτοὺς ὑπερεκπερισσῶς ἐν ἀγάπῃ* — *διὰ τὸ ἔργον αὐτῶν*. Was die Gemeinde anerkennen soll, ist das *ἔργον* dieser Leute und das damit verbundene *κοπιᾶν*. Ähnlich begründet Paulus in 1 Kor 16, 16 die Forderung, sich Leuten wie Stephanas, der sich mit seinem Haus in den Dienst an den Heiligen eingeordnet hat, unterzuordnen, mit dem Hinweis auf ihr *συν-εργεῖν* und *κοπιᾶν*[2].

Das *μέτρον* »*ἔργον*« erweist sich durchgängig als jener geschichtliche, einsehbare Maßstab, den der Apostel in der Gemeinde als seinem *ἔργον ἐν κυρίῳ* besitzt, an dem aber auch jegliche Arbeit an, für und in der Gemeinde gemessen werden kann.

Sind es faktisch auch nur einzelne, die sich mit ihrem *κόπος* und *συνεργεῖν* in den Dienst an den Heiligen einordnen, so gilt die Aufforderung zur Mitarbeit doch prinzipiell und allgemein; vgl. 1 Kor 15, 58: *῞Ωστε, ἀδελφοί μου ἀγαπητοί, ἑδραῖοι γίνεσθε, ἀμετακίνητοι, περισσεύοντες ἐν τῷ ἔργῳ τοῦ κυρίου πάντοτε, εἰδότες ὅτι ὁ κόπος ὑμῶν οὐκ ἔστιν κενὸς ἐν κυρίῳ*: alle sollen reich werden im »Werk des Herrn« und wissen, daß ihr *κόπος* nicht vergeblich ist im Herrn[3].

(a. a. O. 120): Der Apostel »alleine setzt durch seinen Wandel kraft seiner apostolischen Beauftragung durch Christus den Maßstab allen rechten Wandels; aber dieser Maßstab kann in abgeleitetem Sinne auch an denen festgestellt werden, die bereits vom Apostel das Evangelium empfangen haben«. Der Nachsatz ließe sich auch als imperativisches Kriterium formulieren.

[1] Vgl. Phil 2, 25 ff.

[2] Farrer, The Ministry 147: »Stephanas's presidency, which he shares in an undefined way with his fellow-workers and his household, is based certainly not on charismata, but on hard work«. Roloff a. a. O. 134: ». . . deutlich, daß Paulus solche ›Amtsträger‹ . . . weder in Thessalonich noch in Korinth selbst eingesetzt hat, sondern daß diese aus den Reihen der Gemeinde selbst hervorgingen und sich ausschließlich auf Grund ihres geleisteten *ἔργον* legitimierten«.

[3] Vgl. auch 1 Thess 1, 3, wo Paulus von der ganzen Gemeinde das *ἔργον τῆς πίστεως* und den *κόπος τῆς ἀγάπης* lobt.

4. Das Kriterium *οἰκοδομή*

Für das *μέτρον* »*ἔργον*« als einem einsehbaren und aufweisbaren Maßstab kennt Paulus als inneres Kriterium die in verschiedenen Zusammenhängen schon besprochene *οἰκοδομή* bzw. das *οἰκοδομεῖν*. Seine Aufforderung Gal 6, 4: *τὸ δὲ ἔργον ἑαυτοῦ δοκιμαζέτω ἕκαστος*, jeder solle sein eigenes Werk prüfen, wäre ohne ein solches Kriterium wenig sinnvoll. Nach dem bisher Erarbeiteten läßt sich aber das Kriterium *οἰκοδομή* an jedes *ἔργον* anlegen.

Der Apostel selbst, dessen Vollmacht ihm prinzipiell *εἰς οἰκοδομήν*[1] vom Herrn gegeben ist, kann von seinem Tun sagen: *τὰ δὲ πάντα, ἀγαπητοί, ὑπὲρ τῆς ὑμῶν οἰκοδομῆς*[2]. Dasselbe gilt aber von jedem anderen *ἔργον* bzw. *κόπος* an und in der Gemeinde[3]: *πάντα πρὸς οἰκοδομὴν γινέσθω*[4]. Solche Erbauung ist eine wechselseitige und niemand ist ausgenommen von der grundsätzlichen Aufforderung 1 Thess 5, 11: *οἰκοδομεῖτε εἰς τὸν ἕνα*[5].

Will man also gemäß Gal 6, 4 sein eigenes Werk prüfen, ist zu fragen nach seiner Wirkung für die *ἐκκλησία* bzw. ihre Glieder, ist zu prüfen, ob es »erbaut« oder nicht und in welchem Maß dies geschieht. Was erlaubt ist, hat noch nicht erbauenden Charakter[6]. Es kann einer auch sich selbst erbauen, wie etwa der Zungenredner, so daß die Gemeinde keine Erbauung durch sein *ἔργον*[7] empfängt[8]; ein solches »Werk« ist entsprechend weniger wert, weil weniger nützlich[9]. *Οἰκοδομή* (*οἰκοδομεῖν*, *συμφέρειν* etc.) ist als Kriterium dem aufweisbaren *ἔργον* zugeordnet; ihr liegt nach 1 Kor 8, 1 ein inneres Moment zugrunde: *ἡ δὲ ἀγάπη οἰκοδομεῖ*.

---

[1] Vgl. 2 Kor 10, 8; 13, 10; dazu Pfammatter, Die Kirche als Bau 62–66.

[2] 2 Kor 12, 19.

[3] Vgl. 1 Kor 3, 10 ff; 14, 3. 5. 12. 24; dazu Brandt, Dienst und Dienen im NT 114; Fridrichsen, Die neutestamentliche Gemeinde 58: »Prinzip ist für alle, den Apostel wie den Pneumatiker, die *οἰκοδομή* der Gemeinde«.

[4] 1 Kor 14, 26; vgl. Vielhauer, Oikodome 90, zu den Charismen: »Das Kriterium, unter dem sie stehen, ist das Ziel, dem sie dienen: die *οἰκοδομή*«; ferner Schweizer, Gemeinde und Gemeindeordnung 91. 169.

[5] Vgl. Röm 14, 19; 15, 2; dazu Vielhauer a. a. O. 101 f; Pfammatter, a. a. O. 48–61.

[6] Vgl. 1 Kor 10, 23: *πάντα ἔξεστιν, ἀλλ᾽ οὐ πάντα οἰκοδομεῖ*.

[7] Das *μέτρον* »*ἔργον*« ist wie das Kriterium *οἰκοδομή* auch an die Charismen anzulegen; darin erweist sich das innere, nicht aufweisbare *μέτρον* des Geistbesitzes: »an ihren Früchten wird man sie erkennen«.
Vgl. Dupont, Gnosis 246; er nennt die *οἰκοδομή* »critère d'après lequel Paul juge de la valeur des charismes«; Bornkamm, Die Erbauung der Gemeinde als Leib Christi 118: Nach 1 Kor 13 »ist der Ruf zur Liebe nichts anderes als das kritische Messen aller Charismen am Maßstab der *οἰκοδομή*«; vgl. auch Bornkamm a. a. O. 114.

[8] Vgl. 1 Kor 14, 4. 5. 17.

[9] *συμφέρειν* ist nach *οἰκοδομεῖν* zu verstehen; vgl. 1 Kor 10, 23a mit 23b; ferner 1 Kor 6, 12; 2 Kor 8, 10; 12, 1 oder auch *τὸ συμφέρον* 1 Kor 12, 7; dazu Soiron, Die Kirche als der Leib Christi 99.

5. Das Kriterium διακονία

Weil das ἔργον κυρίου (bzw. Χριστοῦ) generell von σνν-εργοῦντες, d. h. nicht aus eigener, angemaßter Autorität, sondern in Gebundenheit an das μέτρον der »Abhängigkeit vom Herrn«[1] gewirkt wird, entspricht ihm die Dienstgestalt des Vollzugs; jedes ἔργον an und in der Gemeinde unterliegt daher auch dem Kriterium von διακονία, διακονεῖν etc. Paulus nennt das Apostelamt selbst die διακονία τῆς καταλλαγῆς[2] und bezeichnet auch seine apostolische Aufgabe als διακονία[3]. Er, aber auch seine Mitarbeiter sind διάκονοι, wobei dieses διάκονος εἶναι sowohl als θεοῦ διάκονοι wie als διάκονοι Χριστοῦ expliziert werden kann[4]. In jedem Fall kommt ihr gemeinsamer Dienst als διάκονοι (καινῆς διαθήκης, wie Paulus 2 Kor 3, 6 hinzufügt) der Gemeinde zugute. Sie ist der »Brief Christi« διακονηθεῖσα ὑφ' ἡμῶν[5]. Der Zusammenhang läßt zwar für ἡμῶν nur an den Apostel selbst denken, aber der Anteil der Mitarbeiter als σνν-εργοί des Apostels erlaubt ihre Einbeziehung: durch ihre διακονία ist die Gemeinde zum Glauben gekommen[6].

Diese Dienstgestalt ist vom Apostelamt so wenig ablösbar wie von jedem ἔργον an und in der Gemeinde. Paulus z. B. sucht deshalb »seinen Dienst herrlich zu gestalten«[7], um möglichst viele zu retten; er ist bemüht, jeden Anstoß zu vermeiden, damit »der Dienst (am Evangelium) nicht getadelt wird«[8]. In 2 Kor 6, 4 ff und 11, 23 ff schildert er in aller Anschaulichkeit, was er als Diener Gottes bzw. Christi auf sich zu nehmen bereit war, wie sehr in seiner Schwachheit das Kreuz seines Herrn Gestalt gewonnen hat[9].

Den Charakter einer διακονία hat aber auch jede Äußerung der κοινωνία, sei es zwischen den paulinischen Gemeinden und der Gemeinde von Jerusalem oder zwischen Gemeinde und Apostel. So kann die Kollekte als Ausdruck der κοινωνία mit Jerusalem als διακονία des Apostels wie seiner Gemeinden erscheinen[10]; aber auch die κοινωνία zwischen Philemon und Paulus; Onesimos hat dem Apostel stellvertretend für den sich Paulus schuldenden Philemon gedient[11].

Grundsätzlich stellt 1 Kor 12, 5 fest: es gibt διαιρέσεις διακονιῶν. Aus der Parallelität zu VV 4. 6 sowie aus V 7 ergibt sich, daß die Dienste selbst zwar verschieden sind, doch daß von der Zuteilung der Dienste niemand ausgenommen ist[12].

---

[1] Vgl. Käsemann, Legitimität 60; Friedrich, Geist und Amt 75 f; Roloff, Apostolat — Verkündigung — Kirche 121 (zu δοῦλος).
[2] 2 Kor 5, 18; vgl. 2 Kor 4, 1; 6, 3; auch 2 Kor 3, 8. 9.
[3] Vgl. Röm 11, 13.
[4] Vgl. 1 Kor 3, 5 mit 2 Kor 6, 4; 11, 23.
[5] 2 Kor 3, 3.
[6] Vgl. 1 Kor 3, 5; hier sind die Mitarbeiter in jedem Fall einbezogen.
[7] Vgl. Röm 11, 13.
[8] Vgl. 2 Kor 6, 3; auch 1 Kor 9, 12 ff; 2 Kor 11, 8.
[9] Vgl. dazu v. a. Güttgemanns, Der leidende Apostel und sein Herr (s. S. 205 A. 5).
[10] Vgl. 2 Kor 8, 4; 9, 1. 12. 13; Röm 15, 31; vgl. auch 2 Kor 8, 19. 20.
[11] Vgl. Phlm 13.
[12] Vgl. dazu in diesem Kapitel den 2. Abschnitt.

1 Kor 16, 15 läßt aber — wie Röm 12, 7 — erkennen, daß es in der Gemeinde auch eine speziellere διακονία gab, in die z. B. Stephanas und sein Haus sich eingeordnet haben bzw. im Bereich deren zu bleiben jene aufgefordert werden, denen eine solche διακονία zukommt.

Vergleicht man dies und die gelegentlich vorkommende Bezeichnung für Gemeindeglieder als διάκονοι[1] mit den Aussagen über das Amt des Apostels und seiner συνεργοί, dann legt sich der Gedanke nahe, daß diese Gemeindedienste in irgendeiner — noch näher zu bestimmenden — Weise als συνεργοῦντες καὶ κοπιῶντες am ἔργον des Apostels Anteil haben[2]. Man wird dann nicht mehr so sicher den Wirkbereich des Apostels (λόγῳ καὶ ἔργῳ) für den διάκονος einengen dürfen auf eine dienende Funktion im Tatbereich.

Wiederum ergibt sich als Ergebnis, daß zwar grundsätzlich alle zur διακονία aufgefordert sind, wie zum gegenseitigen οἰκοδομεῖν, weil alle reich werden sollen ἐν τῷ ἔργῳ τοῦ κυρίου (1 Kor 15, 58), daß es aber im Bereich der διακονία dieselben Abstufungen und Zuordnungen gibt wie im Bereich des ἔργον (der συνεργοί und συνεργοῦντες) und der οἰκοδομή (bzw. des οἰκοδομεῖν und ἐποικοδομεῖν).

Gleich ist jeweils die Aufgabe, die grundsätzlich allen gestellt ist, aber verschieden sind die Funktionen, verschieden ist der heilsgeschichtliche Ort des jeweiligen ἔργον, verschieden ist die Bedeutsamkeit der διακονία an, für und in den Gemeinden.

Wert und Unwert eines jeden ἔργον wird zwar erst der Tag des Gerichts erweisen; doch läßt sich am Kriterium οἰκοδομή aus der Wirkung und am Kriterium διακονία an der Gestalt des jeweiligen ἔργον ein Maßstab gewinnen für seinen Wert und Unwert[3]; οἰκοδομή und διακονία sind die näheren Bestimmungen für das μέτρον »ἔργον«[4].

---

[1] Vgl. Röm 16, 1f; Phil 1, 1; dazu Goguel, L'Église primitive 125; Menoud, L'Église 44f.

[2] Vgl. 1 Kor 16, 16; 2 Kor 6, 1; dazu Linton, Kirche und Amt im NT 139: »Auch die anderen Ämter nehmen an der Autorität Christi teil, sind an das Werk Christi gebunden und bedeuten ein Dienen, der Gemeinde zum Wohl«.

[3] Vgl. ἐργάται (2 Kor 11, 13; Phil 3, 2) für böse und heuchlerische Missionare; auf dieser negativen Folie läßt sich möglicherweise auch ein durchaus positiver »urgemeindlicher terminus technicus für den Missionar« (Roloff, Apostolat — Verkündigung — Kirche 112 A. 252) gewinnen.

[4] Es ist von der Sache her nicht gerechtfertigt, Amt und Dienst gegeneinander auszuspielen (so schon K. L. Schmidt, Le ministère et les ministères 322ff); sie stehen in Wahrheit in einer unaufgebbaren Relation: es gibt kein Amt, das nicht Dienstgestalt haben müßte; vgl. Gulin, Das geistliche Amt 308f; Friedrich, Geist und Amt 68ff; Braun, Neues Licht auf die Kirche 179 A. 3: Es wäre »gewiß gut, darauf hinzuweisen, daß der Begriff des ›Dienstes‹ keineswegs zu dem der Autorität in Gegensatz steht«.

6. Kapitel

DIE VOM GEIST ERFÜLLTE, ESCHATOLOGISCHE GEMEINDE

1. Die theologische, christologische, pneumatologische und eschatologische Bestimmung der ἐϰϰλησία τοῦ ϑεοῦ bei Paulus

a) Als ἐϰϰλησία τοῦ ϑεοῦ ist die Gemeinde zugleich eine eschatologische und eine geschichtliche Größe[1]: in ihrem konkreten συνέρχεσϑαι ἐν ἐϰϰλησίᾳ wird die sich versammelnde Gemeinde zur endzeitlichen »Sammlung Gottes«[2]. Das ἐϰϰλησία τοῦ ϑεοῦ-Sein der Gemeinde bezeichnet eine bleibende Qualität, obschon es nicht völlig ablösbar ist von dem geschichtlichen sich Versammeln der Gemeinde.

b) Als ϑεοῦ οἰϰοδομή[3] ist sie eschatologischer »Bau Gottes«, ἔργον τοῦ ϑεοῦ, und *zugleich* geschichtliches ἔργον des Apostels und seiner Mitarbeiter als ϑεοῦ

---

[1] Einen falschen Ansatz für die eschatologische Bestimmtheit der Gemeinden als ἐϰϰλησία τοῦ ϑεοῦ sieht Dahl, Volk Gottes 228, in den »übernatürlichen Geistesgaben«, von denen er sagt: »sie beweisen, daß die Kirche jetzt in der eschatologischen Zeit, der Zeit der Erfüllung lebt«. Dagegen macht Bornkamm, Die Erbauung der Gemeinde als Leib Christi 114, mit Recht aufmerksam, daß in der Bewertung dieser Erscheinungen »das rechte Verständnis der Gemeinde als einer eschatologischen Größe . . . nun erst in Frage« stehe.
In Bezug auf den Gottesdienst kennzeichnet Bornkamm a. a. O. 118 f sodann die paulinische Antithese zu den korinthischen Schwärmern: »Paulus holt . . . den Gottesdienst aus jener imaginären Region eschatologischer Vollendung, in die die Schwärmer ihn entrückt haben, *in den Bereich des geschichtlichen Daseins zurück*« (Hervorhebung von mir).
Deshalb geht es Paulus ja auch im ethischen Bereich um »die *gegenseitige Verantwortung* in der eschatologisch bestimmten Existenz der Gemeinde« (Vielhauer, Oikodome 101, zu 1 Thess 5, 11; Hervorhebung von mir).
Mit Fridrichsen, Die neutestamentliche Gemeinde 54, könnte man diese Grundbestimmung auch als eschatologisch-apostolisch bezeichnen, sofern die konkrete geschichtliche Gemeinde immer nur als apostolische, auf dem vom Apostel gelegten Fundament stehende existiert.
[2] Daß die »apostolische Missionsgemeinde« *zugleich* »eschatologisches Gottesvolk« (Fridrichsen a. a. O. 68) ist, Geist und Amt also — wie sich noch zeigen wird — keinesfalls Gegensätze, sondern aufeinander bezogene Wirklichkeiten sind und wie Charisma und Tradition »gleichzeitig und an derselben Stelle« (Holl, Der Kirchenbegriff des Paulus 51) erwachsen, ist eine festzuhaltende Grundrelation; vgl. dazu auch Koehnlein, La notion de l'Église 377. Nicht erst ein Schwund des eschatologischen Bewußtseins (vgl. Friedrich, Geist und Amt 85; Schweizer, Gemeinde und Gemeindeordnung 94; v. Campenhausen, Kirchliches Amt 58), ein Sinken des Charismatischen führen zu Amt und Tradition in den Gemeinden; beides gehört von Anfang an zur Bestimmung der Gemeinde als einer zugleich geschichtlich-apostolischen und eschatologischen; vgl. dazu auch Holl a. a. O. 51; Wendland, Geist, Recht und Amt 300.
[3] Vgl. 1 Kor 3, 9. »Zugehörigkeit zu Gott« (Vielhauer, Oikodome 85) ist die primäre Aussage der Stelle, aber nicht die einzig legitime.

συνεργοί[1] sowie aller an diesem ἔργον κυρίου (bzw. Χριστοῦ)[2] beteiligten συνεργοῦντες καὶ κοπιῶντες[3].
Sie alle wirken durch ihr οἰκοδομεῖν bzw. ἐποικοδομεῖν mit an der οἰκοδομή
der Gemeinde; d. h. die Gemeinde als θεοῦ οἰκοδομή wird, was sie ist, durch
das, was *an* ihr geschieht[4].

c) Auch als »Leib Christi« ist die Gemeinde eine vorgegebene, eschatologisch
bestimmte Größe: sie ist ὁ Χριστός bzw. σῶμα Χριστοῦ[5]; doch auch dies ist sie
nicht ohne geschichtliches Geschehen in der Gemeinde.

Durch das Hineingetauftwerden der Glieder in diesen als ὁ Χριστός bezeichneten »Leib Christi« und durch das Essen der Vielen von dem einen Brot, wodurch sie immer neu Anteil gewinnen am Leib des Christus, wird die Gemeinde,
was sie immer schon ist: Leib des Χριστός[6]; sie wird also auch im Bezug auf
den Leib Christi erst, was sie ist, durch das, was *in* ihr geschieht.

---

[1] Vgl. Röm 14, 20 mit 1 Kor 9, 1; 3, 9 ff.
[2] 1 Kor 16, 10; Phil 2, 30.
[3] Vgl. 1 Kor 16, 16; 2 Kor 6, 1 mit 1 Kor 3, 9 ff.
[4] Was Vielhauer, Oikodome 79 ff. 85, zugunsten einer völligen Trennung von
1 Kor 3, 9 und 3, 10 ff schreibt, ist wenig überzeugend. *Οἰκοδομή* (V 9) ist offensichtlich mit Bedacht gewählt, um den Bezug von eschatologischem »Bau Gottes« und
geschichtlich sich vollziehender οἰκοδομή durch θεμέλιον τιθέναι und ἐπ-οικοδομεῖν
zu ermöglichen.
[5] Vgl. 1 Kor 12, 12 b. 13. 27; dazu Koehnlein, La notion de l'Église 374; Wikenhauser, Die Kirche 89. 96; Percy, Der Leib Christi 44: »Die Gemeinde als σῶμα
Χριστοῦ kann somit schließlich mit Christus selbst — nur so lassen sich die Worte
οὕτως καὶ ὁ Χριστός 1 Kor 12, 12 richtig verstehen — und daher die Zugehörigkeit
zu diesem Leibe mit dem Sein ἐν Χριστῷ zusammen«. Percy dürfte auch darin
Recht haben, wenn er a. a. O. 45 (vgl. Menoud, L'Église 56 ff, zu »Christocratie«)
sagt: »Die paulinische Ekklesiologie ist daher im Grunde nichts anderes als Christologie« (gegen Käsemann, Leib und Leib Christi 161; ähnlich Brun, Der kirchliche
Einheitsgedanke 109, der behauptet, »daß das Bild des Leibes . . . nur zur Veranschaulichung und Ausgestaltung des für Paulus maßgebenden Gedankens von
der Kirche als Volk Gottes und Christi angewendet wird«); vgl. dazu Nygren,
Corpus Christi 21 ff; Soiron, Die Kirche als der Leib Christi 100; Dahl, Volk Gottes
224. 231.
[6] Vgl. 1 Kor 12, 13; 10, 16 f; ob in 1 Kor 12, 13 auch das »Getränkt-werden« mit
hl. Geist auf das Herrenmahl Bezug nimmt, ist umstritten. Nicht umstritten ist,
was Koehnlein a. a. O. 374 allgemein formuliert: »Les chrétiens sont sans cesse
dépendants du Christ. Christ est sans cesse la vie de l'Église. Les Chrétiens sont ›en
Christ‹ et Christ est ›en eux‹. L'Église est le corps de Christ et chacun est membre«.
Wie dieses »Eingegliedertsein in Christus« (Percy a. a. O. 45) näherhin zu verstehen ist, kann hier unerörtert bleiben. Percy selbst meint a. a. O. 44: »Dieser mit
der Gemeinde identische Leib Christi ist . . . kein anderer als jener, der am Kreuze
starb und am dritten Tag auferstand«; vgl. dazu Schweizer, ThW VII 1064 ff.
Wichtiger für unser Problem des Zustandekommens dieser Eingliederung ist die
Feststellung von Bornkamm, Die Erbauung der Gemeinde als Leib Christi 121,
mit der er das paulinische Verständnis von jenem der korinthischen Schwärmer
abhebt, die sich »durch das Sakrament in die eschatologische Vollendung versetzt«
glaubten »und meinten . . . an dem erlösenden Schicksal ihres Kultgottes Christus
Anteil zu haben«; Bornkamm sagt: »Wohl geht es im Sakrament um das erlösende
Anteilempfangen an dem ›für euch‹ hingegebenen σῶμα Christi (1 Kor 11, 24;
10, 16) und an der neuen διαθήκη (= Heilsordnung). *Aber das σῶμα, der in den
Tod gegebene Leib Christi . . . macht uns als die Empfangenden zum σῶμα der Gemeinde (1 Kor 10, 17)*« (Hervorhebung von mir).

d) Nur in diesen Zusammenhängen, aber nicht losgelöst von ihnen, wird die Gemeinde schließlich als vom πνεῦμα erfüllt bestimmt. Dies gilt sowohl im Bezug auf die οἰκοδομή der Gemeinde wie im Bezug auf ihr σῶμα-Χριστοῦ-Sein. »Der Leib Christi, als den die Gemeinde sich verstehen lernen soll (1 Kor 12, 12–27), existiert in dem göttlichen Kraftfeld Pneuma, das alle Glaubenden und Getauften umströmt und zugleich erfüllt«; »das Pneuma ist jenes göttliche Element, welches die vielen Einzelnen zu einem Ganzen zusammenschließt«[1]. Ähnliches gilt vom ἔργον der Verkündiger des Evangeliums hinsichtlich der οἰκοδομή der Gemeinde: »Der Geist erfüllt die Boten der Heilsbotschaft«[2]. Röm 15, 17f drückt dabei die Relationen am deutlichsten aus: ἔχω οὖν τὴν καύχησιν ἐν Χριστῷ ’Ιησοῦ τὰ πρὸς τὸν θεόν· οὐ γὰρ τολμήσω τι λαλεῖν ὧν οὐ κατειργάσατο Χριστὸς δι’ ἐμοῦ εἰς ὑπακοὴν ἐθνῶν, λόγῳ καὶ ἔργῳ, ἐν δυνάμει σημείων καὶ τεράτων, ἐν δυνάμει πνεύματος.

Der Ruhm des Apostels vor Gott besteht also darin, daß Christus *durch ihn* wirkt zu Glaubensgehorsam der Heiden, und zwar in Wort und Tat; dies aber in Kraft von Zeichen und Wundern[3], »in Kraft des Geistes«[4].

Das πνεῦμα erscheint in allen vergleichbaren Zusammenhängen als das Kraftfeld Gottes und Christi, das Medium, die δύναμις, durch welche der Gemeinde das Heilsgeschehen vermittelt, durch welche sie der Heilsgüter teilhaftig wird[5].

Das πνεῦμα ist es, welches die Gemeinde zur eschatologischen macht und sie zugleich geschichtlich durchwirkt[6]. Von letzterem muß noch ausführlicher gehandelt werden; doch beschreibt den Sachverhalt beispielhaft 2 Kor 3, 3: die Gemeinde ist, besorgt durch den Apostel, dessen Anteil nicht unterschlagen werden darf, eine ἐπιστολὴ Χριστοῦ, ein »Brief Christi«, geschrieben nicht mit Tinte, sondern mit dem Geist des lebendigen Gottes: ἡ ἐπιστολὴ ἡμῶν ὑμεῖς ἐστε (V 2) ... φανερούμενοι ὅτι ἐστὲ ἐπιστολὴ Χριστοῦ διακονηθεῖσα ὑφ’ ἡμῶν, ἐγγεγραμμένη οὐ μέλανι ἀλλὰ πνεύματι θεοῦ ζῶντος.

---

[1] Kuss, Röm 567; vgl. dazu Koehnlein, La notion de l’Église 375: »Parce que Christ est la vie de l’Église, l’Église est vraiment le corps de Christ où il agit par la puissance du πνεῦμα«.
[2] Kuss a. a. O. 565.
[3] Die Erwähnung von σημεῖα und τέρατα ist möglicherweise eine Nachwirkung der καύχησις-Problematik von 2 Kor 10–13.
[4] Es ist schon hier darauf hinzuweisen, daß es um ein Handeln Christi durch den Apostel geht; der Geist ist nur das Medium, worin dieses geschieht; die paulinischen Gemeinden als »pneumatische Demokratien« zu bezeichnen (vgl. v. Harnack, Entstehung und Entwickelung 37), heißt, dem πνεῦμα und der Gemeinde eine ganz unpaulinische Selbständigkeit zu geben; vgl. dazu Mundle, Das Kirchenbewußtsein der ältesten Christenheit 35f; Wikenhauser, Die Kirche 73ff; Menoud, L’Église 60 und a. a. O. A. 2; Wendland, Geist, Recht und Amt 291.
[5] Vgl. die folgenden Abschnitte.
[6] Vgl. Menoud, L’Église 13f: »L’Église est le lieu où agit l’Esprit«. »... en continuité avec l’oeuvre terrestre de Jésus«. Menoud präzisiert: »L’Esprit apporte à l’Église la grâce de la liberté divine. L’Église assure à l’Esprit le bénéfice de la tradition. La libre inspiration et la fidélité traditionnelle appartiennent dès les origines à l’Église«.
Noch schärfer faßt Wendland, Geist, Recht und Amt 289, diesen Doppelaspekt: »Mit und in dem Wirken des Pneuma entstehen die die Kirche leitenden Ämter; daher diese denn auch den Aufbau des Leibes Christi als konkret-geschichtlicher Gemeinschaft zu vollziehen vermögen«.

Das eschatologische Moment ist dabei so wenig zu übersehen wie die geschichtliche Rolle der Vermittlung durch den Apostel und die Rolle des im Apostel und durch den Apostel wirksamen πνεῦμα ϑεοῦ ζῶντος. Daß es nicht erlaubt ist, eschatologisches und geschichtliches Moment zu trennen, zeigt die Fortsetzung von V 3: »geschrieben nicht auf steinerne Tafeln, sondern auf Tafeln aus fleischernen Herzen«; die geschichtlich konkrete Gemeinde mit ihren zum Glauben gekommenen Gliedern ist der eschatologisch zu verstehende »Brief Christi«.

Die Relationen, in denen bei Paulus das πνεῦμα steht, sind für die weiteren Überlegungen grundlegend: die Relation des πνεῦμα zu Gott und Christus, zu λόγος und ἔργον des Apostels, von daher aber auch zu der ἐν ἑνὶ πνεύματι konstituierten, vom πνεῦμα in ihrer geschichtlichen Wirklichkeit bestimmten Gemeinde[1].

2. *Πνεῦμα und Gemeinde*

a) *Πνεῦμα* Gottes und *πνεῦμα* Christi[2]

»Das πνεῦμα ist das Pneuma Gottes; es gehört zum Wesen Gottes und es geht von Gott aus, um sich den Glaubenden und Getauften mitzuteilen und dadurch ihre Existenz völlig neu zu bestimmen«[3]. Mit O. Kuss darf man im Blick auf 1 Kor 2, 10a. b. 11b ferner sagen: »eben dieses Pneuma, das mit Gott in gewissem Sinne identisch ist, teilt sich den Glaubenden mit«[4]; vgl. 1 Kor 2, 12: »wir aber« haben nicht den Geist der Welt empfangen, sondern den Geist, den aus Gott« (τὸ πνεῦμα τὸ ἐκ τοῦ ϑεοῦ).

In ähnlicher Weise spricht Paulus aber auch vom πνεῦμα Χριστοῦ, wobei Gal 4, 6 Gott als den Aussender des Geistes, den Geist selbst aber Christus zugeordnet erscheinen läßt: ἐξαπέστειλεν ὁ ϑεὸς τὸ πνεῦμα τοῦ υἱοῦ αὐτοῦ εἰς τὰς καρδίας ἡμῶν. Nach Röm 8, 9–11 kann man geradezu von einer »Austauschbarkeit« der Größen »Pneuma Gottes« und »Pneuma Christi«[5] sprechen; doch gibt auch dieser Text zu erkennen, daß es sich letztlich um das πνεῦμα τοῦ ἐγείραντος τὸν Ἰησοῦν ἐκ νεκρῶν (V 11) handelt, d. h. um das πνεῦμα ϑεοῦ (V 9a), das einer besitzt, wenn er Christus angehört und πνεῦμα Χριστοῦ ἔχει (vgl. V 9b). Ohne diese teilweise sehr schwierigen Probleme hier näher erörtern zu können, wird

---

[1] Wendland gibt a. a. O. 300 eine Zusammenfassung seiner Überlegungen zu Geist — Recht — Amt in der Urkirche, in welcher er den theologischen Ort von Kirche und Geist bestimmt; er spricht dort von »der Kirche, die der Ordnung, der Führung, des Gehorsams und der Verwaltung bedarf, um Kirche sein zu können, nämlich der Bau und Tempel Gottes, der Leib Christi in vielen Gliedern, in dem der Gott der Gerechtigkeit und des Friedens Wohnung nimmt, um so die Wirklichkeit einer neuen pneumatisch-geschichtlichen, himmlisch-irdischen, ewig-zeitlichen Gemeinschaft zu stiften«.

[2] Zum Verhältnis der drei »Größen« Gott — Christus — Pneuma nach den paulinischen Hauptbriefen vgl. Kuss, Röm 575–584.

[3] Kuss a. a. O. 576.

[4] A. a. O.; vgl. zum Ganzen, das hier nur angedeutet werden kann, 1 Thess 4, 8; 1 Kor 2, 10–16; Gal 4, 6; Röm 8, 9. 10. 11; dazu Gunkel, Die Wirkungen des heiligen Geistes 57 ff.

[5] Kuss a. a. O. 577; vgl. Rawlinson, Corpus Christi 286: »Der Geist kann gleicherweise beschrieben werden als der ›Geist Gottes‹ oder als der ›Geist Christi‹«.

man festhalten dürfen, daß auch Christus und das πνεῦμα in gewisser Weise identifiziert werden[1] und daß Paulus vom πνεῦμα nur in Relation zu Gott und Christus spricht.

Darum ist es wenig wahrscheinlich, daß Paulus in den Texten 1 Kor 12, 4–6. 7. 11; 2 Kor 13, 13 den Geist als Person von κύριος und θεός abheben will, auch wenn die Trinitätstheologie diese Stellen so verstanden hat.

In 1 Kor 12 geht es um das rechte Verständnis der πνευματικοί bzw. πνευματικά (V 1)[2]; daher liegt es für Paulus nahe, in V 4 zunächst von den διαιρέσεις χαρισμάτων zu sprechen und ihrer Verschiedenheit das Einheitsprinzip des sie vermittelnden πνεῦμα entgegenzustellen; die φανέρωσις τοῦ πνεύματος (V 7) in den χαρίσματα ist ja der leitende Gesichtspunkt für die ganzen Erörterungen in Kapitel 12–14.

Dann wird man aber auch für V 6: διαιρέσεις ἐνεργημάτων εἰσίν, ὁ δὲ αὐτὸς θεὸς ὁ ἐνεργῶν τὰ πάντα ἐν πᾶσιν und V 11a: πάντα δὲ ταῦτα ἐνεργεῖ τὸ ἓν καὶ τὸ αὐτὸ πνεῦμα keinen vom sonstigen paulinischen Verständnis abweichenden Sinn annehmen dürfen. Gott ist der alles in allen Wirkende; aber er wirkt durch das πνεῦμα, so daß V 11b sagen kann, daß das πνεῦμα »eigens einem jeden zuteilt, wie es will«[3]. 1 Kor 12, 4–6 stellen doch wohl eine aufsteigende Klimax dar, so daß die διαιρέσεις χαρισμάτων in V 5 als διαιρέσεις διακονιῶν interpretiert werden, hinter denen derselbe Herr steht, und in V 6 als διαιρέσεις ἐνεργημάτων, die Gott wirkt[4].

Die χαρίσματα, welche der Geist zuteilt, haben also in Gott ihren Ursprung[5] und wollen verstanden sein als Dienste für den Herrn[6]; ein Gedanke, den V 7

---

[1] Zumindest darf man mit Koehnlein, La notion de l'Église 375, von Christus sagen, »il agit par la puissance du πνεῦμα«. Vgl. Gunkel a. a. O. 90 ff; Friedrich, Geist und Amt 63: »Alle Wirkungen des Geistes können von Paulus auch als Wirkungen Christi bezeichnet werden«.
Zur Auslegung von 2 Kor 3, 17: ὁ δὲ κύριος τὸ πνεῦμά ἐστιν vgl. v. a. I. Hermann, Kyrios und Pneuma (Studien zum Alten und Neuen Testament, Band II), München 1961, v. a. O. 17–58; Kuss a. a. O. 579 ff.
Unglücklich sind die Formulierungen »Pneumachristus« (Soiron, Die Kirche als der Leib Christi 99), »Geistchristus« (Holstein, Die Grundlagen des evangelischen Kirchenrechts 40f) im Zusammenhang mit 1 Kor 12, 12b. 13.

[2] In V 1 läßt sich nicht entscheiden, woran konkret gedacht ist; aus V 4 (χαρίσματα) legt sich jedoch der Gedanke an τὰ πνευματικά nahe.

[3] Bezüglich der Gemeindeämter gilt dann, was Gerke, Die Stellung des 1 Clem 94, für den 1. Clemensbrief feststellt: er »kennt zwar das Dogma von der *göttlichen Setzung* aller Dinge, auch des weltlichen und geistlichen Amts, aber er wiederholt dadurch lediglich den Glauben des gesamten Urchristentums und wendet die Idee der göttlichen Setzung auf das *Gemeindeamt* an«; vgl. auch a. a. O. 103: »Alle Ordnung ruht in einem uranfänglichen *göttlichen Recht*«.

[4] Vgl. Lietzmann, 1 Kor 61; J. Weiß, 1 Kor 297f; ferner K. L. Schmidt, Le Ministère et les ministères 324: »1 Kor 12, 4 place côte à côte dans un parallélisme évident des termes les χαρίσματα et les διακονίαι nommés ensuite«.

[5] Vgl. zu 1 Kor 12, 28 im Bezug auf die Ämter Wendland, Geist, Recht und Amt 295: »Das Entscheidende an den Ämtern der Urkirche ist der Auftrag, der mit der Einsetzung durch Gott . . . gegeben ist. Aus dieser Einsetzung entstehen die Dauer des Amtes und sein Recht«; ferner Wikenhauser, Die Kirche 77: »von Gott oder Christus direkt verliehene Ämter«.

[6] Vgl. Wikenhauser a. a. O.; v. Campenhausen, Recht und Gehorsam 280: »der Geist als Geist Christi von Anfang an geschichtlich und konkret bestimmt«.

(πρὸς τὸ συμφέρον), v. a. aber die VV 12–27 am Bild des Leibes und seiner Glieder, die sich gegenseitig dienen, weil sie ganz aufeinander verwiesen sind, entfalten.

Stärker rhetorisch[1] bestimmt scheint die Grußformel von 2 Kor 13, 13 zu sein, wo die χάρις τοῦ κυρίου, die ἀγάπη τοῦ θεοῦ und die κοινωνία τοῦ ἁγίου πνεύματος nebeneinander stehen. Es wäre singulärer Sprachgebrauch bei Paulus, sollte hier von der κοινωνία, welche das πνεῦμα stiftet, gesprochen sein und nicht, wie es Phil 2, 1 nahelegt, von der gemeinsamen Teilhabe am πνεῦμα.

Zusammenfassend ist zu sagen: Gott und Christus wirken durch das Medium des Geistes an und in der Gemeinde[2].

b) Das πνεῦμα als eschatologische Heilsgabe für die Gemeinde wie für den Einzelnen

Unter den Wirkungen des πνεῦμα werden im Folgenden nur jene in Betracht gezogen, welche in Beziehung stehen zu der vom Geist erfüllten Gemeinde und ihrer vom Geist bestimmten Ordnung.

Grundlegend ist dafür die Aussage von 1 Kor 12, 13: ἐν ἑνὶ πνεύματι ἡμεῖς πάντες εἰς ἓν σῶμα ἐβαπτίσθημεν, εἴτε Ἰουδαῖοι εἴτε Ἕλληνες, εἴτε δοῦλοι εἴτε ἐλεύθεροι, καὶ πάντες ἓν πνεῦμα ἐποτίσθημεν.

Während sonst nur noch selten an den gemeinsamen Geistbesitz der Gemeinde als Ganzes erinnert[3] und in der Regel der Einzelne auf seinen Geistbesitz hin angesprochen wird[4], bzw. generell alle Einzelnen[5], wird er hier im Zusammenhang mit dem σῶμα Χριστοῦ ausdrücklich betont: ἐν ἑνὶ πνεύματι — εἰς ἓν σῶμα.

Der Gedankengang von 1 Kor 12, 1ff zeigt, daß Paulus die Rückführung der διαιρέσεις χαρισμάτων auf den einen, sie zuteilenden Geist (vgl. VV 4. 11) auch ohne das Bild vom Leib (Christi) hätte ausdrücken können. Worum es ihm geht, ist in den VV 1–11 eine Folgerung aus dem Geistbesitz, wie Paulus sie mehrfach, wenn auch unter anderen Gesichtspunkten zieht[6]: es gibt ver-

---

[1] Vgl. Kuss, Röm 582.
[2] Vgl. Wikenhauser, Die Kirche 92f (zu 1 Kor 12, 13): Geist ist hier »die göttliche Kraft, welche die an Christus Glaubenden mit neuem Leben erfüllt und zu einer Einheit überirdischer Art zusammenschließt«; Koehnlein, La notion de l'Église 373: »Par le πνεῦμα elle (= die Gemeinde) est sans cesse résultat de l'action de Dieu, qui sauve, qui appelle et rassemble son peuple«; vgl. auch a. a. O. 377; Mundle, Das Kirchenbewußtsein der ältesten Christenheit 38: »Die Ekklesia ist für Paulus die Sphäre, in der der erhöhte Christus wirkt und die von seinem Geist durchwaltet wird«.
[3] Vgl. 2 Kor 13, 13; Phil 2, 1; aber auch Röm 15, 16.
[4] Vgl. 1 Kor 3, 16; 6, 19; 7, 40; Röm 8, 9.
Ob die Gemeinde als Ganzes »ein Tempel« des in ihr wohnenden Geistes genannt wird, ist fraglich; in 1 Kor 6, 19 wird ausdrücklich das σῶμα der Einzelnen als Tempel des heiligen Geistes bezeichnet; 1 Kor 3, 16f dürfte dasselbe gemeint sein; vgl. V 17b ὁ γὰρ ναὸς τοῦ θεοῦ ἅγιός ἐστιν, οἵτινές ἐστε ὑμεῖς, d. h. jeder Einzelne (gegen Kuss, Röm 561).
[5] Die meisten Aussagen über die Wirkungen des πνεῦμα dürften so zu verstehen sein; vgl. Röm 5, 5; 8, 16; Phil 3, 3.
[6] Vgl. 1 Thess 4, 8; 5, 19; 1 Kor 3, 1; Gal 5, 22; 5, 25; 6,1. 8; Röm 8, 13. 14; 12, 11; 14, 17.

schiedene, auch verschiedenwertige Offenbarungen des Geistes[1]; sie alle sind πρὸς τὸ συμφέρον (V 7) gegeben; ihr Nutzen ist das äußere Kriterium zu ihrer Beurteilung, das Bekenntnis zu Jesus (vgl. V 3) das innere Kriterium zur Scheidung der Geister.

Verschiedenartigkeit und Verpflichtung des Geistbesitzes erfahren in 1 Kor 12, 13 durch die Verbindung mit dem σῶμα-Gedanken eine bei Paulus sonst nicht mehr begegnende ekklesiologische Interpretation und ekklesiologische Bindung[2]. Diese Beobachtung hat weitreichende Konsequenzen; sie wird durch den paulinischen Sprachgebrauch von πνεῦμα; πνευματικός, -όν; πνευματικοί, -ά noch unterstützt. Denn so gewiß es ist, daß das πνεῦμα das »Fundament der völlig verwandelten Existenz der Glaubenden und Getauften«[3] darstellt, so daß Gal 5, 25 als prinzipielle Forderung an alle zu verstehen ist, die ihr neues Leben dem Geist verdanken: εἰ ζῶμεν πνεύματι, πνεύματι καὶ στοιχῶμεν; so gewiß ist auch, daß das πνεῦμα von Paulus primär auf den Einzelnen bezogen wird bzw. generell auf die Einzelnen. Wandel im Geist (vgl. Gal 5, 25 b), Früchte des Geistes zu erbringen (vgl. Gal 5, 22 f), sind als Aufforderungen an alle Gläubigen gerichtet[4]. Niemals wird der Geistbesitz unmittelbar mit den Gemeindediensten in Verbindung gebracht — außer in 1 Kor 12 und hier in besonderer Weise.

Am deutlichsten erhellen 1 Kor 2, 12–16; 3, 1 den paulinischen Vorstellungsbereich πνεῦμα — πνευματικοί:

V 12: »Wir aber haben nicht den Geist der Welt (τὸ πνεῦμα τοῦ κόσμου) empfangen, sondern den Geist aus Gott (τὸ πνεῦμα τὸ ἐκ τοῦ θεοῦ), damit wir wissen, was uns von Gott geschenkt worden ist (vgl. χαρισθέντα)«. Mit anderen Worten: Gott schenkte allen Gläubigen das πνεῦμα, damit sie durch das πνεῦμα erkennen sollten, welche χάρις ihnen gegeben ist.

V 13: »Und das reden wir auch nicht mit Worten, die von menschlicher Weisheit gelehrt sind, sondern mit Worten, die vom Geist gelehrt sind, indem wir Geistliches für Geistbegabte deuten (πνευματικοῖς πνευματικὰ συγκρίνοντες)«. Anders ausgedrückt: Weil alle den Geist besitzen, also πνευματικοί, vom Geist Erfüllte sind, kann der Apostel ihnen mit Worten, die der Geist eingibt, Worten, in denen der Geist sich selbst mitteilt, die πνευματικά deuten; man wird hier am besten ganz allgemein übersetzen: das Geistige, Geistgewirkte, das mit dem Geist Zusammenhängende; dies wird durch das Folgende nahegelegt:

V 14: »Ein natürlicher Mensch (ψυχικός) aber nimmt die Dinge, die des Geistes Gottes sind (τὰ τοῦ πνεύματος τοῦ θεοῦ), nicht an; denn Torheit sind sie ihm und er kann sie nicht erkennen, weil sie geistlich (πνευματικῶς) beurteilt werden müssen«; d. h. unter τὰ πνευματικά (V 13) versteht Paulus τὰ

---

[1] Mit Recht wählt Kuss, Röm 540–584 (wie auch Gunkel, Die Wirkungen des heiligen Geistes) als Ausgangspunkt seiner Überlegungen die ekstatischen Phänomene; sie zu bändigen, sie am Kriterium ihrer erbauenden Kraft zu messen, die Geister zu scheiden usw., ist für Paulus der Ansatz zur Entfaltung seiner eigenen πνεῦμα-Theologie und Sinn der Rückführung der pneumatischen Erscheinungen auf das einheitlich wirksame Prinzip πνεῦμα.
[2] Es ist beachtenswert, daß nicht einmal im Paralleltext Röm 12, 3–8 von Geist und Gemeinde die Rede ist.
[3] Kuss, Röm 561; zutreffender wäre freilich »Medium« statt »Fundament«.
[4] Vgl. 1 Thess 4, 8; 5, 19; Gal 5, 22. 25; 6, 1. 8; Röm 8, 13. 14; 12, 11; 14, 17 u. ö.

τοῦ πνεύματος τοῦ θεοῦ. Diese Dinge, die des Geistes Gottes sind, sind aber nur auf eine adäquate Weise verstehbar, nämlich *πνευματικῶς*; ein psychischer, nicht vom *πνεῦμα* bestimmter Mensch, kann sie daher nicht verstehen, wie er andererseits auch nicht in der Lage ist, einen *πνευματικός* (vgl. V 15 b) zu beurteilen. Ist einer aber vom *πνεῦμα* erfüllt, vermag er selbst alles zu beurteilen (vgl. V 15a); denn er hat den *νοῦς Χριστοῦ*[1]. Das *πνεῦμα*, welches Gott den Glaubenden schenkte (vgl. V 12), ist das *πνεῦμα* (bzw. der *νοῦς*) Christi; durch dieses, jedem einzelnen geschenkte *πνεῦμα* vermag der Gläubige nicht nur die *χάρις* zu erkennen, die ihm zuteil wurde; er kann die Worte des *πνεῦμα* verstehen, wie sie der Apostel redet, und er kann als *πνευματικός*, als vom Geist Erfüllter, auch alles beurteilen.

Das *πνεῦμα* erscheint durchgehend nur als das Medium, welchem der Gläubige seine Existenz verdankt, die Sphäre, durch die er in seiner neuen Existenz bestimmt ist, das Kraftfeld, in welchem er lebt.

Dabei gibt es im Besitz des *πνεῦμα* durchaus Unterschiede. Wiewohl alle *πνευματικοί* sind[2], gesteht Paulus unmittelbar anschließend an 1 Kor 2, 10–16 in 3, 1, daß er mit den Korinthern nicht wie zu Geisterfüllten (*ὡς πνευματικοῖς*), sondern wie zu Fleischlichen (*ὡς σαρκίνοις*), wie zu Unmündigen in Christus (*ὡς νηπίοις ἐν Χριστῷ*) reden muß. Fleischlich sind sie, weil Eifersucht und Zank unter ihnen sind (vgl. V 3); die einen bekennen sich zu Paulus, andere zu Apollos (vgl. V 4 ff). Fleischliches und Geistiges, *σάρξ* und *πνεῦμα* liegen noch im Widerstreit bei ihnen; sie sind noch nicht, wie sie sein sollten: ganz vom *πνεῦμα* beherrschte *πνευματικοί*, welche *τὰ τοῦ πνεύματος τοῦ θεοῦ* verstehen. Wie sehr sie noch fleischliche Menschen sind, zeigt dann ja auch der hinter 1 Kor 12–14 stehende Streit über *τὰ πνευματικά* bzw. *οἱ πνευματικοί* (vgl. 1 Kor 12, 1), d. h. über die Geistwirkungen in den Geistbegabten bzw. allgemeiner: über das mit dem Geist Zusammenhängende.

Der Sprachgebrauch von *πνεῦμα — πνευματικός, -όν; πνευματικοί, -ά* ist bei Paulus nahezu völlig einheitlich:

a) Das *πνεῦμα* ist *πνεῦμα τοῦ θεοῦ* und *πνεῦμα Χριστοῦ*;

b) alle Glaubenden und Getauften sind vom *πνεῦμα* erfüllte *πνευματικοί*[3], bzw. jeder Einzelne ist ein *πνευματικός*[4];

c) das vom Geist Gewirkte kann sachbezogen sein; so werden mit dem Singular *πνευματικός, -όν* vornehmlich Dinge als geisterfüllt oder geistgewirkt bezeichnet[5] (bzw. im Plural alles, was mit dem Geist zusammenhängt[6]), wo-

---

[1] Vgl. Kuss, Röm 574: »hier unter dem Einfluß des alttestamentlichen Zitats für *πνεῦμα Χριστοῦ* stehend«.

[2] Zu 1 Kor 2, 13 vgl. Gal 6, 1; dazu Käsemann, Leib und Leib Christi 170; Menoud, L'Église 60; Friedrich, Geist und Amt 65.

[3] Vgl. 1 Kor 2, 13; 3, 1; Gal 6, 1; möglicherweise auch 1 Kor 12, 1.

[4] Vgl. 1 Kor 2, 15; 14, 37 (hier könnte man zweifeln, ob in der Zusammenstellung von *προφήτης ἤ πνευματικός* nicht mit letzterem die Zungenredner angesprochen werden; zwingend ist das nicht; es kann durchaus gemeint sein: ist einer ein Prophet oder »überhaupt« ein Geisterfüllter).

[5] Z. B. das *βρῶμα* (1 Kor 10, 3); *πόμα* (1 Kor 10, 4); *σῶμα* (1 Kor 15, 44); *χάρισμα* (Röm 1, 11); auch der *νόμος* (Röm 7, 14); zu vergleichen sind ferner 1 Kor 10, 4 (*πνευματικὴ πέτρα*) und 1 Kor 15, 46 (allgemein *τὸ πνευματικόν* im Gegensatz zu *τὸ ψυχικόν*).

[6] Vgl. 1 Kor 2, 13; 14, 1; auch 1 Kor 12, 1 (?); ferner 1 Kor 9, 11; Röm 15, 27.

durch die christliche Existenz ἐν πνεύματι betroffen ist. Es kann aber auch personbezogen sein; denn jeder πνευματικός besitzt das πνεῦμα, so daß es verschiedene πνεύματα gibt[1]. Auffälligerweise nennt Paulus gerade die enthusiastischen Geistwirkungen, wie sie einzelnen zukommen, πνεύματα, zu deren Unterscheidung es die Charismen der διακρίσεις πνευμάτων (vgl. 1 Kor 12, 10) gibt, nicht aber πνευματικά. Es liegt deshalb nahe, 1 Kor 14, 1, die einzige Stelle, an welcher τὰ πνευματικά eindeutig im Sinne von »Geistbegabung« verstanden werden könnte, dem sonstigen Sprachgebrauch entsprechend als τὰ τοῦ πνεύματος zu interpretieren: das, was mit dem πνεῦμα zusammenhängt, was das πνεῦμα betrifft[2].

d) An zwei Stellen scheint τὰ πνευματικά einen spezielleren Inhalt zu besitzen: 1 Kor 9, 11 meint Paulus, daß es wohl nichts Großes sei, wenn die Verkündiger des Evangeliums von der Gemeinde τὰ σαρκικά ernten, nachdem sie ihr τὰ πνευματικά säten. Zwar zwingt nichts anzunehmen, daß Paulus hier vom sonstigen Sprachgebrauch abweiche; die prinzipielle Formulierung τὰ πνευματικά — τὰ σαρκικά ist eher eine Bestätigung des aufgezeigten allgemeinen Inhalts; doch ist die Färbung durch das Thema »Verkündigung« nicht zu verkennen. Auch in Röm 15, 27 ist der Gedanke an die geistigen Güter, an welchen die Heidengemeinden von Jerusalem aus Anteil empfingen, an der Heilsbotschaft orientiert, die von Jerusalem ausging; aber auch hier bleibt er in seiner prinzipiellen Formulierung allgemein.

e) Von daher wird verständlich, daß auch unter den Dingen, die mit dem Geistbesitz zusammenhängen (vgl. τὰ πνευματικά in 1 Kor 14, 1), dem προφητεύειν eine besondere Rolle zukommt[3]; es ist für Paulus nach der Liebe[4] die vorzüglichste Weise, das πνεῦμα, das jeder besitzt, zur Wirkung kommen zu lassen; darum die Aufforderung: Ὥστε, ἀδελφοί μου, ζηλοῦτε τὸ προφητεύειν (1 Kor 14, 39).

f) Was Paulus von den Korinthern unterscheidet, wird also aus seiner eigenen πνεῦμα-Theologie deutlich: während jene gerade von den außerordentlichen Äußerungen ihrer πνεύματα, etwa im Zungenreden, verzückt sind, versucht Paulus — neben der Unterscheidung dieser πνεύματα[5] und ihrer Ordnung bzw. Unterordnung in die Verfügungsmacht des πνευματικός[6] — ihnen sein eigenes Verständnis von den die Existenz des Gläubigen betreffenden »Dingen des Geistes« (vgl. 1 Kor 2, 13. 14) nahezubringen.

g) Die Entfaltung seiner eigenen πνεῦμα-Theologie dürften die enthusiastischen Geistäußerungen der Korinther wesentlich mitbestimmt haben. Paulus

---

[1] Vgl. 1 Kor 14, 12. 32 (πνεύματα προφητῶν).
[2] 1 Kor 12, 1 ist ebenso zu verstehen, falls man (περὶ δὲ) τῶν πνευματικῶν als Neutrum faßt, was mir näherzuliegen scheint wegen der Parallele zu V 4 χαρισμάτων und wegen des Überschriftencharakters von V 1.
[3] Zu 1 Kor 14, 1 vgl. 14, 12. 32. 37. 39.
[4] Vgl. 1 Kor 13, 8: »Die Liebe vergeht niemals. Seien es aber Reden aus Eingebung, sie werden abgetan werden; seien es Zungenreden, sie werden aufhören; sei es Erkenntnis, sie wird abgetan werden«.
[5] Vgl. 1 Kor 12, 10.
[6] Vgl. 1 Kor 14, 32.

lehnt ihren Begriff von (τὸ πνεῦμα) τὰ πνεύματα nicht grundsätzlich ab; er bindet jedoch den wahren Geistbesitz an das rechte Bekenntnis zu Jesus[1] und an die Übereinstimmung mit seiner eigenen Verkündigung[2]; er bindet diesen Geistbesitz ferner an die Kriterien von οἰκοδομή[3] und τάξις[4].

h) Wegen der Gefährlichkeit des korinthischen πνεῦμα-Begriffs scheint Paulus diesen zwar aufgegriffen und adaptiert, doch ebenso konsequent durch seinen Begriff von τὰ πνευματικά im Sinne von τὰ τοῦ πνεύματος überwunden zu haben. Der Geistbesitz soll sich nicht nur — Paulus schließt solches nicht aus — ekstatisch äußern; der Gläubige besitzt das πνεῦμα primär dazu, die Gnade zu begreifen, die ihm von Gott geschenkt ist, die Worte des Apostels zu verstehen, die vom Geist gelehrt sind und mit denen er den Geisterfüllten die Dinge des Geistes deutet, aus dem Geistbesitz heraus alles zu beurteilen und entsprechende Früchte des Geistes zu erbringen[5].

Der insgesamt einheitliche Sprachgebrauch des Paulus für πνεῦμα, πνευματικοί, πνευματικά usw. zeigt nun aber auch die Besonderheit der Aussagen von 1 Kor 12, 13: es sind die ἡμεῖς πάντες, welche ἐν ἑνὶ πνεύματι — εἰς ἓν σῶμα getauft wurden, und es sind die πάντες, welche durch das ἓν πνεῦμα getränkt wurden; d. h. die Aussagen vom Geist und Geistbesitz gelten generell von »allen«, nämlich von allen Getauften einzeln. Erst durch den Gedanken an die Gemeinde als ὁ Χριστός bzw. σῶμα Χριστοῦ (vgl. VV 12b. 27) wird die Gemeinsamkeit des Geistbesitzes betont: es ist ἓν πνεῦμα bzw. τὸ δὲ αὐτὸ πνεῦμα (V 4), den alle empfangen; er ist es, der die Vielen zur Einheit eines Leibes werden läßt und von dem man darum sagen kann, daß er den Leib Christi, welcher die Gemeinde ist, durchwirkt[6].

Mit anderen Worten: Durch die Reflexion auf die Gemeinsamkeit des Geistbesitzes in der Gemeinde erfahren Verschiedenheit und Verpflichtung des Geistbesitzes ekklesiologische Bedeutsamkeit[7]: alle in der Gemeinde haben denselben Geist[8], aber für ihren Dienst aneinander verschiedene — χαρίσματα. Paulus

---

[1] Vgl. 1 Kor 12, 3.
[2] Vgl. 1 Kor 14, 37.
[3] Vgl. 1 Kor 14, 3. 4. 5. 12. 26.
[4] Vgl. 1 Kor 14, 3 a. 31. 32. 39 und v. a. 14, 40.
[5] Vgl. zu dieser summarischen Darstellung neben 1 Kor 2, 12ff und Gal 5, 22f v. a. 1 Thess 4, 8; 5, 19; 1 Kor 13. 14; Gal 6, 13 usf.
[6] Vgl. dazu Mundle, Das Kirchenbewußtsein der ältesten Christenheit 38; Wikenhauser, Die Kirche 92; Asting, Verkündigung 178.
[7] Friedrich, Geist und Amt 66: »Er (= der Geist) reißt den Einzelnen nicht aus der Gemeinschaft heraus, sondern stellt ihn gerade in die Gemeinschaft hinein«; vgl. dazu J. Kögel, Das geistliche Amt im Neuen Testament und in der Gegenwart, Leipzig 1929, 13f (zitiert bei Friedrich a. a. O.); Menoud, L'Église 60: »Le corps ne vivra que si les membres différents accomplissent chacun leur fonction spécifique«.
[8] Das will nicht heißen, die paulinischen Gemeinden seien auf Grund dieses gemeinsamen Pneumabesitzes autonome, pneumatische Demokratien gewesen (vgl. dagegen v. Harnack, Entstehung und Entwickelung 34ff; Scheel, Zum urchristlichen Kirchen- und Verfassungsproblem 428). Mundle a. a. O. 36 nennt den Glauben an das Walten des Geistes nicht ganz zu Unrecht »das ›undemokratischste‹ Prinzip, das sich denken läßt«.
Wenn Scheel a. a. O. 445 »pneumatische Äußerungen des Lebens« benennt und dabei »vornehmlich die ›Wahl‹ des Charismatikers« anspricht, übersieht er nicht

hätte ebensogut, wie die Korinther, sagen können: verschiedene πνεύματα. Es dürfte aber deutlich geworden sein, warum er es nicht tut und statt dessen die Gaben der Einzelnen als χαρίσματα von der χάρις ableitet, aber nie vom πνεῦμα selbst[1]. Das πνεῦμα ist für Paulus nichts anderes als Medium, Sphäre, Kraftfeld.

3. Πνεῦμα und Apostolat

Das bisherige Ergebnis findet seine Bestätigung im konkreten Bezug von πνεῦμα und Apostolat. Zunächst ist auch der Apostel vom Geist erfüllt wie jeder andere Gläubige; vgl. 1 Kor 7, 40: δοκῶ δὲ κἀγὼ πνεῦμα θεοῦ ἔχειν. Das Apostelamt ist jedoch wesentlich bestimmt durch die Vermittlung und Auslegung des Versöhnungshandelns Gottes in Christus, d. h. von der in den Gemeinden Grund legenden Verkündigung des Evangeliums[2]. Dieses sein Wort, sein Verkündigungswerk, geschieht »in Kraft des Geistes«[3].

Zwar weiß Paulus, daß es Christus selbst ist, der durch ihn (δι᾽ ἐμοῦ) Glaubensgehorsam der Heiden bewirkt; aber es ist doch sein λαλεῖν (vgl. Röm 15, 18). Das Medium, die Sphäre dieses Verkündigungswirkens ist das πνεῦμα[4]. Anders gesagt: der Geistbesitz des Apostels erweist sich in seiner und durch seine Verkündigung.

Τὸ εὐαγγέλιον ἡμῶν οὐκ ἐγενήθη εἰς ὑμᾶς — schreibt er 1 Thess 1, 5 an die Gemeinde von Thessalonich — ἐν λόγῳ μόνον, ἀλλὰ καὶ ἐν δυνάμει καὶ ἐν πνεύματι ἁγίῳ καὶ πληροφορίᾳ πολλῇ. Kraft und Zuversicht sind nicht dem πνεῦμα zugeordnete Bestimmungen; Geist und Kraft sind geradezu austauschbar[5], wie 1 Kor 2, 4 zeigt: ὁ λόγος μου καὶ τὸ κήρυγμά μου οὐκ ἐν πειθοῖς σοφίας λόγοις, ἀλλ᾽ ἐν ἀποδείξει πνεύματος καὶ δυνάμεως. Wichtig ist hier auch die Fortführung in V 5: »damit euer Glaube nicht auf Menschenweisheit, sondern auf Gottes Kraft (ἐν δυνάμει θεοῦ) beruhe«. Aufweis von Geist und Kraft (vgl. V 4) sind Erweis der δύναμις θεοῦ.

Obschon hinter dem Geist (und der Kraft) der handelnde Gott selbst steht (vgl. auch 2 Kor 3, 4f), kann Paulus sich[6] 2 Kor 3, 6 als διάκονος καινῆς διαθήκης, οὐ γράμματος ἀλλὰ πνεύματος bzw. seinen apostolischen Dienst als διακονία τοῦ πνεύματος bezeichnen: beides vollzieht sich in der Sphäre des Geistes.

---

nur, daß es zweifelhaft ist, ob es je eine solche »Wahl« gab (vgl. Menoud a. a. O. 59), sondern v. a., daß χάρισμα mit χάρις und erst sekundär mit dem πνεῦμα zu tun hat.

[1] Die Vermischung von πνευματικά und χαρίσματα, die ständig vorgenommen wird (vgl. auch die sonst vorzügliche deutsche Konkordanz von G. Richter, Deutsches Wörterbuch zum Neuen Testament [RNT 10], Regensburg 1962, 340ff), ist für viele falsche Vorstellungen über Geist und Gemeindeordnung verantwortlich.

[2] Vgl. 2 Kor 5, 18ff mit 1 Kor 3, 9ff.

[3] Vgl. Röm 15, 19.

[4] Die parallele Beifügung ἐν δυνάμει σημείων καὶ τεράτων klingt wie eine formelhafte Erinnerung an 2 Kor 10–13, an die dem Paulus aufgezwungene Narrenrede, in der er von seinen eigenen σημεῖα und τέρατα berichten mußte, die man in Korinth an ihm vermißte; vgl. 2 Kor 12, 11f.

[5] Vgl. Kuss, Röm 565: »der Geist ist Kraft«.

[6] Nur vom Apostolat ist die Rede; vgl. Kümmel, im Anhang zu Lietzmann, 2 Kor 199 (gegen Lietzmann, 2 Kor 110).

Daß schließlich die Gemeinde selbst, als sein ἔργον ἐν κυρίῳ, ein von ihm besorgter Brief Christi ist, ἐγγεγραμμένη οὐ μέλανι ἀλλὰ πνεύματι θεοῦ ζῶντος, geschrieben nicht mit Tinte, sondern mit dem Geist des lebendigen Gottes, darauf wurde schon hingewiesen[1]. Vermittlerdienst des Apostolats und Wirksamkeit des Geistes (Gottes) im Apostel und durch den Apostel kommen in der Formulierung von 2 Kor 3, 3 gleichermaßen deutlich zum Ausdruck.

Es ist demnach unmöglich, die Gemeinde als das »*Werk* des heiligen Geistes« zu bezeichnen, so wenig es erlaubt ist, von τὰ πνευματικά als den Geistes-»*gaben*« zu sprechen.

Weder die Gemeinde noch die χαρίσματα der Gemeindeglieder noch die besonderen Gemeindedienste werden auf das πνεῦμα *als ursächliches Prinzip* zurückgeführt. Die Gemeinde ist ἐν ἑνὶ πνεύματι, d. h. durch die Vermittlung des Geistes, durch die Erfülltheit aller Getauften mit dem ἓν πνεῦμα zu einem Leib geworden (vgl. 1 Kor 12, 13); sie wäre nicht σῶμα Χριστοῦ (auch nicht θεοῦ οἰκοδομή) *ohne* den Geist, aber sie ist es auch nicht *durch* den Geist, sondern *vermittelst* des Geistes.

Für Paulus ist der Geist πνεῦμα θεοῦ und πνεῦμα Χριστοῦ; nur in diesen Relationen wird von ihm gesprochen. Der Apostolat wie die sog. Geistes-»gaben«, aber auch die Gemeindedienste werden allesamt zurückgeführt auf die χάρις, die Gott einem jeden gab; weil aber auch die χάρις durch das πνεῦμα vermittelt ist, kann 1 Kor 12, 4 auf denselben Geist hingewiesen werden, der hinter allen χαρίσματα als ihr Vermittler steht, bzw. kann in 12, 11 sogar gesagt werden, daß sie alle ein und derselbe Geist wirkt, der einem jeden zuteilt, wie er will; aus den VV 3. 6. 7. 8. 9 (πνεῦμα θεοῦ; θεὸς ὁ ἐνεργῶν τὰ πάντα ἐν πᾶσιν; φανέρωσις τοῦ πνεύματος; διὰ τοῦ πνεύματος; κατὰ τὸ αὐτὸ πνεῦμα; ἐν τῷ αὐτῷ πνεύματι) ist hinreichend deutlich, daß es sich um Gott selbst handelt, der διὰ τοῦ πνεύματος (V 8) wirkt. Man sollte es vermeiden, bei Paulus von »Geistesgaben« zu reden. Die Verselbständigung des Geistes als das die »Geistesgaben« hervorbringende Prinzip und die Vermischung von τὰ πνευματικά mit τὰ χαρίσματα sind schuld an der weithin verworrenen Lage der Diskussion.

4. *Πνεῦμα — χάρις und χάρισμα*

Für die Zuordnung von πνεῦμα und χάρισ(-μα) sind 1 Kor 12, 1 ff. 4 ff; 12, 31; 14, 1 die entscheidenden Texte. Wie immer man den Plural (περὶ δὲ τῶν πνευματικῶν in 12, 1 fassen will, auffallend bleibt der Wechsel zu χαρισμάτων in V 4. Kapitel 12 endet in V 31 mit der Aufforderung: ζηλοῦτε δὲ τὰ χαρίσματα τὰ μείζονα; d. h. in Kapitel 12 findet nach VV 1. 4 kein weiterer Wechsel des Objektes statt. Erst nach dem Einschub von Kapitel 13[2] hebt 14, 1 neu an

---

[1] Zu 2 Kor 3, 3 vgl. den 1. Abschnitt dieses Kapitels.
[2] Daß es sich in Kapitel 13 um einen Einschub (wenngleich einen, den Paulus möglicherweise selbst vornahm) handelt und in 12, 31; 14, 1 um nicht sehr geschickte Rahmenbemerkungen, die den Einschub eingliedern sollen, ist vor allem von J. Weiß, 1 Kor 309 ff, v. a. 311, behauptet worden; unwahrscheinlich ist das nicht.

mit: ... ζηλοῦτε δὲ τὰ πνευματικά. Aus der Parallelität beider Aufforderungen hat man bislang durchweg auf eine Identität ihrer Inhalte geschlossen und daher von Geistes- und Gnadengaben promiskue gesprochen[1]. Das erscheint nach dem erarbeiteten paulinischen πνεῦμα-Verständnis als unhaltbar.

Sind für Paulus aber τὰ πνευματικά (1 Kor 14, 1) nach 1 Kor 2, 13. 14 τὰ τοῦ πνεύματος, ist es sachlich unerheblich, ob in 1 Kor 12, 1 von Äußerungen oder Personen die Rede ist, die auf den Geist bezogen, vom Geist erfüllt sind; keinesfalls handelt es sich um die sog. »Geistesgaben«. Wo von ihnen gesprochen werden soll, benutzt Paulus den Begriff χαρίσματα, deren hervorbringendes Prinzip χάρις eine der wesentlichen, durch das πνεῦμα vermittelten Heilsgaben darstellt[2].

Dann erklärt sich auch der Übergang von πνευματικῶν (12, 1) zu χαρισμάτων (12, 4); die Gaben des einzelnen Gläubigen sind durch den Geist vermittelte, aber nicht verursachte Heilsgaben der göttlichen χάρις. Subjekt für χάρις wie für πνεῦμα sind Gott und Christus[3].

Wiederum läßt sich dieser Gedankenzusammenhang am Apostolat am deutlichsten veranschaulichen und zugleich erhärten. Röm 1, 5 führt Paulus die

---

[1] Vgl. Kuss, Röm 554 ff.

[2] Käsemann, Leib und Leib Christi 170, und Schlier, Hauptanliegen des 1. Briefes an die Korinther 468, zeigen, wohin das Mißverständnis dieses Zusammenhangs führt.

Käsemann meint, Paulus sei bestrebt, »den Charisma-Gedanken überhaupt durch den der χάρις zu ersetzen «; er verhindere so »die Nutzanwendung der korinthischen Charismatiker (daß »die Kirche« sich »durch die Charismen erbaue «), indem er Charismatiker und Pneumatiker zusammenbringt «. Die erste Behauptung ist grotesk, folgt aber logisch aus der ungenauen Bestimmung der Charismatiker und Pneumatiker.

Gleiches gilt für Schlier, wenn er sagt: »Die korinthischen Enthusiasten verstehen das Amt durchaus vom Charisma her und d. h. sie verstehen es überhaupt nicht«. »Ihr Maßstab zur Beurteilung einer Vollmacht ist der Besitz und die Auswirkung von *charismatischem Pneuma*« (Hervorhebung von mir).

Man muß, um die paulinische Auffassung von πνεῦμα — χάρις und χάρισμα richtig zu interpretieren, von einem »Gegensatz zu der Bewertung« ausgehen, die man sowohl dem πνεῦμα wie dem χάρισμα »seitens der korinthischen Schwärmer zuteil werden ließ« (Bornkamm, Die Erbauung der Gemeinde als Leib Christi 114). Für Paulus sind die χαρίσματα Gaben der χάρις und wie diese selbst Zuteilungen Gottes durch den sie vermittelnden Geist.

Vgl. dazu K. L. Schmidt, Le Ministère et les ministères 323: »tous les ministères particulières sont de même des *dons de la grace*« (Hervorhebung von mir).

[3] Der Streit, ob die Kirche aus den Charismen erbaut werde (Käsemann, Leib und Leib Christi 170) oder nicht (Dahl, Volk Gottes 228), geht deshalb völlig an der Sache vorbei.

Verfehlt sind dann aber auch alle Versuche, das Werden der paulinischen Gemeinden ganz auf den Geist zu stellen; vgl. dazu Sohm, Kirchenrecht I 31. 56–66; ders., Wesen und Ursprung des Katholizismus 50 ff; Scheel, Zum urchristlichen Kirchen- und Verfassungsproblem 405f. 408. 419. 422. 444; v. Dobschütz, Die Kirche im Urchristentum 116 ff; Beyer, Das Bischofsamt im Neuen Testament 219 ff. 223. Es gilt vielmehr mit Menoud, L'Église 60: »L'Église est une christocratie et plus précisément une christocratie apostolique «; d. h.: »Associes au Christ dans la fondation de l'Église, les apôtres accomplissent leur mission avec la pleine puissance du Christ. Leur parole est la parole de Dieu« (a. a. O. 31 ff); aber: »Parce que l'Église du Christ est un corps, le corps ne vivra que si les membres différents accomplissent chacun leur fonction spécifique« (a. a. O. 60).

Gnade seines Apostelamts auf den *κύριος Ἰησοῦς Χριστός*, Röm 15, 15 auf den *θεός* zurück[1]. Könnte man in Röm 1, 5 noch zweifeln, ob mit *δι᾿ οὗ ἐλάβομεν χάριν καὶ ἀποστολήν* der behauptete ursächliche Zusammenhang besteht, so läßt der vergleichbare Sprachgebrauch keinen anderen Schluß zu, als daß das Gnadengeschehen, dem Paulus sein Gläubigwerden verdankt, auch seine Berufung und Sendung als Apostel einschließt[2]. Wo immer er von der *χάρις ἡ δοθεῖσά μοι* spricht, bezieht er sich konkret auf sein Apostelamt und die mit diesem verbundene *ἐξουσία*[3].

Wir haben schon in früherem Zusammenhang festgestellt, daß nach Auffassung des Paulus nicht nur die ihm zuteil gewordene *χάρις* und sein Apostelamt zusammengehören, sondern daß grundsätzlich jeder ein *χάρισμα* besitzt[4], in welchem sich die ihm geschenkte *χάρις* konkretisiert[5]. Röm 12, 6 ist darin völlig eindeutig: *ἔχοντες δὲ χαρίσματα κατὰ τὴν χάριν τὴν δοθεῖσαν ἡμῖν διάφορα*. Bezüglich der *χάρις*, welche die Gläubigen von Gott in Christus empfangen haben, besteht kein Unterschied; darin sind die Gläubigen gegenüber dem Apostel *συγκοινωνοὶ τῆς χάριτος*[6]; wohl aber sind die *χαρίσματα* verschieden[7].

Der Einzelne ist in seinem *χάρισμα* offenbar nicht so festgelegt, daß es nicht Sinn hätte, nach größeren Charismen zu streben[8]; auch sind diese nicht unvergänglich und unverlierbar[9]; und weil sie auch nicht alle denselben Wert haben, unterliegen sie den Kriterien *πρὸς τὸ συμφέρον, οἰκοδομή, ἀγάπη* usw[10].

Wertung und Zuordnung dieser *χαρίσματα* ist für 1 Kor 12, 1–14, 40 wie für Röm 12, 3–8 Ausgangspunkt und Thema. Dem soll im Folgenden weiter nachgegangen werden.

---

[1] Vgl. auch 1 Kor 1, 4; 3, 10; 15, 10; hier wird besonders deutlich, daß Paulus durch die *χάρις* ist, was er ist, und daß er sie zugleich als wirksame betrachtet: der Apostolat ist Teil eines Gnadengeschehens.
[2] Vgl. neben 1 Kor 3, 10; 15, 10 v. a. Gal 1, 15; 2, 9; Röm 12, 3. 6; 15, 15.
[3] Vgl. Blank, Paulus und Jesus 192 ff.
[4] Vgl. 1 Kor 7, 7. 17; dazu Käsemann, Leib und Leib Christi 170; Wikenhauser, Die Kirche 93 ff; Schweizer, Gemeinde und Gemeindeordnung 90. 168 ff.
[5] Gegen Satake, Apostolat und Gnade bei Paulus 98–103, vgl. S. 192 A. 1.
[6] Vgl. zu Phil 1, 7 v. a. 1 Kor 1, 4. 7; Gal 1, 6.
[7] Zu Röm 12, 6 vgl. 1 Kor 12, 4. Nach 1 Kor 1, 7 fehlt es der Gemeinde an keinem Charisma.
Zur Unterschiedenheit der Charismen vgl. z. B. Menoud, L'Église 40 ff; Soiron, Die Kirche als der Leib Christi 72.
[8] Vgl. 1 Kor 12, 31 (sofern ursprünglich); dazu 1 Kor 14, 1.
[9] Vgl. 1 Kor 13, 8.
[10] Vgl. 1 Kor 12, 7; 13; 14, 4. 5. 12. 26 u. ö.

7. Kapitel

DIE STRUKTURIERUNG PAULINISCHER GEMEINDEN

Für die Auswertung von 1 Kor 12, 1 ff und Röm 12, 3–8 auf paulinische Gemeindeordnung hin ist noch einmal auf den allgemeinen Kontext beider Stellen hinzuweisen:

a) Den Korinthern gegenüber kommt Paulus innerhalb eines Frage- und Antwortkatalogs in 12, 1 auch auf — wie wir nach allem Vorausgehenden formulieren möchten — τὰ τοῦ πνεύματος, die Dinge, welche mit dem Geist zusammenhängen, zu sprechen[1]; d. h. Ausgangspunkt sind für ihn vermutlich ganz konkrete Anfragen bezüglich der pneumatisch-ekstatischen Phänomene in der Gemeinde von Korinth, die Paulus schon in der Überschrift 12, 1 auf ihren πνεῦμα-Grund zurückführt, wie es dann auch in V 4 ff ganz ausdrücklich geschieht. Dabei erwies sich der Wechsel von τῶν πνευματικῶν zu χαρισμάτων in V 4 als sachlich bedingt; die χαρίσματα sind zwar vom Geist vermittelt, aber der Geist ist nicht die sie hervorbringende Ursache. Die zunächst allgemeinen Überlegungen zu den vom Geist einem jeden zugeteilten und insofern »geistgewirkten« (vgl. V 11) χαρίσματα (vgl. VV 7–11) werden erst durch die Bindung an das Leibgleichnis (vgl. VV 12–27) ekklesiologisch orientiert. Sie behalten darin ihren konkreten Bezug zur korinthischen Gemeinde, sind aber wie die VV 1–11 durchaus prinzipiell zu verstehen; das σῶμα-Χριστοῦ-Sein der Gemeinde von Korinth (vgl. V 27) ist eine generelle Aussage über das Wesen einer jeden Gemeinde, wie die Rückführung der χαρίσματα auf den einen Geist eine generelle Aussage über deren Bedeutung und Vermittlung.

b) Den Ausgangspunkt einer allgemeinen Überlegung zu den χαρίσματα in der Gemeinde haben 1 Kor 12, 1 ff und Röm 12, 3–8 gemeinsam; doch ist Röm 12, 3–8 weniger auf die Gemeinde als Ganzes gerichtet, sondern an den einzelnen Gläubigen orientiert[2]. Ihnen gilt die Aufforderung von Röm 12, 1 f: παρακαλῶ οὖν ὑμᾶς, ἀδελφοί mit dem Ziel: ihre »Leiber als ein lebendiges, heiliges, Gott wohlgefälliges Opfer hinzugeben«. Der individuelle Bezug ist auch in V 2 deutlich: »wandelt euch um durch die Erneuerung des Sinnes, damit ihr zu prüfen vermögt, was der Wille Gottes ist«. In V 3 wird dieser individuelle Bezug schließlich mit allem Nachdruck unterstrichen; was Paulus zu sagen hat, sagt er παντὶ τῷ ὄντι (ἐν ὑμῖν), d. h. jedem Einzelnen (in der Gemeinde): den Sinn nicht höher zu richten, als sich geziemt, sondern besonnen zu sein, ἑκάστῳ ὡς ὁ θεὸς ἐμέρισεν μέτρον πίστεως. Das betont vorausgestellte ἑκάστῳ entspricht dem παντὶ τῷ ὄντι ἐν ὑμῖν: Gott hat einem jeden Gemeindeglied ein

---

[1] Es ist letztlich unerheblich, ob περὶ δὲ τῶν πνευματικῶν von den »Geisterfüllten« oder »den mit dem Geist zusammenhängenden Dingen« spricht; die Parallelität zu χαρίσματα (V 4) legt die zweite, die allgemeine Bedeutung näher. Wichtig ist allerdings, daß es sich — wie gezeigt — nicht um »Geistesgaben« handeln kann.

[2] Die Zürcher Bibel überschreibt Röm 12 deshalb sachgemäß mit: »Die wichtigsten Anforderungen an den Wandel der Christen«; vgl. Menoud, L'Église 43: »L'apôtre exhorte les fidèles à former une unité harmonieuse, un corps en Christ. Il n'entend pas traiter de l'organisation de l'Église«.

bestimmtes Maß des Glaubens zugeteilt[1]. Diese individuelle Betrachtungsweise ändert sich auch in der Auswertung des Leibgleichnisses von VV 4. 5 nicht.

V 6 zieht die Konklusion: wie die Glieder eines Leibes nicht alle dieselbe Funktion erfüllen, so sind auch die Vielen, die in Christus ein Leib und einzeln untereinander Glieder sind, verschieden: ἔχοντες δὲ χαρίσματα κατὰ τὴν χάριν τὴν δοθεῖσαν ἡμῖν διάφορα. Der Verschiedenheit ihrer Begnadung entsprechen die Verschiedenheiten der Funktionen, wie sie in den VV 6–8 angedeutet erscheinen[2]; jedes χάρισμα hat seinen speziellen »Ort« innerhalb des Ganzen und einen angemessenen Modus seiner Entfaltung.

c) Der Gemeindebezug wird in Röm 12, 4. 5 durch das Leibgleichnis zwar hergestellt, doch ist er weniger konkret als in 1 Kor 12, 12–27. Man könnte sogar gegenüber 1 Kor eine Ausweitung des σῶμα-Gedankens feststellen. V 4 betrachtet die Vielheit der Glieder eines Leibes mit ihren verschiedenartigen Verrichtungen und verbleibt darin im Aussagenbereich von 1 Kor 12, 12–27. Während jedoch in 1 Kor 12, 27 die konkrete Gemeinde mit ὑμεῖς δέ ἐστε σῶμα Χριστοῦ καὶ μέλη ἐκ μέρους als Leib (Christi) bezeichnet wird und die Auswertung von VV 12–27 in den VV 28–30 trotz ihrer prinzipiellen Gültigkeit auf die konkrete Gemeinde bezogen bleibt, sind es nach Röm 12, 5 οἱ πολλοί, welche ein Leib sind ἐν Χριστῷ. Die Gemeindeebene muß damit nicht verlassen sein; doch scheint es, als würde mit οἱ πολλοί und ἐσμέν eine generelle, alle Christen umfassende Wirklichkeit angesprochen[3].

Festzuhalten ist, daß für 1 Kor 12, 1 ff wie für Röm 12, 3–8 die Verschiedenartigkeit der einem jeden Gläubigen geschenkten χαρίσματα der Ausgangspunkt der paulinischen Aussagen ist, der Gemeindebezug jedoch erst durch das Leibgleichnis jeweils hinzukommt und zu einer Gemeindebindung für die Charismen führt, die als sekundäre Zuordnung, als finale Bestimmung der Charismen zu bezeichnen ist; primär ist das jeweilige χάρισμα des Einzelnen der ihm zugemessenen χάρις bzw. seinem μέτρον πίστεως zugeordnet. Sofern der einzelne Gläubige jedoch immer nur als Glied einer Gemeinde existiert, ist sein Charisma in seiner Auswirkung, in seiner Funktion auf das Leib-Ganze einer Gemeinde gerichtet, was nicht heißt: einer immer schon bestimmten.

Während in Röm 12, 3–8 der Gedanke an die χαρίσματα διάφορα durchgängig vorherrschend bleibt, verschiebt sich dieser zunächst auch für 1 Kor 12, 1–11. 12 a. 14–26 leitende Gesichtspunkt in den VV 12 b. 13 durch die parenthetische, aber in den VV 14–27 festgehaltene Deutung der konkreten Gemeinde als

---

[1] Wie hier die πίστις als eine von Gott zugemessene erscheint, so 1 Kor 7, 7. 17 das χάρισμα und Röm 12, 6 die χάρις.

[2] Mehr als eine unvollständige Aufzählung ohne systematischen Charakter wird man diesen Versen nicht entnehmen können; vgl. Menoud, L'Église 40. Er sagt schon von 1 Kor 12, es handle sich nicht um »une liste exhaustive des fonctions ecclésiastiques«. Demgegenüber ist die Aufzählung von Röm 12, 6–8 »moins complète«; »elle ne contient guère que des termes assez généraux« (a. a. O. 43).

[3] Wir hätten dann in Röm 12, 5 eine jener — auch im paulinischen ἐκκλησία-τοῦ-θεοῦ-Begriff liegenden — gesamtkirchlichen Implikationen zu sehen, die schon in Kol und Eph gesamtkirchliche Aussagen über Kirche und Leib Christi ermöglichten und die paulinische Konzeption von der Gemeinde als Kirche und Leib Christi verdrängten.

ὁ Χριστός bzw. σῶμα Χριστοῦ. Dem Bild vom Leib entspricht eine Leib-Wirklichkeit der Gemeinde, die der Wertung und Zuordnung der χαρίσματα der Glieder in ihren verschiedenen Funktionen grundsätzliche Bedeutung verleiht für eine prinzipielle Gemeindeordnung. Zwar kommt Paulus in 1 Kor 12, 28 nach den »erstens«, »zweitens«, »drittens« aufgezählten Aposteln, Propheten, Lehrern wieder auf die Fülle von verschiedenartigen Charismen zurück, indem er — wie in Röm 12, 6–8 — jeweils »Felder« von charismatischer Betätigung anzeigt, doch hat die in ihnen, v. a. 1 Kor 12, 28a angedeutete Strukturierung ihren Skopus in der Ordnung der Gemeinde.

1. Χαρίσματα κατὰ τὴν χάριν διάφορα

Es kann im Folgenden nicht unsere Aufgabe sein, die verschiedenen Charismenlisten[1] auf ihre Differenzierbarkeit im einzelnen zu untersuchen. Dazu kann man nur mit O. Kuss sagen: »Hier muß vieles unsicher bleiben, und Paulus will naturgemäß keineswegs eine vollständige, durchgegliederte, nach ihren Kompetenzen und Rechten eindeutig zirkumskripte Ämterhierarchie beschreiben, sondern von der Fülle und Mannigfaltigkeit der Gaben des Einen Pneuma sprechen, und zu diesem Zweck zählt er Charismen auf, welche teils den Charakter fester oder sich verfestigender Institutionen haben, teils von dem freien, geisterfüllten Wirken Glaubender inmitten der Gemeinde Zeugnis ablegen. Die Listen sind weder systematisch noch vollständig«[2].

Um Mißverständnisse zu vermeiden, sollte freilich nicht von den »Gaben des Einen Pneuma«, sondern von den durch das Pneuma vermittelten Gnadengaben gesprochen[3] und sollte die aus 1 Kor 12, 12–30 zu erhebende Gemeindebindung der χαρίσματα stärker betont werden[4].

Dann ist eine grundsätzliche Auswertung der Charismenlisten[5], v. a. von 1 Kor 12, 28–30 und Röm 12, 6–8, dahingehend möglich, daß man feststellt:

a) Die χαρίσματα der einzelnen Gemeindeglieder sind κατὰ τὴν χάριν τὴν δοθεῖσαν (Röm 12, 6) — διάφορα; jedes Charisma entspricht einem, dem Einzelnen von Gott zugeteilten Maß des Glaubens wie der Gnade (vgl. Röm 12, 6 mit 12, 3).

---

[1] Vgl. 1 Kor 12, 8–10. 28–30; Röm 12, 6–8.

[2] Kuss, Röm 556.

[3] Vgl. Fridrichsen, Die neutestamentliche Gemeinde 59: »Werk des Geistes«; das ist so mißverständlich wie mit Friedrich, Geist und Amt 82, zu sagen: »Der Geist ist das das Amt gestaltende Prinzip«.

[4] Vgl. Menoud, L'Église 37: »Les ministères sont spirituels et les dons sont ecclésiastiques«.
Den paulinischen ἐκκλησία-Begriff verkennend meint Scheel, Zum urchristlichen Kirchen- und Verfassungsproblem 435: »Die Charismen sind solche der Kirche, nicht der Gemeinde«.

[5] Vgl. dazu v. a. Käsemann, Amt und Gemeinde im Neuen Testament 109–134, bes. 114–127. Mitzubedenken ist dabei allerdings die Kritik von Kertelge, Das Apostelamt des Paulus 177: »E. Käsemann beschreibt das kirchliche Amt offenkundig zu einseitig vom Begriff des Charisma aus«.

b) Jedes *χάρισμα* unterliegt einem jeweils eigenen *μέτρον τοῦ κανόνος*, nicht anders als das *χάρισμα*[1] des Apostolats; d. h. es ist auf einen bestimmten »Bereich«[2] oder »Sektor« des Gemeindelebens bezogen und wird durch das »Maß« der Lauterkeit, des Eifers, der Freudigkeit usw. meßbar, d. h. einsehbar und aufweisbar[3]. Das *μέτρον* eines Charismas ist wie das des Apostolats ein geschichtliches.

c) Nicht nur das Apostelamt wird als Auswirkung göttlicher *χάρις* verstanden[4], sondern jedes *χάρισμα* ist Konkretion der bei Paulus als ein Geschehen gedeuteten *χάρις*; mit der Gewährung der *χάρις* ist eine *κατὰ τὴν χάριν* verschiedene Berufung in einen bestimmten Glaubensstand verbunden[5]. 1 Kor 7, 17 formuliert diesen Sachverhalt allgemein: »wie der Herr einem jeden zugeteilt, wie Gott einen jeden berufen hat, so wandle er«[6].

d) Einheit und Mannigfaltigkeit der *χαρίσματα* sind in der Einheit des einen Geistes begründet, der sie vermittelt; sie werden am Bild des Leibes veranschaulicht: »In jedem Leibe, der leben will und also ›funktionieren‹ muß, gibt es gewiß viele Glieder mit jeweils verschiedenen Funktionen, aber jede dieser Funktionen hat innerhalb des großen Ganzen eine Aufgabe zu erfül-

---

[1] Immer ist *χάρισμα* Gabe der göttlichen *χάρις*. Es ist darum ein Irrtum, wenn Batiffol, Urkirche 49, behauptet, der Apostolat sei »kein Charisma« (vgl. Menoud a. a. O. 42: »L'apostolat ne figure jamais parmi les charismes«).
Dagegen mit Recht Goguel, L'Église primitive 90; Georgi, Die Gegner des Paulus 48 A. 1 (zu 1 Kor 12, 28f): »Apostel in eine Reihe mit den anderen Genannten gestellt«; man muß sie »alle als Charismatiker verstehen«. Schniewind, Aufbau und Ordnung der Ekklesia 204: »Das Apostolat ... ist das erste Charisma«.
[2] Vgl. zum *μέτρον τοῦ κανόνος* (2 Kor 10, 13) 5. Kapitel, 1. Abschnitt.
[3] Vgl. Röm 12, 6–8. Wer darum das *χάρισμα* der *προφητεία* besitzt, soll es »nach Maßgabe des Glaubens« im Bereich des *προφητεύειν* ausüben, wie der mit *διακονία* Betraute auf dem Gebiet seiner *διακονία* usw.; in V 8 ersetzt der Modus der Ausübung den weniger klar umschreibbaren Sektor von Gemeindediensten. Vgl. dazu Roloff, Apostolat — Verkündigung — Kirche 126ff.
[4] Vgl. Roloff a. a. O. 56; Kertelge a. a. O. 177.
[5] Vgl. v. Campenhausen, Recht und Gehorsam 281. 282 (mit H. v. Soden, Die Entstehung der christlichen Kirche, Berlin 1919, 123; Bruders, Verfassung 72f): »Den Urchristen gelten alle Ämter als charismatisch, geistbegabt und durch persönliche Berufung übertragen« (v. Soden schreibt a. a. O. allerdings: »charismatisch, geistgegeben *und göttlichen Rechtes*, durch persönliche Berufung übertragen«; Hervorhebung von mir).
Daß alle Ämter charismatisch sind und der Übergang vom Charisma zum Amt fließend ist (vgl. Wikenhauser, Die Kirche 77, zu 1 Kor 12, 28), davon ist auch Wendland überzeugt; er machte es sich deshalb zur Aufgabe, »den Dualismus von Geist und Amt, Charisma und Recht zu überwinden« (Geist, Recht und Amt 290); vgl. Friedrich, Geist und Amt 82f: »Daß Geist und Amt zusammengehören, zeigt der Begriff Charisma«. Weil aber das *χάρισμα* (wie die *χάρις*) vom Geist vermittelt ist, nicht anders als das Amt, kann er auch sagen: »Amt und Charisma ... gehören ... zusammen«.
[6] Vgl. Menoud, L'Église 60 A. 2: »Les premiers chrétiens sont persuadés que la souveraineté réside dans le Christ-Esprit, et que les fidèles diffèrent les uns des autres *par les vocations et les dons*« (Hervorhebung von mir). Ein Irrtum ist es dagegen, wenn Soiron, Die Kirche als der Leib Christi 69, meint, die Gnadengaben würden »jedem entsprechend individueller Veranlagung und persönlichem Bemühen verliehen«.

len, die nicht vernachlässigt werden darf, wenn dieses Ganze Bestand haben soll«[1].

e) Der Begriff der »Funktion« erweist sich — aber nur dann — als hilfreich zur Bestimmung des »Ortes« eines χάρισμα innerhalb des Gemeindeganzen, wenn er nicht als Gegensatz zu »Amt« verstanden wird[2]. Der Funktion entspricht jeweils eine funktional bedingte Modalität der Ausübung eines Charismas[3].

f) Es gibt innerhalb der χαρίσματα »objektive Rangstufen, und hier gilt dann die allgemeine Regel: ›Eifert um die besseren Gnadengaben!‹«[4]

g) Kriterien für den Wert und die Bedeutung eines Charismas sind οἰκοδομή und πρὸς τὸ συμφέρον[5]. Erbauung und Nutzen, welche die Gemeinde davon hat, bestimmen den funktionalen Ort eines Charismas im Leibganzen der Gemeinde.

h) Unter den aufgezählten Charismen kommt nach 1 Kor 12, 28 neben den Aposteln den Propheten und Lehrern die größte Bedeutung für die οἰκοδομή der Gemeinde zu[6]. Auch wenn sich die inhaltliche Bestimmung dieser Funktionen nur vermutungsweise erheben läßt[7], hat ihre Tätigkeit öffentlichen, daher bald auch amtlichen Charakter[8]. Daß dies auch für das inhaltlich ebenso

---

[1] Kuss, Röm 558. Vgl. Holstein, Grundlagen des evangelischen Kirchenrechts 46; Wendland a. a. O. 294f: Der Geist ist es, der »zu einem Leibe erschafft«. Dieser ist eine »irdisch-geschichtliche Wirklichkeit«. »Hierin und hieran setzen Verfassung und Amt der Urkirche an«; vgl. ferner Menoud a. a. O. 35f: »L'église . . . est le corps vivant du Christ, dont tous les membres ont une fonction propre«.

[2] Vgl. Menoud, L'Église 36: »Les charismes ne s'opposent pas aux services« . . . »car on ne peut servir l'Église sans répondre à une vocation«. Schärfer faßt er das Problem a. a. O. 39: »Si le même mot de diaconia peut s'appliquer aux ministères spécialement institués et aux services du fidèle, c'est qu'il n'y a pas une différence essentielle entre ces deux espèces de fonctions. Il s'agit d'une différence de vocation chez eux qui les exercent«. Er läßt keinen Zweifel daran, daß »l'Église connaît les ministères proprement dits« (a. a. O. 37).

[3] Beyschlag, Die christliche Gemeindeverfassung 54, der wie Wendland a. a. O. 294 die Anschauung von der Gemeinde als Leib als fruchtbar bezeichnet für die Idee der Verfassung, sagt vom Charisma der einzelnen Glieder, daß es »zugleich eine vom Herrn bestellte *besondere* Aufgabe enthält, dem Ganzen zu dienen«; ähnlich Mundle, Das Kirchenbewußtsein der ältesten Christenheit 40; Friedrich, Geist und Amt 76: Jeder Christ hat »eine *bestimmte* Funktion in der Gemeinde« (Hervorhebungen von mir); vgl. ferner Menoud a. a. O. 40f; Roloff a. a. O. 132.

[4] Kuss, Röm 558f; vgl. dazu 1 Kor 12, 31; 13; 14, 1. 5. 12.

[5] Zu 1 Kor 12, 7; 14, 4. 5. 12. 26 u. ö. vgl. 5. Kapitel, 4. Abschnitt.

[6] Vgl. Menoud, L'Église 41 (zu 1 Kor 12, 28): »Il affirme expressément que ces trois ministères sont institués par Dieu et les numérote — et seulement eux trois — pour souligner leur importance et les mettre à part. Nous les retrouverons, sous les mêmes noms ou sous des noms différents dans presque toutes les épîtres de Paul«. Wenn P. Bläser, Zum Problem des urchristlichen Apostolats, in: Unio Christianorum (Festschrift für Erzbischof L. Jaeger), Paderborn 1962, 92–107, von Amtsträgern spricht, »die den höchsten Rang in der Kirche einnehmen« (98), isoliert er 1 Kor 12, 28 zu stark vom Kontext; vgl. Kertelge a. a. O. 175.

[7] Vgl. neben Menoud a. a. O. 41ff v. a. Greeven, Propheten, Lehrer, Vorsteher bei Paulus 3–30.

[8] v. Harnack, Entstehung und Entwickelung 19, formuliert den Ansatz: »Charismatische Personen sind sie alle, d. h. ihr Beruf ruht auf einer Geistesmitteilung, die für sie ein stetiger Besitz ist«; sie sind aber als solche ein »gewisser clerus naturalis«

wenig umschreibbare Charisma der *διακονία* zutrifft, ergibt sich aus der aufkommenden Bezeichnung *διάκονος* für gewisse Gemeindedienste[1].

i) Aus der Vielfalt der *χαρίσματα* zeichnen sich also bestimmte, besonders wertvolle, für die Gemeinde und ihre Erbauung in herausragender Weise nützliche *χαρίσματα* ab; sie haben funktionale Bedeutung; ihr Wert liegt nicht außerhalb ihres Bestimmungshorizonts Gemeinde, und ihre Aufgabe ist die *οἰκοδομή* der Gemeinde, nicht anders wie für jedes andere Charisma auch[2].

j) Wieweit man diesen *χαρίσματα* der *προφητεία*, der *διδασκαλία* und der *διακονία* andere der in den Charismenlisten genannten zuordnen darf, bleibt umstritten und kann daher hier außer Acht gelassen werden[3].

k) Unausgeglichen ist bei Paulus die Tatsache, daß das *χάρισμα* eines Gläubigen — *κατὰ τὴν χάριν τὴν δοθεῖσαν (αὐτῷ)* — relativ festgestellt erscheint, während andererseits aufgefordert wird, nach größeren Charismen zu streben (vgl. 1 Kor 12, 31). Man wird die Festlegung tatsächlich nur als eine relative auffassen dürfen; denn auch die Verschiedenwertigkeit, die verschiedene Nützlichkeit eines Charismas für die Gemeinde legen ein solches Streben nach grösseren Charismen als Möglichkeit nahe[4].

(Beyschlag, Die christliche Gemeindeverfassung 54), ein Kreis begabter (wenn auch nicht beamteter, wie Beyschlag a. a. O. meint) Gemeindeglieder, dessen Rangordnung der Apostel 1 Kor 12, 28 angebe (vgl. Beyschlag a. a. O.).
Von charismatischen »Ämtern« sprechen auch Müller – v. Campenhausen, Kirchengeschichte I 94; Wikenhauser, Die Kirche 77; u. a.
Präziser formuliert den Sachverhalt (wie fast immer) Menoud a. a. O. 38: »Par son ministère de docteur et directeur de l'Église, l'apôtre inaugure une série d'autres ministères, aussi indispensables que le sien à l'édification de l'Église«. »C'est pourquoi les ministères sont considérés par Paul comme étant d'institution divine, au même titre que l'apostolat«; vgl. dazu auch Roloff a. a. O. 132.
[1] Zu Röm 12, 7; 16, 1f; Phil 1, 1 vgl. Menoud a. a. O. 39. 41f. Menoud bleibt nicht wie v. Harnack, Entstehung und Entwickelung 154; Sohm, Wesen und Ursprung des Katholizismus 50–56, u. v. a., beim Charisma stehen, das »Organisation« schafft (vgl. Foerster, Sohms Kritik des Kirchenrechtes 77: »Macht des Charisma«), er führt die Rede vom Organisation schaffenden Charisma auf ihren sachlichen Grund zurück und sagt: »L'Église est une institution charismatique«; aber: »De même que le Christ à établi des apôtres pour être le fondement de son Église, de même l'Esprit dirige l'Église par les hommes qu'il suscite«. »Les ministères qui se sont développés dans l'Église et la forme même que l'Église a prisé, sont fonctions de l'essence de l'Église«. »L'organisation de l'Église naissante révèle donc un équilibre parfait entre l'inspiration et la tradition« (a. a. O. 62). Vgl. dazu Friedrich, Geist und Amt 73: »auch die *διακονία* empfängt man« (Hervorhebung von mir).
[2] Vgl. Käsemann, Leib und Leib Christi 170. 179: »Das Charisma ist christlich, welches die Gemeinde ›erbaut‹«; im übrigen sind jedoch Käsemanns Ausführungen zu den Charismen a. a. O. 170 unklar; vgl. dagegen seinen Aufsatz »Amt und Gemeinde im Neuen Testament« 110–121.
[3] Vgl. Kuss, Röm 556f; Käsemann, Amt und Gemeinde im Neuen Testament 114.
[4] Wikenhauser, Die Kirche 95, wird kaum recht haben, wenn er glaubt: »Die Charismenträger müssen mit den ihnen verliehenen Gabe zufrieden sein und sie zum Wohle der Gesamtheit gebrauchen«. Es ist auch wohl nicht richtig, daß »ein jeder immer nur eines« haben kann (a. a. O.); der Apostel selbst ist ein deutliches Gegenbeispiel.

2. Funktionen und Aufgaben ἐν τῇ ἐκκλησίᾳ

a) Was sich im Verlaufe dieser Arbeit über den heilsgeschichtlichen Ort des Apostolats aufzeigen ließ, bedürfte gewiß noch einer inhaltlich volleren Bestimmung; doch sind für unseren Zusammenhang vor allem die formalen Aspekte von Bedeutung. Wir begnügten uns deshalb mit der Feststellung, der Apostolat sei als διακονία τῆς καταλλαγῆς mit dem Versöhnungshandeln Gottes in Christus mitgestiftet; als Dienst der Versöhnung ist dem Apostolat der λόγος τῆς καταλλαγῆς, die Verkündigung und Auslegung dieses Versöhnungsgeschehens anvertraut.

In diesem heilsgeschichtlichen Ort gründet die geschichtlich einmalige und unwiederholbare Funktion des Apostels: er hat als θεοῦ συνεργός mit seiner Verkündigung das Fundament Christus zu legen; seine Funktion ist im weitesten Sinne die *Gründung von Gemeinden*[1].

Diese von ihm gegründeten Gemeinden stehen zum Apostel in einer eschatologisch-soteriologischen Bindung, von der Heil und Unheil der Gemeinden, aber auch die Bewährung des Apostels abhängen am Tag Jesu Christi. Apostel und Gemeinde sind sich gegenseitig μέτρον, »Beweis und Ruhm«[2].

b) Mit dem Apostel sind zugleich seine Mitarbeiter zu nennen; denn sie tun wie er das ἔργον κυρίου und stehen als θεοῦ συνεργοί im Gegenüber zur Gemeinde; ihr ἔργον ist ἔργον an der Gemeinde.

Gegenüber dem Apostel ist das ἔργον der Mitarbeiter nicht *wesentlich* verschieden; aber sie unterscheiden sich von ihm durch den heilsgeschichtlichen

---

[1] Die Gemeinde ist — und das gehört mit zu ihrem Wesen — »apostolisch«, d. h. sie ist »durch und um bestimmte, besonders erwählte und berufene Personen organisiert, die mit der Macht und Vollmacht des Herrn selbst ausgerüstet waren« (Fridrichsen, Die neutestamentliche Gemeinde 55f).
Es ist deshalb nicht nur fraglich, ob die »Selbständigkeit der paulinischen Gemeinden« jemals »größer« war als die der Urgemeinde (vgl. Mundle, Das Kirchenbewußtsein der ältesten Christenheit 34; auch er sagt »schwerlich«), man muß es eindeutig verneinen. Die paulinischen Gemeinden waren nie autonom (gegen v. Harnack, Entstehung und Entwickelung 34 ff; Scheel, Zum urchristlichen Kirchen- und Verfassungsproblem 417f. 428f u. ö.; Holl, Der Kirchenbegriff des Paulus 63; v. Dobschütz, Die Kirche im Urchristentum 116 ff; Beyer, Das Bischofsamt im Neuen Testament 223; Brun, Der kirchliche Einheitsgedanke 98 ff. 101 ff).
Daß die paulinischen Gemeinden weder autonom noch pneumatische Demokratien oder ähnliches waren, betonen auch Wikenhauser, Die Kirche 67f. 73 ff; Wendland, Geist, Recht und Amt 299; Menoud, L'Église 54f. 60 u. ö.
Es ist vielmehr »in die apostolische Verkündigung des Evangeliums auch die Vollmacht zur Gründung, Leitung und Unterweisung der Gemeinden mit einbegriffen« (v. Campenhausen, Apostelbegriff 110); oder wie Hanson es formuliert: »The Apostle forms a unity and continuity between Christ and the Church« (Hanson, Unity 93).
»Ekklesia und Apostel sind . . . Korrelatbegriffe« (Dahl, Volk Gottes 234; vgl. Asting, Verkündigung 388; Hanson a. a. O. 93).
Der Apostel ist »par définition« (Menoud a. a. O. 32; vgl. aber 25–34) »an eine einmalige heilsgeschichtliche Situation gebunden« . . . »die durch den Übergang von Jesus zur Kirche . . . bestimmt ist« (Roloff, Apostolat — Verkündigung — Kirche 135f). Vgl. dazu auch A. Ehrhardt, The Apostolic Ministry (SJTh, Occasional Papers 7), Edinburgh–London 1958, 1–14.
[2] Käsemann, Legitimität 60.

Ort ihres Wirkens, in ihrer zeitlichen und sachlichen Differenz zum Apostel. Dieser legte den Grund, auf dem sie nur weiterbauen können[1].

Obwohl sie faktisch alle Aufgaben und Funktionen des Apostels übernehmen, als die Begießenden die Arbeit des Pflanzenden fortsetzen, sein συνεργεῖν (θεῷ) wie sein ὑπὲρ Χριστοῦ πρεσβεύειν wie auch das Gemeinden-Gründen, stehen sie auf dem vom Apostel gelegten Fundament, bleiben sie gebunden an sein grundlegendes ἔργον innerhalb der οἰκοδομή der Gemeinden. Durch ihre Zuordnung zum Apostel und seinem Auftrag einerseits wie durch ihre Hinordnung auf die Gemeinden andererseits ist ihre heilsgeschichtliche Funktion umschrieben.

Auch für sie hat das μέτρον τοῦ κανόνος des Apostels in analoger Weise Gültigkeit. Sie sind an die Gemeinden gebunden wie der Apostel, sei es daß sie die Arbeit des Apostels in den von ihm gegründeten Gemeinden fortführen oder neue Gemeinden gründen. Auch wenn man ihren κανών wohl nicht ganz so streng fassen muß, wie es der Apostel für sich selbst tut, wenn er jeden Verdacht zu vermeiden sucht, sich ἐν ἀλλοτρίοις κόποις zu rühmen, sobald er in nicht von ihm gegründeten Gemeinden, also ἐν ἀλλοτρίῳ κανόνι — diesen fremden Kanon verletzend, predigen würde[2], grundsätzlich unterliegen auch die Mitarbeiter (wie jeder mit seinem je eigenen Charisma) einem umgrenzten Kanon des Arbeitsbereichs, und es erweist sich ihre Legitimität aus dem μέτρον ihres »ἔργον«; d h. ihre Arbeit, ihre Mühe, ihr Eifer sind neben den Gemeinden selbst als dem Feld ihres ἔργον, κόπος etc. ihr geschichtlich einsehbares und aufweisbares μέτρον, an dem sie gemessen werden und auch gemessen werden können.

c) Die διακονία τῆς καταλλαγῆς ist mit dem Apostolat jedoch nur wie ein Bach mit der Quelle als ihrem Ausgangsort und Ursprung verbunden[3].

Das ἔργον des Apostels wird sowohl von seinen Mitarbeitern wie auch innerhalb der Gemeinden wahrgenommen durch jede Art von δουλεύειν εἰς τὸ εὐαγγέλιον[4]. Es wurde schon in der Auslegung zu Phil 2, 22 darauf hingewiesen,

---

[1] Vgl. Roloff, Apostolat — Verkündigung — Kirche 132: »Wir kommen so zu dem Ergebnis, daß die neben dem Apostolat genannten Funktionen der Wortverkündigung in Röm 12, 6—8 und 1 Kor 12, 28 ff Dienste sind, die ursprünglich dem Funktionsbereich des apostolischen Amtes angehören und die, auch wenn sie abgelöst von der Person des Apostels in der Kirche ausgeübt werden, sich innerhalb der vom Apostelamt gesetzten Norm bewegen«; vgl. dazu Menoud, L'Église 35 ff.
[2] Zu 2 Kor 10, 15 f vgl. die Auslegung zur Stelle und 5. Kapitel, 1. Abschnitt.
v. Harnack, Entstehung und Entwickelung 19, nimmt zwar wohl zu Unrecht an, der Apostel habe »für jeden Missionszug einen besonderen Auftrag nötig gehabt«, doch sieht er grundsätzlich Richtiges, wenn er sagt: »Streng genommen ist er Apostel auch nur für die, für die er ein Mandat empfangen hat«.
Präziser müßte gesagt werden: Er ist primär Apostel seiner, d. h. der von ihm gegründeten Gemeinden. Dagegen ist seine ἀποστολὴ εἰς τὰ ἔθνη (vgl. Gal 2, 8 f) prinzipiell zu verstehen, nicht räumlich.
[3] Vgl. Roloff, a. a. O. 137: Es »treten die Träger kirchlicher διακονία, seien diese solche der Wortverkündigung oder der Gemeindeleitung, indem sie sich unter das ›apostolische‹ Evangelium stellen, in die durch den Apostel normativ verwirklichte διακονία ein, was sich schon äußerlich dadurch dokumentiert, daß diese Dienste ... Teilbereiche des vom Apostel Paulus geübten Dienstes repräsentieren«.
[4] Vgl. Phil 2, 22; auch Phil 1, 1.

daß solcher Dienst »im Hinblick auf das Evangelium« zwar vornehmlich, aber keineswegs ausschließlich auf die Verkündiger bezogen zu denken ist.

Man kann deshalb zunächst allgemein festhalten, daß die Fortsetzung des ἔργον κυρίου des Apostels und seiner Mitarbeiter in den Gemeindediensten sowohl als Dienst an der Verkündigung des Evangeliums wie auch als Dienst an den Heiligen, d. h. an der Gemeinde, aber auch am Apostel und seinen Mitarbeitern sich vollzieht[1].

d) Durch alle Dienste *an* und *in* der Gemeinde geschieht οἰκοδομή. Diese ist als Aufgabe allen gestellt, auch wenn sie von den einzelnen Gläubigen in verschiedenem Umfang und auch mit einem je nach Charisma verschiedenen Nutzen für die Gemeinde geleistet wird[2].

Als weitaus fruchtbarstes Charisma ist nach 1 Kor 14, 1 ff das προφητεύειν anzusehen, dem das διδάσκειν wohl nur wenig nachsteht[3]. So erscheinen denn auch 1 Kor 12, 28 neben den ἀπόστολοι die innergemeindlichen Träger der Verkündigung, die προφῆται und διδάσκαλοι als die wichtigsten, die Gemeinde strukturierenden Dienste, wobei der funktionale Charakter ihres Tuns dem einer amtlichen Tätigkeit zu weichen beginnt. Was bei Paulus faßbar wird, ist freilich nur ein Übergangsstadium, in welchem das frei sich entfaltende Charisma des προφητεύειν und dessen Begrenzung auf eine Gruppe anerkannter προφῆται in der Gemeinde sich in ähnlicher Weise abzeichnet wie der Übergang vom διδάσκων bzw. κατηχῶν zum διδάσκαλος, von der allgemeinen διακονία zum διάκονος (und möglicherweise auch vom προιστάμενος zum ἐπίσκοπος)[4]. Daß ihre Funktion innerhalb der Gemeinde sich erst allmählich zu einer Tätigkeit mit amtlichem Charakter verfestigt, hat seinen Grund — wie schon oft bemerkt wurde — in der überragenden Rolle, welche der Apostel zu seinen Lebzeiten für die Gemeinden innehatte[5].

---

[1] Vgl. 1 Kor 16, 10; 16, 15 f; Phil 2, 25–30 usf.; dazu v. Harnack, Entstehung und Entwickelung 42 f: »Unterscheidung einer hilfeleistenden, also diakonalen Funktion und einer leitenden von Wichtigkeit«.

[2] Vgl. Batiffol, Urkirche 101 ff.

[3] Vgl. 1 Kor 14, 6. 26 u. ö.; Röm 12, 6–8. Ihre Zuordnung ist so schwierig wie die Zuordnung und Abgrenzung aller Charismen; nach Röm 12, 6–8 könnte man noch am ehesten vermuten, daß διδασκαλία und παράκλησις der προφητεία zuzuordnen sind, während ὁ μεταδιδούς, ὁ προιστάμενος und ὁ ἐλεῶν das Charisma der διακονία zu entfalten scheinen. Sicherheit ist für keine der möglichen Vermutungen zu erbringen; vgl. dazu v. a. Menoud, L'Église 40 ff; Greeven, Propheten, Lehrer, Vorsteher bei Paulus 3–30; Roloff, Apostolat — Verkündigung — Kirche 125 ff; letzterer meint a. a. O. 132 A. 319 (mit Greeven a. a. O. 29): »Das Verhältnis der unter ›erstens‹ bis ›drittens‹ von Paulus 1 Kor 12, 28 aufgezählten ›Ämter‹ kann geradezu so umschrieben werden, daß das nächstfolgende immer nur einen Ausschnitt aus dem vorhergehenden umfasse«; das würde die obengenannte Vermutung zu Röm 12, 6–8 unterstützen.

[4] Vgl. v. Harnack a. a. O. 45; Menoud a. a. O. 39; Menoud verdeutlicht dies an der διακονία: »Si le même mot de diaconia peut s'appliquer aux ministères spécialment institués et aux services des fidèles, c'est qu'il n'y a pas une différence essentielle entre ces deux espèces de fonctions«.

[5] Vgl. v. Harnack a. a. O. 34 ff; Mundle, Das Kirchenbewußtsein der ältesten Christenheit 35; Fridrichsen, Die neutestamentliche Gemeinde 56: »Paulus behauptet seine apostolische Autorität in allen Lebensfragen der Gemeinde«.

Er ist ja nicht etwa nur der »Gemeindeleiter« oder »höchste Autorität« für die Gemeinde; die von ihm gegründeten Gemeinden verdanken sich seiner Glaubensverkündigung so total, daß ihre wechselseitige Zugehörigkeit nur um den Preis des Unheils überhaupt als aufkündbar erscheint; ihre Bezogenheit hat eschatologisch-soteriologische Qualität.

Wiewohl der Apostel auf Grund seiner heilsgeschichtlichen Stellung der Gemeinde grundsätzlich gegenübersteht, erlaubt es andererseits diese unkündbare Zusammengehörigkeit, daß Paulus die Apostel — d. h. sich bzw. generell jeden Apostel als Gemeindegründer — in 1 Kor 12, 28 als Glieder in die Gemeinde einbeziehen kann[1].

Was in V 28 ff von der Einzelgemeinde gesagt ist, hat prinzipielle Gültigkeit; ἐν τῇ ἐκκλησίᾳ ist daher zu verstehen im Sinne von ἐν πάσῃ ἐκκλησίᾳ[2].

e) Die Aufgabe des Apostels und seiner Mitarbeiter ist — so läßt sich das bisherige Ergebnis zusammenfassen — als ἔργον κυρίου (bzw. Χριστοῦ) grundsätzlich von dem nicht unterschieden, was jedem einzelnen zum Glauben Gekommenen als Verpflichtung auferlegt ist: reich zu werden an diesem ἔργον τοῦ κυρίου[3] durch gegenseitiges οἰκοδομεῖν aller.

Im weitesten Sinne ist jeder beteiligt an der Diakonie der Versöhnung; doch sind Unterschiede in der Art und im Grad der Beteiligung; sie resultieren letztlich aus der Verschiedenheit der χαρίσματα der Glieder innerhalb des »Leibes« Gemeinde.

So ist zwar die Aufgabe gleich, an die alle Gläubigen mitarbeiten, aber die Funktion[4] der einzelnen und ihrer Dienste ist unterschieden und unterscheidbar wie ihre χαρίσματα[5].

3. Ansätze gemeindlicher Ordnung

Für die beginnende Strukturierung der paulinischen Gemeinden lassen sich im wesentlichen drei Elemente geltend machen:
a) die Funktion der Hausgemeinden und der Hausbesitzer;
b) die Funktion der συνεργοῦντες καὶ κοπιῶντες in den Gemeinden;
c) das funktionale Zusammenspiel der Glieder einer Gemeinde.

---

[1] Vgl. Schweizer, Gemeinde und Gemeindeordnung 90: »So kann der Apostel das eine Mal von allen anderen abgehoben werden als der, dem die Botschaft anvertraut ist, an der alle spätere Verkündigung gemessen werden muß, der also gemeindebegründende Funktion hat«. — »So kann er aber auch ein anderes Mal neben allen anderen Diensten stehen . . . «.

[2] Vgl. 1 Kor 4, 17.

[3] Vgl. 1 Kor 15, 58.

[4] Cerfaux, La Théologie de l'Église 191, verwundert sich a. a. O. A. 3 über Rengstorf, ThW I 406 ff: »Rengstorf refuse systématiquement, semble-t-il, de parler de fonction. Il reconnaît chez les apôtres une procuration, non une fonction. Quelle est la différence? Serait-ce que fonction éveille une idée de succession?«

[5] Vgl. v. Harnack, Entstehung und Entwickelung 40–45; Batiffol, Urkirche 102: fortschreitende »hierarchische Gliederung«; K. L. Schmidt, Le Ministère et les ministères 322 ff. 332; Dix, Ministry 238. 292; Menoud, L'Église 36 ff. 58 ff; Roloff, Apostolat — Verkündigung — Kirche 126 ff. 131 f.

Alle drei Elemente sind Teil eines natürlichen Entwicklungsprozesses und werden erst nachträglich theologisch reflektiert[1].

a) Über die Hausgemeinden (ἐκκλησίαι κατ᾽ οἶκον[2]) wissen wir relativ wenig. Man kann mit F. W. Maier sagen: »Ihre Entstehung hängt damit zusammen, daß wohlhabende Christen und Christinnen ... ihr Haus für Gemeindeversammlungen, Gemeindegottesdienste und so weiter zur Verfügung stellten«. »›Die Hausgemeinde des NN‹ nannte man dann alle die, die bei dem betreffenden christlichen Hausbesitzer sich zu religiösen und kultischen Versammlungen regelmäßig trafen. In den Hausgemeinden fanden die Neubekehrten ihren ersten organisatorischen Mittelpunkt. Von hier aus entfaltete das Evangelium seine werbende Kraft nach außen, gerade dann, wenn der Apostel die Stätte seiner Wirksamkeit längst verlassen hatte«[3].

Wichtig sind in diesem Zusammenhang folgende Beobachtungen: Paulus unterscheidet von den Zusammenkünften der ἐκκλησίαι κατ᾽ οἶκον die Zusammenkünfte der ἡ ἐκκλησία ὅλη[4]. Aus diesem Nebeneinander von Hausgemeinden und Versammlungen der ganzen Gemeinde ergibt sich eine gewisse Strukturierung der Gemeinde durch ihre äußere Organisation[5]; denn man darf annehmen, daß den Hausbesitzern auf Grund ihrer natürlichen Stellung in der ἐκκλησία, die sich in ihrem Hause zusammenfand, eine gewisse »leitende« Funktion zukam.

Es wäre am naheliegendsten anzunehmen, daß ihre Funktion mit jener der προϊστάμενοι bzw. der ἐπίσκοποι in Zusammenhang steht und unter die κυβερνήσεις von 1 Kor 12, 28 zu rechnen ist[6]. Das würde verständlich machen,

---

[1] Vgl. Goguel, L'Église primitive 110 ff. 155 ff; er spricht von Stabilisierung durch Ausübung (»stabilisation des ministères résultant de leur exercice« — a. a. O. 157) mit nachgelieferter Theorie (»Les faits ont souvent précédé les idées« — a. a. O. 111) und unterscheidet zwei Tendenzen: Erweiterung der Autorität und Unterteilung der Funktionen (»il y a eu ainsi deux tendances parallèles, l'une allant vers un accroissement de l'autorité des ministères ecclésiastiques, l'autre vers une diversification des fonctions« — a. a. O. 159). Zum Gesamtproblem vgl. Hatch, Die Gesellschaftsverfassung der christlichen Kirchen im Altertum 17–111, 221–228 und dazu v. Harnacks Analecten 229–251.

[2] Vgl. 1 Kor 16, 19; Röm 16,5; Phlm 2; (auch Kol 4, 15).

[3] Maier, Paulus als Kirchengründer und kirchlicher Organisator 27 ff.

[4] Vgl. 1 Kor 14, 23.

[5] Gerke, Die Stellung des 1 Clem 94, weist nicht zu Unrecht darauf hin: »Institutionscharakter trägt allein die Lokalgemeinde«. Hier liegen die Wurzeln des kirchlichen Rechts (vgl. a. a. O. 104); dazu Goguel, L'Église primitive 157: »Les organisations les plus aptes à assurer à l'Église une vie normale ayant finalement prévalu et s'étant généralisées. D'autres causes sociologiques ont agi dans le même sens«. »Tantôt on s'est représenté que ceux qui exerçaient un ministère le faisaient par une délégation implicite ou explicite de la communauté et tantôt on a pensé que c'était directement de Dieu et du Christ que venaient à la fois l'appel à remplir ces fonctions et la capacité de le faire«.

[6] Zum Gesamtproblem vgl. Gnilka, Phil 32–40, vor allem 32–34: »Das ›geistliche‹ Amt dominiert, die Namen wechseln« (34). Wendland, Geist, Recht und Amt 297 f, sagt zu dem Wechsel in den Bezeichnungen: »Fest stehen die drei charismatischen Ämter der Apostel, Propheten und Lehrer, sodann *das Leiteramt unter den verschiedenen Namen*, das schon in frühester Zeit vorhanden ist und vom Neuen Testament einfach vorausgesetzt wird« (Hervorhebung von mir); vgl. dazu a. a. O. 298: »Jede Gemeinde ist Kirche, Ekklesia Gottes im vollen Sinne ... und darum ist auch das

warum Paulus in Phil 1, 1 in einem generalisierenden Plural von ἐπισκόποις, in 1 Thess 5, 12 von προϊσταμένους spricht; ihre Zuordnung wird nicht weiter reflektiert; doch ist es nicht gerechtfertigt, sie als ein »Kollegium« zu bezeichnen; denn es läßt sich nichts als das Nebeneinander mehrerer ἐπίσκοποι bzw. προϊστάμενοι in einer Gemeinde erheben[1]. Der Gang der Entwicklung, etwa zum monarchischen Episkopat und — unter nichtpaulinischem Einfluß — zur Bildung eines Presbyterkollegiums, eines Diakonenstandes usw., läßt sich nur mit Vermutungen rekonstruieren[2].

Bei Paulus ist ein solcher Entwicklungsprozeß allenfalls andeutungsweise grundgelegt durch die Zuordnung — und die anzunehmende Unterordnung — der διάκονοι gegenüber den ἐπίσκοποι. Ihre innergemeindliche Tätigkeit läßt sich im einzelnen nicht sicher bestimmen, doch sind sie keinesfalls »Bischöfe« und »Diakone« nach späterem kirchlichem Verständnis, sondern »Aufseher« und »Helfer«[3]. Phil 1, 1 spiegelt zunächst vermutlich lokale Verhältnisse in Philippi wider. Die erwähnten ἐπίσκοποι und διάκονοι sind ihrer Funktion nach von den in den übrigen Briefen des Paulus erwähnten Gemeindeleitungsfunktionen wohl nicht wesentlich verschieden; singulär ist jedoch die Verfestigung amtlicher Bezeichnungen bestimmter, für das Gemeindeleben offenbar besonders wichtiger Funktionen. Ihre Kompetenzen entziehen sich für uns jeder eindeutigen Abgrenzung und inhaltlichen Bestimmung; wir kennen weder ihre Rolle innerhalb der Hausgemeinden noch etwa jene, die sie möglicherweise in den Versammlungen der Gesamtgemeinde innehatten.

Der Brief an Philemon erlaubt nur die ergänzenden Feststellungen, daß solche Hausgemeinden — für die zu beachten ist, daß sie wie jede Versammlung von Christen als ἐκκλησία (τοῦ θεοῦ) gelten — durchaus strukturiert sind. Neben den Hausbesitzern Philemon und Apphia grüßt Paulus auch Archippus, einen Mitstreiter[4], und dann erst die Hausgemeinde[5]. Die Struktur ist eine sehr natürliche; sie basiert nicht auf Amtsübertragung, sondern auf Mitarbeit[6]. Daß auch Apphia in die Grußüberschrift einbezogen wird, mag man als reine Höflichkeitsgeste werten; doch ist auffallend, daß auch 1 Kor 16, 19; Röm 16, 6

Amt des Aufsehers oder Fürsorgers der Gemeinde ein Amt der Kirche«; es ist »charismatisch so gut wie die anderen«.

[1] Gegen Gnilka, Phil 32. 34.

[2] Vgl. Goguel a. a. O. 155 ff (»Essai de Synthèse«): »L'évolution de l'organisation ecclésiastique présente un mouvement d'unification, réalisé, d'une part, par un processus de fusion et de combinaison et, de l'autre, par des phénomènes de sélection naturelle« (a. a. O. 157). Zum Gang dieser Entwicklung vgl. Gnilka, Geistliches Amt und Gemeinde nach Paulus v. a. 100–104, und Brox, Historische und theologische Probleme der Pastoralbriefe v. a. 87–94.

[3] Zur Näherbestimmung ihrer Aufgaben vgl. Gnilka, Phil 36–39.

[4] Seine Rolle ist nicht näher bestimmbar. Konklusionen aus Kol 4, 17 führen nur zu bestreitbaren Ergebnissen; vgl. die Thesen von Knox, Philemon among the Letters of Paul; dagegen neuerdings Lohse, Phlm 261 f.

[5] Daß der Brief an Philemon kein reiner Privatbrief ist, ergibt sich nicht nur aus der Einbeziehung der Hausgemeinde; vgl. die Auslegung im I. Teil.

[6] Vgl. Philemon als συνεργός und Archippus als συστρατιώτης; dazu Otto, Die mit συν verbundenen Formulierungen im paulinischen Schrifttum 88–97.

(auch Kol 4, 15) die Frau jeweils mitgenannt ist. Mit F. W. Maier wird man sagen dürfen: »Wie in der urchristlichen Mission, so hat die Frau auch in der Zeit der ersten Kirchengründung dem Evangelium große Dienste geleistet«[1]. Ihre Einbeziehung unterstreicht nur die natürliche Gliederung einer Hausgemeinde.

Aus diesem allgemeinen Rahmen fällt nur Röm 16, 1 f. Phoebe, von der wir annehmen dürfen, daß sie als patrona in der geschilderten Weise der Gemeinde diente, wird empfohlen als οὖσαν καὶ διάκονον τῆς ἐκκλησίας τῆς ἐν Κεγχρεαῖς. Hier zeichnet sich der speziellere, amtlich gefärbte Begriff von διάκονος schon ab, ohne daß man ihn inhaltlich eindeutiger umschreiben könnte; Phoebe ist »Helferin« der Gemeinde von Kenchreä[2].

b) Derselbe Begriff von διακονία liegt 1 Kor 16, 15 zugrunde, wenn von Stephanas und seinem Haus gesagt wird: εἰς διακονίαν τοῖς ἁγίοις ἔταξαν ἑαυτούς. Das συνεργεῖν und κοπιᾶν bestimmter Leute in der Gemeinde wird als ein freies sich Einordnen in den Dienst an den Heiligen, d. h. an der von Gott geheiligten Gemeinde interpretiert; dennoch schuldet die Gemeinde ihrem Dienst Anerkennung und Unterordnung[3], und zwar auf Grund des ἔργον (κυρίου bzw. Χριστοῦ), das sie wirken. Auch von diesem Ansatz her entwickelt sich eine immer deutlichere Strukturierung der Gemeinden: diese Dienste nehmen teil am ἔργον des Apostels und übernehmen es allmählich ganz[4].

c) Dazu kommt, was über die χαρίσματα der einzelnen Gemeindeglieder, ihre je nach Wert und Nutzen verschiedene Auswirkung auf das Leben, die οἰκοδομή der Gemeinde schon gesagt wurde. Die Prinzipien der Ordnung und Unterordnung, das Kriterium des größeren oder geringeren Nutzens von Charismen usw. führen ihrerseits zu Gliederung und Strukturierung des Leibganzen der Gemeinde[5].

---

[1] Maier, Paulus als Kirchengründer und kirchlicher Organisator 28; vgl. dazu Phil 4, 2; Röm 16, 1 ff u. ö.

[2] Vgl. die Auslegung zur Stelle. Zur Frage der Diakone, speziell der weiblichen Diakone vgl. Kalsbach, Die altkirchliche Einrichtung der Diakonissen 9–16; Brandt, Dienst und Dienen im NT 165 ff.

[3] Vgl. 1 Thess 5, 12 f; 1 Kor 16, 16; Phil 2, 29 f.

[4] Mundle, Das Kirchenbewußtsein der ältesten Christenheit 36: »Autorität der Apostel angeeignet«; Gulin, Das geistliche Amt 311 f: auch für die Ämter in der Gemeinde gilt, »daß ihre Inhaber an Christi statt der Gemeinde ihre Dienste leisten, daß sie Stellvertreter Christi sind als Beauftragte Gottes und als Werkzeuge des Geistes Christi«; Wendland, Geist, Recht und Amt 298: was sich findet, ist kein »Schematismus einer Ämterordnung«, aber »eine klare Grundordnung«, die sich »aus der Mannigfaltigkeit und Lebendigkeit freiwilliger Dienstleistungen schon in allerfrühester Zeit« heraushebt. »Ansatz- und Ausgangspunkt für diese Ämterordnung« sei das Apostelamt, von dem »zentripetale Macht« ausgehe (dazu verweist Wendland auf Bauernfeind, Wachsen in allen Stücken 472).

Vgl. ferner Käsemann, Leib und Leib Christi 175 (zu 1 Kor 12, 28): »abgestufte charismatische Ordnung«; v. Campenhausen, Recht und Gehorsam 281: »Ordnung und Gliederung der Gemeinde« sind der Ansatz »für die Ausbildung fester kirchlicher Ämter und einer dauernden ›Kirchenverfassung‹«; Linton, Kirche und Amt im NT 139, fügt hinzu: auch sie »nehmen an der Autorität Christi teil«.

[5] Grundlegend für diese Gliederung ist nach paulinischer Theologie das Leibsein der Gemeinde und die damit verbundene funktionale Verschiedenheit der Glieder. Soiron, Die Kirche als der Leib Christi 76, spricht überpointiert von einer neuen

4. *Übernahme apostolischer Funktionen und* ἐξουσίαι

Ist die heilsgeschichtliche Funktion des Apostels auch von seinem Amt unablösbar, werden doch die verschiedenen Funktionen seines Dienstes[1] nicht nur von seinen Mitarbeitern, sondern in steigendem Maß auch von den Gemeindediensten übernommen, deren funktionaler Charakter immer mehr auf »Amt« hin sich verfestigt[2].

Grundsätzlich lassen sich dabei zwei Funktionsbereiche innerhalb des Apostolats differenzieren, wenn auch nicht voneinander scheiden:

a) seine grund-legende, mit dem Versöhnungsdienst der Evangeliumsverkündigung verbundene und auf Gemeindegründung gerichtete οἰκοδομή;

b) sein κόπος an der Gemeinde als seinem ἔργον ἐν κυρίῳ.

Auf beide Funktionsbereiche erstreckt sich die Mitarbeit jener, die Paulus nach 1 Kor 16, 16 als συνεργοῦντες καὶ κοπιῶντες herausstellt.

1. Bezüglich der οἰκοδομή der Gemeinde ist jede Form der Mitarbeit an der Vermittlung und Auslegung des Evangeliums ein ἐπ-οικοδομεῖν auf dem vom Apostel gelegten θεμέλιον der Gemeinde als θεοῦ οἰκοδομή. Als οἰκοδομεῖν gelten in diesem Sinn auch jede Art von παρακαλεῖν, παραμυθεῖσθαι, νουθετεῖν usw.; zwar ist solches ἔργον durchaus verschiedenwertig, und jedes wird am Tag des Gerichts im Feuer erprobt werden, aber es ist ἔργον von συνεργοῦντες des Apostels und letztlich auch Gottes.

In diesen Funktionsbereich des Apostolats gehören neben den προφῆται und διδάσκαλοι, deren Funktion in der Gemeinde am meisten auf »Amt« hin tendiert[3], auch jene Tätigkeiten, die als κατηχεῖν, παρακαλεῖν usw. bezeichnet sind, ohne daß man im einzelnen zu sagen vermöchte, auf welche Weise diese χαρίσματα ausgeübt wurden und wie sie möglicherweise einander zuzuordnen sind[4].

»Inkarnation Christi«; richtiger fügt er hinzu, daß »in der christlichen Gemeinde« eine »neue Leibhaftigkeit« verwirklicht worden ist; v. Campenhausen, Recht und Gehorsam 280, meint denselben Sachverhalt, wenn er vom Geist sagt, daß er »als Geist Christi von Anfang an geschichtlich und konkret bestimmt« sei.

[1] Vgl. Menoud, L'Église 25 ff. 33: »L'apostolat est, par définition, une institution liée aux origines de l'Église«. Als »témoin du Ressuscité . . . l'apôtre exerce un ministère général qui dépasse les limites des Églises locales« (a. a. O. 34). Von dieser heilsgeschichtlichen Funktion gilt: »l'apôtre-témoin n'ait pas de successeur«; dagegen von seinem Dienst als Apostel: »cette fonction-là de l'apôtre subsiste«; sie ist »transmissible« (a. a. O.). Menoud denkt dabei an »le ministère d'un Timothée et d'un Tite«. Vgl. dazu, wie Braun, Neues Licht auf die Kirche 172, diesen Übergang skizziert.

[2] Menoud stellt a. a. O. 31 zunächst fest: »Dans l'Église naissante les apôtres exercent d'abord tous les ministères«; aber: »Par son ministère de docteur et directeur de l'Église (womit die beiden wesentlichen Aspekte seines apostolischen Dienstes an der Gemeinde zusammengefaßt sind) l'apôtre inaugure une série d'autres ministères, aussi indispensable que le sien à l'édification de l'Église« (a. a. O. 38).

[3] Nach Roloff, Apostolat — Verkündigung — Kirche 125 ff, stellt Paulus in 1 Kor 12, 28 ff »das Lebensprinzip der Kirche« dar, »wobei er Apostel, Propheten und Lehrer als die Inhaber der drei zeitlich und sachlich primären Funktionen zur Erbauung des Christusleibes voranstellt«.

[4] Vgl. dazu v. Harnack, κόπος (κοπιᾶν, οἱ κοπιῶντες) im frühchristlichen Sprachgebrauch 7 ff; Goguel, L'Église primitive 110 ff; Greeven, Propheten, Lehrer, Vorsteher bei Paulus 31 ff.

2. Im Hinblick auf die Gemeinde als ἔργον des Apostels ἐν κυρίῳ darf jede Mitsorge um die Gemeinde und ihre konkrete Existenz als Mitarbeit am ἔργον des Apostels bezeichnet werden; ihr μέτρον ist der κόπος, d. h. Arbeit, Einsatz, Eifer usw.[1]; ihr Kriterium ist gleichfalls die οἰκοδομή. Solche Erbauung empfängt die Gemeinde z. B. durch die κοπιῶντες, προϊστάμενοι ἐν κυρίῳ, νουθετοῦντες. 1 Thess 5, 12, wo diese drei Funktionen offensichtlich auf ein und dieselbe Gruppe von Gemeindegliedern (vgl. ἐν ὑμῖν) bezogen werden, zeigt, daß die vorgeschlagene Differenzierung der Funktionsbereiche des Apostolats keinesfalls als Trennung angesehen werden darf. Weder die ἀντιλήμψεις und κυβερνήσεις von 1 Kor 12, 28, die man noch am ehesten auf diesen Funktionsbereich beziehen könnte, lassen sich eindeutig auf bestimmte Funktionen und Inhalte festlegen noch die ἐπίσκοποι und διάκονοι von Phil 1, 1.

Hier muß alles offen bleiben, weil die wenigen Texte eine Festlegung in irgendeiner Richtung nicht begünstigen. Eine gewisse Nähe dieser Funktionen zum Tatbereich der Gemeindeleitung[2] mag als wahrscheinlich erscheinen, doch gilt das von der in Gal 6, 6 mit ὁ κατηχῶν in generalisierender Weise bezeichneten Personengruppe ebenso wie von den ἐπίσκοποι und διάκονοι von Phil 1, 1. Daß aber die διακονία bei Paulus nicht eindeutig auf Gemeindedienste im Tatbereich, etwa die Tätigkeit der in Röm 12, 8 mit ὁ μεταδιδούς, ὁ προϊστάμενος, ὁ ἐλεῶν bezeichneten Dienste in der Gemeinde zu beschränken ist, wurde schon bei der Bestimmung des Apostelamts als διακονία τῆς καταλλαγῆς bzw. διακονία τοῦ πνεύματος[3] und bei der Erarbeitung des Kriteriums διακονία als der von keiner der Funktionen innerhalb der Gemeinde ablösbaren Dienstgestalt betont.

3. Je stärker sich in den einzelnen Funktionen die Mitarbeit am ἔργον des Apostels ausprägt, desto stärker tendieren diese zu amtlicher Verfestigung, wie die sich allmählich herausbildenden Bezeichnungen demonstrieren. In den paulinischen Briefen sind die Übergänge fließend; es gibt προφῆται und προφητεύοντες; διδάσκαλοι und διδάσκοντες, κατηχοῦντες usw.[4]. Sie alle übernehmen jedoch nicht nur Funktionen aus dem Aufgabenbereich des Apostels, sie bekommen auch Anteil an der apostolischen Vollmacht und an den apostolischen Rechten; denn es ist ein und dasselbe ἔργον, wie er es wirkt.

Das gilt nicht nur von denen, die an der Verkündigung des Evangeliums und an der Glaubensunterweisung teilhaben, sondern für παντὶ τῷ συνεργοῦντι καὶ κοπιῶντι[5]. Für erstere formuliert Gal 6, 6 dasselbe Prinzip κοινωνία, wie es

---

[1] Vgl. v. Harnack a. a. O. 5f.

[2] Vgl. K. L. Schmidt, Ein Gang durch den Galaterbrief 94f (zu Gal 6, 6).

[3] Vgl. 2 Kor 5, 18; 2 Kor 3, 8.

[4] Vgl. Wikenhauser, Die Kirche 78 ff; Greeven, Propheten, Lehrer, Vorsteher bei Paulus 8; Roloff, Apostolat — Verkündigung — Kirche 126 A. 298; Hanson, Unity 94: »Even if the various offices have not yet been differentiated, so that we can distinguish their different functions in the NT, their relation to the Apostolate is, however, quite obvious «.

[5] Zu 1 Kor 16, 16 vgl. Otto, Die mit συν verbundenen Formulierungen im paulinischen Schrifttum 88 ff, v. a. 90. 93; ferner Hanson, Unity 93: »What has been said about the Apostolate is applicable to the other offices of the Church — bishops, presbyters, deacons (a. a. O. A. 6 fügt er hinzu: prophets, teachers etc.) — in so far as they carry out the functions of the Apostles, occupy their positions, and continue their work in the Church«. Was sie fortführen und übernehmen sind: »the traditions of the Apostolate« und »its status« (a. a. O. 94).

für den Apostel und die Gemeinde in ihrer gegenseitigen Beziehung gilt: κοινωνείτω δὲ ὁ κατηχούμενος τὸν λόγον τῷ κατηχοῦντι ἐν πᾶσιν ἀγαθοῖς; d. h. jeder, der
dem Evangelium als Missionar, Lehrer, Ausleger usw. dient, hat Anspruch auf
eine gegenüber dem Apostel analoge κοινωνία ἐν πᾶσιν ἀγαθοῖς seitens der von
ihm Unterwiesenen, zum Glauben Gekommenen[1]. Die ἐξουσίαι am Evangelium
sind nicht auf den Apostel und seine Mitarbeiter beschränkt; wer immer dem
Evangelium bzw. εἰς τὸ εὐαγγέλιον, d. h. in Ausrichtung auf das Evangelium
der Gemeinde dient, darf sie — je nach Art, Umfang und Nutzen seiner
Arbeit — auch in Anspruch nehmen. Wie sehr jedoch die Durchsetzung dieses
Anspruchs für jedermann von der Bereitwilligkeit und Verständigkeit der
Gemeinden abhängt, zeigt Paulus, wenn er des öfteren die verschiedenen Gemeinden auffordert, jene anzuerkennen und sie in Ehren zu halten, welche in
der Gemeinde oder für sie ihre Dienste leisten[2].

---

[1] Vgl. Menoud, L'Église 45 (zu Gal 6, 6): »Ce passage montre, qu'un véritable
ministère d'enseignement existe du vivant de Paul, et que ce ministère jouit du
même droit que l'apostolat: vivre de l'évangile «.
[2] Vgl. 1 Thess 5, 12; 1 Kor 16, 16; Phil 2, 29.

8. Kapitel

DIE DIALEKTIK DES AMTES

Wenn im Folgenden — in einem kurzen Überblick, der einige Aspekte dieser Arbeit noch verdeutlichen soll — vom »Amt« gesprochen wird, dann sind die entwickelten Voraussetzungen des paulinischen Amtsverständnisses immer mitzubedenken: sie sind durchwegs am Apostolat orientiert, der die Vollgestalt des Amtes darstellt.

Zwar ist die heilsgeschichtliche Funktion des Apostels als »Grund« legender Vermittler des Versöhnungsgeschehens vom Apostelamt unablösbar, aber die Funktionen innerhalb seines ἔργον als θεοῦ συνεργός an der οἰκοδομή der Gemeinde werden von anderen mit ihm geteilt und gehen allmählich — in einem Prozeß, der sich in den paulinischen Briefen selbst nur andeutet — auf andere über: vom Dienst der Evangeliumsverkündigung, der Auslegung und Unterweisung, der Gemeindegründung und Gemeindeleitung bis zu seinen »seelsorglichen« Funktionen des παρακαλεῖν, παραμυθεῖσθαι, μαρτύρεσθαι, νουθετεῖν usw.[1]. Dieser geschichtlich sich vollziehende Übergang ist theologisch vorbereitet, wie gezeigt werden konnte, durch die Einbeziehung der Mitarbeiter des Apostels als θεοῦ συνεργοί, die mit ihrem ἔργον kein anderes betreiben als der Apostel selbst: das ἔργον κυρίου, und andererseits durch die Verpflichtung aller, am ἔργον des Apostels als ἔργον κυρίου mitzuarbeiten, darin reich zu werden.

Ist so auch keiner grundsätzlich von solcher Mitarbeit an den apostolischen Aufgaben, von der Übernahme apostolischer Funktionen ausgenommen, so daß bei Paulus von einer Spaltung in »Kleriker« und »Laien« noch keine Rede sein kann, so lassen die Briefe des Apostels doch keinen Zweifel daran, daß es in den Gemeinden nur einzelne sind, die sich an seinem ἔργον beteiligen, die sich, wie Stephanas und sein Haus, εἰς διακονίαν τοῖς ἁγίοις ἔταξαν ἑαυτούς[2], d. h. sich selbst in den Dienst an den Heiligen einordneten, und daß Paulus seine Mitarbeiter sorgsam auswählt[3].

---

[1] Was Roloff, Apostolat — Verkündigung — Kirche 132, von den Funktionen der Wortverkündigung sagt, hat durchaus prinzipielle Gültigkeit: alle Formen der Mitarbeit sind »Dienste«, »die ursprünglich dem Funktionsbereich des apostolischen Amtes angehören und die, auch wenn sie abgelöst von der Person des Apostels in der Kirche ausgeübt werden, *sich innerhalb der vom Apostelamt gesetzten Norm bewegen*«.
»Apostolische Lehre, Prophetie und Paraklese bleiben der Maßstab, an dem sich die charismatischen Funktionen der Kirche zu orientieren haben«.
Die Rede von den »charismatischen Funktionen der Kirche« ist nach dem im Vorausgehenden Erarbeiteten irreführend; dagegen darf man Roloff zustimmen, wenn er sagt: »So handelt es sich bei dem Verhältnis zwischen Apostel und Wortverkündigern gleichsam um eine praktische Anwendung des Grundsatzes von ... 1 Kor 3, 11«; vgl. Greeven, Propheten, Lehrer, Vorsteher bei Paulus 29f.
[2] Zu 1 Kor 16, 15f vgl. v. a. 1 Thess 5, 12; auf der Mitarbeit solcher Leute und ihrer Hausgemeinschaften baut offenbar die wachsende Strukturierung der Gemeinden auf.
[3] Vgl. Phil 2, 19ff.

Von allen, die seine Aufgaben und Funktionen übernehmen, auf seinem ἔργον aufbauen (vgl. 1 Kor 3, 10ff), gilt dann analog, was Paulus von der Dialektik seines apostolischen Amtes und dessen Ausübung aussagt; sie stehen darin unter der grundsätzlichen Aufforderung von 1 Kor 11, 1: »Ahmet mein Beispiel nach, wie auch ich das Christi«[1].

1. Das Amt als göttlich und menschlich

Das Wort, das der Apostel predigt, ist nicht λόγος ἀνθρώπων, sondern λόγος θεοῦ; und so haben es die Thessalonicher z. B. auch aufgenommen[2]. Autorität kommt seiner Verkündigung zu, weil sein λόγος ἀκοῆς, d. h. das von ihm her gehörte Wort, zugleich λόγος τοῦ θεοῦ ist. Wer darum das verwirft, was Paulus als Apostel der Gemeinde sagt und bezeugt, »der verwirft nicht einen Menschen, sondern Gott, der auch seinen heiligen Geist in euch gibt«[3]; damit sie nämlich als πνευματικοί zu beurteilen vermögen, was der Apostel in vom Geist gelehrten Worten ihnen sagt[4]. So ist es gerade die Verkündigung, worin sich der Apostel als θεοῦ συνεργός erweist. Daß es sich dabei um echte Mit-wirkung handelt, erhebt 1 Kor 15, 10 über jeden Zweifel: χάριτι δὲ θεοῦ εἰμι ὅ εἰμι, καὶ ἡ χάρις αὐτοῦ ἡ εἰς ἐμὲ οὐ κενὴ ἐγενήθη, ἀλλὰ περισσότερον αὐτῶν πάντων ἐκοπίασα, οὐκ ἐγὼ δὲ ἀλλὰ ἡ χάρις τοῦ θεοῦ (ἡ) σὺν ἐμοί. Als Verkündiger ist der Apostel jedoch nicht nur durch seine Relation zu Gott und seiner ihn berufenden und ermächtigenden Gnade, sondern auch von dem durch ihn wirkenden Christus bestimmt. Paulus hat seinen Ruhm vor Gott in dem Χριστὸς Ἰησοῦς, der durch sein apostolisches Wort Glaubensgehorsam unter den Völkern herbeiführt[5]. Er kann deshalb seine Verkündigung kennzeichnen als ὡς ἐκ θεοῦ κατέναντι θεοῦ ἐν Χριστῷ λαλοῦμεν[6]: seine Verkündigung geschieht »aus Gott heraus« bzw. »von Gott her« — »vor Gott« bzw. »im unmittelbaren Gegenüber zu Gott« — und »bestimmt von dem Χριστός«.

Aber nicht nur handelt Christus durch ihn; der Botschafterdienst des Apostels (und seiner Mitarbeiter) ist auch umgekehrt ein ὑπὲρ Χριστοῦ πρεσβεύειν[7]; sie handeln an seiner Stelle. Paulus kann deshalb seine eigenen Anweisungen als διὰ τοῦ κυρίου Ἰησοῦ bzw. als κυρίου ἐντολή[8] bezeichnen.

Die Dialektik seines apostolischen Amtes wird dadurch verschärft, daß sich Paulus bewußt ist, als Mensch diesen ihm anvertrauten Schatz in sehr irdenem

---

[1] Roloff a. a. O. 120: sie bleiben darin »... an den durch die Lehre des Apostels gesetzten Normen kritisch zu messen«.

[2] Vgl. 1 Thess 2, 13.

[3] Vgl. 1 Thess 4, 8.

[4] Zu 1 Kor 2, 12ff vgl. v. Campenhausen, Apostelbegriff 123f: Die Gemeinde »ist grundsätzlich befähigt und auch berufen, alles zu prüfen und zu beurteilen, was Christus bedeutet und ›in‹ ihm wahr sein soll. Damit ist ihr Verhältnis zur apostolischen Autorität notwendigerweise dialektisch bestimmt«.

[5] Vgl. Röm 15, 18f.

[6] 2 Kor 2, 17c; vgl. 2 Kor 12, 19.

[7] Vgl. 2 Kor 5, 20.

[8] Vgl. 1 Thess 4, 2; 1 Kor 14, 37.

Gefäß zu haben[1]. Er ist zugleich »für Gott ein Wohlgeruch Christi unter denen, die gerettet werden«[2], und ein *θέατρον*, ein Schauspiel vor der Welt, vor Engeln und Menschen, hingestellt von Gott als *ἔσχατος*, als Allerletzter[3]. Nur widerwillig würde Paulus die von der korinthischen Gemeinde geradezu herausgeforderte Selbstbezeugung Christi, die gewünschte *δοκιμή* — *τοῦ ἐν ἐμοὶ λαλοῦντος Χριστοῦ* darin erweisen, daß er schonungslos vorginge[4]. Er will sich (und seine Mitarbeiter) primär als *ὑπηρέτας Χριστοῦ καὶ οἰκονόμους μυστηρίων θεοῦ*[5] verstanden wissen; sein Amt ist kein *κυριεύειν*[6], sondern *διακονία*[7]. Man würde Paulus jedoch völlig mißverstehen, wollte man Vollmacht und Dienst gegeneinander ausspielen. 2 Kor zeigt als großangelegte Apologie des Apostolats, gerade auch in der Dialektik des Rühmens in den Kapiteln 10–13, daß er auf die Vollmacht und Autorität seines Amts keineswegs zu verzichten bereit ist. Sein Amt existiert in der Dialektik von Vollmacht und Dienst; auch die Dienstgestalt gehört unabdingbar zum Wesen seines Amts als einer *διακονία τῆς καταλλαγῆς*[8].

2. Autorität und Gehorsam

In der Bestimmung der *ἐξουσίαι* des Apostels, bzw. der Diener des Evangeliums allgemein, und der *κοινωνία*, welche zwischen der Gemeinde und den Verkündigern des Wortes besteht, konnte gezeigt werden, daß dieses Verhältnis wechselseitigen Gebens und Nehmens von *τὰ πνευματικά* — *τὰ σαρκικά* zum Zwecke des gemeinsamen Anteilhabens *ἐν πᾶσιν ἀγαθοῖς* als ein Verhältnis geschuldeter Dankbarkeit zu sehen ist, welches Gehorsam einschließt. Der zum Glauben Gekommene verdankt sich ganz und gar dem, durch den er zum Glauben kam.

Κοινωνία umschreibt dieses Verhältnis jedoch nicht als ein rechtliches; der geschuldete Gehorsam wäre durch keinerlei rechtliches Druckmittel erzwingbar. *Κοινωνία* ist offensichtlich absichtsvoll gewählt, weil es die gemeinte, in

---

[1] Vgl. 2 Kor 4, 7: »... damit die überragende Größe der Kraft Gott angehöre und nicht von uns stamme«.
[2] Vgl. 2 Kor 2, 15.
[3] Vgl. 1 Kor 4, 9 ff.
[4] Vgl. zu 2 Kor 13, 2 f v. a. 12, 19 ff; allerdings wird man die Situation des Paulus gegenüber der korinthischen Gemeinde zum Zeitpunkt von 2 Kor berücksichtigen müssen: er kann nicht so reden und handeln, wie er vielleicht möchte.
[5] 1 Kor 4, 1.
[6] Vgl. 2 Kor 1, 24.
[7] Vgl. 1 Kor 3, 5; 2 Kor 3, 3. 6. 7. 8. 9; 4, 1; 5, 18; 6, 3 f; Röm 11, 13.
[8] 2 Kor 5, 18; vgl. dazu 2 Kor 3, 4–6.
Zum Ganzen vgl. v. Campenhausen, Kirchliches Amt 39 ff. 46: »Diese apostolisch-christliche Existenz ist also durch und durch dialektisch verstanden. Gerade unter dem Gesichtspunkt des Vollmachtgedankens ist es aber wesentlich, daß man ihre menschlich verfallende und scheiternde, negative Seite nicht allein betont«.
»Persönlich ein Nichts, aber mit der höchsten, göttlichen Vollmacht begabt — so steht Paulus vor seinen Gemeinden« (a. a. O. 47).

Freiheit zu leistende Gemeinschaft aussagt, in der Autorität und Recht wie aufgehoben erscheinen, ohne daß sie deshalb geleugnet würden[1].

Paulus läßt ja keinen Zweifel daran, daß nicht nur hinter seiner Verkündigung, sondern auch hinter seinen eigenen Anweisungen göttliche Autorität steht, und daß sich für ihn wie für alle Diener des Evangeliums aus der Verkündigung selbst Rechte ableiten, auch wenn er und seine Mitarbeiter darauf verzichten[2].

Die *ὑπακοή*, welche die Gemeinden bzw. alle Gläubigen schulden, ist immer *ὑπακοὴ πίστεως*[3]; d. h. sie richtet sich primär auf die Glaubensbotschaft und ist daher prinzipiell Glaubens-Gehorsam; er stammt aus Glauben und bleibt vom Glauben bestimmt — auch wenn er sich auf jene richtet, welche die Glaubensbotschaft verkünden[4].

Die Gläubigen werden durch den geforderten Gehorsam keineswegs entmündigt; sie haben Gottes *πνεῦμα*, so daß sie als *πνεῦμα*-Erfüllte *τὰ τοῦ πνεύματος* (*τὰ πνευματικά*) zu beurteilen vermögen — auch was der Apostel sagt und anordnet[5].

Als Glaubensgehorsam ist die zu leistende *ὑπακοή* freilich zugleich auf den Verkündiger der Glaubensbotschaft gerichtet; im Entscheidungsfall hat der Gehorsam gegen den Apostel eschatologisch-soteriologische Bedeutsamkeit: am Gehorsam oder Ungehorsam gegen den Apostel hängen nach paulinischer Auffassung Heil und Unheil der Gemeinde[6].

Um diesen Gehorsam zu erreichen, kennt Paulus nicht nur — wenngleich dies der von ihm bevorzugte Weg ist — den werbenden Zuspruch, das geistige Ringen mit der Gemeinde und die scharfe sachliche, oft auch polemische

---

[1] Vgl. Asting, Verkündigung 390 (zu Röm 1, 1 ff): »Diese Stellung *ἐν τῷ εὐαγγελίῳ* führt nicht nur die Verpflichtung des absoluten Gehorsams mit sich, es folgt damit auch Autorität und Macht«; v. Campenhausen, Recht und Gehorsam 293, hält daher fest am Begriff »Recht«, auch wenn dessen »geistliche« Eigenart erst »in der Art ihrer Behauptung und Durchsetzung« verdeutlicht werde.

[2] Diesen Verzicht aus paränetischen Gründen übersieht Hanson, Unity 92, wenn er sagt: »Pl demands obedience in all things«.

[3] Vgl. Röm 1, 5; 15, 18; 16, 19. 26; 2 Kor 10, 5. 8; 13, 10.

[4] Vgl. 2 Kor 2, 9 und 7, 12. 15; Phil 2, 12.

Mit Schlink, Die apostolische Sukzession 89 f, wird man sogar ausweiten dürfen, daß jeder »faktisch geschehende Dienst« ... »Grund für den Gehorsam« ist, »den die Gemeinde denen schuldet, die an ihnen arbeiten«.

[5] Vgl. zu 1 Thess 4, 8 v. a. 1 Kor 2, 12 ff.

Paulus geht allerdings fast selbstverständlich davon aus, daß es gegen seine Auffassungen keinen ernsten Widerstand gibt; einer, der seine Weisungen verwürfe, verwürfe Gott (vgl. 1 Thess 4, 8). Das konnte im Ernstfall — wie 2 Kor beweist — zu erheblichen Schwierigkeiten führen.

v. Campenhausen, Apostelbegriff 122, meint allerdings — kaum zu Recht —, es sei »deutlich, daß Paulus die Forderung, seine Äußerungen als solche, d. h. als apostolische Äußerungen für indiskutabel und unfehlbar zu halten, schlechterdings nicht kennt«; vgl. ders., Recht und Gehorsam 286; Brunner, Röm 129: Exkurs »Kirche, Gemeinde«; Beyschlag, Die christliche Gemeindeverfassung 78: Der Apostel nimmt »nicht einmal für sich selbst den Gemeinden gegenüber eine bevormundende, hierarchische Autorität in Anspruch«.

[6] Vgl. 2 Kor 2, 5–9 und 7, 8–13.

Auseinandersetzung v. a. mit seinen Gegnern[1]; er weiß sich auch berechtigt, mit Strenge und ohne Schonung durchzugreifen, auch wenn nur undeutlich ersichtlich wird, was er im Ernstfall darunter verstanden hätte; zu denken ist einmal an die Fluchandrohung des ἀνάθεμα ἔστω[2], aber auch an das κέκρικα von 1 Kor 5, 3 mit dem Inhalt: παραδοῦναι τὸν τοιοῦτον τῷ σατανᾷ εἰς ὄλεθρον τῆς σαρκός (V 5) und an die ἐπιτιμία, die nach 2 Kor 2, 6 auf Wunsch des Apostels ὑπὸ τῶν πλειόνων über den ἀδικήσας (vgl. 2 Kor 7, 12) verhängt wurde. In der Regel begnügt sich Paulus, auf diese Möglichkeiten hinzuweisen; vgl. 1 Kor 4, 21: »Was wollt ihr? Soll ich mit der Peitsche zu euch kommen oder mit Liebe und dem Geist der Sanftmut?«[3] Doch man würde Paulus (und seinen Charakter) arg verkennen, würde man dies als leere Floskeln verstehen.

Phlm 8. 21 zeigen, daß man den von Paulus geforderten Gehorsam auch nicht zu eng als reinen »Glaubensgehorsam« interpretieren darf[4]; zwar bleibt der Gehorsam eines Glaubenden immer bezogen auf den Glauben, er ist eine Frucht des Glaubens, aber Paulus nimmt den Gehorsam des Philemon in einer rein sozialen Frage in Anspruch, wenn er für den entlaufenen Sklaven Onesimos bittet: »nimm ihn auf wie mich« (vgl. V 17) und hinzufügt: »Im Vertrauen auf deinen Gehorsam schreibe ich dir, weil ich weiß, daß du sogar noch mehr tun wirst, als ich sage« (vgl. V 21).

Der Ausdruck des Vertrauens hebt den Anspruch auf Gehorsam keineswegs auf; dieser wird auch aus V 8 deutlich: πολλὴν ἐν Χριστῷ παρρησίαν ἔχων ἐπιτάσσειν σοι τὸ ἀνῆκον. Seine Freiheit zu gebieten ist zwar in seiner Bestimmtheit durch Christus begründet, aber es ist eine Freiheit »zu gebieten«[5].

3. Autorität und Paränese

Der Brief an Philemon ist freilich zugleich und zuerst ein Musterbeispiel paulinischer Paränese, werbender Durchsetzung seiner apostolischen Weisungen und Anordnungen. Mag Paulus auch vielfach durch die Situation der Gemeinden zu paränetischer Durchsetzung seiner Vollmacht genötigt worden sein, so ist es doch abwegig, sein paränetisches Werben um den Gehorsam der Gemeinden oder einzelner als bloße Taktik oder Ersatz fehlender anderer Möglichkeiten zu qualifizieren[6]. Die Dialektik von göttlicher Autorität und menschlicher Schwäche des Amtsträgers, von Vollmacht und Dienstgestalt des Amtes lassen für den Apostel wie für jede »amtliche« Tätigkeit an und in der Gemeinde

---

[1] Vgl. 2 Kor 10–13; Gal; Phil 3.
[2] Vgl. 1 Kor 16, 22; Gal 1, 8. 9; Röm 9, 3.
[3] Vgl. auch 2 Kor 1, 23; 13, 2f.
[4] Gegen v. Campenhausen, Recht und Gehorsam 287 A. 58; richtiger ist es vielleicht, mit Wendland, Geist, Recht und Amt 291, davon zu reden: »Es ist kein Zwang in der Autorität und kein Gezwungensein im Gehorsam«; vgl. v. Campenhausen, Kirchliches Amt 39f. 50.
[5] Vgl. Wikenhauser, Die Kirche 73 ff.
[6] Mit v. Campenhausen, Recht und Gehorsam 287, ist festzuhalten, daß Paulus in seinen Gemeinden »zweifellos ein einzigartiges Recht« besaß; vgl. Saß, Apostelamt und Kirche 57–64.

keinen anderen Weg als den werbenden Einsatzes von Autorität[1]. Adäquater Ausdruck dieses Verhältnisses von Dienern des Evangeliums und Gemeinde ist daher *κοινωνία*[2].

Dieses Verhältnis von *κοινωνία* verhindert nicht grundsätzlich jedes Befehlen, Anordnen, Gebieten usw.; aber es macht es leicht, darauf zu verzichten und statt dessen zu mahnen, zu bitten, zuzureden oder zu beschwören[3]. Beispielhaft ist dafür Philemon 9. Zwar betont Paulus V 8 seine Freiheit zu gebieten, doch fährt er fort: *διὰ τὴν ἀγάπην μᾶλλον παρακαλῶ*. Das Zureden soll verhindern, *ἵνα μὴ ὡς κατὰ ἀνάγκην τὸ ἀγαθόν σου ᾖ ἀλλὰ κατὰ ἑκούσιον* (V 14). Aus freien Stücken und nicht aus Zwang soll Philemon handeln.

Der 2 Kor ist als Ganzes ein ähnliches Musterbeispiel paränetischer Durchsetzung der apostolischen Autorität. 2 Kor 10–13, v. a. aber der Galaterbrief dokumentieren jedoch ebenso nachdrücklich, daß Paränese und schärfste Polemik sich für Paulus keineswegs ausschließen.

Das Verhältnis von Autorität und Paränese im paulinischen Amtsverständnis drückt sich am eindrucksvollsten aus, wenn er seine Beziehung als Apostel zu den sich im Glauben ihm und seiner grundlegenden Verkündigung verdankenden Gemeinden ins Personale wendet, wie z. B. in 1 Thess 2, 7: »obschon wir als Christi Apostel gewichtig auftreten konnten, sind wir doch in eurer Mitte liebreich aufgetreten, wie wenn eine Amme ihre Kinder pflegt«. Die apostolische *ἐξουσία* wird angedeutet und durch den Verzicht eher noch unterstrichen. Autorität und Überordnung liegt auch im Vater-Kind-Verhältnis, von dem Paulus öfter spricht, um seine Beziehung zu den Gemeinden wie zu seinen Mitarbeitern auszusagen[4]. Vollmacht und Rechte sind jedoch überbestimmt von Gemeinsamkeit und Vertrauen.

Zu erinnern ist hier auch an die *κοινωνία πνεύματος*, auf die Paulus Phil 2, 1 hinweist, ehe er in V 2 ff die Gemeinde bittet, seine Freude dadurch voll zu machen, daß sie gleichgesinnt ist im Besitz der gleichen Liebe usw., und ehe er in V 12 um ihren früher — in seiner Anwesenheit — bewährten Gehorsam wirbt.

Die Paränese (bzw. Paraklese) als Modus, die apostolische Autorität und Vollmacht zur Geltung zu bringen, erweist sich letztlich darin begründet, daß der Apostel die Gemeinden nur anhalten kann, seinem eigenen Beispiel zu folgen: *μιμηταί μου γίνεσθε, καθὼς κἀγὼ Χριστοῦ*[5].

---

[1] Blank, Paulus und Jesus 325: »Der Versöhnungs- und Friedensbote Gottes kommt nicht als Herr mit äußerer Macht, sondern im Auftrag Gottes und Christi als einer, der herzlich zuredet und bittet: ›Laßt euch mit Gott versöhnen‹. Mit Zuspruch und Bitte tritt er der Welt gegenüber, so wie es der ›Liebe Christi‹ entspricht«.

[2] Vgl. aber Käsemann, Leib und Leib Christi 175: »Die Basis der *κοινωνία* ... ist ein Schuldverhältnis«.

[3] Vgl. v. Campenhausen, Apostelbegriff 111: »Christus, das Evangelium, der Sinn, die Notwendigkeit und Herrlichkeit des evangelischen Dienstes bilden die Ausgangspunkte seines Denkens und von hier aus sucht er in allen Konflikten und Kämpfen seines Lebens die Entscheidung zu erzwingen, nicht jedoch durch einen Rückzug auf seine apostolischen Rechte als solche«; vgl. auch a. a. O. 124.

[4] Vgl. 1 Thess 2, 11; 1 Kor 4, 15; 2 Kor 12, 14f; bzw. 1 Kor 4, 17; Phil 2, 22.

[5] 1 Kor 11, 1; vgl. 1 Kor 4, 16; 1 Thess 1, 6; 2, 14; dazu Roloff, Apostolat — Verkündigung — Kirche 116–120.

Nachahmung setzt Nachahmenswertes voraus; an seiner eigenen Glaubhaftigkeit hängt auch die Glaubhaftigkeit seiner Verkündigung, die Legitimität seiner
Ansprüche[1]. Paulus kann durch Timotheus nur an die »Wege« erinnern lassen,
wie er sie allenthalben in jeder Gemeinde lehrt, und zureden: παρακαλῶ οὖν
ὑμᾶς, μιμηταί μου γίνεσθε (1 Kor 4, 16). »In Wahrheit wird seine Vollmacht so,
indem er sie immer wieder nur unter Vorbehalt, widerstrebend und gleichsam
bloß fragend und werbend zum Einsatz bringt, erst wirklich eindeutig, nämlich
ihrem inneren Wesen nach, als die wahre Vollmacht Jesu bestimmt«[2].

---

[1] Vgl. Roloff a. a. O. 119 und A. 280.
[2] v. Campenhausen, Kirchliches Amt 55.

SCHLUSSBEMERKUNGEN

Überblickt man die Ergebnisse dieser Arbeit, so läßt sich nun der Beitrag, den Paulus und seine Gemeinden zur kirchlichen Verfassungsgeschichte leisteten, in Eigenart und Bedeutung umreißen.

Paulus spricht nicht von der »Gesamtkirche«; d. h. ἐκκλησία τοῦ θεοῦ und »Volk Gottes« sind für ihn keineswegs identische Größen. Es geht daher nicht an, die *heilsgeschichtlich* orientierten Aussagen über das »wahre Israel« oder das »Volk Gottes« zum Ausgangspunkt oder gar zum Inbegriff der paulinischen Ekklesiologie zu machen[1].

Nicht völlig sachgemäß ist aber auch die Auffassung, man müsse die paulinische Ekklesiologie aus den »Relationen der *Christologie* zu Geist, Wort, Dienst, Glaube, Sakrament und den konkreten Verhältnissen in den Gemeinden« erheben[2]. Hier ist zwar richtig gesehen, daß die paulinische Ekklesiologie nur auf der Folie anders gerichteter Aussagen zu gewinnen ist; doch hat sich gezeigt, daß für Paulus weder die Christologie noch die Soteriologie noch seine Auffassung vom Geist oder von den Sakramenten zur *Grundlage* für die Bestimmung seiner Ekklesiologie gemacht werden dürfen.

Paulus spricht nur von konkreten Gemeinden, und seine Gemeindetheologie ist *primär* eine Komponente seines Apostolatsverständnisses; d. h. es muß als erste Grundbestimmung für die Gemeinde gelten: sie ist »apostolisch«.

Der Apostolat als die mit dem Versöhnungshandeln Gottes in Christus mitgestiftete διακονία τῆς καταλλαγῆς hat seine einzigartige, geschichtlich unwiederholbare Funktion in der Grundlegung von Gemeinden.

Dem Apostel ist die Verkündigung des Evangeliums von der Versöhnung anvertraut, und mit ihr legt er das Fundament Christus in den Gemeinden. Alle, die auf diesem Fundament aufbauen, bleiben an seinen normativen Dienst und an seine apostolische Verkündigung gebunden.

Dieser Sachverhalt ließ sich auch so bestimmen, daß der Apostel hineingenommen ist in das Offenbarungsgeschehen selbst, in welchem Gott sich offenbart, bzw. in ein Gnadengeschehen, das von Gott seinen Ausgang nimmt und im Glaubensgehorsam der Völker ans Ziel kommt.

Der Apostel versteht sich dabei nicht nur als Teil dieses Geschehens, vielmehr als Ort seiner Vermittlung. Von Paulus her könnte man folglich sagen: ohne den Dienst der Apostel und ihre »Grund« legende Verkündigung des Evangeliums gäbe es keine Gemeinden — gäbe es keine »Kirche«. Von hier aus fällt also überraschendes Licht auf die fast vergessene Credo-Formel von der »apostolischen Kirche«.

---

[1] Vgl. R. Schnackenburg, Die Kirche im Neuen Testament (QD 14), Freiburg ³1966, 71–77.

[2] E. Käsemann, Paulinische Perspektiven, Tübingen 1969, 205 (Hervorhebung von mir).

Der Apostel ist in seiner Funktion als Vermittler des von Gott ausgehenden
Offenbarungs-, Versöhnungs- und Gnadengeschehens ein ϑεοῦ συνεργός, ein
Mitarbeiter Gottes. Dies führt zu einer weiteren Grundbestimmung der Ge-
meinde: sie ist ϑεοῦ οἰκοδομή, ein »Bau Gottes«; als solches ganz und gar sein
Werk — und doch geschichtlich erbaut durch Gottes Mitarbeiter, den Apostel.

Sein Verkündigungsdienst geschieht in Repräsentation Gottes und Christi;
denn es ist Gott selbst, der durch ihn zur Versöhnung mahnt, und es ist
Christus, für den, ja an dessen Stelle er seinen Botschafterdienst tut.

Sein Verkündigungsdienst ist daher ein Dienst in Vollmacht. Paulus verzichtet zwar weitgehend auf seine ἐξουσίαι am Evangelium, damit niemand
seiner Verkündigung mißtraue; aber dieser Verzicht ist ein persönlicher und
hebt die grundsätzlichen Vollmachten eines Apostels auch für Paulus nicht
auf. Da es Vollmachten zum Auferbauen der Gemeinde sind, sucht er sie auch
prinzipiell zur οἰκοδομή der Gemeinden einzusetzen; doch zögert er im Ernstfall nicht, schonungslos vorzugehen gegen die Verderber der Gemeinde, ihnen
Fluch anzudrohen und Strafen über sie zu verhängen. Wo der heilsbedeutsame
Glaubensgehorsam auf dem Spiele steht, muß er mit allen Mitteln Gehorsam
erwirken — ohne ihn freilich erzwingen zu können.

Hierin erweist die paulinische Auffassung von der κοινωνία ihre ganze Bedeutung. Zwischen dem Apostel und den Gemeinden entsteht — wie zwischen
jedem, der das Evangelium verkündet, und dem, der durch diese Verkündigung
zum Glauben kommt — ein Gemeinschaftsverhältnis, das im Kern ein Schuldverhältnis darstellt. Beide sind aufeinander verwiesen, und ihre wechselseitige
Bindung ist unkündbar. Die Gemeinden sind das μέτρον τοῦ κανόνος des Apostels,
sein Ruhm oder seine Schande am Tag Jesu Christi; aber auch die Umkehrung
gilt: die Gemeinden könnten sich nur um den Preis der Selbstaufgabe von
ihrem apostolischen Gründer lossagen. Ihre Beziehung ist von eschatologisch-
soteriologischer Bedeutung. Und dennoch ist die geschuldete Gemeinschaft nur
in Freiheit zu leisten; der geforderte Gehorsam bleibt unerzwingbarer Glaubensgehorsam.

Dieses zwischen Apostel und Gemeinde wirksame Prinzip κοινωνία, frei zu
leistender, doch geschuldeter Dankbarkeit, bestimmt nach paulinischem Denken auch das Verhältnis der von ihm gegründeten Gemeinden zu Jerusalem.
Das große Kollektenwerk des Apostels ist Ausdruck und Anerkennung dieser
geschuldeten κοινωνία.

Und doch liegt in diesem als κοινωνία bestimmten Verhältnis die Uminterpretation einer anders gearteten Jerusalemer Auffassung. Die Jerusalemer
Autoritäten billigen zwar das Recht des Paulus auf die ihm von Gott durch
Offenbarung zugeteilte ἀποστολὴ εἰς τὰ ἔθνη, und sie verweigern Paulus auch
nicht den Handschlag zur Bekräftigung ihrer Gemeinschaft, aber sie verfolgen
doch nicht ohne Besorgnis den Weg des Paulus und seiner Gemeinden. Jerusalem scheint sich als Zentrum und Zentrale der Gesamtkirche verstanden
und daraus entsprechende Vorrechte abgeleitet zu haben. Dafür spricht gerade
auch die Kollektenvereinbarung von Gal 2, 10, die man kaum anders denn als
Auflage verstehen kann, in der die Muttergemeinde von Jerusalem ihren Vor-
rangsanspruch gegenüber den heidenchristlichen Gemeinden des Paulus auszudrücken suchte.

Paulus anerkennt seinerseits diesen Vorrang Jerusalems, deutet ihn aber rein geistlich und will auch die von ihm mit Eifer betriebene Kollekte nur als κοινωνίαν τινά, als partiellen Ausdruck von κοινωνία, verstanden wissen.

Noch deutlicher zeigt sich die Differenz zwischen Paulus und Jerusalem im Verständnis der ἐκκλησία τοῦ θεοῦ. Während Jerusalem sich als Repräsentantin der einen eschatologischen ἐκκλησία τοῦ θεοῦ verstanden zu haben scheint, entwickelt Paulus einen konkurrierenden ἐκκλησία-Begriff, der sich — wohl auf dem Hintergrund der hellenistischen ἐκκλησίαι — an den konkreten Gemeindeversammlungen orientiert.

Für ihn ist die einzelne Gemeinde nicht Teil und Darstellung einer in Jerusalem repräsentierten Gesamtkirche, sondern jede Gemeinde ist als versammelte — und immer wieder sich versammelnde — eine ἐκκλησία τοῦ θεοῦ, gleichviel ob sie als ganze oder in Teilen, z. B. in Hausekklesien, zusammenkommt.

»Kirche« ist für Paulus mithin — modern gesprochen — zunächst das Ereignis der sich »zu Kirche« oder »als Kirche« versammelnden Gemeinde. Doch sind geschichtliches und eschatologisches Moment dabei nicht zu trennen: die sich geschichtlich versammelnde Gemeinde ist ihrem Wesen nach zugleich die eschatologische Sammlung Gottes: ἐκκλησία τοῦ θεοῦ.

Beide Betrachtungsweisen müssen also immer zusammenkommen, wenn im Sinne des Paulus zureichend vom Wesen der ἐκκλησία gesprochen werden soll.

Dies gilt auch von der Wesensbestimmung der Gemeinde als σῶμα Χριστοῦ. Ihr Leibsein ist begründet in der Bestimmtheit aller von dem erhöhten Christus, der einem jeden in der Feier des Herrenmahles Anteil gibt an seinem Leib und so die Vielen zur Einheit seines Leibes zusammenschließt. In der Bestimmung der Gemeinde als »Leib Christi« ist also vom Essen des Herrenmahles so wenig abzusehen wie vom συνέρχεσθαι ἐν ἐκκλησίᾳ für die ἐκκλησία τοῦ θεοῦ und vom οἰκοδομεῖν für die Gemeinde als θεοῦ οἰκοδομή.

Die Gemeinde wird, was sie ist, durch das, was an ihr und in ihr geschieht.

Festzuhalten ist, daß Paulus alle diese Aussagen nur von den konkreten Gemeinden macht, nicht von einer abstrakten »Kirche«.

Die bisherige Forschung hat diesen paulinischen »Kirchenbegriff« nie scharf genug differenziert, so daß man immer von einer doppelten Ausrichtung der paulinischen Gemeinden als Teil *und* Darstellung der Gesamtkirche ausging und dementsprechend auch von einer doppelten Organisation sprechen konnte: einer gesamtkirchlichen, der man seit A. v. Harnack gern die Apostel, Propheten und Lehrer zurechnete, und einer gemeindlichen, wozu man die inhaltlich schwer bestimmbaren Gemeindedienste rechnete.

In Wahrheit anerkennt Paulus zwar die »gesamtkirchliche« Autorität Jerusalems und der Geltenden, doch kennt er keine gesamtkirchlichen Ämter. Nicht einmal der Apostolat ist als ein solches zu bezeichnen. Trotz seines grundlegenden Gegenübers zur Gemeinde als Ort der Vermittlung des Versöhnungsgeschehens erscheint der Apostolat ganz und gar bezogen auf Gemeinden. Ein Apostel ist primär Apostel für seine, d. h. die von ihm gegründeten Gemeinden; nur in ihnen hat er volle Autorität. Dagegen hieße es für Paulus, in fremden κανών eindringen und diesen u. U. verletzen, wollte er seinen Zuständigkeitsbereich überschreiten. Diese Gemeindebindung der ἀπόστολοι ist so eng, daß

Paulus 1 Kor 12, 28 das Apostelamt unter allen vom Geist zugeteilten Charismen in den Gemeinden als erstes aufführen kann.

Gemeindebezogen sind aber auch alle übrigen Dienste. Ihr $\mu\acute{\epsilon}\tau\varrho o\nu$ $\tau o\tilde{\upsilon}$ $\varkappa\alpha\nu\acute{o}\nu o\varsigma$ ist die Gemeinde — nicht anders wie für den Apostel selbst.

Sind die Gemeinden, die der Apostel gründet, zunächst auch sein eigenes $\check{\epsilon}\varrho\gamma o\nu$ $\grave{\epsilon}\nu$ $\varkappa\upsilon\varrho\acute{\iota}\omega$, so gibt es doch neben, mit und nach ihm andere, die als seine $\sigma\upsilon\nu\epsilon\varrho\gamma o\acute{\iota}$ sein $\check{\epsilon}\varrho\gamma o\nu$ an und in den Gemeinden weiterführen. Sie übernehmen nicht nur seine Funktionen, sie bekommen auch Anteil an seiner Vollmacht. Auch sie erweisen sich ja in ihrem $\check{\epsilon}\varrho\gamma o\nu$ als $\vartheta\epsilon o\tilde{\upsilon}$ $\sigma\upsilon\nu\epsilon\varrho\gamma o\acute{\iota}$, als Mitarbeiter am $\check{\epsilon}\varrho\gamma o\nu$ $\tau o\tilde{\upsilon}$ $\varkappa\upsilon\varrho\acute{\iota}o\upsilon$ (bzw. $X\varrho\iota\sigma\tau o\tilde{\upsilon}$); ihre Arbeit als Begießende ist von der des pflanzenden Apostels zwar hinsichtlich des heilsgeschichtlichen Orts, nicht aber im Wesen verschieden. In abgeleitetem Sinn gilt daher auch für sie, was im Rahmen dieser Arbeit über das apostolische Amt herausgestellt wurde.

Die Auffächerung des apostolischen Amtes in den Gemeindediensten korrespondiert mit den $\chi\alpha\varrho\acute{\iota}\sigma\mu\alpha\tau\alpha$, die Gott $\varkappa\alpha\tau\grave{\alpha}$ $\tau\grave{\eta}\nu$ $\chi\acute{\alpha}\varrho\iota\nu$ einem jeden Glied am Leib der Gemeinde zuteilt. Zwar hat nach paulinischer Auffassung jeder sein eigenes Charisma und erfüllt damit als Glied eine unverzichtbare Funktion im Leibganzen der Gemeinde; doch gibt es wichtigere und weniger wichtige, für die Gemeinde nützlichere und weniger nützliche Funktionen und Charismen.

In einem geschichtlichen Prozeß gliedern sich allmählich die Gemeinden; es entstehen Ämter und Amtsbezeichnungen für jene Funktionen, in welchen das apostolische $\check{\epsilon}\varrho\gamma o\nu$ am wirkungsvollsten weitergeführt wird, und es kommt zu gemeindlichen Ordnungen, zu immer deutlicherer Strukturierung.

Sind es zunächst und prinzipiell auch alle, die zur Mitarbeit am $\check{\epsilon}\varrho\gamma o\nu$ $\tau o\tilde{\upsilon}$ $\varkappa\upsilon\varrho\acute{\iota}o\upsilon$, an der $o\grave{\iota}\varkappa o\delta o\mu\acute{\eta}$ der Gemeinde verpflichtet sind, so sind es faktisch doch nur einzelne, die sich als Mitarbeiter einordnen in den Dienst für die Heiligen und denen darin auch apostolische Vollmacht zukommt.

Dieser Prozeß wird in den paulinischen Gemeinden offenbar nicht durch Amtsübertragung gesteuert; er vollzieht sich nach natürlichen Gesetzen. Nach dem $\mu\acute{\epsilon}\tau\varrho o\nu$ »$\check{\epsilon}\varrho\gamma o\nu$« ($\varkappa\acute{o}\pi o\varsigma$ usw.) empfehlen sich jene Mitarbeiter selbst, die dann auch der Apostel empfiehlt, bzw. die darin der Herr selbst empfiehlt.

Die Rolle des Geistes innerhalb der paulinischen Ekklesiologie ist vor allem in der protestantischen Forschung zu Unrecht verselbständigt worden.

$\Pi\nu\epsilon\tilde{\upsilon}\mu\alpha$ ist für Paulus aber keine selbständige Größe, die man einfachhin neben Gott und Christus stellen dürfte. $\Pi\nu\epsilon\tilde{\upsilon}\mu\alpha$ ist als $\pi\nu\epsilon\tilde{\upsilon}\mu\alpha$ Gottes und Christi immer nur gesehen als das Medium der Vermittlung, als die Sphäre und das Kraftfeld, in denen die Christen, aber auch die Gemeinden als »Leib Christi«, existieren.

Es ist daher auch wenig glücklich, daß die Forschung bislang zwischen »Geistesgaben« und »Gnadengaben« kaum unterschieden hat. Für Paulus sind aber $\pi\nu\epsilon\upsilon\mu\alpha\tau\iota\varkappa\acute{\alpha}$ und $\chi\alpha\varrho\acute{\iota}\sigma\mu\alpha\tau\alpha$ durchaus verschiedene Dinge. Erstere sind, sofern sie nicht überhaupt nur $\tau\grave{\alpha}$ $\tau o\tilde{\upsilon}$ $\pi\nu\epsilon\acute{\upsilon}\mu\alpha\tau o\varsigma$, die Dinge des Geistes bzw. die mit dem Geist zusammenhängenden Sachverhalte, bezeichnen, pneumatische Erscheinungen, die Paulus zwar nicht geringschätzt, aber doch in entscheidender Weise ekklesiologisch bindet. Dies geschieht durch den Begriff der $\chi\alpha\varrho\acute{\iota}\sigma\mu\alpha\tau\alpha$, die Gott als Gaben seiner $\chi\acute{\alpha}\varrho\iota\varsigma$ einem jeden zuteilt — durch das $\pi\nu\epsilon\tilde{\upsilon}\mu\alpha$. Der Geist ist also nicht das die Charismen hervorbringende Prinzip, sondern nur das Medium ihrer Vermittlung. »Pneumatische« Erscheinungen sind deshalb auch nur dann von Wert, wenn ihnen ein χάρισμα zu Grunde liegt zum Nutzen der Gemeinde.

Die Verschleierung des Pneumatischen und des Charismatischen durch gegenseitige Vermischung führte andererseits im Laufe der Zeit auch zu einer Verunklarung im Verständnis der χαρίσματα. Während Paulus damit die Gnadengaben jedes einzelnen bezeichnete, wurde der Begriff Charisma später immer mehr im Sinne einer außerordentlichen Begabung oder Erscheinung verwendet. In der späteren, auf Gesamtkirche hin orientierten Entwicklung mußte das dazu führen, daß das Wissen um die grundsätzliche Gleichheit aller vom πνεῦμα erfüllten Gemeindeglieder mit ihrem Zusammenspiel von Charismen immer mehr verkümmerte.

Die Differenzierung der einzelnen Funktionen des apostolischen Amtes und die begriffliche wie sachliche Verfestigung funktionaler Strukturen in den sich entwickelnden Gemeindeämtern deutet sich bei Paulus schon an und sollte im Verlauf eines Entwicklungsprozesses zu immer schärferen Trennlinien bis zur Scheidung von Klerus und Laien führen, ein Gedanke, der für Paulus selbst undenkbar gewesen wäre; die Herausbildung eines Klerus schon deshalb, weil er seinen apostolischen Dienst fast ausschließlich als Verkündigungsdienst verstand und speziell Kultisches nur als Interpretament dieses Dienstes erscheint; selbst die Spendung der Taufe überläßt er zumeist anderen.

Auch wäre für Paulus eine Entmündigung der Gemeinde, wie sie als Folge der ständischen Gliederung sich immer mehr ergab, unvorstellbar gewesen. Trotz des durchaus verschiedenen Nutzens, den die Gemeinde vom χάρισμα des Einzelnen haben konnte, blieb doch prinzipiell jedes Gemeindeglied gehalten, mit seinem je eigenen Charisma den anderen zu dienen und zur οἰκοδομή der Gemeinde beizutragen; die Gemeinde war ihm ein Organismus, dessen Funktionsfähigkeit vom Zusammenwirken aller Glieder abhing; und alle galten ihm als πνευματικοί.

Insgesamt, wird man sagen müssen, ist die gesamtkirchliche Entwicklung über diesen Beitrag des Paulus und seiner Gemeinden zur kirchlichen Verfassungsgeschichte hinweggegangen. Schon die auf paulinischen Gedanken aufbauenden Briefe an die Kolosser und Epheser haben Paulus für Kirchenspekulationen ausgewertet, die eindeutig eine einzige ἐκκλησία (τοῦ θεοῦ) zum Ausgangspunkt nehmen, während die Bedeutung der Einzelgemeinden nahezu verschwindet. Paulus ist mit seinen Gemeinden nur Zwischenglied in einer Entwicklung, in welcher er sich nicht zu behaupten vermochte, die ihn vielmehr modifiziert und adaptiert. Er war daran nicht ganz »schuldlos«. In seiner theologischen, christologischen und eschatologischen Bestimmung der Gemeinde liegt ein prinzipielles, die Einzelgemeinde transzendierendes Moment; denn was von jeder Gemeinde gilt, gilt für alle, schließlich auch für »die Kirche«. Seine auf Gemeinden bezogenen Aussagen wurden daher bald *von* der »Kirche« *für* die »Kirche« entfaltet und fruchtbar gemacht.

Da er den Jerusalemer ἐκκλησία-Begriff übernahm und seine Differenzierungen auf Umwegen für diesen wieder fruchtbar geworden sind, liegt darin vielleicht eine tiefere Logik.

VERZEICHNIS DER ABKÜRZUNGEN

ASNU	Acta Seminarii Neotestamentici Upsaliensis (1, 1936 – 8, 1937 unter dem Titel: Arbeiten und Mitteilungen aus dem Neutestamentlichen Seminar zu Uppsala)
AThANT	Abhandlungen zur Theologie des Alten und Neuen Testaments
Bauer, WB	Bauer, W., Griechisch-Deutsches Wörterbuch zu den Schriften des Neuen Testaments und der übrigen urchristlichen Literatur, Berlin ⁵1957, Neudruck 1963
BEvTh	Beiträge zur Evangelischen Theologie
BFChTh	Beiträge zur Förderung christlicher Theologie
BHTh	Beiträge zur historischen Theologie
Bl. – Debr.	F. Blaß – A. Debrunner, Grammatik des neutestamentlichen Griechisch, 12. Aufl. 1965
BSt	Biblische Studien
BU	Biblische Untersuchungen
BWA(N)T	Beiträge zur Wissenschaft vom Alten (und Neuen) Testament
BZ	Biblische Zeitschrift
BZNW	Beihefte zur Zeitschrift für die neutestamentliche Wissenschaft
DLZ	Deutsche Literaturzeitung
DTh	Deutsche Theologie
EvTh	Evangelische Theologie
FChLDG	Forschungen zur christlichen Literatur- und Dogmengeschichte
FGLP	Forschungen zur Geschichte und Lehre des Protestantismus
FRLANT	Forschungen zur Religion und Literatur des Alten und Neuen Testaments
HNT	Handbuch zum Neuen Testament, begr. v. H. Lietzmann, hg. v. G. Bornkamm
HThR	The Harvard Theological Review
HUCA	Hebrew Union College Annual
JBL	Journal of Biblical Literature and Exegesis
JThS	The Journal of Theological Studies
KuD	Kerygma und Dogma
MGWJ	Monatsschrift für Geschichte und Wissenschaft des Judentums
MKK	Meyers Kritisch-exegetischer Kommentar über das Neue Testament
MThS	Münchener Theologische Studien
MThZ	Münchener Theologische Zeitschrift
NTA	Neutestamentliche Abhandlungen
NTC	New Testament Commentaries
NTD	Das Neue Testament Deutsch, Neues Göttinger Bibelwerk, hg. v. P. Althaus u. J. Behm
NTS	New Testament Studies

NTT	Norsk Teologisk Tidsskrift
RAC	Reallexikon für Antike und Christentum, hg. v. Th. Klauser, 1941 ff
RE	Realencyklopädie für protestantische Theologie und Kirche, 3. Aufl. 1896 bis 1913
RechScRel	Recherches de Science Religieuse
RGG	Die Religion in Geschichte und Gegenwart, 1. Aufl. 1909–1913, 2. Aufl. 1926 ff, 3. Aufl. 1957–1965
RHPhR	Revue d'Histoire et de Philosophie Religieuses
RNT	Regensburger Neues Testament
RQ	Römische Quartalschrift für christliche Altertumskunde und für Kirchengeschichte
SAB	Sitzungsberichte der Deutschen (bis 1944: Preußischen) Akademie der Wissenschaften zu Berlin
SAH	Sitzungsberichte der Heidelberger Akademie der Wissenschaften, Heidelberg
SEÅ	Svensk Exegetisk Årsbok
SJTh	The Scottish Journal of Theology
SNT	Die Schriften des Neuen Testaments, übers. u. erkl. v. J. Weiß u. a., 3. Aufl. 1917
StML	Stimmen aus Maria-Laach
Str.-Bill.	Kommentar zum Neuen Testament aus Talmud und Midrasch von H. L. Strack und P. Billerbeck
StTh	Studia Theologica
SyBU	Symbolae Biblicae Upsalienses
ThBL	Theologische Blätter
ThLZ	Theologische Literaturzeitung
ThQ	Theologische Quartalschrift
ThR	Theologische Rundschau
ThSt(B)	Theologische Studien, hg. v. K. Barth
ThStKr	Theologische Studien und Kritiken
ThT	Theologisch Tijdschrift
ThW	Theologisches Wörterbuch zum Neuen Testament, begr. v. G. Kittel, hg. v. G. Friedrich, 1933 ff
ThZ	Theologische Zeitschrift
TU	Texte und Untersuchungen zur Geschichte der altchristlichen Literatur
UNT	Untersuchungen zum Neuen Testament
UUÅ	Uppsala Universitets Årsskrift
VF	Verkündigung und Forschung
WMANT	Wissenschaftliche Monographien zum Alten und Neuen Testament
WuD	Wort und Dienst, Jahrbuch der Theologischen Schule Bethel
ZKG	Zeitschrift für Kirchengeschichte
ZKTh	Zeitschrift für katholische Theologie
ZMR	Zeitschrift für Missionskunde und Religionswissenschaft
ZNW	Zeitschrift für die neutestamentliche Wissenschaft und die Kunde der älteren Kirche
ZSTh	Zeitschrift für systematische Theologie
ZThK	Zeitschrift für Theologie und Kirche
ZWTh	Zeitschrift für wissenschaftliche Theologie
ZZ	Zwischen den Zeiten

LITERATURVERZEICHNIS

1. Hilfsmittel und Lexika:

Bauer, W.,   Griechisch-Deutsches Wörterbuch zu den Schriften des
                             Neuen Testaments und der übrigen urchristlichen Literatur,
                             Berlin ⁵1957, Neudruck 1963
Blaß, F. –   Grammatik des neutestamentlichen Griechisch, Göttingen
Debrunner, A.,   ¹²1965
Biblisch-historisches Handwörterbuch, hg. v. B. Reicke und L. Rost, I – III, Göt-
                             tingen 1962
Cabrol, F. –   Dictionnaire d' archéologie chrétienne et de liturgie I–XV,
Leclercq, H.,   Paris 1920ff
Deutsches Wörterbuch zum Neuen Testament, Nach dem griechischen Urtext
                             bearbeitet v. G. Richter (RNT 10), Regensburg 1962
Lexikon für Theologie und Kirche, 2. Auflage, hg. v. J. Höfer und K. Rahner,
                             I – X, Freiburg 1957–1965
Pauly, A. –   Paulys Real-Encyclopädie der classischen Altertumswis-
Wissowa, G.,   senschaft, Neue Bearbeitung, begonnen von G. Wissowa,
                             hg. v. W. Kroll, später von K. Ziegler, Stuttgart 1893ff,
                             später Waldsee (Württ.)
Reallexikon für Antike und Christentum, hg. v. Th. Klauser, Stuttgart 1941ff
Die Religion in Geschichte und Gegenwart, 3. Auflage, hg. v. K. Galling u. a.,
                             I – VI, Tübingen 1957–1962
Strack, H. L. –   Kommentar zum Neuen Testament aus Talmud und
Billerbeck, P.,   Midrasch I–VI, München ³1961
Theologisches Wörterbuch zum Neuen Testament, begr. v. G. Kittel, (ab Band V)
                             hg. v. G. Friedrich, Stuttgart 1933ff

2. Kommentare, Monographien und Aufsätze:

Adler, N.,   Taufe und Handauflegung, Eine exeg.-theolog. Untersu-
                             chung von Apg 8, 14–17 (NTA XIX, Heft 3), Münster 1951
Allo, E. B.,   Saint Paul, Première Épître aux Corinthiens (Études Bib-
                             liques), Paris ²1934
Althaus, P.,   Der Brief an die Römer (NTD 6), Göttingen ¹⁰1966
Ders.,   Der Brief an die Galater (NTD 8), Göttingen ¹²1970
Amiot, F.,   Saint Paul, Épître aux Galates, Épîtres aux Thessaloniciens
                             (Verbum Salutis XIV), Paris 1946
Annand, R.,   Note on the three »Pillars« (Galatians II, 9), in: ET 67
                             (1955/56) 178
Asmussen, H.,   Der Römerbrief, Stuttgart 1952
Asting, R.,   Die Heiligkeit im Urchristentum (FRLANT 46), Göttingen
                             1930
Ders.,   Die Verkündigung des Wortes im Urchristentum, darge-
                             stellt an den Begriffen »Wort Gottes«, »Evangelium« und
                             »Zeugnis«, Stuttgart 1939
Aulén, G.,   Ein Buch von der Kirche, Berlin 1950
Bachmann, Ph.,   Der erste Brief des Paulus an die Korinther (Kommentar
                             zum Neuen Testament, hg. v. Th. Zahn, Band VII), 4. Auf-
                             lage mit Nachträgen von E. Stauffer, Leipzig 1936

Bachmann, Ph.,	Der zweite Brief des Paulus an die Korinther (Kommentar zum Neuen Testament, hg. v. Th. Zahn, Band VIII), Leipzig [4]1922
Bardenhewer, O.,	Der Römerbrief des heiligen Paulus, Kurzgefaßte Erklärung, Freiburg 1926
Barrett, C. K.,	The Apostles in and after the New Testament, in: SEÅ 21 (1957) 30–49, Lund 1957
Ders.,	A Commentary on the Epistle to the Romans, London 1957
Barth, K.,	Der Römerbrief, Zürich [8]1947
Ders.,	Erklärung des Philipperbriefes, (München 1928) Zürich [5]1947
Barth, M.,	Der Augenzeuge, Eine Untersuchung über die Wahrnehmung des Menschensohnes durch die Apostel, Zürich 1946
Batiffol, P.,	L'Église naissante et le Catholicisme, Paris [2]1909
Ders.,	Urkirche und Katholizismus, übersetzt und eingeleitet von Fr. X. Seppelt, Kempten-München 1910
Bauernfeind, O.,	»Wachsen in allen Stücken«, Ein Beitrag zur Frage nach den Ordnungen der Gemeinde im Neuen Testament, in: ZSTh 14 (1937) 465–494, Berlin 1937
Ders.,	Die Begegnung zwischen Paulus und Kephas Gal 1, 18–20, in: ZNW 47 (1956) 268–276, Berlin 1956
Ders.,	Die erste Begegnung zwischen Paulus und Kephas Gal 1, 18, in: ThLZ 81 (1956) 343f, Leipzig 1956
Baur, F. C.,	Paulus, der Apostel Jesu Christi, Sein Leben und Wirken, seine Briefe und seine Lehre, Ein Beitrag zu einer kritischen Geschichte des Urchristentums, Stuttgart 1845, 2. Auflage, Nach dem Tode des Verfassers besorgt von E. Zeller, I. Teil, Leipzig 1866, II. Teil, Leipzig 1867
Beare, F. W.,	A Commentary on the Epistle to the Philippians (Black's New Testament Commentaries), London 1959
Behm, J.,	Religion und Recht im Neuen Testament, Rektoratsrede, Göttingen 1931
Bell, G. K. A., – Deissmann, A.,	Mysterium Christi, Christologische Studien britischer und deutscher Theologen, Berlin 1931
Berger, R.,	Die Wendung »offerre pro« in der römischen Liturgie (Liturgiewissenschaftliche Quellen und Forschungen, Heft 41), Münster 1965
Best, E.,	One Body in Christ, A Study in the Relationship of the Church to Christ in the Epistles of the Apostle Paul, London 1955
Beyer, H. W.,	Das Bischofsamt im Neuen Testament, in: DTh 1 (1934) 201–225, Stuttgart 1934
Beyschlag, W.,	Die christliche Gemeindeverfassung im Zeitalter des Neuen Testaments (Von der Teyler'schen theologischen Gesellschaft gekrönte Preisschrift), Haarlem 1874
Bieder, W.,	Der Philemonbrief (»Prophezei«, Schweizerisches Bibelwerk für die Gemeinde), Zürich 1944
Bisping, A.,	Erklärung des Briefes an die Römer (Exegetisches Handbuch zu den Briefen des Apostels Paulus, Band I, 1. Abteilung), Münster 1854
Ders.,	Erklärung des zweiten Briefes an die Korinther und des Briefes an die Galater (Exegetisches Handbuch zu den Briefen des Apostels Paulus, Band II, 1. Abteilung), Münster 1857

Bjerkelund, C. J.,   Parakalô, Form, Funktion und Sinn der parakalô-Sätze in den paulinischen Briefen (Bibliotheca Theologica Norvegica 1), Oslo 1967

Bläser, P.,   Zum Problem des urchristlichen Apostolats, in: Unio Christianorum (Festschrift für Erzbischof L. Jaeger), Paderborn 1962, 92–107

Blank, J.,   Paulus und Jesus, Eine theologische Grundlegung (Studien zum Alten und Neuen Testament, Band XVIII), München 1968

Bonnard, P.,   L'épître de Saint Paul aux Philippiens (Commentaire du Nouveau Testament X), Neuchâtel-Paris 1950

Boor, W. de,   Die Briefe des Paulus an die Philipper und an die Kolosser (Wuppertaler Studienbibel, hg. v. F. Rienecker), Wuppertal ²1962

Bornkamm, G.,   Das Ende des Gesetzes, Paulusstudien (BEvTh 16), München 1952

Ders.,   Die Erbauung der Gemeinde als Leib Christi, in: Das Ende des Gesetzes (BEvTh 16), München 1952, 113–123

Ders.,   Die Vorgeschichte des sogenannten Zweiten Korintherbriefes (SAH 1961, 2), Heidelberg 1961

Bousset, W.,   Der erste Brief an die Korinther (SNT II), Göttingen ³1917

Ders.,   Der zweite Brief an die Korinther (SNT II), Göttingen ³1917

Ders.,   Der Brief an die Galater (SNT II), Göttingen ²1908; ³1917

Bousset, W. – Greßmann, H.,   Die Religion des Judentums im späthellenistischen Zeitalter (HNT 21), Tübingen ⁴1966

Brandt, W.,   Dienst und Dienen im Neuen Testament (Neutestamentliche Forschungen, hg. v. O. Schmitz, 2. Reihe, Heft 5), Gütersloh 1931

Braun, F. M.,   Neues Licht auf die Kirche, Die protestantische Kirchendogmatik in ihrer neuesten Entfaltung, Einsiedeln – Köln 1946

Brewer, R.,   The meaning of Politeuesthe in Phil 1, 27, in: JBL 73 (1954) 76–83, Philadelphia 1954

Brosch, J.,   Charismen und Ämter in der Urkirche, Bonn 1951

Brox, N.,   Die Pastoralbriefe (RNT 7, 2), Regensburg ⁴1969

Ders.,   Historische und theologische Probleme der Pastoralbriefe des Neuen Testaments, Zur Dokumentation der frühchristlichen Amtsgeschichte, in: Kairos N. F. 11 (1969) 77–94, Salzburg 1969

Bruders, H.,   Die Verfassung der Kirche von den ersten Jahrzehnten der apostolischen Wirksamkeit an bis zum Jahre 175 n. Chr. (FChLDG 4), Mainz 1904

Brun, L.,   Apostelkoncil und Aposteldekret, in: Paulus und die Urgemeinde, Zwei Abhandlungen von Lyder Brun und Anton Fridrichsen, Gleichzeitig ausgegeben als Beiheft I zu NTT, Gießen 1921

Ders.,   Der kirchliche Einheitsgedanke im Urchristentum, in: ZSTh 14 (1937) 86–127, Berlin 1937

Brunner, E.,   Der Römerbrief (Bibelhilfe für die Gemeinde, Neutestamentliche Reihe, Band 6), Stuttgart 1948

Brunstäd, F.,   Die Kirche und ihr Recht, in: Wort und Tat (1934) 288–314, Berlin 1934

Brunstäd, F.,	Die Kirche und ihr Recht, Halle 1935
Bultmann, R.,	Kirche und Lehre im Neuen Testament, in: ZZ 7 (1929) 9–43, München 1929
Ders.,	Rezension zu Lohmeyers Philipperbrief, in: DLZ 51 (1930) 774–780, Leipzig 1930
Ders.,	Glossen im Römerbrief, in: ThLZ 72 (1947) 197–202, Leipzig 1947
Ders.,	Exegetische Probleme des zweiten Korintherbriefes, Darmstadt ²1963 (Fotomechanischer Nachdruck von SyBU 9, Uppsala 1947)
Ders.,	Theologie des Neuen Testaments, Tübingen ⁵1965
Campenhausen, H. v.,	Recht und Gehorsam in der ältesten Kirche, in: ThBl 20 (1941) 279–295, Leipzig 1941
Ders.,	Der urchristliche Apostelbegriff, in: StTh Vol. I, Fasc. I–II (1948) 96–130, Lund 1948
Ders.,	Kirchliches Amt und geistliche Vollmacht in den ersten drei Jahrhunderten (BHTh 14), Tübingen ²1963
Cerfaux, L.,	La Théologie de l'Église suivant Saint Paul (Unam Sanctam 10), Paris ²1948
Ders.,	Pour l'histoire du titre Apostolos dans le Nouveau Testament, in: RechScRel 48 (1960) 76–92, Paris 1960
Conzelmann, H.,	Die Apostelgeschichte (HNT 7), Tübingen 1963
Ders.,	Der erste Brief an die Korinther (MKK 5), Göttingen ¹¹1969
Cornely, R.,	Commentarius in S. Pauli Apostoli Epistolas, I. Epistola ad Romanos, Paris 1896
Cullmann, O.,	Le caractère eschatologique du devoir missionaire et de la conscience apostologique de S. Paul, Étude sur le $\varkappa\alpha\tau\acute{\epsilon}\chi o\nu$ (– $\omega\nu$) de 2 Thess 2, 6–7, in: RHPhR 16 (1936) 210–245, Straßburg 1936
Ders.,	Petrus, Jünger – Apostel – Märtyrer, Zürich 1952, 2. umgearb. und erg. Auflage 1960
Dahl, N. A.,	Das Volk Gottes, Eine Untersuchung zum Kirchenbewußtsein des Urchristentums (1941), Neudruck Darmstadt 1963
Davies, W. D.,	Paul and Rabbinic Judaism, Some Rabbinic Elements in Pauline Theology, London 1948, ²1955
Deissmann, A.,	Die neutestamentliche Formel »in Christo Jesu«, Marburg 1892
Ders.,	Bibelstudien, Beiträge, zumeist aus den Papyri und Inschriften, zur Geschichte der Sprache, des Schrifttums und der Religion des hellenistischen Judentums und des Urchristentums, Marburg 1895
Ders.,	Neue Bibelstudien, Sprachgeschichtliche Beiträge, zumeist aus den Papyri und Inschriften, zur Erklärung des Neuen Testaments, Marburg 1897
Ders.,	Anathema, in: ZNW 2 (1901) 342, Gießen 1901
Ders.,	Paulus, Eine kultur- und religionsgeschichtliche Skizze, Tübingen 1911, ²1925
Ders.,	Licht vom Osten, Das Neue Testament und die neuentdeckten Texte der hellenistisch-römischen Welt, Tübingen ⁴1923
Dibelius, M.,	Die Geisterwelt im Glauben des Paulus, Göttingen 1909
Ders.,	Der Brief des Jakobus (MKK 15), Göttingen ⁷1921, 11. Auflage hg. und erg. v. H. Greeven, Göttingen 1964

Dibelius, M.,	An die Thessalonicher I–II, an die Philipper (HNT 11), Tübingen ³1937
Ders.,	An die Kolosser, Epheser, an Philemon (HNT 12), 3. Auflage neu bearbeitet v. H. Greeven, Tübingen 1953
Dinkler, E.,	Der Brief an die Galater, Zum Kommentar von H. Schlier, in: VF, Theologischer Jahresbericht 1953/55, München 1956, 175–183
Ders.,	Die Petrus-Rom-Frage, Ein Forschungsbericht, in: ThR N. F. 25 (1959) 189–230. 289–335 und 27 (1961) 33–64, Tübingen 1959 und 1961
Dix, G.,	The Ministry in the early Church, in: K. E. Kirk, The Apostolic Ministry, London ²1947, 183–303
Dobschütz, E. v.,	Die urchristlichen Gemeinden, Sittengeschichtliche Bilder, Leipzig 1902
Ders.,	Die Thessalonicher-Briefe (MKK 10), Göttingen ⁷1909
Ders.,	Die Kirche im Urchristentum, in: ZNW 28 (1929) 107–118, Gießen 1929
Dodd, C. H.,	The Bible and the Greeks, London 1954
Dunin – Borkowski, St. v.,	Die neueren Forschungen über die Anfänge des Episkopats (Ergänzungshefte zu StML 77), Freiburg 1900
Dupont, J.,	Gnosis, La connaissance religieuse dans les épîtres de Saint Paul (Universitas catholica Lovaniensis), Louvain–Paris 1949
Eckert, J.,	Die urchristliche Verkündigung im Streit zwischen Paulus und seinen Gegnern nach dem Galaterbrief (BU 6), Regensburg 1971
Ehrhardt, A.,	The Apostolic Succession in the First Two Centuries of the Church, London 1953
Ders.,	The Apostolic Ministry (SJTh, Occasional Papers 7), Edinburgh–London 1958
Eisentraut, E.,	Des hl. Apostels Paulus Brief an Philemon — Eingehender Kommentar und zugleich Einführung in die Paulusbriefe, Würzburg 1928
Ewald, P.,	Der Brief des Paulus an die Philipper (Kommentar zum Neuen Testament, hg. v. Th. Zahn, Band XI), 4. durchges. und verm. Aufl. bes. v. G. Wohlenberg, Leipzig 1923
Farrer, A. M.,	The Ministry in the New Testament, in: K. E. Kirk, The Apostolic Ministry, London ²1947, 113–182
Fascher, E.,	ΠΡΟΦΗΤΗΣ, Eine sprach- und religionsgeschichtliche Untersuchung, Gießen 1927
Feine, P.,	Die Abfassung des Philipperbriefes in Ephesus, mit einer Anlage über Röm 16, 3–20 als Epheserbrief (BFChTh 20, Heft 4), Gütersloh 1916
Ders., – Behm, J., – Kümmel, W. G.,	Einleitung in das Neue Testament, Heidelberg ¹⁶1969
Filson, F. V.,	The Significance of the Early House Churches, in: JBL 58 (1939) 105–112, Philadelphia 1939
Foerster, E.,	Rudolf Sohms Kritik des Kirchenrechtes, Haarlem 1942
Foerster, W.,	Abfassungszeit und Ziel des Galaterbriefes, in: Apophoreta, Festschrift für E. Haenchen (BZNW 30), Berlin 1964, 135–141
Fridrichsen, A.,	Ackerbau und Hausbau in formelhaften Wendungen in der Bibel und bei Platon, in: ThStKr 94 (1922) 185 f, Gotha 1922

Fridrichsen, A.,	The Apostle and his Message (UUÅ 1947:3), Uppsala 1947
Ders.,	Die neutestamentliche Gemeinde, in: G. Aulén, Ein Buch von der Kirche, Berlin 1950, 51–72
Friedrich, G.,	Geist und Amt, in: WuD, Jahrbuch der Theologischen Schule Bethel, als Festschrift für H. Girgensohn, N. F. 3, Bethel 1952, 61–85
Ders.,	Die Gegner des Paulus im 2. Korintherbrief, in: Abraham unser Vater, Juden und Christen im Gespräch über die Bibel; Festschrift für O. Michel zum 60. Geburtstag, Leiden–Köln 1963, 181–215
Ders.,	Der Brief an die Philipper (NTD 8), Göttingen ¹²1970
Fuchs, E.,	Die Auferstehung Jesu Christi und der Anfang der Kirche, in: ZKG 51 (1932) 1–20, Stuttgart 1932
Ders.,	Die Freiheit des Glaubens, Röm 5–8 ausgelegt (BEvTh 14), München 1949
Fürst, H.,	Paulus und die »Säulen« der Jerusalemer Urgemeinde, in: Analecta Biblica 17/18 II (1963) 3–10, Rom 1963
Gaechter, P.,	Jerusalem und Antiochia, Ein Beitrag zur urkirchlichen Rechtsentwicklung, in: ZKTh 70 (1948) 1–48, Wien 1948
Ders.,	Petrus und seine Zeit, Neutestamentliche Studien, Innsbruck–Wien–München 1958
Georgi, D.,	Die Gegner des Paulus im 2. Korintherbrief, Studien zur religiösen Propaganda in der Spätantike (WMANT 11), Neukirchen–Vluyn 1964
Ders.,	Die Geschichte der Kollekte des Paulus für Jerusalem (Theologische Forschung 38), Hamburg–Bergstedt 1965
Gerhardsson, B.,	Die Boten Gottes und die Apostel Christi, in: SEÅ 27 (1962) 89–131, Uppsala 1963
Gerke, F.,	Die Stellung des ersten Clemensbriefes innerhalb der Entwicklung der altchristlichen Gemeindeverfassung und des Kirchenrechts (TU 47, Heft 1), Leipzig 1931
Gnilka, J.,	Ist 1 Kor 3, 10–15 ein Schriftzeugnis für das Fegfeuer?, Eine exegetisch-historische Untersuchung, Düsseldorf 1955
Ders.,	Der Philipperbrief (Herders theologischer Kommentar zum Neuen Testament, Band X, Fasz. 3), Freiburg 1968
Ders.,	Geistliches Amt und Gemeinde nach Paulus, in: Kairos N.F. 11 (1969) 94–104, Salzburg 1969
Goguel, M.,	L'apôtre Pierre a-t-il joué un rôle personnel dans les crises de Grèce et de Galatie?, in: RHPhR 14 (1934) 461–500, Straßburg 1934
Ders.,	Jésus et les origines du Christianisme, L'Église primitive (Bibliothèque Historique), Paris 1947
Goodenough, E. R.,	Paul and Onesimus, in: HThR Vol. XXII, 2 (1929) 181–183, Cambridge 1929
Goppelt, L.,	Die apostolische und nachapostolische Zeit (Die Kirche in ihrer Geschichte, Ein Handbuch, hg. v. K. D. Schmidt und E. Wolf, Band I), Göttingen 1962
Grau, F.,	Der neutestamentliche Begriff Charisma, seine Geschichte und seine Theologie, Diss. Maschinenschrift, Tübingen 1946
Greeven, H.,	Propheten, Lehrer, Vorsteher bei Paulus, Zur Frage der »Ämter« im Urchristentum, in: ZNW 44 (1952/53) 1–43, Berlin 1952/53

Greeven, H.,   Prüfung der Thesen von J. Knox zum Philemonbrief, in: ThLZ 79 (1954) 373–378, Leipzig 1954

Grosch, H.,   Der im Galaterbrief Kap. 2, 11–14 berichtete Vorgang in Antiochia, Eine Rechtfertigung des Verhaltens des Apostels Petrus, Leipzig 1916

Grundmann, W.,   Der Begriff der Kraft in der neutestamentlichen Gedankenwelt (BWANT, 4. Folge, Heft 8), Stuttgart 1932

Ders.,   Die Apostel zwischen Jerusalem und Antiochia, in: ZNW 39 (1940) 110–137, Berlin 1941

Güttgemanns, E.,   Der leidende Apostel und sein Herr, Studien zur paulinischen Christologie (FRLANT 90), Göttingen 1966

Ders.,   Literatur zur Neutestamentlichen Theologie, Randglossen zu ausgewählten Neuerscheinungen, in: VF, Beihefte zu EvTh, Heft 2 (1967) 38–87, München 1967

Gulin, E. G.,   Das geistliche Amt im Neuen Testament, in: ZSTh 12 (1935) 296–313, Berlin 1935

Gunkel, H.,   Die Wirkungen des heiligen Geistes nach der populären Anschauung der apostolischen Zeit und der Lehre des Apostels Paulus, Eine biblisch-theologische Studie, Göttingen ³1909

Gutjahr, F. S.,   Die zwei Briefe an die Thessalonicher und der Brief an die Galater (Die Briefe des heiligen Apostels Paulus I), 2. verb. Auflage, Graz–Wien 1912

Ders.,   Der Brief an die Römer (Die Briefe des heiligen Apostels Paulus III), Graz–Wien 1923

Haenchen, E.,   Die Apostelgeschichte (MKK 3), Göttingen ¹⁴1965

Häuser, Ph.,   Anlaß und Zweck des Galaterbriefes, Seine logische Gedankenentwicklung (NTA XI, Heft 3), Münster 1925

Hanson, S.,   The Unity of the Church in the New Testament, Colossians and Ephesians (ASNU 14), Uppsala 1946

Harder, G.,   Miszelle zu 1. Kor. 7, 17, in: ThLZ 79 (1954) 367–372, Leipzig 1954

Harnack, A. v.,   Die Lehre der zwölf Apostel nebst Untersuchungen zur ältesten Geschichte der Kirchenverfassung und des Kirchenrechts (TU II, Heft 1 und 2), Leipzig 1886 (anastatischer Druck der Ausgabe von 1884)

Ders.,   Entstehung und Entwickelung der Kirchenverfassung und des Kirchenrechts in den zwei ersten Jahrhunderten, nebst einer Kritik der Abhandlung R. Sohms: »Wesen und Ursprung des Katholizismus«, Leipzig 1910

Ders.,   Die Mission und Ausbreitung des Christentums in den ersten drei Jahrhunderten, Leipzig 1902; I. Band: Die Mission in Wort und Tat, Leipzig ⁴1924

Ders.,   Κόπος (κοπιᾶν, οἱ κοπιῶντες) im frühchristlichen Sprachgebrauch, in: ZNW 27 (1928) 1–10, Gießen 1928

Hatch, E.,   Die Gesellschaftsverfassung der christlichen Kirchen im Altertum, 8 Vorlesungen, Vom Verfasser autorisierte Übersetzung der zweiten durchgesehenen Auflage (Oxford 1882), besorgt und mit Exkursen versehen von A. v. Harnack, Gießen 1883

Haupt, E.,   Zum Verständnis des Apostolates im Neuen Testament, Halle 1896

Haupt, E.,	Die Gefangenschaftsbriefe (MKK 9), Göttingen [7]1902
Hausrath, A.,	Der Vier-Capitel-Brief des Paulus an die Korinther, Heidelberg 1870
Havet, J.,	Christ collectif ou Christ individuel en I Cor XII 12?, in: Analecta Lovaniensia Biblica et Orientalia II, 4 (1948) 1–24
Heinrici, C. F. G.,	Das erste Sendschreiben des Apostels Paulus an die Korinthier (Erklärung der Korinthierbriefe in zwei Bänden, Band 1), Berlin 1880
Ders.,	Der zweite Brief an die Korinther (MKK 6), Göttingen [8]1900
Heitmüller, W.,	»Im Namen Jesu«, Eine sprach- und religionsgeschichtliche Untersuchung zum Neuen Testament, speziell zur altchristlichen Taufe, Göttingen 1902
Ders.,	Zum Problem Paulus und Jesus, in: ZNW 13 (1912) 320–337, Gießen 1912
Hennen, B.,	Ordines sacri, Ein Deutungsversuch zu 1 Kor 12, 1–31 und Röm 12, 3–8, in: ThQ 119 (1938) 427–469, Rottenburg 1938
Hermann, I.,	Kyrios und Pneuma, Studien zur Christologie der paulinischen Hauptbriefe (Studien zum Alten und Neuen Testament, Band II), München 1961
Hirsch, E.,	Petrus und Paulus, Ein Gespräch mit H. Lietzmann, in: ZNW 29 (1930) 63–76, Gießen 1930
Holl, K.,	Der Kirchenbegriff des Paulus in seinem Verhältnis zu dem der Urgemeinde, in: SAB 1921, 2. Halbband, 920–947, Berlin 1921; ferner in: Gesammelte Aufsätze zur Kirchengeschichte II: Der Osten, Tübingen 1928, 44–67; neuerdings auch in: Das Paulusbild in der neueren deutschen Forschung, hg. von K. H. Rengstorf, Darmstadt 1964, 144–178
Holstein, G.,	Die Grundlagen des evangelischen Kirchenrechts, Tübingen 1928
Holsten, C.,	Das Evangelium des Paulus, Teil I, Abteilung 1, Berlin 1880
Holtz, Tr.,	Zum Selbstverständnis des Apostels Paulus, in: ThLZ 91 (1966) 321–330, Leipzig 1966
Huby, J., – Lyonnet, St.,	Saint Paul, Épître aux Romains (Verbum Salutis X), Paris 1957
Hunzinger, C. H.,	Beobachtungen zur Entwicklung der Disziplinarordnung der Gemeinde von Qumran, in: Qumran-Probleme, Vorträge des Leipziger Symposions über Qumran-Probleme vom 9. bis 14. Oktober 1961, hg. v. H. Bardtke (Deutsche Akademie der Wissenschaften zu Berlin, Schriften der Sektion für Altertumswissenschaft 42), Berlin 1963, 231–247
Jang, L. K.,	Der Philemonbrief im Zusammenhang mit dem theologischen Denken des Apostels Paulus, Diss. Maschinenschrift, Bonn 1964
Jeremias, J.,	Die Abendmahlsworte Jesu, Göttingen 1935, [3]1960
Johnson, A. R.,	The One and the Many in the Israelite Conception of God, Cardiff 1942, [2]1961
Johnston, G.,	The Doctrine of the Church in the New Testament, Cambridge 1943
Jülicher, A.,	Der Brief an die Römer (SNT II), Göttingen [3]1917
Käsemann, E.,	Leib und Leib Christi (BHTh 9), Tübingen 1933

Käsemann, E.,	Die Legitimität des Apostels, Eine Untersuchung zu II Korinther 10–13, in: ZNW 41 (1942) 33–71, Berlin 1942; neuerdings auch in: Das Paulusbild in der neueren deutschen Forschung, hg. v. K. H. Rengstorf, Darmstadt 1964, 475–521
Ders.,	Kritische Analyse von Phil 2, 5–11, in: ZThK 47 (1950) 313–360, Tübingen 1950; ferner in: Exegetische Versuche und Besinnungen I, Göttingen ⁴1965, 51–95
Ders.,	Zum Thema der urchristlichen Apokalyptik, in: ZThK 59 (1962) 257–284, Tübingen 1962; ferner in: Exegetische Versuche und Besinnungen II, Göttingen ²1965, 105–131
Ders.,	Paulus und der Frühkatholizismus, in: ZThK 60 (1963) 75–89, Tübingen 1963; ferner in: Exegetische Versuche und Besinnungen II, Göttingen ²1965, 239–252
Ders.,	Sätze heiligen Rechtes im Neuen Testament, in: Exegetische Versuche und Besinnungen II, Göttingen ²1965, 69–82
Ders.,	Amt und Gemeinde im Neuen Testament, in: Exegetische Versuche und Besinnungen I, Göttingen ⁴1965, 109–134
Ders.,	Paulinische Perspektiven, Tübingen 1969
Ders.,	Das theologische Problem des Motivs vom Leibe Christi, in: Paulinische Perspektiven, Tübingen 1969, 178–210
Kaiser, M.,	Die Einheit der Kirchengewalt nach dem Zeugnis des Neuen Testamentes und der Apostolischen Väter (MThS, III. Kanonistische Abteilung, Band 7), München 1956
Kalsbach, A.,	Die altkirchliche Einrichtung der Diakonissen bis zu ihrem Erlöschen (RQ, 22. Supplementheft), Freiburg 1926
Kapelrud, A. S.,	Die aktuellen und die eschatologischen Behörden der Qumrangemeinde, in: Qumran-Probleme, Vorträge des Leipziger Symposions über Qumran-Probleme vom 9. bis 14. Oktober 1961, hg. v. H. Bardtke (Deutsche Akademie der Wissenschaften zu Berlin, Schriften der Sektion für Altertumswissenschaft 42), Berlin 1963, 259–268
Karner, K.,	Die Stellung des Apostels Paulus im Urchristentum, in: ZSTh 14 (1937) 142–193, Berlin 1937
Kattenbusch, F.,	Der Quellort der Kirchenidee, in: Festgabe für A. v. Harnack zum 70. Geburtstag, Tübingen 1921, 143–172
Ders.,	Die Vorzugsstellung des Petrus und der Charakter der Urgemeinde zu Jerusalem, in: Festgabe von Fachgenossen und Freunden K. Müller zum 70. Geburtstag dargebracht, Tübingen 1922, 322–351
Kertelge, K.,	Das Apostelamt des Paulus, sein Ursprung und seine Bedeutung, in: BZ 14 (1970) 161–181, Paderborn 1970
Kilpatrick, G. D.,	Gal 2, 14 ὀρθοποδοῦσιν, in: Neutestamentliche Studien für R. Bultmann (BZNW 21), Berlin 1954, 269–274
Kirk, K. E.,	The Apostolic Ministry, London 1946, ²1947
Kittel, G.,	Die Stellung des Jakobus zu Judentum und Heidenchristentum, in: ZNW 30 (1931) 145–157, Gießen 1931
Klein, G.,	Galater 2, 6–9 und die Geschichte der Jerusalemer Urgemeinde, in: ZThK 57 (1960) 275–295, Tübingen 1960
Ders.,	Die zwölf Apostel, Ursprung und Gehalt einer Idee (FRLANT 77), Göttingen 1961
Klostermann, A.,	Probleme im Aposteltexte, Gotha 1883

Klostermann, E.,   Zur Apologie des Paulus Galater 1, 10–2, 21, in: Wissen-schaftliche Zeitschrift der Martin Luther-Universität Halle–Wittenberg VI, 5, Halle 1957, 763–766; ferner in: Gottes ist der Orient, Festschrift für O. Eißfeldt, Berlin 1959, 84–87

Knopf, R.,   Einführung in das Neue Testament, Bibelkunde des Neuen Testaments, Geschichte und Religion des Urchristentums, Gießen [3]1930, unter Mitwirkung von H. Lietzmann bearbeitet von H. Weinel

Knox, J.,   Philemon among the Letters of Paul, A new View of its Place and Importance, New York–Nashville [2]1959

Knox, W. L.,   Parallels to the N. T. Use of σῶμα, in: JThS 39 (1938) 243–246, Oxford 1938, Neudruck London 1965

Ders.,   St. Paul and the Church of the Gentiles, Cambridge 1939

Koehnlein, H.,   La notion de l'Église chez l'apôtre Paul, A propos de publications récentes, in: RHPhR 17 (1937) 357–377, Straßburg 1937

Koester, W.,   Die Idee der Kirche beim Apostel Paulus (NTA XIV, Heft 1), Münster 1928

Kredel, E. M.,   Der Apostelbegriff in der neueren Exegese, Historisch-kritische Darstellung, in: ZKTh 78 (1956) 169–193. 257–305, Wien 1956

Kreyenbühl, J.,   Der Apostel Paulus und die Urgemeinde, in: ZNW 8 (1907) 81–109. 163–189, Gießen 1907

Kümmel, W. G.,   Kirchenbegriff und Geschichtsbewußtsein in der Urgemeinde und bei Jesus (SyBU 1), Zürich–Uppsala 1943, Göttingen [2]1968

Ders.,   Das Urchristentum, in: ThR 14 (1942) 81–95. 155–173; 17 (1948/49) 3–50. 103–142; 18 (1950) 1–53; 22 (1954) 138–170. 191–211

Ders.,   Das literarische und geschichtliche Problem des ersten Thessalonicherbriefes, in: Neotestamentica et Patristica, Supplements to Novum Testamentum, Vol. VI (1962) 213–227, Leiden 1962

Ders.,   Einleitung in das Neue Testament, Heidelberg [16]1969

Kürzinger, J.,   Τύπος διδαχῆς und der Sinn von Röm 6, 17 f, in: Biblica 39 (1958) 156–176, Rom 1958

Kuss, O.,   Die Briefe an die Römer, Korinther und Galater (RNT 6), Regensburg 1940

Ders.,   Der Römerbrief, Regensburg [2]1963 (erste und zweite Lieferung); in der Untersuchung wird nur dieser Römerbriefkommentar zitiert

Ders.,   Die Rolle des Apostels Paulus in der theologischen Entwicklung der Urkirche, in: MThZ 14 (1963) Heft 1, 1–59; Heft 2/3, 109–187, München 1963

Ders.,   Kirchliches Amt und freie geistliche Vollmacht, in: Auslegung und Verkündigung I, Regensburg 1963, 271–280

Ders.,   Paulus, Die Rolle des Apostels in der theologischen Entwicklung der Urkirche (Auslegung und Verkündigung III), Regensburg 1971

Lagrange, M. J.,   Saint Paul, Épître aux Galates (Études Bibliques), Paris [3]1926

Ders.,   Saint Paul, Épître aux Romains (Études Bibliques), Paris [4]1931

Lebreton, J., – Zeiller, J., Histoire de l'Église I : L'Église primitive, Paris 1938; ²1946

Lietzmann, H., Zur altchristlichen Verfassungsgeschichte, in: ZWTh 55 (1914) 97–153, Frankfurt 1914

Ders., Zwei Notizen zu Paulus, in: SAB (1930) 151–156, Berlin 1930

Ders., An die Römer (HNT 8), Tübingen ⁴1933

Ders., An die Korinther I–II (HNT 9), 4. von W. G. Kümmel ergänzte Auflage, Tübingen 1949

Ders., An die Galater (HNT 10), Tübingen ³1932

Ders., Geschichte der alten Kirche, Leipzig ²1937

Lightfoot, J. B., Saint Paul's Epistles to the Colossians and to Philemon (Classic Commentary Library), Grand Rapids, Michigan o.J.

Ders., The Epistle of St. Paul to the Galatians (Classic Commentary Library), Grand Rapids, Michigan ⁵1957

Lindroth, H., Kyrkans ämbete i principiell belysning, in: En Bok om Kyrkans Ämbete, hg. v. H. Lindroth, Uppsala 1951, 240–309

Linton, O., Das Problem der Urkirche in der neueren Forschung, Eine kritische Darstellung (UUÅ), Uppsala 1932

Ders., Kirche und Amt im Neuen Testament, in: G. Aulén, Ein Buch von der Kirche, Berlin 1950, 110–144

Loening, E., Die Gemeindeverfassung des Urchristentums, Eine kirchenrechtliche Untersuchung, Halle 1889

Lohmeyer, E., Der Brief an die Philipper (MKK 9, 1), Göttingen ¹³1964

Ders., Die Briefe an die Kolosser und an Philemon (MKK 9, 2), Göttingen ¹³1964

Lohse, E., Ursprung und Prägung des christlichen Apostolates, in: ThZ 9 (1953) 259–275, Basel 1953

Ders., Die Briefe an die Kolosser und an Philemon (MKK 9, 2), Göttingen ¹⁴1968

Loofs, F., Die urchristliche Gemeindeverfassung mit spezieller Beziehung auf Loening und Harnack, in: ThStKr 63 (1890) 619–658, Gotha 1890

Lueken, W., Der erste Brief an die Thessalonicher (SNT II), Göttingen ³1917

Ders., Der Brief an die Philipper (SNT II), Göttingen ³1917

Ders., Die Briefe an Philemon, an die Kolosser und an die Epheser (SNT II), Göttingen ³1917

Lütgert, W., Freiheitspredigt und Schwarmgeister in Korinth, Ein Beitrag zur Charakteristik der Christuspartei (BFChTh 12, 3. Heft), Gütersloh 1908

Ders., Amt und Geist im Kampf, Studien zur Geschichte des Urchristentums (BFChTh 15, 4. und 5. Heft), Gütersloh 1911

Maier, A., Commentar über den Brief Pauli an die Römer, Freiburg 1847

Maier, F. W., Paulus als Kirchengründer und kirchlicher Organisator, Aus dem Nachlaß herausgegeben von G. Stachel, Würzburg 1961

Manson, T. W., The Church's Ministry, London 1948, ²1956

Marxsen, W., Der »Frühkatholizismus« im Neuen Testament (BSt 21), Frankfurt 1964

Masson, Ch., Les deux épîtres de Saint Paul aux Thessaloniciens (Commentaire du Nouveau Testament XI a), Neuchâtel 1957

Meinertz, M.,	Der Philemonbrief und die Persönlichkeit des Apostels Paulus (Rektoratsrede), Düsseldorf 1921
Ders.,	Der Philemonbrief, in: Die Gefangenschaftsbriefe des hl. Paulus (Die Heilige Schrift des Neuen Testamentes VII, hg. v. F. Tillmann), Bonn [4]1931, 107–120
Menoud, Ph. H.,	L'Église et les ministères selon le Nouveau Testament (Cahiers théologiques de l'actualité protestante 22), Neuchâtel 1949
Meyer, A.,	Das Rätsel des Jacobusbriefes (BZNW 10), Gießen 1930
Michaelis, W.,	Judaistische Heidenchristen, in: ZNW 30 (1931) 83–89, Gießen 1931
Ders.,	Der Brief des Paulus an die Philipper (Theologischer Handkommentar zum Neuen Testament XI), Leipzig 1935
Ders.,	Das Ältestenamt der christlichen Gemeinde im Lichte der Heiligen Schrift, Bern 1953
Ders.,	Teilungshypothesen bei Paulusbriefen, Briefkompositionen und ihr Sitz im Leben, in: ThZ 14 (1958) 321–326, Basel 1958
Michel, O.,	Rezension zu K. H. Rengstorf, Apostolat und Predigtamt, in: ThLZ 60 (1935) 255 f, Leipzig 1935
Ders.,	Der Brief an die Römer (MKK 4), Göttingen [13]1966
Michl, J.,	Gerichtsfeuer und Purgatorium, Zu 1 Kor 3, 12–15, in: Analecta Biblica 17/18 I (1963) 395–401, Rom 1963
Minear, P. S.,	Bilder der Gemeinde, Eine Studie über das Selbstverständnis der Gemeinde anhand von 96 Bildbegriffen des Neuen Testaments, Kassel 1964
Monnier, H.,	La notion de l'apostolat des origines à Irénée, Paris 1903
Mosbech, H.,	Apostolos in the New Testament, in: StTh Vol. II, Fasc. II (1948) 166–200, Lund 1950
Moule, C. F. D.,	The Epistle of Paul the Apostle to the Colossians and to Philemon, An Introduction and Commentary, Cambridge 1957
Müller, J. J.,	The Epistles of Paul to the Philippians and to Philemon, London–Edinburgh 1955
Müller, K.,	Kirchengeschichte, Erster Band, Erster Halbband, 3. Auflage neu überarbeitet in Gemeinschaft mit H. v. Campenhausen, Tübingen 1941
Müller, K. J.,	Des Apostels Paulus Brief an die Philipper, Freiburg 1899
Munck, J.,	Paul, the Apostles, and the Twelve, in: StTh Vol. III, Fasc. I (1950) 96–110, Lund 1950
Ders.,	Paulus und die Heilsgeschichte (Acta Jutlandica, Åarsskrift for Aarhus Universitet XXVI, 1), Kopenhagen 1954
Mundle, W.,	Das Kirchenbewußtsein der ältesten Christenheit, in: ZNW 22 (1923) 20–42, Gießen 1923
Neuenzeit, P.,	Das Herrenmahl, Studien zur paulinischen Eucharistieauffassung (Studien zum Alten und Neuen Testament, Band I), München 1960
Neugebauer, F.,	Das Paulinische »In Christo«, in: NTS 4 (1957/58) 124–138, Cambridge 1958
Ders.,	In Christus, Eine Untersuchung zum Paulinischen Glaubensverständnis, Göttingen 1961
Norden, E.,	Agnostos Theos, Untersuchungen zur Formengeschichte religiöser Rede, Fotomechanischer Nachdruck der 4. unv. Auflage, Darmstadt 1956

Nygren, A.,   Corpus Christi, in: G. Aulén, Ein Buch von der Kirche, Berlin 1950, 15–28

Ders.,   Der Römerbrief, Göttingen ⁴1965

Oepke, A.,   Das neue Gottesvolk in Schrifttum, Schauspiel, bildende Kunst und Weltgestaltung, Gütersloh 1950

Ders.,   Leib Christi oder Volk Gottes bei Paulus?, in: ThLZ 79 (1954) 363–368, Leipzig 1954

Ders.,   Der Brief des Paulus an die Galater (Theologischer Handkommentar zum Neuen Testament IX), Berlin ²1957

Ders.,   Die Briefe an die Thessalonicher (NTD 8), Göttingen ¹²1970

Oosterzee, J. J. van,   Die Pastoralbriefe und der Brief an Philemon — theologisch-homiletisch bearbeitet, Bielefeld–Leipzig ³1874

Osten–Sacken, P. v. d.,   Bemerkungen zur Stellung des Mebaqqer in der Sektenschrift, in: ZNW 55 (1964) 18–26, Berlin 1964

Otto, G.,   Die mit συν verbundenen Formulierungen im paulinischen Schrifttum, Diss. Maschinenschrift, Berlin 1952

Panayotis, Ch.,   Ἰσόψυχος, Phil 2, 20, in: JBL 70 (1951) 293–296, Philadelphia 1951

Percy, E.,   Der Leib Christi (Σῶμα Χριστοῦ) in den Paulinischen Homologumena und Antilegomena, in: Lunds Universitets Årsskrift, N. F. 38, 1 (1942) 1–59, Lund 1942

Peterson, E.,   Apostel und Zeuge Christi, Auslegung des Philipperbriefes, Freiburg ³1952

Pfammatter, J.,   Die Kirche als Bau, Eine exegetisch-theologische Studie zur Ekklesiologie der Paulusbriefe (Analecta Gregoriana 110), Rom 1960

Poland, F.,   Geschichte des griechischen Vereinswesens (Preisschriften, gekrönt und hg. v. der Fürstlich Jablonowskischen Gesellschaft), Leipzig 1909

Prat, F.,   La Théologie de Saint Paul I und II (Bibliothèque de Théologie Historique), Paris 1961

Radford, L. B.,   The Epistle to the Colossians and the Epistle to Philemon (Westminster Commentaries), London 1931

Rahtjen, B. D.,   The Three Letters of Paul to the Philippians, in: NTS 6 (1959/60) 167–173, Cambridge 1960

Rawlinson, A. E. J.,   Corpus Christi, in: Mysterium Christi, hg. v. G. K. A. Bell und A. Deissmann, Berlin 1931, 273–296

Reicke, B.,   Der geschichtliche Hintergrund des Apostelkonzils und der Antiochia-Episode, Gal 2, 1–14, in: Studia Paulina in honorem J. de Zwaan, Haarlem 1953, 172–187

Ders.,   Die Verfassung der Urgemeinde im Lichte jüdischer Dokumente, Antrittsvorlesung, in: ThZ 10 (1954)) 95–112, Basel 1954

Reid, J. K. S.,   The Biblical Doctrine of the Ministry (SJTh, Occasional Papers 4), Edinburgh–London 1955

Reithmayr, F. X.,   Commentar zum Brief an die Römer, Regensburg 1845

Reitzenstein, R., – Schaeder, H. H.,   Studien zum antiken Synkretismus aus Iran und Griechenland (Studien der Bibliothek Warburg VII), Leipzig–Berlin 1926

Reitzenstein, R.,   Die hellenistischen Mysterienreligionen, Nach ihren Grundgedanken und Wirkungen, Reprographischer Nachdruck der 3. Auflage Leipzig–Berlin 1927, Darmstadt 1966

Rengstorf, K. H.,	Apostolat und Predigtamt, Ein Beitrag zur neutestamentlichen Grundlegung einer Lehre vom Amt der Kirche (Tübinger Studien zur systematischen Theologie, Heft 3), Stuttgart–Berlin 1934, 2. Auflage Stuttgart 1954
Ders. (Hg.),	Das Paulusbild in der neueren deutschen Forschung (Wege der Forschung, Band XXIV), Darmstadt 1964
Reuss, J.,	Die Kirche als »Leib Christi« und die Herkunft dieser Vorstellung bei dem Apostel Paulus, in: BZ N. F. 2 (1958) 103–127, Paderborn 1958
Reville, J.,	Les origines de l'Épiscopat, Étude sur la formation du gouvernement ecclésiastique au sein de l'Église chrétienne dans l'empire romain, Paris 1894
Riesenfeld, H.,	Ämbetet i Nya testamentet, in: En Bok om Kyrkans Ämbete, hg. v. H. Lindroth, Uppsala 1951, 17–69
Rigaux, B.,	Saint Paul, Les épîtres aux Thessaloniciens (Études Bibliques), Paris 1956
Roberts, C. H.,	A Note on Galatians II 14, in: JThS 40 (1939) 55–56, Oxford 1939, Neudruck London 1965
Robinson, J. A. T.,	The Body, A Study in Pauline Theology (Studies in Biblical Theology 5), London ²1953
Roloff, J.,	Apostolat — Verkündigung — Kirche, Ursprung, Inhalt und Funktion des kirchlichen Apostelamtes nach Paulus, Lukas und den Pastoralbriefen, Gütersloh 1965
Rückert, L. J.,	Der zweite Brief Pauli an die Korinther, Leipzig 1837
Sanday, W., – Headlam, A.,	The Epistle to the Romans (The International Critical Commentary), Edinburgh 1895
Saß, G.,	Apostelamt und Kirche, Eine theologisch-exegetische Untersuchung des paulinischen Apostelbegriffes (FGLP, 9. Reihe, Band II), München 1939
Ders.,	Zur Bedeutung von δοῦλος bei Paulus, in: ZNW 40 (1941) 24–32, Berlin 1942
Satake, A.,	Apostolat und Gnade bei Paulus, in: NTS 15 (1968/69) 96–107, Cambridge 1968
Schaefer, A.,	Erklärung des Briefes an die Römer (Die Bücher des Neuen Testamentes III), Münster 1891
Scheel, O.,	Zum urchristlichen Kirchen- und Verfassungsproblem, in: ThStKr 85 (1912) 403–457, Gotha 1912
Schelkle, K. H.	Jüngerschaft und Apostelamt, Eine Auslegung des priesterlichen Dienstes, Freiburg 1957
Schlatter, A.,	Die korinthische Theologie (BFChTh 18, Heft 2), Gütersloh 1914
Ders.,	Paulus der Bote Jesu, Eine Deutung seiner Briefe an die Korinther, Stuttgart ³1962
Schlier, H.,	Zum Begriff der Kirche im Epheserbrief, in: ThBl 6 (1927) 12–17, Leipzig 1927
Ders.,	Christus und die Kirche im Epheserbrief (BHTh 6), Tübingen 1930
Ders.,	Über das Hauptanliegen des 1. Briefes an die Korinther, Eine Abschlußvorlesung, in: EvTh 8, N. F. 3 (1948/49) 462–473, München 1948/49
Ders.,	Die Kirche nach dem Brief an die Epheser (Beiträge zur Kontroverstheologie 1), Münster 1949

Schlier, H.,	Vom Wesen der apostolischen Ermahnung, Nach Römerbrief 12, 1–2, in: Die Zeit der Kirche, Exegetische Aufsätze und Vorträge, Freiburg 1956, 74–89
Ders.,	Zu den Namen der Kirche in den paulinischen Briefen, in: Unio Christianorum (Festschrift für Erzbischof L. Jaeger), Paderborn 1962, 147–159
Ders.,	Der Brief an die Galater (MKK 7), Göttingen ¹³1965
Schlink, E.,	Die apostolische Sukzession, in: KuD 7 (1961) 79–114, Göttingen 1961
Schmid, J.,	Petrus »der Fels« und die Petrusgestalt der Urgemeinde, in: Begegnung der Christen (O. Karrer-Festschrift, hg. v. M. Roesle und O. Cullmann), Stuttgart–Frankfurt 1959, 347–359
Schmidt, K. L.,	Die Kirche des Urchristentums, Eine lexikographische und biblisch-theologische Studie, in: Festgabe für A. Deissmann zum 60. Geburtstag, Tübingen 1927, 258–319
Ders.,	Le Ministère et les ministères dans l'église du Nouveau Testament, in: RHPhR 17 (1937) 313–336, Straßburg 1937
Ders.,	Ein Gang durch den Galaterbrief, Leben, Lehre, Leitung in der Heiligen Schrift (ThSt[B] 11/12), Zürich ²1942
Ders.,	Amt und Ämter im Neuen Testament, in: ThZ 1 (1945) 309–311, Basel 1945
Schmidt, Tr.,	Der Leib Christi, Eine Untersuchung zum urchristlichen Gemeindegedanken, Leipzig 1919
Schmithals, W.,	Die Gnosis in Korinth, Eine Untersuchung zu den Korintherbriefen (FRLANT 66), Göttingen 1956, 2. neu bearbeitete Auflage 1965
Ders.,	Die Häretiker in Galatien, in: ZNW 47 (1956) 25–67, Berlin 1956
Ders.,	Die Irrlehrer des Philipperbriefes, in: ZThK 54 (1957) 297–341, Tübingen 1957
Ders.,	Das kirchliche Apostelamt, Eine historische Untersuchung (FRLANT 79), Göttingen 1961
Schmitz, O.,	Die Christus-Gemeinschaft des Paulus im Lichte seines Genitivgebrauchs (Neutestamentliche Forschungen, 1. Reihe, Heft 2), Gütersloh 1924
Schnackenburg, R.,	Das Heilsgeschehen bei der Taufe nach dem Apostel Paulus, Eine Studie zur paulinischen Theologie (MThS, I. Historische Abteilung, 1. Band), München 1950
Ders.,	Apostel vor und neben Paulus, in: Schriften zum Neuen Testament, Exegese in Fortschritt und Wandel, München 1971, 338–358
Schniewind, J.,	Die Begriffe Wort und Evangelium bei Paulus, Bonn 1910
Ders.,	Aufbau und Ordnung der Ekklesia nach dem Neuen Testament, in: Festschrift Rudolf Bultmann, Zum 65. Geburtstag überreicht, Stuttgart–Köln 1949, 203–207
Schönfeld, W.,	Die juristische Methode im Kirchenrecht, Eine rechtstheoretische Auseinandersetzung mit Rudolph Sohm, in: Archiv für Rechts- und Wirtschaftsphilosophie 18 (1924/25) 58–95, Berlin 1924/25
Schott, E.,	Ist das Kirchenrecht eine Funktion des Kirchenbegriffs?, in: ThLZ 79 (1954) 461–464, Leipzig 1954

Schrenk, G.,   Der Römerbrief als Missionsdokument, in: Studien zu Paulus (AThANT 26), Zürich 1954, 81–106

Schulz, S.,   Katholisierende Tendenzen in Schliers Galater-Kommentar, in: KuD 5 (1959) 23–41, Göttingen 1959

Schulze-Kadelbach, G., Die Stellung des Petrus in der Urchristenheit, in: ThLZ 81 (1956) 1–13, Leipzig 1956

Schumacher, R.,   Die beiden letzten Kapitel des Römerbriefes, Ein Beitrag zu ihrer Geschichte und Erklärung (NTA XIV, Heft 4), Münster 1929

Schumann, A.,   Paulus an Philemon, Leipzig 1908

Schweitzer, A.,   Die Mystik des Apostels Paulus, Tübingen 1930 (englisch: The Mysticism of Paul the Apostle)

Schweizer, E.,   Das Leben des Herrn in der Gemeinde und ihren Diensten, Eine Untersuchung der neutestamentlichen Gemeindeordnung (AThANT 8), Zürich 1946

Ders.,   Gemeinde und Gemeindeordnung im Neuen Testament (AThANT 35), Zürich ²1962

Scott, E. F.,   The Epistles of Paul to the Colossians, to Philemon and to the Ephesians (Moffatt, NTC), London 1930

Seeberg, A.,   Der Katechismus der Urchristenheit, Leipzig 1903 (= Theologische Bücherei 26, München 1966)

Seesemann, H.,   Der Begriff κοινωνία im Neuen Testament (BZNW 14), Giessen 1933

Sickenberger, J.,   Die Briefe des heiligen Apostels Paulus an die Korinther und Römer (Die Heilige Schrift des Neuen Testamentes VI, hg. v. F. Tillmann), Bonn ⁴1932

Sieffert, F.,   Der Brief an die Galater (MKK 7), Göttingen ⁹1899

Soden, H. v.,   Die Entstehung der christlichen Kirche, Voraussetzungen und Anfänge der kirchlichen Entwicklung des Christentums (Geschichte der christlichen Kirche I), Berlin 1919

Söhngen, G.,   Überlieferung und apostolische Verkündigung, in: Episcopus, Studien über das Bischofsamt, Festschrift für M. Kard. v. Faulhaber, Regensburg 1949, 89–109

Sohm, R.,   Kirchenrecht, Band 1: Die geschichtlichen Grundlagen (Systematisches Handbuch der Deutschen Rechtswissenschaft, hg. v. K. Binding), Leipzig 1892

Ders.,   Wesen und Ursprung des Katholizismus (Abhandlungen der philosophisch-historischen Klasse der Königlich-Sächsischen Gesellschaft der Wissenschaften, Band 27, Nummer 10), Leipzig–Berlin 1909; Unveränderter reprographischer Nachdruck der 2., durch ein Vorwort vermehrten Ausgabe Leipzig–Berlin 1912, Darmstadt 1967

Soiron, Th.,   Die Kirche als der Leib Christi, Nach der Lehre des hl. Paulus exegetisch, systematisch und in der theologischen wie praktischen Bedeutung dargestellt, Düsseldorf 1951

Spitta, F.,   Die Apostelgeschichte, Ihre Quellen und deren geschichtlicher Wert, Halle 1891

Spörlein, B.,   Die Leugnung der Auferstehung (BU 7), Regensburg 1971

Staab, K.,   Die Gefangenschaftsbriefe (RNT 7, 1), Regensburg ⁵1969

Stauffer, E.,   Die Theologie des Neuen Testamentes, Stuttgart ⁴1948

Stauffer, E.,   Petrus und Jakobus in Jerusalem, in: Begegnung der Christen (O. Karrer-Festschrift, hg. v. M. Roesle und O. Cullmann), Stuttgart–Frankfurt 1959, 361–372

Steinmann, A.,   Jerusalem und Antiochien, Zwei bedeutungsvolle Tage in der alten Kirche, in: BZ 6 (1908) 30–48, Freiburg 1908

Ders.,   Die Briefe an die Thessalonicher und Galater (Die Heilige Schrift des Neuen Testamentes V, hg. v. F. Tillmann), Bonn ⁴1935

Stöger, A.,   Dienst am Glauben, Die Gemeinde und ihr Seelsorger nach dem Philipperbrief (Lebendiges Wort, Nummer 6), München 1956

Straub, W.,   Die Bildersprache des Apostels Paulus, Tübingen 1937

Streeter, B. H.,   The primitive Church, studied with special reference to the origins of the christian ministry, London 1929

Tholuck, A.,   Commentar zum Brief an die Römer, Halle ⁵1856

Thompson, G. H. P.,   The Letters of Paul to the Ephesians, to the Colossians and to Philemon, Cambridge 1967

Thornton, L. S.,   The Body of Christ in the New Testament, in: K. E. Kirk, The Apostolic Ministry, London ²1947, 53–111

Tillmann, F.,   Der Philipperbrief, in: Die Gefangenschaftsbriefe des heiligen Paulus (Die Heilige Schrift des Neuen Testamentes VII, hg. v. F. Tillmann), Bonn ⁴1931, 121–162

Vielhauer, Ph.,   Oikodome, Das Bild vom Bau in der christlichen Literatur vom Neuen Testament bis Clemens Alexandrinus, Karlsruhe 1939

Vincent, M. R.,   The Epistles to the Philippians and to Philemon (The International Critical Commentary), Edinburgh 1897

Vogelstein, H.,   Die Entstehung und Entwicklung des Apostolats im Judentum, in: MGWJ 49, N. F. 13 (1905) 427–449, Breslau 1905

Ders.,   The Development of the Apostolate in Judaism and its Transformation in Christianity, in: HUCA II (1925) 99–123, Cincinnati, Ohio 1925

Warnach, V.,   Die Kirche im Epheserbrief (Beiträge zur Kontroverstheologie 1), Münster 1949

Weiss, B.,   Die Paulinischen Briefe und der Hebräerbrief im berichtigten Text, Leipzig ²1902

Ders.,   Das Neue Testament II: Briefe und Offenbarung Johannis, Leipzig 1904

Weiß, J.,   Der erste Korintherbrief (MKK 5), Göttingen ⁹1910, Neudruck 1970

Ders.,   Das Urchristentum, Göttingen 1917

Weiß, K.,   Paulus — Priester der christlichen Kultgemeinde, in: ThLZ 79 (1954) 355–364, Leipzig 1954

Weizsäcker, C.,   Das apostolische Zeitalter der christlichen Kirche (Freiburg 1892), Tübingen und Leipzig ³1902

Wendland, H. D.,   Geist, Recht und Amt in der Urkiche, in: Archiv für evangelisches Kirchenrecht, Band 2, Heft 5, Berlin 1938, 289–300

Ders.,   Die Briefe an die Korinther (NTD 7), Göttingen ¹²1968

Wenschkewitz, H.,   Die Spiritualisierung der Kultusbegriffe Tempel, Priester und Opfer im Neuen Testament (Angelos, Archiv für neutestamentliche Zeitgeschichte und Kulturkunde, Heft 4), Leipzig 1932

Wette, W. M. L. de,   Kurze Erklärung des Briefes an die Römer (Kurzgefaßtes exegetisches Handbuch zum Neuen Testament, Zweiten Bandes erster Theil), Leipzig ⁴1847

Ders.,   Kurze Erklärung des Briefes an die Galater und der Briefe an die Thessalonicher (Kurzgefaßtes exegetisches Handbuch zum Neuen Testament, Zweiten Bandes dritter Theil), Leipzig ²1845

Wickert, U.,   Der Philemonbrief — Privatbrief oder apostolisches Schreiben?, in: ZNW 52 (1961) 230–238, Berlin 1961

Wikenhauser, A.,   Die Kirche als der mystische Leib Christi nach dem Apostel Paulus, Münster 1937, ²1940

Ders.,   Die Apostelgeschichte (RNT 5), Regensburg ⁴1961

Ders.,   Die Christusmystik des Apostels Paulus (Biblische Zeitfragen, 12. Folge, Heft 8–10), Freiburg ²1956

Windisch, H.,   Der zweite Korintherbrief (MKK 6), Göttingen ⁹1924, Neudruck 1970

Ders.,   Rezension zu E. Lohmeyer, Die Briefe an die Kolosser und an Philemon, in: ThLZ 55 (1930) 247–250, Leipzig 1930

Ders.,   Paulus und Christus, Ein biblisch-religionsgeschichtlicher Vergleich (UNT, Heft 24), Leipzig 1934

Winter, J. G.,   Another Instance of ὀρθοποδεῖν, in: HThR 34 (1941) 161f, Cambridge (Massachusetts) 1941

Wünsch, R.,   Corpus Inscriptionum Atticarum Appendix, Berlin 1897

Zahn, Th.,   Der Brief des Paulus an die Römer (Kommentar zum Neuen Testament, hg. v. Th. Zahn, Band VI), Leipzig ³1925

Ders.,   Der Brief des Paulus an die Galater (Kommentar zum Neuen Testament, hg. v. Th. Zahn, Band IX), Leipzig ³1922

Ziebarth, E.,   Das griechische Vereinswesen (Preisschriften, gekrönt und herausgegeben von der Fürstlich Jablonowskischen Gesellschaft), Leipzig 1896

STELLENREGISTER

(Kursiv gesetzte Seitenzahlen verweisen auf ausführlichere Besprechung)

Altes Testament

Leviticus		2 Chronik	
27, 28	110	17, 7–9	146

Numeri		2 Makkabäer	
21, 3	110	2, 13	109

Deuteronomium		Sprüche	
7, 26	110		
13, 18	110	4, 3	136
17, 7	57	13, 1	136
19, 9	57	21, 28	136
19, 15	127		
22, 21	57		
22, 24	57	Weisheit	
24, 7	57	3, 10	138

Josue		Isaias	
6, 17	110		
7, 1	110	43, 24	300
7, 11	110	49	172f
		49, 1	172

Richter		Jeremias	
1, 17	110		
		1, 5	162, 172
1 Samuel		1, 10	162
		24, 6	162
25, 40	146		

2 Samuel		Ezechiel	
10, 1ff	146	13, 6	140

1, 5	215
1, 6	215
1, 7	335
1, 9f	215
1, 10	214
1, 12f	201
1, 20	205
1, 20ff	211
1, 22	317
1, 24	213
1, 26	213
1, 27	*214*, 215f, 221
1, 27ff	211, *214*, 221
1, 28	215
1, 29	200, 211, 222
1, 30	211, 215
2, 1	222, 327, 357
2, 2ff	357
2, 3	218, 221
2, 3f	221
2, 4	221
2, 5	221f
2, 6–11	221
2, 8	136, 221f
2, 9	221
2, 12	145, 207, *221f*, 282, 355, 357
2, 14	295
2, 14ff	221
2, 16	196, 317
2, 17	*211*, 304
2, 19	37, *210f*, 214, 298
2, 19ff	210, 213, 302f, 305, 307f, 352
2, 20	*210*, 214, 304
2, 20–22	304f, 317
2, 21	211
2, 22	36, 208, *211*, 224, 301, 304–307, 343, 357
2, 23	*210*, 211, 304
2, 24	211, 213, 304
2, 25	104, 146, 151, 153, 155, 176, 202, *224f*, 297, 307f, 318
2, 25–30	103, 213, *222*, 225f, 272, 287, 296, 304, 307, 318, 344
2, 29	318, 351
2, 29f	348
2, 30	40, 101, 208, 222, 225, 287f, 306f, 317f, 323
3	356
3, 2	321

3, 3	327
3, 6	106, 230, 234, 251
3, 7	318
3, 12	201
3, 17	180, *219*, 221
4, 1	216f, 219
4, 1–3	216
4, 2	*216*, 219, 295f, 304, 348
4, 2f	202, 213, *216f*
4, 3	147, 202, 217, *218*, 296f, 304, 307
4, 9	34, 64
4, 10	287
4, 10–20	213, *225*, 245, 286, 296
4, 12	226
4, 14	287
4, 14–17	287
4, 15	*226*, 237, 283f, 287
4, 15ff	287
4, 17	71, *226*, 283, 287
4, 18	*225*, 287, 295
4, 18f	226
4, 19	226
4, 21	211, 295
4, 22	268

Kolosserbrief

1, 18	266
2, 10	266
4, 15	203, 346, 348
4, 17	199, 202, 347

1. Thessalonicherbrief

1, 1	*31ff*, 236–239, 241, 295, 298
1, 3	44, 319
1, 5	332
1, 6	*34*, 212, 220, 357
1, 6f	220
1, 7	180
1, 8	149
2	31
2, 1–12	128
2, 2	32, 205
2, 3	31
2, 4	61, 283
2, 4ff	*31ff*
2, 5	31
2, 6	32

Nachneutestamentliche christliche Literatur

AUTORENREGISTER